Die Laufkäfer Baden-Württembergs

Die Laufkäfer Baden-Württembergs

Herausgegeben und bearbeitet von Jürgen Trautner

Mit Textbeiträgen von Michael Bräunicke, Jürgen Förth, Michael-Andreas Fritze, Lando Geigenmüller, Karsten Hannig, Ingmar Harry, Gabriel Hermann, Jörg Rietze und Joachim Schmidt

692 Farbfotos
43 Diagramme und Zeichnungen
457 Verbreitungskarten
29 Tabellen

Band 1: Allgemeiner Teil
Spezieller Teil I

Band 2

Liebe Leserinnen und Leser,

„Nur was man kennt, kann man schützen." Dieser banal klingende Naturschutz-Grundsatz ist nicht neu und gilt nach wie vor, denn umfassendes Wissen über die bei uns vorkommenden Tier- und Pflanzenarten ist eine wesentliche Grundlage für deren Schutz und damit den Erhalt der Biodiversität. Die Grundlagenwerke über unsere heimische Tier- und Pflanzenwelt leisten hierbei seit Jahrzehnten einen unverzichtbaren Beitrag. Sie sind die maßgebliche fachliche Grundlage des landesweiten Artenschutzprogramms und haben über die Landesgrenzen hinaus Anerkennung gefunden. Mit den beiden Bänden „Die Laufkäfer Baden-Württembergs" liegt nun eine weitere, richtungsweisende Publikation zu einer besonders wichtigen Tiergruppe vor.

Die Familie der Laufkäfer gehört mit weltweit über 30 000 Arten zu den artenreichen Käferfamilien. Von den über 500 aus Deutschland bekannten Arten sind allein 429 in Baden-Württemberg nachgewiesen worden, darunter auch einige attraktive Arten. Für viele von ihnen trägt das Land eine besondere Schutzverantwortung. Da sie unterschiedliche Ansprüche an ihre Umwelt haben und nahezu alle Landlebensräume besiedeln, zählen sie zu den landschaftsökologisch bedeutsamsten Tiergruppen. Außerdem spielen sie als Bioindikatoren eine wesentliche Rolle bei der Bewertung von Lebensräumen und Biotopen und sind somit von hoher Naturschutzrelevanz.

Tendenziell hat sich die Situation der Laufkäfer in den letzten Jahren leider verschlechtert. Gut die Hälfte der baden-württembergischen Arten ist gefährdet oder steht auf der Vorwarnliste, mehrere Arten sind bereits erloschen. Um diesem Trend entgegenzuwirken, müssen wir unsere Anstrengungen zum Schutz dieser Arten erhöhen. Das vorliegende Werk ist die Grundlage für zukünftige Erhaltungsmaßnahmen und soll Ansporn sein, sich für die Gruppe der Laufkäfer zu engagieren. Es bündelt vorhandenes Wissen zu Verbreitung, Lebensraumansprüchen, Gefährdung und notwendigen Schutzmaßnahmen und ergänzt diese mit neu erhobenen Daten. In zwei Bänden werden alle im Land vorkommenden Arten umfassend in Einzeldarstellung mit Foto und Verbreitungskarte vorgestellt sowie ihre Lebensräume beschrieben. Die Ableitung von Schutzprioritäten und vorrangigen Schutzmaßnahmen soll helfen, zukünftig konkrete Schritte zum Erhalt der Laufkäfer in der Praxis umzusetzen.

Ohne die über Jahrzehnte zusammengetragenen Daten des Herausgebers Jürgen Trautner und die Zusammenarbeit mit seinen Kolleginnen und Kollegen wäre die vorliegende Publikation nicht möglich gewesen. Mein herzlicher Dank gilt dem Herausgeber und allen Autorinnen und Autoren für ihre jahrelange engagierte Arbeit an diesem Grundlagenwerk. Besonders würdigen möchte ich auch die zahlreichen ehrenamtlichen Fachleute, die bereitwillig ihr Wissen und Engagement eingebracht haben. In gleicher Weise danke ich der Landesanstalt für Umwelt, Messungen und Naturschutz für die fachliche Zusammenarbeit und der Stiftung Naturschutzfonds für die finanzielle Unterstützung.

Ich bin sicher, dass diese Monografie nicht nur in der Fachwelt und über die Landesgrenzen hinaus eine besondere Beachtung finden wird, sondern auch bei Naturliebhabern und interessierten Laien dazu beitragen wird, das Bewusstsein für den Schutz dieser besonderen Tiergruppe zu schärfen. Es stellt einen wichtigen Beitrag der Öffentlichkeitsarbeit im Naturschutz unseres Landes dar und ist ein Mosaikstein bei der Umsetzung der Naturschutzstrategie des Landes, die unter anderem den Erhalt und die Förderung der Biodiversität zum Ziel hat.

Franz Untersteller MdL
Minister für Umwelt, Klima und Energiewirtschaft
des Landes Baden-Württemberg

Allgemeiner Teil

1 Einführung und Dank

J. Trautner

Ich solle mich mit etwas Sinnvollem beschäftigen anstatt mit Insekten. Diesem nachdrücklich und wiederholt vorgetragenen Ansinnen meiner Mutter habe ich mich als Jugendlicher widersetzt, was einer der Gründe dafür ist, weshalb das vorliegende Buch entstehen konnte. Ich kann nicht sicher sagen, ob ich damals schon der Überzeugung war, etwas Sinnvolles zu tun. Jedenfalls hat es enormen Spaß gemacht, Insekten allgemein und im speziellen Käfer, darunter zunehmend Laufkäfer, zu suchen, zu beobachten, zu sammeln und zu bestimmen.

Laufkäfer sind für die Entwicklung freilandbiologischer und -ökologischer Interessen eine besonders geeignete Artengruppe und machen es einem leicht, erste Erfolgserlebnisse zu verbuchen: Es gibt zahlreiche, teils sogar in hoher Dichte auftretende, aber auch sehr seltene und nur mit spezieller Kenntnis und bestimmten Methoden aufzufindende Arten. Laufkäfer besiedeln nahezu alle Landlebensräume sowie Ufer- und Verlandungszonen und bilden dabei spezifische Artengemeinschaften aus. Man kann sich – auch im Feld – ganzjährig mit ihnen beschäftigen, und es gibt inzwischen ausreichend gute Bestimmungswerke und eine Fülle an systematisch-taxonomischer, faunistischer und biologisch-ökologisch ausgerichteter Literatur.

Mit der Zeit steigen dann die Anforderungen, die man an die eigene Arbeit stellt und vor die man sich gestellt sieht, wenn man mehr über die Verbreitung und Lebensraumansprüche auch der selteneren Arten herausfinden will. Die ersten Schritte dazu machte ich Ende der 1970er, Anfang der 1980er Jahre, als ich auf den ersten Band von Horions *Faunistik der deutschen Käfer* (1941) und seine *Käferkunde für Naturfreunde* (1949) stieß und mich Martin Baehrs Arbeit über die Laufkäfer des Schönbuchs (1980), der vor meiner Haustür lag, zusätzlich anspornte. In dieser Zeit kam ich auch in Kontakt mit dem Entomologischen Verein und dem Naturkundemuseum in Stuttgart, und es ergab sich eine intensive und langjährige eigene Beschäftigung mit der Artengruppe. Von den anfangs besonders attraktiv erscheinenden, eher größeren Arten wie den Sandlaufkäfern wandte sich meine Aufmerksamkeit rasch auch anderen Gruppen zu, wie den kleinen, hauptsächlich baumbewohnenden Arten aus der Verwandtschaft der Gattung *Dromius* (s. Trautner 1984).

Die Grundlagen für die Arbeit mit den Laufkäfern haben sich gegenüber jener Zeit wesentlich verbessert. Beispielhaft seien hier nur die Standardliteratur zur Bestimmung (v. a. Müller-Motzfeld 2006a), der Katalog bevorzugter Lebensräume der einzelnen Laufkäferarten Deutschlands (GAC 2009) sowie die neue bundesweite Rote Liste (Schmidt et al. 2016) genannt, ebenso Grundlagenwerke und Faunistiken aus den Nachbarstaaten (z. B. Marggi 1992, Luka et al. 2009, Turin 2000). Einen guten Einblick in die umfangreiche Forschung und den Kenntnisstand zu Laufkäfern bis in die 1970er Jahre gibt vor allem das Buch von Thiele (1977). Zu späteren Arbeiten sei unter anderem auf die Tagungsbände der Europäischen Carabidologen (European Carbidologists Meetings, Übersicht bis 2009 in Kotze et al. 2011) verwiesen.

Allerdings sind in Deutschland auch die Laufkäfer, wie manche andere Insektengruppe, inzwischen etwas ins Hintertreffen geraten, jedenfalls was angewandte Studien und Grundlagenarbeiten zu deren Biologie und Lebensraumansprüchen betrifft. Dies dürfte einerseits darauf zurückzuführen sein, dass an den Universitäten das Interesse gesunken und qualifizierte Betreuung heute weitgehend ausgefallen ist, andererseits aber auch darauf, dass sich der Fokus des Naturschutzes besonders stark auf Arten gerichtet hat, die europarechtlich geschützt sind. Gerade die FFH-Richtlinie (Richtlinie 92/43/EWG zur Erhaltung der natürlichen Lebensräume sowie der wildlebenden Tiere und Pflanzen) führt in ihren Anhängen nur sehr wenige Laufkäferarten auf, von denen nur einzelne für Deutschland Relevanz haben. Auch wurde den charakteristischen Tierarten der nach

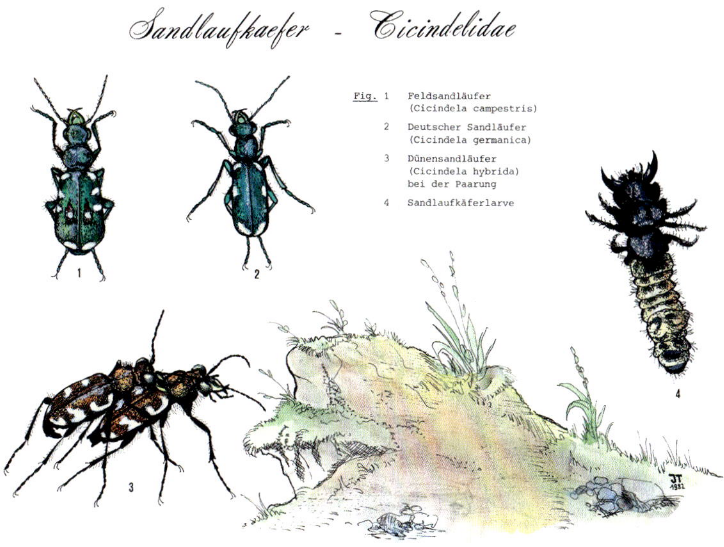

Sandlaufkäfer und ihre Larven gehören zu den besonders attraktiven und zu Beginn einer käferkundlichen Tätigkeit einfach zu studierenden Laufkäfern.

Anhang I dieser Richtlinie zu schützenden Lebensraumtypen bislang zu wenig Beachtung geschenkt. Seit dem Jahrtausendwechsel sind in Baden-Württemberg, insbesondere in den zehn Jahren vor Erscheinen dieses Buches, deutlich weniger Bestandserhebungen zu Laufkäfern bei Planungsvorhaben und bei Untersuchungen etwa im Rahmen von Zulassungsarbeiten erfolgt, als dies noch in den 1980er und 1990er Jahren der Fall war. Dies wurde nur zum Teil durch ehrenamtliche Tätigkeit kompensiert. Zwar wurde ab 2013 im Rahmen der Arbeiten an diesem Doppelband der Grundlagenwerke eine ganze Reihe von Standorten im Land beprobt, um die Datengrundlagen vor allem zu bislang wenig untersuchten Naturräumen zu verbessern. Dennoch war es nicht möglich, eine für alle Naturräume des Bundeslandes vollkommen einheitliche und in gleichem Maße aktuelle Bearbeitung zu erreichen.

Das vorliegende Buch soll und kann daher auch keinen „endgültigen Stand“ zur Laufkäferfauna Baden-Württembergs präsentieren. Vielmehr möchte ich es als eine gute Basis verstanden wissen, die anderen hoffentlich einen Anreiz bietet, sich neu oder verstärkt mit dieser interessanten Artengruppe zu befassen. Mit Sicherheit sind noch genügend Unklarheiten oder Fehler zu beheben, Lücken zu schließen und Neues zu finden, aber ein Anfang ist gemacht. Konkrete Schutz- und Entwicklungsmaßnahmen für bedrohte Laufkäferarten erfordern ein entsprechendes Know-how, das es sich zunächst einmal anzueignen gilt. Auch hier soll das Buch einen Ansatz bieten.

Es ist mir ein besonderes Anliegen, all denjenigen Personen und Institutionen zu danken, die, teils in erheblichem Maße, zum Gelingen dieses Projekts beigetragen haben. Mehrfachnennungen sind den unterschiedlichen Beiträgen oder Hilfestellungen einzelner Personen geschuldet.

In erster Linie gilt mein Dank den zahlreichen Kolleginnen und Kollegen, die entweder selbst an Erhebungen und Auswertungen im Rahmen des Projekts beteiligt waren oder dafür Daten aus ihren Sammlungen oder aus eigenen Arbeiten bereitgestellt haben, seien diese ehrenamtlich oder im Rahmen der beruflichen Tätigkeiten erfolgt. Betonen möchte ich, dass eine Nennung dieser Personen nicht bedeuten muss, dass sämtliche bei ihnen verfügbaren Daten übersandt wurden. Teils war das aufgrund des Aufwands gar nicht möglich, teils wurden nur bestimmte Informationen abgefragt. Zudem fand die Datenübermitlung zu unterschiedlichen Zeitpunkten statt.

Mein herzlicher Dank gilt (in alphabetischer Reihenfolge): M. Ade, F. Ausmeier, Dr. M. Baehr, Dr. T. Bamann, Dr. F. Baum, U. Bense, Dr. C. Benisch, J. Böhme (†), H. Borsutzki, M. Brändle, A. Braun, M. Bräunicke, Dr. F. Brechtel, B. Brehmer, F. Bretzendorfer, R. Britz, M. Buchweitz, Prof. Dr. H. Buck (†), B. Büche, P. Büngener, R. Büttner, F. Colberg, R. Deile, T. Deinhard, Prof. Dr. P. Detzel, Dr. G. Diefenbach, T. Dittmar, C. Dolderer, Dr.

C. Drees, P. Dynort, C. Elsell, M. Fellendorf, G. Feurer, T. Forcke, J. Frank, P. Fritsch, M.-A. Fritze, J. Gebert, L. Geigenmüller, K.-H. Geis, S. Gladitsch (†), Dr. T. Götz, Dr. K. Handke, K. Hannig, I. Harry, W. Heinz, K. Hemmann, W. Henze, G. Hermann, Dr. F. Hieke (†), Dr. S. Hiller, J. Hillger, Dr. W. Hochhardt, W. Hörster, J. Hurst, Dr. P. Jankow, Dr. E. Jansen, Prof. Dr. H. Jungkunst, Dr. M. Kaiser, H. Kasper (†), A. Kaupp, J. Kiechle, Dr. J. Kless, K. Klinger, T. Klingseis, H. Knapp, Dr. A. Kobel-Lamparski, J. Köber (†), E. Konzelmann, H.-U. Kostenbader, M. Kramer, Dr. G. Kubach, W. Lang, Dr. F. Lange, J. Lau, H. Laufer, T. Licht, M. Lillig, K. Linn, W. Löderbusch, W. Lorenz, Dr. K. Maier, A. Malten, Dr. P. Malzacher, Dr. W. Marggi, H. Marthaler, Dr. G. Matthäus, Dr. C. Maus, J. Meid, Dr. M. Meier, K. Messinesis, J. Messutat, Dr. R. Molenda (†), D. Moog, Prof. Dr. D. Mossakowski, W. Münch, Dr. C. Neumann, A. Niedling, Dr. M. Niehuis, A. Oesterle, W. Pankow, M. Persohn, L. Ramos, H. Rausch, Dr. H. Reck, J. Reibnitz, K. Reißmann, F. Renner, K. Rennwald, Dr. C. Rieger, J. Rietze, M.-O. Rödel, Dr. J. Roppel, W. Rose, D. Rothmund, L. Rupp, Dr. E. Rusdea, A. Schanowski, Dr. W. Schawaller, M. Schenk, F.-J. Schiel, Dr. G. Schmid, Dr. C. Schmid-Egger, E. Schmidt, Dr. J. Schmidt, G. Schmitt, Dr. T. Schneider, W. Schiller, P. Schüle, H.-R. Schwenninger, Dr. K. Siedle, Dr. A. Siepe, A. Sombrutzki, Dr. P. Sowig, H. Sperling, Dr. H.-G. Spies, Dr. P. Sprick, R. Steiner, F. Straub, G. Strauß, Dr. A. Szallies, R. Treiber, Dr. Till Tolasch, Dr. E. Tröger, U. Truckenmüller, Dr. E. Ulbrich (†), D. Veile, T. Volz, R. Walter, U. Weber, H. Weihrauch, W. Weissig, K. Wendling, I. Wiesmath, J. Wiesner, N. Windschnurer, Dr. K. Wolf-Schwenninger, E. Wunsch, C. Wurst, Dr. H. Ziegler (†). Von weiteren Personen, die hier nicht alle aufgeführt werden können, erhielt ich Auskünfte zu bestimmten Untersuchungen oder vorhandenen Daten und Belegen. Gegebenenfalls werden ihre Namen bei den einzelnen Arten genannt.

Mit Dateneingabe oder Literaturverwaltung, teils über mehrere Jahre hinweg, waren Claudia Himmer, Joachim Pelikan, Lucia Stiegler und Steffen Watzke befasst. Die Zeichnungen fertigte Katrin Geigenmüller an, die Karten Jürgen Förth, der auch an weitergehenden Auswertungen beteiligt war. Auch ihnen möchte ich an dieser Stelle meinen besonderen Dank ausdrücken.

Unter den bereits aufgeführten Personen sind auch diejenigen Kollegen gelistet, die sich mit textlichen Beiträgen am Buch beteiligt haben und denen diesbezüglich mein besonderer Dank für die gute Zusammenarbeit gilt.

Hans Kostenbader hat über Jahre intensiv einerseits Sammlungen besucht und beschrieben und andererseits die Käferliteratur Baden-Württembergs recherchiert und ausgewertet (s. Kostenbader 2014), wobei er mich früh an seinen Ergebnissen teilhaben ließ. Dies hat meine eigene Arbeit erheblich erleichtert und Datenmaterial bereitgestellt, das ich nicht erneut recherchieren musste. Karsten Hannig hat mich bei den Texten zur deutschlandweiten Verbreitung von Arten unterstützt, hauptsächlich auf Basis unseres gemeinsam herausgegebenen Verbreitungsatlasses. Wolfgang Lorenz hatte nicht nur mehrfach ein Ohr für systematisch-taxonomische oder faunistische Fragen, sondern unterstützte mich auch unter anderem mit der Zusammenstellung weltweiter Gattungs- und Artenzahlen der in Baden-Württemberg vertretenen Laufkäfertribus. Dafür gilt allen dreien mein herzlicher Dank.

Besonders danken möchte ich zudem Ortwin Bleich, Michael Bräunicke, Christoph Benisch, Guido Buchweitz, Michael-Andreas Fritze, Jörg Gebert, Katrin Geigenmüller, Stefan Hiller, Felix Kolesnikov, Gerhard Kubach, Kirill Makarov, Andreas Niedling, Wolfgang Paill, Joachim Pelikan, Jörg Rietze, Till Tolasch, Ekkehard Wachmann und Karin Wolf-Schwenninger für die Bereitstellung von Fotos und sonstigen Abbildungen, vor allem zu Arten und ihren Lebensräumen. Ortwin Bleich, Michael Bräunicke und Christoph Benisch haben dabei eine größere Zahl an Bildern zur Verfügung gestellt, ohne die das Buch in dieser Form nicht oder nur mit deutlich höherem Aufwand hätte fertiggestellt werden können. Für Fotos, die ich im Synoptischen Teil verwenden durfte, bedanke ich mich außerdem herzlich bei Thomas Kaiser und Bürgermeister Jochen Paleit (beide Kappel-Grafenhausen) sowie bei Franz Beer (Markdorf) und Sabine Geißler-Strobel (Tübingen)

Mit Literaturhinweisen und der Beantwortung einer Reihe von Fragen etwa zur Situation von Arten in angrenzenden Gebieten Frankreichs, Österreichs und der Schweiz halfen Winfried Kunz, Wolfgang Paill, Dr. Werner Marggi, Dr. Henryk Luka und Dr. Charles Huber. Für Rheinland-Pfalz, Hessen und Bayern taten dies Manfred Persohn, Andreas Malten, Michael-Andreas Fritze und Wolfgang Lorenz. Auch hierfür möchte ich mich herzlich bedanken.

Mehreren Institutionen danke ich für die leihweise Überlassung von Material und in einigen Fällen für die Möglichkeit, in ihren Räumen an Beleg- oder Vergleichsmaterial zu arbeiten oder ihre Bibliothek zu benutzen: Entomologischer Verein Stuttgart, Heimat- und Altertumsverein Heidenheim, Naturkundemuseum Reutlingen, Naturkundeverein Schwäbisch Gmünd, Naturkundliches Bildungszentrum der Stadt Ulm, Senckenberg Naturhistorische Sammlungen Dresden, Staatliches Museum für Naturkunde Karlsruhe, Staatliches Museum für Naturkunde Stuttgart, Zoologische Staatssammlung München. Ganz besonders bin ich dem Staatlichen Museum für Naturkunde Stuttgart verbunden, in dessen Sammlung ich bereits in den 1980er Jahren viele arbeitsreiche Wochen verbracht habe.

Den Regierungspräsidien Freiburg, Karlsruhe, Stuttart und Tübingen danke ich für die unkomplizierte Bearbeitung von Anfragen und von Anträgen auf Ausnahmegenehmigungen sowie für die Überlassung von Informationen und Materialien aus von ihnen beauftragten Untersuchungen. Ein solcher Dank gilt auch dem Integrierten Rheinprogramm, aus dessen Untersuchungen umfangreiches Datenmaterial verwendet werden konnte.

Folgende weitere Ämter und Institutionen haben sehr kooperativ Daten zur Verfügung gestellt, darunter neben frei zugänglichen Geodaten auch spezielle Fachdaten, wofür ich mich bedanken möchte: Landesanstalt für Umwelt, Messungen und Naturschutz (LUBW), Landesamt für Geoinformation und Landentwicklung (LGL), Landesamt für Geologie, Rohstoffe und Bergbau (LGRB) sowie Forstliche Versuchs- und Forschungsanstalt Baden-Württemberg (FVA). Des Weiteren wurde ergänzend auf frei verfügbare Geo- und Fachdaten folgender Institutionen zurückgegriffen: Deutscher Wetterdienst (DWD), Bundesanstalt für Geologie und Rohstoffe (BGR), Bundesamt für Kartographie und Geodäsie (BKG).

Der Landesanstalt für Umwelt, Messungen und Naturschutz (LUBW) und dem Ministerium für Umwelt, Klima und Energiewirtschaft danke ich für die finanzielle Unterstützung und die Möglichkeit, die Reihe der Grundlagenwerke zum Artenschutz im Land durch ein zweibändiges Werk über Laufkäfer zu ergänzen. Bedanken möchte ich mich ferner für die finanzielle Unterstützung durch die Stiftung Naturschutzfonds Baden-Württemberg, die die Drucklegung der beiden Bände des vorliegenden Grundlagenwerkes gefördert hat.

Und schließlich danke ich dem Verlag Eugen Ulmer, insbesondere Ina Vetter, Jürgen Sprenzel und Ulf Müller, für die jederzeit angenehme, unkomplizierte und das Werk deutlich fördernde Zusammenarbeit.

2 Der Bezugsraum Baden-Württemberg

J. Förth & J. Trautner

Baden-Württemberg ist das südwestlichste und drittgrößte Bundesland Deutschlands und umfasst eine Landesfläche von rund 35 750 km². Den größten Anteil daran haben mit rund 45,5 % landwirtschaftlich genutzte Flächen, während die Waldfläche knapp über 38 % erreicht und Siedlungs- und Verkehrsflächen bereits einen Anteil von 14,4 % einnehmen; fast 11 Mio. Menschen leben hier, was einer Bevölkerungsdichte von 300 Einwohnern pro km² entspricht (Stand 2014, Statistisches Landesamt Bad.-Württ. 2015a).

Die landwirtschaftliche Fläche gliedert sich der Bodennutzungshaupterhebung (Stand Frühjahr 2015, Statistisches Landesamt Bad.-Württ. 2015b) zufolge bei einer Gesamtfläche von rund 1,4 Mio. Hektar in rund 0,83 Mio. Hektar Ackerland (rund 58 %) und rund 0,55 Mio. Hektar (rund 38 %) Dauergrünland. Letzteres wird zu einem überwiegenden Teil als Wiesen genutzt, der Anteil beweideter Flächen am Dauergrünland liegt bei lediglich einem Fünftel. Die restlichen Flächenanteile der Landwirtschaft entfallen vorwiegend auf Rebflächen und Obstkulturen. Deren Schwerpunkte liegen im Stuttgarter und Heilbronner Raum, in Teilen des Oberrhein-Tieflandes und dessen Übergang in die westlichen Vorberge des Schwarzwaldes sowie am Bodensee. Dies sind auch klimatisch begünstigte Räume, die unter anderem eine relativ hohe Zahl an Sommertagen aufweisen. Die Streuobstbestände, an denen Baden-Württemberg im bundesweiten Vergleich einen hohen Anteil hat, werden im Maßstab der hier verwendeten Übersichtskarte aufgrund ihrer oftmals kleinräumigen Struktur unterschätzt.

Baden-Württemberg grenzt im Süden an die Schweiz und an Österreich (im Bereich des Bodensees ohne fixierte Grenzen) und hat im Westen eine längere gemeinsame Grenze mit Frankreich. Innerhalb Deutschlands grenzt es an die Bundesländer Rheinland-Pfalz, Hessen und Bayern. Der niedrigste Punkt in Baden-Württemberg ist der Rheinpegel bei Mannheim (85 m ü. NHN), den höchsten Punkt bildet der Gipfel des Feldbergs (1493 m ü. NHN).

Borcherdt (1991) schreibt in seiner *Geographischen Landeskunde*: „Wesentliches Merkmal Südwestdeutschlands ist die landschaftliche Vielgestaltigkeit, das Nebeneinander höchst unterschiedlicher Landschaftsräume auf relativ kurzen Distanzen.“ Zwar haben bereits erhebliche Überformungen und Strukturverluste stattgefunden, zum Beispiel durch die großflächige Flurneuordnung der vergangenen Jahrzehnte und die Nutzungsintensivierung vor allem in der Landwirtschaft. Dennoch findet sich die Vielgestaltigkeit des naturräumlichen Maßstabs auch noch auf der Ebene vieler Kommunen und Gemarkungen mit ihrer Ausstattung an unterschiedlichen Biotoptypen und Landnutzungen wieder. Zu den besonders problematischen Entwicklungen, die in neuerer Zeit, insbesondere seit Anfang der 1990er Jahre deutlich wurden, zählt neben Strukturverlusten, standörtlicher Nivellierung und intensivierter Landwirtschaft die Zunahme gehölzbestandener Flächen, die vielfach auf Kosten bedeutsamer Lebensräume des Offenlandes und ihrer bedrohten Artengemeinschaften geht (vgl. dazu u. a. Trautner et al. 2015).

Hier ist nicht der Ort, die Ausstattung Baden-Württembergs mit Naturräumen und Biotopen sowie die physisch-geograpische und die kulturhistorische Entwicklung des Landes detailliert zu beschreiben. Zum Teil wurde darauf schon in anderen Bänden der Grundlagenwerke zum Artenschutz ausführlicher eingegangen. Außerdem kann auf Werke wie Borcherdt (1991) und den Band über Kulturlandschaften des Landes (Landespflege Freiburg & LUBW 2014) verwiesen werden sowie auf die Broschürenreihe zu Biotopen in Baden-Württemberg, die man von der Webseite der LUBW herunterladen kann. Als wichtige Werke zur historischen Landschaftsentwicklung in Mitteleuropa, teils auch mit Beispielen aus Baden-Württemberg, seien Küster (1995, 2008) und Poschlod (2015) genannt.

Höhenstufen und Blattschnitt der Topographischen Karte 1:25 000 in Baden-Württemberg. Datenbasis: Landesamt für Geoinformation und Landentwicklung (LGL); Bundesamt für Kartographie und Geodäsie (BKG).

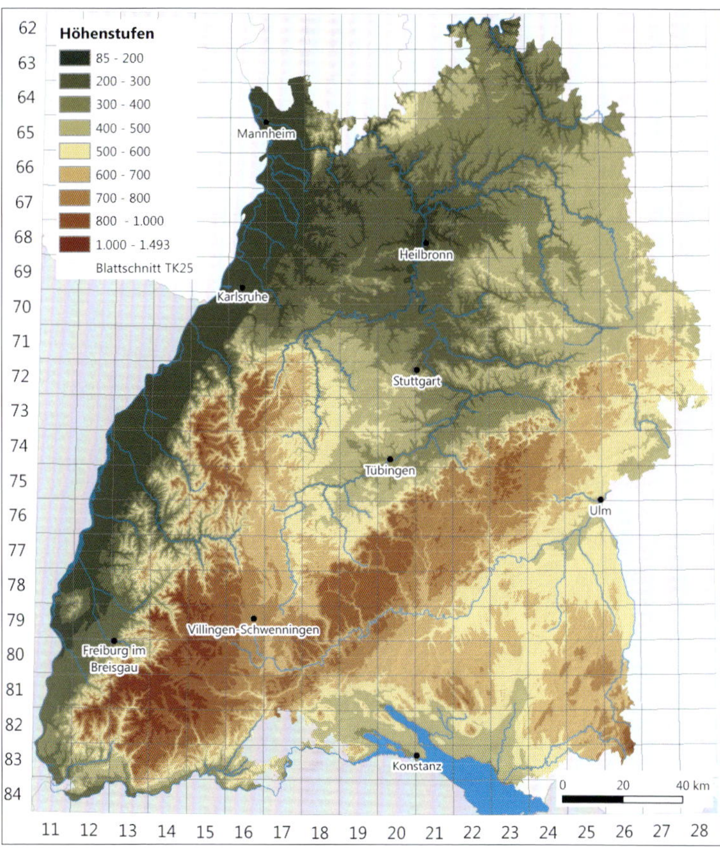

Naturräume 3. Ordnung der naturräumlichen Gliederung Baden-Württembergs und angrenzender Bereiche nach MEYNEN et al. (1953–1962). Datenbasis: Landesanstalt für Umwelt, Messungen und Naturschutz (LUBW); Landesamt für Geoinformation und Landentwicklung (LGL); Bundesamt für Kartographie und Geodäsie (BKG).
Naturräume:
03 Voralpines Hügel- und Moorland;
04 Donau-Iller-Lech-Platte;
09 Schwäbische Alb;
10 Schwäbisches Keuper-Lias-Land;
11 Fränkisches Keuper-Lias-Land;
12 Neckar- und Tauber-Gäuplatten;
13 Mainfränkische Platten;
14 Odenwald, Spessart und Südrhön;
15 Schwarzwald; 16 Hochrheingebiet;
20–22 Oberrhein-Tiefland (Süd, Mitte, Nord).

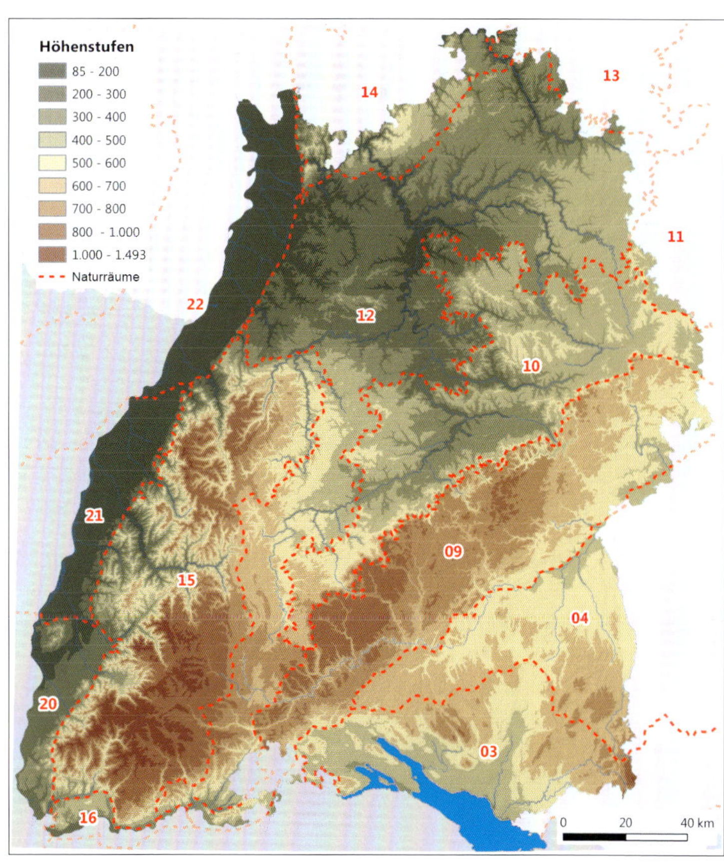

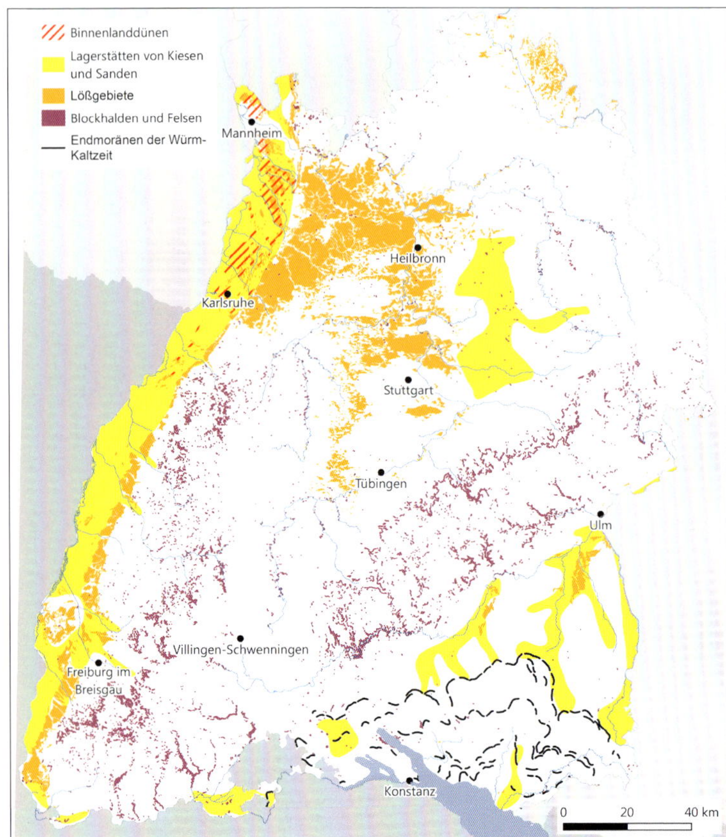

Vereinfachte Übersicht zu ausgewählten Lagerstätten und speziellen Standorten wie Felsen, Blockhalden und Binnenlanddünen sowie Moränenlandschaften in Baden-Württemberg. Datengrundlage: Landesamt für Geologie, Rohstoffe und Bergbau (LGRB), Bundesanstalt für Geologie und Rohstoffe (BGR), Landesanstalt für Umwelt, Messungen und Naturschutz (LUBW).

Mithilfe weniger Karten und kurzer Erläuterungen soll aber ein Überblick über die naturräumliche Gliederung des Landes und über wichtige Aspekte zu Landnutzung und klimatischen Bedingungen sowie zu Böden und Geologie gegeben werden. Die Basiskarte mit den Höhenstufen (S. 15 oben) enthält zudem den Blattschnitt der Topographischen Karte 1:25 000 des Landesamtes für Geoinformation und Landentwicklung, dessen Rasterfelder die Grundlage für die Verbreitungskarten der Arten im Speziellen Teil des Buches sowie für bestimmte Auswertungskarten im daran anschließenden Synoptischen Teil bilden.

Wie die Karte zur naturräumlichen Gliederung (S. 15 unten) sowie die auszugsweisen Darstellungen zu Geologie und Böden (oben und S. 17 oben) verdeutlichen, weist Baden-Württemberg ausgeprägte naturräumliche Gegensätze auf. So liegt heute eine Grabenbruchlandschaft neben einer Grundgebirgsformation; Schichtstufenlandschaften grenzen an Becken- und Vulkangebiete; und im Süden wurde das Land glazial überprägt. Hierauf bildeten sich (mit weiterer Ausgestaltung durch menschliche Nutzung) die Ebenen der Gäulandschaften, die Täler von Rhein, Neckar und Donau, Wald und Bergländer von Schwarzwald, Odenwald, Schwäbischer Alb und der Keuperwaldgebiete sowie Glaziallandschaften der von eiszeitlichen Schottern geprägten Bereiche von Alt- und Jungmoränengebieten (Gebhardt 2008, Eberle 2010).

In Bezug auf Vorkommen und Verbreitung von Laufkäferarten spielen bestimmte Substrate und Böden oder Bodeneigenschaften eine besondere Rolle. Eine ganze Reihe von Arten ist auf sandige oder sehr feinkörnige Substrate angewiesen, wieder andere benötigen skelettreiche Standorte, wobei natürliche wie auch anthropogene Lebensräume infrage kommen können. Daher wurden Binnenlanddünen, Lößgebiete, die Schwerpunktvorkommen an Blockhalden und Felsen sowie Bereiche mit ausgeprägten Lagerstätten von Kiesen und Sanden in einer Übersichtskarte zusammengestellt (oben). Letztere sind deshalb von

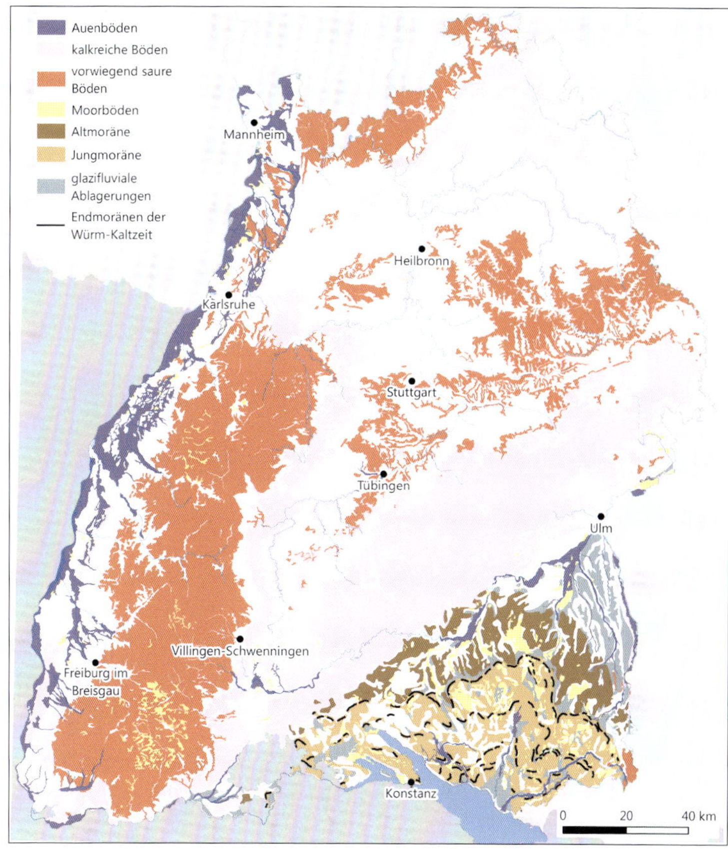

Verteilung ausgewählter Bodeneigenschaften in Baden-Württemberg in stark vereinfachter Übersicht. Dargestellt sind die kaltzeitlich überprägten Landschaften und die für Auen, Moore sowie die vorwiegend sauren und kalkhaltigen Bodenmilieus zusammengefassten Bodentypen. Datengrundlage: Landesamt für Geologie, Rohstoffe und Bergbau (LGRB), Bundesanstalt für Geologie und Rohstoffe (BGR).

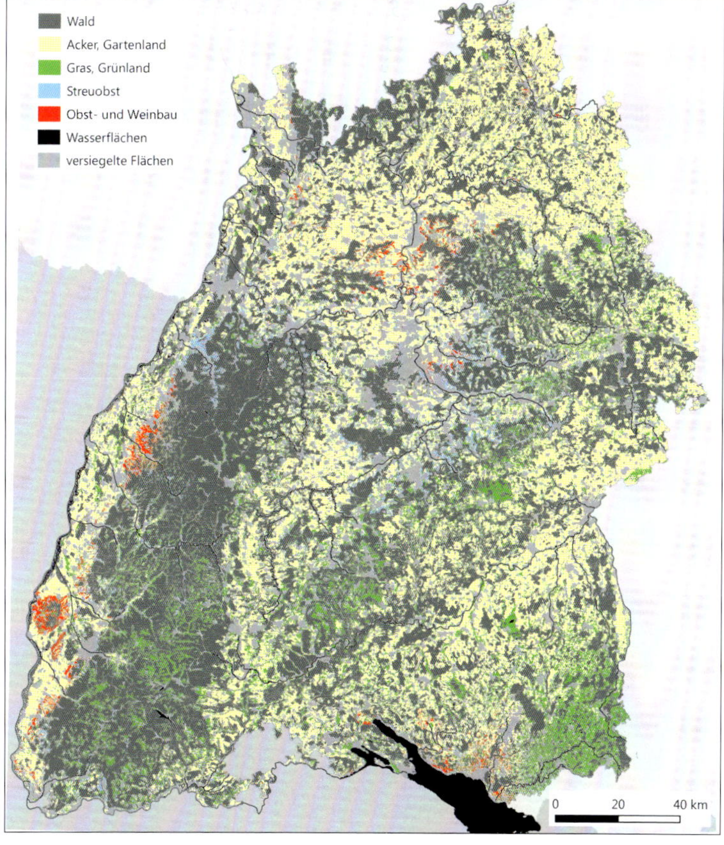

Landnutzung in Baden-Württemberg auf Grundlage des Digitalen Landschaftsmodells (Basis-DLM). Datenbasis: Landesamt für Geoinformation und Landentwicklung (LGL).

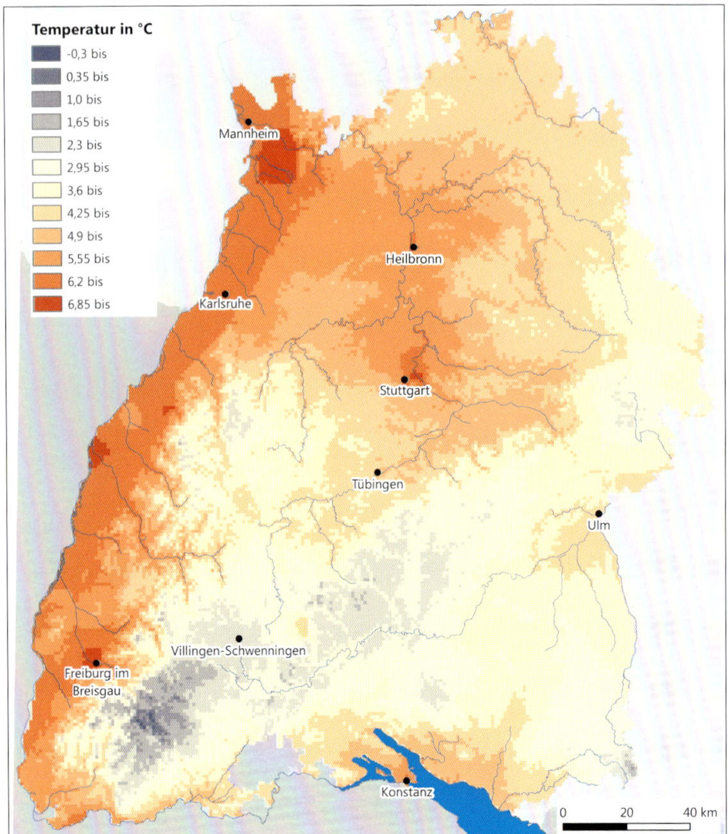

Mittlere Minimumtemperatur für den Zeitraum 1981–2010 in Baden-Württemberg. Datenbasis: Deutscher Wetterdienst.

hoher Bedeutung, weil dortige Aufschlüsse wichtige – wenngleich meist temporäre – Ersatzhabitate für Laufkäferarten darstellen, deren primäre Lebensräume in den früheren, heute größtenteils zerstörten oder erheblich beeinträchtigten Flusslandschaften mit ausgedehnten Kies- und Sandbänken bestanden. Die Hauptvorkommen von Moor- und Auenböden, vorwiegend bodensauren Standorten, kalkhaltigen Böden und der von Gletschern überprägten Landschaft sind in der Karte auf S. 17 oben dargestellt. Eine Übersicht über die verschiedenen Landnutzungsformen wiederum liefert die untere Karte auf S. 17.

Klimatisch ist Baden-Württemberg durch eine Spannweite der Jahresdurchschnittstemperaturen von maximal 10 °C in den Ebenen bis zu 3 °C in den Hochlagen der Mittelgebirge charakterisiert. Die Spannweite der Jahresmittelwerte des Niederschlags, der im Sommer ausgeprägter ist als im Winter, reicht von maximal 2200 mm im Nordschwarzwald bis hin zu lediglich 600 mm im Oberen Gäu und im Strohgäu (Rosner 2008). Aufgrund des kleinräumigen Reliefs und der (verhältnismäßig) geringen Nord-Süd-Ausdehnung tritt in Baden-Württemberg der Einfluss der geographischen Breite auf das Klima stark hinter den des Reliefs zurück. In der Karte oben ist exemplarisch der Jahresdurchschnitt der Minimumtemperatur in seiner räumlichen Differenzierung dargestellt. Erkennbar wird hieraus unter anderem, dass der Nordschwarzwald im Gegensatz zum Südschwarzwald klimatisch begünstigt ist (und daneben auch die höheren Niederschläge aufweist), wohingegen der Südwesten der Schwäbischen Alb ähnlich niedrige durchschnittliche Minimumtemperaturen wie der Südschwarzwald zeigt. Auch die milden Wintertemperaturen am Bodensee werden an dieser Karte deutlich.

3 Datengrundlagen

J. TRAUTNER

3.1 Geschichte der Laufkäferkunde im Land – ein Überblick

Eine recht ausführliche Darstellung zur Geschichte der Käferkunde in Baden-Württemberg geben BRECHTEL & KOSTENBADER (2002); hierauf kann an dieser Stelle zunächst verwiesen werden, auch wenn der Fokus teilweise auf anderen Käfergruppen liegt.

Neben einzelnen Angaben aus dem wohl ersten ausschließlich auf Käfer bezogenen Verzeichnis ROTH VON SCHRECKENSTEINS (1801) besitzen die Verzeichnisse und Fundlisten von V. D. TRAPPEN (1929, 1930; kurzer Nachtrag zu Laufkäfern zudem 1935) für den ehemals württembergischen sowie von FISCHER (1843), HARTMANN (1924, 1926) und WOLF (1935–1944) für den ehemals badischen Landesteil die größte Bedeutung unter den publizierten historischen Angaben zu Laufkäfern, die sich auf die Zeit vor 1950 beziehen. Eine weitere wichtige Quelle stellt die Faunistik von HORION (1941) dar, der später noch eine Reihe von Arbeiten mit Bezug zu Baden-Württemberg publizierte; die wichtigste darunter ist zweifellos seine kritische Auseinandersetzung mit dem oben genannten Verzeichnis von V. D. TRAPPEN, deren auf die Laufkäfer bezogenen Teile sich in den Beiträgen I (1959a) und II (1960, hier nur ein Nachtrag zu Laufkäfern) finden.

Unter den verschiedenen Sammlungen außerhalb der großen Museen, von denen KOSTENBADER (1988, 1991, 1994 u.a.) eine ganze Reihe beschrieben hat, sei an dieser Stelle diejenige von P. DOLDERER im Heimatmuseum Heidenheim hervorgehoben. Sie beinhaltet Laufkäfer in 11 Kästen. Die Käfer wurden 1995 vom Herausgeber gesichtet, der einige Tiere nachbestimmte und alle Funddaten protokollierte. Der Heimat- und Altertumsverein Heidenheim erlaubte dem Herausgeber, die Kästen dafür auszuleihen. Die Sammlung ist sehr gut etikettiert und hebt sich von vielem anderen älteren Material dadurch ab, dass neben genauem Funddatum und der Gemeinde vielfach auch Gewann- oder Gebietsnamen auf den Etiketten verzeichnet sind. Dies bot die Möglichkeit, im Rahmen eines weitergehenden Projekts die Artenausstattung im Vorzugssammelgebiet von DOLDERER in den 1930er bis 1950er Jahren mit der neueren Situation Ende der 1990er Jahre zu vergleichen (vgl. KUBACH et al. 1999).

Ende der 1950er Jahre war im Rahmen eines Treffens mehrerer Käferkundler bei Paul DOLDERER (zugegen waren auch A. HORION und K. W. HARDE) die „Arbeitsgemeinschaft Württembergischer Koleopterologen“ gegründet worden, die sich unter anderem die Erforschung der württem-

Die Fauna von Württemberg[1].

Die Käfer

von **A. von der Trappen**, Stuttgart.

Gegenüber dem im Jahre 1838 im *Correspondenzblatt des königl. württemb. landwirtschaftlichen Vereins* erschienenen Verzeichnis der in Württemberg vorkommenden Käfer von Legationsrat VON ROSER war es ein wesentlicher Fortschritt, als 1864 Herr ADOLPH KELLER, Particulier in Reutlingen, sein „Verzeichnis der bisher in Württemberg aufgefundenen Coleopteren“ in den *Württemb. naturw. Jahresheften* veröffentlichte. Es enthielt 2243 Arten, darunter die aus dem v. ROSER-schen Verzeichnis, auch wenn sie inzwischen nicht wieder gefunden worden waren. Die Arbeit ist für die damalige Zeit sehr sorgfältig, hat aber den Fehler, daß Fundorte nur vereinzelt ausdrücklich genannt sind, wenn man auch für das meiste wohl Reutlingen, den Wohnort KELLER's, annehmen kann. Die Erscheinungszeit ist nur ganz ausnahmsweise erwähnt.

Seitdem ist wohl viel Einzelarbeit geleistet worden, aber keine Zusammenfassung der württembergischen Käferfauna mehr erfolgt. Sehr viel Neues, darunter auch viel Bemerkenswertes, ist gefunden worden und viele der alten Funde, wenn auch leider durchaus nicht alle, sind neu bestätigt worden, so daß es wohl an der Zeit ist, das, was wir heute über unsere Käferfauna wissen und das ich zu sammeln mich eifrig bemüht habe, zu veröffentlichen.

Das behandelte Gebiet deckt sich mit den politischen Grenzen Württembergs. Hohenzollern habe ich nicht ausgeschlossen, doch

[1] Unter dieser Überschrift sollen in der Folge vor allem die Insekten Württembergs zusammengestellt werden. Der Plan wurde in den Jahren vor dem Kriege, nach ersten Vorarbeiten Ende des vorigen Jahrhunderts, von Mitgliedern des Entomologischen Vereins Stuttgart 1869 e. V. gefaßt. Die Ordnung der Käfer wurde als erste von Herrn A. v. d. Trappen bearbeitet, die der Schmetterlinge ist von andern Sammlern in Bearbeitung genommen und geht ihrer Vollendung entgegen, die andern werden nach Möglichkeit folgen. Der Herausgeber.

Das von A. J. W. von der Trappen (1870–1946) in den Jahren 1929 bis 1935 in den Jahresheften des Vereins für vaterländische Naturkunde veröffentlichte Verzeichnis der Käfer Württembergs stellt eine der wichtigen älteren Datengrundlagen zur Laufkäferfauna dar, wenngleich die darin enthaltenen Angaben einer kritischen Begutachtung bedürfen.

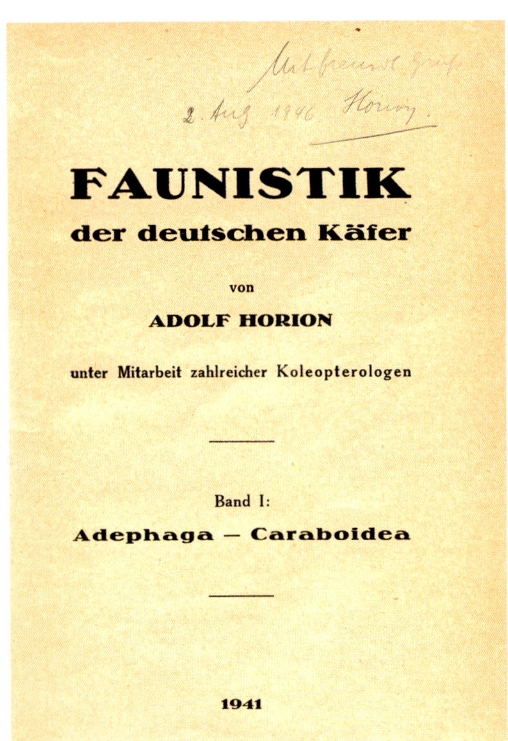
FAUNISTIK

der deutschen Käfer

von

ADOLF HORION

unter Mitarbeit zahlreicher Koleopterologen

Band I:

Adephaga – Caraboidea

1941

Band 1 des Standardwerks zur Faunistik der mitteleuropäischen Käfer für die Mitte des 20. Jahrhunderts. Das Werk von Horion (1941) behandelt vor allem die Laufkäfer. Hier der Innentitel eines Exemplars mit persönlichem Gruß des Autors.

In der Sammlung Paul Dolderers sind viele Belege neben dem Ort mit weiteren Fundangaben wie Gewannnamen versehen, eine Besonderheit für Sammlungen dieser Zeit. Hier das Etikett eines Individuums von *Cymindis axillaris*, Oberstotzingen, Haldenberg, 27.04.1952.

bergischen Käferfauna und die Herausgabe eines neuen Käferverzeichnisses zum Ziel gesetzt hatte (vgl. Frank & Konzelmann 2002) und sich 1968 zur Arbeitsgemeinschaft Südwestdeutscher Koleopterologen umbenannte. Die Arbeitsgemeinschaft organisierte bereits seit 1958 zahlreiche Jahresexkursionen in unterschiedliche Gebiete und Landschaftsräume Baden-Württembergs, deren Sammelergebnisse zum Teil in den Mitteilungen des Entomologischen Vereins Stuttgart veröffentlicht wurden und werden. Im Rahmen dieser Exkursionen fielen auch umfangreiche Artenlisten zu Laufkäfern an, die einen wesentlichen Beitrag zur Landesfaunistik liefern. Einen Überblick über diese Exkursionen bis zum Jahr 2001 geben Frank & Konzelmann (2002, dort ab S. 57), eine aktualisierte Liste bis zum Jahr 2015 ist zum Zeitpunkt der Fertigstellung des vorliegenden Werkes über die Webseite des Entomologischen Vereins in Stuttgart abrufbar.

Vor allem in den 1970er und 1980er Jahren erschienen einige Beiträge zur Käferfauna in der Reihe der Monographien zu Natur- und Landschaftsschutzgebieten Baden-Württembergs (s. Baum 1989, Gladitsch 1978, Kless 1971, 1974, 1983; Schiller 1979), die teils auf Exkursionen der oben genannten Arbeitsgemeinschaft aufbauten und ebenfalls Laufkäferdaten beinhalten. Zudem muss aus der Zeit zwischen 1950 und 1975 die Arbeit von Kless (1961) über das Wutachgebiet hervorgehoben werden, der auf charakteristische Arten unterschiedlicher Biotope, darunter zahlreiche Laufkäferarten, eingeht, insbesondere aber eine tiergeographische Analyse vornimmt.

Spezifische, auf die Artengruppe der Laufkäfer ausgerichtete faunistisch-ökologische Erfassungen bestimmter Gebiete, bei denen auch Bodenfallen zumindest über einige Wochen oder Monate hinweg zum Einsatz kamen und die die Lebensräume der Arten sowie die Zönosen bestimmter Biotoptypen näher beleuchteten, begannen aber erst mit den Arbeiten von Wasner (1974) im Federseeried und von Baehr (1980) im Schönbuch südwestlich von Stuttgart. Beispielhaft sei hier nur auf einige wenige Publikationen aus den Folgejahren hingewiesen: Baehr (1984) zum Lautertal bei Münsingen, Zawadzki & Schmidt (1994) zur Rheinaue bei Rastatt, Rausch (1996) zu Wacholderheiden im Landkreis Calw, Scheurig et al. (1996) sowie Trautner et al. (1998) zu unterschiedlichen

Blick in die Käfersammlung Paul Dolderers im Museum Schloss Hellenstein in Heidenheim in den 1990er Jahren. Sie stellt eine der lokalfaunistisch besonders bedeutsamen Sammlungen aus Baden-Württemberg dar.

Waldstandorten in mehreren Naturräumen Baden-Württembergs sowie KUBACH (1995) und SPIES (1998) im Rahmen ihrer Dissertationen zu neu angelegten Saumstrukturen in einer Agrarlandschaft des Kraichgaus. Zahlreiche Arbeiten mit wichtigen faunistisch-ökologischen Daten zu Laufkäfern sind unpubliziert, darunter sehr viele Projektberichte und Gutachten, aber auch einige Diplom- oder sonstige Zulassungsarbeiten.

Insgesamt liegt für Laufkäfer eine – verglichen mit anderen Käferfamilien – recht hohe Datendichte und Anzahl an Fundmeldungen für Baden-Württemberg vor. So waren mit Abschluss des Grundlagenwerks zu Pracht- und Hirschkäfern rund 12 000 Fundmeldungen (bei 81 zugrunde gelegten Arten) verfügbar (BRECHTEL & KOSTENBADER 2002). Für Laufkäfer liegt die Zahl bei rund 185 000 (bei 429 sicher nachgewiesenen Arten), wovon unter Berücksichtigung „doppelter“ Meldungen, die sich aus unterschiedlichen Quellen auf die gleiche Basisangabe beziehen, rund 160 000 reale Datensätze verbleiben dürften. Dies bedeutet einen hypothetischen Durchschnittswert von rund 370 Meldungen pro Laufkäferart, gegenüber rund 150 Meldungen pro Pracht- und Hirschkäferart nach damaligem Stand. Allerdings ist bei solchen Zahlenvergleichen zu berücksichtigen, dass sich die Fundmeldungen extrem unterschiedlich verteilen und insbesondere häufige Arten auch bei der Anzahl an Meldungen deutlich überrepräsentiert sind. Es kann also durchaus sein, dass sich für einige seltene Laufkäferarten ähnliche oder sogar geringere Nachweiszahlen als für seltene Arten der Pracht- und Hirschkäfer ergeben. Dass zumindest die häufigeren Laufkäferarten gegenüber häufigeren Arten aus den anderen Käferfamilien überdurchschnittlich gut vertreten sind, geht aber auch aus der von FRANK & KONZELMANN (2002) vorgenommenen Auswertung hervor: Sie konstatieren unter anderem, dass auf Basis des für ihr Verzeichnis verfügbaren Datenmaterials „mehr als 50 % der am häufigsten gemeldeten Käferarten [...] auf diese Familie [entfällt], obwohl sie in Baden-Württemberg an der Gesamtartenzahl nur mit 7,9 % beteiligt“ sei.

3.2 Vorarbeiten zum Grundlagenwerk

Bereits Ende der 1980er und dann erneut Mitte der 1990er Jahre waren seitens des Herausgebers erste Versuche unternommen worden, ein Grundlagenwerk zu den Laufkäfern in Baden-Württemberg zu initiieren. Eine Beteiligung des Landes kam damals jedoch nicht zustande, so dass nicht nur umfangreiche Geländerhebungen, Datensammlungen und andere Vorarbeiten, sondern auch die Publikation der ersten Roten Liste und Checkliste der Laufkäfer Baden-Württembergs (Trautner 1992a) beinahe ausschließlich in Eigenleistung erfolgten. Die Stiftung der Landesgirokasse hatte allerdings einen Druckkostenzuschuss für die erste Rote Liste gewährt, und die Erarbeitung der dritten Fassung (Rote Liste und Artenverzeichnis, Trautner et al. 2005) wurde durch die LUBW im Rahmen eines kleineren Auftrags teilfinanziert. Finanzmittel in beschränktem Umfang standen zudem für die Erarbeitung des Zielartenkonzepts und des späteren, darauf aufbauenden „Informationssystems Zielartenkonzept Baden-Württemberg“ (Stand 2009, online abrufbar auf der Webseite der LUBW) zur Verfügung, die bestimmte Auswertungen unterstützten.

Zu den Vorarbeiten für ein Grundlagenwerk, die zwischen Ende der 1980er und Mitte der 1990er Jahre stattfanden, zählten insbesondere die Auswertung von Literaturdaten, umfangreiche eigene Aufsammlungen in verschiedenen Gebieten Baden-Württembergs, die Überprüfung vieler Belege aus früheren Publikationen sowie Abfragen zu Funden ausgewählter Arten bei zahlreichen Kolleginnen und Kollegen. Auch einzelne Sammlungen konnten gesichtet werden, diejenige von P. Dolderer sogar vollständig (s. o.). Bereits in der ersten vorläufigen Liste der Laufkäfer Baden-Württembergs (Trautner 1990) waren Arten gekennzeichnet worden, für die weitere Fundmeldungen und deren Veröffentlichung dringend erwünscht waren; hierzu hatte es rasch einen deutlichen Rücklauf an Meldungen gegeben. Zudem war die Prüfung von Belegen und die Literaturauswertung weiter fortgeschritten, so dass auch die Zahl aufgenommener Arten in den späteren Fassungen der Checkliste deutlich anstieg (s. Tab. 3.1).

In den 1980er und 1990er Jahren waren große Teile der Datensammlung nur analog verfügbar, und auch später gingen viele Fundmeldungen noch analog ein. Zwar war Mitte der 1990er Jahre bereits eine Datenbank aufgebaut worden (vgl. Trautner 1994a), doch ging die Dateneingabe nur schleppend voran. Zudem kam es infolge von strukturellen Problemen sowie von Systemwechseln in der langen Zeit, über die sich bei den verfügbaren Mitteln die Datensammlung und -eingabe notgedrungen hinzog, auch zu Datenverlusten, die durch spätere Neueingabe behoben werden mussten. Erst nach dem Jahrtausendwechsel und besonders ab 2012 (s. u.) konnte die digitale Aufbereitung und Zusammenführung der Daten schließlich forciert werden.

Zwischen 2000 und 2011 wurden zudem in einer ganzen Reihe von Gebieten Baden-Württembergs weitere Erhebungen zu Laufkäfern mit Ei-

Tab. 3.1 Verzeichnisse der Laufkäfer Baden-Württembergs 1990–2005 mit jeweiliger Zahl der zugrunde gelegten Arten*

Quelle / Verzeichnis	Zitat	Artenzahl**
Vorläufige Artenliste	Trautner (1990)	387
Rote Liste mit Checkliste (1. Fassung)	Trautner (1992a)	396
Aktualisierungen von Roter Liste und Checkliste, Neufassung in den Verzeichnissen der Tiere und Pflanzen Bad.-Württ.	Trautner (1994a), Trautner & Müller-Motzfeld (1995), Trautner & Bräunicke (1996), Trautner (1996a)	404
Familie Carabidae im Verzeichnis der Käfer Bad.-Württ.	Frank & Konzelmann (2002)	390***
Rote Liste und Artenverzeichnis Bad.-Württ., 3. Fassung	Trautner et al. (2005)	416

* unberücksichtigt ist das Verzeichnis der Käfer Deutschlands (Köhler & Klausnitzer 1998 und Fortschreibungen)
** einzelne in den früheren Verzeichnissen enthaltene Arten mussten aktuell gestrichen oder zu den zweifelhaften Meldungen gestellt werden (s. entsprechendes Kapitel im vorliegenden Grundlagenwerk)
*** berücksichtigte nur einen eingeschränkten Datensatz ohne größere Teile der Literatur

genmitteln vorgenommen. Hervorzuheben sind dabei Bodenfallenfänge im Jahr 2010 an über 60 Magerrasenstandorten (teils mit Einschluss von Verbuschungsstadien) in mehreren Naturräumen Baden-Württembergs sowie 2006 an einer Reihe von Probestellen an Waldstandorten und kleinen Fließgewässern im Schurwald (Teil des Schwäbischen Keuper-Lias-Landes).

Das Grundlagenwerk profitierte zudem von den 2005 begonnenen Arbeiten zum Verbreitungsatlas der Laufkäfer Deutschlands, der schließlich 2014 veröffentlicht wurde (Trautner et al. 2014). Aufgrund der zeitlichen Abfolge der Arbeiten konnten in diesem Atlas viele Funddaten leider noch nicht berücksichtigt werden. Diese stehen nun durch das Grundlagenwerk zur Verfügung und können im Rahmen von Nachträgen auch in die bundesweite Verbreitungsübersicht einfließen.

3.3 Projektspezifische Arbeiten

Im Jahr 2012 entschied das Land Baden-Württemberg, die vorliegende Reihe der Grundlagenwerke zum Artenschutz im Verlag Eugen Ulmer um ein weiteres Werk zu Laufkäfern zu ergänzen und die Arbeiten daran finanziell zu fördern. In der zweiten Jahreshälfte 2012 konnten diese Arbeiten beginnen. Neben der eigentlichen Manuskripterstellung beinhalteten sie im Wesentlichen:

- Zusammenführung der bereits analog und digital vorliegenden Funddaten (soweit noch nicht erfolgt),
- ergänzende Recherche und Eingabe von Literaturangaben und sonstigen Daten, dabei auch Vorträge zum Projekt und Aufrufe zur weiteren Datenübermittlung,
- Erstellung einer Info-Webseite zum Projekt (laufkaefer-bw.de),
- Auswertung bereits durchgeführter, aber bis Projektbeginn noch nicht weiter bearbeiteter Erhebungen,
- Auswahl von ergänzend zu untersuchenden Probestellen und Gebieten vor allem in bislang eher schlecht bearbeiteten Naturräumen, Beprobung (teils durch Bodenfallenfänge, teils durch Handfänge in Stichprobenform), Auswertung des Materials,
- zusammenfassende Basisauswertung,
- Entwurf und Erstellung der Verbreitungskarten.

Die ergänzenden Erhebungen mittels Bodenfallen erfolgten vor allem im Jahr 2013 an rund 70 Probestellen in verschiedenen Naturräumen und Lebensraumtypen. Zudem wurden vorwiegend Hand- oder Kurzzeit-Bodenfallenfänge in zusätzlichen Gebieten durchgeführt, darunter in mehreren Naturschutzgebieten wie dem Schmiechener See auf der Schwäbischen Alb, dem Wildseemoor im Nordschwarzwald, dem Unteren Neckar im Oberrhein-Tiefland sowie dem Schmalegger und Rinkenburger Tobel im Voralpinen Hügel- und Moorland. Während bei den rund 70 Probestellen ein größeres Artenspektrum in verbreiteteren Lebensräumen des jeweiligen Naturraums im Vordergrund stand, wurden in den ausgewählten Naturschutzgebieten überwiegend bestimmte Arten gesucht, von denen aus dem Raum noch keine oder nur alte Fundmeldungen vorlagen. Die Ergebnisse dieser Untersuchungen sind in die einzelnen Artkapitel eingeflossen, teilweise wird aber auch bei der Beschreibung der verschiedenen Laufkäfer-Lebensräume im Synoptischen Teil auf sie zurückgegriffen. Zudem sind verschiedene Einzelpublikationen vorgesehen.

Die für das Grundlagenwerk nach 2011 noch erforderlichen Arbeiten wurden durch die finanzielle Förderung des Landes nicht vollständig abgedeckt. Insbesondere die Erstellung des Manuskripts erfolgte größtenteils in Eigenleistung durch den Herausgeber und die beteiligten Autoren. In dem zur Verfügung stehenden zeitlichen und finanziellen Rahmen konnte auch keine zusätzliche Aufnahme von Museumssammlungen oder Privatsammlungen erfolgen. Entsprechende Arbeiten beschränkten sich in der Regel vielmehr auf die Überprüfung einzelner ausgewählter Belege.

4 Biologie der Laufkäfer

J. Trautner & M.-A. Fritze

4.1 Stammesgeschichtliche Entwicklung und systematische Stellung

Käfer gelten als eine der „erfolgreichsten" Tiergruppen der Welt und bilden mit rund 350 000 bis 400 000 bislang beschriebenen Arten (Hammond 1992) die größte Ordnung innerhalb der Insekten sowie im Tierreich insgesamt. Schätzungen ihrer tatsächlichen weltweiten Artenzahl belaufen sich aktuell auf rund 1,5 ± 0,6 Mio. Arten (Stork et al. 2015).

Bis nach der Jahrtausendwende stammten die ältesten bekannten Käferfossilien aus dem Erdzeitalter des Perm vor rund 250–300 Mio. Jahren, als die Landmassen der Erde noch den großen, zusammenhängenden Superkontinent Pangäa bildeten. Auch aus dem heutigen Deutschland liegen fossile Nachweise aus diesem Zeitalter vor (Rheinland-Pfalz, s. Hörnschemeyer & Stapf 1999). Inzwischen ist auch ein fossiler Fund aus dem Karbon bekannt (Béthoux 2009), so dass heute das früheste Auftreten von Käfern um rund 50–70 Mio. Jahre weiter zurückdatiert wird.

Die bislang frühesten fossilen Laufkäferfunde datieren aus der Trias (frühes Mesozoikum, s. Grimaldi & Engel 2005), die vor rund 250 Mio. Jahren begann; in diesem Erdzeitalter entwickelten sich auch die Dinosaurier. Ein Fossil aus deutlich späteren miozänen Ablagerungen (ca. 15–17 Mio. Jahre) des Randecker Maars am Nordrand der Schwäbischen Alb, das im Staatlichen Museum für Naturkunde in Stuttgart aufbewahrt wird, ist auf der untenstehenden Abbildung zu sehen. Es handelt sich um eine Art der Tribus Notiophilini, von der auch heute noch mehrere Arten aus der rezenten Gattung *Notiophilus* in Baden-Württemberg vorkommen. Übereinstimmend sind die erkennbaren Längsrippen auf der Stirn, der in der Mitte deutlich nach vorne gezogene Vorderrand des Halsschilds sowie die kurzen Fühler. Die frühere Zuordnung dieses Fossils zu den Bembidiini (s. Schawaller 1986) musste revidiert werden.

Als „Schlüsselinnovationen" der Käfer, die in der frühesten Entwicklungsgeschichte dieser Gruppe auftraten, gelten bei den Imagines die starke äußere Sklerotisierung (Verhärtung) aller nach außen gewandten Körperteile und die Umwandlung der Vorderflügel in Flügeldecken mit

Fossiler Laufkäfer der Tribus Notiophilini aus miozänen Ablagerungen des Randecker Maars (Baden-Württemberg). Foto: Staatliches Museum für Naturkunde Stuttgart/K. Wolf-Schwenninger.

Rezenter Vertreter der Tribus Notiophilini aus Baden-Württemberg: *Notiophilus biguttatus.*

Epipleuren (umgebogene Seitenränder) und Mechanismen zu ihrer Verankerung (Beutel & Leschen 2005). Der Umstand, dass über 100 der heutigen Abstammungslinien der Käfer ihren Ursprung vor der Kreidezeit haben, legt nahe, dass der schließlich erreichte Artenreichtum auf einer hohen Überlebensrate dieser Abstammungslinien beruht sowie auf ihrer anhaltenden Diversifikation in einem breiten Angebot an ökologischen Nischen (Hunt et al. 2007).

Man geht davon aus, dass sich die vier heute noch existierenden Käfer-Unterordnungen (Polyphaga als größte Gruppe, Adephaga, Myxophaga und Archostemata, die beiden letztgenannten mit geringer Artenzahl) im Perm und in der frühen Trias aufgespalten haben (Maddison 2000). Heute werden 17 Überfamilien und rund 170 Familien unterschieden (Beutel & Leschen 2005, Hunt et al. 2007), wobei die Verwandtschaftsbeziehungen sowohl auf diesen höchsten Ebenen als auch auf den untergeordneten Ebenen vielfach noch nicht abschließend geklärt sein dürften.

Laufkäfer gehören zur Unterordnung der Adephaga, deren größten Artenanteil sie stellen (derzeit rund 37500 beschriebene Aren, Lorenz 2015). Sie sind weltweit auf allen Kontinenten mit Ausnahme der Antarktis und auf den meisten Inseln vertreten. Näher verwandte Gruppen sind die in Deutschland nicht vertetene Familie der Trachypachidae sowie mehrere Familien von wasserbewohnenden Käfern („Hydradephaga“), darunter solche bekannten wie die der Schwimmkäfer (Dytiscidae) und der Taumelkäfer (Gyrinidae). Zu den Laufkäfern werden mehrere früher teilweise als eigene Familien betrachtete Gruppen gestellt, so die meist in Gesellschaft mit Ameisen lebenden Fühlerkäfer (Paussinae), die Sandlaufkäfer (Cicindelinae) und die Runzelkäfer (Rhysodinae).

Eine Übersicht zu den in Baden-Württemberg vertretenen Unterfamilien und Tribus findet sich am Anfang des Speziellen Teils (s. S. 66).

4.2 Körperbau, Fortpflanzung und Individualentwicklung

Laufkäfer sind im fortpflanzungsfähigen Stadium typische „Käfer“ mit in der Regel sehr gut erkennbaren Merkmalen dieser Tierordnung. Zu diesen Merkmalen zählen die meist stark sklerotisierten Flügeldecken und die kauenden Mundwerkzeuge. Der erkennbar dreigliedrige Körperbau von Käferimagines entspricht nicht der Dreigliederung in Kopf-, Brust- (Thorax) und Hinterleibssegmenten, wie sie im Grundbauplan der Insekten angelegt ist. Denn bei den Käfern besteht der zweite gut erkennbare Abschnitt (der Halsschild) nur aus dem ersten Brustsegment, während das zweite und dritte Brustsegment eine Einheit mit dem Hinterleib bilden, die von den Flügeldecken (Elytren) vollständig, bei einigen Artengruppen hingegen nur teilweise überdeckt wird.

Wichtige äußere Unterscheidungsmerkmale zu anderen Käferfamilien (außerhalb der Adephaga) sind für die Imagines von Laufkäfern vor allem die Verwachsung des zweiten bis vierten Hinterleibssegments sowie die Tatsache, dass die Hinterhüften das erste Sternit (Bauchplatte) in der Mitte vollständig durchsetzen und über dessen Hinterrand hinausragen, so dass sie auch das zweite Sternit teilweise überragen oder in dieses „hineinreichen“. Ein weiteres Unterscheidungsmerkmal ist die sogenannte „Tarsenformel“ (5-5-5, d. h., bei den meisten Arten weisen sowohl die Vorder- als auch die Mittel- und Hinterbeine 5 Fußglieder auf). Bei allen einheimischen Arten sind die Füh-

Larve des Großen Puppenräubers (*Calosoma sycophantha*), die vor allem Schmetterlingsraupen jagt; Tribus Carabini.

Larve des mit Tierbauten oder Höhlen assoziierten Blauschwarzen Dunkelläufers (*Laemostenus terricola*), Tribus Sphodrini. Foto: A. Niedling.

Larve des Weichholzrinden-Ahlenläufers (*Ocys harpaloides/O. tachysoides*), Tribus Bembidiini. Foto: M. Bräunicke.

ler 11-gliedrig und schnur- bis perlschnurförmig ausgebildet.

Viele Laufkäferarten haben Drüsen in ihrem Hinterleib, aus denen sie Abwehrsekrete versprühen können. Als deren hauptsächliche chemische Komponenten nennen Will et al. (2000) je nach Tribus Ameisensäure, hochmolekulare Karbonsäuren, Phenole, Chinone, Ketone und aromatische Aldehyde. Besonders bekannt ist der Fall der Bombardierkäfer (Brachinini). Sie versprühen eine ätzende Flüssigkeit, die mit hörbarem Knall aus Drüsen in ihrem Hinterleib freigesetzt wird. Schildknecht & Holoubek (1961) haben diese Flüssigkeit als ein Gemisch aus p-Benzo- und Toluchinon beschrieben, wobei „die Chinone in einer explosionsartig verlaufenden, enzymkatalysierten Reaktion aus den entsprechenden Hydrochinonen und Wasserstoffperoxyd entstehen. Der gleichzeitig frei werdende Sauerstoff liefert den zum Ausschleudern und Zerstäuben nötigen Druck." Erwähnenswert ist auch die hohe Temperatur, die das ausgestoßene Stoffgemisch bei der chemischen Reaktion erreicht: Bis etwa 100 °C sind möglich.

Die häutigen Hinterflügel und/oder deren zugehörige Flugmuskulatur sind je nach Art unterschiedlich ausgestaltet. Bei manchen Arten sind

Larve eines Sandlaufkäfers der Gattung *Cicindela* in Seitenansicht und typischer, doppel-S-förmiger Körperhaltung in ihrer aufgegrabenen Röhre. Kopf- und Halsschildoberseite zeigen in Richtung Röhreneingang (weiter oben, außerhalb des Bilds), die Mandibeln stehen nach oben. Fortsätze auf dem Rücken des 5. Hinterleibssegments drücken gegen die Rückwand der Röhre. Die Larve ist eine Lauerjägerin und sitzt gewöhnlich im Röhreneingang. Hier ist sie aber nach einer Störung tiefer in die Röhre hineingekrochen.

Entwicklung eines Großlaufkäfers der Gattung *Carabus* von der Eiablage (a) über das Ei (b), das Schlüpfen der Larve aus dem Ei (c) und die Larve (d) bis hin zur Puppe (e). Verändert nach STURANI (1962). Zeichnung: K. Geigenmüller.

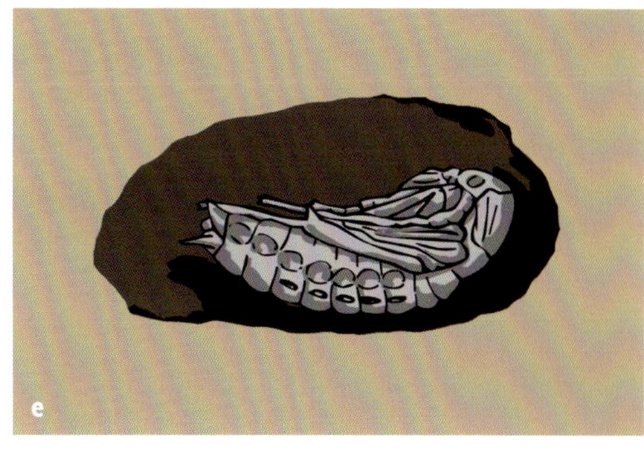

sie durchgehend mehr oder weniger stark zurückgebildet, so dass die Käfer flugunfähig sind. Tiere mit stark reduzierten Hinterflügeln werden als brachypter bezeichnet. Andere Arten sind hinsichtlich der Flügelausbildung dimorph oder polymorph und weisen beispielsweise je nach Alter der Population eines neu besiedelten Standorts und dessen Stabilität unterschiedlich hohe Anteile flugfähiger Individuen auf (z. B. DEN BOER et al. 1980). Eine ganze Reihe von Arten ist aber durchgehend voll geflügelt (makropter) und flugfähig. Dies trifft etwa auf viele Arten zu, die Lebensräume mit hoher Dynamik wie zum Beispiel Flussufer besiedeln.

Auf eine nähere Beschreibung des Körperbaus von Käfern im Allgemeinen und von Laufkäfern im Besonderen wird hier verzichtet; es gibt dazu eine Fülle von anschaulicher Literatur, und das vorliegende Buch ist kein Bestimmungswerk, das die Zuordnung morphologischer Merkmale zu den jeweiligen Arten zum Ziel hat. Das Erscheinungsbild von Imagines der in Baden-Württemberg vorkommenden Arten ist den Artkapiteln im Speziellen Teil zu entnehmen. Einige typische Laufkäferlarven werden schon hier gezeigt. Neben diesen Larventypen treten bei Laufkäfern auch solche mit teilweise oder vollständig zurückgebildeten Beinen auf.

Weibchen des Lehmstellen-Sammetläufers (*Chlaenius nitidulus*) kurz vor der Eiablage. Am Hinterleibsende sind Lehmklümpchen zu sehen. Nach einem Foto von M.-A. Fritze. Zeichnung: K. Geigenmüller.

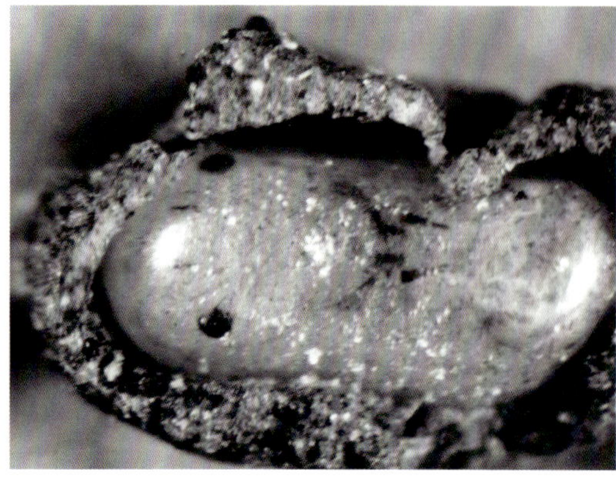
Ei von *Chlaenius nitidulus* im seitlich geöffneten Lehmkokon. Durch die Eihülle hindurch sind unter anderem die Augen der Larve schon deutlich zu erkennen. Foto: M.-A. Fritze.

Puppe des Feld-Sandlaufkäfers (*Cicindela campestris*), die auf Rückendornen in einer Kammer im Boden ruht.

Wie alle Käfer gehören auch die Laufkäfer zu den holometabolen Insekten. Sie durchlaufen also eine vollständige Verwandlung, von der Larve über ein nicht mobiles Puppenstadium bis hin zu der im Körperbau stark von der Larve abweichenden Imago (fortpflanzungsfähiges Stadium, eigentlicher „Käfer"). Dieser Vorgang wird auf der vorherigen Seite am Beispiel einer Großlaufkäferart der Gattung *Carabus* im Überblick gezeigt.

Nach erfolgreicher Paarung, bei der das Männchen regelmäßig auf dem Rücken des Weibchens sitzt, legen die Weibchen ihre Eier meist im oder auf dem Untergrund ab. Die Zahl der Eier kann je nach Art sehr unterschiedlich sein und von ein paar vereinzelten bis hin zu mehreren hundert pro Fortpflanzungsperiode reichen. Teilweise werden die Eier bei der Eiablage einzeln mit einem Kokon aus Lehm oder anderem Material umhüllt. Dies ist zum Beispiel bei einheimischen Arten der Gattung *Chlaenius* der Fall (Fritze 1990, unveröff.). Die Weibchen suchen dabei zunächst geeignete feuchte Stellen und nehmen dort mit der Hinterleibsspitze ein Substratklümpchen auf. Daraufhin suchen sie geeignete Eiablageplätze und sondieren dazu den Untergrund mit den Tastern ihrer Mundwerkzeuge. Haben sie einen passenden Platz gefunden, heften sie das Lehmklümpchen mit dem Hinterleib an das Substrat und drücken mit dem Hinterlieb eine Höhlung in das Klümpchen. Dort hinein legen sie das Ei. Anschließend drücken sie die Öffnung des Kokons mit der Unterseite ihres Hinterleibs wieder zu. Einige Arten graben sich zur Eiablage mehr oder weniger tief in den Untergrund hinein. Gängegrabende Arten können ihre Eier in Eikammern ablegen, die von den Gängen abzweigen, zum Beispiel der Kopfläufer (*Broscus cephalotes*; s. Kempf 1955). Die sehr einfache Eiablage im Fall der Uferläuferarten *Elaphrus cupreus* und *E. riparius* beschreibt Bauer (1974) wie folgt: „Die Hinterleibspitze [des Weibchens] bohrt sich tastend in den Boden, wobei die synchron aufwärts arbeitenden Styli [Teile des Legeapparats] eine Grube scharren, an deren Hinterwand das Ei gedrückt wird. [...] Die Dauer eines Legeaktes ist stark abhängig von der Eignung des Untergrundes. Im günstigsten Fall dauert er bei *E. riparius* 30 sec., bei *E. cupreus* ca. 1 min." Je nach Art können solche Eigruben anschließend mit dem Hinterleibsende wieder zugestrichen werden, wie dies der gleiche Autor für *Asaphidion*-Arten anführt. Manche Arten graben sich nicht in den Untergrund, sondern heften ihre Eier, wie dies

Tab. 4.1 Eizahl, Eigröße und Dauer des Eistadiums bei verschiedenen Laufkäferarten (Auswahl), Eidauer in Tagen (d)

Name Beschr.	Tribus	Eizahl*	Eigröße [mm]	Eidauer	Quelle
Bembidion femoratum	Bembidiini	25–40, max. 127	0,53–0,75 (L); 0,31–0,45 (B)	4–5	Meissner (1983)
Bembidion punctulatum	Bembidiini	10–20, max. 31	0,69–0,88 (L); 0,35–0,47 (B)	4–5	Meissner (1983)
Brachinus crepitans	Brachinini	5,6	0,88 (L); 0,39 (B)	14,1; 9,1	Saska & Honěk (2004, 2005)
Carabus auratus	Carabini	56	5,55 (4,8–6,2) (L)	3–10	Scherney (1957, 1959)
Carabus nemoralis	Carabini	51	5,1 (L); 2,1 (B)	8–21	Delkeskamp (1930), Hůrka (1973), Kern (1921)
Chlaenius nigricornis	Chlaeniini	32–82	1,58 (1,48–1,66) (L); 0,69 (0,64–0,78) (B)	7,1 (6–8)	Fritze (1990)
Chlaenius nitidulus	Chlaeniini	73–112	1,85 (1,72–1,90) (L); 0,91 (0,82–1,08) (B)	8,2 (7–11)	Fritze (1990)
Chlaenius vestitus	Chlaeniini	167–186	1,33 (1,14–1,52) (L); 0,59 (0,54–0,66) (B)	5,4 (3–7)	Fritze (1990)
Blethisa multipunctata	Elaphrini	977	1,64 (L); 0,71 (B)	4,97 (2–8)	Arens (1984)
Elaphrus cupreus	Elaphrini	max. 226	1,4 (L); 0,5 (B)	5,8 (5–8)	Bauer (1974)
Elaphrus riparius	Elaphrini	max. 78	1,1 (L); 0,35 (B)	5,5 (4–8)	Bauer (1974)
Nebria brevicollis	Nebriini	31–41	2 (L)	17–35,1	Luff (1975), Penny (1966)
Notiophilus biguttatus	Notiophilini	23	–	7–10	Bauer (1975b)
Pterostichus oblongopunctatus	Pterostichini	59	1,69 (1,51–1,85) (L); 0,84 (0,76–0,91) (B)	8,1	Paarmann (1966)
Pterostichus quadrivofeolatus	Pterostichini	120	1,40 (1,24–1,55) (L); 0,67 (0,61–0,76) (B)	8,0	Paarmann (1966)
Calathus fuscipes	Sphodrini	105–200	1,6 (L)	–	Gilbert (1956), Kůrka (1972)

* Die Werte stellen die Anzahl abgelegter Eier mindestens eines Weibchens über einen Zeitraum von mindestens ca. 2 Wochen (teils deutlich länger) dar, können hier aber nur einen groben Eindruck geben, da nicht normiert und nur teilweise die Ei-Gesamtzahl aus einer Fortpflanzungsperiode wiedergebend.
L = Eilänge, B = Eibreite

Meissner (1983) für den Ahlenläufer *Bembidion femoratum* nachwies, „einzeln und ohne besondere Vorkehrungen an allen vorhandenen Gegenständen an. Wo möglich, werden kleine Unebenheiten der Bodenoberfläche genutzt."

Meist durchläuft die Larve drei Stadien, bevor sie sich in einer Höhlung im Boden oder in einem anderen Substrat des Lebensraums verpuppt. Später schlüpft hieraus die Imago, die teilweise noch längere Zeit (etwa über die Wintermonate) in der Puppenhöhle verbleiben kann.

Eine exemplarische Übersicht zu Eizahl, Eigröße und Eidauer einiger Laufkäferarten aus unterschiedlichen Tribus gibt Tab. 4.1. In Tab. 4.2 ist für einige Arten die Gesamtentwicklungsdauer der präimaginalen Stadien ab Eiablage zusammen mit der Dauer der Puppen- und der unterschiedlichen Larvenstadien zusammengestellt.

Über Maßnahmen der Brutfürsorge (etwa die bereits beschriebene Umhüllung von Eiern mit einem Substratkokon) hinaus tritt bei einer ganzen Reihe von Laufkäferarten auch Brutpflege auf. Hierzu gehören beispielsweise Arten der Gattungen *Abax, Molops* und *Pterostichus*. Die Weibchen dieser Arten graben eine Höhlung von wenigen Zentimetern Durchmesser in den Untergrund (Bodensubstrat oder morsches Holz), legen dort ihre Eier ab und verbleiben bei oder auf diesen, bis die Larven geschlüpft sind und die Höhlung verlassen haben (s. z. B. Komárek 1954, Löser 1970, Weidemann 1971, Brandmayr & Zetto Brandmayr 1974, Kolesnikov 2008).

Tab. 4.2 Dauer der Larven- und des Puppenstadiums sowie Gesamtentwicklungdauer bis zur Imago für verschiedene Laufkäferarten (Auswahl), Angabe in Tagen (d)

Art	Tribus	Larvenstadien			Puppe	Gesamtentwicklung*	Quelle
		L1	L2	L3			
Bembidion foraminosum	Bembidiini	3–4	4–5	9–14	5–6	26–30	Bauer (1975b)
Bembidion lampros	Bembidiini	3,4–5,8	3,3–6,0	9,1–10,4	5,1–8,3	20,9–30,4	Boye Jensen (1990)
Brachinus explodens	Brachinini	3,3–7,2	1,3–4,6	4,1–11,2	6,1–18,1	24–56,7	Saska & Honěk (2004, 2005)
Carabus auratus	Carabini	10–14	15–21	28–36	8–14	64–95	Sturani (1962) in Hůrka (1973)
Carabus nemoralis	Carabini	4–16	7–22	17–24	11–32	54–89	Delkeskamp (1930), Hůrka (1973)
Chlaenius nigricornis	Chaeniini	4,1 (4–5)	3,3 (3–5)	9,6 (8–11)	6,8 (6–7)	30,8 (29–32)	Fritze (1990)
Chlaenius nitidulus	Chaeniini	4,2 (3–7)	4,0 (2–6)	10,7 (8–14)	7,0 (6–8)	34,3 (27–36)	Fritze (1990)
Chlaenius vestitus	Chaeniini	4,2 (3–7)	4,2 (2–6)	12,2 (6–18)	6,4 (5–8)	32,0 (29–36)	Fritze (1990)
Blethisa multipunctata	Elaphrini	5,7 (3–10)	9,4 (6–13)	16,2 (12–23)	4,0 (3–7)	43,2 (37–55)	Arens (1984)
Elaphrus cupreus	Elaphrini	5,3 (4–8)	6,9 (5–11)	14,6 (11–17)	5,0 (4–6)	37,5 (26–41)	Bauer (1974)
Elaphrus riparius	Elaphrini	4,5 (3–7)	4,8 (3–8)	10 (8–14)	3,5 (3–4)	28,3 (25–35)	Bauer (1974)
Harpalus rufipes	Harpalini	–	33,0	22,5–34,5	9,5–19,5	–	Matalin (1997)
Cymindis angularis	Lebiini	7 (5–10)	7 (6–8)	27	12	–	Hůrka (1986)
Nebria brevicollis	Nebriini	11–22,7	11–26,7	83,1	23	190,6	Luff (1975), Penny (1966)
Notiophilus biguttatus	Notiophilini	4–6	4–5	9–14	7–8	35–38	Bauer (1975b)
Agonum ericeti	Platynini	4–6	6–8	10–16	6–7	27–34	Hůrka & Smrž (1981)
Anchomenus dorsalis	Platynini	–	–	26,1 (L1–L3)	8,6	34,7	Kreckwitz (1978)
Paranchus albipes	Platynini	9–14	7–14	9–24	9–10	–	Kůrka (1976)
Abax ovalis	Pterostichini	26,1	35,1	98,3	14,6	194,1	Lampe (1975)
Pterostichus madidus	Pterostichini	19,7–30,9	40,3–54,6	100–222	13–29	202,3–367,8	Luff (1973)
Pterostichus melanarius	Pterostichini	19,5–40	42,5–59	98–112,5	10,5–16	188–261	Hůrka (1975)
Pterostichus oblongopunctatus	Pterostichini	7,7	8,8	18,5	9	52,1	Paarmann (1966)
Amara erratica	Zabrini	4–8	7–14	10–11	7–11	33–44	Bílý (1971, 1975)
Amara infima	Zabrini	7,8	7,5	27	20	66	Bílý (1975)
Amara ingenua	Zabrini	7,1–14,4	15,8–19,1	**	10–13,3	42,3–52,6	Bílý (1975)
Amara municipalis	Zabrini	7,9	15	**	7	37,5	Bílý (1975)

Werte in Klammern geben Spannen zum vorstehenden Wert an. Wertespannen können auf unterschiedliche Laborbedingungen (insbesondere abweichende Temperaturverhältnisse) in der Haltung bzw. in Versuchsreihen zurückgehen.

* schließt in der Regel die in dieser Tabelle nicht ausgewiesene Eidauer mit ein (daher Werte höher als Summe der Einzelwerte aus der Larvalentwicklung)

** kein drittes Larvenstadium (Verpuppung nach dem 2. Stadium)

Einzelne Laufkäfergruppen weisen eine ektoparasitische Entwicklung auf, zum Beispiel *Lebia*-Arten, die an Blattkäfer-Larven und -Puppen (Chrysomelidae; z. B. SILVESTRI 1904) parasitieren, oder *Brachinus*-Arten, für die dies an präimaginalen Stadien von Laufkäfern der Gattung *Amara* belegt ist. Letzteres haben SASKA & HONĚK (2004) nachgewiesen, die den Entwicklungszyklus für die auch in Baden-Württemberg vorkommenden Bombardierkäferarten *B. explodens* und *B. crepitans* detailliert beschreiben: Demnach suchen sich die Larven sofort nach dem Schlüpfen einen geeigneten Wirt und beginnen mit dem Fraß, indem sie zunächst die Außenhülle des Wirtes punktuell öffnen und die austretende Körperflüssigkeit aufsaugen, um dann später meist an seinen Fühlern und Beinen und schließlich am restlichen Wirtskörper zu fressen. Die Häutungen, auch jene zur Puppe, finden direkt an der *Amara*-Puppe oder in deren unmittelbarer Nähe statt. Obwohl die Wirtstiere rund 200–600 Mal größer als die *Brachinus*-Larven sind, dauert die gesamte Larvalentwicklung nach Auffinden des Wirtstiers nur rund 1–2 Wochen (bei 25 °C). Vom Wirt bleiben am Ende nur Fragmente der äußeren Körperhülle übrig (SASKA & HONĚK 2004, 2005).

Die Imagines einiger Laufkäferarten und -tribus können auch im Freiland mehrere Jahre alt werden und somit an mehr als einer Reproduktionsperiode teilnehmen. Für *Carabus*-Arten war schon seit Langem bekannt, dass sie in Gefangenschaft viele Jahre überleben können (z. B. KERN 1912: *Carabus auratus* 5 Jahre). Auch für Arten anderer Tribus gab es entsprechende Belege. So berichtet THIELE (1977), dass er ein Weibchen von *Abax ovalis* 3 Jahre lang in Gefangenschaft hielt. Durchaus überraschend war aber die Erkenntnis, dass entsprechende Lebensalter nicht nur im Terrarium erreicht werden können. Im Rahmen von Fang-Wiederfang-Untersuchungen an einer Population des waldbewohnenden Goldglänzenden Laufkäfers (*Carabus auronitens*) konnten etwa BAUMGARTNER et al. (1997) nachweisen, dass im Frühling üblicherweise Indviduen aus 4–5 vorangegangen Jahren aktiv waren; das älteste in dieser Studie nachgewiesene Individuum, das noch im Frühjahr 1997 aktiv war, stammte aus dem Herbst 1992. Die Wahrscheinlichkeit, dass Imagines zumindest eine zweite Frühjahrssaison überlebten, erwies sich in der Studie als durch unterschiedliche Faktoren bestimmt, etwa durch den Zeitpunkt

Ein Weibchen des Grabläufers *Pterostichus anthracinus* beim Bewachen ihrer Eier in der Eikammer. Foto: F. Kolesnikov.

des Schlupfes: Je später dieser im ersten Frühjahr lag, desto höher war die Überlebenswahrscheinlichkeit für das zweite Frühjahr; für kleine Männchen und Weibchen dieser Art war die Wahrscheinlichkeit, das zweite Frühjahr zu überleben, hingegen verringert (BAUMGARTNER et al. 1997). Während nach den Ergebnissen von WEBER & HEIMBACH (2001) die Überlebensrate für Weibchen von *C. auronitens* bis zur vierten Frühjahrssaison hoch war und erst danach deutlich abnahm (das älteste registrierte Weibchen erreichte das 6. Frühjahr), sank die Überlebenswahrscheinlichkeit im gleichen Lebens- und Untersuchungszeitraum für Weibchen von *Carabus nemoralis* deutlich rascher, und auch die ältesten wiedergefangenen Weibchen dieser Art erreichten lediglich ihre vierte Frühjahrssaison. Ein sehr langes Imaginalleben konnte RUSDEA (1994) für die höhlenbewohnende Laufkäferart *Laemostenus schreibersi* feststellen: Im Rahmen langjähiger Untersuchungen fing sie als ältestes Exemplar ein mindestens 6,5 Jahre altes, zuvor markiertes Individuum wieder.

Auch bei Arten von Lebensräumen, die weniger stabil sind als Wälder oder Höhlen, nehmen Individuen gelegentlich an mehreren Fortpflanzungsperioden teil. So wurden in Äckern und ihren typischen Begleitstrukturen im baden-württembergischen Kraichgau bei *Harpalus luteicornis* und *Parophonus maculicornis* überwinterte Imagines nachgewiesen, die 10 bis 12 Monate zuvor markiert worden waren (KUBACH 1995). Für mehrere *Harpalus*-Arten nahm bereits SCHJØTZ-CHRISTENSEN (1966a) eine Lebensspanne als Imago von wahrscheinlich mindestens 2 Jahren an.

4.3 Phänologie

Zur Jahresperiodik in der Individualentwicklung und der damit zusammenhängenden Aktivität von Laufkäfern gibt es eine Vielzahl von Veröffentlichungen, klassischerweise hat man zwischen sogenannten „Frühjahrsarten“ und „Herbstarten“ unterschieden (s. z. B. Larsson 1939). Bei den Erstgenannten findet die Paarung im Frühjahr und die Larvalentwicklung im Frühjahr und im Sommer statt, wobei Imagines der neuen Generation dann in der Regel schon im Sommer erscheinen und die Art als Imago überwintert. Bei den Zweitgenannten schlüpfen die Imagines nach larvaler Überwinterung erst im Folgejahr, und Paarung und Eiablage finden teilweise sehr spät im Jahr statt (z. B. August bis Oktober). Entsprechend gestaltet sich auch die Hauptaktivität von Imagines und Larven, wobei zweigipfelige Aktivitätskurven etwa bei Frühjahrsarten stark durch das Auftreten von Individuen der neuen Generation im Sommer/Herbst mitbestimmt sein können.

Allerdings zeigte sich, dass viele Arten nicht eindeutig oder nicht durchgehend einem dieser „einfachen“ Typen zugerechnet werden können (s. z. B. Den Boer & Den Boer-Daanje 1990, Matalin 2007). Zudem ergeben sich Verschiebungen der Hauptaktivitätsphasen und der Gesamtaktivität in Abhängigkeit von der Höhenlage und der geographischen Lage im Gesamtverbreitungsgebiet einzelner Arten.

Auf der Grundlage von recht umfangreichem Material aus Untersuchungen in Bann- und Vergleichswäldern in Baden-Württemberg, die in den Jahren 1994 bis 1996 im Auftrag der Forstlichen Versuchs- und Forschungsanstalt (FVA) durchgeführt wurden, hat Rietze (2001) Phänogramme für 35 häufigere Arten ausgearbeitet und dokumentiert. Die entsprechenden Untersuchungsgebiete decken ein breites Spektrum an Waldlebensraumtypen überwiegend mittlerer Standorte ab, die in Höhenlagen zwischen rund 170 m ü. NHN und knapp 1200 m ü. NHN liegen; die Auswertungen basierten auf Registrierungen von über 50 000 Individuen aus 119 Arten.

Die nachfolgend exemplarisch dargestellten Phänogramme gehen auf diese Arbeit zurück, wurden aber stark vereinfacht. Sie illustrieren Ergebnisse für Arten mit deutlichem Aktivitätsschwerpunkt im Frühjahr (*Pterostichus oblongopunctatus*), im Sommer (*Cychrus caraboides*) und in den

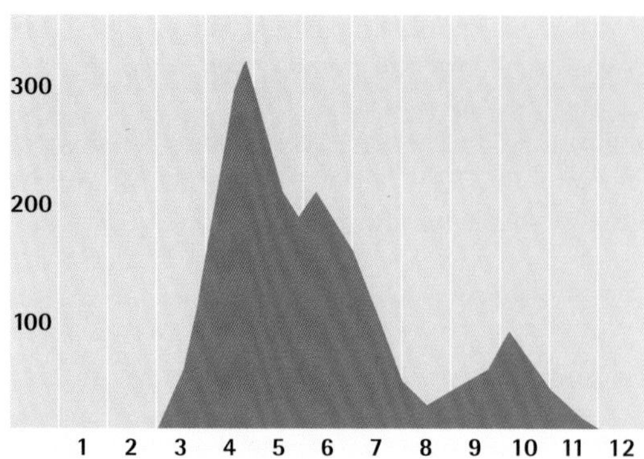

Phänogramm des Gewöhnlichen Wald-Grabläufers (*Pterostichus oblongopunctatus*) in einem Untersuchungsgebiet des Strombergs (340–390 m ü. NHN), stark vereinfacht und schematisiert nach Rietze (2001).

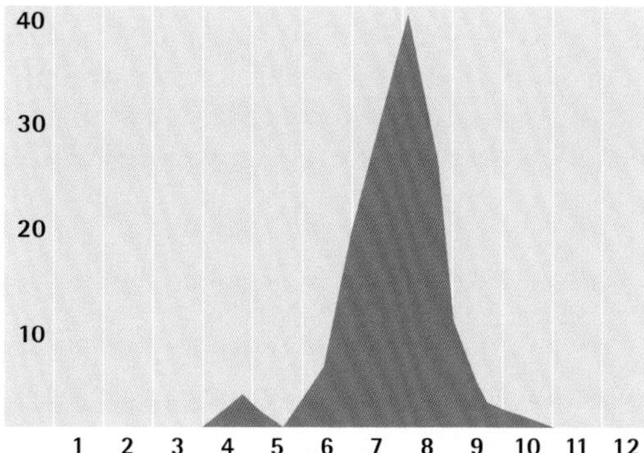

Phänogramm des Gewöhnlichen Schaufelläufers (*Cychrus caraboides*) in einem Untersuchungsgebiet des Mittleren Schwarzwalds (730–820 m ü. NHN), stark vereinfacht und schematisiert nach Rietze (2001).

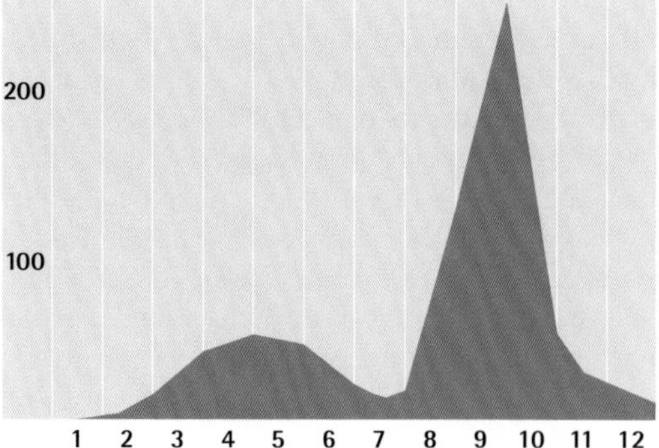

Phänogramm des Gewöhnlichen Dammläufers (*Nebria brevicollis*) in einem Untersuchungsgebiet des Strombergs (340–390 m ü. NHN), stark vereinfacht und schematisiert nach Rietze (2001).

Herbstmonaten (*Nebria bevicollis*), zudem die nach Höhenlage unterschiedlichen registrierten Aktivitätsmaxima des Goldglänzenden Laufkäfers (*Carabus auronitens*). Bei letzterem wurde in Lagen oberhalb von 1000 m ü. NHN ein relativ kurzer Aktivitätspeak im Juni/Juli festgestellt, und in einem Untersuchungsgebiet von rund 350 m ü. NHN ein ebenso kurzer bereits sehr früh im Jahr (April/Mai). In der dazwischenliegenden Höhe von rund 700 bis 800 m ü. NHN war die Aktivitätsphase dieser überwiegend in der submontanen bis montanen Höhenstufe verbreiteten Art deutlich länger und wies einen zweigipfeligen Kurvenverlauf auf. Wie bereits an anderer Stelle geschildert, wurden in den Populationen des vergleichsweise langlebigen *C. auronitens* bei Untersuchungen in Nordrhein-Westfalen Imagines aus bis zu fünf vorangehenden Jahresgenerationen festgestellt (z. B. Baumgartner et al. 1997).

Während viele Laufkäfer in Mitteleuropa mehr oder weniger inaktiv überwintern (und bei manchen auch eine Ruhephase der Imagines in den Sommermonaten auftreten kann), zeigen die Larven oder Imagines einer Reihe von Arten eine – teils ausgeprägte – Winteraktivität. Aus Baden-Württemberg liegen hierzu kaum Daten vor, und auch insgesamt wurde diesem Aspekt bislang wenig Beachtung geschenkt. Zu den imaginal winteraktiven Arten zählen bei uns unter anderem *Trechus quadristriatus* und *Bradycellus harpalinus* (belegt auch über eigene winterliche Bodenfallenfänge in Baden-Württemberg), *Paradromius linearis* und *Philorhizus notatus* (belegt über eigene winterliche Handfänge in Baden-Württemberg, zum Teil auch durch sich paarende Tiere), zu den larval winteraktiven Arten unter anderem *Nebria brevicollis* (eigene Daten und Literatur). Jaskuła & Soszyńska-Maj (2011) geben eine Zusammenfassung vieler Angaben zum derzeitigen Kenntnisstand über winteraktive Laufkäfer in Zentral- und Mitteleuropa, wobei sie 73 Arten listen. Der bei ihnen berücksichtigte Zeitraum schließt allerdings noch den Monat März ein, der in Baden-Württemberg auch hinsichtlich der Laufkäfer-Phänologie als Frühjahrsmonat zu rechnen ist.

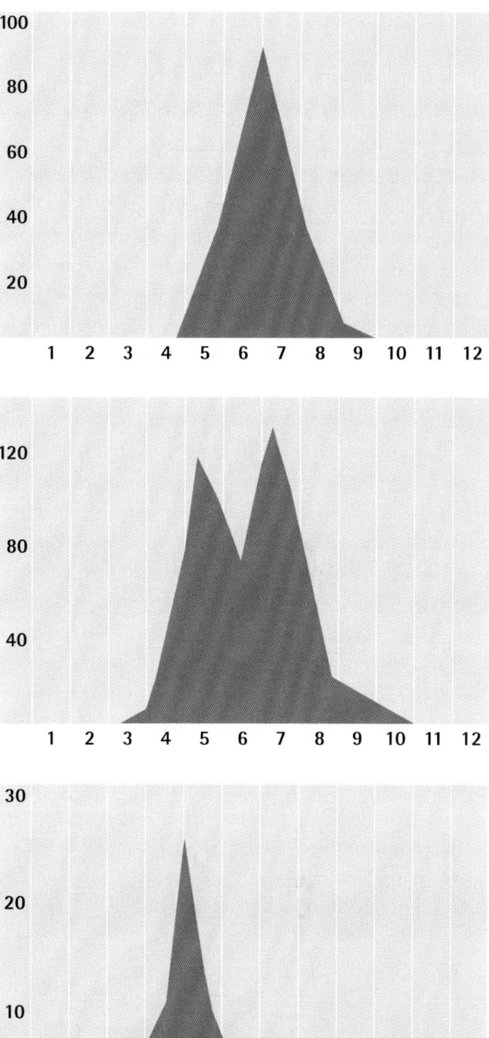

Phänogramme des Goldglänzenden Laufkäfers (*Carabus auronitens*) in Untersuchungsgebieten des Schwarzwalds in Höhenlagen über 1000 m ü. NHN (oben) und 730–820 m ü. NHN (Mitte) sowie des Strombergs bei 340–390 m ü. NHN (unten), stark vereinfacht und schematisiert nach Rietze (2001).

4.4 Lebensformen und Ernährung

Aufgrund ihres Größenspektrums zählen Laufkäfer in Baden-Württemberg ganz überwiegend zur sogenannten Makrofauna (Tiere mit einer Körpergröße zwischen 0,2 und 2 cm); eine Reihe von Arten, insbesondere aus der Gattung *Carabus*, darf sich aber bereits zur Megafauna (> 2 cm) rechnen. Die größte einheimische Art ist der Lederlaufkäfer (*Carabus coriaceus*) mit höchstens rund 4,2 cm, die kleinsten sind die Zwergahlenläufer *Elaphropus parvulus* und *Tachys micros* mit mindestens rund 0,17 cm Körperlänge. Dabei gehört die überwiegende Zahl der einheimischen Laufkäferarten der Fauna der Bodenoberfläche oder der oberen Bodenschichten an, teils unterscheidet sich dies nach Entwicklungsstadium. So leben die Larven der Sandlaufkäfer (Gattungen *Cicindela, Cylindera*) in selbst gegrabenen Röhren im Boden, während die Imagines ganz überwiegend auf der Bodenoberfläche aktiv sind.

Spezielle und auffällige Anpassungen an ein „aktives" Leben im Boden finden sich zum Teil bei Artengruppen, die Gänge im Boden graben. Hierzu gehören zum Beispiel die Arten der Gattungen *Clivina* und *Dyschirius* (s. S. 166 ff.), die sich durch einen zwischen Hinterleib und Halsschild stark eingeschnürten und ansonsten mehr oder weniger zylindrisch geformten Körper sowie durch deutlich verbreiterte und stark bedornte „Grabbeine" auszeichnen. Aber auch eine abgeflachte Körperform kann auf eine Lebensweise im Boden und in dortigen Hohlräumen oder Lückensystemen hinweisen. Zu solchen Arten zählt der Herzhals-Grabläufer (*Pterostichus macer*), der auf wechselfeuchten und wechseltrockenen Standorten zum Beispiel über dort entstehende Bodenrisse tief in den Untergrund vordringt und häufig auch in den Spalten unter Steinen zu finden ist, die in die Bodenoberfläche eingebettet sind. Andere Arten, zum Beispiel aus der Tribus Trechini, wie etwa der Schlanke Sand-Ahlenläufer (*Perileptus areolatus*) oder der Langfühlerige Zartläufer (*Thalassophilus longicornis*), bewohnen den sogenannten Interstitialraum im Uferbereich von Gewässern, also das Hohlraumsystem des vom Gewässer abgelagerten lockeren Materials, das offene Sand-, Kies- oder Schotterbänke bildet. Bei Vertretern der Gattung *Pterostichus* sind die Larven in der Regel hauptsächlich im Inneren der Streuschicht aktiv, während sich die Imagines bei vielen Arten dieser Gruppe an der Oberfläche bewegen.

Die hier aufgegrabene Larvenröhre des Heide-Sandlaufkäfers (*Cicindela sylvatica*) reicht in nahezu senkrechtem Verlauf bis in eine Tiefe von 60 cm unter die Bodenoberfläche. Eine Sandlaufkäferlarve wurde bereits weiter vorne im Buch abgebildet (s. S. 26).

Allerdings ist die Laufkäferfauna mitnichten auf den Boden als Lebensraum beschränkt. Eine ganze Reihe von Arten schließt krautige Vegetation oder Bäume und Gebüsch in ihren Aktivitätsraum mit ein. Für mehrere dieser Arten stellen die genannten Strukturen sogar die ausschließlich oder vorzugsweise genutzte Schicht des jeweiligen Biotops oder Ökosystems dar. Beispiele für solche Arten sind zum einen die Imagines der meist in einer stark vertikal strukturierten, krautigen Vegetation aktiven Vertreter der Gattung *Demetrias* sowie Imagines des Sumpf-Halsläufers (*Odacantha melanura*), zum anderen die baumbewohnenden *Dromius*-Arten. Diese Arten sind oft relativ schlank und stärker abgeflacht.

Im Übergangsbereich zwischen Wasser und Land treten Arten auf, die nicht nur als Reaktion auf stark schwankende Wasserstände – insbesondere durch Überflutungen im Rahmen einer natürlichen Auedynamik – ein spezifisches Flut-, Schwimm- und Tauchverhalten zeigen (z. B. Siepe 1994), sondern sich zeitweise auch bei Störungen oder aktiv im Rahmen ihres Lebenszyklus und der Nahrungssuche ins Wasser oder unter die Wasseroberfläche begeben. Ein Beispiel ist hier der in Baden-Württemberg inzwischen ausgestorbene oder verschollene Schwarze Grubenlaufkäfer (*Carabus variolosus* ssp. *nodulosus*, S. 119).

Grob kann man daher die einheimischen Lauf-

Individuen des Ried-Halmläufers (*Demetrias monostigma*) klettern mit hoher Geschwindigkeit in der krautigen Vegetation.

Ein Brauner Rindenläufer (*Dromius agilis*) versteckt sich in einem Spalt der Borke im bodennahen Stammbereich eines Baumes.

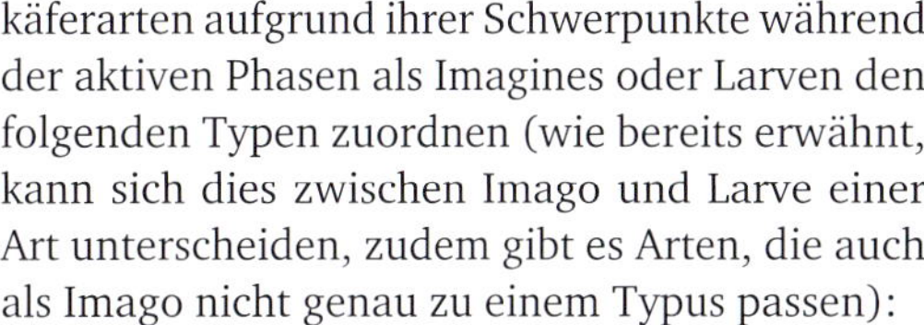

käferarten aufgrund ihrer Schwerpunkte während der aktiven Phasen als Imagines oder Larven den folgenden Typen zuordnen (wie bereits erwähnt, kann sich dies zwischen Imago und Larve einer Art unterscheiden, zudem gibt es Arten, die auch als Imago nicht genau zu einem Typus passen):

- Laufkäfer der Bodenoberfläche und der Streuschicht,
- grabende Laufkäfer sowie Bewohner von sonstigen (nicht aktiv selbst erzeugten) Lücken- und Hohlraumsystemen im Boden,
- pflanzenkletternde Laufkäfer der Krautschicht,
- baum- und holzbewohnende Laufkäfer.

In Bezug auf die Ernährungsweise zeigt auch die einheimische Laufkäferfauna ein breites Spektrum, das von spezialisierten Räubern über wenig oder nicht spezialisierte, räuberisch lebende Arten und Nahrungsgeneralisten (mit sowohl tierischer als auch pflanzlicher Kost) bis hin zu Pflanzenfressern reicht, wobei unter den Letztgenannten vor allem samenfressende Arten vertreten sind. Zudem gibt es Laufkäfer, die gelegentlich oder zu einem nennenswerten Anteil tote tierische Nahrung verzehren. So stellt für die Uferfauna an Bächen und Flüssen das angeschwemmte Material toter oder absterbender Wasserorganismen (z. B. Bachflohkrebse und beim Schlüpfvorgang verletzte Stein- oder Eintagsfliegen) eine wesentliche Nahrungsgrundlage dar (s. Hering 1995, Hering & Plachter 1997).

Die überwiegend oder vollständig räuberisch lebenden Arten machen auch nach heutigem Kenntnisstand den größten Teil der einheimischen Laufkäfer aus, wie dies bereits in der älteren Literatur immer wieder betont wurde, auch in Bezug auf ihre wirtschaftliche Bedeutung zur Kontrolle anderer, in Land- oder Forstwirtschaft schädlicher Organismen (z. B. Scherney 1959). Letzterer Autor zitiert in seiner Einleitung Ratzeburg (1837): „Die Laufkäfer gehören zu den nützlichsten Thieren im Walde und versagen namentlich bei großem Raupenfraße ihre Dienste nie. Der Forstmann muß sie daher sowohl im Larven- wie im Käferzustand kennen und sie nicht etwa für schädliches Gewürm halten und mit den Raupen töten, sie vielmehr schonen und auf alle mögliche Weise erhalten […].“ Gerade auch aufgrund ihres Schneckenverzehrs wurden Laufkäfer ebenfalls in Land-

Laufkäfern können viele Organismen als Nahrung dienen.
Oben: Ein Feingestreifter Laufkäfer (*Carabus monilis*) beim Fraß an einer Schnecke, Foto: J. Pelikan.
Unten: Eher einen Ausnahmefall dürfte die Situation darstellen, in der ein Blauer Laufkäfer (*Carabus intricatus*) eine Grüne Keiljungfer (*Ophiogomphus cecilia*) erbeutet hat, wahrscheinlich während der nächtlichen Ruhephase der Libelle. Freilandaufnahme.

wirtschaft und Gartenbau schon früh als nützlich angesehen.

Dennoch kann nicht verkannt werden, dass ein erheblicher Anteil von Arten in dem ein oder anderen Entwicklungsstadium obligat oder fakultativ pflanzenfressend ist. Mindestens rund 15 % der in Baden-Württemberg vorkommenden Arten sind ausschließlich oder hauptsächlich pflanzenfressend, und weitere rund 10 % sind Nahrungsgeneralisten, bei denen auch pflanzliche Kost in unterschiedlichen Anteilen eine Rolle spielen kann. Dabei ist aber zu berücksichtigen, dass Detailkenntnisse zum Teil noch fehlen.

Hinweise, dass bei fakultativ pflanzen- oder samenfressenden Laufkäferarten die tatsächlich aufgenommene Nahrung durch die Zusammensetzung der Bakterienflora des Darms beeinflusst wird, lieferten Lundgren & Lehmann (2010): Sie fanden bei Untersuchungen einer *Harpalus*-Art 3 bis 4 bakterielle „operational taxonomic units" je Käfer und konnten unter anderem feststellen, dass die Gabe von Antibiotika die Bakterienflora reduzierte und veränderte. Unter Einfluss von Antibiotika fraßen die Käfer weniger Samen. Sie konnten zudem nachweisen, dass diejenigen Käfer, deren Darm das Bakterium *Enterococcus faecalis* enthielt, durchschnittlich mehr Samen verzehrten als jene, denen dieser Symbiont fehlte. Damit zeigt sich, dass solche – auch fakultative – Bakterienfloren erhebliche Auswirkungen auf die Ernährungsweise haben können.

Zu den obligaten Pflanzenfressern gehören unter anderem Arten der Tribus Harpalini, Stenolophini und Zabrini. Soweit es sich um Samenfresser handelt, fressen Imagines dieser Gruppen direkt in den Fruchtständen der Pflanzen, oder aber sie verzehren abgefallene Samen. Allerdings können sie Samen auch aktiv sammeln, abtransportieren und in Depots in Höhlungen im Boden lagern. Hierzu klettern sie an den entsprechenden Wirtspflanzen hinauf, beißen Samenkapseln aus den Fruchtständen heraus und laufen damit den Pflanzenstängel wieder hinab, wie dies zum Beispiel von Trautner et al. (1988) nach Beobachtungen in Baden-Württemberg für den Bunten Haarschnellläufer (*Diachromus germanus)* beschrieben wurde.

Larven können ebenfalls je nach Art fakultative oder obligate Samenfresser sein. Für die auch in Baden-Württemberg vorkommende Art *Ophonus puncticeps* wurde die Lebensweise und Ernährung der Larve detailliert von Zetto Brandmayr & Brandmayr (1975) beobachtet und beschrieben. Die Larve gräbt eine Röhre oder Kammer in den Boden und deponiert dort einige Samen. Auch die jeweiligen Häutungen durchläuft sie in der Kammer. Als Nahrung dienen Samen der Wilden Möhre (*Daucus carota*), die vor dem Verzehr auf spezifische Weise „zerlegt" oder vorbereitet werden (s. Abb. auf S. 38).

Bei Laufkäferarten liegt zum Teil eine enge Spezialisierung auf eine bestimmte Nahrungs-

Laufkäfer der Gattung *Amara* beim Fraß an einem Kreuzblütler.

Der auffällige Bunte Schnellläufer (*Diachromus germanus*) ist häufig an fruchtenden Gräsern zu beobachten.

Ein Bunter Schnellläufer (*Diachromus germanus*) erklettert Gräser (oben), beißt Grassamen heraus (Mitte) und transportiert sie den Halm hinab (unten), möglicherweise im Zusammenhang mit einer Brutfürsorge. Verändert nach TRAUTNER et al. (1988). Zeichnung: K. Geigenmüller.

quelle oder Beutetiergruppe vor, die sich auch in besonderen morphologischen Merkmalen und Verhaltensweisen niederschlägt, wie nachfolgend beispielhaft beschrieben wird.

Morphologische Anpassungen und Beutefangverhalten von Imagines des Borstenhornläufers (*Loricera pilicornis*), die auf Springschwänze (Collembola) als Beute spezialisiert sind, wurden von Bauer (1982) und Hintzpeter & Bauer (1986) untersucht. Die stark beborsteten Fühler bilden beim Zusammenschlagen einen „Fangkorb" mit der Unterseitenbeborstung des Kopfes. Zumindest ein Teil der gefangenen Springschwänze kann sich mit dem eigenen Springmechanismus nicht mehr aus diesem Korb befreien und wird schließlich überwältigt. Das Zusammenschlagen erfolgt sehr schnell (12 ms lt. Bauer 1982). Die Fangborsten sind besonders kräftig ausgebildet und finden sich auf den ersten vier Fühlergliedern der adulten Tiere. Ansammlungen ihrer bevorzugten Beutetiere können Imagines wie auch Larven von *L. pilicornis* durch die Registrierung chemischer Signale auffinden. Im Nahbereich werden sich bewegende Beutetiere optisch wahrgenommen. Für den Jagderfolg der Imagines ist jedoch die optische Wahrnehmung deutlich weniger wichtig als die Fangborsten, wie Bauer (1982) anhand von Experimenten zeigen konnte. Bei den Larven der Art spielen klebrige Anschwellungen der äußeren Kauladen (Galeae) beim Beutefang eine wichtige Rolle (Bauer & Kredler 1988).

Larve des Feinpunktierten Haarschnellläufers (*Ophonus puncticeps*) in ihrer Röhre, in die sie einige Samen der Wilden Möhre (*Daucus carota*) als Nahrungsdepot eingetragen hat. Verändert nach Zetto Brandmayr & Brandmayr (1975). Zeichnung: K. Geigenmüller.

Andere Arten oder Gattungen sind zum Beispiel auf Schnecken als Beutetiere spezialisiert, etwa Vertreter der Gattung *Cychrus* (Schaufelläufer), die in Baden-Württemberg mit dem weit verbreiteten Schaufelläufer *Cychrus caraboides* sowie dem hauptsächlich montan – oft in Buchenwäldern an den Hängen der Schwäbischen Alb – vorkommenden *C. attenuatus* vertreten sind. Diese vermögen aufgrund ihrer langen Oberkiefer, ihres verlängerten Kopfes und ihres schmalen Halsschilds vom Gehäusemund her tief in das Schneckengehäuse einzudringen und den Weichkörper zu fressen. Auch die *Cychrus*-Larve frisst Schnecken. „Als spezialisierter Schneckenjäger ist sie sehr gut an das Eindringen in Schneckenhäuser angepasst. Die breiten Tergite schützen die Stigmen, d.h. die Tracheenausgänge, welche unmittelbar an der Seite der Rückenplatten liegen, vor dem von der Schnecke abgesonderten Schleim, so dass ein Ersticken der Larve auf Beutefang ausgeschlossen ist" (Arndt & Arndt 1987).

Eine abweichende, recht brachiale Vorgehensweise bei Gehäuseschnecken verfolgen die Arten der Gattung *Licinus* (Stumpfzangenläufer). Mittels ihrer massiven, stumpfen und asymmetrisch geformten Oberkiefer beißen sie das Gehäuse, beginnend am Gehäusemund, entlang der Windungen auf, wie detailliert von Brandmayr & Zetto Brandmayr (1986) beschrieben. Einkerbungen der Oberkiefer dienen dabei offenbar zur besseren Fixierung. Entsprechend geöffnete Gehäuse sind an Stellen mit Vorkommen der bei uns seltenen *Licinus*-Arten teils in Anzahl zu finden, allerdings

Vom Trockenrasen-Stumpfzangenläufer (*Licinus cassideus*) entlang der Windungen aufgebissene und ausgefressene Schneckengehäuse.

Kopf eines Stumpfzangenläufers (hier: *Licinus granulatus*) mit den charakteristischen, ungleich geformten und eingekerbten Oberkiefern. Foto: K. Makarov.

Ein Stumpfzangenläufer (Gattung *Licinus*), der gerade begonnen hat, eine Gehäuseschnecke aufzubrechen: Die Oberkiefer sind beidseits am Rand des Gehäusemundes angesetzt, um die erste Kerbe zu beißen. Verändert nach BRANDMAYR & ZETTO BRANDMAYR (1986). Zeichnung: K. Geigenmüller.

Der blinde Laufkäfer *Aphaenops cerberus* Dieck, 1869 ist ein Höhlenbewohner in südfranzösischen Karstgebieten mit starker geographischer Strukturierung seiner Populationen (FAILLE et al. 2015). Seine Weibchen bringen nacheinander wenige, im gleichen Zeitraum aber je nur ein Ei in etwa einem Monat zur Reifung; das erste Larvenstadium hat stark reduzierte Beine und Mundwerkzeuge und nimmt keine Nahrung auf (DELEURANCE & DELEURANCE 1964).

Anthia homoplata Lequien, 1832 gehört zu den im südlichen Afrika weiter verbreiteten Arten der Tribus Anthiini und bewohnt vor allem Trockensavannen, dringt aber sowohl in die zentrale Wüstenzone (Kalahari) als auch in küstennahe, feuchtere Standorte vor (SCHMIDT & GRUSCHWITZ 2002). Die Arten dieser Verwandtschaftsgruppe sind sehr groß und können ein stark reizendes Abwehrsekret mit cytotoxischer Wirkung versprühen, das die Schleimhäute von möglicherweise als Fraßfeinde auftretenden Wirbeltieren angreifen kann (SCOTT et al. 1975; s. SCHMIDT 2001). „Jungtiere der Eidechsenart *Heliobolus lugubris* [...] gleichen in ihrem Erscheinungsbild und in ihrem Laufverhalten den *Anthia*[...]-Arten. Sie ahmen diese wehrhaften Laufkäfer nach, was als mögliche Schutzanpassung und Selektionsvorteil für die Eidechse interpretiert wird (HUEY & PIANKY 1977, SCHMIDT 1997)" (SCHMIDT 2001).

Laufkäfer der Gattung *Agra* Fabricius, 1801 aus Mittelamerika. Über 2000 Arten dieser extrem artenreichen Gattung, deren Vertreter Baumbewohner neotropischer Wälder sind, sind bereits in Museumssammlungen archiviert, davon aber bislang nur rund 600 Arten wissenschaftlich beschrieben (ERWIN 2010).

Baumbewohnende Larve des südostasiatischen Sandlaufkäfers *Tricondyla aptera* (Olivier 1790), in ihrer – hier geöffneten – Röhre einer Baumart mit korkiger Rinde (*Samanea saman*), in der sie – vergleichbar den bodenbewohnenden Arten – in der Röhrenöffnung auf Beute lauert (vgl. TRAUTNER & SCHAWALLER 1996).

Therates fasciatus (Fabricius, 1801), ein vorwiegend in der Strauch- und Baumschicht aktiver Sandlaufkäfer aus Südostasien.

Calophaena ligata Bates, 1883, ein möglicherweise pflanzenfressender Laufkäfer aus Costa Rica, ist eng mit der Pflanzenart *Calathea lutea* aus der Gruppe der Ingwerartigen (Zingiberales) assoziiert, wo die Käfer sich jedenfalls in ihren inaktiven Phasen in den eingerollten, noch jungen Blättern aufhalten (SCHMITT & FRANK 2013).

gibt es auch andere Laufkäferarten, die sich von Schnecken ernähren und deren Gehäuse „knacken".

Abschließend sei kurz darauf hingewiesen, dass in anderen als den in Baden-Württemberg vorkommenden Ökosystemen und Lebensräumen sowie insbesondere in anderen Ökozonen der Erde auch andere Lebensformtypen und Arten von Laufkäfern dominieren. Diese reichen von spezialisierten Arten der tidebeeinflussten Küstenlebensräume (z. B. *Aepopsis robinii* und *Cillenus*-Arten, die in Mangrovenwäldern und periodisch überflutetem Sand- oder Felswatt vorkommen) über die Alpinfauna und die schon in Südeuropa in enormer Artenfülle vertretenen blinden Arten des Bodens und der Höhlen (vgl. SCHULDT & ASSMANN 2011) bis zu der vor allem in den Tropen artenreich ausgebildeten Laufkäferfauna der Strauch- und Baumschicht. In den Abbildungen dieser Doppelseite werden einzelne Vertreter exemplarisch vorgestellt.

5 Laufkäfer als Elemente von Ökosystemen

J. Trautner

Weidemann (1986) führt bei seiner Darstellung der Ergebnisse des langjährigen Ökosystem-Forschungsprojekts im Solling zunächst Ellenberg (1973) mit dessen Auffassung an: „außer den für den Transport von Pollen, Sporen oder Samen sorgenden seien alle Biophagen (d. h. Fresser lebender Substanz) ‚nicht notwendige Nutznießer'". Im Gegensatz dazu stellt er aber unter Hinweis auf andere Literaturquellen und an späterer Stelle die projekteigenen Ergebnisse heraus, dass sehr wohl auch den räuberischen oder pflanzenfressenden Arten erhebliche weitere Funktionen im Ökosystem zukommen, insbesondere über die Einwirkung auf Stoffkreisläufe und deren Regulation.

Tatsächlich dürfte die „Rolle der Tiere in Ökosystemen überwiegend über Nahrungsbeziehungen geprägt" sein (Weidemann 1986), und zwar sowohl in energetischer als auch in stofflicher Hinsicht. Den Aspekt der Nahrungsbeziehungen in Ökosystemen behandeln auch die meisten Untersuchungen, die der Rolle von Laufkäfern in Ökosystemen nachgehen oder zumindest auf diese Thematik Bezug nehmen, darunter auch jene Arbeiten über die potenzielle und tatsächliche Funktion von Laufkäfern als Gegenspieler von „Schad"-Organismen in Agrar- und Forstwirtschaft. Dort dürften auch die wesentlichen Ansätze zur Bewertung von möglichen Ökosystemdienstleistungen dieser Artengruppe gesucht werden, also von Prozessen und Funktionen, aus denen Menschen einen direkten oder indirekten Nutzen ziehen können (s. Fisher et al. 2009). Welche Funktionen dafür infrage kommen und ob diese jeweils auch durch andere Arten und Artengruppen substituiert werden könnten, kann an dieser Stelle nicht diskutiert werden.

Nachfolgend soll exemplarisch auf einige Untersuchungen eingegangen werden, die sich mit der Rolle von Laufkäfern in Nahrungsnetzen sowie mit stofflichen oder energetischen Aspekten befasst haben. Zudem wird an einigen Beispielen das quantitative Auftreten von Laufkäfern in der Landschaft veranschaulicht (u. a. anhand von Angaben zur Vorkommensdichte). Wie auch die anderen Kapitel des vorliegenden Allgemeinen Teils stellt dies keine umfängliche Abhandlung des Themas dar. Auch wird nicht näher auf andere Funktionen eingegangen, die Laufkäfer in Ökosystemen übernehmen, etwa die der Bioturbation von Böden aufgrund der umfangreichen Grabtätigkeit vieler Arten oder ihre möglicherweise wichtige Rolle als Vektoren für Pilze und Bakterien.

In Nahrungsnetzen treten Laufkäfer zumeist als Räuber anderer Tierarten auf oder, wenn es sich um pflanzenfressende Arten handelt, als „Primärkonsumenten" (s. S. 36 ff.). Außerdem sind sie selbst in nicht unerheblichem Maße Beute für andere Tierarten.

Eine Energiebilanz für ein „Standardindividuum" (vollständige Entwicklung vom Ei bis zur reproduktionsfähigen Imago) unter halbnatürlichen Bedingungen sowie für eine natürliche Population haben Chaabane et al. (1996) für die gehölzbewohnende, relativ langlebige Art *Abax parallelepipedus* erstellt: Danach konsumierte ein weibliches Standardindividuum im Verlauf seines Lebens eine Energiemenge von 26,7 kJ, wobei der größte Teil des Energiebudgets, im Verbrauch wie in der Produktion, auf das Imaginalstadium entfällt.

Im Buchenwald-Ökosystem des Sollings wurde unter anderem festgestellt, dass Imagines von Laufkäfern, im Wesentlichen *Pterostichus burmeisteri* und *P. oblongopunctatus*, den größten Teil der frisch geschlüpften und den Boden verlassenden Imagines des in großer Zahl auftretenden Rüsselkäfers *Phyllobius argentatus* fraßen und daher nur rund 30 % der insgesamt geschlüpften Weibchen dieser Rüsselkäferart im Untersuchungsjahr zur Eiablage kamen (s. Koehler 1977, 1984). In diesem Projekt wurden zudem Energieumsatzleistungen und Nutzungswerte der unterschiedlichen Wirbellosengruppen bestimmt, darunter auch der Laufkäfer (s. Grimm & Funke 1986). *Pterostichus oblongopunctatus* ernährte sich in seiner Imaginalphase über das Jahr hinweg von mindestens 20 verschiedenen Beutetierarten, wobei zwischen Juni und August Blattläuse einen hohen Teil der Nahrung ausmachten, während zu anderen Zeiten Larvenpopulationen der Zweiflüglerart *Fannia polychaeta* eine wichtige Rolle spielten; letztere deckten rund 8 % seines Energiebedarfs (Koehler 1977, 1984; Weidemann 1986).

Verschiedene agrarökologische und agrarwirtschaftliche Arbeiten haben aufgezeigt, dass räuberische und omnivore Laufkäfer Schädlinge im Ackerbau regulieren können. Ekbom et al. (1992) kamen auf der Grundlage von Simulationen zu dem Schluss, dass unter bestimmten Umständen die früh im Jahr aktiven und polyphagen Räuber wie *Bembidion lampros* und *Poecilus cupreus* sogar alleine in der Lage sein könnten, eine Massenvermehrung der Getreideblattlaus *Rhopalosiphum padi* zu verhindern. Lövei & Sunderland (1996) weisen allerdings darauf hin, dass der entsprechende Effekt – obwohl belegt – von Jahr zu Jahr und von Standort zu Standort variieren kann, und Kromp (1999) unterstreicht, dass viele der Studien, die Laufkäfern nützliche Funktionen bei der Schädlingskontrolle zuschreiben, auf Fütterungsversuchen im Labor beruhen. Ein weiteres Problem ist der fast überall in der Agrarlandschaft stattfindende Einsatz von Agrochemikalien, der dafür sorgt, dass kaum Prozesse und Funktionen von den Wirkungen der Chemikalien unbeeinflusst sind. Als neuere Arbeiten zur wirtschaftlichen Bedeutung von räuberischen Laufkäferarten seien hier außerdem Arus et al. (2012) zum Potenzial der Artengruppe bei der Regulierung von Schädlingspopulationen in Erdbeerkulturen sowie Bohan et al. (2000) und Oberholzer et al. (2003) zur Prädation von Nacktschnecken erwähnt.

In neuerer Zeit sind auch die samenfressenden Laufkäferarten in der agrarökologischen Forschung stärker in den Vordergrund gerückt, weil sie Einfluss auf die Samenreservoire im Boden und damit auf die Kontrolle des Wildkrautaufkommens im Ackerbau haben und außerdem die negativen Auswirkungen eines herbizidbasierten Managements zunehmend in den Blickpunkt geraten. Kulkarni et al. (2015) geben eine aktuelle Übersicht zur Rolle der Laufkäfer in diesem Zusammenhang. Hervorzuheben ist neben dem Umfang, in dem Laufkäfer die Samen auch von häufigen oder als problematisch eingestuften Ackerwildkräutern wie der Ackerkratzdistel (*Cirsium arvense*) verzehren können, insbesondere die Tatsache, dass die Laufkäfer neben Samen an der Oberfläche auch solche Samen erreichen und fressen, die sich bereits im Boden befinden oder befunden haben (s. z. B. Martinková et al. 2006). Nach der genannten Übersicht von Kulkarni et al. (2015) liegen die flächenbezogenen Mengenangaben zum Samenfraß durch Laufkäfer zwischen rund 200 (Gaines & Gratton 2010) und über 1000 Samen (Honěk et al. 2003) pro m² und Tag.

Thiele (1977) gibt bereits eine Übersicht zu wichtigen Artengruppen, die als Fressfeinde von Laufkäfern infrage kommen, und stellt zahlreiche Beispiele aus Untersuchungen und Einzelbeobachtungen vor. Er geht dabei speziell auf Säugetiere (u. a. Maulwurf, Mäuse, Fledermäuse), Vögel, Amphibien, Ameisen, Raubfliegen (Asilidae) und Spinnen ein. Zudem führt er relevante parasitische Gruppen an, wobei er beispielsweise unter den Hautflüglern als wichtigsten Parasiten die Zehrwespe *Phaenoserphus viator* nennt, die bereits an zahlreichen Laufkäferarten nachgewiesen wurde.

Die Bedeutung von Laufkäfern als Nahrung für andere Arten kann räumlich und zeitlich variieren, dennoch ist eine Reihe von Arten offenbar sehr stark auf Laufkäfernahrung angewiesen. Zu diesen zählt zweifellos das Große Mausohr (*Myotis myotis*), auf das bereits Thiele (1977) hingewiesen hat. Inzwischen liegt eine ganze Reihe gründlicher Untersuchungen zu Beutefangverhalten und Nahrungsspektrum dieser Fledermausart vor: Das Große Mausohr jagt in niedriger Höhe über dem Boden und findet seine Beute nach Gehör (nicht durch Echoortung), wobei in jahreszeitlich unterschiedlichem Ausmaß sowohl Wald- als auch Offenlandlebensräume bejagt werden (z. B. Arlettaz 1996, Zahn et al. 2006). Laufkäfer, insbesondere große Arten etwa der Gattungen *Carabus* und *Pterostichus*, erweisen sich als bedeutendste Beutetiergruppe, auch über unterschiedliche landschaftliche Ausstattung und geographische Lage hinweg. Als Gründe werden die relativ lauten Laufgeräusche gerade der größeren Laufkäfer am Boden, ihre hohe Abundanz und Verfügbarkeit in bestimmten Lebensraumtypen sowie ein vergleichsweise günstiges energetisches Kosten-Nutzen-Verhältnis angesehen (vgl. Pereira et al. 2002, Siemers & Güttinger 2006, Graclik & Wasielewsky 2012).

Auch bei weiteren Arten gibt es Anhaltspunkte dafür, dass Laufkäfer insgesamt oder zu bestimmten Zeiten im Jahr als Beute besonders wichtig sind. So wurden sie unter anderem auf Basis von Speiballen-Untersuchungen aus dem Langenauer Donaumoos (Schmidt 1980) und der Oberrheinebene bei Heidelberg (Hantge 1957) als „Basisnahrung“ (Hölzinger 1997) des heute in Baden-Württemberg ausgestorbenen Schwarzstirnwürgers (*Lanius minor*) eingestuft. Bei weiteren Vogelarten wie Raubwürger, Steinkauz und Weißstorch können sie zeitweise je nach Gebiet einen relativ hohen Anteil an der Nahrung ausmachen, ebenso bei Kleinsäugern wie etwa der Waldspitzmaus (z. B. Dennemann 1990) oder bei einer Reihe von Spinnenarten (z. B. Nyffeler & Benz 1988, Trautner 1994b).

Die teils sehr hohe Laufkäferdichte in Land- und Uferlebensräumen wird durch die in Tab. 5.1 zusammengestellten Beispiele verdeutlicht. Zusammen mit der oftmals hohen Artenzahl (s. S. 647 ff.), die auf die Besetzung unterschiedlicher ökologischer Nischen hinweist, machen diese Daten plausibel, warum Laufkäfer als Konsumenten und als Beutetiere von Bedeutung sind. Auf Grundlage dieser Werte ist als grobe Schätzung davon auszugehen, dass in den beiden in Baden-Württemberg am großflächigsten vertretenen Landnutzungstypen mindestens mit rd. 20 000 bis 70 000 Laufkäfern pro Hektar im Wald (ohne rein baumbewohnende Arten) und rd. 150 000 bis 300 000 Laufkäfern pro Hektar im Ackerland zu rechnen ist.

Tab. 5.1 Beispiele zur ermittelten Populationsdichte (Ind./m²) von Laufkäfern in verschiedenen Lebensräumen

Lebensraum / Art oder Artengruppe	Dichte	Quelle	Methodik
Laufkäfer – während Aktivitätszeit insgesamt oder Artengruppen			
Schotterufer von Bächen und kleinen Flüssen / Laufkäfer insgesamt	2–29	HÖPPNER & HERING (1997)	flächenbezogene Absammlung
Kiesufer dealpiner Fluss / Laufkäfer insgesamt	bis max. 190	MANDERBACH & REICH (1995)	flächenbezogene Absammlung
Ufer sehr nährstoffarmer alpiner Fließgewässer / Laufkäfer insgesamt	2–5	HERING & PLACHTER (1997)	flächenbezogene Absammlung
Äcker / Laufkäfer insgesamt	17,2–65,2	BASEDOW & RZEHAK (1988)	Leerfang-Quadrate (mit Fallen) Juni–Juli
Äcker / Laufkäfer insgesamt	31,73 (1,2–96) / L: 29,4–77	LÖVEI & SUNDERLAND (1996)	unterschiedliche Methoden mit absoluter Dichtebestimmung
Wald oder Heideflächen / Laufkäfer > 5 mm insgesamt	2,54 (0,04–22,5)	LÖVEI & SUNDERLAND (1996)	unterschiedliche Methoden mit absoluter Dichtebestimmung
Wald (Hainsimsen-Buchenwald) / Laufkäfer insgesamt	7 (2–11)	SCHAUERMANN (1986), WEIDEMANN (1972)	unterschiedliche Methoden
Wald / Laufkäfer insgesamt	0,1–2	LOREAU (1984)	Fang-Wiederfang und Schätzverfahren (mehrere Zeitpunkte)
Laufkäfer – überwinternd insgesamt			
Ackerrandstrukturen / überwinternde Laufkäfer insgesamt	62,6 (±9,9)–119 (±9,1)	ANDERSEN (1997)	Leerfang-Quadrate (mit Fallen)
gepflügter Acker / überwinternde Laufkäfer insgesamt	8,3 (±1,2)	ANDERSEN (1997)	Leerfang-Quadrate (mit Fallen)
Acker mit Graseinsaat / überwinternde Laufkäfer insgesamt	22,8 (±2,5)	ANDERSEN (1997)	Leerfang-Quadrate (mit Fallen)
Rand eines Waldstücks / überwinternde Laufkäfer insgesamt	47,5 (16–140)	ROUME et al. (2011)	Eklektoren
Zentrum eines Waldstücks / überwinternde Laufkäfer insgesamt	10,8 (1–38)	ROUME et al. (2011)	Eklektoren
Laufkäfer – einzelne Arten			
Ufer von Bächen / *Bembidion tibiale*	31–64	KŮRKA (1975)	flächenbezogene Absammlung
Feinsedimentufer eines revitalisierten Baches / *Elaphrus riparius*	max. 5–15	TRAUTNER & BRÄUNICKE (1997)	flächenbezogene Absammlung
Sandufer von Flüssen / *Elaphrus aureus*	2–5,9	GÜNTHER & HÖLSCHER (2004)	Fang-Wiederfang und Schätzverfahren
Sandheide / *Cicindela sylvatica* (Larvenröhren)	L: max. 10	TRAUTNER (unveröff.)	flächenbezogene Zählung von Röhren
offene Sande / *Cicindela hybrida* (Larvenröhren)	L: max. 110	TRAUTNER (unveröff.)	flächenbezogene Zählung von Röhren
Ackerstandorte / *Anchomenus dorsalis*	1,4–2,4	BASEDOW & RZEHAK (1988)	Leerfang-Quadrate (mit Fallen) Juni-Juli
Grünland / *Clivina fossor*	12–16 / L: 30–40	DESENDER (1983)	Leerfang-Quadrate (mit Fallen) und ergänzende Substratentnahme
Grünland / *Nebria brevicollis*	3,95	DESENDER (1986)	Leerfang-Quadrate (mit Fallen)
Grünland / *Pterostichus vernalis*	6,87	DESENDER (1986)	Leerfang-Quadrate (mit Fallen)
Grünland / *Trechus quadristriatus*	2,42	DESENDER (1986)	Leerfang-Quadrate (mit Fallen)
Wald / *Abax parallelepipedus*	0,1–0,25	TOLKE & RICHTER (2000)	Fang-Wiederfang und Schätzverfahren (mehrere Jahre)
Wald / *Carabus auronitens*	0,01–0,27	ALTHOFF et al. 1992	Freiland-Gehege mit Fang-Wiederfang und Schätzverfahren (mehrere Jahre)
Wald / *Pterostichus niger*	0,1–0,2	TOLKE & RICHTER (2000)	Fang-Wiederfang und Schätzverfahren (mehrere Jahre)

In der Regel sind Individuenzahlen von Imagines angegeben. Werte nach L: beziehen sich auf Larven.
Werte in Klammern geben Spannen zum vorstehenden Wert an. Werte sowie Spannen können auf eine unterschiedliche Anzahl von Einzelproben zurückgehen.

6 Laufkäfer als Indikatoren

J. Trautner

Als Indikatoren können Arten oder Artengemeinschaften eingestuft werden, die spezifische Umweltbedingungen anzeigen (Bioindikatoren) oder ein Maß für die biologische Vielfalt eines Lebensraums sind (Biodiversitätsindikatoren). Eine besondere Rolle spielen die spezifischen Eigenschaften, Ansprüche und Empfindlichkeiten dieser Arten oder Zönosen. Als Indikatoren kommen dabei insbesondere solche infrage, die eine geringe Reaktionsbreite gegenüber den jeweiligen Umwelteinflüssen haben (s. Schaefer 2012). Dabei erstreckt sich die Biodindikation im weiteren Sinne auch auf charakteristische Arten und Artengemeinschaften von Lebensraumtypen sowie auf solche, „aus deren Vorkommen oder Fehlen auf den Grad der Schutzwürdigkeit von Landschaftsausschnitten geschlossen werden kann" (ANL & DAF 1991). Demnach kann nach ihrem Anwendungsbereich oder Zweck zwischen den per se wertfreien Zustands- oder Klassifikationsindikatoren einerseits und den Ziel- und Wertindikatoren etwa in der naturschutzfachlichen Planung andererseits unterschieden werden, wobei es hier häufig zu Überschneidungen kommt.

Laufkäfer spielen in vielerlei Hinsicht eine bedeutende Rolle als mögliche Indikatoren. Dies liegt neben dem vergleichsweise guten taxonomischen und ökologischen Kenntnisstand unter anderem an der bereits erwähnten hohen Präsenz und Artenzahl in Land- und Uferlebensräumen und an der Tatsache, dass Laufkäfer eine Vielzahl verschiedener ökologischer Nischen besetzen. Aber auch die unterschiedliche Mobilität und damit die Empfindlichkeit gegenüber einer Fragmentierung der Landschaft stellt einen weiteren wichtigen Faktor dar. Eine Übersicht über die Funktion von Laufkäfern als Bioindikatoren findet sich bei Trautner & Assmann (1998). Im Folgenden wird zum Teil darauf zurückgegriffen, wobei nicht alle dort genannten Beispiele wiedergegeben, dafür aber einige neuere Arbeiten exemplarisch genannt werden. Das Spektrum der möglichen Bioindikation durch Laufkäfer reicht von der Anzeige bestimmter Standortfaktoren (z. B. des Bodens) über räumlich-funktionale Beziehungen und Biotoptradition bis hin zu Belastungsindikatoren (etwa Wirkungen von Pestiziden, z. B. Basedow 1989, Kegel 1989), paläo-biologischen Indikatoren sowie Ziel- und Bewertungsindikatoren in der Praxis von Naturschutz und Landschaftsplanung.

Eine ganze Reihe von Laufkäferarten weist direkte Abhängigkeiten von einem engen pH-Bereich und vom Salzgehalt des Bodens oder von anderen Bodenparametern auf (vgl. Mossakowski 1970, Müller-Motzfeld 1989). Zwar stehen für Standorteigenschaften wie Bodenfeuchte, Substrate und bodenchemische Reaktionen genauere Messverfahren oder einfacher zu prüfende Indikatoren wie etwa die Vegetation zur Verfügung. Dennoch können hier Laufkäfer im Rahmen der weiteren Indikation anzeigen, ob und in welchem Zeitraum die Wiederbesiedlung von Standorten, bei denen eine Restitution bestimmter Bodenverhältnisse angestrebt oder bereits gelungen ist, durch eine entsprechend spezialisierte Fauna tatsächlich stattfindet. Ebenfalls lässt sich anhand entsprechender Beprobungen zu Laufkäfern die Frage untersuchen, ob bei schon weitgehend anthropogen veränderten Standortverhältnissen noch Reliktpopulationen bestimmter Arten vertreten sind, die besondere lokale Maßnahmen rechtfertigen. Damit bieten Laufkäfer ergänzend zu anderen wichtigen Indikatorartengruppen die Möglichkeit, über reine Messwerte für Bodenparameter hinaus den Grad zu bestimmen, in dem von Referenzwerten typischer Artenvorkommen (hinsichtlich Quantität und Qualität) abgewichen wird, und dies mit den spezifischen sonstigen Ansprüchen der Arten sowie ihrer Sensibilität gegenüber Belastungsfaktoren zu verknüpfen. Zu berücksichtigen ist allerdings, dass naturräumlich bedingte Unterschiede bestehen (s. auch GAC 2009).

Darüber hinaus vermögen Laufkäferzönosen teilweise rascher als zum Beispiel die Vegetation auf Standortveränderungen zu reagieren und diese anzuzeigen. Zudem können sie auch als empfindliches Messinstrument für komplexere Zusammenhänge wie etwa anthropogen bedingte Veränderungen in Auesystemen dienen. So zeigten bereits Thiele & Weiss (1976) auf, dass Grundwasserabsenkungen in einem Waldgebiet noch vor deutlich erkennbaren Reaktionen der Vegetation zu wesentlichen Veränderungen in der Artenzusammensetzung sowie im Dominanzgefüge der Laufkäferfauna führten. Besonders empfindliche und weniger verbreitete Arten fielen vollständig aus. Je nach Umfang der Veränderungen ist hier eine quantitative oder bereits qualitative Indikation über das Vorkommen oder das Fehlen bzw. die Häufigkeit bestimmter Laufkäferarten gegeben. Seitdem haben sich zahlreiche Arbeiten mit der Charakterisierung der Laufkäferfauna etwa in Auelebensräumen beschäftigt, sowie mit der Bedeutung von Arten und Zönosen als Indikatoren und mit den Auswirkungen anthropogener Belastungen auf diese Vorkommen. Beispielhaft sei hier auf Untersuchungen in Auebiotopen der Elbe hingewiesen. Hier konnten beispielsweise Gerisch et al. (2006) eine Feindifferenzierung der Laufkäferzönosen im Grünland unterschiedlicher Bodenfeuchtestufen und Überflutungsdauer vornehmen und Arten herausarbeiten, die für die jeweiligen Standortverhältnisse geeignete Indikatoren darstellen.

Hochgradig sensibel reagieren auch Arten der vegetationsfreien bis armen Fließgewässerufer, die in dieser Form nicht nur von Überflutungen als solchen, sondern außerdem von der auetypischen Dynamik mit Erosion und Sedimentationsprozessen sowie von dem entsprechenden Geschiebetransport abhängig sind. Werden solche Abflusscharakteristika verändert, kann dies erhebliche Auswirkungen auf die hauptsächlich durch Laufkäfer geprägten Uferzönosen und deren „Natürlichkeitsgrad" haben. Diese Auswirkungen können von der Zunahme an Feinsediment und organischen Ablagerungen im Uferbereich über eine verstärkte Vegetationsentwicklung bis hin zur vermehrten Etablierung von Nestern eher euryöker Ameisenarten in Uferzonen reichen. Letzteres führt zum Beispiel – aufgrund des Ausbleibens oder der Abnahme früher regelmäßig auftretender Hochwässer – zu einer verstärkten Nahrungskonkurrenz in Lebensräumen stenotoper, ufertypischer Laufkäferarten und zum Verschwinden der anspruchsvolleren unter ihnen (Hering 1995).

Dass Laufkäfer bei Bewertungen umweltprüfungspflichtiger Vorhaben und dem späteren Monitoring sowie bei einer Steuerung der Intensität möglicher Beeinträchtigungen als Indikatoren eingesetzt werden, verdeutlicht etwa Raskin (2006). In dem von ihm vorgestellten Fall wurde in einem Gebiet in Hessen bereits Anfang der 1990er Jahre ein Konzept für eine möglichst umweltschonende Grundwassergewinnung entwickelt und umgesetzt. Hierbei wurden in mehreren Verfahrensschritten Laufkäfer zur Bewertung von betroffenen Feuchtgebieten und der dort stattfindenden Grundwasserentnahme herangezogen, wobei unterschiedlich sensible Zönosen definiert wurden. Hervorzuheben ist dabei die wiederkehrende Prüfung der Laufkäfervorkommen in einem zeitlichen Raster, das je nach Entnahmeregime 1 bis 5 Jahre umfasste. Die Ergebnisse dieser Prüfung dienten dann neben der Bewertung auch zur Steuerung der Entnahme.

Ein weiterer wichtiger Bereich, in dem Laufkäfer als Indikatoren von Bedeutung sind, ist die Analyse der prähistorischen und historischen Landschaftsentwicklung in ihren räumlichen und zeitlichen Dimensionen. Dies reicht von der Bestimmung der Rückzugsräume von Arten während der Eiszeiten und diverser nach- oder zwischeneiszeitlicher Ein- und Rückwanderungsprozesse über die Landschaftsausstattung und Fauna unterschiedlicher Zeitphasen bis hin zu Besiedlungs- und Fragmentierungsprozessen der jüngsten Geschichte. Einige Beispiele in diesem Zusammenhang sind:

- Die Rekonstruktion der zeitgleich mit Wollnashorn und Mammut lebenden eiszeitlichen Laufkäferfauna, und zwar auf Basis subfossilen Materials vom Ural und aus Westsibirien; diese Fauna wies zwischen dem 59. und 57. Breitengrad eine charakteristische Kombination aus arktisch-borealen Elementen und aus Elementen der Steppenfauna sowie aus klimazonenübergreifend verbreiteten Arten auf, die sich in keiner heute noch vorhandenen Artengemeinschaft wiederfindet; für die Ausprägung dieser prähistorischen Laufkäferfauna wird der Weideeinfluss der großen Pflanzenfresser in den sogenannten „Mammut-Savannen" mitverantwortlich gemacht (Zinovyev 2011).
- Die Identifikation von Rückzugsräumen der flugunfähigen Waldart *Carabus auronitens* während der Eiszeiten (z. B. im Süden Frankreichs) sowie das Nachzeichnen der späteren Wieder-

besiedlung großer Teile West- und Zentraleuropas, die von einem Teil dieser Refugien ausging (DREES et al. 2010).

- Die Untersuchung der Differenzierung von Populationen der wald- und heidebewohnenden Laufkäferart *Carabus arcensis* anhand äußerer Körpermerkmale an Standorten, die durch menschlichen Einfluss isoliert wurden (biometrische Daten, die bereits eine genetische Differenzierung belegen, s. MOSSAKOWSKI 1971).
- Die Unterstützung archäologischer Untersuchungen durch Analyse von Laufkäferfragmenten etwa aus römischen und mittelalterlichen Brunnen zur Identifikation der damaligen Umgebungssituation (ERVYNCK et al. 1994). Auch aus Baden-Württemberg liegen Auswertungen von Käfer- bzw. Laufkäferfragmenten aus archäologischen Ausgrabungen vor (z. B. SCHMIDT 2011, 2013), die für Umweltrekonstruktionen herangezogen wurden.

Auch auf lokaler Ebene können Laufkäfer relevante Informationen zur Landschaftsgeschichte der letzten Jahrhunderte liefern. So konnte bei der Untersuchung der Laufkäferfauna eines sehr kleinen, nur rund 2000 m² umfassenden und heute weiträumig von anderen gehölzbestandenen Biotopen isolierten Feldgehölzes im Naturraum der Filder südlich von Stuttgart überraschenderweise auch die flugunfähige Waldart *Abax carinatus* nachgewiesen werden (TRAUTNER & GEIGENMÜLLER 2009). Diese wird als Überbleibsel der Fauna eines mindestens seit dem 17. Jahrhundert in historischen Karten verzeichneten, rund 30 ha großen Waldes interpretiert, der 1840 gerodet wurde und von dessen ehemaligem Bestand nur randlich einzelne Bäume verblieben waren, aus denen sich später das erwähnte Feldgehölz gebildet hat (TRAUTNER & BACK 2005; s. S. 317). Anhand genetischer Untersuchungen („genetisches Gedächtnis") konnten andererseits zum Beispiel DREES et al. (2008) feststellen, dass Wälder in Teilen Nordwestdeutschlands durch *Carabus auronitens* auch nach früherer Fragmentierung und Isolation von Waldstandorten wiederbesiedelt wurden, was durch eine zwischenzeitliche Wiederausdehnung verbindender Wald- und Gehölzstrukturen ermöglicht worden war.

Die Rolle von Laufkäfern als Modellorganismen und Bioindikatoren wird unter anderem von KOTZE et al. (2011) und umfangreicher von KOIVULA (2011) kritisch diskutiert und hinterfragt. Beide stellen beispielsweise die Eignung der Artengruppe als Indikator, ihre je nach Region und Bewertungsmaßstäben unterschiedliche Funktion, ihre Fähigkeit, andere Artengruppen zu repräsentieren, und die Absicherung von aus Einzeluntersuchungen gewonnenen Ergebnissen oder Erfahrungen auf den Prüfstand. Insgesamt muss der kritischen Auffassung dieser Autoren zugestimmt werden, wonach die Bereiche, in denen Laufkäfer als Indikatoren tatsächlich von herausgehobener Bedeutung sind, besser herausgearbeitet werden müssen und zu vielen Fragen weitergehende Forschung nötig ist, um ein sicheres Indikatorenset zu etablieren. Auch ist nicht zu erwarten, dass ein Fokus allein auf Laufkäfer ausreicht, um Artenvielfalt und Bedeutung von Landschaftsräumen sowie anthropogene Belastungen organismenübergreifend abzubilden. Dies erfordert vielmehr ein Bewertungssystem aus unterschiedlichen taxonomischen Gruppen, was aber schon seit Langem akzeptiert ist. Tatsächlich ist hier der Kenntnis- und Erfahrungsstand im Naturschutz in Deutschland schon heute umfassender, als der Tenor der oben genannten Publikationen vermuten ließe, etwa wenn KOTZE et al. (2011) zu der Empfehlung kommen, man solle in Zukunft verstärkt den Fokus anstatt auf den Gesamtartenreichtum auf das Indikatorpotenzial einzelner Arten, spezialisierter Artengruppen oder funktionaler Gruppen legen.

Auf die Ziel- und Bewertungsindikation wird in Kapitel 17 im Synoptischen Teil des Buches noch näher eingegangen, das die Einbindung von Laufkäfern in raumrelevante Planungen behandelt.

7 Laufkäfer als Untersuchungsobjekte – Methoden

J. Trautner, J. Rietze & M.-A. Fritze

Den folgenden Ausführungen voranzustellen ist der Hinweis, dass einige Laufkäfer nach den naturschutzrechtlichen Bestimmungen in Deutschland (sowie teils in anderen Staaten) einem besonderen Schutz unterliegen, so dass ihr Fang sowie die Entnahme von Belegtieren für Sammlungen auch außerhalb von Schutzgebieten nur mit bestimmten Genehmigungen erlaubt ist. Von den in Baden-Württemberg vorkommenden Laufkäferarten betrifft dies nach den Regelungen des Bundesnaturschutzgesetzes (BNatSchG) in Verbindung mit der Bundesartenschutzverordnung (BArtSchV) alle Arten der Gattungen *Calosoma* (Puppenräuber), *Carabus* (Großlaufkäfer), *Cicindela* und *Cylindera* (Sandlaufkäfer). Lediglich zur Vorbereitung gesetzlich vorgeschriebener Prüfungen, etwa wenn im Rahmen der Umweltverträglichkeitsprüfung für ein bestimmtes Projekt eine Untersuchung der Laufkäferfauna erforderlich wird, muss auch für die oben genannten besonders oder streng geschützten Vertreter der Artengruppe keine gesonderte Genehmigung eingeholt werden, soweit diese Untersuchungen „von fachkundigen Personen unter größtmöglicher Schonung der untersuchten Exemplare und der übrigen Tier- und Pflanzenwelt im notwendigen Umfang vorgenommen werden" (so die Formulierung in § 44 Abs. 6 Satz 1 BNatSchG). Hier ist nicht der Ort, sich mit dem Sinn und der Verhältnismäßigkeit solcher Regelungen auseinanderzusetzen. Als ein häufig angesprochener Aspekt sei nur die Befürchtung erwähnt, diese Vorgaben könnten die naturwissenschaftliche Arbeit einschränken oder dazu beitragen, die ehrenamtliche Beschäftigung mit (geschützten) Insekten weiter zu verringern, was sich dann auch negativ auf den Kenntnisstand zu diesen Arten und deren Schutz auswirken könnte. Aus eigener Erfahrung lässt sich jedenfalls feststellen, dass von Behördenseite Anträge auf entsprechende Genehmigungen in der Regel positiv beschieden werden, wenn die Gründe nachvollziehbar sind. Und eine Bestandsaufnahme in bisher nicht oder unzureichend untersuchten Gebieten sowie die Suche nach einer schon länger in einem Raum verschollenen Art oder der Versuch, die Lebensraumansprüche einer Art, über die man bisher noch nicht genügend weiß, zu untersuchen, sind sehr gute Gründe. Es sei noch hinzugefügt, dass auch bestimmte Untersuchungsmethoden (z. B. nicht selektive Fallen, s. u.) gegebenenfalls einer Genehmigung bedürfen, ebenso wie – selbstverständlich – die Suche oder das Sammeln in Bereichen, die einem solche Tätigkeiten ansonsten untersagenden Gebietsschutz unterliegen (etwa Naturschutzgebiete).

Für die nachfolgenden Ausführungen wird immer wieder auf Trautner & Fritze (1999) zurückgegriffen, teils auch auf Trautner (1992d).

7.1 Arterfassung – Inventare für Gebiete und Biotope

Einsatz von Bodenfallen

Als Hauptmethode zur Erfassung von Laufkäfern in den gemäßigten Breiten und zumindest teilweise auch in den Subtropen gilt im Allgemeinen der Fang mit Bodenfallen. Hierbei handelt es sich in der Regel um Gefäße mit rundem Querschnitt, die so in den Untergrund eingegraben werden, dass ihre Oberkante bündig mit dem umgebenden Substrat abschließt, und die glatte Innenwände haben, so dass hineingefallene Käfer nicht wieder herausklettern können. Teilweise werden auch sogenannte Fangrinnen eingesetzt, die Balkonkästen für Blumen ähneln können. Sie haben eine deutlich größere „fängige" Kantenlänge gegenüber den oben beschriebenen Bodenfallen und können mit diesen sowie mit zuleitenden Elementen („Käferzäunen") kombiniert werden. Solche Fallen werden in der Insektenkunde schon seit Langem eingesetzt, teilweise versehen mit Ködern, um gezielt bestimmte Tiere anzulocken. In großem Umfang wurden Käfergräben eingesetzt, um schädliche Forstinsekten einzudämmen. So schreibt be-

Bevor man Bodenfallen aufstellen kann, muss man zunächst die Löcher bohren.

Bodenfalle an einem Waldstandort, mit durchsichtiger Abdeckung gegen Regen und Laubfall.

reits Ratzeburg (1837): „Zu den wirksamsten Vertilgungsmitteln sind [...] die Fanggräben, welche man bei den verschiedensten Insecten anwenden kann, zu zählen. Man darf nur die erste beste Grube, oder frische Gräben neben den Wegen im Forste, selbst wenn es keinen auffallenden Insectenfraß giebt, beobachten und man wird hier Raupen, Käfer, Wanzen, alles bunt durcheinander finden." Auch zum Fang von Laufkäfern wurden bereits früh Fallen („Köderbecher") verwendet, doch legte erst Barber (1931) mit der eingehenden Beschreibung eines von ihm verwendeten Fallentyps sowie mit Empfehlungen zu Konservierungsflüssigkeiten für die darin gefangenen Käfer den Grundstein für den späteren systematischen Einsatz von Bodenfallen, die nach ihm auch „Barber-Fallen" genannt werden. Hineingefallene Tiere werden in der Falle abgetötet und je nach verwendeter Flüssigkeit für unterschiedliche Zeiträume in bestimmter Qualität konserviert. Dieser Fallentyp arbeitet nicht-selektiv; durch verschiedene Methoden wird zum Teil ein Beifang an größeren Tieren anderer Artengruppen (wie etwa Mäuse und Amphibien) verhindert oder reduziert. Auch Lebendfallen ohne Konservierungsflüssigkeit können für bestimmte Fragestellungen und bei häufiger Kontrolle zum Einsatz kommen.

Es liegt auf der Hand, dass der Fang mit Bodenfallen für die zahlreichen Laufkäferarten, die überwiegend auf der Bodenoberfläche aktiv sind, eine sehr gute und effiziente Erfassung ermöglicht. Außerdem kann man mit dieser Methode neben den Artnachweisen auch weitere Informationen gewinnen, etwa zur relativen Häufigkeit oder zur Phänologie. Zu berücksichtigen sind allerdings verschiedene Faktoren, die das Fangergebnis von Fallen beeinflussen und die grundsätzliche Aussagefähigkeit einerseits und die direkte Vergleichbarkeit zwischen Untersuchungen mit unterschiedlichen Fallentypen andererseits einschränken können. Hierzu zählen etwa Größe, Anzahl, Anordnung und selbst die Materialfarbe der Fallen, aber auch die Art der Fangflüssigkeit, der Gesamtfangzeitraum und die Leerungsintervalle (z. B. Lang 2000, Buchholz et al. 2010, Schirmel et al. 2010, Lövei & Magura 2011). Zudem darf nicht übersehen werden, dass bereits durch den jeweiligen Fallenstandort Ergebnisse beeinflusst werden: Es kann einen erheblichen Unterschied bedeuten, ob Fallenstandorte gezielt nach Erfahrungswerten, rein zufallsbedingt innerhalb eines Spektrums zu untersuchender Biotopypen oder in einem nach verschiedenen Eigenschaften differenzierten Raster (etwa Stufen des Deckungsgrades der Bodenvegetation, Feuchtestufen) ausgewählt werden. Je nach Möglichkeiten und Fragestellungen der jeweiligen Untersuchung sollte man hier genau abwägen. Insgesamt ist zu berücksichtigen, dass Bodenfallenfänge weder die aktuelle Populationsgröße der gefangenen Arten ausreichend widerspiegeln (s. z. B. Basedow & Rzehak 1988, Lang 2000) noch die relative Häufigkeit von Arten zueinander immer einigermaßen sicher abbilden, insbesondere dann nicht, wenn es sich dabei um Arten mit sehr unterschiedlicher Laufaktivität handelt, die möglicherweise auch durch räumliche Strukturmerkmale (wie die Dichte der bodennahen Vegetation) beeinflusst wird. Die Fangergebnisse sind daher mit einer gewissen Vorsicht zu interpretieren, insbesondere was quantitative Aspekte betrifft. Dennoch handelt es sich beim Fang mit Bodenfallen um eine für die Artengruppe sehr wichtige Erfassungsmethode, die ggf. um weitere, für die jeweilige Fragestellung erforderliche Methoden, etwa die Bestimmung der Populationsdichte, ergänzt werden kann.

Obwohl Bodenfallenfänge eine effiziente Fangmethode darstellen, ist ihr Einsatz insbesondere aufgrund der regelmäßig durchzuführenden Leerungen, des erforderlichen sorgsamen Aussortierens und Konservierens des Fangmaterials und der Bestimmung der oft in hoher Zahl gefangenen Tiere zeitaufwendig. Grundsätzlich sind bei einjährigen Untersuchungszeiträumen Fänge über das gesamte Jahr (aufgrund des möglichen Auftretens von Arten mit Aktivitätsmaximum im Winterhalbjahr) oder zumindest über den Zeitraum von Anfang April bis Ende Oktober zu empfehlen, um die Aktivitätsmaxima eines Großteils der einheimischen Arten abzudecken. Aus Aufwands- und Kostengründen werden, etwa im Rahmen von Planungsvorhaben, reduzierte Erfassungsansätze vorgesehen und verfolgt (z. B. Trautner & Fritze 1999, BMVI 2014, FSV 2015), die jeweils mehrere Fangperioden im Frühjahr und im Spätsommer/Herbst umfassen. Allerdings ist zu berücksichtigen, dass hier Erfassungsgrad und Aussagekraft (insbesondere in quantitativer Hinsicht aufgrund von nicht abgedeckten Maxima bestimmter Arten) gegenüber ganzjährigen Erfassungen eingeschränkt sind. Je nach Lebens- und Naturraum können für

Schwimmende Bodenfalle mit Styropor-Schwimmkörper in einer Seeverlandungszone. Foto: J. Rietze.

die Fangzeiträume aber auch andere Schwerpunkte angezeigt sein.

Nachfolgend werden noch einige Hinweise zu Bodenfallenfängen gegeben, ohne hier jedoch das Thema umfassend behandeln zu können:

- Bei Bodenfallen sollte der Öffnungsdurchmesser 5 cm nicht unterschreiten, empfohlen werden für den Regelfall etwa 6–7 cm (Durchmesser handelsüblicher Kunststoffgetränkebecher). Regenabdeckungen sind möglich, nach umfangreichen Erfahrungen in der Regel aber nicht erforderlich, um eine ausreichende Fängigkeit der Fallen zu erreichen – zumindest dann nicht, wenn die Leerungsintervalle nicht zu lang sind. Außerdem werden abgedeckte Fallen häufiger beschädigt oder zerstört, da sie durch die Abdeckungen stärker auffallen.
- Schutzvorrichtungen gegen Wirbeltier-Beifänge, insbesondere unterschiedliche Gitterkonstruktionen über den Fallen, werden immer wieder vorgestellt (z. B. Grell 1997). Der mit ihrem Einsatz verbundene erhöhte Aufwand sowohl bei der Herstellung als auch bei der Handhabung und Betreuung der Fallen wird aber in der Regel als nicht verhältnismäßig angesehen. Schutzvorrichtungen können auch die Fängigkeit der Fallen reduzieren oder die landwirtschaftliche Nutzung behindern. So können

Schutzvorrichtungen bei im Grünland platzierten Fallen während der Wiesenmahd zerstört und ihre Reste in der Fläche verteilt werden; selbst eine Beschädigung von Mähwerkzeugen durch Schutzgitter ist nicht völlig auszuschließen. Ein Beifang an Wirbeltieren ist bei Fallen mit, wie oben empfohlen, relativ geringem Öffnungsdurchmesser schon deutlich verringert. In besonderen Situationen, etwa im direkten Umfeld von Amphibienlaichgewässern mit hohem Jungtieraufkommen, sollten anstelle von Bodenfallen Erfassungen mittels Handfängen durchgeführt werden. Der Einsatz von Lebendfallen, die eine Kontrolle in sehr kurzen Zeitabständen erfordern, kommt aufgrund des hohen Aufwands nur in Ausnahmefällen in Betracht und ist zudem in anderer Hinsicht problematisch (etwa weil die Fallen leichter von Tieren ausgeraubt werden oder eine sichere Artbestimmung von Lebendfängen oftmals schwierig ist, s. Kapitel 7.3).

- Als Fallenzahl werden je Probestelle 6–10 Fallen empfohlen, die einen Mindestabstand von 5 m zueinander haben sollten. Desender & Pollet (1988) zeigten anhand der statistischen Analyse von Bodenfallenfängen eines Untersuchungsgebiets, dass die Zahl von 6 Fallen ein absolutes Minimum ist und gute quantitative Vergleiche der Fangzahlen bei den häufigsten Arten meist erst mit 10 Fallen (während der Aktivitätsspitzen) erreicht werden. Für höhere Fallenzahlen spricht außerdem, dass so die kleinräumigen Unterschiede innerhalb eines zu untersuchenden Biotoptyps besser abgedeckt und zudem mögliche Ausfälle (z. B. infolge von Wiesenmahd oder der Entfernung von Fallen durch Tiere oder Personen) besser aufgefangen werden können.
- Als Fangflüssigkeiten werden Substanzen empfohlen, die möglichst umweltverträglich und leicht zu handhaben sind, in erster Linie 5 %ige Essigsäure, die sogenannte „Renner-Lösung" (ein Gemisch aus Ethanol, Wasser, Glycerin und Essigsäure im Verhältnis 4:3:2:1; Renner 1980, s. auch Lohse & Lucht 1989) oder eine Salzlösung (s. Teichmann 1994). Diese Flüssigkeiten konservieren unterschiedlich gut, bei 5 %iger Essigsäure sind die vorzusehenden Leerungsintervalle mit üblicherweise bis zu 14 Tagen am kürzesten. Einige andere, darunter auch früher häufiger verwendete Konservierungsflüssigkeiten, sind gesundheitlich oder in der Handhabung bedenklich.
- Eine Auswertung des Beifangmaterials anderer Gruppen aus Laufkäfer-Bodenfallen ist zwar grundsätzlich wünschenswert, allerdings ist das spezifische Aussortieren von Beifängen und die separate Konservierung mit zusätzlichem, teils sehr hohem Aufwand verbunden. Zudem sind das Interesse an der Lagerung und wissenschaftlichen Aufarbeitung von Beifängen sowie die Kapazitäten dafür erfahrungsgemäß oft sehr begrenzt. Für viele Artengruppen steht dafür keine oder eine nur begrenzte Zahl an Spezialisten zur Verfügung. In aller Regel ist daher eine vollständige oder umfangreiche Konservierung oder Auswertung von Beifängen nicht realistisch.
- Die technische Betreuung von Bodenfallen im Gelände sowie das Aussortieren des gefangenen Materials erfordern neben Sorgfalt auch Erfahrung. Diese Arbeiten lassen sich nicht an Personen delegieren, die über keine ausreichenden Kenntnisse und Erfahrungen verfügen bzw. nicht in diese Tätigkeiten eingearbeitet sind. Dies hat sich in der Praxis vielfach erwiesen, etwa wenn bei der Prüfung von Untersuchungsmaterial herauskommt, dass an einem Standort zu erwartende kleine Arten oder bestimmte Lebensformtypen im Material gar nicht vertreten sind, da die Tiere vom unerfahrenen Auslesepersonal nicht als Laufkäfer erkannt wurden.

In speziellen Situationen können Bodenfallen von besonderer Konstruktion zum Einsatz kommen. Hierzu gehören weiter in den Untergrund versenkte Fallen, die zur Erfassung in tieferen Boden- oder Gesteinsschichten aktiver Arten dienen (Schlick-Steiner & Steiner 2000, Ortuño et al. 2013), oder Schwimmfallen in Verlandungszonen.

Der Einsatz von Bodenfallen ist nicht in allen Lebensräumen und für alle Arten die geeignetste oder vorrangig anzuwendende Erfassungsmethode. In vielen Fällen ist es ohnehin ratsam, mehr als eine Methode anzuwenden.

Handfänge

Unter Handfängen wird die gezielte Suche nach Laufkäfern etwa durch Beobachtung der Bodenoberfläche (aktuell oberflächig aktive Arten, ggf. auch nachts mit Lampeneinsatz), Wenden von

Handfänge, also das direkte Suchen nach Käfern, können an bestimmten Standorten wie zum Beispiel Ufern bessere Ergebnisse als Bodenfallen liefern und dort bei Bedarf auch eine quantitative oder semiquantitative Laufkäfer-Erfassung ermöglichen.

Das Wenden von Steinen und Holzteilen sowie die Untersuchung von liegendem Totholz gehören zum Standardrepertoire bei Laufkäferfängen.

Zum besseren Fang kleiner Laufkäfer wird oft ein sogenannter Exhaustor eingesetzt, mit dem man die Tiere ansaugen kann.

Steinen oder Holzteilen, Durchsuchen von Grashorsten, Aufkratzen des Bodens, Treten oder Schwemmen im Uferbereich, Durchsuchen von Morschholz und Rindenstrukturen (v. a. im Winter) sowie das Sieben von Streu oder Pflanzenmaterial mittels eines sogenannten Käfersiebs verstanden. Handfänge sind, in ausreichendem Umfang durchgeführt, fast immer invasiv, sie verändern also die Struktur und den Pflanzenbewuchs der Untersuchungsfläche. Dies ist aber meist aufgrund des geringen Flächenanteils, den solche Untersuchungen beanspruchen, vernachlässigbar. Eine Ausnahme bilden sehr kleinräumige, besonders sensible Pflanzenbestände, die sich nur langsam regenerieren, etwa im Falle von nur wenige Quadratmeter umfassenden Trockenrasen auf Felskuppen mit Moos- und Flechtenrasen; bei ihnen ist eine solche Methode nicht angezeigt.

Eine effektive und aussagekräftige Erfassungsmethode können Handfänge an Stellen sein, an denen günstige strukturelle Voraussetzungen vorliegen (vor allem ein gut durchsuchbares Substrat) oder ein relevanter Teil der Laufkäferarten zum Zeitpunkt der Bestandsaufnahme in größerer Individuenzahl oberflächig aktiv ist. Daher spielen neben anderen Faktoren Jahres- und Tageszeit sowie Witterungsbedingungen eine besondere Rolle. Im Gegensatz zu Bodenfallenfängen, bei denen die Bodenfallen bis zur nächsten Leerung einige Tage und Nächte exponiert sind, steht bei Handfängen immer nur ein kürzeres Zeitfenster zur Verfügung. Als besonders günstig haben sich nach eigener Erfahrung die Nachmittags-, Abend- und frühen Nachtstunden während der Vegetationsperiode erwiesen sowie Phasen mit eher höherer Luftfeuchtigkeit oder die Zeit kurz vor einem einsetzenden Regen. Während längerer Trockenphasen kann der Fangerfolg (außer an Ufern und in dennoch bodenfeuchten oder nassen Standorten) stark gemindert sein. Hier sind nächtliche Erfassungen womöglich ergiebiger.

Gegenüber Fängen mit Bodenfallen sind bei Handfängen große und laufaktive Arten in der Regel unterrepräsentiert (z. B. Arten der Gattung *Carabus*, wobei hier jedoch bestimmte Suchmethoden im Winterquartier bessere Ergebnisse erzielen). Diese Arten sitzen während der Vegetationsperiode tagsüber häufig an schwer erreichbaren Stellen, etwa in tieferen Bodenspalten. Zudem ist ihre Individuendichte und damit die Wahr-

Einsatz des Käfersiebs in einer Weinbergsbrache. Foto: K. Geigenmüller.

Durchsicht von Gesiebematerial auf einem hellen Auslesetuch vor Ort. Gesiebe wird ansonsten oft in geeigneten Beuteln aus dem Gelände mitgenommen und im Labor direkt ausgelesen oder in einem Ausleseapparat über längere Zeit getrocknet, so dass die darin befindlichen Käfer das Substrat verlassen und über einen Trichter in ein Fanggefäß gelangen.

scheinlichkeit, sie bei Handfängen zu erfassen, geringer als bei vielen kleineren Arten. Für diese großen, laufaktiven Arten existieren spezielle Handfangmethoden, die aber wesentlich aufwendiger sind, etwa das nächtliche Abfahren und Ableuchten von Wegrändern. Vor allem in Wäldern und in ackerbaulich genutzten Landschaften ist nächtliches Sammeln für große Arten oftmals wesentlich erfolgversprechender als eine Suche am Tag. Bei einer nächtlichen Suche im Wald werden oft auch Individuen festgestellt, die an Bäumen klettern, weshalb man auch Stämme ableuchten sollte.

Bei Handfängen können und sollten gezielt immer auch Strukturen untersucht werden, die eine spezifische Laufkäferbesiedlung erwarten lassen, selbst wenn sie nur kleinräumig ausgebildet sind (zu Einschränkungen aufgrund besonderer Sensibilität s. o.). Hierzu können zum Beispiel sehr kleine, feuchte oder nasse Senken in ansonsten frischen Grünlandgebieten, Wegböschungen mit Rutschungen von lehmigem Material, offene Torfe an einer Moorbruchkante oder Trittstellen des Viehs in Weideflächen zählen, um nur einige wenige Beispiele zu nennen. Der Spezielle Teil des vorliegenden Buchs enthält eine Vielzahl von Habitatbildern, die einen Eindruck vom Spektrum solcher Standorte vermitteln können. Mit der Zeit gewinnt man an Erfahrung, wo und unter welchen äußeren Bedingungen sich eine Suche besonders lohnen kann, um zusätzlich zu Bodenfallenfängen weitere Arten in einem Lebensraum oder Untersuchungsgebiet nachzuweisen.

In unseren Breiten sind Handfänge besonders wichtig an Gewässerufern, in Binnenlanddünen und Heidegebieten sowie allgemein auf Flächen mit hohem Anteil an Roh- und Skelettböden und in vegetationsreichen Lebensräumen nasser Standorte.

Nachfolgend werden noch einige Hinweise zu Handfängen gegeben, ohne auch hier die Thematik erschöpfend behandeln zu können:

- Baumbewohnende Arten aus der Verwandtschaftsgruppe der Gattung *Dromius* werden am einfachsten im Winterquartier unter Rindenschuppen im Stammfußbereich lebender Bäume nachgewiesen.
- Auch eine Reihe von Arten der vegetationsreichen Feuchtgebiete – darunter die auf Pflanzen kletternden Arten – ist gut im Winterquartier vorzufinden, insbesondere durch das Sieben von Streu und Pflanzenteilen am Rand von Schilfröhrichten und Seggen- oder Binsenrieden.

Bei einer nächtlichen Handaufsammlung mit Stirnleuchte können manche Arten wesentlich besser registriert werden als am Tag. An dieser Stelle im Verlandungsbereich eines Stillgewässers war unter anderem *Oodes helopioides* in extrem hoher Individuenzahl oberflächig nachts aktiv.

- Großlaufkäfer der Gattung *Carabus*, und hier besonders waldbewohnende Arten, sind ebenfalls meist leicht im Winterquartier aufzuspüren. Sie finden sich teils aggregiert in hoher Individuenzahl in morschen Stümpfen, in liegenden Stämmen oder unter Moospolstern auf Stämmen und großen Steinen.
- In Heidegebieten bietet die Streu unter *Calluna*-Büschen einen lohnenswerten Fundplatz, sowohl während der Vegetationsperiode als auch im Winter. Hier sollte neben der direkten Nachsuche auch Streu entnommen und gesiebt und anschließend durchsucht werden.
- An Ufern ist es wesentlich, die vorhandenen unterschiedlichen Substrate und Strukturen zu berücksichtigen, die in einem Fließgewässerabschnitt für gewöhnlich vorkommen. Sie können von vegetationsfreien Kies- oder Sandufern über steile Abbruchkanten mit lehmigem Substrat bis hin zu stärker vegetationsbestandenen Bereichen und tief ins Substrat eingebettetem Schwemmmaterial wie etwa größeren Holzteilen reichen. Ob man hierbei Einzelproben nimmt und sie dann bestimmten Strukturen

Morscher Teil eines gefällten Baumstamms, in dem sich bei geeignetem Zersetzungsgrad sowohl unter dem Moosbewuchs als auch im Holz selbst Winterquartiermöglichkeiten für Laufkäfer bieten.

Geöffneter, morscher Teil eines gefällten Baumstamms, in dem ein halbes Dutzend *Carabus*-Individuen (hier vor allem *Carabus auronitens*) Winterquartier bezogen hatte. In Stämmen oder Stümpfen von passender Struktur und günstiger Lage können zahlreiche Individuen in Gemeinschaft überwintern.

zuordnet oder Sammelproben für den ganzen Fließgewässerabschnitt anfertigt, ist von der jeweiligen Fragestellung abhängig. Lässt man dies außer Acht und beschränkt sich beispielsweise nur auf einen bestimmten Typ von Uferstrukturen, wird die unter Umständen sehr artenreiche Laufkäferfauna der Uferbereiche insgesamt nicht ausreichend erfasst.

- Auf Untergrund mit Feinsubstrat können Individuen bestimmter Arten tiefer im Boden sitzen (an Gewässern im teilweise luftgefüllten Interstitialraum der Ufer) und erst bei Aufschwemmung mit Wasser oder bei Treten des Untergrundes an die Oberfläche kommen; daher sollte man ein solches Vorgehen standardmäßig verfolgen.
- Auch in anderen Lebensräumen muss man tiefer im Substrat graben, um Arten überhaupt oder in höherer Individuenzahl zu finden (s. im Speziellen Teil etwa bei *Bembidion milleri*).
- Der nächtliche Handfang unter Einsatz von Stirn- oder Handleuchten kann sehr effizient

sein, wird aber im Allgemeinen zu wenig betrieben. Viele Arten lassen sich nachts gut nachweisen, darunter auch Bewohner von Felsen und Schutthalden (u. a. *Leistus montanus*) sowie Arten der Heidegebiete.

- Als spezielle Methode sei noch auf das Klopfen oder Abkäschern von höherer Vegetation hingewiesen. Mit dieser Methode werden immer wieder auch *Lebia*-Arten und Arten aus der Verwandtschaftsgruppe der Gattung *Dromius* festgestellt; als spezifische Erfassungsmethode für Laufkäfer ist sie aber aufgrund der meist geringen dabei registrierten Arten- und Individuenzahlen nicht sehr beliebt.

Handfänge lassen sich unter bestimmten Umständen standardisieren. Ihre Ergebnisse können quantifizierbar sein (z. B. Desender & Segers 1985) und auch über die Absammlung eng definierter „Probequadrate“ hinaus vergleichbare Ergebnisse zwischen unterschiedlichen Personen und Standorten erzielen, sofern es sich um Lebensraumtypen handelt, die grundsätzlich gut mittels Handfängen beprobt werden können, und die damit befassten Personen über ausreichende Erfahrung verfügen (vgl. Trautner 1999). Vor allem an Ufern von Fließgewässern stellen Handfänge die in der Regel gegenüber Bodenfallen besser geeignete Erfassungsmethode dar (s. o.). Für Bestandsaufnahmen im Rahmen einer Inventarisierung wird dabei empfohlen, sich an einer „erfolgsbezogenen“ Sammelmethode zu orientieren (s. Trautner 1992d). Dabei wird je Termin und Probestelle über eine bestimmte Mindestzeit hinaus (bei ausschließlicher Anwendung von Handfängen mindestens je 60 Minuten) noch so lange weitergesammelt, bis innerhalb einer Zeitspanne von zum Beispiel 10 Minuten keine für die Probestelle und den Termin neue Art mehr gefunden und auch keine bereits nachgewiesene in deutlich höherer Individuenzahl als bisher registriert wird. Hiermit kann man unter anderem unterschiedlichen Witterungsbedingungen oder abweichenden strukturellen Eigenschaften verschiedener Probestellen besser Rechnung tragen als etwa mittels einer festen absoluten Zeitspanne und Flächengröße. Aber auch eng zeit- (z. B. Andersen 1969, Manderbach 2002) oder flächenbezogene Aufsammlungen (z. B. Höppner & Hering 1997) können für bestimmte Fragestellungen sinnvoll sein.

Lichtfänge

Unter Lichtfängen wird der gezielte Einsatz von Leuchten mit einem höheren UV-Anteil im Lichtspektrum verstanden, um mit ihrer Hilfe zumeist fliegende Insekten an eine persönlich betreute Anlage oder eine automatische, nicht-selektive Falle anzulocken und zu fangen. Bei Fallen ist eine Lichtquelle meist über einem Fangtrichter platziert. Durch diesen gelangen die Tiere in ein Fanggefäß, aus dem sie nicht wieder entkommen können; das Gefäß ist meist mit Konservierungsflüssigkeit gefüllt. Beim persönlich betreuten Lichtfang kommen meist Leuchtstoffröhren in Kombination mit einem sogenannten „Leuchtturm“ aus weißer Gaze und einem auf dem Boden ausgelegten hellen Tuch zum Einsatz, wobei vor allem die hellen Gaze- und Tuchbereiche auf anfliegende oder die Fangapparatur erkletternde Individuen abgesucht werden. Der Einsatz von Lichtfängen ist bei der Beprobung anderer Gruppen als der Laufkäfer deutlich weiter verbreitet (insbesondere bei der Untersuchung nachtaktiver Großschmetterlinge).

Eine ganze Reihe von Laufkäferarten fliegt solche Lichtquellen an, darunter in Süddeutschland seltenere Feuchtgebietsarten wie *Anthracus consputus* oder *Badister peltatus* sowie Bewohner von Halbtrockenrasen und Heidegebieten wie einige *Ophonus*-, *Amara*- und *Bradycellus*-Arten. Einzelne Arten scheinen sich mit dieser Methode besonders gut erfassen zu lassen, zum Beispiel *Harpalus griseus* (teils in deutlich höherer Individuenzahl als mit Bodenfallen), *Agonum gracilipes* und *Amara majuscula*.

Allerdings ist der Aufwand für Lichtfänge vor allem bei persönlicher Betreuung der Fanganlage relativ groß. Der Einsatz von unbewachten Lichtfallen wiederum birgt neben den sehr hohen Beifängen die Gefahr, dass die verhältnismäßig teuren Apparaturen entwendet oder zerstört werden. Auch ist oft die Herkunft der gefangenen Tiere unklar, da sie nicht selten aus Lebensräumen stammen, die weit vom Standort der Lichtfanganlage entfernt sind. Darüber hinaus ist der Fangerfolg stark von der Witterung sowie von weiteren Faktoren abhängig, wie dies für andere nachtaktive Gruppen wie etwa die Nachtfalter belegt ist (z. B. Jonason et al. 2014). Sehr gute, erfolgversprechende Lichtfangnächte für Laufkäfer sind oft rar, und in manchen Nächten kommt es vor, dass auch bei mehrstündigem Leuchten nur einzelne oder

Lichtfang mittels „Leuchtturm“ und hellem Tuch auf dem Boden. An diesem Standort am Rand einer ausgedehnten Sumpf- und Verlandungszone wurden mehrere Individuen der sehr seltenen Art *Agonum hypocrita* am Licht registriert.

gar keine Individuen anfliegen. BASEDOW & DICKLER (1981) konnten im Rahmen von Lichtfängen in einer Obstanlage in Heidelberg über zwei Vegetationsperioden hinweg insgesamt 29 Laufkäferarten registrieren. Sie ermittelten, dass der Hauptanflug von Laufkäfern jeweils phasenweise im Juli und August stattfand, und zwar „bei einer abendlichen Temperatur von 22–23 °C und einer relativen Luftfeuchtigkeit von 50% [...], also an warmen (nicht aber heißen) Abenden mit mittlerer Luftfeuchtigkeit“ (BASEDOW & DICKLER 1981).

Da Lichtfänge aber Nachweise von Arten liefern, die ansonsten nicht oder nur schwer zu registrieren sind, ist zu empfehlen solche Fänge nach Möglichkeit bei der Erfassung des Artenspektrums von Gebieten wenigstens an 1–2 optimal erscheinenden Terminen durchzuführen.

Sonstige Methoden

Es gibt eine Reihe weiterer Methoden, die ergänzend oder unter bestimmten Fragestellungen (auch) zur Erfassung von Laufkäfern eingesetzt werden können. Hierzu zählen etwa Stammeklektoren zur Erfassung der an Bäumen aktiven Arten (z. B. BENSE 1993, 1996), Flugfallen (z. B. ARNDT & HIELSCHER 2007) sowie die standardisierte Entnahme und Auslese von Bodenproben (z. B. BUCK & KONZELMANN 1985). Für die Inventarisierung der Laufkäferfauna von Gebieten oder einzelnen Biotopen sind solche ergänzenden Methoden nicht erforderlich und können bei vergleichsweise hohem Aufwand nur wenig zusätzliche Daten liefern. Für spezielle Fragestellungen kann ihr Einsatz aber auch für Laufkäfer sinnvoll sein.

7.2 Andere Untersuchungsziele

Stehen nicht die Inventarisierung von Gebieten und bestimmten Lebensräumen oder deren Charakterisierung anhand der Laufkäferfauna im Vordergrund, sondern andere Fragen und Untersuchungsziele, so können entweder die bereits genannten Methoden technisch oder in der Handhabung abgewandelt zum Einsatz kommen (z. B. durch die Kombination von Bodenfallen mit Aus-

Bei Fang-Wiederfang-Untersuchungen von Laufkäfern mit Lebendfallen können Tiere individuell markiert werden, wodurch bei Wiederfängen verschiedene Aussagen etwa zu Populationsgrößen oder zurückgelegten Laufstrecken möglich sind. Hier wird mit besonderer Sorgfalt ein kleiner Handbohrer eingesetzt, um eine Fräsmarkierung auf der Flügeldecken-Oberfläche einer *Carabus*-Art anzubringen. Das Tier wird anschließend vor Ort wieder in Freiheit gesetzt und die Falle vorübergehend abgedeckt, um einen sofortigen Wiederfang an der gleichen Stelle auszuschließen.

zäunung und vollständiger Absammlung von Flächen zur Bestimmung der Populationsgröße von Arten), oder aber man greift auf andere Methoden zurück. Nachfolgend werden beispielhaft einige weitere Methoden und die damit zu bearbeitenden Fragestellungen angeführt:

- Laborhaltung mit Aufzucht von Arten unter verschiedenen Substrat- oder Klimabedingungen, um die Entwicklungsdauer oder die Luftfeuchte- und Substratpräferenzen sowie die tageszeitliche Aktivität von Larven und Imagines abzuleiten (Übersicht zahlreicher älterer Arbeiten und Ergebnisse bei Thiele 1977; danach z.B. Sowig 1986a).
- Beobachtung und Quantifizierung der Nahrungsaufnahme im Freiland, Untersuchung des Darminhalts oder Fütterungsexperimente im Labor, sowohl für Räuber als auch für Pflanzenfresser, um das Nahrungsspektrum und -verhalten abzuleiten (z.B. Hering & Plachter 1997, Martinková et al. 2006, Šerič Jelaska et al. 2014; Review zu Arbeiten über samenfressende Arten bei Kulkarni et al. 2015).
- Versuche zur Reaktion auf Veränderungen des Wasserstandes, um das „Flutverhalten" von Arten zu klären (z.B. Siepe 1994, Kolesnikov et al. 2012).
- Analyse von Wanderentfernungen, Laufgeschwindigkeit, Bewegungsmustern und Populationsgrößen mittels Sendern oder Fang-Wiederfang-Untersuchungen markierter Imagines im Freiland (z.B. Rieken & Raths 1996, Rietze 2002, Fritze et al. 2004, Reike 2004, Broll et al. 2008).
- Analyse der Ausbildung von Flügeln und Flugmuskulatur in Laufkäferpopulationen, um populationsdynamische Fragen zu klären (z.B. Desender 1996).
- Experimente zur Auswirkung verschiedener Pestizide (z.B. Kegel 1989, Merivee et al. 2015).
- Genetische Untersuchungen unter anderem im Hinblick auf die mögliche Fragmentierung von Populationen und die Besiedlungsgeschichte von Standorten (z.B. Güth et al. 2006, Matern et al. 2011, Marcus et al. 2015).

- Modellierung von Habitaten und Ableitung von notwendigen Schutzmaßnahmen oder möglichen Auswirkungen von Landnutzungsänderungen (z. B. Rushton et al. 1994, Matern et al. 2007).

7.3 Bestimmung und Aufbewahrung von Belegen

Um Laufkäfer zu bestimmen, muss man auch heute meist noch über eine eigene Vergleichssammlung mit sicher determiniertem Material verfügen. Obwohl Laufkäfer zu den recht gut bearbeiteten Artengruppen gehören, sind sie keinesfalls einfach zu bestimmen. Oftmals ist ein unmittelbarer Vergleich mit eng verwandten Arten und eine Bestimmung selbst oder deren Absicherung über eine Genitaluntersuchung erforderlich, unter anderem bei einer Reihe von Arten der Gattungen *Amara*, *Asaphidion*, *Badister*, *Bembidion* und *Ophonus*.

Die bisherigen Erfahrungen, auch bei den Arbeiten zum vorliegenden Werk, haben gezeigt, dass Fehlbestimmungen durchaus öfter vorkommen und sich diese zudem nicht nur auf die bekannten, schwierig zu bestimmenden Artengruppen beschränken. Eine ganze Reihe von Artmeldungen musste revidiert werden, wie auch den Artkapiteln im Speziellen Teil immer wieder zu entnehmen ist.

Vor diesem Hintergrund haben Sammlungsbelege eine herausragende Bedeutung. Häufig ermöglichen nur sie die sichere Aussage, ob eine faunistisch bemerkenswerte Artmeldung zutreffend ist oder nicht. Gute Fotografien lebender Tiere im Gelände können dies für eine Reihe von Arten, darunter die am Anfang des Hauptkapitels genannten besonders geschützten Arten Baden-Württembergs, ebenfalls leisten. Es ist zudem durchaus möglich, Arten direkt und lebend im Gelände zu bestimmen. Dazu bedarf es jedoch ausreichender Kenntnisse, insbesondere zu Habitus und Differenzialmerkmalen aller weiteren infrage kommenden und mit der betreffenden Art möglicherweise zu verwechselnden Arten. Nur dann lässt sich abschätzen, ob im jeweiligen Fall eine Geländebestimmung gesichert werden kann. Dies setzt aber in der Regel eine mehrjährige Erfahrung voraus, zumindest wenn es um übliche Artenspektren im Gelände und nicht nur um eine einzige Art geht. Bei bestimmten Methoden, etwa Lebendfängen mit Fang-Wiederfang (s. o.) ist eine Lebendbestimmung unumgänglich, die dann aber nur für bestimmte Arten möglich ist. In vielen Fällen reichen Fotografien und selbst eine langjährige Erfahrung für eine sichere Identifikation im Gelände nicht aus.

Es ist daher allen, die sich intensiver mit Laufkäfern beschäftigen möchten, anzuraten, sich eine entsprechende Beleg- und Bestimmungssammlung aufzubauen – natürlich unter Beachtung der naturschutzrechtlichen Bestimmungen. Arten, bei denen Bestimmungsunsicherheiten bestehen, sollte man durch andere, erfahrene Personen überprüfen lassen. Im Anfangsstadium ist das im Grunde für alle Arten zu empfehlen, damit eine sichere Basis für die weitere Arbeit geschaffen wird. Das heißt nicht, die Bestimmung „abzugeben“. Vielmehr geht es darum, sich selbst mit den Arten zu befassen und erst danach durch Bestätigung oder Korrektur von außen Gewissheit zu erlangen und somit an Sicherheit zu gewinnen.

In Baden-Württemberg gibt es eine Reihe von Personen, die sich aktiv mit Käfern beschäftigen und sicherlich für Fragen und Ratschläge zur Verfügung stehen. Zudem finden regelmäßig Treffen und Veranstaltungen statt, auf denen man entsprechende Kontakte knüpfen kann. Exemplarisch seien an dieser Stelle unter den Vereinigungen der Entomologische Verein in Stuttgart und der Freiburger Entomologische Arbeitskreis genannt. Die größte jährliche Veranstaltung in Baden-Württemberg ist das Deutsche Koleopterologentreffen, dessen Anziehungskraft weit über die Landes- und Bundesgrenzen hinausreicht. Auf Bundesebene befasst sich die Gesellschaft für Angewandte Carabidologie (GAC) speziell mit Laufkäfern. Sie hat auch einen Seltenheitenausschuss eingerichtet, der es übernommen hat, Belege von bestimmten seltenen Arten zu überprüfen, in zusammenfassenden Berichten zu dokumentieren und unter Angabe von Fundjahr und Finder räumlich grob einzuordnen (Basis dafür ist der Blattschnitt der Topographischen Karte 1:100 000) (Persohn et al. 2006 ff.).

Eine Belegsammlung für Imagines von Laufkäfern kann man in Form von Alkohol- oder von Trockenpräparaten anlegen, für Larven sind Alkoholpräparate unverzichtbar. Käfer trocken zu präparieren (Nadeln oder Aufkleben) ist wesentlich zeitaufwendiger, eignet sich jedoch zum Aufbau einer Vergleichssammlung zur Bestimmung deutlich besser und ist unter Käferkundlern die am weitesten verbreitete Methode. Trockenpräparate schlagen mit höheren Materialkosten zu Buche, vor allem wegen der etwas teureren Insektenkästen, die man dafür braucht. In jedem Fall ist die eindeutige Zuordnung von Fundort-, Funddatum- und Sammlerinformationen zu jedem Objekt erforderlich.

Anleitungen zum Aufbau und zur Pflege einer Sammlung sowie zu speziellen Präparationstechniken (z. B. Präparation und Einbettung von Genitalien) finden sich in der gebräuchlichen Fachliteratur (z. B. Piechocki & Händel 2007) sowie in Internetquellen. Zur Bestimmung der Imagines und Larven der einheimischen Arten sei in erster Linie auf Müller-Motzfeld (2006a) sowie auf Klausnitzer (1991) verwiesen. Mittlerweile kann man zudem sowohl Bestimmungsschlüssel bestimmter Artengruppen als auch umfangreiche Fotosammlungen in diversen Internetquellen finden.

Belege sollten langfristig aufbewahrt werden und verfügbar sein. Dies gilt besonders für seltene und faunistisch bedeutsame Arten. Wer sich eine Sammlung aufbaut oder bereits über eine verfügt, sollte sich daher auch überlegen, wer sie weiterführen oder sachgerecht aufbewahren kann, wenn das eigene Interesse an ihr erlischt oder man ihre Betreuung selbst nicht mehr leisten kann. Da bereits einige faunistisch wichtige Sammlungen aufgrund mangelnder Pflege teilweise oder vollständig verloren gingen (etwa durch Schädlingsfraß) und andere nicht mehr zugänglich oder unauffindbar sind, ist zu empfehlen, hier schon früh eine entsprechende Regelung zu treffen. Das Gleiche gilt für Dokumentationen von Geländearbeiten und ihren Ergebnissen.

Spezieller Teil I

8 Systematische Übersicht nach Unterfamilien und Tribus

J. Trautner

Die folgende Tabelle 8.1 gibt eine Übersicht zu den in Baden-Württemberg vertretenen Unterfamilien und Tribus der Laufkäfer mit der jeweiligen Anzahl an Gattungen und Arten, wobei auch aus historischer Zeit belegte, zwischenzeitlich aber im Bezugsraum verschollene oder ausgestorbene Arten mit berücksichtigt wurden. Die Systematik folgt weitestgehend der bei Lorenz (2015) verwendeten. Bezüglich der Gattungen ist aber darauf hinzuweisen, dass *Pedius* Motschulsky, 1850 hier nicht als eigenständige Gattung geführt und entsprechend auch nicht als solche gezählt wird, sondern wie in der Checkliste von Schmidt et al. (2016) als Untergattung zu *Pterostichus* gestellt ist.

Tab. 8.1 Systematische Übersicht mit Anzahl der in Baden-Württemberg vertretenen Unterfamilien, Tribus, Gattungen und Arten der Laufkäfer

Familie	Unterfamilie	Tribus	Anzahl Gattungen Bad.-Württ.	Anzahl Arten Bad.-Württ.
Carabidae	Brachininae	Brachinini	1	2
	Omophroninae	Omophronini	1	1
	Cicindelinae	Cicindelini	2	6
	Carabinae	Cychrini	1	2
		Carabini	2	21
	Nebriinae	Notiophilini	1	7
		Nebriini	3	17
	Loricerinae	Loricerini	1	1
	Elaphrinae	Elaphrini	2	5
	Scaritinae	Scaritini	2	13
	Broscinae	Broscini	1	1
	Trechinae	Trechini	6	10
		Anilini	1	1
		Bembidiini	8	80
		Pogonini	1	1
	Patrobinae	Patrobini	1	2
	Pterostichinae	Pterostichini	5	39
		Zabrini	2	44
	Panagaeinae	Panagaeini	1	2
	Licininae	Oodini	1	1
		Chlaeniini	2	7
		Licinini	2	11
	Harpalinae	Anisodactylini	2	4
		Stenolophini	6	20
		Harpalini	5	55
	Platyninae	Sphodrini	5	11
		Platynini	7	28
	Lebiinae	Cyclosomini	1	1
		Perigonini	1	1
		Odacanthini	1	1
		Lebiini	11	32
	Dryptinae	Dryptini	1	1
		Zuphiini	1	1
Anzahl	18	33	88	429

9 Erläuterungen zu den Artkapiteln

J. Trautner

Die Artkapitel sind nach Unterfamilien und Tribus (s. Übersicht im vorstehenden Kapitel) und innerhalb der Tribus alphabetisch nach dem jeweiligen wissenschaftlichen Artnamen geordnet.

Neben den Ausführungen im Text finden sich bei allen 429 historisch oder aktuell in Baden-Württemberg vorkommenden Arten des Speziellen Teils jeweils ein Artfoto sowie eine Verbreitungskarte für das Land Baden-Württemberg. Für etwa ein Drittel der Arten ist zudem ein Lebensraumfoto abgebildet. In einzelnen Fällen wurden weitere Abbildungen etwa zu Unterarten und Farbvarianten oder zum Spektrum aus naturnahen und anthropogenen Lebensräumen ausgewählt, die für die jeweilige Art von Bedeutung sind. Für den überwiegenden Teil der Arten lagen Lebendfotos vor, auf die bevorzugt zurückgegriffen wurde. Wo dies nicht der Fall war, wurden Fotos von Sammlungsmaterial herangezogen. Die Lebensraumaufnahmen stammen mit sehr wenigen – entsprechend gekennzeichneten – Ausnahmen aus Baden-Württemberg.

Die wissenschaftlichen Artnamen folgen weitestgehend den in der aktuellen Checkliste und Roten Liste Deutschlands (Schmidt et al. 2016) verwendeten Namen. Nur in sehr wenigen Einzelfällen gab es hierzu Korrekturen; zudem wird bei den nachgewiesenen oder den in späteren Kapiteln behandelten zweifelhaften Meldungen, Falschmeldungen oder Artnachweisen mit unklarem Status auch auf Arten eingegangen, die in der genannten Checkliste nicht enthalten sind. In diesen Fällen wurde auf die Nomenklatur bei Lorenz (2015) zurückgegriffen. Wichtige Synonyme sind in einem eigenen Verzeichnis mit den derzeit gültigen Namen zusammengestellt (s. S. 833 ff.). Die deutschen Artnamen gehen in großen Teilen auf die erste Rote Liste für Baden-Württemberg zurück (Trautner 1992a), von der aus sie auch Eingang in die bundesdeutschen Roten Listen gefunden haben. Für einzelne, bislang nicht mit deutschen Namen versehene Arten wurden passende neu gebildet.

In mehreren Fällen sind oder waren in Baden-Württemberg vorkommende Laufkäfer in einer oder mehreren Unterarten im Land vertreten. Diese sind in den Verbreitungskarten nicht separat ausgewiesen und auch nicht in den Überschriften der Artkapitel vermerkt. In wichtigen Fällen wird aber im Text auf sie eingegangen, und an zwei Stellen sind verschiedene Unterarten auch in Fotos abgebildet.

Hier nun die Erläuterungen zu den einzelnen Abschnitten der Artkapitel:

Allgemeine Verbreitung: Angaben zur Gesamtverbreitung wurden ganz überwiegend den bekannten zusammenfassenden Standardwerken entnommen (insbesondere Müller-Motzfeld 2006a, Turin 2000), teilweise aber auch verschiedenen Einzelarbeiten zu Arten oder Artengruppen. Nur in wenigen Fällen wurde vertieft recherchiert oder auf eigene, ergänzende Daten zurückgegriffen. Die Gesamtverbreitung wird nur knapp dargestellt. Speziell hingewiesen wird auf bei uns heimische, in die Nearktis eingeführte oder eingeschleppte Arten nach Angaben von Bousquet (2012). Bei (zumindest) paläarktisch verbreiteten Arten konnte nicht immer geprüft und angegeben werden, ob ihre Verbreitung noch darüber hinausreicht. Insoweit wurde auf die Differenzierung zwischen paläarktisch und transpaläarktisch verbreiteten Arten und auf die Verwendung des letztgenannten Begriffs verzichtet. Die Verbreitung in Deutschland wird im Wesentlichen basierend auf dem Verbreitungsatlas von Trautner et al. (2014) umrissen, gegebenenfalls ergänzt um neuere Daten. In Einzelfällen wird auf zusätzliche Quellen hingewiesen.

Vorkommen in Baden-Württemberg: Die Beschreibung der Verbreitung einer Art im Bundesland Baden-Württemberg bezieht sich schwerpunktmäßig auf die Naturräume 3. Ordnung, die in Karte 2 des Allgemeinen Teils abgebildet sind (s. S. 15). Dabei stehen Naturräume im Vordergrund, die größere Anteile der Landesfläche einnehmen, es sei denn, die Vorkommen der jeweiligen Art sind auf andere Naturräume beschränkt oder die Art hat dort ihren Verbreitungsschwerpunkt. Für jede in Baden-Württemberg vorkommende Art wurde eine eigene Verbreitungskarte angefertigt. Die Kartengrundlage bildet ein digitales Geländemodell (Auflösung 5 × 5 m), das vom Landesamt für Geoinformation und Landentwicklung zur Verfügung gestellt wurde. Für die Verbreitungskarten wurde die Auflösung auf 100 × 100 m reduziert, und die Höhenstufen wurden entsprechend der Karte Blattschnitteinteilung eingefärbt (dort ist auch die Legende für die Höhenstufen zu finden, s. S. 15). Als Raster dient die Blattschnitteinteilung der Topographischen Karte (TK) 1:25 000. Die einzelnen Blattnummern sind der Randbeschriftung zu entnehmen. Um die Orientierung zu erleichtern, wurden neben der Topographie auch die wichtigsten Flüsse des Landes sowie der Bodensee in der Karte abgebildet. Ein Symbol in einem Rasterfeld zeigt den jüngsten Fundzeitpunkt unabhängig von der Individuenzahl an. Daher lassen sich aus den Verbreitungskarten keine Häufigkeitsunterschiede zwischen den Rasterfeldern ableiten. Es wurden fünf Zeiträume unterschieden, wobei der am weitesten zurückreichende die Zeit bis einschließlich 1900 und der jüngste diejenige ab 2001 umspannt. Die Legende wurde in jede Verbreitungskarte aufgenommen. Grundsätzlich wurden nur Fundorte innerhalb der Landesgrenzen Baden-Württembergs in die Karten aufgenommen; eine Ausnahme bildet die Iller. An diesem Grenzfluss zu Bayern wurde bei der Uferfauna nicht zwischen orographisch links- oder rechtsseitigen Nachweisen unterschieden. Bei der Verortung konnte teilweise auf exakte Angaben zurückgegriffen werden (die aus neuerer Zeit auch parzellengenau vorlagen), teilweise waren – wie bei faunistischen Auswertungen häufig der Fall – aber nur grobe Angaben vorhanden, so dass die Zuordnung zu mehr als einem Rasterfeld hätte erfolgen können, z. B. bei Angaben wie „Ulm“ (oder dessen Umgebung). In diesen Fällen wurde eines der Rasterfelder herangezogen, im Regelfall dasjenige, in dem der jeweilige Ortsmittelpunkt liegt oder eine Kirche kartographisch dargestellt ist. Bei Daten, in denen das Kartenblatt der topgraphischen Karte bereits angegeben war (auch bei der Literaturauswertung von Kostenbader 2014), erfolgte eine Überprüfung und ggf. Korrektur nur bei Auffälligkeiten und seltenen Arten, etwa bei der Angabe mehrerer Rasterfelder für einen einzigen Fund oder bei klar erkennbaren Eingabefehlern. Eine Reihe sehr grober Angaben (z. B. „Württemberg“) war nicht zu verorten und wurde daher in den Karten nicht berücksichtigt. Um Gebiete dürftigen Erfassungsstands zu kennzeichnen, wurden diejenigen Rasterfelder mit einer transparenten hellen Farbe unterlegt, aus denen nur extrem wenige Arten nachgewiesen sind (< 5 % des landesweiten Artensets). Ein Gesamtüberblick zum Erfassungsstand ist dem Synoptischen Teil des Buches zu entnehmen (s. Kap. 12). Ausdrücklich ist an dieser Stelle auch darauf hinzuweisen, dass sich die Einschätzung, ob unbelegte Funde einer Art als glaubwürdig, unglaubwürdig oder zweifelhaft einzustufen sind, zwar auf bestimmte Sachverhalte stützt, letztlich aber subjektiv getroffen wurde. In besonders wichtigen Fällen werden allerdings die wesentlichen Gründe für die Einordnung genannt. Eine vollständige, ausführliche Kommentierung war im Rahmen des Buches aber nicht für jeden Einzelfall möglich, ebenso wenig eine Nennung aller unzutreffenden oder fraglichen Artmeldungen im Text. In einzelnen Fällen wurde auch bei vorhandenen Belegen ein Vorkommen als fraglich eingeordnet und nicht in die Verbreitungskarten aufgenommen, etwa wenn eine Fundortverwechslung nahelag.

Lebensweise und Habitat: Die hier meist kurz gefassten Angaben zu Flügelausbildung, Flugfähigkeit, Ernährung sowie zu Schwerpunktzeiträumen für Paarung und Eiablage gehen vor allem auf den Zwischenstand einer umfangreichen Literaturrecherche zurück, die im Rahmen der Arbeiten an diesem Buch von Fritze & Trautner durchgeführt wurde und nun separat veröffentlicht wird. In dieser Arbeit werden auch Verweise auf die jeweiligen Einzelquellen verfügbar gemacht. Die Angaben zu Zeiträumen von Paarung und Eiablage sind bewusst als „schwerpunktmaßig“ klassifiziert (s. S. 32 f.). Weitergehende Angaben zur Phänologie beziehen sich auf die Auswertung von entsprechenden Daten für Baden-Württemberg (z. B. bei Baehr 1980, Rietze 2001). Hierzu ist allerdings anzumerken, dass gut auswertbare Fänge über mindestens eine Vegetationsperiode, besser aber über einen Zeitraum von mehreren Jahren, aus Baden-Württemberg für eine ganze Reihe von Arten fehlen oder im Rahmen der Arbeiten an diesem Buch nicht analysiert werden konnten. Teils konnten in der landesweiten Datenbank aufgrund des hohen Aufwands nur summarische Angaben für längere Zeiträume erfasst werden, teils liegen Daten auch nur für ausgewählte Fangperioden, nicht aber durchgängig vor. In solchen Fällen musste meist auf die Angabe eines Aktivitätszeitraums oder phänologischer Maxima für Baden-Württemberg verzichtet werden; zum Teil wurde hilfsweise auf Angaben aus anderen Regionen zurückgegriffen, worauf dann entsprechend hingewiesen wird. Bei der Charakterisierung von Lebensraumansprüchen und schwerpunktmäßig besiedelten Biotopen wurden häufiger auch Originalzitate aus anderen Arbeiten hinzugezogen, da sehr passende Charakterisierungen keiner zwanghaften Umformulierung bedürfen. Hinweise auf eine stark vertikal strukturierte Vegetation beziehen sich ausschließlich auf die Krautschicht (hier sind etwa Röhrichte und Riede gemeint). Zu den bevorzugten Lebensräumen und den dort anzutreffenden Zönosen sei auch auf den Synoptischen Teil des Buches hingewiesen. Sofern Arten als charakteristisch für bestimmte Lebensraumtypen des Anhangs I der FFH-Richtlinie (Richtlinie 92/43/EWG des Rates vom 21. Mai 1992 zur Erhaltung der natürlichen Lebensräume sowie der wildlebenden Tiere und Pflanzen) einzustufen sind oder hierfür zumindest infrage kommen, wird dies im Einzelnen genannt. Weitergehende Ausführungen zu diesem Thema sowie eine Übersicht finden sich ebenfalls im Synoptischen Teil des Buches (s. Kap. 13.1).

Gefährdung und Schutz: Hier werden die Schutzverantwortung aus bundesweiter Sicht unter Rückgriff auf Schmidt et al. (2016) sowie die detaillierteren Erläuterungen dazu von Schmidt & Trautner (2016), die bundes- und landesweite Einstufung in der jeweiligen Roten Liste sowie der Status im Informationssystem Zielartenkonzept Baden-Württemberg aufgeführt. Zudem werden wesentliche Gefährdungsursachen und zu ergreifende Schutzmaßnahmen genannt und für diese ggf. räumliche und inhaltliche Schwerpunkte definiert. In bestimmten Fällen wird auch auf ein notwendig erscheinendes Monitoring oder einen anderen ergänzenden Untersuchungsbedarf eingegangen. Zudem wird bei Arten darauf hingewiesen, falls sich eine Änderung der Einstufung in der landesweiten Roten Liste nach derzeitigem Auswertungs- und Einschätzungsstand aufdrängt oder zumindest diskutiert werden sollte. Auch zu diesen Arten findet sich dann eine tabellarische Übersicht im Synoptischen Teil (s. Kap. 15).

10 Die Arten

Tribus Brachinini

J. Trautner

Weltweit sind nach Lorenz (2015) bislang 591 Arten aus 8 Gattungen beschrieben, die dieser Tribus zugerechnet werden. In Bad.-Württ. ist sie mit 2 Arten einer Gattung vertreten, deren Imagines im Größenbereich von rd. 4,5–10,5 mm liegen. Die „Bombardierkäfer" können eine ätzende Flüssigkeit versprühen, die mit hörbarem Knall aus Drüsen im Hinterleibsende freigesetzt wird (s. Kap. 4.2).

Brachinus crepitans

(Linnaeus, 1758)

Großer Bombardierkäfer

Allgemeine Verbreitung: Paläarktisch verbreitete Art, die auch in größeren Teilen Europas mit Ausnahme weiter Bereiche der nordeuropäischen Länder sowie einiger Zonen Mittel-, Süd- und Westeuropas vertreten ist. In Deutschland gehört sie zu den von Südwesten bis zum Nordrand der Mittelgebirge recht verbreiteten Laufkäferarten, sie fehlt aber weitestgehend im Norden und weist im Süden größere Verbreitungslücken auf.

Vorkommen in Baden-Württemberg: In vielen Naturräumen Baden-Württembergs nachgewiesen, besonders stet in wärmeren Lagen oder in Gebieten mit kalkhaltigen Böden anzutreffen, geht auf der Schwäbischen Alb aber auch in höhere Lagen. Die Art fehlt mit Ausnahme von Randlagen im Schwarzwald sowie im Großteil der Donau-Iller-Lech-Platte, ebenso im Voralpinen Hügel- und Moorland mit Ausnahme des Westens.

Lebensweise und Habitat: Flugfähige (makroptere) und räuberische Art. Paarung und Eiablage (schwerpunktmäßig) im Frühjahr und Larvalentwicklung ab Frühjahr/Sommer. Die Larven entwickeln sich Laborexperimenten zufolge ektoparasitisch an den Puppen von frühjahrsfortpflanzenden *Amara*-Arten (Saska & Honěk 2004, s. Kap. 4.2) und sind mit diesen zeitlich synchronisiert (Saska & Honěk 2008). Aktive Imagines wurden in Bad.-Württ. nach den ausgewerteten Daten zwischen April und Oktober registriert, mit einem Aktivitätsmaximum im Mai und Juni. Individuen der Art können lokal in hoher Zahl aggregieren, auch gemeinsam mit *B. explodens*.

B. crepitans tritt mit besonders hoher Stetigkeit in wein- oder ackerbaulich genutzten Landschaften auf, zudem auf Magerrasen, Ruderalflächen und anderen Standorten mit besonnten, grasigen Vegetationsstrukturen, aber i. d. R. zudem einem gewissen Angebot an vegetationsarmen oder -freien Bodenstellen. Hohe Aktivitätsdichten erreicht die Art etwa in jungen Weinbergsbrachen und in noch offenen Abraumhalden von Steinbrüchen. Innerhalb von Acker- als auch von Weinbaugebieten scheint das Angebot an offenen, eine lückige Vegetation aufweisenden Begleitstrukturen wie Steinriegeln, jungen Brachen und Säumen von hoher Bedeutung zu sein.

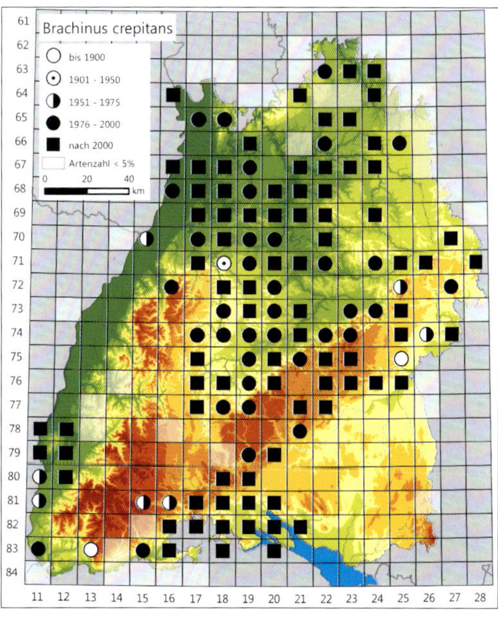

Gefährdung und Schutz: *B. crepitans* steht bundesweit (Stand 2015) auf der Vorwarnliste, wurde in Bad.-Württ. (Stand 2005) aber bislang als ungefährdet eingestuft. Die Art scheint aber insbesondere durch den Verlust offener, nutzungsbegleitender Strukturen im landwirtschaftlichen Bereich (u. a. durch Flurneuordnung, intensive landwirtschaftliche Nutzung, Ausfall oder geringen Anteil von Brachen in ackerbaulichen Nutzungssystemen, Nutzungsaufgabe und Sukzession von Grenzertragsstandorten, Gehölzpflanzungen) deutlich zurückzugehen und ist bei einer Revision der Roten Liste möglicherweise auch landesweit mindestens der Kategorie V (Vorwarnliste) zuzurechnen. Um dem entgegenzuwirken und auch einer zukünftigen Einstufung in eine höhere Gefährdungskategorie vorzubeugen, sollten Fördermaßnahmen auf eine Erhöhung der strukturellen Vielfalt in Acker- und Weinbaulandschaften (insbesondere durch Saumstrukturen und 3–5-jährige Rotationsbrachen) sowie die verstärkte Berücksichtigung der Ansprüche dieser Art bei Abbau- und Rekultivierungsplanungen abzielen.

Brachinus crepitans.

Brachinus explodens

Duftschmid, 1812

Kleiner Bombardierkäfer

Allgemeine Verbreitung: Paläarktisch verbreitete Art, die auch in größeren Teilen Europas mit Ausnahme des Nordens und Nordwestens vertreten ist. In Deutschland gehört sie zu den von Südwesten bis zum Nordrand der Mittelgebirge recht verbreiteten Laufkäferarten, fehlt aber weitestgehend im Norden und weist im Süden größere Verbreitungslücken auf.

Vorkommen in Baden-Württemberg: In vielen Naturräumen Baden-Württembergs nachgewiesen, besonders stet in wärmeren Lagen anzutreffen. Fehlt mit Ausnahme von Randlagen im Schwarzwald sowie in der Donau-Iller-Lech-Platte, ebenso mit Ausnahme von Bodenseeraum/Hegau im Voralpinen Hügel- und Moorland. Auf der Schwäbischen Alb lokaler und weniger stet als *B. crepitans*, was mit den höheren Temperaturansprüchen bei der Individualentwicklung zusammenhängen dürfte (s. u.).

Lebensweise und Habitat: Flugfähige (makroptere) und räuberische Art. Paarung und Eiablage (schwerpunktmäßig) im Frühjahr und Larvalentwicklung ab Frühjahr/Sommer. Die Larven entwickeln sich – wie diejenigen der verwandten Art *B. crepitans* – nach Ergebnissen von Laborexperimenten ektoparasitisch an den Puppen von frühjahrsfortpflanzenden *Amara*-Arten (Saska &

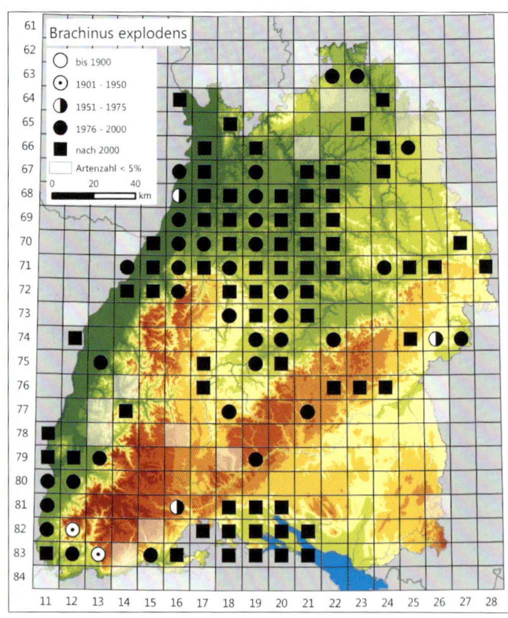

Brachinus explodens. Foto: E. Wachmann.

Honěk 2004, s. Kap. 4.2) und sind mit diesen zeitlich synchronisiert (Saska & Honěk 2008). Aktive Imagines wurden in Bad.-Württ. nach den ausgewerteten Daten zwischen April und Oktober registriert, mit einem deutlichen Aktivitätsmaximum im Mai. Individuen der Art können lokal in hoher Zahl aggregieren, auch gemeinsam mit *B. crepitans*.

B. explodens tritt vorwiegend in wein- oder ackerbaulich genutzten Landschaften auf, zudem teils gemeinsam mit *B. crepitans* auf weiteren Standorten, die besonnte, grasige Vegetationsstrukturen, meist mit einem gewissen Angebot an vegetationsarmen oder -freien Bodenstellen, aufweisen. Gegenüber *B. crepitans* zeigt die Art, obwohl in der Individualentwicklung offenbar auf höhere Temperaturen angewiesen (s. Saska & Honěk 2005), ein breiteres Lebensraumspektrum und ist etwas steter auch innerhalb von Nutzflächen anzutreffen. Allerdings scheint auch bei ihr das Angebot an offenen Begleitstrukturen wie Steinriegeln, jungen Brachen und Säumen in Acker- und Weinbaugebieten von hoher Bedeutung zu sein. So wies sie etwa Kubach (1995) bei seinen Untersuchungen im Kraichgau in neu angelegten Ackersäumen und einer Brachestruktur, nicht aber im Vergleichsacker nach. Auch Spies (1998) konnte die Art dort in den Saumstrukturen, nicht aber in den vergleichend aufgenommenen Ackerstandorten feststellen. Die höchste Aktivitätsdichte wies *B. explodens* in der Untersuchung von Spies (1998) in einer Saumstruktur in südostexponierter Hanglage auf, die den trockensten und wärmsten Standort innerhalb des von ihm bearbeiteten Standortspektrums repräsentierte.

Gefährdung und Schutz: *B. explodens* steht bundesweit (Stand 2015) auf der Vorwarnliste, wurde in Bad.-Württ. (Stand 2005) aber als ungefährdet eingestuft. Obwohl die Art wie *B. crepitans* insbesondere durch den Verlust offener, nutzungsbegleitender Strukturen im landwirtschaftlichen Bereich weiterhin an Boden verliert, ist aufgrund des etwas breiteren Lebensraumspektrums auch eine zukünftige Gefährdung nicht anzunehmen. Die Art würde zudem durch die schon bei *B. crepitans* aufgeführten Maßnahmen gefördert, da häufig eine Vergesellschaftung vorliegt. Daher besteht derzeit kein Handlungsbedarf.

Tribus Omophronini

J. Trautner

Weltweit sind nach Lorenz (2015) bislang 68 zu einer Gattung gehörende Arten beschrieben, die dieser Tribus zugerechnet werden. In Bad.-Württ. ist sie mit einer Art vertreten, deren Imagines Größen von rd. 4,5–6,5 mm erreichen. Die Imagines haben eine mehr oder minder geschlossene, rundovale Form, die an Schwimmkäfer (Dytiscidae) erinnert. Durch Körperform und Färbung sind sie unverwechselbar.

Omophron limbatum

(Fabricius, 1777)

Grüngestreifter Grundläufer

Allgemeine Verbreitung: Westpaläarktisch verbreitete Art, in Europa mit Ausnahme weiter Teile Nord- und Nordwesteuropas vertreten. Sie kommt in allen Regionen Deutschlands vor, wobei aber die flächendeckende Verbreitung von der nördlichen Hälfte nach Süddeutschland hin auflockert.

Vorkommen in Baden-Württemberg: Im Oberrhein-Tiefland noch weiter verbreitet. Ansonsten sehr wenige aktuelle lokale Nachweise entlang des Donautals sowie im Hegau im westlichen Teil des Voralpinen Hügel- und Moorlandes. Im Schwäbischen Keuper-Lias-Land und in den Neckar- und

Omophron limbatum.

Tauber-Gäuplatten sind die noch nach 1950 bzw. nach 1975 dokumentierten Vorkommen dem aktuellen Kenntnisstand zufolge fast alle erloschen,

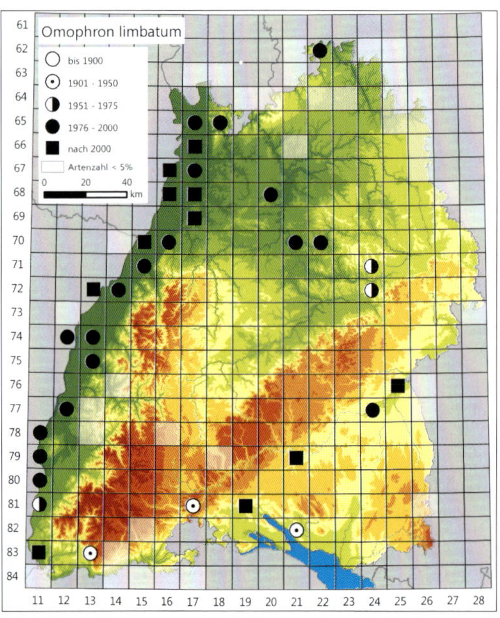

so bei Heilbronn und im Raum Schwäbisch Gmünd, wo die Art in den 1960er Jahren nach Daten von S. Bernert noch an der Lein vorkam.

Lebensweise und Habitat: Flugfähige (makroptere) und räuberische Art. Paarung und Eiablage (schwerpunktmäßig) im Frühjahr und Larvalentwicklung ab Frühjahr/Sommer, wobei eine zweijährige Entwicklung angenommen wird (Larsson 1939, Matalin 2008). Damit überwintern sowohl Larven als auch Imagines. Aktive Imagines wurden in Bad.-Württ. nach den ausgewerteten Daten zwischen April und September registriert, die meisten Funde stammen aus den Frühjahrs- und Sommermonaten. Die Imagines sind überwiegend nachts aktiv (s. auch Kirichenko & Babko 2009) und verlassen das Substrat, in dem sie eingegraben sind, tagsüber meist nur bei beginnendem Regen, bei Flutung oder anderweitiger Störung, etwa nach einem für den Artnachweis ebenfalls geeigneten starken Schlagen mit der flachen Hand auf die Sandoberfläche.

Nach den Tests von Siepe (1989) können die Imagines gut auf dem Wasser schwimmen (mit einem kontinuierlichen Vortrieb) und zeigen eine Uferorientierung zum Anlanden. Das Verhalten bei Flutung beschreibt Arens (1984): „Nur wenige Tiere der Art tauchten unmittelbar nach dem Überfluten auf, die übrigen blieben ruhig unter Wasser versteckt [...] sitzen. Nach fünf Minuten war im Schnitt die Hälfte der Käfer noch untergetaucht. [...] Eine zweite Gruppe von Käfern blieb länger unter Wasser. In unregelmäßigen Abständen kamen diese Tiere meist nur für einige Sekunden an die Oberfläche, um gleich wieder unterzutauchen. Unter Wasser saßen sie ganz ruhig [...]. Gelegentlich war an der Abdomenspitze ein kleines Luftbläschen zu erkennen. Wiederholt saß *Omophron* längere Zeit fast unbewegt so auf einer Moospflanze, dass sich das Abdomen unten, Kopf und Halsschild aber über der Wasseroberfläche befanden. In dieser Stellung können die Käfer offenbar durch die Stigmen in der Gelenkhaut zwischen Pro- und Mesothorax atmen. In einem Fall blieb ein Käfer über 100 Minuten in dieser Position." Nach Arens (1984) besitzt *O. limbatum* wirkungsvolle, mit den Verhältnissen bei untersuchten aquatischen Käfern vergleichbare Abdichtmechanismen für den Raum zwischen Flügeldecken und Rücken (Subelytralraum), in dem unter Wasser ein Luftvorrat gehalten werden kann. Allerdings zeigten Kolesnikov et al. (2012), dass die Imagi-

Schwemmteich eines Abbaugebiets im Donauraum bei Ulm. Anthropogen ist hier ein Lebensraum entstanden, der unter der bestehenden Nutzung optimale Bedingungen für *Omophron limbatum* bietet: voll besonnte, vegetationsfreie bis -arme, stark durchfeuchtete Sandflächen direkt an der Wasserkante. Die Art hat dort eine große Population und dürfte sich bereits über Jahrzehnte nur noch in Abbaugebieten des naturräumlichen Umfeldes halten, da Habitatpotenzial an Fließgewässern des Raums weitgehend zerstört wurde.

nes von *O. limbatum* weniger tolerant gegenüber langen Flutphasen sind als viele andere Feuchtgebietsarten. Während bei einer Tauchphase von einem Tag ohne Luftzufuhr der größte Teil der Imagines überlebte, überstand in derselben Versuchsreihe nur ein Individuum den zweiten und dritten Tag und keines den vierten. *O. limbatum* weist eine relativ hohe Mobilität auf: Bei Fang-Wiederfang-Experimenten von Günther et al. (2004) an einem gut besiedelten Flussabschnitt in Nordwestdeutschland wechselten innerhalb der dreimonatigen Untersuchungsperiode rund 10 % der über 700 markierten Individuen ihre „Habitat-Patches", wobei „einige Individuen [...] Entfernungen von mehreren hundert Metern bis zu einem Kilometer zurück[legten]."

O. limbatum besiedelt besonnte, sandige und vegetationsarme bis vegetationsfreie Uferzonen an Gewässern und ist zum einen vom Substrat abhängig, das jedoch in Bad.-Württ. nur in einem Teil der Naturräume für die Art geeignet ist. Daneben stellt die Standortdynamik einen wichtigen Faktor dar. Bei kleineren und mittleren Fließgewässern kann die Beschattung, die durch weitgehend oder vollständig geschlossene Gehölzgürtel entlang der häufig begradigten Bachläufe vorhanden ist, limitierend wirken. Kirichenko & Babko (2009) stuften die Art auf Grundlage von Untersuchungen in der Ukraine als besonders sensitiv gegenüber anthropogenen Einflüssen an Fließgewässern ein. Flussbauliche Regulierung, Kraftwerksbetrieb, das Überwachsen der Ufer und Bänke mit Vegetation, aber auch starke Trittbelastung durch Erholungsnutzung und zu intensive Beweidung werden als stark wirkende Beeinträchtigungsfaktoren genannt. In Bad.-Württ. ist die Art heute fast nur noch in Sekundärstandorten nachgewiesen.

Gefährdung und Schutz: *O. limbatum* steht bundesweit (Stand 2015) auf der Vorwarnliste, ist aber in Bad.-Württ. (Stand 2005) stark gefährdet und Landesart B des Informationssystems Zielartenkonzept Bad.-Württ. (Stand 2009). Trotz der vergleichsweise hohen Mobilität der Individuen (s. o.) führt der zahlen- und flächenmäßige Verlust von geeigneten Habitatstrukturen an Fließgewässern und Sekundärstandorten zu erheblichen Rückgängen und letztlich zum Erlöschen der

Vorkommen ganzer Naturräume. Hauptursachen hierfür sind direkte Eingriffe in Gewässerstruktur und -haushalt (insbesondere Verringerung oder Ausfall der für die strukturelle Gewässerdynamik entscheidenden Erosions- und Sedimentationsprozesse an den Ufern), sowie die Entwertung ehemals besonnter Uferstrukturen durch Gehölzsukzession und Gehölzpflanzung, die Einstellung habitatprägender Nutzungen in Sekundärstandorten sowie die Umgestaltung, Rekultivierung oder Folgenutzung dieser Standorte (u. a. durch intensive Erholungsnutzung an Ufern). Mehrere Populationen sind auch noch nach Mitte der 1980er Jahre aufgrund von Sukzession oder Rekultivierung bzw. Umgestaltung ehemaliger Abbaugebiete nachweislich erloschen, so in einer ehemaligen Sandgrube bei Heilbronn. Vordringlich wäre es, alle außerhalb des Oberrhein-Tieflands noch vorhandenen Abbaugebiete auf eventuelle Vorkommen der Art zu überprüfen. Gleiches gilt für die bisher noch unzureichend kontrollierten, aber mit geeigneten Substraten ausgestatteten Fließgewässerabschnitte. Abbaugebiete und Fließgewässerabschnitte sollten im Rahmen der jeweiligen Abbau- und Rekultivierungs- oder Renaturierungskonzepte (im Fall von Abbaugebieten) oder der Gewässerentwicklungspläne (im Fall von Fließgewässern) besonders berücksichtigt werden. In Gebieten mit Artvorkommen sollten gezielte Schutz- und Pflegemaßnahmen vorgesehen und umgesetzt werden, insbesondere wenn ein noch laufender Abbau oder die Ausdehnung und Qualität dynamischer Uferstrukturen für den Erhalt der Art nicht (mehr) ausreichen. Die Wiederentwicklung von großen, langfristig überlebensfähigen Populationen der Art an langen Fließgewässerabschnitten muss vorrangiges Ziel sein.

Tribus Cicindelini

J. Trautner

Weltweit sind nach Lorenz (2015) bislang 2105 Arten aus über 100 Gattungen beschrieben, die dieser Tribus zugerechnet werden. In Bad.-Württ. ist oder war sie mit 6 Arten aus 2 Gattungen vertreten, deren Imagines im Größenspektrum von rd. 6,5–20 mm liegen. Die „Sandlaufkäfer" sind schnelle Läufer, und die Imagines der meisten Arten fliegen rasch auf. Bei den einheimischen Arten sind ausgewachsene Tiere unter anderem durch stark vorstehende Augen und eine helle, nur selten stark reduzierte Flecken- oder Bindenzeichnung auf den Flügeldecken gekennzeichnet. Ihre Larven leben in selbst gegrabenen Röhren im Boden (s. Kap. 4.2 und 4.4). Für Baden-Württemberg existiert zu dieser Gruppe bereits die zusammenfassende Arbeit von Trautner & Detzel (1994), auf die hier in größeren Teilen zurückgegriffen wird.

Cicindela campestris

Linnaeus, 1758

Feld-Sandlaufkäfer

Allgemeine Verbreitung: Paläarktisch und in Teilen Nordafrikas verbreitete Art, von der eine Reihe Unterarten beschrieben wurde. In Europa mit Ausnahme von Teilen Nord- und Nordwesteuropas weit verbreitet. Sie kommt in Deutschland flächendeckend in geeigneten Lebensräumen vor.

Vorkommen in Baden-Württemberg: In allen Naturräumen Baden-Württembergs nachgewiesen oder zu erwarten.

Lebensweise und Habitat: Flugfähige (makroptere) und räuberische Art. Fortpflanzung (schwerpunktmäßig) im Frühjahr und Larvalentwicklung in den Sommermonaten. Aktive Imagines wurden in Bad.-Württ. nach den ausgewerte-

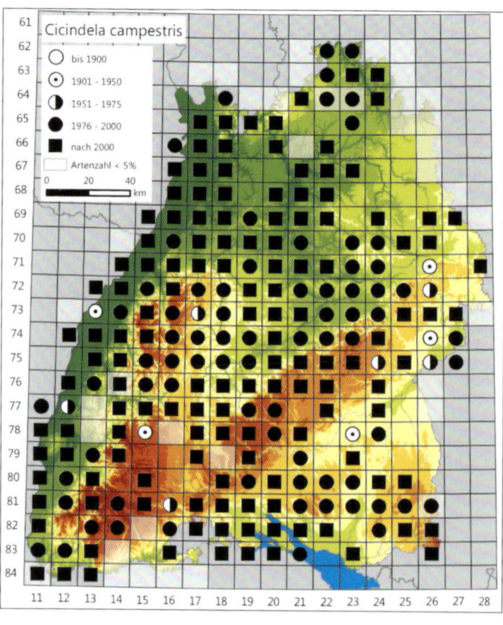

Cicindela campestris.

ten Daten ganzjährig registriert, wobei die Funde in den Monaten November bis Januar witterungsbedingte Ausnahmen darstellen. Das Aktivitätsmaximum liegt im Mai.

C. campestris hat unter den einheimischen Sandlaufkäferarten das breiteste Habitatspektrum: Besiedelt werden offene, teils halboffene, besonnte Flächen mit zumindest stellenweise lückiger und kurzrasiger Vegetation. Die in selbst gegrabenen Röhren lebenden Larven besiedeln unterschiedlichste Substrate, von Feinstsand über Schluff und Lehm bis hin zu humosen Böden und reinem Torf. Oftmals genügen einzelne, sehr kleine Störstellen für die Ansiedlung; große Populationen bildet aber auch der Feld-Sandlaufkäfer nur auf Flächen mit größeren offenen Bodenstellen oder insgesamt spärlicher Vegetation (Trautner & Detzel 1994).

Gefährdung und Schutz: Die Art ist bundesweit (Stand 2015) und in Bad.-Württ. (Stand 2005) nicht gefährdet. Nach neueren Daten sind aber Häufigkeit und Stetigkeit der Art zumindest in bestimmten Naturräumen gegenüber früher (um 1980) deutlich verringert, und auch die Besiedlungswahrscheinlichkeit und -geschwindigkeit auf neu entstehenden, geeigneten Standorten ist hierdurch zumindest regional bereits reduziert. Dies trifft einerseits für walddominierte Landschaften

Larven von *Cicindela campestris* besiedeln vegetationsfreie oder -arme Bodenstellen bereits dann, wenn sie sehr klein ausgebildet sind. Im hier gezeigten Fall umfasst der lokale, schwerpunktmäßig in den lückig bewachsenen Bereichen gezählte Bestand bereits über 100 Larvenröhren.

Pärchen von *Cicindela hybrida* kurz vor der Kopula. Das Männchen umfasst mit seinen langen Oberkiefern die Halsschildbasis des Weibchens.

zu, in denen frühere Altersklassennutzungen mit (häufig von *C. campestris* besiedelten) Kahlhieben aufgegeben und breite, besonnte Waldwegränder (ohne Bestockung) reduziert wurden. Andererseits ist dies der Fall bei landwirtschaftlich genutztem Offenland, in dem besiedelbare gehölzfreie oder -arme Brachen und Säume regional stark abgenommen haben. Aus diesen Gründen wird die Art bei der Neufassung der landesweiten Roten Liste der Vorwarnliste zuzurechnen sein. Handlungsbedarf besteht bei der Förderung offener, einer gewissen Störungsdynamik unterliegender Flächen, sowohl im Waldverband als auch im Offenland.

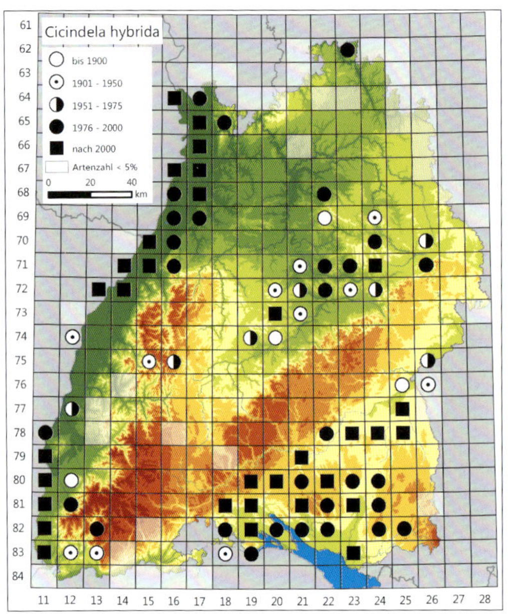

Cicindela hybrida

Linnaeus, 1758

Dünen-Sandlaufkäfer

Allgemeine Verbreitung: Paläarktisch verbreitete Art, von der einige Unterarten beschrieben wurden. In fast ganz Europa vertreten. Sie kommt in Deutschland flächendeckend in geeigneten Lebensräumen vor, fehlt naturräumlich bedingt aber in Landschaftsräumen ohne kiesige oder sandige Böden. Zur subspezifischen Differenzierung s. den folgenden Abschnitt.

Vorkommen in Baden-Württemberg: Nur in bestimmten Naturräumen Baden-Württembergs vertreten, vor allem im Oberrhein-Tiefland, der Donau-Iller-Lech-Platte sowie dem Voralpinen Hügel- und Moorland. Im Schwäbischen Keuper-Lias-Land sowie im Schwarzwald nur noch punktuelle Vorkommen. Der taxonomische Status der aus Deutschland gemeldeten Unterarten ist nach molekulargenetischen Untersuchungen von Cardoso & Vogler (2005) unklar, weshalb sie hier übereinstimmend mit der aktuellen Checkliste und Roten Liste Deutschlands (Schmidt et al. 2016) nicht differenziert behandelt werden. Es sind aber in der Literatur sowohl die Unterart ssp. *transversalis* Dejean, 1822 als auch ssp. *pseudoriparia* Mandl, 1935 für Bad.-Württ. angegeben.

Lebensweise und Habitat: Flugfähige (makroptere) und räuberische Art. Fortpflanzung (schwerpunktmäßig) im Frühjahr und Larvalentwicklung in den Sommermonaten. Aktive Imagines wurden in Bad.-Württ. nach den ausgewerteten Daten zwischen März und Oktober registriert, ohne klares Aktivitätsmaximum.

C. hybrida besiedelt Standorte mit sehr hohem Sandanteil im Boden, seltener auch mit vorherrschendem Schluffanteil. Das Substrat, in dem sich die Larvenröhren befinden, ist nach eigenen Untersuchungen durch eine fehlende oder nicht merkliche Tonfraktion charakterisiert. Die Lebensräume (insbesondere die Larvalhabitate) sind überwiegend eben bis geneigt, seltener steil; sie weisen eine starke Besonnung und fehlende oder sehr geringe Vegetationsbedeckung auf (Trautner & Detzel 1994).

Im Oberrheintal ist *C. hybrida* typisch für Silbergrasfluren mit offenen Sandflächen, vor allem in den nordbadischen Binnendünen-Gebieten; darüber hinaus werden dort oft Flächen in Sand- und Kiesgruben besiedelt. Außerhalb des Oberrhein-Tieflandes sind geeignete Standorte heute fast nur noch in Abbaugebieten und auf militärischen Übungsflächen vorhanden; sie können durch Rekultivierung und Sukzession nach dem Ende der sie prägenden Nutzungen schnell wieder verschwinden. Früher kam die Art auch auf den Sand- und Kiesbänken der Flüsse vor (alte Belege z. B. von Neckar, Rems, Murr und Donau), doch fehlen dort die Standorte heute meist vollständig. Auch auf offenen Standorten im Waldverband war die Art früher vertreten. Diese Stellen sind heute aber vielfach großräumig aufgeforstet.

Lebensraum von *Cicindela hybrida*: Steilböschung einer Kiesgrube in der Donau-Iller-Lech-Platte mit großer, zum Aufnahmezeitpunkt sicherlich mehrere hundert bis über tausend Individuen umfassender Population der Art.

Gefährdung und Schutz: Die Art ist bundesweit (Stand 2015) nicht gefährdet, wird aber in Bad.-Württ. (Stand 2005) als gefährdet und als Naturraumart des Informationssystems Zielartenkonzept Bad.-Württ. (Stand 2009) eingestuft. Viele ehemals dokumentierte Vorkommen außerhalb des Oberrheintals sind heute erloschen; auf Naturraumebene ist die Art teilweise schon vollständig verschwunden oder überdauert nur noch an sehr wenigen Standorten. Handlungsbedarf besteht außerhalb des Oberrhein-Tieflands sowie der Donau-Iller-Lech-Platte und des Voralpinen Hügel- und Moorlands für alle noch dokumentierten Populationen (Prüfung, Sicherstellung einer bestandserhaltenden Nutzung oder Pflege, nach Möglichkeit Ausdehnung der Vorkommen). In den Naturräumen mit Schwerpunktvorkommen (s. o.) sollte die Art langfristig vor allem durch ausreichende Berücksichtigung bei Abbau- und Rekultivierungsplanungen sowie bei Pflegemaßnahmen in Binnendünen und deren Umfeld in großen Populationen gesichert werden.

Cicindela sylvatica

Linnaeus, 1758

Heide-Sandlaufkäfer

Allgemeine Verbreitung: Vom Amurgebiet über Nord- und Mitteleuropa bis Westfrankreich und Südengland verbreitete Art mit isolierten Arealteilen in Gebirgsregionen Nordspaniens und der Türkei. In Deutschland war sie mit Ausnahme des äußersten Südens früher weit verbreitet, hat aber seither insgesamt einen starken Rückgang zu verzeichnen.

Vorkommen in Baden-Württemberg: Früher besiedelte Naturräume waren der nördliche Teil des Oberrhein-Tieflands, der nördliche Schwarzwald (Buntsandsteingebiet) sowie das Schwäbische Keuper-Lias-Land. Heute ist die Art im Land erloschen.

Lebensweise und Habitat: Flugfähige (makroptere) und räuberische Art, als Nahrung scheinen besonders häufig große Ameisen (u. a. *Formica rufa*) zu dienen. Fortpflanzung (schwerpunktmäßig) im Frühjahr und Larvalentwicklung in den Sommermonaten. Aktive Imagines wurden in Bad.-Württ. nach den ausgewerteten historischen Daten zwischen April und September registriert, ohne klares Aktivitätsmaximum.

C. sylvatica ist an Sandböden gebunden und benötigt offensichtlich entkalktes Substrat. Die Larven besiedeln dabei nach eigenen, in anderen Bundesländern erhobenen Daten nicht junge „Rohsande“, sondern podsolierte Böden mit meist typischer Heidevegetation (s. auch Trautner & Detzel 1994). Die Standorte weisen meist einen teils lückigen Flechtenbewuchs auf und sind voll besonnt. Bereits Wasner (1982) und Rabeler (1947) bezeichneten *C. sylvatica* als „außerordentlich charakteristisches Element der Heidefauna“. Entsprechende Habitatstrukturen waren – soweit bekannt – an den früheren Fundstellen der Art in Bad.-Württ. vorhanden. Mit Ausnahme des Oberrhein-Tieflands – wo gebietsweise noch geeignet erscheinende Flächen vorkommen – sind solche Strukturen aber heute verschwunden oder allenfalls noch fragmentarisch als sehr kleinflächige Relikte vorhanden.

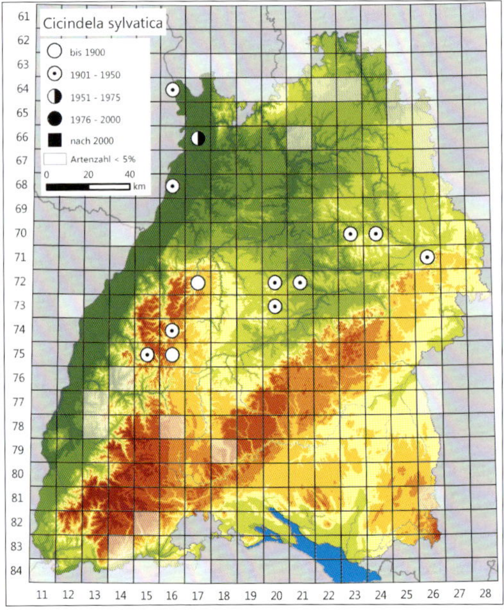

Cicindela sylvatica.

Bereits in Vorbereitung zu Trautner & Detzel (1994) konnte trotz gezielter Nachsuche an früheren Fundstellen kein neuer Nachweis in Bad.-Württ. erbracht werden; der letzte Nachweis stammt von 1953 aus dem nördlichen Oberrhein-Tiefland. Ergänzend ist darauf hinzuweisen, dass eine zwischenzeitliche unveröffentlichte Meldung aus dem nordöstlichen Bad.-Württ. nach Überprüfung des vermeintlichen Fundorts und seines Umfelds aufgrund ungeeigneter Habitatbedingungen als zweifelhaft eingestuft und daher nicht berücksichtigt wurde. *Cicindela sylvatica* ist grundsätzlich als charakteristische Art der Lebensraumtypen

In Baden-Württemberg ist *Cicindela sylvatica* bereits ausgestorben oder verschollen. Das Bild zeigt den Lebensraum einer größeren Population Ende der 1990er Jahre auf einer Energieleitungstrasse im Nürnberger Reichswald (Bayern). Dort wurde eine regelmäßige Offenhaltung der Standorte zur Sicherung der Energietrasse vorgenommen und dabei auch der Bestand der Art gefördert.

2310 und 4030 (Binnendünen mit Heiden, Trockene Heiden) des Anhangs I der FFH-Richtlinie einzustufen (aber ohne aktuelles Vorkommen in Bad.-Württ.).

Gefährdung und Schutz: Die Art ist bundesweit (Stand 2015) stark gefährdet und in Bad.-Württ. (Stand 2005) erloschen. Im Bereich der ehemaligen Vorkommen im Schwarzwald und im Schwäbischen Keuper-Lias-Land sind die erforderlichen Habitatstrukturen durch Überbauung oder Aufforstung vollständig oder weitestgehend verschwunden, so bei Gschwend im Murrhardter Wald und zwischen Böblingen und Stuttgart. Hier waren es vor allem offene forstliche Begleitflächen und frühere „Waldverwüstungen", die der Art auf den nährstoffarmen Böden Lebensraum boten, bis planmäßige Aufforstungen dem eine Ende setzten. Auf den letztgenannten Raum, in dem heute noch eine der vereinzelt im Naturraum Schwäbisches Keuper-Lias-Land verbliebenen, langjährig dokumentierten Populationen von *C. hybrida* existiert und durch Pflegemaßnahmen erhalten wird, bezieht sich v. d. Trappen (1929), wenn er schreibt: „[...] lokal in Forstkulturen. Sobald die Bäumchen, meist Fichten und Kiefern, etwa mannshoch geworden sind, verschwindet die Art. Alle Fundplätze liegen [dort] im Stubensandstein." Es ist nicht völlig auszuschließen, dass am Oberrhein ausgehend von noch vorhandenen Einzelpopulationen in Rheinland-Pfalz bei ausreichendem Habitatangebot eine lokale Wiederbesiedlung erfolgen könnte. Dies wird allerdings aufgrund der bundesweit stark rückläufigen Entwicklung bei dieser Art (und des mangelnden Habitatangebots auch in dem erwähnten Raum) als sehr unwahrscheinlich eingeschätzt. Erst wenn dieser Fall eintritt, müssten spezifische Schutz- und Fördermaßnahmen konzipiert und umgesetzt werden.

Cicindela sylvicola

Dejean, 1822

Berg-Sandlaufkäfer

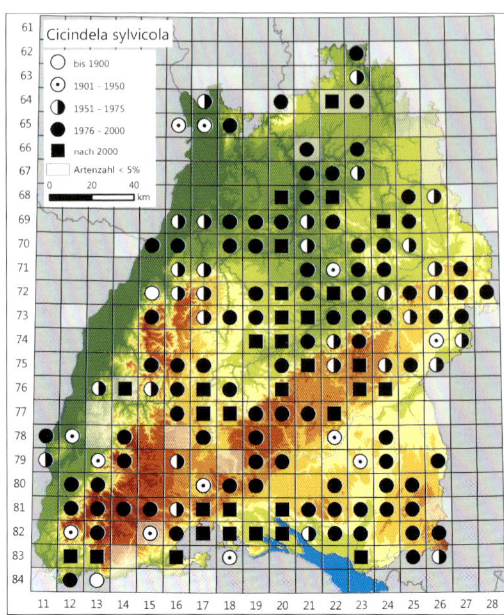

Allgemeine Verbreitung: Von Südosteuropa über das südliche Mitteleuropa und den Alpenraum nach Westen bis Zentralfrankreich verbreitete Art. In Deutschland ist sie in der südlichen Hälfte weit verbreitet, erreicht im Norden das Weserbergland und fehlt in der Nord- und Ostdeutschen Tiefebene.

Vorkommen in Baden-Württemberg: Im größten Teil Baden-Württembergs vertreten, wenngleich in unterschiedlicher Stetigkeit und Häufigkeit. Fehlt mit Ausnahme von Übergangsbereichen aus anderen Naturräumen meist im Oberrhein-Tiefland.

Lebensweise und Habitat: Flugfähige (makroptere) und räuberische Art, mit hohem Ameisenanteil in der Nahrung der Larven, auch nach eigenen Beobachtungen aus Bad.-Württ. Fortpflanzung (schwerpunktmäßig) im Frühjahr und Larvalentwicklung in den Sommermonaten. Aktive Imagines wurden in Bad.-Württ. nach den ausgewerteten Daten zwischen März und November registriert. Das Aktivitätsmaximum liegt in den Monaten Mai und Juni.

Typische Lebensräume von *C. sylvicola* sind voll besonnte Böschungsabbrüche, etwa an Wegen und Hangrutschungen, sowie Steilwände und Verwitterungskegel in Abbaugebieten. Die Larven besiedeln vorzugsweise geneigte bis steile, sonnenexponierte Flächen mit fehlender oder sehr geringer Vegetationsbedeckung und in der Regel laufender Erosion. Vorkommen auf ebenen Flächen wurden

Cicindela sylvicola, hier ein Pärchen.

in Bad.-Württ. sehr selten registriert. Das Substrat weist nach eigenen Untersuchungen in den meisten Fällen einen merklichen Anteil an feinen Kornfraktionen (Schluff, Ton) auf; in einigen Fällen wurden im Buntsandstein des Nordschwarzwaldes und an Verwitterungsstellen im Sandstein des Schwäbischen Keuper-Lias-Landes aber auch Larvenröhren in Grobsand ohne oder mit nur sehr geringer Beimengung von Schluff gefunden (Trautner & Detzel 1994). Wie die Imagines der anderen Arten sind auch diejenigen von *C. sylvicola* bei der Jagd auf Beute teils im weiteren Umfeld der für die Larven ausschlaggebenden Strukturen zu finden, so etwa auf Wegen.

Gefährdung und Schutz: Die Art ist bundesweit (Stand 2015) sowie in Bad.-Württ. (Stand 2005) gefährdet und Naturraumart im Informationssystem Zielartenkonzept Bad.-Württ. (Stand 2009). Trotz noch relativ weiter Verbreitung weist sie Rückgänge und lokal oder auf Naturraumebene zum Teil nur noch wenige Populationen auf. Mittel- bis langfristig sind solche Vorkommen trotz extremer Geländemorphologie durch Sukzession gefährdet, entweder aufgrund der Vegetationsentwicklung in den Habitaten selbst oder durch Beschattung aus angrenzenden Flächen. Mit dem Neuentstehen besiedelbarer Flächen ist in ähnlichem Umfang wie früher jedenfalls in einem Teil der besiedelten Naturräume nicht mehr zu rechnen. Für einige große Populationen in noch aktuell betriebenen oder ehemaligen Abbaugebieten besteht darüber hinaus eine akute Gefährdung durch Rekultivierungsmaßnahmen. Bei gebietsweise bereits geringer Besiedlungsdichte der Art ist zweifelhaft, ob in diesen Räumen noch eine rasche oder sogar überhaupt eine Neubesiedlung potenziell geeigneter, neu entstehender Strukturen gewährleistet ist. Handlungsbedarf besteht in bereits schwach besetzten Naturräumen für alle noch dokumentierten Populationen (Prüfung, Sicherstellung einer bestandserhaltenden Nutzung oder Pflege, nach Möglichkeit Ausdehnung der Vorkommen). Dort und in den Naturräumen mit noch stetigerem Auftreten sollte die Art langfristig vor allem durch ausreichende Berücksichtigung im Rahmen von Abbau- und Rekultivierungsplanungen sowie durch den möglichst weit reichenden Verzicht auf Sicherungsmaßnahmen in sonstigen anthropogen oder natürlich entstandenen potenziellen Lebensräumen (Wegböschungen, Hangrutschungen u. a.) gefördert werden.

Typischer Lebensraum von *Cicindela sylvicola*. Larvenröhren fanden sich hier in hoher Dichte.

Cylindera arenaria

Fuesslin, 1775

Flussufer-Sandlaufkäfer

Allgemeine Verbreitung: Westpaläarktisch verbreitete Art. Die Unterart ssp. *viennensis* (Schrank, 1781) weist einen submediterran-kontinentalen Verbreitungsschwerpunkt auf, mit heute weiträumigen Lücken im Areal. Dies trifft auch auf Deutschland zu, wo dieses Taxon rezent hauptsächlich noch im Osten (Brandenburg, Sachsen-Anhalt, Sachsen) sowie punktuell und isoliert in Bayern, Baden-Württemberg und Rheinland-Pfalz vorkommt. Auch die Nominatform war in Deutschland vertreten: Ihr einziger Nachweis stammt vom Ende des 18. Jahrhunderts (s. Trautner 1996b, Näheres dazu unten). Dieses westlich verbreitete Taxon weist ein sehr kleines Areal auf, das sich von Frankreich über die Schweiz bis randlich nach Süddeutschland und das westliche Österreich erstreckte. In Mitteleuropa ist die Nominatform heute erloschen.

Vorkommen in Baden-Württemberg: Die Unterart ssp. *viennensis* („Wiener Sandlaufkäfer") kommt

Cylindera arenaria ssp. *viennensis*.

Cylindera arenaria, Nominatform.

in Bad.-Württ. (und Rheinland-Pfalz) ausschließlich im nördlichen Oberrhein-Tiefland zwischen Karlsruhe und Ludwigshafen vor und wurde dort auf baden-württembergischer Seite erstmals 1976 bei Brühl durch G. Schmitt nachgewiesen (Trautner & Detzel 1994). Auch die alte Angabe von Lauterborn (1921) für die rheinland-pfälzische Seite ist auf diese Unterart zu beziehen. Die Art dürfte bereits lange im Gebiet vorkommen und wurde vermutlich nur wegen ihres sehr lokalen und – aufgrund ihrer Habitatansprüche und des räumlich-zeitlichen Angebots geeigneter Landschaftsstrukturen – inkonstanten sowie zahlenmäßig stark schwankenden Auftretens erst spät entdeckt. Seither gibt es in zuweilen längeren zeitlichen Abständen Nachweise in Bad.-Württ., jüngst durch T. Forcke und C. Benisch (in lit.).

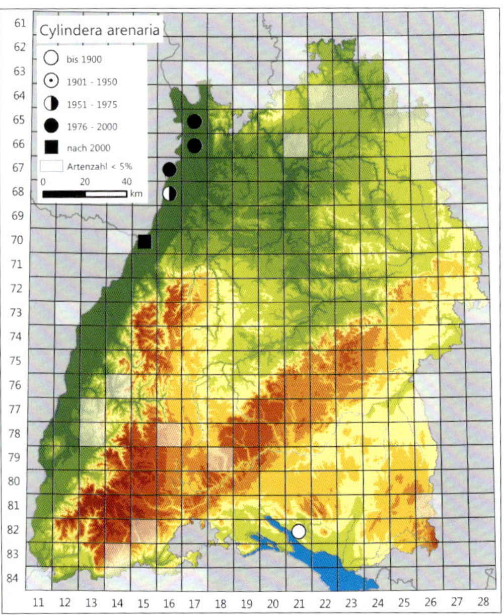

Von der Nominatform existierte nördlich des Alpenhauptkamms ein separiertes Vorpostenareal an Alpenrhein und Bodensee mit Anteilen in der Schweiz, in Österreich und Deutschland. Während die Vorkommen in der Schweiz und in Österreich bekannt waren, wurde eine historische Angabe für die deutsche Seite des Bodensees erst spät wieder aufgefunden (s. Trautner 1996b). In seinem „Verzeichniss der Kaefer, welche um den Ursprung der Donau und des Nekars, dann um den untern Theil des Bodensees vorkommen" führt Roth von Schreckenstein (1801) die Art *C. arenaria* (dort unter dem Synonym *sinuata* Panzer = *viennensis* Schrank) auf und vermerkt: „H. Garrand hat ihn [...] um Ueberlingen angetroffen." Wie bereits bei Trautner (1996b) ausgeführt, spricht für die Richtigkeit der Meldung, dass dieses Verzeichnis auch ansonsten glaubwürdige und zum Teil weitergehend kommentierte Artmeldungen umfasst und außerdem ein konkreter Fundort genannt wird. Roth von Schreckenstein war sich der Bedeutung der Faunistik bewusst und stand unter anderem in Kontakt mit J. Sturm, dem er offenbar Material übersandte. Zwar verwendete er die Namen, die sich auf die östliche Unterart beziehen. Hierzu ist aber anzumerken, dass die Trennung der Nominatform von der Unterart ssp. *viennensis* damals sicher in vielen Fällen nicht korrekt vorgenommen wurde. Selbst ein Jahrhundert später wurden zum Beispiel die Vorarlberger Funde noch falsch zugeordnet, wie Horion (1941) ausführt. Auch vor dem Hintergrund der dokumentierten

Anthropogener Lebensraum von *Cylindera arenaria* ssp. *viennensis* im Oberrhein-Tiefland. Foto: C. Benisch.

Funde der Nominatform an Bodensee und Alpenrhein in der Schweiz und in Österreich ist die Angabe für Überlingen in Bad.-Württ. der Nominatform zuzurechnen. Die insgesamt letzten Nachweise für die österreichische und schweizerische Seite des Bodensees datieren aus dem ersten Drittel des 20. Jahrhunderts (Marggi 1992, Brandstetter et al. 1993). Weiter rheinaufwärts bei Chur wurde die Nominatform noch bis Anfang der 1960er Jahre gefunden (Marggi 1992), ist dort heute aber ebenfalls erloschen.

Lebensweise und Habitat: Flugfähige (makroptere) und räuberische Art. Fortpflanzung (schwerpunktmäßig) im Frühjahr und Larvalentwicklung in den Sommermonaten. Aktive Imagines wurden in Bad.-Württ. nach den ausgewerteten Daten zwischen Juni und August registriert, für die Angabe eines Aktivitätsmaximums liegen aber keine ausreichenden Daten vor.

Den primären Lebensraum von *C. arenaria* stellten dynamische Flussauen dar, die heute in Mitteleuropa weitgehend zerstört sind. Hier besiedelte die Art Bänke und offene Flachufer sowie wahrscheinlich Aufschwemmungen in der Aue (Trautner & Detzel 1994). Eine entsprechende Situation wird zum Beispiel von Adamovic (1966) aus dem östlichen Donaugebiet beschrieben und konnte für die Nominatform an der Durance in Frankreich bestätigt werden (eigene Daten). Während Lauterborn (1921) die Art noch direkt am Rheinufer bei Ludwigshafen feststellte, stammen alle späteren Funde im Oberrhein-Tiefland aus noch in Betrieb befindlichen oder aufgelassenen Abbaustellen (Kies-, Sand- oder Tongruben) oder deren Randbereichen. Die Larven bevorzugen lehmigen Boden und scheinen außerdem auf eine mäßige Durchfeuchtung des Substrats angewiesen zu sein (Donath 1986). Die Habitate sind voll besonnt, charakteristisch ist eine sehr spärliche bis lückige Vegetation.

Gefährdung und Schutz: Für die Unterart ssp. *viennensis* ist wahrscheinlich, dass sie bereits in weiten Teilen ihres Gesamtareals gefährdet ist. Der Verantwortlichkeitsstatus Deutschlands für den Erhalt des Taxons ist aber noch fraglich und die frühere Einschätzung einer hohen Verantwort-

Natürlicher Lebensraum von *Cylindera arenaria* s. str. an der Durance im Süden Frankreichs. Larven und Imagines konzentrierten sich in flachen, feuchteren Senken der ausgedehnten Uferbänke mit bindigem Substrat und ähnlicher, sehr lückiger Vegetationsstruktur wie in dem aus dem Oberrhein-Tiefland gezeigten Bild.

lichkeit Deutschlands (Müller-Motzfeld et al. 2004) demnach erst zu prüfen (Einstufung ?, Schmidt et al. 2016). Die Nominatform ist in Deutschland und Bad.-Württ. dagegen ausgestorben (Stand 2015). Deutschland war für den Erhalt dieses weiträumig separierten Vorpostens (mit) verantwortlich und wäre es bei Wiederauftreten erneut. Für dieses Taxon wird allerdings kein Wiederherstellungspotenzial gesehen, da es nördlich des Alpenhauptkamms länderübergreifend erloschen ist.

Die Unterart ssp. *viennensis* ist bundesweit (Stand 2015) als stark gefährdet eingestuft. In Bad.-Württ. war sie bereits als ausgestorben oder verschollen geführt (Stand 2005), ist nach zwischenzeitlichem Nachweis aber als vom Aussterben bedroht und als Landesart A im Informationssystem Zielartenkonzept Bad.-Württ. (Stand 2009) einzuordnen. Sie tritt in Bad.-Württ. nur in einem sehr eng begrenzten naturräumlichen Umfeld auf, und offensichtlich sind ihre Habitatansprüche an Sekundärstandorten nur für kurze Zeiträume erfüllt oder die jeweiligen Populationen unterliegen einem hohen Risiko des Erlöschens. Dringender Handlungsbedarf besteht in der Sicherung des aktuell noch dokumentierten Vorkommens (Prüfung, Sicherstellung einer bestandserhaltenden Nutzung bzw. Pflege) und in der Neuentwicklung geeigneter Lebensraumstrukturen im näheren Umfeld. Darüber hinaus fehlt bislang eine gezielte, intensivere Nachsuche nach eventuellen weiteren Vorkommen im Naturraum, die dringend vorgenommen werden sollte. Für eine langfristige Bestandssicherung ist im nördlichen Oberrhein-Tiefland die jedenfalls abschnittsweise Wiederentwicklung einer natürlichen oder naturnahen Auendynamik wichtigstes Ziel: Größerflächige offene, besonnte Flachufer mit Feinsubstrat müssen in räumlicher Dynamik, aber zeitlich konstant vorhanden sein. Zudem sind die Ansprüche der Art bei Abbau- und Rekultivierungsvorhaben vorrangig zu berücksichtigen.

Cylindera germanica

Linnaeus, 1758

Deutscher Sandlaufkäfer

Allgemeine Verbreitung: Von der Mandschurei über Sibirien und Kleinasien bis Westeuropa verbreitete Art, fehlt weitgehend in Nord- und Nordwesteuropa sowie auf der Iberischen Halbinsel. In Deutschland mit Ausnahme der Nord- und Ostdeutschen Tiefebene früher weit verbreitet, wobei sie in allen Räumen einen starken Rückgang zu verzeichnen hat.

Vorkommen in Baden-Württemberg: Ehemals in einer Reihe von Naturräumen lokal vertreten. Die früheren Vorkommen im südlichen Oberrhein-Tiefland sowie im weiteren Umfeld des Bodensees sind schon vor 1975 oder vor 1950 erloschen, ebenso eine Reihe ehemaliger Populationen im Schwäbischen Keuper-Lias-Land und in den Neckar- und Tauber-Gäuplatten. Auch ein nennenswerter Teil der in der Verbreitungskarte noch für die Zeiträume ab 1976 dargestellten Nachweise hat nach derzeitigem Kenntnisstand nur noch historischen Charakter, da die zugehörigen Lebensräume inzwischen nicht mehr existieren (s. u.). Lediglich in zwei größeren Räumen am Nordost- sowie am Südrand der Schwäbischen Alb sind aktuell noch mehrere Populationen dokumentiert, zudem konnte die Art in neuer Zeit wieder im Norden des Kraichgaus (Teil der Neckar-Tauber-Gäuplatten) bestätigt werden.

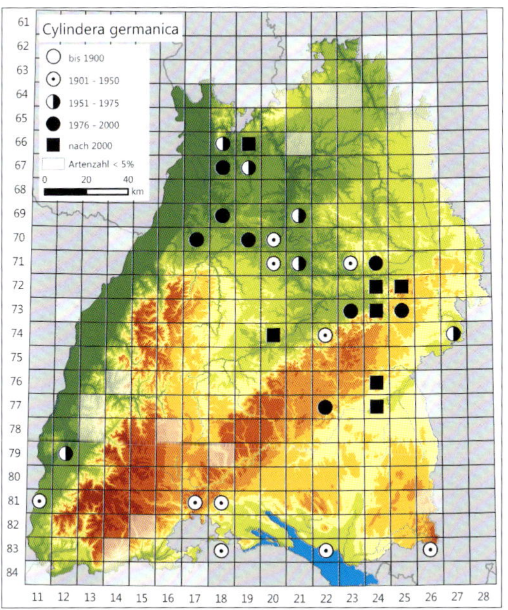

Cylindera germanica.

Lebensweise und Habitat: Flugfähige (makroptere) und räuberische Art. Zumindest für die Larven scheinen nach Angaben von Blair (1920), Poluzzi (1943) und eigenen Beobachtungen in Bad.-Württ. Ameisen eine besondere Rolle als Beutetiere zu spielen. Fortpflanzung (schwerpunktmäßig) im Sommer und Larvalentwicklung ab Sommer/Herbst. Baehr (1980) konnte eiertragende Weibchen in Anzahl im Juli und August feststellen. Aktive Imagines wurden in Bad.-Württ. nach den ausgewerteten Daten zwischen Mai und September registriert, das Aktivitätsmaximum liegt im Juli.

C. germanica besiedelt sonnenexponierte „Störstellen“ auf Böden mit einer ausgeprägten Wechselfeuchte oder Wechseltrockenheit (Trautner & Detzel 1994). Zur Ausstattung der Lebensräume, auch wenn sie im Bereich von Halbtrockenrasengebieten liegen, zählt niedrigwüchsige Tritt- oder Pioniervegetation mit offenen Bodenstellen, wo sich auch die Larvenröhren im Übergangsbereich zu etwas dichterer Vegetation konzentrieren können. Noch um 1900 war *C. germanica* in landwirtschaftlich genutzten Bereichen einiger Gebiete Deutschlands offenbar nicht selten, stellenweise sogar häufig (vgl. Horion 1941). Viele ältere Funde stammen von Äckern oder Ackerbrachen. Auch aus Bad.-Württ. sind solche Funde belegt, so von Knauss im Jahr 1918 bei Friedrichshafen („Rübenfeld auf Lehmboden“, Horion 1960) oder von Piesbergen im Jahr 1902 auf „Kleeäckern“ bei Stuttgart-Zuffenhausen (Beleg im Staatlichen Museum für Naturkunde Stuttgart). Bei den neueren und aktuellen Funden in Bad.-Württ. handelt es sich um trittbeeinflusste Bereiche in Halbtrockenrasen, um Erosionsstellen in magerem Grünland und um vegetationsarme Brachflächen in Abbau- und anderen Gebieten.

Durch die abgestufte Trittintensität entlang dieses unbefestigten Wanderwegs in einem Naturschutzgebiet der Schwäbischen Alb wurde die Lebensraumqualität für *Cylindera germanica* bislang gehalten. In Randbereichen dieses Weges finden sich zahlreiche Larvenröhren.

Gefährdung und Schutz: *C. germanica* ist in Deutschland stark gefährdet (Stand 2015) und in Baden-Württemberg vom Aussterben bedroht (Stand 2005). Die ersten massiven Rückgänge fallen mit Sicherheit in die Phasen der landwirtschaftlichen Intensivierung, auf die bereits Horion (1941) als Beeinträchtigungsfaktor aufmerksam macht: „Dass die Art in neuerer Zeit nicht mehr so häufig gefangen wird und aus manchen Gauen [...] ganz verschwunden zu sein scheint, wird wohl bei dieser Art, die besonders auf Ackerfeldern und Ödfläche [...] vorkommt, mit der heutigen Intensivierung der Landwirtschaft [...] zusammenhängen [...]. Wo sind heute noch Brachäcker, Ödflächen, Stoppelfelder, die längere Zeit unbearbeitet bleiben?“ Sicherlich verhindert die intensive Landwirtschaft heute weiträumig auch auf potenziell geeigneten Standorten die Neuentstehung von Habitaten für die Art. In neuer Zeit stellen dagegen einerseits der Ausfall lebensraumprägender Nutzungen mit ungünstiger Entwicklung der Vegetationsbestände und andererseits die direkte Zerstörung von Habitaten und Potenzialflächen durch Rekultivierung und Bebauung die gravierendsten Gefährdungsfaktoren für die noch verbliebenen Vorkommen dar. Exemplarisch sei hier auf das Schicksal des letzten dokumentierten Vorkommens der Art im Naturraum des Schwäbischen Keuper-Lias-Landes am Stadtrand Tübingens eingegangen (s. dazu auch S. 740). Baehr (1980) beschreibt dies als „große Kolonie auf dem [ehemaligen] Waldhäuser Exerzierplatz, wo die Art Tübinger Sammlern bereits früher bekannt war. [...] Dieser eigenartige, sehr artenreiche Lebensraum, eines der wenigen echten Ödländer der näheren Umgebung, ist jedoch durch Bauplanung stark gefährdet.“ Ein Foto des Lebensraums von Ende der 1970er Jahre findet sich bei Baehr (1980), das leider nur eingeschränkt die offenen Bereiche erahnen lässt, und ein weiteres von An-

Ehemaliger Lebensraum von *Cylindera germanica* in Tübingen. Da eine bestandserhaltende Pflege ausblieb, ist die dortige Population inzwischen erloschen.

fang der 1990er Jahre, als offene Bereiche bereits reduziert waren, bei Trautner & Detzel (1994). Obwohl in der zweiten Hälfte der 1990er Jahre auch die Naturschutzverwaltung gezielt auf die Bedeutung des Gebiets und seinen Schutz- und Pflegebedarf hingewiesen worden war, kam es nicht zu entsprechenden Maßnahmen. Bei einer Kontrolle 2005 konnte *C. germanica* noch in einem minimalen Restbestand nachgewiesen werden, wobei zu diesem Zeitpunkt vor allem aufgrund der zwischenzeitlichen Vegetationsentwicklung kaum noch für die Art geeignete Habitatbedingungen vorhanden waren. Gezielte Maßnahmen zur Wiederentwicklung von Larval- und Imaginallebensräumen erfolgten auch danach nicht. 2008 gelang schließlich bei einer Untersuchung des Gebiets im Vorfeld einer geplanten Sportplatzerweiterung kein Nachweis mehr. Mittlerweile ist der Großteil des Gebiets bebaut, die restlichen Flächen befinden sich in einem für die Art ungeeigneten Zustand.

An allen noch dokumentierten Populationen der Art besteht Bedarf für artorientierte Maßnahmen, sei es die Weiterführung geeigneter Nutzung oder Pflege oder eine insbesondere auf deutliche Habitaterweiterung ausgerichtete, stärker die Bodenvegetation „störende" Einflussnahme. Zudem ist es notwendig, gezielt und intensiv nach eventuellen weiteren Vorkommen zu suchen und diese dann in Maßnahmen einzubeziehen. Im weiteren Umfeld bekannter aktueller oder erst in jüngerer Zeit erloschener Vorkommen sollte auch geprüft werden, inwieweit bei Abbau- und Rekultivierungsvorhaben Potenziale (insbesondere auch standörtlich) für Habitate der Art aufgegriffen werden können.

Tribus Cychrini

J. Trautner

Weltweit sind nach Lorenz (2015) bislang 264 Arten aus 6 Gattungen beschrieben, die dieser Tribus zugerechnet werden. In Bad.-Württ. ist sie mit 2 Arten einer Gattung vertreten, deren Imagines im Größenspektrum von rd. 11–20 mm liegen. Die Arten sind Schneckenjäger, die aufgrund ihrer charakteristischen Körperform mit sehr schmalem Halsschild, schmalem Kopf und langgestreckten Oberkiefern durch den Gehäusemund weit in das Innere der Schneckenhäuser eindringen können (s. Kap. 4.4).

Cychrus attenuatus.

Cychrus attenuatus

Fabricius, 1792

Berg-Schaufelläufer

Allgemeine Verbreitung: In den zentral- und südosteuropäischen Gebirgen und Mittelgebirgen verbreitete Art. In Deutschland gehört sie zu den von Südwesten bis zum Nordrand der Mittelgebirge (Arealgrenze) recht verbreiteten Laufkäferarten und fehlt in der Nord- und Ostdeutschen Tiefebene.

Vorkommen in Baden-Württemberg: Relativ weit in der montanen und submontanen Höhenstufe verbreitet, aber nur in einem Teil der Naturräume. Die Schwerpunktvorkommen liegen auf der Schwäbischen Alb und im südlichen Teil des Schwarzwalds. Auch in Teilen des Schwäbischen Keuper-Lias-Landes sowie des Voralpinen Hügel- und Moorlandes tritt die Art zum Teil verbreiteter auf.

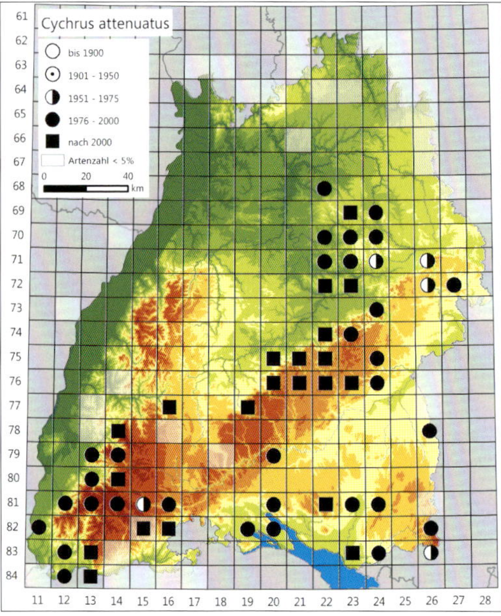

Lebensweise und Habitat: Flugunfähige (brachyptere) und räuberische Waldart, die Gehäuse- und Nacktschnecken als Nahrung präferiert. Von vorwiegend nächtlicher Aktivität ist auszugehen. Paarung und Eiablage (schwerpunktmäßig) im Sommer und Larvalentwicklung ab Sommer/Herbst. Aktive Imagines wurden in Bad.-Württ. nach den ausgewerteten Daten zwischen April und November registriert, mit einem Aktivitätspeak im September.

C. attenuatus bevorzugte in experimentellen Klimagradienten kühle, feuchte und dunkle Bedingungen (Thiele 1977). Die Art meidet kalkarme Böden und fehlt daher auch im Buntsandsteingebiet des Nordschwarzwaldes. Sie tritt in unterschiedlichen Waldtypen auf, scheint aber nach den vorliegenden Daten in von Laubbäumen dominierten Beständen sowie in Tannen-Buchenwäldern (jeweils soweit keine sauren Bodenverhältnisse vorliegen) besonders hohe Stetigkeiten und teils

Cychrus attenuatus ist eine typische Art der Buchenwälder auf kalkreichen Böden in Trauflage der Schwäbischen Alb. Hier hat sie großflächig sehr günstige Lebensraumbedingungen.

auch Aktivitätsdichten zu erreichen. In einer Untersuchung (eigene Daten) im Raum Blaubeuren am Südrand der Schwäbischen Alb wurde die geringste Aktivitätsdichte in einem lichten Ahorn-Lindenbestand mit trockener Kuppe registriert, die höchste in einem am Hangfuß gelegenen Ahorn-Ulmenwald mit feuchterem Charakter, Blockschutt und einem hohen Angebot an liegendem Totholz.
Gefährdung und Schutz: *C. attenuatus* ist bundesweit (Stand 2015) und in Bad.-Württ. (Stand 2005) nicht gefährdet. Aufgrund der relativ weiten Verbreitung mit Auftreten in unterschiedlichen Waldtypen ist auch keine zukünftige Gefährdung absehbar. Kein Handlungsbedarf.

Cychrus caraboides

Linnaeus, 1758
Gewöhnlicher Schaufelläufer
Allgemeine Verbreitung: Europäische Art, in Südeuropa weitestgehend fehlend. Sie kommt in Deutschland flächendeckend in geeigneten Lebensräumen vor.
Vorkommen in Baden-Württemberg: Landesweit verbreitet, fehlende Nachweise in der Verbreitungskarte sind als Erfassungslücken, i. d. R. aber nicht als ein tatsächliches Fehlen zu interpretieren. Lediglich in überwiegend trockenen und gehölzarmen Landschaften kann mit lokalem Fehlen oder geringer Stetigkeit in größerem Maßstab gerechnet werden.

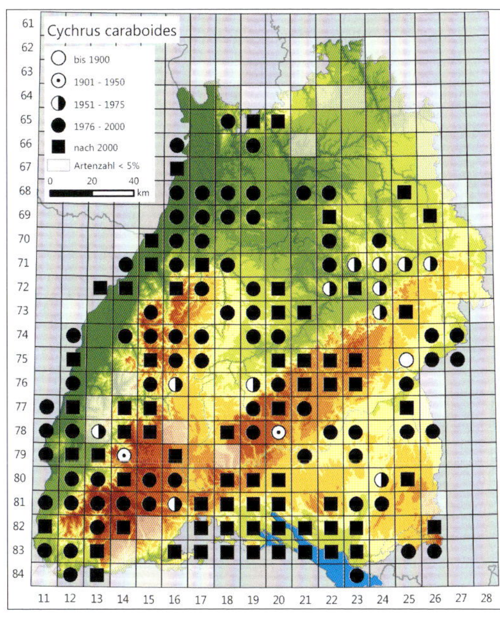

Cychrus caraboides; hier beim Fraß an einer Nacktschnecke.

Lebensweise und Habitat: Flugunfähige (brachyptere) und räuberische Waldart, die Gehäuse- und Nacktschnecken als Nahrung präferiert. Thiele (1977) gibt an, dass Individuen der Art von ihm in Gefangenschaft nur mit Gehäuseschnecken ernährt werden konnten. Ganz überwiegend nachtaktiv, bei Thiele (1977) der Gruppe mit lediglich 0–15 % Tagaktivität zugeordnet. Paarung und Eiablage (schwerpunktmäßig) im Sommer und Larvalentwicklung ab Sommer/Herbst. Aktive Imagines wurden in Bad.-Württ. nach den ausgewerteten Daten zwischen April und Oktober registriert, mit einem Aktivitätspeak im Juli und August.

C. caraboides tritt in einer Vielzahl von Waldtypen auf und wird an feuchten Standorten sowie in hohen Lagen teilweise auch in gehölzarmen Flächen gefunden, dann aber meist in Waldnähe. Die Art zeigt auch in besonders günstigen Lebensräumen meist eine geringere Aktivitätsdichte als *C. attenuatus* in seinen jeweils „optimalen“ Habitaten. Bei vergleichenden Untersuchungen zu Bann- und Wirtschaftswäldern in verschiedenen Naturräumen Baden-Württembergs (Trautner et al. 1998) wurde im Untersuchungsgebiet Conventwald die dort im Vergleich zu anderen Standorten mit Abstand höchste Aktivitätsdichte an bachnah innerhalb einer Klinge gelegenenen Stellen registriert. Insgesamt ist *C. caraboides* als feuchtepräferente, eurytope Waldart einzustufen.
Gefährdung und Schutz: *C. caraboides* ist bundesweit (Stand 2015) und in Bad.-Württ. (Stand 2005) nicht gefährdet. Aufgrund der weiten Verbreitung mit Auftreten in unterschiedlichen Waldtypen ist auch keine zukünftige Gefährdung absehbar. Kein Handlungsbedarf.

Tribus Carabini

J. Trautner

Weltweit sind nach Lorenz (2015) bislang 1149 Arten aus 8 Gattungen beschrieben, die dieser Tribus zugerechnet werden. In Bad.-Württ. ist oder war sie mit 21 Arten aus 2 Gattungen vertreten, deren Imagines im Größenspektrum von rd. 13–42 mm liegen. Die „Großlaufkäfer“ der Gattung *Carabus* stellen die größten einheimischen Laufkäferarten, und einige ihrer Arten zählen zusammen mit den „Puppenräubern“ der Gattung *Calosoma*, die ebenfalls zu dieser Tribus gehören, zu den bekanntesten einheimischen Laufkäfern. *Carabus cancellatus* wurde teils als „Körnerwanze“ und *C. auratus* als „Goldschmied“ bezeichnet.

Calosoma inquisitor

(Linnaeus, 1758)
Kleiner Puppenräuber
Allgemeine Verbreitung: Paläarktisch verbreitete Art, die im Südwesten auch Nordafrika erreicht und in Europa nur in Teilen Nord- und Nordwesteuropas fehlt. Sie ist aus allen Bundesländern Deutschlands gemeldet, fehlt jedoch fast vollständig im Südosten (Bayern) und weist größere Verbreitungslücken in Norddeutschland auf.
Vorkommen in Baden-Württemberg: Verbrei-

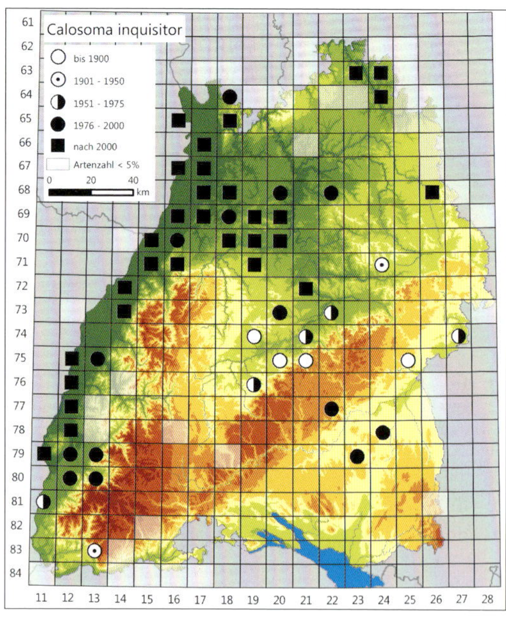

Calosoma inquisitor.

tungsschwerpunkt im Oberrhein-Tiefland und in Teilen der Neckar- und Tauber-Gäuplatten (Neckarbecken, Strom- und Heuchelberg, Kraichgau, Tauberland), aus letzteren aber aktuell meist nur punktuell oder in geringer Stetigkeit bekannt. Aus anderen Naturräumen ganz überwiegend nur wenige, ältere Nachweise. Im Schwarzwald (außer Vorkommen in den Randzonen und einzelnen Tälern zum Rheintal hin), auf der Schwäbischen Alb und im Südosten des Landes großräumig fehlend. Die älteren Nachweise am Albrand nordöstlich von Ulm sind in der Sammlung Dolderer aber dokumentiert (vgl. Kubach et al. 1999): Aus Ober- und Niederstotzingen findet sich dort eine Reihe von Belegen aus den 1930er Jahren. Glaubhaft sind auch einzelne weitere Meldungen südlich der Schwäbischen Alb, die von H. Ziegler (†, in lit.) stammen und bei denen es sich um Funde zertretener oder überfahrener Einzeltiere auf Wegen oder Straßen handelte.

Lebensweise und Habitat: Flugfähige (makroptere) und räuberische, tag- und nachtaktive Art, die auf gehölzbewohnende Nachtfalterraupen als Nahrung spezialisiert ist und daher als Imago und Larve in hohem Maß Gebüsch, Baumstämme und den Kronenbereich von Bäumen erklettert. So schrieb unter anderem v. d. Trappen (1929) nach Beobachtungen aus Stuttgart, „dass die Tiere, wenn sie einen Stamm hinauflaufen, auf die andere Seite wechseln, wie die Eichhörnchen, wenn man auf sie zutritt“. Paarung und Eiablage (schwerpunktmäßig) im Frühjahr und Larvalentwicklung ab Frühjahr/Sommer. Aktive Imagines wurden in Bad.-Württ. nach den ausgewerteten Daten fast ausschließlich im Mai und Juni, mit einem Aktivitätsmaximum im Mai gefunden. Dies passt mit dem bei Untersuchungen im Vorland des Nordharzes festgestellten Peak der Aktivitätsdichte der sich rasch entwickelnden Larven der Art zusammen, die dort in den Juni fiel (Arndt & Arndt 1987). Die nach den ausgewerteten Daten in Bad.-Württ. jahreszeitlich spätesten Funde aktiver Imagines stammen aus dem August.

C. inquisitor tritt schwerpunktmäßig in Laubwäldern wärmebegünstigter Lagen auf, wo er Schmetterlingsraupen der Strauch- und Baumschicht jagt, insbesondere Kalamitäten-Arten wie etwa die Frostspanner (*Operophtera* spec.). Holste (1915) beobachtete bei gehaltenen Tieren, dass die Weibchen die Erde durchwühlten und die Eier einzeln in je eine kleine Höhlung legten, welche sie vorher wahrscheinlich mit ihrer Legescheide angefertigt hatten. Bereits nach 8–14 Tagen stellte er geschlüpfte Larven fest. Die spätere Verpuppung erfolgte in einer Erdhöhle, die die Jungkäfer nach Holstes Beobachtungen im Herbst nicht mehr verlassen, sondern erst im darauf folgenden Frühjahr. Ebenso wie *C. sycophanta*, jedoch eingeschränkter, dürfte auch *C. inquisitor* von einer lichten Waldstruktur profitieren.

Gefährdung und Schutz: *C. inquisitor* ist bundesweit (Stand 2015) und in Bad.-Württ. (Stand 2005) als gefährdet eingestuft und Naturraumart im Informationssystem Zielartenkonzept Bad.-Württ. (Stand 2009). Sie ist, obwohl insgesamt vor allem im Oberrhein-Tiefland noch steter als der Große Puppenräuber (*C. sycophanta*) auftretend, gegenüber der Situation in der ersten Hälfte des 20. Jahrhunderts erheblich zurückgegangen. So schrieb v. d. Trappen (1929): „Um Stuttgart überall in Laubwäldern im Mai häufig.“ In dieser Region waren nach 1975 dann über Jahrzehnte keine Funde mehr belegt, bevor nach 2000 wieder Nachweise gelangen. Holste (1915) schrieb aus einer offenbar günstigen Phase infolge mehrjährig starken Auftretens von Frostspannern für den Raum Karlsruhe (hier auch phänologisch interessant): „Noch am 21. April [1914] gelang es mir trotz eifrigen Suchens, das ich schon mehrere Tage durchgeführt hatte, nicht, auch nur einen *Calosoma* zu finden. Freilich waren die Weissbuchen erst wenig ausgeschlagen, und von den Frostspannern und ihrer Tätigkeit wenig zu entdecken. Aber zwei Tage später fing ich schon in einer halben Stunde 11 Männchen und 11 Weibchen, am 24. April in wenigen Minuten 9 Männchen und 5 Weibchen. [...] In den nächsten Tagen hätte ich

Hunderte einbringen können, wenn ich die Zucht in großem Maßstabe hätte betreiben wollen." Wie bei *C. sycophanta* (s. dort) dürfte die chemische Bekämpfung von Schmetterlingskalamitäten in Wäldern entscheidend zum Rückgang der Art beigetragen haben, ebenso wie Änderungen der Waldstruktur. Kalamitäten als Teil des Prozessschutzes im Wald zuzulassen stellt eine wesentliche Maßnahme zur Förderung der Art dar. Zudem sollten lichte, vor allem an Eichen reiche Waldbestände gefördert werden. Etwas höhere Fundzahlen in den letzten Jahren könnten darauf hindeuten, dass *C. inquisitor* von klimatischen Veränderungen profitiert. Die Art ist im „111-Artenkorb" des Aktionsplans Biologische Vielfalt des Landes enthalten (Stand 2015).

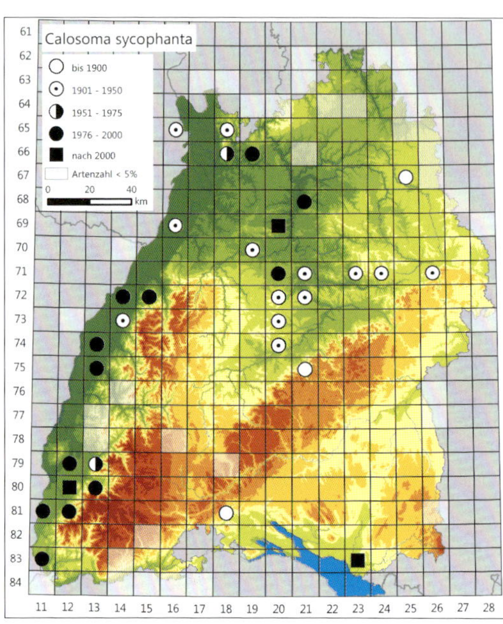

Calosoma sycophanta

(Linnaeus, 1758)

Großer Puppenräuber

Allgemeine Verbreitung: Von Nordafrika über große Teile Europas bis Westasien verbreitete Art, die in Europa in großen Teilen Nord- und Nordwesteuropas fehlt. In Nordamerika eingeführt (Bousquet 2012). In Deutschland war sie früher mit Ausnahme großer Teile Bayerns weit verbreitet und kommt heute aufgrund massiver überregionaler Bestandsrückgänge nur noch punktuell in Nordost-, Ost- und Südwestdeutschland in geeigneten Lebensräumen vor, wobei sich eine mög-

Calosoma sycophanta.

licherweise klimabedingte Tendenz zur Wiederausbreitung andeutet.

Vorkommen in Baden-Württemberg: Trautner (1996c) hatte neben schon zuvor publizierten Angaben auch eine größere Zahl an zusätzlichen Nachweisen und Sammlungsbelegen aus Bad.-Württ. zusammengestellt und veröffentlicht. Dadurch ergab sich das Bild einer relativ weiten Verbreitung der Art im nördlichen Bad.-Württ. (Neckar- und Tauber-Gäuplatten, Teile des Schwäbischen Keuper-Lias-Lands, Odenwald) und im Oberrhein-Tiefland bis zum Ende des 19. Jahrhunderts bzw. spätestens bis zur Mitte/zum Ende der 1920er Jahre. Aus diesem Zeitraum datiert eine ganze Reihe von Belegen, unter anderem aus Stuttgart, Sindelfingen, Karlsruhe und Aalen, und die Art ist zumindest lokal immer wieder in Anzahl aufgetreten (z. B. in den 1920er Jahren bei Tübingen, s. Meyer 1966 unter Bezug auf Beobachtungen von Kaufmann). Lediglich eine Angabe aus dem Schwarzwald von Scherdlin (1916) erscheint inzwischen als fraglich und wurde daher nicht berücksichtigt. In der Folgezeit stammten jeweils mehrere oder wiederholte Meldungen nur aus der Vorbergzone des Schwarzwaldes zum Rheintal hin sowie aus dem südlichen Teil des Oberrhein-Tieflandes, bevor auch in anderen Räumen wieder mehrere Nachweise gelangen. Mit dem Wiederauftreten der Art nach dem Jahrtausendwechsel am Bodensee sowie an einzelnen Stellen der Neckar- und Tauber-Gäuplatten deutet sich eine Wiederausbreitungstendenz an, die vermutlich klimabedingt ist.

Lebensweise und Habitat: Flugfähige (makroptere) und räuberische, tag- und nachtaktive Art, die auf gehölzbewohnende Nachtfalterraupen als Nahrung spezialisiert ist. Paarung und Eiablage (schwerpunktmäßig) im Frühjahr und Larvalentwicklung ab Frühjahr/Sommer. Aktive Imagines wurden in Bad.-Württ. nach den ausgewerteten Daten zwischen Mai und August registriert, mit einem Aktivitätsmaximum im Juni. Dies deckt sich gut mit den publizierten Angaben vor allem von Burgess (1911) und Nolte (1939), wonach die Imagines überwiegend erst Anfang Juni aus ihren Winterquartieren im Boden erscheinen; ihr Aktivitätszeitraum ist in hohem Maße mit der Phänologie ihrer Hauptbeute korreliert. Tolasch (in lit.) fand Mitte Mai 2012 bei Dürrenzimmern in Bad.-Württ. trotz hoher Außentemperaturen noch inaktive Tiere in kleinen Erdkammern (Überwinte-

Lebensraum von *Calosoma sycophanta* in halboffenen Waldstrukturen der sogenannten „Trockenaue“ im Süden des Oberrhein-Tieflands. Hier ist die Art relativ stet und teils individuenreich anzutreffen.

rungsort) am Fuß alter Eichen. Die Eier werden von den begatteten Weibchen in kleinen Gruppen bis zu 5 Stück in den Boden gelegt, teilweise direkt unter die Bodenoberfläche, überwiegend jedoch in einer Tiefe von 2–2,5 cm (Burgess 1911). Nach 3 bis 10 Tagen (temperaturabhängig) schlüpfen die Larven; zur weiteren Entwicklung schrieb Nolte (1939): „[...] die Larve [beginnt] sich allmählich nach oben zu wühlen und geht sofort auf Nahrungssuche. [...] Die Larven-Fraßzeit dauert durchschnittlich 13 Tage [...].“ Danach gehen die Tiere in die Erde und „verpuppen sich dort nach 8–10 Tagen. Die Jungkäfer schlüpfen noch im gleichen Sommer; aber sie kommen nicht mehr an die Oberfläche, sondern bleiben in der Puppenhöhle zum Winterschlaf oder wühlen sich noch tiefer in die Erde ein. Erst im Juni des nächsten Jahres erscheinen sie, um ihr Vernichtungswerk zu beginnen. Dann fressen sie bis Anfang August und gehen zur Überwinterung wieder in die Erde.“ *C. sycophanta*-Imagines können mehrere Jahre leben. Als Hauptbeute der Art werden in der Literatur Raupen (und Puppen) folgender Nachtfalter angeführt: Schwammspinner (*Lymantria dispar*), Nonne (*Lymantria monacha*), Goldafter (*Euproctis chrysorrhoea*), Kiefernspinner (*Dendrolimus pini*), Forleule (*Panolis flammea*) sowie Prozessionsspinner (*Thaumetopoea processionea* und *T. pinivora*).

C. sycophanta tritt ganz überwiegend in Räumen mit hoher Jahresdurchschnittstemperatur auf. Die über längere Zeiträume dokumentierten Kerngebiete des Vorkommens beinhalten Waldteile mit standörtlich oder nutzungsbedingt spezieller Struktur, insbesondere lichte Alteichenbestände mit hohem Durchsonnungsgrad oder in Randlage sowie die sehr lichten, teils gebüschdominierten Eichenbestände auf trockenen Kiesböden am südlichen Oberrhein. Auch in kiefernreichen Beständen kann die Art auftreten. Entscheidend ist zudem eine hinreichende Nahrungsgrundlage, bei der gehölzbewohnende Nachtfalterarten eine zentrale Rolle spielen. Im Zuge von Kalamitäten kann *C. sycophanta* individuenreiche Bestände aufbauen, was durch die kurze Entwicklungsdauer vom Ei zur Imago und die relative Langlebigkeit der Imagines unterstützt bzw. ermöglicht wird.

Gefährdung und Schutz: *C. sycophanta* ist bundesweit (Stand 2015) und in Bad.-Württ. (Stand 2005) stark gefährdet und wurde als Landesart A im Informationssystem Zielartenkonzept Bad.-Württ. (Stand 2009) eingestuft. Als Hauptgefährdungsursachen werden angesehen: die Bekämpfung von Kalamitäten gehölzbewohnender Nachtfalterarten sowie Änderungen der Waldstruktur durch Aufgabe bestimmter Waldnutzungen und das Durchwachsen von Beständen und Aufforstungen (Trautner 1996c) bei Entwicklung dichterer, „dunklerer" Waldbestände. Obwohl der Trend einer zunehmenden Klimaerwärmung offenbar zu einer gewissen Bestandserholung und einer Wiederausbreitung beigetragen hat, ist die zugewiesene Gefährdungskategorie vor dem Hintergrund der vorangegangenen extremen Rückgänge noch immer plausibel. Wie bereits im Grundsatz bei Trautner (1996c) formuliert, müssen als wesentliche Maßnahme zu Schutz und Förderung der Art die chemische (und anderweitige) Bekämpfung von Raupenkalamitäten, zumindest in für die Art besonders wichtigen Gebieten, unterlassen und solche vielmehr als Teil des Prozessschutzes im Wald gesehen werden. Zudem ist ein wichtiges Ziel, die ausschlaggebenden oder fördernden Waldstrukturen in den besiedelten und potenziell geeigneten Räumen zu erhalten und auszudehnen, z. B. durch Nieder-, Mittel- und Hudewälder oder diesen Typen nahe kommende Bewirtschaftungsformen.

Carabus arcensis

Herbst, 1784

Hügel-Laufkäfer

Allgemeine Verbreitung: Paläarktische Art, die Europa nach Westen bis zu den Britischen Inseln und Zentralfrankreich besiedelt, in Südeuropa und größeren Teilen Nordeuropas aber fehlt. In Deutschland ist sie weit verbreitet und weist lediglich in der Osthälfte kleinere Verbreitungslücken auf.

Vorkommen in Baden-Württemberg: Relativ weit verbreitet, aber nicht in allen Naturräumen in Bad.-Württ. nachgewiesen und mit sehr unterschiedlicher Häufigkeit und Stetigkeit auftretend. Fehlt offenbar in größeren Bereichen des nordöstlichen Baden-Württembergs, des Voralpinen Hügel- und Moorlandes sowie der Donau-Iller-Lech-Platte oder tritt dort so lückig auf, dass bisher keine Funde von dort vorliegen. Eine Einordnung der baden-württembergischen Belege auf die Unterart hin wurde durch den Autor nur für einzelne Imagines vorgenommen; nach Literaturangaben wird aber davon ausgegangen, dass auch die übrigen Belege der Unterart ssp. *sylvaticus* Dejean, 1826, zuzuordnen sind. Ob im Norden und Osten des Landes ggf. auch die Stammform vertreten sein könnte, wäre zu prüfen.

Lebensweise und Habitat: Flugunfähige (brachyptere) und räuberische Art. Paarung und Eiablage (schwerpunktmäßig) im Frühjahr und Larvalent-

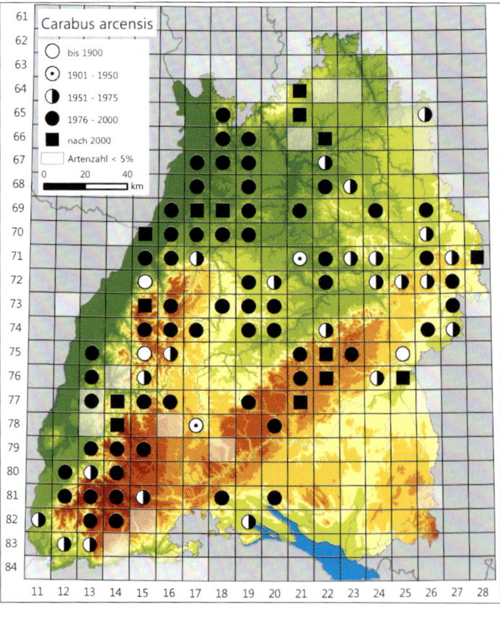

Carabus arcensis. Foto: E. Wachmann.

wicklung in den Sommermonaten. Aktive Imagines wurden in Bad.-Württ. nach den ausgewerteten Daten zwischen April und November registriert, mit einem Aktivitätspeak im Juni.

C. arcensis tritt in sehr unterschiedlichen Waldtypen auf, von frischen Buchenwäldern über Fichtenreinbestände und Wälder wechselfeuchter Standorte bis hin zu trockenen und lichten Kiefernbeständen, dort allerdings meist in geringer Individuendichte. Die Art nutzt auch Lichtungen und Feldgehölze, kommt teilweise in mit Einzelbäumen oder Gebüschen durchsetztem Halboffenland magerer Standorte (z. B. Wacholderheiden) vor und dringt vor allem in höheren Lagen auch in Offenlandlebensräume wie Weidfelder und Äcker mit begleitenden Steinriegeln vor. Hier treten aber möglicherweise keine eigenständigen Populationen auf, vielmehr könnte ein Zusammenhang mit angrenzenden Waldlebensräumen bestehen. Für den Schönbuch im zentralen Bad.-Württ. wird die Art von Baehr (1980) als „eine der häufigsten *Carabus*-Arten" beschrieben, was aber nicht auf die Verhältnisse im gesamten Bundesland übertragbar ist. In vergleichenden Untersuchungen zu Bann- und Wirtschaftswäldern (Trautner et al. 1998) sowie zu Wäldern mit vorwiegendem Buchenbestand (Scheurig et al. 1996), die in verschiedenen Naturräumen Baden-Württembergs durchgeführt wurden, fand sich *C. arcensis* jeweils nur in wenigen Gebieten und in geringer Individuenzahl. Möglicherweise sind die Schwerpunktvorkommen der Art durch eher nährstoffarme Böden und/oder Böden mit saurer Reaktion zu erklären.

Gefährdung und Schutz: *C. arcensis* ist in der bundesweiten Roten Liste differenziert nach Unterarten bewertet, die ssp. *sylvaticus* als gefährdet eingestuft (Stand 2015). In Bad.-Württ. steht die Art auf der Vorwarnliste (Stand 2005). Die Bestandsentwicklung der Art lässt sich schwer abschätzen, da langjährige quantitative Vergleichsdaten fehlen; die Fundzahlen deuten aber auf Rückgänge hin. *C. arcensis* gehört zu jenen Laufkäferarten in Bad.-Württ., deren Bestandsentwicklung eingehender beobachtet werden sollte.

Carabus auratus

Linnaeus, 1760

Goldlaufkäfer

Allgemeine Verbreitung: Art mit relativ kleinem zentraleuropäisch-atlantischem Areal, das von Nordspanien bis nach Polen reicht. In Nordame-

Carabus auratus.

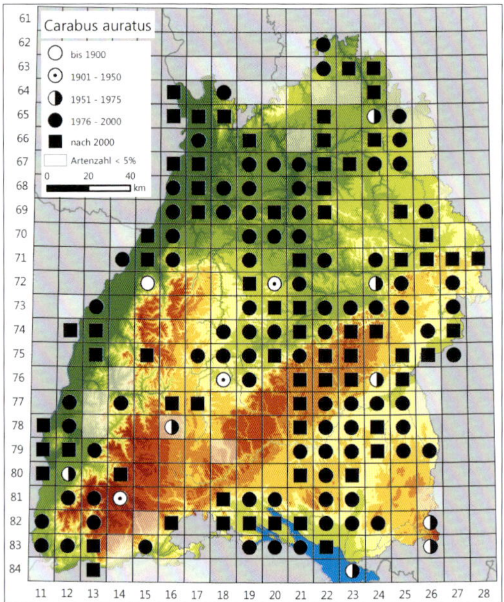

rika eingeschleppt (Bousquet 2012). In Deutschland ist sie weit verbreitet und fehlt nur in den südlichen und östlichen Regionen Bayerns, wo sie an ihre Arealgrenze stößt. In Deutschland nur die Nominatform.

Vorkommen in Baden-Württemberg: Im Offenland nahezu aller Naturräume Baden-Württembergs nachgewiesen oder zu erwarten, wenngleich mit sehr unterschiedlicher Häufigkeit und Stetigkeit; fehlt offenbar nur in den hohen Lagen des Schwarzwaldes.

Lebensweise und Habitat: Flugunfähige (brachyptere) und räuberische, fakultativ auch nekrophage Offenlandart, die in für *Carabus*-Arten ungewöhnlichem Maße tagaktiv ist (bei Thiele 1977 der Gruppe mit > 45 % Tagaktivität zugeordnet; zahlreiche Tagbeobachtungen aus Bad.-Württ.). Einige Angaben zur Aufnahme pflanzlicher Nahrung dürften eher Ausnahmen darstellen, Beobachtungen von Fraß an Früchten (z. B. Jung 1940) sind vermutlich auf einen Wasserbedarf der Tiere zurückzuführen. Im Wahlversuch (auch mit pflanzlicher Nahrung) bevorzugten Imagines Frischfleisch, kleine Insektenlarven und Würmer (Scherney 1959). Paarung und Eiablage (schwerpunktmäßig) im Frühjahr und Larvalentwicklung in den Sommermonaten. Aktive Imagines wurden in Bad.-Württ. nach den ausgewerteten Daten zwischen April und August registriert. Das Aktivitätsmaximum liegt eher im späteren Frühjahr (meist Juni).

Der Goldlaufkäfer ist eine Offenlandart mit Schwerpunktvorkommen in ackerbaulich genutzten Landschaften, die aber auch Grünlandflächen besiedelt und teilweise in Waldlebensräume vordringt, dort insbesondere in lichte und trockene bis frische Standorte der tieferen Lagen. So konnten bei der Untersuchung waldrandnaher Probeflächen in einem Eichen-Hainbuchenwald des Rheintals (Bechtaler Wald) zahlreiche Individuen der Art registriert werden (Trautner et al. 1998). In der offenen Kulturlandschaft ist *C. auratus* jedenfalls unter den heutigen Rahmenbedingungen nicht überall und teils offenbar nur in geringer Dichte vertreten. Feurer (1985) wies die Art lediglich in 4 von 8 überwiegend mit Weizen bestellten Ackerparzellen in unterschiedlichen Naturräumen nach, Spies (1998) nur auf einem Teil seiner neu angelegten Saumstrukturen in einer Ackerbaulandschaft des Kraichgaus. Unter insektizidfreien Bedingungen scheint die Dichte der Art vorwiegend vom Angebot an Beutetieren abhängig (Basedow 2002, dort signifikante Korrelation der Aktivitätsdichte mit der Regenwurm-Biomasse festgestellt).

Gefährdung und Schutz: Deutschland liegt im Arealzentrum der Nominatform und beherbergt mehr als 1/10 ihrer weltweiten Populationen. Damit trägt es eine hohe Verantwortlichkeit für ihren Erhalt (Einstufung !; vgl. Schmidt et al. 2016). *C. auratus* ist zwar weder bundesweit (Stand 2015) noch in Bad.-Württ. (Stand 2005) als gefährdet eingestuft. Seine Bestandsentwicklung sollte aber auch in Bad.-Württ. eingehender beobachtet werden, zumal Hinweise auf regionale Rückgänge in Deutschland schon seit Langem vorliegen. Basedow (1987, 1998) zeigt unter anderem an Untersuchungen in Schleswig-Holstein auf, wie lokale Bestände der Art infolge starken Insektizideinsatzes erloschen sind. Erst nach 14 Jahren konnte er die beginnende Neubegründung durch aus dem Umfeld einwandernde Tiere registrieren. Aufgrund der immer noch weiten Verbreitung mit Auftreten in verschiedensten Lebensraumtypen des Offenlands ist bislang keine Einstufung in die Vorwarnliste oder eine Gefährdungskategorie der Roten Liste erfolgt. Langjährige quantitative Vergleichsdaten aus Bad.-Württ. fehlen jedoch. Die Art ist im „111-Artenkorb“ des Aktionsplans Biologische Vielfalt des Landes enthalten (Stand 2015).

Carabus auronitens

Fabricius, 1792

Goldglänzender Laufkäfer

Allgemeine Verbreitung: Europäische Art, die von Süd- und Westfrankreich bis zum nordöstlichen Balkan vertreten ist. Die in Deutschland vorkommende Unterart (Nominatform) hat ein kleines zentraleuropäisches Areal. Ihre nördliche Arealgrenze verläuft durch Norddeutschland. Sie ist bis in die Hamburger Region hinein weit verbreitet, fehlt jedoch im nordwestlichen Niedersachsen sowie in Mecklenburg-Vorpommern und Brandenburg.

Vorkommen in Baden-Württemberg: In Wäldern nahezu aller Naturräume Baden-Württembergs nachgewiesen oder zu erwarten und mit hoher Stetigkeit vor allem in der submontanen bis montanen Höhenstufe anzutreffen, aber auch in niedrigeren Lagen vorkommend.

Lebensweise und Habitat: Flugunfähige (brachyptere) und räuberische Waldart mit vornehmlicher Nachtaktivität, für die aber auch in größerem Umfang Tagaktivität belegt ist (bei Thiele 1977 der Gruppe mit 30–45 % Tagaktivität zugeordnet; zahlreiche Tagbeobachtungen aus Bad.-Württ.). Paarung und Eiablage (schwerpunktmäßig) im Frühjahr und Larvalentwicklung in den Sommermonaten (u. a. Klenner 1989). Es ist nachgewiesen, dass Imagines über mehrere Jahre am Fortpflanzungsgeschehen teilhaben können (Klenner

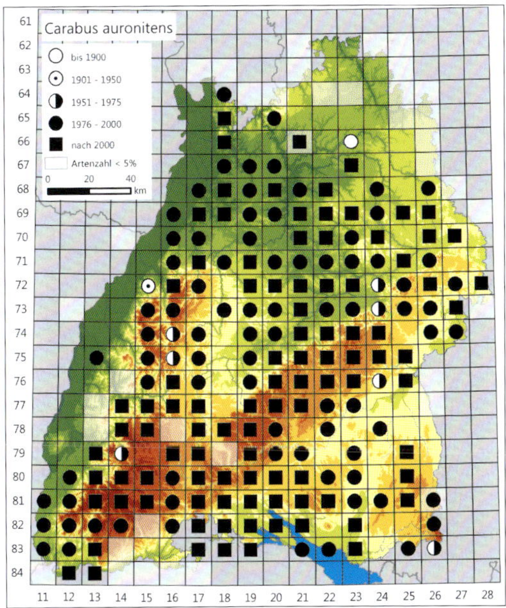

Carabus auronitens.

1989). Überwinternde Imagines können ähnlich wie bei einigen anderen *Carabus*-Arten teils in großen Gruppen in morschem Totholz und in Stubben gefunden werden. Aktive Imagines wurden in Bad.-Württ. nach den ausgewerteten Daten zwischen März und November registriert. Das Aktivitätsmaximum liegt in niedrigen Lagen im Mai, in höheren Lagen verschiebt es sich bis in den Juli hinein (s. Kap. 4.3). Imagines von *C. auronitens* erklettern Bäume, was einen wichtigen Teil ihrer Aktivität darstellt (Hockmann et al. 1989, Weber & Heimbach 1987).

Scheurig et al. (1996) zählen *C. auronitens* aufgrund ihrer Daten aus verschiedenen Waldstandorten Baden-Württembergs sowie der Literaturangaben zur Artengruppe der montan geprägten Buchenwälder; allerdings wurden in dieser Arbeit auch ganz überwiegend Buchenbestände untersucht. Baehr (1980) gibt dagegen für den Schönbuch im zentralen Bad.-Württ. an, die Art trete dort in allen untersuchten Waldlebensräumen auf, jedoch seltener in reinen Buchenwäldern und „am häufigsten und regelmäßigsten in Fichtenwäldern und Schonungen in Bachnähe". Auch aus eigenen Untersuchungen ist nicht erkennbar, dass die Art in Bad.-Württ. einen Schwerpunkt in Beständen mit Buche als Hauptbaumart aufweisen würde; Fichten- und tannendominierte Standorte unter tendenziell kühleren sowie frischen bis mäßig feuchten Bedingungen dürften die höchsten Dichten dieser Art aufweisen.

Gefährdung und Schutz: Deutschland liegt im Arealzentrum der Nominatform; es beherbergt mehr als 1/10 ihrer weltweiten Populationen und trägt somit eine hohe Verantwortlichkeit für ihren Erhalt (Einstufung !; vgl. Gruttke 2010, Schmidt et al. 2016). *C. auronitens* ist allerdings weder bundesweit (Stand 2015) noch in Bad.-Württ. (Stand 2005) gefährdet. Aufgrund der weiten Verbreitung mit Auftreten in zahlreichen Waldtypen und Höhenstufen ist auch keine zukünftige Gefährdung zu erwarten. Kein Handlungsbedarf.

Carabus cancellatus.

Carabus cancellatus

Illiger, 1798

Feld-Laufkäfer

Allgemeine Verbreitung: Europäisch-sibirisch verbreitete Art, von der mehrere, teils auch das deutsche Verbreitungsgebiet betreffende Unterarten beschrieben sind. In Europa in Teilen Nord-, West- und Südeuropas fehlend. Sie ist in Deutschland weit verbreitet und weist kleinere Verbreitungslücken im Nordosten auf.

Vorkommen in Baden-Württemberg: Weit verbreitet und im Offenland nahezu aller Naturräume Baden-Württembergs nachgewiesen oder zu erwarten. Lediglich in walddominierten, vor allem höheren Lagen des Schwarzwalds dürfte das teils großräumige Fehlen von Nachweisen auch mit dem tatsächlichen Fehlen der Art übereinstimmen. Eine Einordnung der baden-württembergischen Belege auf die Unterart hin wurde durch den Autor nicht vorgenommen; nach Literaturangaben wird aber davon ausgegangen, dass neben der Nominatform auch die Unterart ssp. *fusus* Palliardi, 1825, vertreten ist.

Lebensweise und Habitat: Flugunfähige (brachyptere) und räuberische, fakultativ auch nekrophage Offenlandart. Paarung und Eiablage (schwerpunktmäßig) im Frühjahr und Larvalentwicklung in den Sommermonaten. Aktive Imagines wurden in Bad.-Württ. nach den ausgewerteten Daten zwischen März und August registriert, mit einem Aktivitätspeak im Juni.

C. cancellatus hat sein Schwerpunktvorkommen in Äckern und ihren Begleitstrukturen, tritt aber auch in anderen offenen Lebensräumen (u. a. Grünland, Grünlandbrachen) auf und kann teils auch trockene, eher lichte Wälder besiedeln. Feurer (1985) wies die Art in 7 von 8 überwiegend mit Weizen bestellten Ackerparzellen in unterschiedlichen Naturräumen Baden-Württembergs nach. Bei Untersuchungen zur Neuanlage von Saumstrukturen in einer Ackerbaulandschaft des Kraichgaus wurde *C. cancellatus* in allen Probeflächen der Äcker sowie in vorhandenen Brachen und Neuanlagen festgestellt (Kubach 1995, Spies 1998), in letzteren sogar über mehrere Jahre in der höchsten Jahresaktivitätsdichte aller nachgewiesenen *Carabus*-Arten (Spies 1998). Zur Überwinterung suchen die Imagines der Art teilweise Begleitstrukturen der Ackerlandschaften wie Säume und Hecken auf, wo sie in höherer Zahl aggregieren können. So konnten in den 1990er Jahren bei winterlichen Aufsammlungen in einer großen Heckenstruktur im Naturraum der Filder südlich von Stuttgart mehrfach Dutzende von Individuen im Boden unter tief eingebetteten Stei-

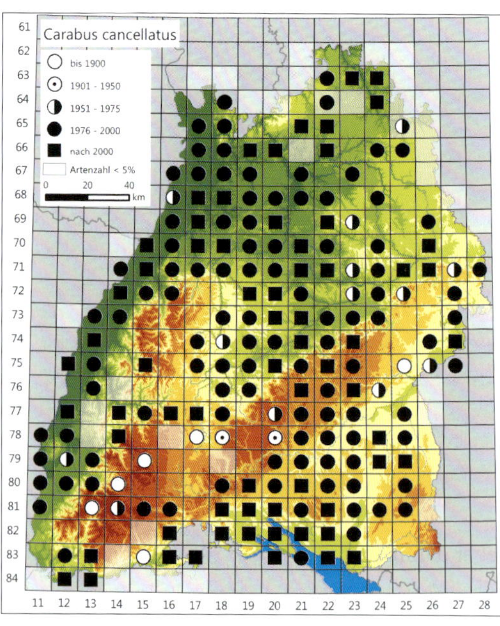

nen sowie in Morschholz aufgefunden werden (Reck in lit., Trautner unveröff.).

Gefährdung und Schutz: *C. cancellatus* ist in der bundesweiten Roten Liste differenziert nach Unterarten bewertet, wobei die Stammform der Vorwarnliste zugeordnet, die Unterart ssp. *fusus* aber bereits als gefährdet eingestuft wurde (Stand 2015). In Bad.-Württ. steht die Art ohne subspezifische Differenzierung auf der Vorwarnliste (Stand 2005). Ihre Bestandsentwicklung ist vor dem Hintergrund umfangreicher Bodenfallenfänge vor allem aus den 1980er Jahren im Vergleich zu den heute bei ähnlichen Fängen registrierten Zahlen als rückgängig einzuschätzen, wenngleich genaue quantitative Vergleichsdaten nicht vorliegen. Gegenüber den 1950er Jahren (siehe z. B. die Darstellungen bei Scherney 1955) dürften bundesweit erhebliche Bestandseinbußen eingetreten sein. Als Hauptursache für den Rückgang ist die Intensivierung der landwirtschaftlichen Nutzung anzusehen. Schutzmaßnahmen für die Art sollten auf eine Erhöhung der strukturellen Vielfalt in Ackerbaulandschaften insbesondere durch Förderung von Saumstrukturen und 3–5-jährigen Rotationsbrachen abzielen.

Carabus convexus

Fabricius, 1775

Kurzgewölbter Laufkäfer

Allgemeine Verbreitung: Westpaläarktische Art, fehlt in großen Teilen Nord-, West- und Südwesteuropas. In Deutschland ist sie weit verbreitet und weist in Nordwest- und Westdeutschland kleinere Verbreitungslücken auf.

Vorkommen in Baden-Württemberg: Regional stark differenziert, aus einer ganzen Reihe von Naturräumen liegen keine Nachweise vor. Verbreitungsschwerpunkt in Bad.-Württ. ist die Schwäbische Alb. Zudem kommt die Art im Taubergebiet und weiteren Teile der Neckar-Tauber-Gäuplatten (von den Oberen Gäuen nach Süden bis ins Alb-Wutach-Gebiet), Teilen der Donau-Iller-Lech-Platte, des Oberschwäbischen Hügel- und Moorlandes und im südlichen Oberrhein-Tiefland vor.

Lebensweise und Habitat: Flugunfähige (brachyptere) und räuberische, fakultativ auch nekrophage Art. Hartmann (2007) bezeichnet sie als „eher dämmerungs- und auch wenigstens zum Teil tagaktive“ Art und widerspricht somit Angaben anderer Autoren, die sie als überwiegend nacht-

Carabus convexus.

aktiv einordneten. Paarung und Eiablage (schwerpunktmäßig) im Frühjahr und Larvalentwicklung in den Sommermonaten. Aktive Imagines wurden in Bad.-Württ. nach den ausgewerteten Daten zwischen März und August registriert, mit einem Aktivitätsmaximum im April und Mai.

Bei *C. convexus* handelt es sich um eine xerophile Offenlandart, die unter bestimmten Bedingungen aber auch in Bad.-Württ. Wald-Offenland-Ökotone und stark aufgelichtete Wälder extremer Standortbedingungen (Sand, Fels, Kalkschutt, offener Kies) zu besiedeln vermag und noch in stark durch Gebüschsukzession eingenommenen ehemaligen

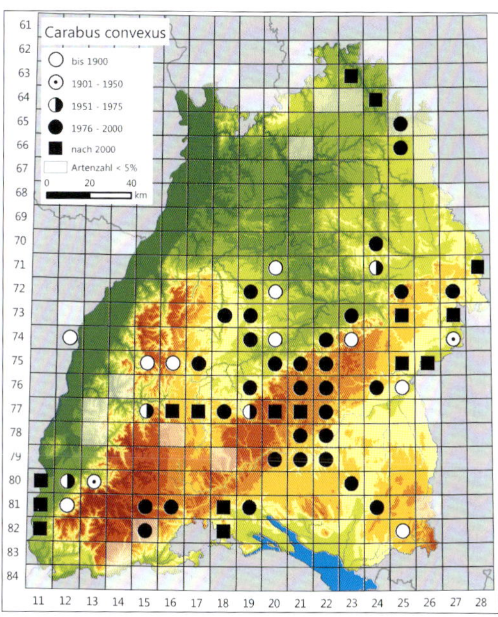

Reste offener Lesesteinriegel bilden einen Bestandteil des Lebensraums von *Carabus convexus*, hier in einer ackerbaulich geprägten Landschaft auf der Hochfläche der Schwäbischen Alb.

Bestände von *Carabus convexus* halten sich auf trockenen und mageren Standorten teilweise noch unter weit fortgeschrittener Gehölzsukzession, wie hier in einem Brachestadium eines ehemaligen Halbtrockenrasens im Taubergebiet. Auch in lichten Waldbeständen dieses Raums kann die Art vorkommen. Foto: J. Rietze.

Halbtrockenrasen ein hohes Beharrungsvermögen zeigt. Schwerpunktlebensräume sind aber skelettreiche Acker- und Weinbaugebiete mit typischen Begleitstrukturen (offene Steinriegel), Magerrasen (v. a. mit Felsen und Schuttfluren) sowie vergleichbare Standorte in Steinbrüchen und Kiesgruben. In hoher Individuenzahl wurde die Art zum Beispiel in den 1980er Jahren auf der nicht rekultivierten Abraumhalde eines Gipsbruches im zentralen Bad.-Württ. nachgewiesen, wo sie zum Beutespektrum der Spinnenart *Gnaphosa lucifuga* gehörte (TRAUTNER 1994b). Auf der Schwäbischen Alb trat die Art in Untersuchungen zu Flurneuordnungsverfahren in einzelnen reich strukturierten Teilräumen individuenreich auf, war in weiteren, strukturärmeren Bereichen aber schon seltener und in einem flurbereinigten Vergleichsgebiet gar nicht nachzuweisen (RECK 1997).

Gefährdung und Schutz: *C. convexus* steht bundesweit auf der Vorwarnliste (Stand 2015), in Bad.-Württ. ist die Art als gefährdet eingestuft (Stand 2005). Aufgrund der Rückgänge geeigneter Lebensräume und der geringen aktuellen Nachweiszahlen muss sie hier aber inzwischen als deutlich stärker gefährdet gelten und ist bei einer Revision der Roten Liste möglicherweise der Kategorie 2 (stark gefährdet) zuzurechnen. Für Thüringen verwies HARTMANN (2007) bereits auf besorgniserregende Rückgänge der Häufigkeit der Art in den meisten dort untersuchten Flächen. Lokal und teils regional befinden sich ihre Bestände in Bad.-Württ. in Auflösung oder sind lokal bereits erloschen. Als Rückgangsursachen sind insbesondere der Verlust offener, nährstoffarmer und skelettreicher Standorte, auch als Begleitstrukturen in ackerbaulich genutzten Landschaften, durch direkte Beseitigung (z. B. im Rahmen von Flurneuordnungen), durch Sukzessionsprozesse aufgrund von Nutzungsausfall oder Pflegedezifiten (letztere z. B. in Steinriegellandschaften der Schwäbischen Alb sowie in aufgelassenen Abbaugebieten) sowie durch Aufforstung oder Rekultivierung einzuschätzen. HARTMANN (2007) vermutet die veränderte landwirtschaftliche Praxis mit stärkerem Einsatz von Agrochemikalien als wichtigen Einflussfaktor. Es besteht wesentlicher Handlungsbedarf zur Stützung und Wiederausdehnung der Bestände. Dies sollte vor allem durch strukturverbessernde Maßnahmen (Neuentwicklung und Pflege, s. Kap. 16.6 und 16.7) geschehen, die zudem einem Monitoring unterliegen sollten.

Carabus coriaceus

Linnaeus, 1758

Lederlaufkäfer

Allgemeine Verbreitung: Über weite Teile Europas (ohne die Iberische Halbinsel und Teile Nord- und Nordwesteuropas) und Kleinasiens verbreitete Art. Sie kommt in Deutschland flächendeckend in geeigneten Lebensräumen vor.

Vorkommen in Baden-Württemberg: In allen Naturräumen Baden-Württembergs nachgewiesen oder zu erwarten und mit hoher Stetigkeit vorkommend, wenngleich nicht immer in hoher Individuendichte. Nur in den Hochlagen des Schwarzwalds scheint die Art großräumiger zu fehlen.

Lebensweise und Habitat: Der größte in Deutschland heimische Laufkäfer erreicht eine Körperlänge von knapp über 4 cm. Flugunfähige (brachyptere) und räuberische Art, die als Larve und Imago weitgehend auf Nackt- und Gehäuseschnecken als Beute spezialisiert ist (ŠERIĆ JELASKA et al. 2014). Ganz überwiegend nachtaktiv, bei THIELE (1977) der Gruppe mit lediglich 0–15 % Tagaktivität zugeordnet. Paarung und Eiablage (schwerpunktmäßig) im Sommer und Larvalentwicklung ab Sommer/Herbst. Aktive Imagines wurden in Bad.-Württ. nach ausgewerteten Daten zwischen April und November registriert, das Aktivitätsmaximum liegt im August und September.

Beim Lederlaufkäfer handelt es sich um eine Waldart mit einer zumindest regional erkennbaren

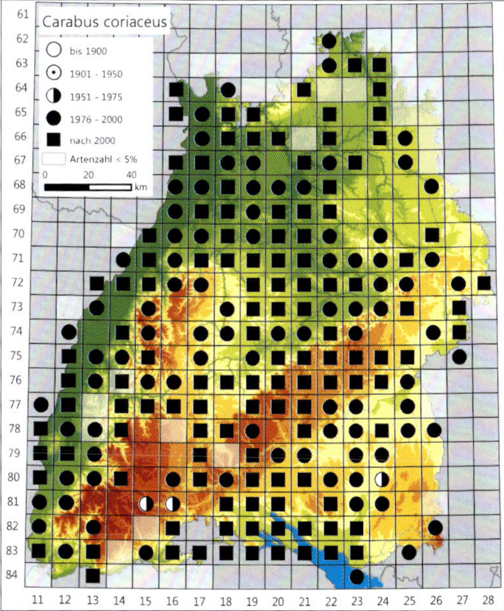

Bevorzugung lichter Wälder sowie von Wald-Offenland-Ökotonen, die insbesondere in Waldrandnähe auch im Offenland (z. B. in Brachflächen) auftritt. Bei Telemetrie-Studien in Nordrhein-Westfalen konnten Riecken & Raths (2000) zeigen, dass lineare Gehölzstrukturen in der Landschaft als Leitlinien und zum Auffinden geeigneter Habitate genutzt werden und zudem eine Präferenz für Wald-Offenland-Ökotone besteht. Baehr (1980) beschreibt sein Auftreten im Schönbuch im zentralen Bad.-Württ. wie folgt: „Im Schönbuch häufig, vor allem in lichten Fichtenwäldern, an Waldrändern, in Gebüsch und in Auwäldern. In geschlossenen Buchenwäldern ausgesprochen selten, häufiger nur in Waldrandnähe. Einzeln auch auf Feldern und Wegen." Bei vergleichenden Untersuchungen zu Bann- und Wirtschaftswäldern in verschiedenen Naturräumen Baden-Württembergs (Trautner et al. 1998) und anderen Erhebungen wurde die Art aber in teils hoher Individuenzahl auch innerhalb großräumiger Waldbestände mit Bestandsschluss des Kronendaches festgestellt, etwa in Buchen-Tannenwäldern sowie in Eichen-Hainbuchenwäldern. Auch aus dichten Fichtenreinbeständen ist die Art nachgewiesen.

Gefährdung und Schutz: *C. coriaceus* ist weder bundesweit (Stand 2015) noch in Bad.-Württ. (Stand 2005) gefährdet. Aufgrund der weiten Verbreitung mit Auftreten in zahlreichen Waldtypen und Wald-Offenland-Übergangsbereichen ist auch keine zukünftige Gefährdung zu erwarten. Kein Handlungsbedarf.

Carabus coriaceus.

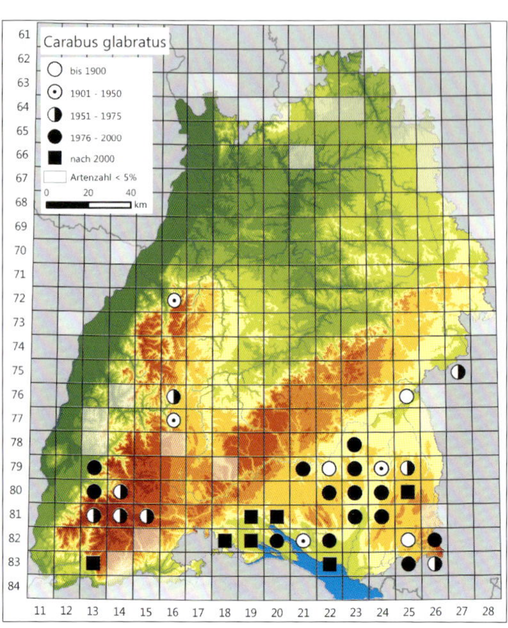

Carabus glabratus

Paykull, 1790

Glatter Laufkäfer

Allgemeine Verbreitung: Europäisch-sibirisch verbreitete Art. In Europa vor allem im Norden und Osten, nach Westen teils diskontinuierlich bis zu den Britischen Inseln, nach Süden bis Norditalien, fehlt ansonsten in großen Teilen Westeuropas und in Südeuropa. Sie ist in Deutschland weit verbreitet, weist im gesamten Bundesgebiet jedoch regionale Verbreitungslücken auf.

Vorkommen in Baden-Württemberg: Auf die Naturräume südlich der Donau (Voralpines Hügel- und Moorland, Donau-Iller-Lech-Platte) sowie auf das Alb-Wutach-Gebiet und Teile des Schwarzwaldes, insbesondere den Hochschwarzwald beschränkt. Einzelne Meldungen aus anderen Naturräumen konnten nicht verifiziert werden. Sie sind als zweifelhaft einzustufen und wurden daher nicht in die Datenbank aufgenommen.

Lebensweise und Habitat: Flugunfähige (brachyptere) und räuberische Waldart, für die bei Untersuchungen in Nordwestdeutschland eine relativ geringe Laufaktivität und eine geringe Tendenz zum Verlassen von Waldlebensräumen festgestellt wurde (Assmann & Günther 2000). Es wird für unser Gebiet von einer Paarung und Eiablage (schwerpunktmäßig) im Frühjahr und einer Larvalentwicklung in den Sommermonaten ausgegangen. Ganz überwiegend nachtaktiv, bei Thiele

Carabus glabratus.

(1977) der Gruppe mit lediglich 0–5 % Tagaktivität zugeordnet. Aktive Imagines wurden in Bad.-Württ. nach den ausgewerteten Daten zwischen Mai und September registriert; für die Angabe eines Aktivitätsmaximums liegen keine ausreichenden Daten vor, mehr Imagines stammen jedoch aus Frühjahrsfängen.

C. glabratus wurde in Bad.-Württ., soweit durch nähere Fundangaben dokumentiert, in Fichten-, Fichten-Tannen- sowie in buchendominierten Waldbeständen nachgewiesen. Für die Fundorte trifft die bei LINDROTH (1985, dort für niedere Lagen) enthaltene Charakterisierung der Lebensräume als vorwiegend dunkle, feuchte und moosreiche Wälder zu. Eine direkte Bindung an historisch alte Waldstandorte, wie sie in Nordwestdeutschland beobachtet wurde (dort Schwerpunktvorkommen, vgl. ASSMANN 1994, 1999), ist in Bad.-Württ. allerdings nicht zu erkennen. So wurde die Art bei eigenen Untersuchungen im Südosten des Landes auch in Flächen festgestellt, die nachweislich um 1800 waldfrei waren. Allerdings lagen im Umfeld Waldbestände, von denen aus eine Einwanderung erfolgen konnte, als später das heute zusammenhängende Waldgebiet entstand.

Gefährdung und Schutz: *C. glabratus* ist weder in der bundesweiten Roten Liste (Stand 2015) noch in Bad.-Württ. (Stand 2005) als gefährdet eingestuft, wird aber aufgrund der eingeschränkten naturräumlichen Verbreitung als Naturraumart im Informationssystem Zielartenkonzept Bad.-Württ. geführt (Stand 2009). Hinweise auf eine Bestandsgefährdung liegen nicht vor, aufgrund der bevorzugten Lebensräume ist auch keine zukünftige Gefährdung absehbar. Es besteht kein Handlungsbedarf.

Carabus granulatus

Linnaeus, 1758

Gekörnter Laufkäfer

Allgemeine Verbreitung: Paläarktische Art, in Europa in größeren Teilen Südeuropas und Teilen Nordeuropas fehlend, in Nordamerika eingeschleppt (BOUSQUET 2012). Sie kommt in Deutschland flächendeckend in geeigneten Lebensräumen vor.

Vorkommen in Baden-Württemberg: Weit verbreitet und in allen Naturräumen Baden-Württembergs nachgewiesen oder zu erwarten. Lediglich im Schwarzwald, dort vor allem in den höheren Lagen, dürfte das großräumige Fehlen von Nachweisen auch mit dem tatsächlichen Fehlen der Art übereinstimmen.

Carabus granulatus.

Lebensweise und Habitat: Die Art weist als eine der wenigen *Carabus*-Arten eine polymorphe Ausbildung der Hinterflügel auf. Individuen mit vollständig ausgebildeten Flügeln sind flugfähig, und es liegen auch entsprechende Flugbeobachtungen aus Europa vor (Lindroth 1992). Allerdings sind dem Autor aus Bad.-Württ. keine solchen Fälle bekannt. Die Tiere leben räuberisch, Beobachtungen von Fraß an Früchten (z. B. Jung 1940) sind vermutlich auf einen Wasserbedarf dieser Tiere zurückzuführen. Paarung und Eiablage (schwerpunktmäßig) im Frühjahr und Larvalentwicklung in den Sommermonaten. Aktive Imagines wurden in Bad.-Württ. nach den ausgewerteten Daten zwischen März und November registriert. Das Aktivitätsmaximum liegt im Mai.

C. granulatus ist eine eurytope Art, für die die Formulierung von Baehr (1980) zum Schönbuch, dass sie dort „in einer Vielzahl von Biotopen [auftritt], soweit sie feucht genug sind", auf ganz Bad.-Württ. übertragbar ist. Zwar kommt die Art in feuchten bis nassen Wäldern einschließlich gewässerbegleitender Gehölze regelmäßig vor, die höchste Stetigkeit erreicht sie in Bad.-Württ. jedoch in Äckern und Grünland auf feuchteren Böden.

Gefährdung und Schutz: *C. granulatus* ist weder in der bundesweiten Roten Liste (Stand 2015) noch in Bad.-Württ. (Stand 2005) als gefährdet eingestuft. Aufgrund der weiten Verbreitung und Eurytopie ist auch keine zukünftige Gefährdung absehbar. Kein Handlungsbedarf.

Carabus hortensis

Linnaeus, 1758

Goldgruben-Laufkäfer

Allgemeine Verbreitung: Europäische Art, im Süden bis Norditalien. In Deutschland erreicht sie aktuell ihre westliche Verbreitungsgrenze und fehlt daher unter anderem in Nordrhein-Westfalen, Rheinland-Pfalz und dem Saarland, während sie von der ostdeutschen Hälfte bis ins nördliche Niedersachsen weit verbreitet ist.

Vorkommen in Baden-Württemberg: V. d. Trappen (1929) kannte nur den Fundort Ulm an der

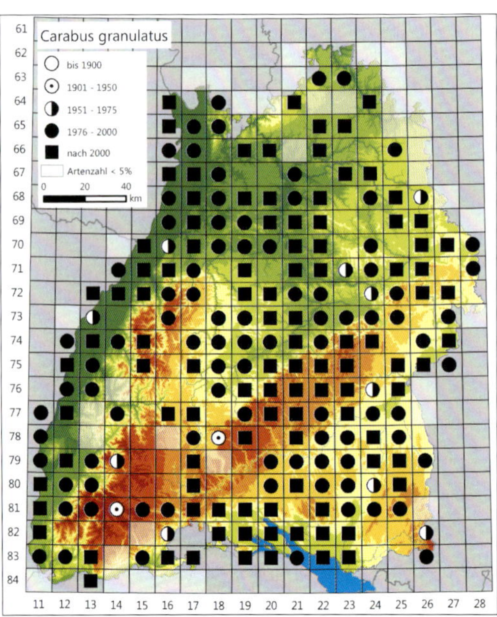

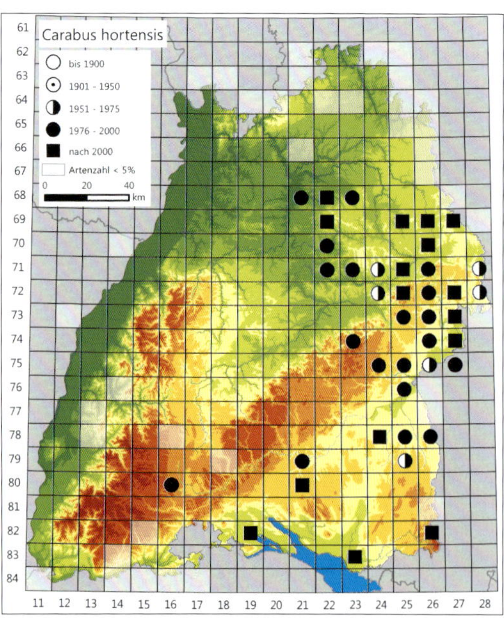

Carabus hortensis.

Ostgrenze Baden-Württembergs („durch Herrn Grassel, der mir auch lebende Stücke schickte“). Erst Ende der 1960er Jahre wurde die Art dann bei Lorch im Schwäbischen Keuper-Lias-Land gefunden (Bernert 1972), später dann zunächst an einzelnen und schließlich an immer mehr Fundorten im östlichen und südöstlichen Bad.-Württ. Das aktuell dokumentierte Verbreitungsgebiet reicht im Schwäbischen Keuper-Lias-Land nach Nordwesten bis an die Grenze der Neckar- und Tauber-Gäuplatten bei Heilbronn und nach Südosten über die Östliche und Mittlere Flächenalb sowie Teile der Donau-Iller-Lech-Platte und des Voralpinen Hügel- und Moorlandes bis an den Oberlauf der Donau. Einzelne Meldungen aus anderen Naturräumen konnten nicht verifiziert werden. Sie sind als zweifelhaft einzustufen und wurden daher nicht in die Datenbank aufgenommen. Während Geiler (1980) für die Art noch konstatierte, dass „ihre westliche Verbreitungsgrenze [...] seit mehr als 100 Jahren beständig geblieben“ sei und sie ihr Areal nicht erweitert habe, liegt nach aktuellem Kenntnisstand inzwischen eine Arealerweiterung in Bad.-Württ. vor, die sich vermutlich auch noch fortsetzt.

Lebensweise und Habitat: Flugunfähige (brachyptere) und räuberische, fakultativ auch nekrophage Waldart. Ganz überwiegend nachtaktiv, bei Thiele (1977) der Gruppe mit lediglich 0–15 % Tagaktivität zugeordnet. Paarung und Eiablage (schwerpunktmäßig) offenbar im Sommer und Larvalentwicklung ab Sommer/Herbst, wobei Geiler (1980) auf eine in seinem Untersuchungsraum (Sachsen) zweigipflige Aktivitätskurve (mit Schwerpunkt im Frühjahr) hinweist und unterschiedliche Interpretationsmöglichkeiten diskutiert. Aktive Imagines wurden in Bad.-Württ. nach ausgewerteten Daten von Mai bis Oktober registriert, mit einem Aktivitätsmaximum im August und September.

C. hortensis besiedelt Wälder unterschiedlicher Typen und Standortbedingungen, scheint aber nasse Standorte zu meiden und kühlere zu bevorzugen. Er tritt auch in reinen Fichtenbeständen in hoher Aktivitätsdichte auf.

Gefährdung und Schutz: *C. hortensis* ist weder in der bundesweiten Roten Liste (Stand 2015) noch in Bad.-Württ. (Stand 2005) als gefährdet eingestuft. Aufgrund der Verbreitung und Lebensräume sowie der offensichtlich rezenten Arealerweiterung ist auch keine zukünftige Gefährdung absehbar. Kein Handlungsbedarf.

Carabus intricatus

Linnaeus, 1760

Blauer Laufkäfer

Allgemeine Verbreitung: In Zentral- und Südosteuropa (ohne den südlichsten Teil) verbreitete Art. In Deutschland liegt ihr Verbreitungsschwerpunkt trotz größerer Verbreitungslücken in der Südhälfte, während sie in Norddeutschland mit Ausnahme des Nordostens weitestgehend fehlt.

Vorkommen in Baden-Württemberg: Verbreitungsschwerpunkte liegen in Teilen der Neckar- und Tauber-Gäuplatten, der Westabdachung des Schwarzwaldes einschließlich seiner Vorberge,

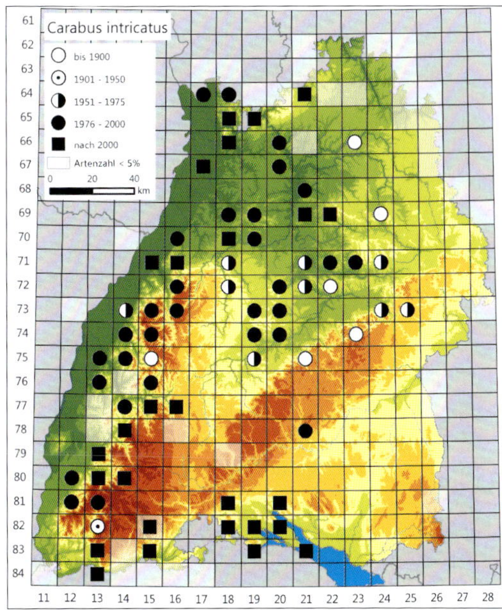

Lebensraum von *Carabus intricatus* in einem Wald des Naturraums Strom- und Heuchelberg oberhalb von Weinbergslagen. Foto: M. Bräunicke.

dem Hegau sowie Teilbereichen des Schwäbischen Keuper-Lias-Landes.

Lebensweise und Habitat: Flugunfähige (brachyptere) und räuberische Waldart. Überwiegend wohl nachtaktiv, es liegen aber einzelne eigene Beobachtungen tagaktiver Imagines aus Bad.-Württ. und aus dem Alpenraum vor. Paarung und Eiablage (schwerpunktmäßig) im Frühjahr und Larvalentwicklung im Sommer. Aktive Imagines wurden in Bad.-Württ. nach ausgewerteten Daten vor allem im Mai registriert, für die Angabe eines Aktivitätsmaximums liegen aber keine ausreichenden Daten vor. Die Imagines sind zum Teil bereits sehr früh aktiv (März).

Carabus intricatus.

C. intricatus besiedelt schwerpunktmäßig Laubwälder der collinen bis submontanen, teils auch noch der montanen Höhenstufe, bevorzugt dabei aber eher lichtere und wärmebegünstigte Bestände. Bei seinen Untersuchungen zu ehemaligen und rezenten Niederwäldern im Mittleren Schwarzwald stellte Hochhardt (2001) fest, dass die Art von der Kahlhiebsphase bis zur Schattenphase des 45-jährigen Niederwalds in allen untersuchten Phasen auftrat, jedoch ihre höchste Aktivitätsdichte in der 3-jährigen, dicht überschirmten Stockausschlagsphase und die zweithöchste in der Schattenphase erreichte. Bei vergleichenden Untersuchungen zu Bann- und Wirtschaftswäldern in verschiedenen Naturräumen Baden-Württembergs (Trautner et al. 1998) konnte die Art nur in einem der Waldgebiete – dort Bannwald und Wirtschaftswald – festgestellt werden; hierbei handelte es sich um Eichen-Hainbuchenwald sowie um Übergänge zwischen diesem und Hainsimsen-Buchenwald. Knapp die Hälfte der mit 13 insgesamt recht wenigen dort registrierten Individuen wurden in einem einschichtigen Bestand mit gedrängtem, aber nicht geschlossenem Bestandsschluss nachgewiesen. Scheurig et al. (1996)

wiesen *C. intricatus* in zwei ihrer Untersuchungsflächen nach, darunter ein Kiefernforst mit Buche und ein Hainsimsen-Buchenwald; nur in letzterem erreichte die Art einen höheren Anteil am Gesamtfang (rezedent). Bei der über mehrere Jahre laufenden Untersuchung einer Waldbrandfläche im Odenwald konnte die Art zwischen 1995 (Beginn der Untersuchung zwei Jahre nach dem Brandereignis) und 1999 in jeweils mehreren Individuen auf der Brandfläche festgestellt werden (Trautner & Rietze 2001). Imagines von *C. intricatus* erklettern Bäume (auch Beobachtungen aus Bad.-Württ.), was wie bei *C. auronitens* einen wichtigen Teil der Aktivität darstellen dürfte. Neben Wäldern kann *C. intricatus* unter anderem auch in Sukzessionsgehölzen und Hecken etwa in Weinbergslagen auftreten (Nachweise in Bad.-Württ. aus dem Raum Heilbronn).

Gefährdung und Schutz: Deutschland liegt im Arealzentrum der Art, beherbergt mehr als 1/10 ihrer weltweiten Populationen und trägt somit eine hohe Verantwortlichkeit für ihren Erhalt (Einstufung !; vgl. Schmidt et al. 2016). *C. intricatus* ist in der bundesweiten Roten Liste (Stand 2015) sowie landesweit (Stand 2005) als gefährdet eingestuft; im Informationssystem Zielartenkonzept Bad.-Württ. (Stand 2009) wird sie als Naturraumart geführt. Die forstliche Nutzung während der letzten Zeit, bei der in Bad.-Württ. das Leitbild mehrschichtiger Bestände mit einheitlich strukturiertem Dauerwald vorherrschte, wird für die Art als ungünstig bewertet. Sie dürfte vielmehr von der nieder- oder mittelwaldartigen Bewirtschaftung in früheren Zeiten profitiert haben sowie möglicherweise sogar von der Kahlhiebsnutzung im Altersklassenwald (soweit es sich vorwiegend um Laubwald statt um Fichtenkulturen handelte). Diese Bewirtschaftungsformen führen zu einem wesentlich heterogeneren Waldbild mit hohem Grenzlinienanteil unterschiedlich alter Bestände und erhöhter Besonnung im Wald. Verbesserungen sollten in Hinblick auf solche älteren Bewirtschaftungsformen verfolgt werden, insbesondere in den Schwerpunktgebieten der Verbreitung von *C. intricatus* sowie in Gebieten, in denen ansonsten noch aktuelle oder annähernd aktuelle Nachweise der Art vorliegen. Es besteht Handlungsbedarf zur Stützung und Wiederausdehnung der Bestände, die zudem auch vor dem Hintergrund der hohen Verantwortung für den Arterhalt einem Monitoring unterliegen sollten.

Carabus irregularis

Fabricius, 1792

Schluchtwald-Laufkäfer

Allgemeine Verbreitung: Art mit kleinem, zentraleuropäisch-montanem Areal. In Deutschland kommt sie nördlich bis zum Teutoburger Wald und dem Harz vor. Sie tritt hier in der Nominatform auf.

Vorkommen in Baden-Württemberg: Verbreitungsschwerpunkte sind die Schwäbische Alb, der westliche Teil des Voralpinen Hügel- und Moorlandes sowie Teile des Schwäbischen Keuper-Lias-Landes. Daneben tritt die Art vor allem in der Baar und im Alb-Wutach-Gebiet sowie im südlichen Hochschwarzwald auf.

Lebensweise und Habitat: Flugunfähige (brachyptere) und räuberische Waldart, zu deren Hauptbeutetieren Gehäuseschnecken gerechnet werden. Überwiegend wohl nachtaktiv, es liegen aber einzelne eigene Beobachtungen tagaktiver Imagines aus Bad.-Württ. vor. Imagines der Art können durch Stridulation Laute erzeugen (Bauer 1975a). Paarung und Eiablage (schwerpunktmäßig) im Frühjahr und Larvalentwicklung im Sommer. Aktive Imagines wurden in Bad.-Württ. nach ausgewerteten Daten von April bis September registriert, mit einem Aktivitätsmaximum im Mai.

C. irregularis besiedelt schwerpunktmäßig montane, feucht-schattige Laub- und Nadelwälder auf kalkhaltigen Böden, wobei hohe Aktivitäts-

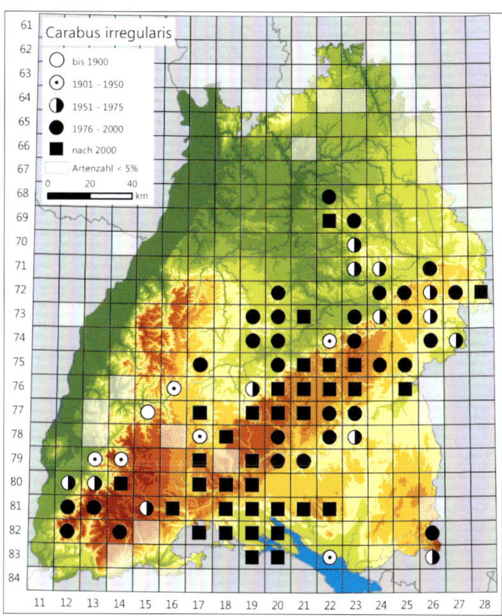

Carabus irregularis.

dichten insbesondere in Hang- und Schlucht- sowie in bachbegleitenden Wäldern registriert wurden. Eine genügend hohe Spezifität oder ein so klarer Schwerpunkt, dass die Art etwa als charakteristische Art des Lebensraumtyps *9180 (Schlucht- und Hangmischwälder) des Anhangs I der FFH-Richtlinie infrage kommen würde, liegen jedoch nicht vor. Überwinternde Imagines können wie diejenigen einiger anderer *Carabus*-Arten (auch mit diesen zusammen, z. B. mit *C. auronitens*) teils in großen Gruppen in morschem Totholz und in Stubben gefunden werden.

Gefährdung und Schutz: Deutschland liegt im Arealzentrum der Nominatform, beherbergt mehr als 1/10 ihrer weltweiten Populationen und trägt somit eine hohe Verantwortlichkeit für ihren Erhalt (Einstufung !; vgl. Schmidt et al. 2016). *C. irregularis* ist in der bundesweiten Roten Liste (Stand 2015) als gefährdet eingestuft, in Bad.-Württ. ist die Art jedoch nicht gefährdet (Stand 2005). Als montane, kühlpräferente und in gewissem Rahmen feuchtebedürftige Waldart können *C. irregularis* zukünftig negativ von klimatischen Veränderungen betroffen sein, worauf Homburg et al. (2014) hinweisen, die potenzielle Veränderungen in Arealteilen modelliert haben. Aufgrund der aktuell relativ weiten Verbreitung vor allem auf der Schwäbischen Alb und des Lebensraumspektrums der Art wird dies aber zumindest vorläufig in Bad.-Württ. nicht als besonderer Risikofaktor gewertet. Mittel- bis langfristig sollte die Bestandsentwicklung überwacht werden, ansonsten besteht aber kein Handlungsbedarf.

Lebensraum von *Carabus irregularis* auf der Schwäbischen Alb. Nachweise gelangen hier etwa im Winterquartier unter der Moosschicht des im Bildvordergrund gezeigten liegenden Stammes.

Carabus monilis

Fabricius, 1792

Feingestreifter Laufkäfer

Allgemeine Verbreitung: Art mit kleinem, atlantisch-westeuropäischem Areal. Sie erreicht in Deutschland ihre nordöstliche Verbreitungsgrenze und kommt vorwiegend im Südwesten und Westen vor, wobei sie nördlich bis in den Bremer Raum gemeldet wird.

Vorkommen in Baden-Württemberg: In nahezu allen Naturräumen Baden-Württembergs nachgewiesen oder zu erwarten, wenngleich mit teils unterschiedlicher Häufigkeit und Stetigkeit; fehlt aber offenbar in Teilen des Schwarzwalds sowie möglicherweise in Teilen der Oberrheinebene.

Lebensweise und Habitat: Flugunfähige (brachyptere) und räuberische, fakultativ auch nekrophage Art. Sie scheint zu einem nennenswerten Anteil tagaktiv, denn es liegt eine Reihe eigener Beobachtungen tagaktiver Imagines aus Bad.-Württ. vor. Paarung und Eiablage (schwerpunktmäßig) im Sommer und Larvalentwicklung dann ab Sommer/Herbst. Aktive Imagines wurden in Bad.-Württ. nach ausgewerteten Daten von April bis September registriert. Das Aktivitätsmaximum liegt im Juni und Juli.

C. monilis ist eine eurytope Art, die Äcker und Grünland in teils hoher Aktivitätsdichte besiedelt, ebenso wie ein bestimmtes Spektrum an Waldstandorten. Bevorzugt werden offenbar bindige und frische bis feuchte Böden im Offenland. In Wäldern tritt *C. monilis* vor allem in lichteren Laubwäldern der Tallagen auf, zudem in Wald-Offenland-Übergangsbereichen. Wie eigene Daten aus Siedlungs- und Siedlungsrandbereichen in Baden-Württemberg zeigen, ist die Art teils noch in kleinen, bis unter 2 Hektar umfassenden und heute stark isolierten Flächen vertreten.

Gefährdung und Schutz: *C. monilis* ist in der bundesweiten Roten Liste (Stand 2015) der Vorwarnstufe zugeordnet, in Bad.-Württ. ist die Art jedoch nicht gefährdet (Stand 2005). Aufgrund der aktuell weiten Verbreitung, des zumindest teilweise individuenreichen Auftretens und des Lebensraumspektrums ist auch mittelfristig keine Gefährdung absehbar. Kein Handlungsbedarf.

Carabus monilis.

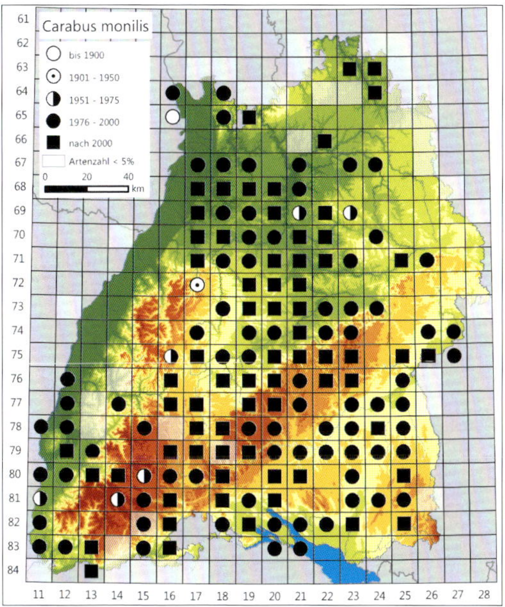

Carabus nemoralis

O. F. Müller, 1764

Hain-Laufkäfer

Allgemeine Verbreitung: Europäische Art, fehlt in Teilen Nordeuropas und fast im ganzen Südeuropa, in Nordamerika eingeschleppt (Bousquet 2012). Sie kommt in Deutschland flächendeckend in geeigneten Lebensräumen vor.

Vorkommen in Baden-Württemberg: In geeigneten Lebensräumen aller Naturräume Baden-Württembergs mit hoher Stetigkeit nachgewiesen oder zu erwarten.

Lebensweise und Habitat: Flugunfähige (brachyptere) und räuberische, fakultativ auch nekrophage Waldart. Ganz überwiegend nachtaktiv, bei Thiele (1977) der Gruppe mit lediglich 0–15 % Tagaktivität zugeordnet. Paarung und Eiablage (schwerpunktmäßig) im Frühjahr und Larvalentwicklung im Sommer. Aktive Imagines wurden in Bad.-Württ. nach ausgewerteten Daten von Februar bis November registriert. Die Art zeigt hier ein erstes Aktivitätsmaximum je nach Höhenlage im Mai oder Juni und ein bis zwei weitere, etwas schwächere Peaks im Sommer sowie im September oder Oktober (s. Rietze 2001).

C. nemoralis ist in Süddeutschland eine euryöke Waldart. Die kurze Charakterisierung ihrer Lebensräume, die Baehr (1980) für den Schönbuch im zentralen Bad.-Württ. erstellt hat, lässt sich weitgehend auf die Situation in ganz Bad.-Württ. übertragen: „Häufig in Wäldern aller Typen, (auch) in Auwäldern und an Waldrändern. Größte

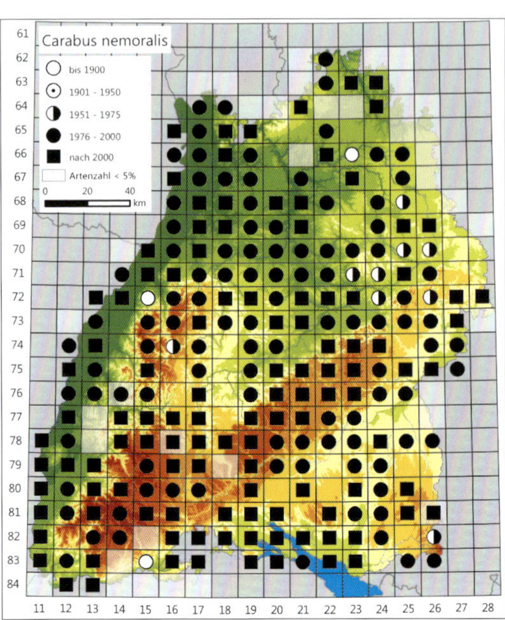

Abundanz in frischen oder feuchten Buchenwäldern.“ Die Art ist lediglich in zu nassen oder sehr trockenen und warmen Waldstandorten nicht oder nur in geringerer Zahl vertreten, sie fehlt zudem teilweise in Wäldern der Schwarzwald-Hochlagen. Gelegentlich strahlt sie ins Offenland, etwa in Brachen aus.

Gefährdung und Schutz: *C. nemoralis* ist bundesweit (Stand 2015) und in Bad.-Württ. (Stand 2005) ungefährdet. Aufgrund der weiten Verbreitung, der Häufigkeit und des Lebensraumspektrums ist auch keine zukünftige Gefährdung absehbar. Kein Handlungsbedarf.

Carabus nemoralis.

Carabus nitens

Linnaeus, 1758

Heide-Laufkäfer

Allgemeine Verbreitung: Nordwestpaläarktisch verbreitete Art, die im Westen und Süden Mitteleuropa, Frankreich und die Britischen Inseln erreicht. In Deutschland war sie mit Ausnahme des Südwestens (Arealgrenze) früher weiter verbreitet. Aufgrund massiver überregionaler Bestandsrückgänge ist sie inzwischen aber in vielen Landesteilen erloschen und weist nur noch punktuell in Ostdeutschland und Nordwestdeutschland wenige isolierte Vorkommen auf.

Vorkommen in Baden-Württemberg: *C. nitens* wurde Ende der 1950er Jahre von P. Dolderer im Asselfinger Moos im Naturraum Donauried an einem Torfstich nachgewiesen. Dabei wurde je ein Exemplar im Mai und September 1958 gefangen (Horion 1959a). Der Fund war belegt und die beiden Individuen in der zwischenzeitlich im Heimatmuseum Heidenheim befindlichen Sammlung Dolderer enthalten. „Die beiden *nitens* werden noch in den Unterlagen des Archivs in einem Schreiben von W. Liebmann erwähnt, als Beispiel für faunistisch wichtige Belege, die dem Schicksal einer Schausammlung entgehen sollten" (Kostenbader 1988). Bei einer Bestandsaufnahme der Sammlung musste Kostenbader (1988), der die Tiere Jahrzehnte zuvor bei einem Treffen von Mitgliedern des Entomologischen Vereins Stuttgart selbst gesehen hatte (Kostenbader, mdl. Mitt.), jedoch feststellen, dass die Exemplare nunmehr in der Sammlung fehlten. Ihr Verbleib ist unbekannt. Ein zeitweise kursierendes Schwarzweißfoto, das angeblich eines dieser Tiere zeigen sollte, ist unzutreffend und bildet kurioserweise eine andere Art (*C. cancellatus*) ab.

Weitere sichere oder als glaubwürdig einzustufende Funde der Art aus Bad.-Württ. gibt es nicht. V. d. Trappen (1929) schrieb zwar, dass für Württemberg „so bestimmte Angaben" vorlägen, dass er sie „trotz aller Zweifel" anführen müsse, wobei er auf Keller (1864: „Einigemal bei Urach; meist im Wald an frischen Gräben.") verweist und zudem die Fundangabe Urlau (nach Pfarrer Müller)

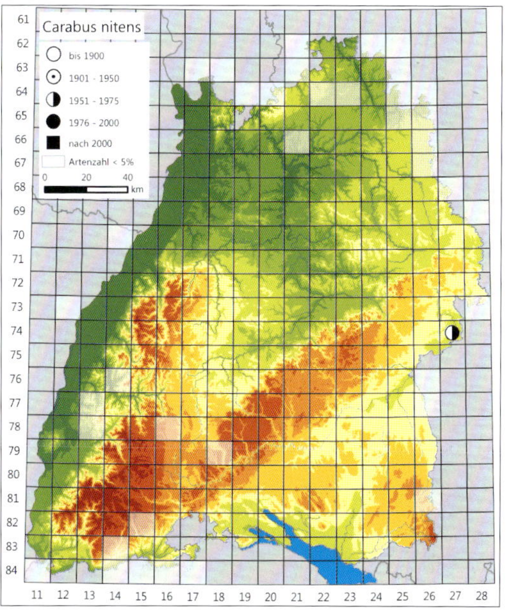

Carabus nitens.

sowie „ein altes Stück von der Geislinger Alb" in der Sammlung des Entomologischen Vereins Stuttgart aufführt. Doch schon Horion (1959a) verwies auf die Zweifelhaftigkeit vieler Angaben aus der Sammlung Müller, da diese einige faunistisch unmögliche Arten beinhalte. Obwohl in Mooren jenes Raumes potenziell geeignete Standortbedingungen existieren oder existierten, wird die Angabe daher nicht berücksichtigt, da keine weiteren Bestätigungen vorliegen. Von der Geislinger Alb gibt es faunistisch abzulehnende alte Belegtiere weiterer Arten und zudem keine potenziell geeigneten Standorte, so dass die Herkunft des entsprechenden Exemplars als zweifelhaft eingestuft wird. Bezüglich der Keller'schen Angabe sprechen bereits die Fundumstände (zumindest dort, wo mehr oder minder geschlossener Wald unterstellt wird) und die naturräumliche Situation zusammen mit den Lebensraumansprüchen der Art gegen die Richtigkeit. Spekuliert werden könnte allenfalls über das als Hochmoorrest kartierte Schopflocher Moor unter früheren Standort- und Nutzungsbedingungen. Allerdings liegt es in einiger Entfernung zu Bad Urach. Potenziell geeignete Standorte sind ansonsten auch aus diesem Raum nicht bekannt.

Lebensweise und Habitat: Flugunfähige (brachyptere) Art, deren Larven sich räuberisch ernähren, während die Imagines zusätzlich auch als (fakultativ) nekrophag eingestuft werden. Sie besiedelt in Heide- und Moorgebieten vorwiegend Initial- sowie Aufbaustadien von Feucht- und Trockenheiden. Unter heutigen Rahmenbedingungen ist sie in ihren Lebensräumen auf ein Pflegemanagement angewiesen, das offene Bodenstellen und eine niedrigwüchsige Vegetation sichert. Im Alpen- und im dealpinen Raum Bayerns und des nördlichen Österreichs zählen oder zählten gut ausgebildete Trockenlebensräume auf Flussalluvionen zu ihren Habitaten.

Das ehemalige Vorkommen der Art im Naturraum Donauried ist gut erklärbar, wenn man die früher dort vorhandenen Standortbedingungen und Nutzungen berücksichtigt. Auszugsweise sei die Schilderung eines Zeitzeugen aus Asselfingen zu Torfstechen, Streugewinnung und Heuernte zitiert (verfügbar gemacht durch die Arbeitsgemeinschaft Donaumoos e. V.): „Wir sind mit dem Fahrrad von Asselfingen aus ins Moos und auf dem Weg zu den Streuwiesen auf Asselfinger Gemarkung geradelt [...]. Eine Streuwiese hatte nicht jedermann, das waren meistens [...] ausgestochene [...] Wiesen, welche später zu sauer zum Heuen waren [...]. Auf den Zankerwiesen ist ja die Torfschicht über 2 m hoch, dort konnte man nur 3 sogenannte Bänke ausstechen, wegen dem Grundwasser [...]. Häufig war auch schon die dritte Bank durch Wassereinbruch gefährdet. Da ließ man dann immer auf der Außenseite einen Streifen vom Torf stehen. Es kam immer wieder vor, dass diese Torfwand einbrach und die dritte Bank im Wasser [...] versoff [...]" (JUNGINGER 2013).

Gefährdung und Schutz: Bundesweit wird *C. nitens* als vom Aussterben bedroht geführt (Stand 2015), in Bad.-Württ. ist die Art ausgestorben. Im Naturraum Donauried in Bad.-Württ. existieren heute nach eigener Einschätzung keine geeigneten Lebensräume mehr. Dies dürfte primär durch die Landnutzung bedingt sein (Melioration, Umwandlung in intensiv landwirtschaftlich genutzte Flächen) sowie durch die Sukzession auf verbliebenen Restflächen. Da keine Hinweise auf noch vorhandene Populationen in Bad.-Württ. oder im grenznahen Bereich Bayerns vorliegen, erscheinen alle Maßnahmen zu einer eigenständigen Wiederetablierung der flugunfähigen Art im Land als wenig erfolgversprechend.

Carabus problematicus

Herbst, 1786

Blauvioletter Laufkäfer

Allgemeine Verbreitung: In West-, Nord- und Mitteleuropa verbreitete Art, die im Südwesten bis zu den Pyrenäen reicht. Sie ist in Deutschland weit verbreitet und fehlt nur im Nordosten (große Teile Mecklenburg-Vorpommerns und Brandenburgs) sowie in Südbayern.

Vorkommen in Baden-Württemberg: Relativ weit verbreitet, aber nicht in allen Naturräumen Baden-Württembergs nachgewiesen. Im Anschluss an die Verbreitungslücke in Südbayern fehlt die Art auch in Bad.-Württ. beinahe vollständig in der Donau-Iller-Lech-Platte sowie im Voralpinen Hügel- und Moorland und tritt erst im Hegau sowie in Grenzbereichen zur Schwäbischen Alb wieder auf. Weitere Verbreitungs- oder Nachweislücken bestehen vor allem in Teilen des Schwarzwaldes und des Schwäbisch-Fränkischen Keuper-Lias-Landes.

Lebensweise und Habitat: Flugunfähige (brachyptere) und räuberische Waldart. Ganz überwiegend nachtaktiv, bei THIELE (1977) der Gruppe mit lediglich 0–15 % Tagaktivität zugeordnet. Paarung und Eiablage (schwerpunktmäßig) im Sommer und Larvalentwicklung ab Sommer/Herbst. Aktive Imagines wurden in Bad.-Württ. nach ausgewerteten Daten von Mai bis November registriert. Das Aktivitätsmaximum liegt im September.

Nach Angaben in der Literatur bevorzugt *C.*

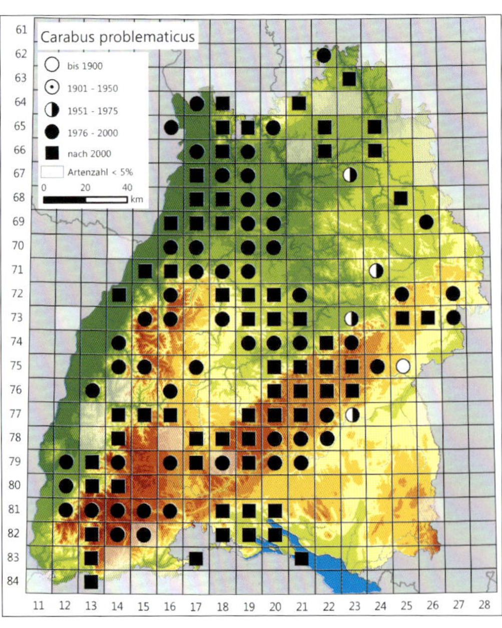

Carabus problematicus. Foto: E. Wachmann.

problematicus Standorte mit deutlich bodensaurer Reaktion (so THIELE 1964, auf den auch BAEHR 1980 Bezug nimmt), in Nordeuropa besiedelt die Art vorwiegend Heiden und wird dort als xerophil eingeordnet (LINDROTH 1992). Aus dem Schönbuch im zentralen Bad.-Württ. gibt auch BAEHR (1980) für die Fundorte eine stark bodensaure Reaktion an (u. a. trockener Kiefernwald, Fichtenwald). Dies lässt sich allerdings nicht auf alle Fundorte in Bad.-Württ. übertragen. So wurde die Art unter anderem auch in Buchen- und in Eichen-Hainbuchenwäldern in hoher Aktivitätsdichte nachgewiesen, an Standorten also, von denen nur ein Teil schwach bis stark bodensauer sein dürfte (u. a. der Hainsimsen-Buchenwald). Einheitlicher scheint dagegen die Bevorzugung von Stellen mit geringer Wasserhaltekapazität zu sein, was mit der bei LINDROTH (1992) unterstrichenen „Xerophilie" der Art übereinstimmt. Derartige Standortverhältnisse finden sich sowohl bei den Waldstandorten etwa im Karstgebiet der Schwäbischen Alb als auch bei denjenigen am Nördlichen Oberrhein auf Sandböden oder jenen auf trockenen Keuperhängen. Teilweise fällt dies mit sauren Böden zusammen. Immer wieder wird *C. problematicus* auch im trockenen Offenland oder in Wald-Offenland-Ökotonen gefunden, etwa auf Wacholderheiden der Schwäbischen Alb. Hierbei dürfte es sich aber um eingewanderte Tiere aus angrenzenden Waldbereichen handeln, und es ist unklar, ob sich die Art dort (regelmäßig) fortzupflanzen vermag.

Gefährdung und Schutz: *C. problematicus* ist bundesweit (Stand 2015) und in Bad.-Württ. (Stand 2005) ungefährdet. Aufgrund der weiten Verbreitung, der Häufigkeit und des Lebensraumspektrums ist auch zukünftig keine Gefährdung absehbar. Kein Handlungsbedarf.

Carabus sylvestris

Panzer, 1793

Bergwald-Laufkäfer

Allgemeine Verbreitung: Im Alpenraum, in Teilen der mitteleuropäischen Mittelgebirge und nach Osten bis in die Nordkarpaten verbreitete Art montaner bis alpiner Lagen, von der mehrere Unterarten beschrieben sind. In Deutschland ist sie auf die Alpen und den Alpenrand, den Schwarzwald, die östlichen Mittelgebirge und kleine Teile der westlichen Mittelgebirge beschränkt, wobei sie im Norden den Harz erreicht.

Vorkommen in Baden-Württemberg: Im Schwarzwald verbreitet. Angaben von der Schwäbischen Alb sind als Fehlbestimmungen zu bewerten, bei Einzelfunden aus dem Rheintal handelt es sich aller Wahrscheinlichkeit nach um verschleppte Tiere oder um Fundortverwechslung. Publizierte Angaben aus dem Odenwald werden derzeit als fraglich bewertet. Die baden-württembergischen Populationen sind der Nominatform zuzurechnen.

Lebensweise und Habitat: Flugunfähige, räuberisch lebende Art, die weitgehend nachtaktiv ist. Freilandbeobachtungen zu Tagaktivität liegen aus

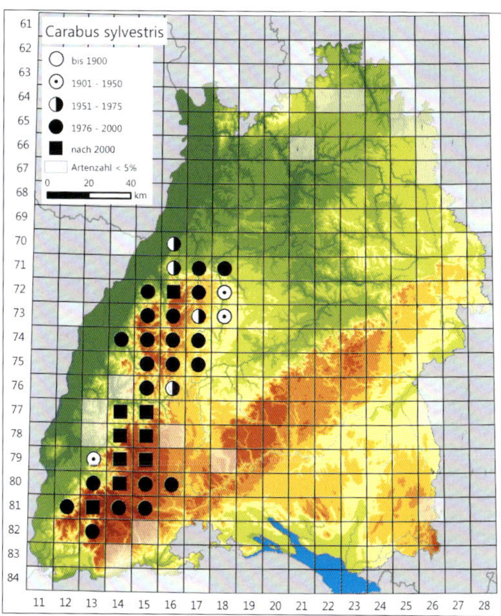

Carabus sylvestris.

Lebensraum von *Carabus sylvestris* in höheren Lagen des Schwarzwaldes.

Bad.-Württ. nicht vor, bei THIELE (1977) wird sie der Gruppe mit 0–15 % Tagaktivität zugeordnet. Paarung und Eiablage (schwerpunktmäßig) im Frühjahr und Larvalentwicklung in den Sommermonaten. Die Imagines überwintern und können dabei gruppenweise in morschem Totholz oder im Mulm von Baumstubben gefunden werden. Aktive Imagines wurden in Bad.-Württ. nach den ausgewerteten Daten zwischen April und Oktober registriert, das Aktivitätsmaximum der Adulten liegt in den Hochlagen aber in den Sommermonaten (vgl. RIETZE 2001).

C. sylvestris ist eine montane Waldart, die in den Hochlagen des Schwarzwaldes auch sehr lichte Waldbestände (z. B. lückige Kiefernbestände der Kammlagen) besiedelt und dort zumindest vereinzelt auch in an den Wald grenzende Offenlandbereiche vordringt. Letztere stellen aber in Bad.-Württ. sicherlich keine wesentlichen Habitate dar, und zudem ist unklar, ob sich die Art dort (regelmäßig) fortzupflanzen vermag. Die Art ist weder an alte Baumbestände noch an historisch alte Waldstandorte gebunden. Sie tritt heute in hoher Aktivitätsdichte in Bereichen des Schwarzwaldes auf, die nachweislich bis Mitte des 19. Jahrhunderts mit Ausnahme einzelner Bäume vollständig entwaldet waren (s. TRAUTNER et al. 1998) und erreicht auch in jüngeren Nadelholzforsten hohe Aktivitätsdichten (z. B. RAUSCH 1993). Die vorliegenden Daten weisen einen deutlichen Vorkommensschwerpunkt von *C. sylvestris* in Fichten- und Kiefernwäldern aus. Allerdings ist dabei zu berücksichtigen, dass diese Baumarten heute in weiten Bereichen des Schwarzwalds überwiegen. Auch in Tannenbeständen kann *C. sylvestris* zu den dominanten Arten der Laufkäferzönose zählen (z. B. RAUSCH 1993), und die teils individuenreichen Nachweise in Schattenphasen submontaner Eichen- und montaner Hasel-Niederwälder durch HOCHHARDT (2001) machen das weite Spektrum der besiedelten Waldtypen deutlich. Die am niedrigsten gelegenen registrierten Funde in Bad.-Württ. (ohne ggf. verschleppte Tiere) stammen aus Höhenlagen von rund 400 m ü. NHN.

Gefährdung und Schutz: Bundesweit (Stand 2015) und in Bad.-Württ. (Stand 2005) ungefährdet. Als montane Waldart könnte *C. sylvestris* zukünftig von klimatischen Veränderungen betroffen sein. Aufgrund der aktuell weiten Verbreitung im Schwarzwald und des Lebensraumspektrums wird dies aber zumindest vorläufig nicht als besonderer Risikofaktor gewertet. Mittel- bis langfristig sollte die Bestandsentwicklung überwacht werden, ansonsten besteht aber kein Handlungsbedarf.

Carabus ulrichii

Germar, 1824

Höckerstreifen-Laufkäfer

Allgemeine Verbreitung: Mittel- und südosteuropäisch verbreitete Art. In Deutschland befindet sich ihre nordwestliche Arealgrenze, wobei sie in der Südhälfte weit verbreitet ist und nördlich bis in den Süden von Brandenburg und Sachsen-Anhalt vorkam, während sie im Norden (Niedersachsen, Schleswig-Holstein, Mecklenburg-Vorpommern) und Westen (Nordrhein-Westfalen) fehlt.

Vorkommen in Baden-Württemberg: In Baden-Württemberg inhomogen verbreitet und in einigen Naturräumen offenbar fehlend, großräumig insbesondere im Schwarzwald. Die Mehrzahl der Funde stammt aus den Neckar- und Tauber-Gäuplatten, dem Schwäbischen Keuper-Lias-Land sowie dem Voralpinen Hügel- und Moorland. Die in Bad.-Württ. registrierten Tiere wurden der Unterart ssp. *fastuosus* Palliardi, 1825, zugerechnet, wobei diese im Internetkatalog von LORENZ (2015) inzwischen synonym zur Stammform gestellt wurde.

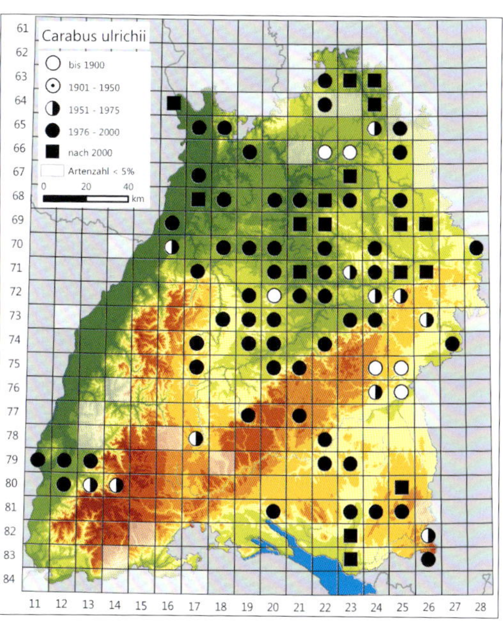

Lebensweise und Habitat: Flugunfähige (brachyptere) und räuberische Art. Von der Art liegen einzelne eigene Beobachtungen tagaktiver Imagines aus Bad.-Württ. vor. Paarung und Eiablage (schwerpunktmäßig) im Frühjahr und Larvalentwicklung im Sommer. ANDORKÓ (2014) zeigte bei Untersuchungen in Ungarn, dass ein Frühjahrspeak der Aktivität mit der Reproduktionsphase (und hoher Aktivität der Weibchen) zusammenfällt, während ein zweiter Peak im August nur auf nahrungssuchende Tiere beider Geschlechter zurückgeht. Aktive Imagines wurden in Bad.-Württ. nach ausgewerteten Daten von April bis September registriert. Das Aktivitätsmaximum liegt im Mai und Juni.

C. ulrichii tritt überwiegend im Offenland auf Äckern mit ihren Begleitstrukturen sowie im Grünland und in Weinbergen und Nutzgärten auf, insbesondere, aber nicht ausschließlich auf Lehm- und Lößböden. Daneben werden in eher geringem Umfang auch vor allem lichte Waldstandorte besiedelt. Funde aus dem Voralpinen Hügel- und Moorland stammen insbesondere aus Feuchtbrachen. Bei Untersuchungen baden-württembergi-

Carabus ulrichii.

scher Dörfer (s. Kap. 13.10) wurde die Art in Gärten mit bäuerlichem Charakter nachgewiesen, auch v. d. Trappen (1929) schreibt bereits: „manchmal in Gärten h[äufig]". Die Art zeigt damit eine gewisse Eurytopie, ist aber – zumindest unter heutigen Rahmenbedingungen – keineswegs allgemein häufig oder stet in der Kulturlandschaft vertreten.

Gefährdung und Schutz: *C. ulrichii* ist in der bundesweiten Roten Liste (Stand 2015) der Vorwarnstufe zugeordnet (Unterart ssp. *fastuosus*), in Bad.-Württ. ist die Art als gefährdet eingestuft (Stand 2005) und ist Naturraumart im Informationssystem Zielartenkonzept Bad.-Württ. (Stand 2009). Die Bestandsentwicklung der Art ist schwer abzuschätzen, da langjährige quantitative Vergleichsdaten fehlen; die Fundzahlen deuten aber auf Rückgänge hin. Nach derzeitigem Stand wird davon ausgegangen, dass die Art eine höhere Empfindlichkeit gegenüber intensiver landwirtschaftlicher Nutzung zeigt und in höherem Maß als einige andere *Carabus*-Arten des Offenlands von extensiv genutzten Flächen oder Begleitstrukturen wie Säumen und Brachen als Teil der jeweils besiedelten Lebensräume abhängig ist. Möglicherweise führt auch Fragmentierung zur Beeinträchtigung der Art. Andorkó (2014) nimmt eine höhere Empfindlichkeit der Art gegenüber Veränderungen im Lebensraum an und führt dies auf ihre eher geringe Fortpflanzungsrate zurück. Es besteht Handlungsbedarf primär im Offenland. Fördermaßnahmen für die Art sollten auf eine Erhöhung der Strukturvielfalt in Acker- und Weinbaulandschaften insbesondere durch Förderung von Saumstrukturen und 3–5-jährigen Rotationsbrachen abzielen. Auch im Grünland besonders des Voralpinen Hügel- und Moorlandes sind strukturelle Verbesserungen mit erhöhtem Angebot an extensiv genutzten Flächen und Begleitstrukturen anzustreben.

Carabus variolosus

Fabricius, 1787

Schwarzer Grubenlaufkäfer

Allgemeine Verbreitung: In Mitteleuropa und Teilen Ost- und Südosteuropas verbreitete Art. Die taxonomische Stellung der Stammform sowie des hier als Unterart ssp. *nodulosus* Creutzer, 1799 eingestuften, in Deutschland auftretenden Taxons ist allerdings noch unsicher. Hier kann nur eine detaillierte phylogeographische, derzeit aber noch ausstehende (s. Schmidt & Trautner 2016) Analyse neue Argumente liefern. Es wurde der Einordnung in der bundesweiten Checkliste und Roten Liste (Schmidt et al. 2016) gefolgt. Auch seitens des Bundesamts für Naturschutz wird das Taxon *nodulosus* aktuell als Unterart von *C. variolosus* aufgefasst (http://www.bfn.de/20526.html). Die Unterart ssp. *nodulosus* hat ein relativ kleines zentraleuropäisches Areal, das sich als schmales Band von Nordwestdeutschland über den Ostalpenrand bis nach Albanien erstreckt, aber überall sehr diskontinuierlich ausgebildet ist; aus großen Teilen des ehemaligen Areals ist das Taxon bereits verschwunden (Schmidt & Trautner 2016). Dies trifft auch auf Deutschland zu, wo die Art nur noch sehr lokale und isolierte Vorkommen im Westen (Nordrhein-Westfalen) und Südosten (Bayern) aufweist. Vergleichsweise nahe zur baden-württembergischen Grenze ist die Art aktuell noch aus Frankreich (Vogesen) belegt.

Vorkommen in Baden-Württemberg: FISCHER (1843) verzeichnet die Art als sehr selten mit „Ehedem auf dem Schlossberg [bei Freiburg i. Br.]". Einzelne weitere Hinweise für den badischen Landesteil in sehr alten Verzeichnissen sind fraglich und wurden nicht in die Datenbank aufgenommen. Für den ehemals württembergischen Landesteil schreibt v. D. TRAPPEN (1929): „Einmal ein Stück in Wolfegg Herrn Pfarrer MÜLLER von einem Schulmädchen lebend übergeben. Einziges Stück, jetzt in der W.N.S. [Württ. Naturalien-Sammlung]." Ihm war nicht bekannt, dass man die Art in Wolfegg noch ein weiteres Mal gefunden hatte, wie später HORION (1959a) darlegt. In den Jahresheften des Vereins für vaterländische Naturkunde in Württemberg wird dieser Fund aufgeführt (Jg. 35, 1879: 199). Er stammt vom Hofapotheker Anton DUCKE (1807–1888) aus Wolfegg, der Mitglied des Vereins war (in HORION 1959a wird der Name irrtümlich als Dacke angegeben). Insoweit liegt eine Bestätigung der MÜLLER'schen Angabe vor. Als zu streichen nennt HORION (1959a) dagegen einen von ihm früher (HORION 1941) gelisteten Fund von Friedrichshafen aus dem 19. Jahrhundert, da die entsprechende Sammlung, auf die sich die Angabe bezog, erst nach 1920 nachetikettiert worden ist.

Die ersten Wiederfunde im 20. Jahrhundert in Bad.-Württ. gelangen PERRAUDIN (1960), und zwar im Schwarzwald bei Freiburg i. Br. (in der Publikation wird wiederum der Raum des Schlossbergs angegeben). Nach gezielter Suche fand er das erste Exemplar im Juni 1955. Es folgten Funde

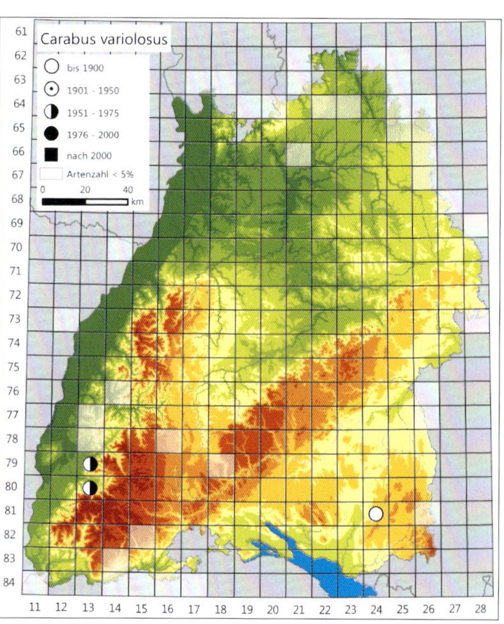

1957 und 1960. PERRAUDIN schildert, der Lebensraum sei durch forstliche Arbeiten und insbesondere den Bau von Forstwegen in jenem Zeitraum aber weitgehend zerstört worden. KLESS (1965) berichtet sodann vom Nachweis der Art in einem Tal des Rosskopfmassivs bei Freiburg i. Br. in den Jahren 1961 und Ende Juni 1963 (s. u.), eine weitere Mitteilung gab GAUSS (1963). Die nähere Lage dieser Fundorte ist bekannt. PAULUS (1982) schreibt später in der Feldberg-Monographie, die Art sei „vor wenigen Jahren an einigen Stellen des Belchen-, Schauinsland- und Feldberggebietes wiederentdeckt" worden. Ob dies neben den oben genannten weitere Funde einschloss, ist unbekannt, entsprechende Nachfragen in den 1990er Jahren verliefen ergebnislos. Allerdings gibt es Hinweise darauf, dass die Art auch an weiteren Stellen und später im Großraum Freiburg i. Br. noch gefunden worden ist. In den 1990er Jahren hat der Autor ein Belegtier gesehen, das wohl 1980 oder 1981 an einem Zufluss der Dreisam gesammelt worden war; Verbleib, Sammler und genauer Fundort blieben aber unbekannt. Frank AUSMEIER (mdl. Mitt.) hat eine kleine Serie an Tieren mit gleicher beschränkter Hintergrundinformation gesehen und Armin SIEPE ein lebendes Tier für Experimente zum Flutverhalten im Rahmen seiner Dissertation erhalten (SIEPE 1989). Auch dieses Tier soll aus dem Freiburger Raum gestammt haben. Spätere stichprobenartige Nachsuchen im

Carabus variolosus ssp. *nodulosus*.

Lebensraum von *Carabus variolosus*. In Baden-Württemberg sind keine aktuellen Populationen der Art mehr bekannt. Das Bild zeigt die Fundstelle eines Individuums in Südbayern, das in den Abendstunden während seiner Aktivität an der Bodenoberfläche nachgewiesen wurde.

Raum Freiburg i. Br. sowie in Wolfegg blieben bisher erfolglos. Leider wurde auch ein Ende der 1990er Jahre gestellter Projektantrag zu einer umfangreicheren gezielten Prüfung auf eventuell verbliebene Vorkommen der Art trotz Unterstützung durch die damalige Bezirksstelle für Naturschutz und Landschaftspflege in Freiburg nicht bewilligt.

Abschließend muss noch auf ein Exemplar von *C. variolosus* hingewiesen werden, das mit dem bei Lauterstein östlich von Göppingen am Albrand gelegenen Fundort „Heldenberg" etikettiert ist. Es befindet sich in der Sammlung von H. Buck und soll von Sepp Bernert (ehem. Schwäbisch Gmünd) gesammelt worden sein (s. Frank & Konzelmann 2002). Bernert hat über seine *Carabus*-Funde ausführlich Buch geführt (vgl. Kostenbader 1994; Kopien liegen dem Autor vor, der auch die Sammlung selbst in Augenschein genommen und daraus Funddaten aufgenommen hat), und es ist höchst unwahrscheinlich, dass er einen solchen dabei ausgelassen hätte. Mit gleicher Etikettierung sind Individuen anderer Arten (insbesondere zahlreiche Individuen von *Cylindera germanica*, die dort ebenfalls gefunden wurde) in diversen Sammlungen vertreten. Es wird als wahrscheinlich angesehen, dass es sich bei diesem *Carabus*-Individuum um eine Fehletikettierung handelt, weshalb die Angabe nicht berücksichtigt wurde.

Lebensweise und Habitat: Flugunfähige (brachyptere) Art, die sich räuberisch und (fakultativ) nekrophag ernährt. Sowohl die Imagines als auch die Larven vermögen im und unter Wasser zu jagen (Sturani 1963). Kless (1965), der ein Tier aus dem Raum Freiburg für 8 Wochen im Terrarium hielt, beobachtete dessen nächtliche Aktivität und schreibt unter anderem: „Bei seinen Streifzügen stieg der Käfer ohne zu zögern auch ins flache Wasser, und zwar mit einem ganz eigentümlichen stelzenden Gang. Er stellte seine langen Beine steil nach unten [...]. Kam das Tier an eine tiefere Stelle und berührte es mit der Körperunterseite den Wasserspiegel, stellte es seine Beine wieder normal seitlich wie andere Carabiden. Es klappte dadurch gleichsam ein Stück nach unten und verschwand bis über die Flügeldeckenränder im Wasser. Das Tier lief dann stets etwas beschleunigt auf dem Grunde entlang, oft auch völlig untergetaucht." Kless (1965) beschreibt weiter, dass es dem Käfer nicht gelang, sich rasch bewegende Tiere (u. a. Bachflohkrebse) im tieferen, freien Wasser zu erbeuten. Wenn man aber die Wassertiefe „auf wenige Millimeter [verringerte], so dass sich die Futtertiere nur langsam vorwärtsarbeiten konnten, wurden sie von dem hochbeinig watenden Käfer bald gefressen". Für die Larven ist dokumentiert, dass sie auf der Wasseroberfläche treibend mit unter den Wasserspiegel gesenktem Kopf und Vorderkörper submers nach Beute suchen können (s. Sturani 1963). Paarung und Eiablage (schwerpunktmäßig) im Frühjahr und Larvalentwicklung im Sommer. Soweit bekannt, stammen die meisten baden-württembergischen Funde aus den Monaten Mai und Juni. Überwinternde Imagines können in morschem Totholz und unter Moospolstern gefunden werden.

Nach den Untersuchungen von Matern et al. (2008) sind die Populationen von *C. variolosus* ssp. *nodulosus* im Verbreitungsgebiet (heute) jeweils mehr oder minder eigenständige Einheiten, die Hälfte der genetischen Varianz wurde zwischen den dabei untersuchten Regionen und Populationen festgestellt. Die Art ist stark hygrophil und auf Lebensräume beschränkt, die an Ufern liegen oder sich durch hohe Bodenfeuchte auszeichnen und offene Bodenstellen aufweisen; sie zeigt dabei eine leichte Präferenz für lückigen Baumbewuchs und meidet saure Böden (Matern et al. 2007). Sämtliche dem Autor bekannten deutschen Fundorte liegen im Waldverband.

Gefährdung und Schutz: *C. variolosus* ist eine Art der Anhänge II und IV der FFH-Richtlinie. Aus großen Teilen des ehemaligen Areals ist die gegenständlich behandelte Unterart bereits verschwunden; im gesamten verbliebenen Verbreitungsgebiet gilt das Taxon als gefährdet oder vom Aussterben bedroht (Turin et al. 2003). Da Deutschland im Hauptareal liegt und mit etwa 1/4 bis 1/3 der Fläche einen wesentlichen Anteil daran umfasst, und da es sich zudem um ein weltweit stark gefährdetes Taxon handelt, besteht eine besonders hohe Verantwortlichkeit Deutschlands für den Erhalt ihrer Populationen (Einstufung !; vgl. Schmidt et al. 2016). Bundesweit ist *C. variolosus* ssp. *nodulosus* als vom Aussterben bedroht eingestuft (Stand 2015), in Bad.-Württ. ist die Art ausgestorben oder verschollen. Dringender Handlungsbedarf besteht zunächst darin, in den Räumen ehemaliger Nachweise eine eingehendere Prüfung auf eventuell noch verbliebene Populationen vorzunehmen. Es ist nicht völlig auszuschließen, dass solche noch existieren. Erst darauf aufbauend können ggf. spezifische Schutz- und Fördermaßnahmen konzipiert und umgesetzt werden.

Carabus violaceus

Linnaeus, 1758

Violettrandiger Laufkäfer

Allgemeine Verbreitung: Europäische Art, von der mehrere Unterarten beschrieben sind. Die westlich verbreitete Unterart *C. violaceus* ssp. *purpurascens* Fabricius, 1787, kommt von der Iberischen Halbinsel bis Mitteleuropa vor, in Deutschland von Westen (Teile Baden-Württembergs, Hessen, Saarland, Rheinland, Westfalen) nach Osten bis Thüringen, Sachsen-Anhalt und in Teilen Brandenburgs (Arndt & Trautner 2006). In Deutschland findet sich östlich des Areals von *purpurascens* überwiegend die Nominatform, unter anderem auch in Bayern und Baden-Württemberg. Außerdem weist sie ein isoliertes Vorkommen in der Eifel auf (Arndt & Trautner 2006).

Vorkommen in Baden-Württemberg: In allen Naturräumen Baden-Württembergs nachgewiesen oder zu erwarten und in geeigneten Lebensräumen teils häufig. *C. violaceus* ssp. *purpurascens* ist in Bad.-Württ. aus dem Naturraum Dinkelberg im äußersten Südwesten, aus dem nordöstlichsten Teil der Neckar- und Tauber-Gäuplatten sowie aus dem Rheintal nachgewiesen. Für den Schwarz-

Carabus violaceus, Nominatform.

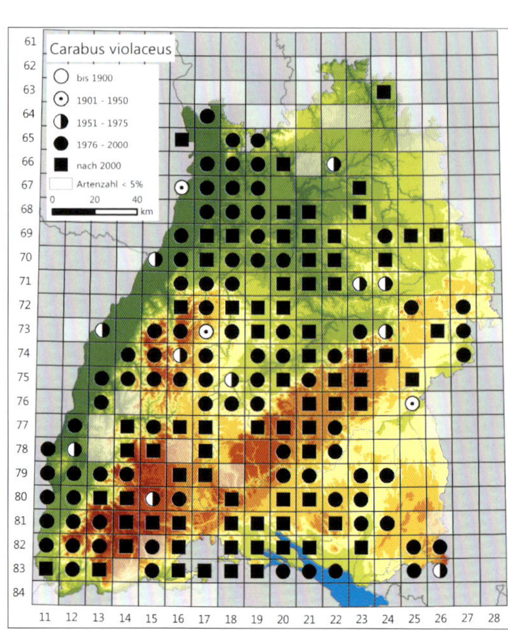

Carabus violaceus ssp. *purpurascens*.

wald und das Voralpengebiet wird die Unterart ssp. *salisburgensis* Kraatz, 1897, genannt (s. Arndt & Trautner 2006), umfangreicheres Material für diese Räume wurde vom Autor nicht überprüft. Ansonsten ist in Bad.-Württ. die Stammform vertreten.

Lebensweise und Habitat: Flugunfähige (brachyptere) und räuberische sowie (fakultativ) nekrophage Art. Paill (2000) zeigte im Rahmen einer zweijährigen Feldstudie in einem Offenlandlebensraum im Südosten Österreichs, dass sich die Imagines und Larven dort überwiegend von Nacktschnecken (in diesem Fall *Arion lusitanicus*) ernährten. Von ihr liegen einzelne eigene Beobachtungen tagaktiver Imagines aus Bad.-Württ. vor. Paarung und Eiablage (schwerpunktmäßig) im Sommer und Larvalentwicklung ab Sommer/Herbst. Aktive Imagines wurden in Bad.-Württ. nach ausgewerteten Daten von Juni bis Oktober registriert. Das Aktivitätsmaximum liegt im August und September.

C. violaceus besiedelt Offenland- und Waldhabitate von der Ebene bis in die hochmontane Zone. Es sind auch von der Stammform sowohl Populationen aus Ackergebieten als auch aus Waldgebieten dokumentiert.

Gefährdung und Schutz: *C. violaceus* ist bundesweit (Stand 2015) und in Bad.-Württ. (Stand 2005) ungefährdet. Die Unterart ssp. *purpurascens* war allerdings aufgrund der damaligen Datenlage in Bad.-Württ. der Kategorie „R" der landesweiten Roten Liste zugeordnet worden (Stand 2005). Dies ist zu streichen, da mittlerweise weitere Funde bekannt geworden sind. Aufgrund der weiten Verbreitung, der Häufigkeit und des Lebensraumspektrums ist auch keine zukünftige Gefährdung der Art absehbar. Kein Handlungsbedarf.

Tribus Notiophilini

M.-A. Fritze

Weltweit sind nach Lorenz (2015) bislang 57 Arten einer Gattung beschrieben, die dieser Tribus zugerechnet werden. In Bad.-Württ. ist sie mit 7 Arten vertreten, deren Imagines im Größenspektrum von rd. 3,5–5,5 mm liegen. Die Imagines haben eine unverwechselbare, nahezu parallelseitige Körperform und sehr große Augen sowie einen unterschiedlich breit ausgebildeten, gegenüber den anderen Tribus erweiterten Zwischenraum zwischen den Flügeldeckenstreifen. Dieser ist in den meisten Fällen als deutlich glänzendes, sogenanntes „Spiegelfeld“ erkennbar.

Notiophilus aestuans.

Notiophilus aestuans

Dejean, 1826

Schmaler Laubläufer

Allgemeine Verbreitung: Art mit zentral- und südosteuropäischem Verbreitungsschwerpunkt. Sie ist aus allen Teilen Deutschlands gemeldet und vor allem in der südlichen Hälfte mit Ausnahme Südbayerns weit verbreitet. Nur im Nord- und Ostdeutschen Tiefland weist sie kleinere Verbreitungslücken auf.

Vorkommen in Baden-Württemberg: In Bad.-Württ. relativ weit, aber inhomogen verbreitet.

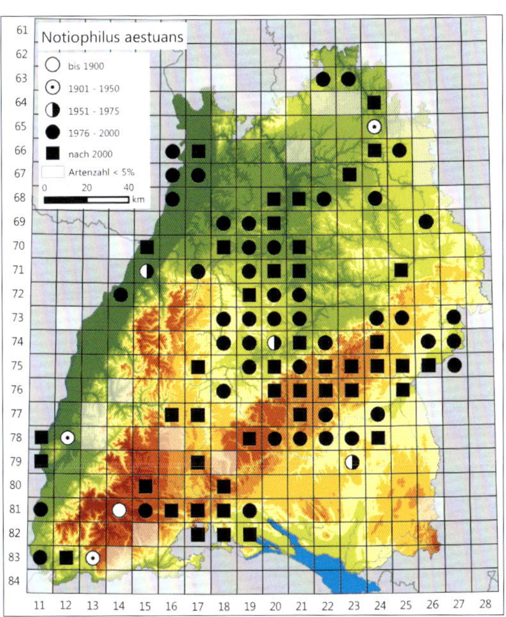

Das Schwerpunktvorkommen liegt in den Neckar- und Täuber-Gäuplatten und auf der Schwäbischen Alb. Die Art fehlt weitgehend im Schwarzwald und im Voralpinen Hügel- und Moorland, auch aus dem östlichen Teil des Schwäbischen Keuper-Lias-Landes liegen kaum Funde vor.

Lebensweise und Habitat: Flugfähige (dimorphe bzw. polymorphe) Art. Paarung und Eiablage erfolgen zu unterschiedlichen Jahreszeiten. Aktive Imagines wurden in Bad.-Württ. nach den ausgewerteten Daten zwischen April und November registriert, mit einem Aktivitätsmaximum im Juni.

N. aestuans kommt bevorzugt in Äckern mit typischen Begleitstrukturen auf Löß- und Kalkverwitterungsböden vor. Die Art fehlt aber auch in entsprechenden Lebensräumen auf Sandboden nicht. Sporadisch tritt sie in weiteren, unterschiedlichen Lebensraumtypen des Offenlands auf, darunter in geringer Stetigkeit auch in Magerrasen. Grundvoraussetzung für ihr Vorkommen scheinen offene, besonnte Bodenstellen zu sein, weshalb die Art in ackerbaulich genutzten Landschaften, zumindest bei ausreichendem Angebot an Saum- und anderen Begleitstrukturen, gute Lebensbedingungen vorfinden kann.

Gefährdung und Schutz: *N. aestuans* wird bundesweit in der Vorwarnliste geführt (Stand 2015), in Bad.-Württ. ist sie nicht gefährdet (Stand 2005). *N. aestuans* zählt zwar zu denjenigen Arten, deren Bestände langfristig durch Nutzungsintensivierung und Umstrukturierung der Anbauformen beeinträchtigt werden können. Auch die Anlage von Dauergrünland auf bisherigen Ackerflächen oder die Etablierung anderer Kulturen wie Kurzumtriebsplantagen beeinträchtigen ihre Vorkommen. Aufgrund der noch als gut einzuschätzenden Bestandssituation in den baden-württembergischen Schwerpunktvorkommen besteht aber derzeit kein Handlungsbedarf.

Notiophilus aquaticus

(Linnaeus, 1758)

Dunkler Laubläufer

Allgemeine Verbreitung: Circumpolar verbreitete Art, in Europa nach Süden und Südwesten hin teils diskontinuierlich vorkommend und in Teilen Südeuropas fehlend. Sie ist vor allem in der nördlichen Hälfte Deutschlands annähernd flächendeckend verbreitet und zeigt nur im Süden (Baden-Württemberg, Bayern) kleinere Verbreitungslücken.

Vorkommen in Baden-Württemberg: Kein geschlossenes Verbreitungsgebiet und aus mehreren Naturräumen vereinzelt gemeldet. Fehlende Nachweise aus den nördlichen und nordöstlichen Naturräumen sind möglicherweise Erfassungslücken und nicht zwangsläufig als tatsächliches Fehlen zu interpretieren.

Lebensweise und Habitat: Flugfähige (dimorphe bzw. polymorphe) und räuberische Art. Paarung und Eiablage (schwerpunktmäßig) im Sommer und Larvalentwicklung ab Sommer/Herbst. Aktive Imagines wurden in Bad.-Württ. nach den ausgewerteten Daten vor allem im Mai und Juni registriert, für die Angabe eines Aktivitätsmaximums liegen aber keine ausreichenden Daten vor.

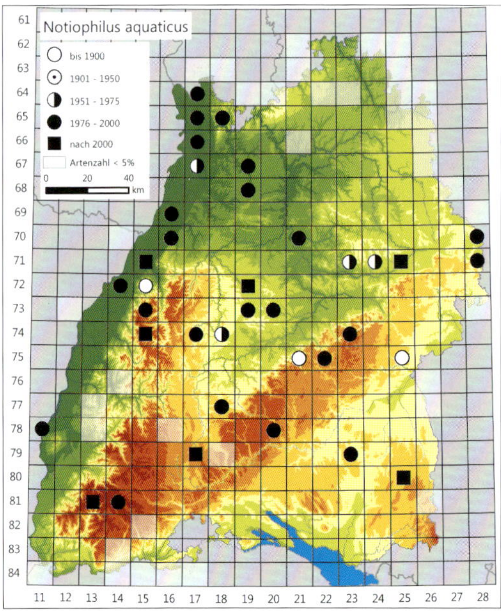

Notiophilus aquaticus. Foto: E. Wachmann.

N. aquaticus tritt in Lebensräumen auf, deren Böden sich durch eine sehr geringe Wasserkapazität auszeichnen. Bevorzugt kommt die Art in Halbtrockenrasen vor, aber auch trockene, verheidete Moore werden besiedelt. Die Binnendünen des Oberrhein-Tieflands bieten gute Lebensbedingungen. Der bestandsbedeutende Lebensraumparameter offener Rohboden mit einer mäßigen, von der Art tolerierten Streuauflage ist hier noch relativ großflächig vorhanden.

Gefährdung und Schutz: *N. aquaticus* ist bundesweit nicht gefährdet (Stand 2015), in Bad.-Württ. ist die Art jedoch als gefährdet eingestuft (Stand 2005). Die relativ geringe Nachweiszahl erlaubt aber derzeit keine Ableitung konkreter Ziele und Schutzmaßnahmen. Einer Verbrachung und Gehölzsukzession auf geeigneten Standorten des im Informationssystem Zielartenkonzept Bad.-Württ. (Stand 2009) als Naturraumart geführten Laufkäfers sollte vor allem in den Sandgebieten des Oberrhein-Tieflands entgegengewirkt werden. Ansonsten wird derzeit kein Handlungsbedarf gesehen.

Notiophilus biguttatus

(Fabricius, 1779)

Zweifleckiger Laubläufer

Allgemeine Verbreitung: Westpaläarktisch verbreitete Art, in Nordamerika eingeschleppt (Bousquet 2012). Sie kommt in Deutschland flächendeckend in geeigneten Lebensräumen vor.

Vorkommen in Baden-Württemberg: Weit verbreitet und in allen Naturräumen Baden-Württembergs nachgewiesen oder zu erwarten. Fehlende Nachweise sind mit hoher Wahrscheinlichkeit Erfassungslücken und nicht als tatsächliches Fehlen zu interpretieren.

Lebensweise und Habitat: Flugfähige (dimorphe bzw. polymorphe) und überwiegend räuberische Art. Die sich optisch orientierenden Imagines sind wie die Larven auf Springschwänze (Collembolen) als hautpsächliche Beutetiere spezialisiert (Bauer 1975b). Paarung, Eiablage und Larvalentwicklung entsprechen nach Ergebnissen von Loreau (1985) und Ernsting et al. (1992) nicht durchgehend der gängigen Klassifizierung nach Phänologietypen. Die Art wird eingestuft als frühjahrsfortpflanzend mit Herbstaktivität und Imaginalüberwinterung (vgl. Larsson 1939, Greenslade 1965, Marggi 1992). Die Ergebnisse, die Loreau bei der Sektion weiblicher Gonaden erhielt, deuten auf einen in Mitteleuropa eher seltenen Fortpflanzungszyklus hin: Nach dem Schlupf der neuen Generation im September folgt im Oktober und November eine weitere Fortpflanzungsperiode. Loreau schließt daraus auf das Auftreten von zwei Generationen pro Jahr. Aktive Imagines wurden in Bad.-Württ. nach den ausgewerteten Daten ganzjährig registriert, mit einem Aktivitätsmaximum im Mai und einem zweiten, kleineren Gipfel im Oktober/November (s. Rietze 2001). Auch für Populationen in Bad.-Württ. ist damit von einem variablen, möglicherweise sogar bivoltinen Lebenszyklus auszugehen.

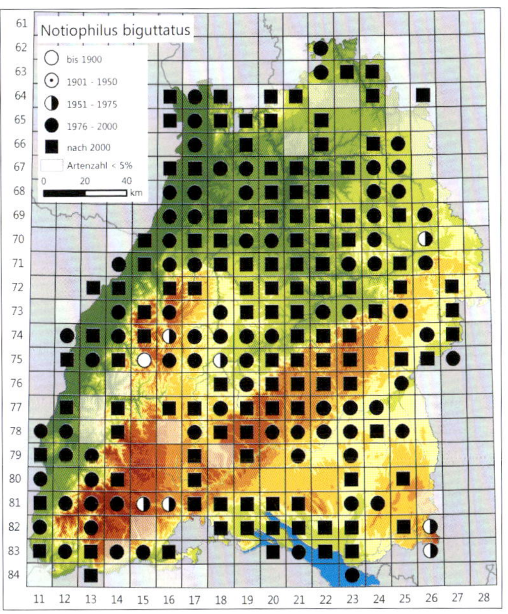

Notiophilus biguttatus.

N. biguttatus ist eine eurytope Art, die in Bad.-Württ. neben einem Verbreitungsschwerpunkt in Wäldern z. B. auch in Äckern mit entsprechenden Begleitstrukturen individuenreicher vorkommen kann und darüber hinaus weitere unterschiedliche Lebensraumtypen besiedelt.

Gefährdung und Schutz: *N. biguttatus* ist bundesweit (Stand 2015) und in Bad.-Württ. (Stand 2005) ungefährdet. Aufgrund der weiten Verbreitung in der offenen Kulturlandschaft und in Wäldern ist auch keine zukünftige Gefährdung absehbar. Es besteht kein Handlungsbedarf.

Notiophilus germinyi

Fauvel in Grenier, 1863

Heide-Laubläufer

Allgemeine Verbreitung: Westpaläarktisch verbreitete Art, die aber auf der Iberischen Halbinsel weitgehend und in anderen Bereichen Südeuropas teilweise fehlt. Sie ist in Deutschland weit verbreitet und weist nur im Osten Bayerns eine größere Verbreitungslücke auf.

Vorkommen in Baden-Württemberg: Kein geschlossenes Verbreitungsgebiet, aber aus den meisten Naturräumen sporadisch bekannt. Keine Nachweise aus den Großteilen des Voralpinen Hügel- und Moorlandes sowie des Schwarzwalds.

Lebensweise und Habitat: Art mit unterschiedlicher Flügelausbildung (dimorph bzw. polymorph), von der nach Auswertungsstand keine Flugbeobachtung vorliegt. Überwiegend räuberische Art. Die Datenlage lässt keine hinreichenden Schlüsse zum jahreszeitlichen Auftreten und zu Aktivitätsmaxima in Bad.-Württ. zu. Aktive Imagines wurden in Bad.-Württ. nach den ausgewerteten Daten von März bis Juni registriert, aus anderen Bundesländern liegen eigene Funde bis in den Oktober hinein vor, und es deutet sich ein Sommermaximum an (August).

N. germinyi tritt in Bad.-Württ. offenbar schwerpunktmäßig auf Standorten mit geringer Wasserkapazität auf. Lichte Waldrandlagen, auf der Schwäbischen Alb auch Begleitstrukturen entlang

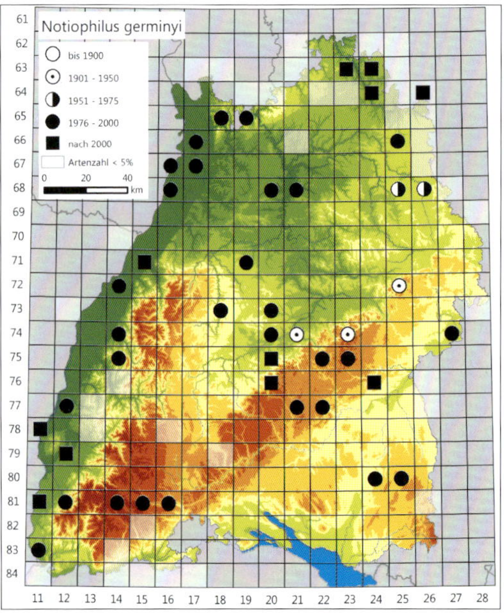

Notiophilus germinyi. Foto: C. Benisch.

von teilweise gehölzbestandenen Steinriegeln in ackerbaulich genutzten Räumen und Wacholderheiden sind als Vorzugslebensräume der Art einzustufen. Sie toleriert eine gewisse Streuauflage, solange der Boden nicht beschattet wird.

Gefährdung und Schutz: *N. germinyi* ist bundesweit ungefährdet (Stand 2015), in Bad.-Württ. wird die Art jedoch als stark gefährdet (Stand 2005) eingestuft, und das Informationssystem Zielartenkonzept Bad.-Württ. (Stand 2009) führt sie als Landesart der Gruppe B. Die Bestandssituation sollte eingehender geprüft werden. Der sukzessions- oder bewirtschaftungsbedingte Verlust offener, warmer Ökotonstrukturen entlang der Waldränder und teils Begleitstrukturen in der Agrarlandschaft gefährden den Fortbestand der Populationen. Die Rücknahme von Gehölzsukzession, die Auflichtung wärmegetönter Waldrandlagen und der Erhalt magerer Saumstrukturen und Magerasen durch Beweidung sind bestandsstützende und -fördernde Maßnahmen.

Notiophilus palustris

(Duftschmid, 1812)

Gewöhnlicher Laubläufer

Allgemeine Verbreitung: Paläarktisch verbreitete Art, in Nordamerika eingeschleppt (BOUSQUET 2012). Sie kommt in Deutschland flächendeckend in geeigneten Lebensräumen vor.

Vorkommen in Baden-Württemberg: Landesweit verbreitet, fehlende Nachweise in der Verbreitungskarte sind als Erfassungslücken, i. d. R. aber nicht als ein tatsächliches Fehlen zu interpretieren.

Lebensweise und Habitat: Flugfähige (dimorphe bzw. polymorphe) und überwiegend räuberische Art. Paarung und Eiablage (schwerpunktmäßig) im Frühjahr und Larvalentwicklung ab Frühjahr/ Sommer. Aktive Imagines wurden in Bad.-Württ. nach den ausgewerteten Daten ganzjährig registriert, mit Aktivitätsmaxima im Mai und einem weiteren angedeuteten im Sommer (Juli).

N. palustris ist eine eurytope Offenlandart. Sie tritt in Bad.-Württ. schwerpunktmäßig in Wiesen und Weiden der planaren bis submontanen Stufe und in Äckern mit typischen Begleitstrukturen außerhalb der Sandgebiete auf. Es sind aber Vorkommen in weiteren unterschiedlichen Habitaten der offenen Kulturlandschaft wie auch in Waldlebensräumen bekannt.

Gefährdung und Schutz: *N. palustris* ist weder bundesweit (Stand 2015) noch in Bad.-Württ. gefährdet (Stand 2005). Aufgrund der weiten Verbreitung in der offenen Kulturlandschaft und dem Vorkommen in unterschiedlichen Habitaten ist auch keine zukünftige Gefährdung absehbar. Es besteht kein Handlungsbedarf.

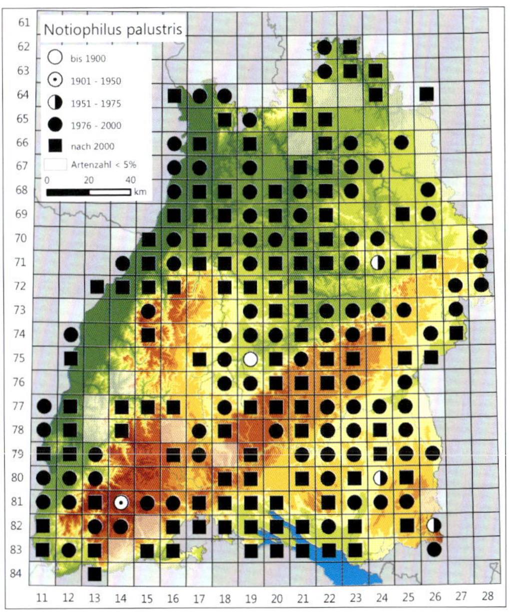

Notiophilus palustris.

Notiophilus quadripunctatus

Dejean, 1826

Vierpunktiger Laubläufer

Allgemeine Verbreitung: Art mit westmediterranem Verbreitungsschwerpunkt. In Baden-Württemberg (Oberrheinebene) ist diese Arealerweiterin 2001 erstmals sicher für Deutschland nachgewiesen worden und konnte seit 2011 nun auch für Nordrhein-Westfalen gemeldet werden (HANNIG 2015).

Vorkommen in Baden-Württemberg: In Bad.-Württ. nur lokal im Oberrhein-Tiefland, von hier stammen die deutschen Erstnachweise (HEMMANN & TRAUTNER 2002). Zwischenzeitlich folgten weitere Funde (u. a. SCHANOWSKI & SCHIEL 2004). *N. quadripunctatus* ist leicht mit der sehr ähnlichen Art *N. biguttatus* zu verwechseln und war früher bereits mehrfach fehlerhaft aus Deutschland gemeldet worden. Schon HORION (1941) wies auf variable Merkmalsausprägungen hin: „Bisher habe ich noch kein richtiges Exemplar aus Deutschland [...] gesehen. Es gibt nicht allzu selten aberrative *biguttatus*-Stücke, die meistens auf einer Flügeldecke, manchmal aber auch auf beiden, zwei dorsale Punktgruben haben; ich habe selbst ein solches Stück gefangen und manche gesehen, die für *quadripunctatus* gehalten wurden." Auf die Variabilität der Unterscheidungsmerkmale deuten

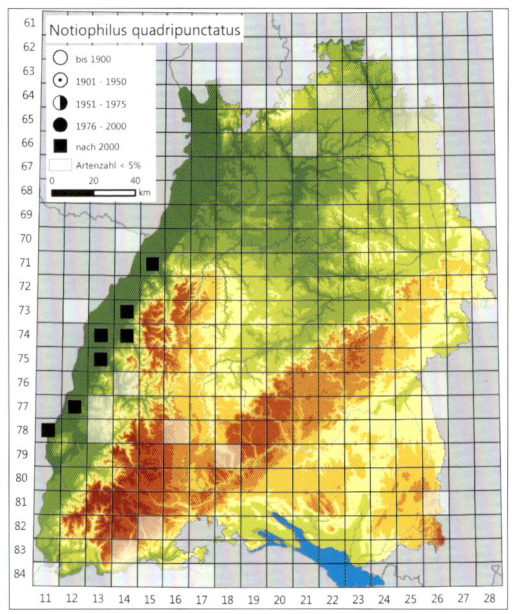

auch *N. quadripunctatus*-Individuen mit zumindest einseitig reduzierten Flügelporenpunkten hin (Hannig, in lit.). Um die weitere Ausbreitung und Bestandsentwicklung zu beobachten, ist es daher wichtig, alle Unterscheidungsmerkmale beider Arten (vgl. Hemmann & Trautner 2002) zu beachten.

Lebensweise und Habitat: Art mit unterschiedlicher Flügelausbildung (dimorph bzw. polymorph), von der nach Auswertungsstand keine Flugbeobachtung vorliegt. Paarung und Eiablage (schwerpunktmäßig) im Frühjahr und Larvalentwicklung ab Frühjahr/Sommer. Aktive Imagines wurden in Bad.-Württ. nach den ausgewerteten Daten zwischen Mai und September registriert. Aussagen zu einem Aktivitätsmaximum sind nach gegenwärtigem Kenntnistand nicht möglich.

N. quadripunctatus ist eine eher eurytope Art, die in Belgien, den Niederlanden und in Nordrhein-Westfalen in unterschiedlichen offenen sowie in gehölzbestandenen Lebensräumen gefunden wurde (Desender et al. 2008, Hannig 2015, Heijerman & Aukema 2014). In Bad.-Württ. tritt sie in landwirtschaftlich genutzten Flächen und dort in eher intensiv genutzten Obstbaumbeständen sowie auf Äckern und in Hecken auf Schwemmlöss auf (Hemmann & Trautner 2002). Ein weiterer, neuerer Fund stammt aus einem Edellaubholzforst des Oberrheins auf lehmigem Substrat (Schanowski & Schiel 2004).

Gefährdung und Schutz: *N. quadripunctatus* ist bundesweit noch als extrem selten (Kategorie R, Stand 2015) eingestuft, in Bad.-Württ. aber ungefährdet (Stand 2005). Die Art befindet sich in einer Ausbreitungsphase, die aller Wahrscheinlichkeit nach mit klimatischen Veränderungen zusammenhängt. Es besteht kein Handlungsbedarf.

Notiophilus quadripunctatus. Foto: T. Tolasch.

Notiophilus rufipes

Curtis, 1829

Gelbbeiniger Laubläufer

Allgemeine Verbreitung: Von Westeuropa bis in den ostmediterranen Raum verbreitete Art, die in Nord- und Nordosteuropa fehlt. Mit einem Verbreitungsschwerpunkt in der westlichen Hälfte Deutschlands ist sie lückig, aber weit verbreitet und wird nur aus Bayern sehr lokal und vereinzelt gemeldet.

Vorkommen in Baden-Württemberg: In den wärmeren planaren bis collinen Gebieten des Oberrhein-Tieflands sowie in den Neckar- und Tauber-Gäuplatten verbreitet, aber nicht flächendeckend vorkommend. In submontanen Lagen des Schwarzwalds und des Hochrheingebiets nur in wärmebegünstigten Bereichen. Die Art fehlt großräumig in den montanen Lagen des Schwarzwaldes und auf der Schwäbischen Alb. Bisher keine Nachweise aus dem Bereich der Donau-Iller-Lech-Platte. Im Voralpinen Hügel- und Moorland ausschließlich im wärmebegünstigten westlichen Bodenseegebiet nachgewiesen.

Lebensweise und Habitat: Flugfähige (dimorphe bzw. polymorphe) und überwiegend räuberische Art. Paarung und Eiablage (schwerpunktmäßig)

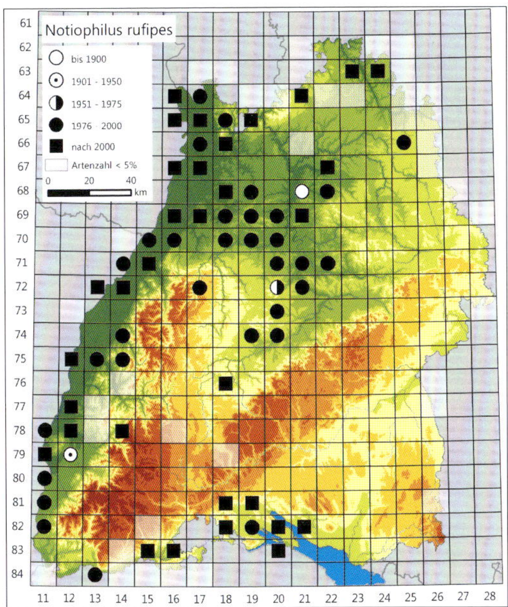

Notiophilus rufipes. Foto: C. Benisch.

Lebensraum von *Notiophilus rufipes* am Westrand des Schwarzwalds oberhalb von Baden-Baden.

im Frühjahr und Larvalentwicklung ab Frühjahr/Sommer. Aktive Imagines wurden in Bad.-Württ. ganzjährig registriert, mit einem deutlichen Aktivitätsmaximum im April/Mai und einem kleinen Nebengipfel von September bis November.

N. rufipes ist die einzige Art der Gattung in Bad.-Württ. mit einer weitestgehenden Beschränkung auf Waldlebensräume. Die wärmeliebende Art bevorzugt lichten Laubwald, kommt aber auch in Laub-Nadel(Kiefer)-Mischwäldern vor. Von trockenen Waldrandbereichen ausgehend, dringt die Art nur sporadisch in unterschiedliche Lebensraumtypen der offenen Kulturlandschaft vor.

Gefährdung und Schutz: *N. rufipes* ist bundesweit ungefährdet (Stand 2015), in Bad.-Württ. wird die Art aber in der Vorwarnliste geführt (Stand 2005). Die forstliche Nutzung der letzten Jahrzehnte mit dem Ziel, dichtere und unterwuchsreiche Wälder zu etablieren, könnte negative Auswirkungen auf die Bestandsentwicklung dieser wärmeliebenden Art der eher lichten Waldstandorte haben. Inwieweit daraus Handlungsbedarf abgeleitet werden kann, ist aber derzeit noch nicht abzuschätzen.

Leistus ferrugineus.

Tribus Nebriini

I. Harry & J. Trautner

Weltweit sind nach Lorenz (2015) bislang 659 Arten aus 3 Gattungen beschrieben, die dieser Tribus zugerechnet werden. In Bad.-Württ. ist sie mit 17 Arten vertreten, deren Imagines eine Größe von rd. 5,5–16 mm erreichen. Die einheimischen Arten haben deutlich zur Basis verengte Halsschilde und vergleichsweise dünne Beine.

Leistus ferrugineus

(Linnaeus, 1758)

Gewöhnlicher Bartläufer

Allgemeine Verbreitung: Von Nordwestspanien über die Pyrenäen und den Alpenraum nach Südosten bis in den Appenin, die Karpaten und Gebirgsregionen der Balkanhalbinsel verbreitete Art. Sie kommt in Deutschland flächendeckend in geeigneten Lebensräumen vor.

Vorkommen in Baden-Württemberg: In allen Naturräumen Baden-Württembergs nachgewiesen

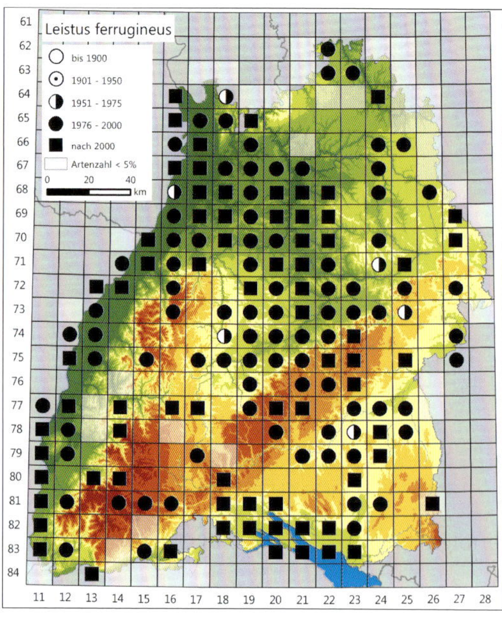

oder zu erwarten und mit hoher Stetigkeit anzutreffen. Im Schwarzwald relativ geringe Nachweisdichte, wenngleich die Art hier bis in die Hochlagen vorkommen kann (z. B. Lauterborn 1924).

Lebensweise und Habitat: Flugfähige (dimorphe bzw. polymorphe), räuberische Art. Paarung und Eiablage (schwerpunktmäßig) im Sommer und Larvalentwicklung ab Sommer/Herbst. Aktive Imagines wurden in Bad.-Württ. nach den ausgewerteten Daten annähernd ganzjährig festgestellt, wobei die Art im Jahresverlauf erst ab Juni häufiger gefangen wird. Baehr (1980) stellte für den Schönbuch im zentralen Bad.-Württ. ein ausgeprägtes Herbstmaximum zwischen Mitte September und Mitte Oktober fest.

L. ferrugineus ist eine eurytope Art, von der aus nahezu allen baden-württembergischen Lebensraumtypen Nachweise vorliegen. Am häufigsten wird sie in Ruderalflächen und Brachen sowie in Wald-Offenland-Übergangsbereichen nachgewiesen, sie tritt aber auch im Grünland, an Ufern, auf Äckern und in verschiedenen Waldtypen stet und teils individuenreich auf.

Gefährdung und Schutz: *L. ferrugineus* ist bundesweit (Stand 2015) und in Bad.-Württ. (Stand 2005) ungefährdet. Es ist auch keine zukünftige Gefährdung absehbar. Kein Handlungsbedarf.

Leistus fulvibarbis. Foto: O. Bleich.

Leistus fulvibarbis

Dejean, 1826

Westlicher Bartläufer

Allgemeine Verbreitung: In Westeuropa und dem Mittelmeerraum verbreitete Art. Erstmals Ende der 1980er Jahre sicher für Westdeutschland belegt mit seither an Häufigkeit und Verbreitung zunehmender Tendenz (Hannig 2010). Von den Ostfriesischen Inseln im Nordwesten mit einem Verbreitungsschwerpunkt in Nordrhein-Westfalen über Rheinland-Pfalz, das Saarland und Hessen bis nach Baden-Württemberg verbreitet.

Vorkommen in Baden-Württemberg: Obwohl historische grenznahe Funde aus der Schweiz bei Basel vorliegen (Stierlin 1900) und Horion (1941) ein Vorkommen der Art in Südbaden vermutet, gibt es keine historischen Angaben oder Belege aus Bad.-Württ. Der Erstnachweis erfolgte hier im Jahr 2003 im Oberrhein-Tiefland bei Rheinhausen-Niederhausen (Schanowski & Schiel 2004). Es folgten mehrere weitere Nachweise und es „ist davon auszugehen, dass die Art mittlerweile geeignete Habitate entlang der gesamten Rheinauen besiedelt hat" (Schanowski 2013).

Lebensweise und Habitat: Art mit vollständig entwickelten Hinterflügeln (makropter), von der nach Auswertungsstand keine Flugbeobachtung vorliegt. Räuberische Art. Paarung und Eiablage (schwerpunktmäßig) nach Turin (2000) im Sommer und Larvalentwicklung ab Sommer/Herbst, was mit dem bereits bei Trautner & Schüle (1996) aufgeführten Fund einer deutlich unausgefärbten Imago im Mai zusammenpasst. Hannig

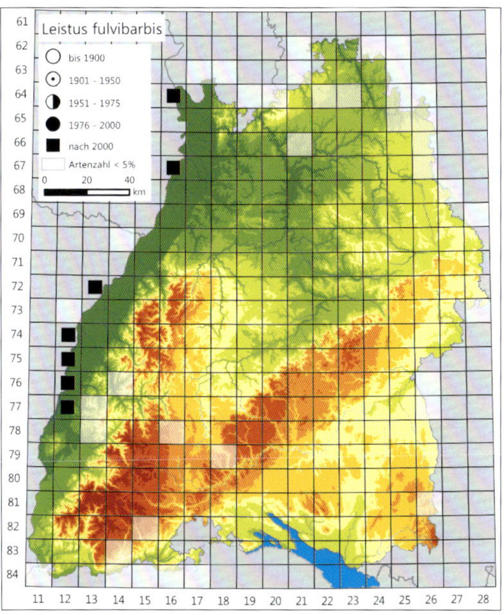

(2010) verweist allerdings auf Imaginalfunde auch im Winterhalbjahr, so dass zumindest teilweise Imaginalüberwinterung vorliegt. Aktive Imagines wurden in Bad.-Württ. nach den ausgewerteten Daten zwischen April und Juni festgestellt, für weitergehende Angaben zu Phänologie und Aktivitätsmaximum liegen keine ausreichenden Daten aus Bad.-Württ. vor. Bundesweit verteilen sich die von Hannig (2010) ausgewerteten Daten „ganzjährig mit einem klaren Schwerpunkt im Mai und Juni sowie einem weiteren kleinen Herbstpeak im September".

L. fulvibarbis wird von Hannig (2010) nach Literaturangaben und eigenen Befunden als eurytope Art charakterisiert, die „primär zumindest teilbeschattete Lebensräume sowie mäßige bis periodisch stauende Feuchtigkeitsverhältnisse bevorzugt [...]. Diese Bedingungen sind scheinbar am häufigsten in den unterschiedlichen Ausprägungen von Nass- und Feuchtwäldern erfüllt [...]." Dies korrespondiert gut mit den Verhältnissen an den beiden von Schanowski & Schiel (2004) beschriebenen Nachweisstellen bei Rheinhausen. „Diese stammen aus einer inmitten von Maisäckern gelegenen Schlut, deren Vegetation von ruderalisierten Schilfröhrichten, Seggenrieden und kurzen Heckenabschnitten geprägt war, sowie aus dem Bereich eines schlammigen Seitengerinnes des sog. ‚Inneren Rhein', das von einem Uferseggenried (Caricetum ripariae) bewachsen war und innerhalb einer kleinen Pappelaufforstung lag. Bei hohen Rheinwasserständen wurden die Fundstellen überstaut" (Schanowski 2013).

Gefährdung und Schutz: *L. fulvibarbis* ist weder bundesweit (Stand 2015) noch in Bad.-Württ. (Stand 2005) als gefährdet eingestuft. Die Art befindet sich aktuell in Ausbreitung. Eine Gefährdung ist trotz der bisher wenigen Nachweise in Bad.-Württ. nicht zu erkennen und auch zukünftig nicht absehbar. Kein Handlungsbedarf.

Leistus montanus

Stephens, 1828

Pechbrauner Bartläufer

Allgemeine Verbreitung: Die Art kommt in Europa im Westen von Irland, Großbritannien und Nordspanien nach Osten bis in die westliche Ukraine vor, wobei das Gesamtareal disjunkt ist und sich aus heute offenbar separierten, überwiegend in den Mittel- und Hochgebirgen anzutreffenden Populationen zusammensetzt (Fritze & Hannig 2010). Dies trifft auch auf Deutschland zu, wo neben historischen Nachweisen aus Rheinland-Pfalz aktuelle Vorkommen aus Baden-Württemberg, Bayern und Sachsen bekannt sind.

Vorkommen in Baden-Württemberg: Schwerpunktvorkommen auf der Schwäbischen Alb und im Schwarzwald, zudem im Odenwald bei Heidelberg und auf einzelnen Vulkanen des Hegaus vertreten. Bei Fritze & Hannig (2010) ist in der Verbreitungskarte einer der Fundpunkte aus Bad.-Württ. verschoben: Aus dem Kartenblatt 7922 liegen keine Funde vor. Die Taxonomie der Art, insbesondere die Aufteilung in verschiedene Unterarten, ist noch nicht abschließend geklärt. Von Farkač & Fassati (1999) wurden keine Tiere aus Bad.-Württ. untersucht.

Lebensweise und Habitat: Zwar makroptere, aber dennoch aufgrund der bislang dokumentierten Flügeldimensionierung (s. Paill et al. 2012) und des Fehlens von Flugbeobachtungen höchstwahr-

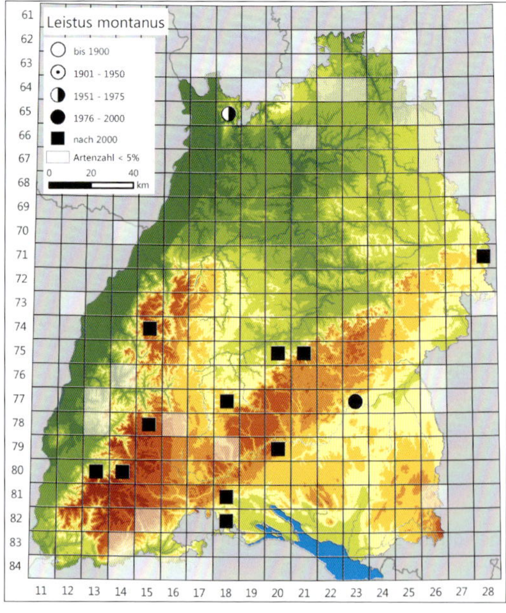

scheinlich flugunfähige Art, die räuberisch lebt. Auch deuten die teils kleinräumig morphologisch stark differenzierten Populationen auf lange Isolation und damit eine sehr geringe Ausbreitungsfähigkeit der Art hin (Farkač & Fassati 1999; Assmann 2004). Paarung und Eiablage (schwerpunktmäßig) im Sommer und Larvalentwicklung ab Sommer/Herbst. Aktive Imagines wurden in Bad.-Württ. nach den ausgewerteten Daten vorwiegend zwischen April und Juli mit einem Schwerpunkt im Mai und Juni registriert, in den beiden zuletzt genannten Monaten auch unausgefärbte Tiere. Imagines sind vorwiegend in den Nachtstunden aktiv, wo sie durch Ableuchten frei auf Steinen sitzend oder laufend gefunden werden können. Schwerpunktmäßig wird von larvaler Überwinterung ausgegangen (s. auch Paill et al. 2012). Allerdings wurden aktive Imagines von *L. montanus* auch im November in Anzahl nachts auf einer Blockhalde im Oberen Donautal beobachtet (Tolasch, in. lit.: 11. 11. 2014, > 10 Ex), was zusammen mit einem wahrscheinlichen Fund der Art im Winterlager in Totholz auf einer Blockhalde im Nordschwarzwald in den 1980er Jahren (leg.

Leistus montanus.

Noch offene Blockschutthalde am Rand der Schwäbischen Alb. *Leistus montanus* ist hier individuenreich vertreten. Trotz der extremen Standortbedingungen besteht auch hier langfristig die Gefahr, dass der lokale Bestand durch vordringende Gehölzsukzession und Verschattung erlischt.

Trautner; Individuum allerdings im Gelände verloren gegangen) darauf hinweist, dass neben der gewöhnlichen Überwinterung als Larve auch imaginale Überwinterung auftritt.

L. montanus besiedelt „überwiegend Block- und Schutthalden von der montanen bis in die alpine Höhenstufe. Viele in der Literatur dokumentierte Beobachtungen (z.B. Fritze & Hannig 2010) weisen darauf hin, dass relativ kühle und feuchte Kleinbiotope, die in trockenwarme Makro-Biotope eingebettet sind, bevorzugt besiedelt werden" (Paill et al. 2012; in diesem Sinne auch Heinz 2002). In Bad.-Württ. gibt es eine deutliche Häufung der Nachweise auf südlich bis südwestlich exponierten und dabei unbeschatteten Blockhalden und Felsgrusfluren, teils in Kombination mit zerklüfteten Felsen. Ein Fund in einem alten Lesesteinriegel im Odenwald (leg. Heinz, s. Fritze & Hannig 2010) zeigt, dass in Ausnahmefällen auch strukturell und klimatisch passende Sekundärhabitate besiedelt werden können, wobei mit hoher Wahrscheinlichkeit Populationen im nahen Umfeld als „Spenderpopulationen" bestanden. Im Vergleich zu den beiden *Oreonebria*-Arten (s. dort) werden insgesamt wärmere und trockenere (Mikro-)Habitate besiedelt, wobei die Art allerdings auch syntop mit *Oreonebria castanea* und *L. piceus* festgestellt wurde. *Leistus montanus* ist als charakteristische Art der Lebensraumtypen 8150 und *8160 (Silikatschutthalden, Kalkschutthalden) aus Anhang I der FFH-Richtlinie einzustufen.

Gefährdung und Schutz: Für *L. montanus* wird aufgrund der besonderen Lebensraumansprüche eine Separation aller aktuell bekannten außeralpinen Vorkommen als sehr wahrscheinlich erachtet. Zudem wird Untersuchungsbedarf gesehen, um die Verantwortlichkeit Deutschlands für den Erhalt der Populationen zu klären; eine besondere Verantwortlichkeit gilt derzeit als fraglich (Kategorie ?, s. Schmidt et al. 2016). Bundesweit (Stand 2015) ist *L. montanus* als extrem seltene Art eingestuft (Kategorie R) und in Bad.-Württ. (Stand 2005) stark gefährdet sowie Landesart B des Informationssystems Zielartenkonzept Bad.-Württ. (Stand 2009). Die Art ist auf seltene Lebensraumtypen beschränkt, besitzt bereits langfristig isolierte Vorkommen und dürfte in diesen zumindest teilweise langfristig durch Sukzessionsprozesse gefährdet sein. So liegen dokumentierte Vorkommen der Art zum Teil in der Kernzone des Biosphärengebiets Schwäbische Alb, in der keine Pflegemaßnahmen zur Offenhaltung durchgeführt werden sollen. Eine Besiedlung von strukturell und klimatisch geeigneten Lebensräumen ist nur in unmittelbarer Umgebung von bestehenden Vorkommen wahrscheinlich. Für alle dokumentierten Vorkommen sollte geprüft werden, inwieweit kurz-, mittel- oder langfristig Schutz- und Erhaltungsmaßnahmen (einschließlich Pflege) erforderlich sind, und diese sollten sichergestellt werden.

Leistus nitidus

(Duftschmid, 1812)

Grünglänzender Bartläufer

Allgemeine Verbreitung: Von Nordwestspanien über die Pyrenäen und den Alpenraum nach Südosten bis in den Appenin, die Karpaten und Gebirgsregionen der Balkanhalbinsel verbreitete Art. Sie stößt in Deutschland an ihre nördliche Arealgrenze und kommt nur im äußersten Süden Bayerns und Baden-Württembergs vor.

Vorkommen in Baden-Württemberg: Vorkommen der Art sind in Bad.-Württ. auf die Adelegg im äußersten Südosten des Landes beschränkt (s. Harde & Köstlin 1965, Baehr 1983).

Lebensweise und Habitat: In der Literatur als flugunfähige (brachyptere) Art geführt, allerdings kommen nach eigenen Daten aus dem Allgäu geflügelte Individuen vor. Räuberische Art. Aktive Tiere wurden in Bad.-Württ. nach den ausgewerteten Daten zwischen Mai und Juli registriert, für die Angabe eines Aktivitätsmaximums liegen keine ausreichenden Daten vor.

L. nitidus ist in Mitteleuropa auf montane und

Leistus nitidus.

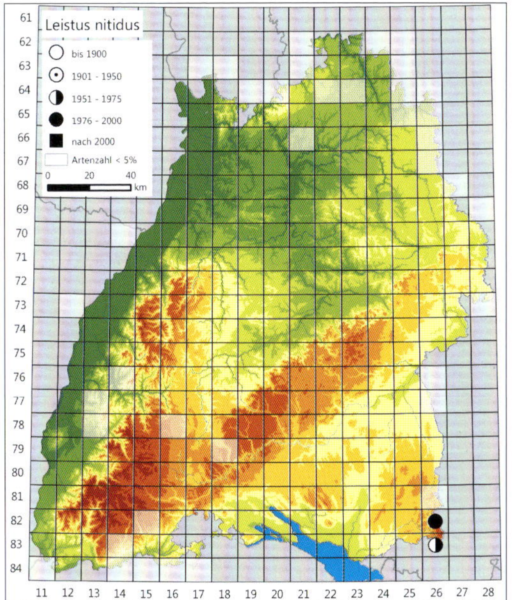

alpine Lebensräume beschränkt (Assmann 2004) und kommt hier bevorzugt in montanen bis subalpinen Wäldern, aber auch in alpinen Rasen oder Schuttfluren vor (GAC 2009). Bei Untersuchungen in unterschiedlichen Lebensräumen im bayerischen Allgäu wurden die höchsten Nachweiszahlen in feuchten Grünerlengebüschen registriert (Harry & Höfer 2010). Auch sonstige eigene Nachweise aus dem Alpenraum stammen schwerpunktmäßig aus gehölzdominierten Lebensräumen oder Gehölz-Offenland-Übergangsbereichen.
Gefährdung und Schutz: *L. nitidus* ist bundesweit (Stand 2015) gefährdet und in Bad.-Württ. (Stand 2005) als extrem seltene Art (Kategorie R) sowie als Landesart B des Informationssystems Zielartenkonzept Bad.-Württ. (Stand 2009) eingestuft. Eine aktuelle Gefährdung oder ein Handlungsbedarf über den Schutz der besiedelten Lebensraumkomplexe in der Adelegg hinaus sind aber nicht zu erkennen. Inwieweit die Art am Rand ihres Areals in Zukunft durch klimatische Veränderungen negativ betroffen sein könnte, ist nicht abschätzbar.

Leistus piceus

Froelich, 1799

Schlanker Bartläufer

Allgemeine Verbreitung: Überwiegend in Mittelgebirgen und Gebirgen von Nordostfrankreich über das südliche und mittlere Deutschland und den Alpenraum bis nach Osteuropa verbreitet. Die kaltstenotherme Art stößt in Deutschland an ihre nördliche Arealgrenze und kommt zerstreut in den meisten Gebirgs- und Mittelgebirgslagen nach Norden hin bis zum Harz vor, während sie im Nord- und Ostdeutschen Tiefland fehlt.
Vorkommen in Baden-Württemberg: Schwerpunkt im Südschwarzwald, von hier aus ausstrahlend erreicht die Art auch das Alb-Wutach-Gebiet (s. Sokolowski 1958, Kless 1961). Alle übrigen Meldungen aus Bad.-Württ. erwiesen sich bei einer Überprüfung als unzutreffend oder sind, soweit nicht überprüft oder durch Belege dokumentiert, als zweifelhaft einzustufen. Dies gilt insbesondere für die Angabe aus Untersuchungen zu Kiesgruben in Oberschwaben (Heinzel et al. 1988), von Sturmwurfflächen bei Langenau (Kenter et al. 1998) sowie aus mehreren Bracheversuchsflächen (Kaiser 1997). Die Überprüfung von Belegtieren aus der letztgenannten Arbeit hatte Verwechslung mit *L. ferrugineus* ergeben (vid. Trautner). Von dieser Art treten auch relativ dunkel gefärbte Individuen auf, die vermutlich Anlass für alle Fehl- oder zweifelhaften Meldungen von *L. piceus* sind.

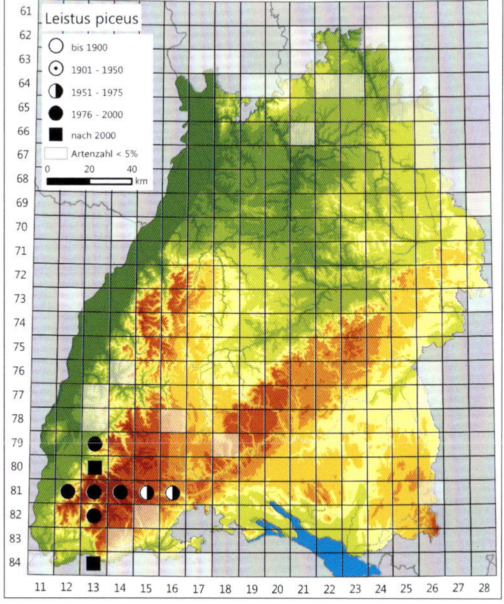

Leistus piceus.

Auch die alten Angaben v. d. Trappens (1929) für Ulm mit Bezug auf Lampert (1897) sowie für Hohentengen nach Pfarrer Müller bleiben zweifelhaft und wurden nicht in die Datenbank übernommen. Für Ulm fanden sich keine Belege in der Sammlung Hueber (Horion 1959a). Vor dem Hintergrund ihrer Gesamtverbreitung in Deutschland könnte die Art in Bad.-Württ. durchaus auch außerhalb des Schwarzwalds vorkommen, doch bleiben hierzu sichere Belege abzuwarten.

Lebensweise und Habitat: Flugunfähige (brachyptere) und räuberische Art. Paarung und Eiablage (schwerpunktmäßig) im Sommer und Larvalentwicklung ab Sommer/Herbst. Aktive Imagines wurden in Bad.-Württ. nach den ausgewerteten Daten zwischen Mai und August registriert. Eine ähnliche (etwas längere) Aktivitätszeit geben Luka et al. (2009) für die Schweiz an.

L. piceus wurde in Bad.-Württ. in unterschiedlichen submontanen bis montanen Lebensräumen nachgewiesen, die höchsten Nachweisdichten stammen aus Wäldern und Block- oder Schutthalden. Im Belchengebiet werden sowohl Weiden als auch Fichtenwälder besiedelt (Baum 1989). Im Feldberggebiet liegen Nachweise aus Borstgrasrasen, Blockhalden und Quellfluren vor (Molenda

Schneereste an einer Steinschutthalde im Gipfelbereich des Feldbergs. Hier siedelt *Leistus piceus*.

1989). Auch bundesweit werden als Lebensräume insbesondere montane Wälder sowie Blockschutthalden und Steinschuttfluren angegeben (GAC 2009). In den Alpen dringt die Art auch in die alpine Stufe vor (LUKA et al. 2009).

Gefährdung und Schutz: *L. piceus* ist bundesweit (Stand 2015) gefährdet. In Bad.-Württ. (Stand 2005) ist die Art als ungefährdet, gleichwohl als Landesart B des Informationssystems Zielartenkonzept Bad.-Württ. (Stand 2009) eingeordnet, was auf ihre eingeschränkte naturräumliche Verbreitung und den damaligen Auswertungsstand zurückgeht. Wegen der Ausbreitungsschwäche der Art könnten besiedelte Standorte teilweise bereits isoliert sein. Aufgrund des Spektrums an insgesamt besiedelten Lebensraumtypen ist über den schwerpunktmäßigen Schutz von Sonderstandorten wie Blockschutthalten und Quellfluren sowie ihres räumlichen Zusammenhangs hinaus aber kein aktueller Handlungsbedarf erkennbar.

Leistus rufomarginatus

(Duftschmid, 1812)

Rotrandiger Bartläufer

Allgemeine Verbreitung: Vom Kaukasus und von Südwestrussland über Südost- bis nach Westeuropa verbreitete Art, mit deutlicher Ausbreitungstendenz nach Westen bis Südwesten. In Deutschland kommt sie in der nördlichen Hälfte mehr oder minder flächendeckend in geeigneten Lebensräumen vor, während sie in Teilen Süddeutschlands erst in den letzten Jahrzehnten aufgetreten ist oder sich dort ausgebreitet hat.

Vorkommen in Baden-Württemberg: Die höchste Nachweisdichte besteht für die Neckar- und Tauber-Gäuplatten. Angrenzend existieren Vorkommen im Odenwald sowie im Schwäbischen Keuper-Lias-Land. Im nahezu gesamten Land sind einzelne Nachweise gemeldet, so im Hochrhein- und Oberrheingebiet, auf der Schwäbischen Alb und im Schwarzwald. Alte Daten zu der Art fehlen (HORION 1941), sie ist wahrscheinlich erst in der zweiten Hälfte des vorigen Jahrhunderts nach Bad.-Württ. eingewandert und breitet sich noch immer aus.

Lebensweise und Habitat: Flugfähige (dimorphe bzw. polymorphe) Art, bei der kurzflüglige Individuen überwiegen (ASSMANN 2004). Überwiegend räuberische Art. Paarung und Eiablage (schwerpunktmäßig) im Sommer und Larvalentwicklung ab Sommer/Herbst. Aktive Imagines wurden in Bad.-Württ. nach den ausgewerteten Daten zwischen Mai und September registriert, für die Angabe eines Aktivitätsmaximums liegen aus Bad.-Württ. keine ausreichenden Daten vor. Für die Niederlande gibt TURIN (2000) das Maximum der Nachweise im Monat Juni an.

L. rufomarginatus tritt schwerpunktmäßig in Wäldern auf. Häufig wird eine Bevorzugung von Laubwäldern genannt (z. B. ASSMANN 2004, GEBERT 2006, LUKA et al. 2009). Dies scheint auch für Bad.-Württ. zuzutreffen, wobei allerdings auch montane Nadelwälder im Schwarzwald besiedelt

Leistus rufomarginatus. Foto: E. Wachmann.

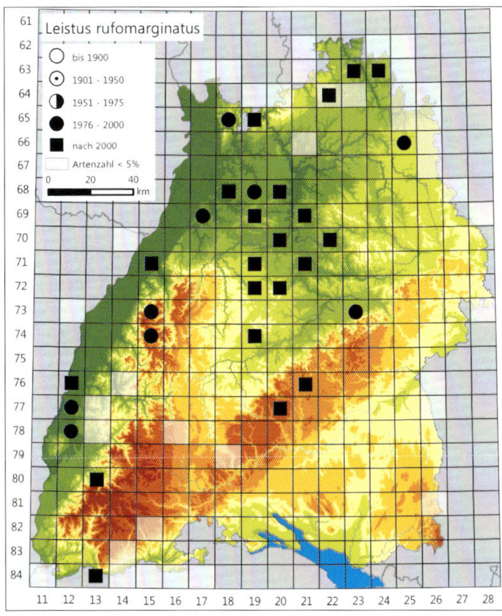

sind und die Art zudem auch in Offenlandlebensräumen, darunter xerothermen Standorten (z. B. Güterbahnhof Weil am Rhein, eigene Daten) anzutreffen ist.

Gefährdung und Schutz: *L. rufomarginatus* ist weder bundesweit (Stand 2015) noch in Bad.-Württ. (Stand 2005) gefährdet und breitet sich bei uns in den letzten Jahrzehnten aus. Es ist auch keine zukünftige Gefährdung absehbar. Kein Handlungsbedarf.

Leistus spinibarbis.

Leistus spinibarbis

(Fabricius, 1775)

Blauer Bartläufer

Allgemeine Verbreitung: In großen Teilen des Mittelmeerraums sowie West-, Mittel- und Südosteuropas verbreitete Art, die im Osten bis nach Kleinasien anzutreffen ist. Sie stößt in Deutschland an ihre nördliche Arealgrenze und kommt vorrangig vom Westen und von Teilen des Südwestens in einem weitgehend geschlossenen Verbreitungsgebiet bis nach Mitteldeutschland (Thüringen, Sachsen-Anhalt) vor, während sie im Nord- und Ostdeutschen Tiefland wie auch in Bayern weiträumig fehlt.

Vorkommen in Baden-Württemberg: Schwerpunkte im südlichen Teil des Oberrhein-Tieflands sowie in Teilen der Neckar- und Tauber-Gäuplatten und des daran anschließenden Schwäbischen Keuper-Lias-Landes. Zudem unter anderem im Hegau am westlichen Bodensee (Teil des Voralpinen Hügel- und Moorlandes).

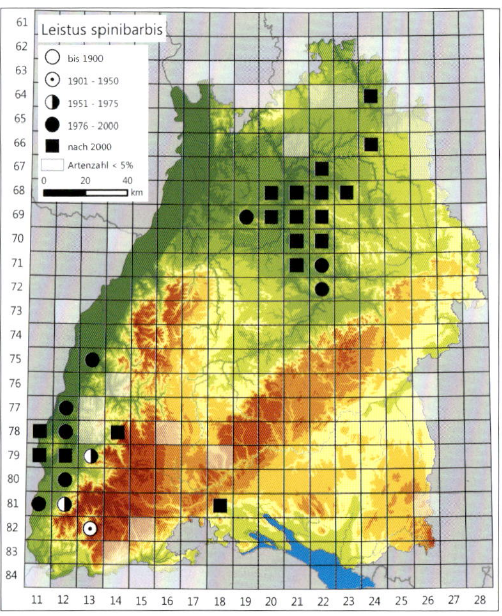

Lebensweise und Habitat: Flugfähige (makroptere) und räuberische Art. Zum (Schwerpunkt-)Zeitraum der Fortpflanzung liegen unterschiedliche Angaben in der Literatur vor, die Nachweise aus Bad.-Württ. deuten auf überwiegende Fortpflanzung im Frühjahr und Larvalentwicklung im Sommer sowie auf Imaginalüberwinterung hin. Aktive Imagines wurden in Bad.-Württ. nach den ausgewerteten Daten zwischen April und November registriert, mit einer Häufung der Nachweise im Mai und Juni. Vom Kaiserstuhl sind auch überwinternde Imagines bekannt (s. Horion 1941).

L. spinibarbis hat sein Schwerpunktvorkommen auf wärmebegünstigten Standorten. Ein Großteil der Nachweise stammt aus Weinbergen (auch innerhalb der Rebflächen) und deren typischen Begleitstrukturen wie Brachen und Böschungen. Auch wärmebegünstigte Wiesen, Ackerränder, Halbtrockenrasen und Ruderalstellen/Brachen werden besiedelt, ebenso lichte Wälder und Wald-Offenland-Übergangsbereiche. Den Lebensräumen gemeinsam sind zumindest teilweise vorhandene vegetationsfreie Bodenstellen oder ein lückiger Bewuchs.

Gefährdung und Schutz: *L. spinibarbis* ist bundesweit (Stand 2015) eine Art der Vorwarnliste und in Bad.-Württ. (Stand 2005) gefährdet sowie Naturraumart des Informationssystems Zielartenkonzept Bad.-Württ. (Stand 2009). Ihre Lebensräume sind oftmals entweder durch Sukzession nach Aufgabe bestandserhaltender Nutzungen oder Pflegemaßnahmen gefährdet, oder aber durch Nutzungsintensivierung mit Verlust von Begleit-

Leistus spinibarbis hat seine Vorkommensschwerpunkte in Baden-Württemberg in Weinbauregionen mit höherer Reliefenergie und tritt hier sowohl in Rebflächen als auch in deren Begleitstrukturen wie Brachen und Säumen auf.

strukturen. Zwar tritt die Art auch in intensiv bewirtschafteten Rebflächen auf und scheint insoweit deutlich weniger empfindlich gegenüber Intensivnutzung als einige andere Arten wärmebegünstigter Standorte; hohe Individuenzahlen werden aber vor allem in Rebgebieten mit höherem Anteil an Begleitstrukturen wie Böschungen und jüngeren Brachen registriert. Schutz- und Fördermaßnahmen sollten daher auf ein möglichst hohes Angebot entsprechender Strukturen in den wärmebegünstigten Lagen der Vorkommensschwerpunkte dieser Art abzielen.

Leistus terminatus

(Hellwig in Panzer, 1793)
Schwarzköpfiger Bartläufer

Allgemeine Verbreitung: Von Nordwest- über Nord- und Mitteleuropa bis nach Südostsibirien verbreitete Art, die im Südwesten Deutschlands an ihre Verbreitungsgrenze stößt. Sie kommt in Deutschland weit verbreitet in geeigneten Lebensräumen vor, mit Ausnahme des Südwestens, wo sie teils nur regional vertreten ist.

Vorkommen in Baden-Württemberg: Schwerpunkt einerseits im nordwestlichen Landesteil, wo sowohl Oberrhein-Tiefland als auch Teile des Schwarzwalds und der Neckar- und Tauber-Gäuplatten besiedelt werden, andererseits im Bereich der Donau-Iller-Lech-Platte. Im Osten und Nordosten Baden-Württembergs möglicherweise weiter verbreitet als bislang dokumentiert.

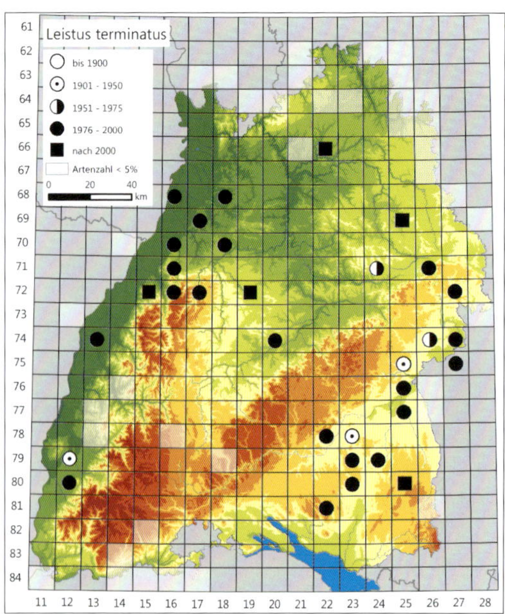

Lebensweise und Habitat: Art mit unterschiedlicher Flügelausbildung (dimorph bzw. polymorph), von der nach Auswertungsstand keine Flugbeobachtung vorliegt. Allerdings spricht die schnelle Besiedlung von Poldern in den Niederlanden für das Auftreten flugfähiger Individuen (Turin 2000). Überwiegend räuberische Art. Paarung und Eiablage (schwerpunktmäßig) im Sommer und Larvalentwicklung ab Sommer/Herbst. Aktive Imagines wurden in Bad.-Württ. nach den ausgewerteten Daten zwischen April und November registriert, mit einem Aktivitätsmaximum im Mai und Juni.

L. terminatus hat sein Schwerpunktvorkommen in Feucht- und Nasslebensräumen mit stark vertikal oder bultig strukturierter Vegetation, insbesondere in Seggenrieden und Röhrichten sowie an vegetationsreichen Ufern. Die Imagines sind in starkem Maße kletternd in der Vegetation aktiv (s. auch Trautner 1987). Auch aus Feucht- und

Leistus terminatus trat in diesem Ried in einem Tal des Nordschwarzwaldes individuenreich auf.

Leistus terminatus.

Nasswäldern sowie in diese eingebetteten Uferstrukturen liegen Nachweise vor (z. B. bewaldetes Zwischenmoor im Federseegebiet, Wasner 1974; Grabenufer in Auwald, Wolf-Schwenninger & Schwenninger 1992). Die Art zeigt daher auch in Bad.-Württ. eine „weite Toleranz gegenüber Baumbedeckung", wie dies Irmler & Gürlich (2004) für Schleswig-Holstein formulieren; allerdings ist sie in Bad.-Württ. keineswegs so euryök wie im Norden Deutschlands.

Gefährdung und Schutz: *L. terminatus* ist bundesweit (Stand 2015) ungefährdet, wurde in Bad.-Württ. (Stand 2005) aber als gefährdet eingestuft und ist Naturraumart des Informationssystems Zielartenkonzept Bad.-Württ. (Stand 2009). Als hauptsächliche Gefährdungsursachen kommen direkte Lebensraumverluste etwa im Rahmen der Flurneuordnung oder durch Bebauung sowie die Entwässerung von Feucht- und Nasslebensräumen infrage. Aber auch eine intensivere Nutzung oder Pflege in offenen Feucht- und Nassbrachen mit Veränderung der Vegetation von Rieden und Röhrichten hin zu Nass- oder Streuwiesen kann Vorkommen der Art negativ beeinflussen. Inwieweit die in Bad.-Württ. am Rand des Verbreitungsgebiets gelegenen Vorkommen auch durch zukünftige klimatische Veränderungen negativ betroffen sein könnten, ist schwer abzuschätzen. Schutz- und Fördermaßnahmen sollten auf die Erhaltung von Rieden und Röhrichten sowie von Feucht- und Nasswäldern in den Schwerpunkträumen der Artverbreitung abzielen.

Nebria brevicollis

(Fabricius, 1792)

Gewöhnlicher Dammläufer

Allgemeine Verbreitung: Europäische Art, in Teilen Süd- und Nordeuropas fehlend, in Nordamerika eingeschleppt (Bousquet 2012). Sie kommt in Deutschland flächendeckend in geeigneten Lebensräumen vor.

Vorkommen in Baden-Württemberg: In allen Naturräumen Baden-Württembergs nachgewiesen oder zu erwarten und mit hoher Stetigkeit anzutreffen.

Lebensweise und Habitat: Flugfähige (makroptere) und überwiegend räuberische Art. Obwohl Tiere der Art immer geflügelt sind, stellte Nelemans (1983) fest, dass nur wenige Prozent der Individuen eine funktionsfähige Flugmuskulatur besitzen. Die Fangzahlen in Fensterfallen sind daher auch sehr gering. Ganz überwiegend nachtaktiv, bei Thiele (1977) der Gruppe mit lediglich 0–15 % Tagaktivität zugeordnet. Paarung und Eiablage (schwerpunktmäßig) im Sommer und

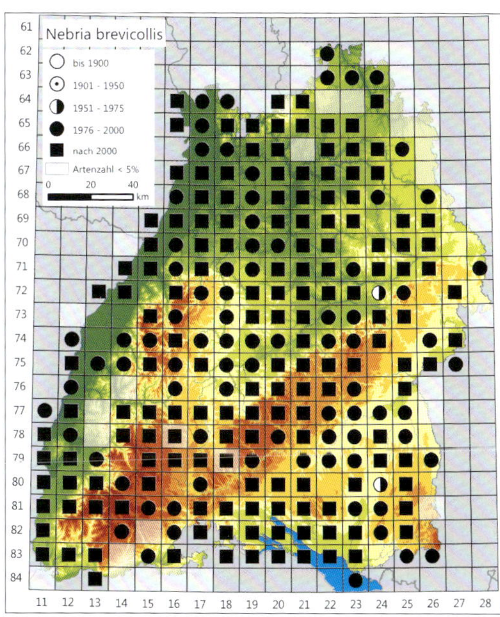

Nebria brevicollis.

Larvalentwicklung ab Sommer/Herbst. Aktive Imagines wurden in Bad.-Württ. ganzjährig registriert, mit einem deutlichen Aktivitätsmaximum im Herbst (September/Oktober; z. B. Rietze 2001 sowie für den Schönbuch im zentralen Bad.-Württ. Baehr 1980). Die Art überwintert zumindest überwiegend als Larve (Turin 2000).

N. brevicollis ist eine euryöke Art und kommt in den verschiedensten terrestrischen Lebensräumen vor. Die höchsten Aktivitätsdichten werden in Bad.-Württ. im frischen Grünland und in Äckern erreicht, aber von Halbtrockenrasen bis zu feuchten Wäldern sind viele weitere Lebensräume stet besiedelt.

Gefährdung und Schutz: *N. brevicollis* ist weder bundesweit (Stand 2015) noch in Bad.-Württ. (Stand 2005) gefährdet. Es ist auch keine zukünftige Gefährdung absehbar. Kein Handlungsbedarf.

Nebria brevicollis wird in der Literatur teils als Waldart geführt, tritt in Baden-Württemberg jedoch in sehr großem Umfang im Offenland auf. Im gezeigten Landschaftsausschnitt des Schwäbischen Keuper-Lias-Landes etwa erreicht sie hohe Aktivitätsdichten sowohl im Grünland als auch in den Äckern frischer Standorte.

Nebria jockischii

Sturm, 1815

Jockischs Dammläufer

Allgemeine Verbreitung: Im Alpenraum sowie in Teilen anderer mittel- und südeuropäischer Gebirge verbreitete Art montaner bis alpiner Lagen. Sie kommt in Deutschland nur im äußersten Süden Bayerns und Baden-Württembergs vor.

Vorkommen in Baden-Württemberg: Vorkommen der Art sind in Bad.-Württ. auf die Adelegg im äußersten Südosten des Landes beschränkt (s. Horion 1960; auch aktuelle eigene Daten).

Lebensweise und Habitat: Art mit vollständig entwickelten Hinterflügeln (makropter), von der nach Auswertungsstand keine Flugbeobachtung vorliegt. Räuberische Art. Paarung und Eiablage (schwerpunktmäßig) im Frühjahr und Larvalentwicklung ab Frühjahr/Sommer. Aktive Imagines wurden in Bad.-Württ. nach den ausgewerteten Daten zwischen Mai und September registriert, für die Angabe eines Aktivitätsmaximums liegen aus Bad.-Württ. keine ausreichenden Daten vor.

N. jockischii ist eine äußerst feuchtigkeitsliebende Art, die ausschließlich an vegetationsarmen Fluss- und Bachufern mit Grobsubstrat (Kies, Schotter, Blöcke) vorkommt, dort sowohl in von Gehölzen überschirmter als auch in besonnter Lage. In Bad.-Württ. wird die montane Stufe besiedelt; in den Alpen gibt es Funde bis fast 3000 m ü. NHN (Marggi 1992). Den Erstfund für Bad.-Württ. erbrachte Köstlin im Jahr 1960, der die Art gemeinsam mit *N. rufescens* „im groben Schotter eines Bergbaches am Schwarzen Grat in etwa 900 m Höhenlage“ fand (Horion 1960). Inzwischen an mehreren Gewässern im Naturraum Adelegg festgestellt (eigene Daten).

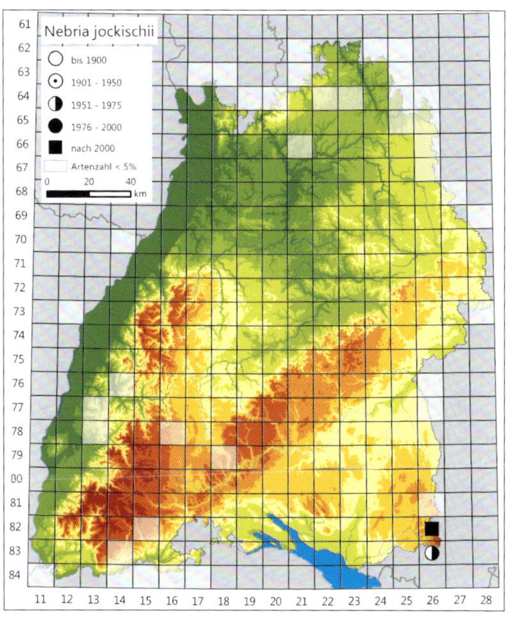

Nebria jockischii.

Gefährdung und Schutz: *N. jockischii* ist bundesweit (Stand 2015) sowie in Bad.-Württ. (Stand 2005) als gefährdet eingestuft. Außerdem ist sie Naturraumart des Informationssystems Zielartenkonzept Bad.-Württ. (Stand 2009). Vegetationsarme und dynamische Bachufer sind seit Langem durch unterschiedliche Eingriffe gefährdet, insbesondere durch verschiedene wasserbauliche Maßnahmen, lokal aber auch zum Beispiel durch Wegesicherung und Wegebau. Aufgrund des sehr begrenzten Verbreitungsgebiets in Bad.-Württ. können bereits lokale Eingriffe eine starke Auswirkung auf den landesweiten Bestand der Art haben. *N. jockischii* muss bei allen Gewässerschutz- und -entwicklungsmaßnahmen in der Adelegg besonders berücksichtigt werden.

Nebria livida

(Linnaeus, 1758)

Gelbrandiger Dammläufer

Allgemeine Verbreitung: Paläarktisch verbreitete Art, die in Europa allerdings auf Mitteleuropa sowie das südliche Nord- und das nördliche Südosteuropa beschränkt ist. Süddeutschland und die nördliche Schweiz markieren ihre südwestliche Verbreitungsgrenze.

Vorkommen in Baden-Württemberg: In neuerer Zeit nur aus dem nördlichen und mittleren Oberrhein-Tiefland sowie vom Bodensee (Teil des Voralpinen Hügel- und Moorlands) nachgewiesen. Die alte Angabe v. d. Trappens (1929) unter Bezug auf Keller (1864) und Lampert (1897) für das Ufer der Iller bei Ulm wird trotz des Fehlens von Belegen aufgrund der (ehemaligen) Verbreitung der Art im bayerischen Donauraum als plausibel bewertet.

Lebensweise und Habitat: Art mit vollständig entwickelten Hinterflügeln (makropter), von der nach Auswertungsstand keine Flugbeobachtung vorliegt. Räuberische Art, nach Gebert (2006) und Turin (2000) nachtaktiv. Paarung und Eiablage (schwerpunktmäßig) im Frühjahr und Larvalentwicklung ab Frühjahr/Sommer. Aktive Imagines wurden in Bad.-Württ. nach den ausgewerteten Daten zwischen Mai und Oktober registriert, mit einem Aktivitätsmaximum im Mai. Nach Lindroth (1992) erfolgt die Überwinterung in der Regel als Larve, immature Tiere werden für Mai und Juni genannt.

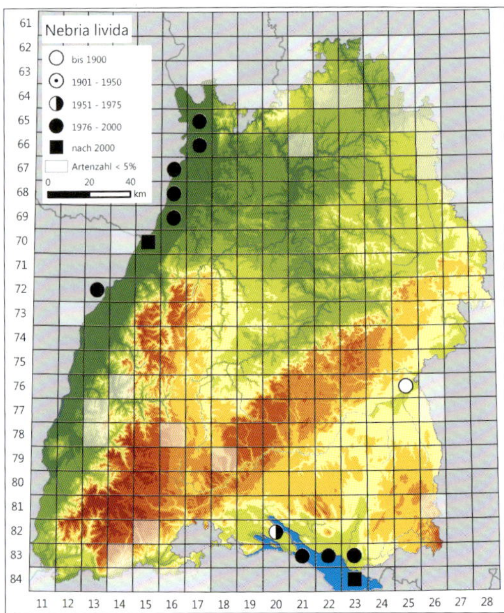

Nebria livida.

N. livida ist auf vegetationsarme, dynamische Uferzonen beschränkt, die zumeist einen deutlichen bis überwiegenden Anteil an bindigem Substrat oder Sand und zudem zumindest punktuell Grobmaterialien wie Schwemmholz oder Grobkies aufweisen, unter denen die Imagines sich tagsüber verstecken. Die Lebensräume sind meist voll besonnt, doch liegen auch Nachweise aus gering bis mäßig von Gehölzen überschatteten Bereichen vor. „An reinen Kiesufern oder an stark bewachsenen Ufern (auch in Schilfröhrichten) fehlt die Art" (Bräunicke & Trautner 2002). Im Oberrhein-Tiefland werden teilweise noch Uferabschnitte des Rheins oder von Rheinaltarmen, häufiger jedoch Sekundärhabitate, insbesondere Ufer in Kiesgruben besiedelt. Uferabschnitte des Bodensees stellen den heute wichtigsten Primärlebensraum der Art in Bad.-Württ. dar (Bräunicke & Trautner 2002), allerdings ist die Art dort bereits auf wenige Abschnitte zurückgedrängt. *N. livida* ist in Bad.-Württ. zumindest am Bodensee als charakteristische Art der Lebensraumtypen 3130 und 3140 (Nährstoffarme bis mäßig nähr-

Uferzone des Bodensees mit Vorkommen von *Nebria livida*.

stoffreiche Stillgewässer; Kalkreiche, nährstoffarme Stillgewässer mit Armleuchteralgen) sowie bestimmter Ausprägungen des Lebensraumtyps 3150 (Natürliche nährstoffreiche Seen) aus Anhang I der FFH-Richtlinie einzustufen. Ob im südlichen Oberrhein-Tiefland ggf. auch eine Zuordnung zu bestimmten Ausprägungen des Fließgewässer-Lebensraumtyps 3270 (Schlammige Flussufer mit Pioniervegetation) infrage kommt, ist anhand der bislang vorliegenden Daten nicht abschließend zu klären.

Gefährdung und Schutz: *N. livida* ist bundesweit (Stand 2015) gefährdet und in Bad.-Württ. (Stand 2005) stark gefährdet sowie Landesart B des Informationssystems Zielartenkonzept Bad.-Württ. (Stand 2009). Dynamische Abschnitte von Fließgewässern, die entsprechend große, für ein Vorkommen der Art erforderliche vegetationsarme Sand- und Lehmbänke bilden, sind weitgehend durch Gewässerregulierung und -verbau vernichtet. Auch am Bodenseeufer, das zumindest teilweise noch gute Strukturen für die Art aufweist, war in den letzten Jahrzehnten aufgrund des Nutzungsdruckes (u.a. Erholungsnutzung im Uferbereich) und weiteren strukturell negativen Veränderungen (Verbau, Bewuchs, Beschattung, s. Bräunicke & Trautner 2002) eine deutliche Abnahme zu verzeichnen; in mehreren Bereichen, aus denen frühere Vorkommen belegt waren, gelangen keine aktuellen Nachweise mehr. Dies gilt auch für einige Uferabschnitte des Bodensees in der Schweiz und in Österreich. Uferrenaturierungen am Bodensee, die für die Art geeignete Habitatbedingungen bereitstellen und zudem vor einer flächigen Erholungsnutzung geschützt sind, stellen eine vorrangige Maßnahme dar. In weiteren Bereichen muss versucht werden, die Erholungsnutzung zu reduzieren oder räumlich zu differenzieren (s. Vorrangbereiche, abgestufte Ziele u. a. bei Bräunicke & Trautner 2002). Auch bei Renaturierungsmaßnahmen an Fließgewässern im Einzugsgebiet des Rheins können Habitate für die Art gefördert werden. Im Oberrhein-Tiefland ist auch das dauerhafte Vorhandensein eines Netzes von Sekundärhabitaten bedeutend. Daher sollen die Ansprüche der Art verstärkt bei Abbau- und Rekultivierungsplanungen berücksichtigt werden. Die Bestandssituation und -entwicklung von *N. livida* sollte im Zuge eines Monitorings überprüft werden.

Nebria picicornis

(Fabricius, 1801)

Rotköpfiger Dammläufer

Allgemeine Verbreitung: In Zentraleuropa und Kleinasien in Gebirgen und zum Teil deren Vorland verbreitete Art. Sie kommt in Deutschland nur in der Südhälfte Bayerns und Baden-Württembergs vor.

Vorkommen in Baden-Württemberg: In Bad.-Württ. aktuell vom Bodenseebecken (Teil des Voralpinen Hügel- und Moorlandes) über den Hochrhein bis in den südlichen Teil des Oberrhein-Tieflands verbreitet. Die alte Angabe v. d. Trappens (1929) unter Bezug auf Keller (1864) und Lampert (1897) für Ulm wird vor dem Hintergrund der (teils ehemaligen) Verbreitung der Art im bayerischen Donauraum und Voralpengebiet als plausibel bewertet. Grundsätzlich erscheint auch ein ehemaliges Vorkommen weiter donauaufwärts bei Hohentengen (Donau) nach Pfarrer Müller möglich, doch wurde diese Angabe vor dem Hintergrund einer Reihe zweifelhafter Meldungen aus jener Quelle nicht in die Datenbank aufgenommen.

Lebensweise und Habitat: Art mit vollständig entwickelten Hinterflügeln (makropter), von der nach Auswertungsstand keine Flugbeobachtung vorliegt. Räuberische Art. Paarung und Eiablage (schwerpunktmäßig) im Sommer und Larvalentwicklung ab Sommer/Herbst; die Art überwintert nach Franz (1970) als Larve. Marggi (1992) schreibt: „Die Larven leben wie die Imagines unter Steinen am Ufer und sind auch den Winter über nicht selten anzutreffen.“ Aktive Imagines wurden in Bad.-Württ. nach den ausgewerteten Daten zwi-

Nebria picicornis.

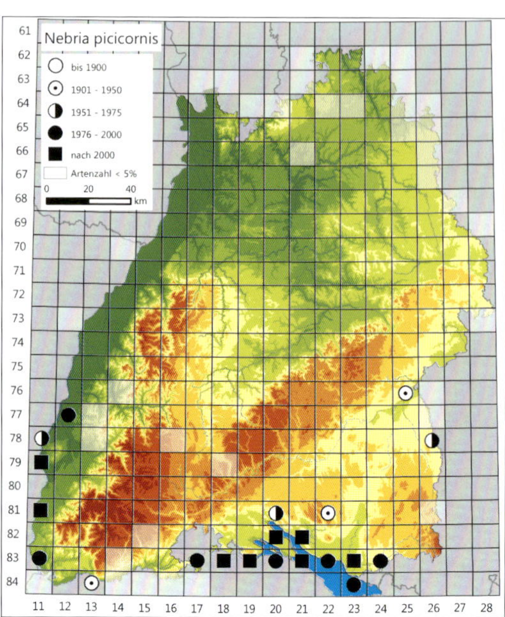

schen März und Oktober registriert, mit einem Aktivitätsmaximum im Mai und nur noch vereinzelten Nachweisen ab Juli.

N. picicornis ist eine Bewohnerin offener, vorwiegend besonnter Kies- und Schotterufer. Dabei werden sowohl Fluss- und Bachufer als auch die Ufer von Stillgewässern (Bodensee, aber auch Kiesgruben im Oberrheingebiet) besiedelt, sofern sie ein geeignetes Substrat aufweisen. Bei Untersuchungen von Kiesinseln der Rhone stellte Kämpfer (2004) die Art als dominant bis eudominant auf allen Schotter- und Kiesuferstandorten fest, während sie auf Sandufern fehlte. *N. picicornis* ist am Bodensee als charakteristische Art der Lebensraumtypen 3130 und 3140 (Nährstoffarme bis mäßig nährstoffreiche Stillgewässer; Kalkreiche, nährstoffarme Stillgewässer mit Armleuchteralgen) aus Anhang I der FFH-Richtlinie einzustufen. Darüber hinaus ist sie zu den charakteristischen Arten des Lebensraumtyps 3240 (Alpine Flüsse mit Lavendelweiden-Ufergehölzen) sowie bestimmter Ausprägungen des Lebensraumtyps 3260 (Fließgewässer mit flutender Wasservegetation) zu zählen.

Gefährdung und Schutz: *N. picicornis* ist bundesweit (Stand 2015) gefährdet und in Bad.-Württ. (Stand 2005) stark gefährdet sowie Landesart B des Informationssystems Zielartenkonzept Bad.-Württ. (Stand 2009). Wie viele andere Arten offener, dynamischer Uferbereiche hat sie vor allem

Kiesufer am Bodensee beherbergen teils individuenreiche Vorkommen von *Nebria picicornis*, soweit sie keiner zu intensiven Nutzung (etwa durch Badebetrieb) unterliegen.

durch wasserbauliche Maßnahmen und den Verlust dynamischer Ufer deutliche Bestandsrückgänge erlitten. Am Bodensee dürften die Bestände aktuell noch die größten des Landes sein. Aber auch für diesen Raum bestehen trotz steter Vorkommen an Ufern Gefährdungen. So schreiben Bräunicke & Trautner (2002): „Bei zu intensiver Freizeitnutzung der Ufer fällt die Art [...] teilweise aus, oder ihre Häufigkeit ist deutlich reduziert. Stärkerer Bewuchs oder Verschlammung des Substrates werden offenbar nicht toleriert.“ In Kiesgruben, die vor allem im Oberrhein-Tiefland wichtige Sekundärlebensräume der Art darstellen, können Rekultivierungsmaßnahmen sowie eine Sukzession im Bereich der Ufer dortige Bestände der Art gefährden. Vorrangig für den Schutz der Art sind der Erhalt und die Förderung noch bestehender primärer Lebensräume, also von Populationen am Bodenseeufer (dort auch durch Uferrenaturierungen), am Rheinufer sowie an geeigneten Zuflüssen. Zudem sollen die Ansprüche der Art bei Abbau- und Rekultivierungsplanungen insbesondere im Oberrhein-Tiefland und am Hochrhein verstärkt berücksichtigt werden.

Nebria praegensis

Huber & Molenda, 2004

Präger Dammläufer

Allgemeine Verbreitung: Endemisch in Deutschland (Südschwarzwald).

Vorkommen in Baden-Württemberg: Das Taxon ist weltweit ausschließlich von der Seehalde bei Präg bekannt (s. Huber & Molenda 2004). Die Nachsuche an anderen Blockhalden im Südschwarzwald war bisher erfolglos. Der systematische Status des Taxons wird in der Literatur unterschiedlich bewertet. Während Ledoux & Roux (2005) es als ssp. *praegensis* zu *N. cordicollis* stellen und Szallies & Huber (2013) es als Unterart der in den Artstatus erhobenen *N. heeri* ssp. *praegensis* sehen, wird *N. praegensis* in der aktuellen Roten Liste sowie im Verbreitungsatlas Deutschlands weiterhin als eigene Art geführt (Schmidt et al. 2016, Trautner et al. 2014).

Lebensweise und Habitat: Flugunfähige (brachyptere) Art. Wahrscheinlich zu sehr unterschiedlichen Jahreszeiten in verschiedenen Mikrohabitaten aktiv. Larven wurden in den Wintermonaten nachgewiesen.

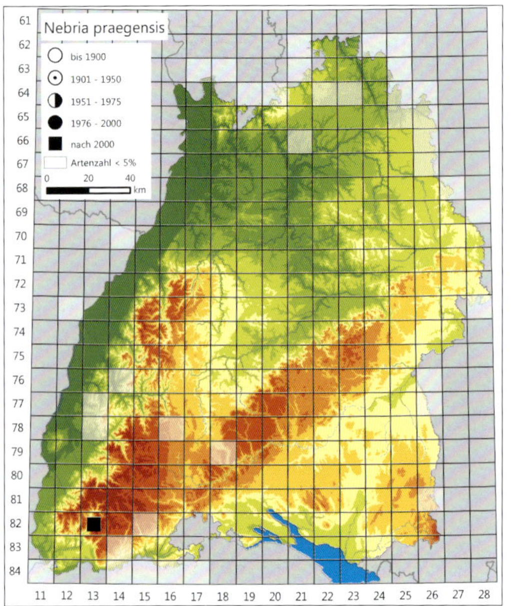

N. praegensis ist eine Bewohnerin des Systems „Kaltluft erzeugende Blockhalde" (Huber & Molenda 2004) und weist lediglich ein einziges bekanntes, isoliertes Vorkommen auf. Als Besonderheit des Lebensraums stellen Huber & Molenda (2004) das Durchlüftungssystem heraus, bei dem über das ganze Jahr hinweg an unterschiedlichen Stellen in der Blockhalde Temperaturen knapp über dem Gefrierpunkt gemessen wurden. An den Kaltluft führenden Fundstellen der Art stieg die Temperatur im Jahresverlauf nie über 4 °C. *N. praegensis* kommt an ihrem Fundort zusammen mit *Oreonebria castanea* vor. Sie ist zu den charakteristischen Arten des Lebensraumtyps 8150 (Silikatschutthalden) aus Anhang I der FFH-Richtlinie zu zählen, wenngleich sich ihr bekanntes Vorkommen auf einen Schutthaldenkomplex beschränkt.

Nebria praegensis. Foto: O. Bleich.

Gefährdung und Schutz: Für *N. praegensis* besteht in Deutschland aufgrund ihres hier endemischen Auftretens eine besonders hohe Verantwortlichkeit (Kategorie !!, s. Schmidt et al. 2016). Sie ist bundesweit (Stand 2015) und in Bad.-Württ. (Stand 2005) als extrem seltene Art (Kategorie R) in die Roten Listen aufgenommen und als Landesart B des Informationssystems Zielartenkonzept Bad.-Württ. (Stand 2009) eingestuft worden. Das Land Bad.-Württ. beherbergt die einzige bekannte Population der Art und hat eine entsprechend hohe Verantwortung für deren Erhalt. Die Seehalde ist als Naturschutzgebiet ausgewiesen und bereits Gegenstand von Schutzbemühungen. Neben dem Gebietsschutz sind weitere Untersuchungen für den Schutz der Art wesentlich, auf deren Ergebnisse ggf. auch spezifische Maßnahmen (z. B. Wegeführung und Besucherlenkung) abstellen müssen.

Nebria rufescens

(Stroem, 1768)

Bergbach-Dammläufer

Allgemeine Verbreitung: Holarktisch boreomontan und -alpin verbreitete Art. Sie kommt in Deutschland nur in der Südhälfte Bayerns und Baden-Württembergs vor.

Vorkommen in Baden-Württemberg: Die Art kommt in Bad.-Württ. nur im Südschwarzwald und im südöstlichsten Teil des voralpinen Hügel- und Moorlandes (v. a. Adelegg, von dort entlang des Gewässersystems der Argen teils weiter Richtung Bodensee vordringend) sowie punktuell entlang der Iller (Donau-Iller-Lech-Platte) vor.

Lebensweise und Habitat: Art mit vollständig entwickelten Hinterflügeln (makropter), von der nach Auswertungsstand keine Flugbeobachtung vorliegt. Räuberische Art. Paarung und Eiablage (schwerpunktmäßig) im Sommer und Larvalentwicklung ab Sommer/Herbst. Aktive Tiere wurden in Bad.-Württ. nach den ausgewerteten Daten zwischen April und September registriert, mit einem Aktivitätsmaximum im Juni.

N. rufescens ist ein Bewohnerin vegetationsar-

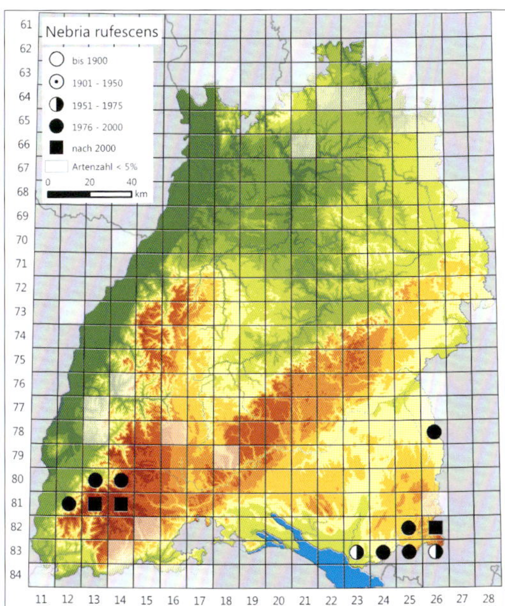

Nebria rufescens.

Lebensraum von *Nebria rufescens* im Südschwarzwald. Imagines sind vor allem unter größeren Steinen und Blöcken in teils überrieselten Flächen und unmittelbar an der Wasserkante aufzufinden.

mer bis -freier Ufer und Bänke mit grobem Substrat (Schotter, Steine, Blöcke) an überwiegend kleineren bis sehr kleinen Fließgewässern, die vollständig beschattet sein können. Im Hochschwarzwald (z. B. Lauterborn 1926, Molenda 1989) und in der Adelegg dringt die Art bis in die höchsten Lagen vor und besiedelt auch Quellrinnsale und flächige Verrieselungen mit entsprechendem Substrat. Aus den Alpen gibt es Funde in Höhenlagen von über 2000 m ü. NHN (Marggi 1992).

Gefährdung und Schutz: *N. rufescens* ist bundesweit (Stand 2015) wie auch in Bad.-Württ. (Stand 2005) als ungefährdet eingestuft, vor dem Hintergrund ihrer Verbreitung und Lebensraumbindung aber Naturraumart des Informationssystems Zielartenkonzept Bad.-Württ. (Stand 2009). Hinweise auf deutlichere Rückgänge der Art liegen nicht vor, wenngleich sie lokal etwa im Rahmen von Forstwegebau und Ufersicherungen bereits Lebensräume eingebüßt hat. Über einen Schutz der von ihr besiedelten Fließgewässer und Quellbereiche unter Einschluss von deren Uferzonen hinaus wird aktuell kein Handlungsbedarf gesehen.

Nebria salina

Fairmaire & Laboulbène, 1854

Feld-Dammläufer

Allgemeine Verbreitung: Atlantisch-westeuropäisch verbreitete Art. In Deutschland erreicht sie die südöstliche Verbreitungsgrenze und kommt in den ostdeutschen Bundesländern mit Ausnahme der Ostseeküste sowie in Bayern nur sehr lokal und vereinzelt vor, während sie in der westdeutschen Hälfte bis ins südliche Baden-Württemberg überwiegend weit verbreitet ist.

Vorkommen in Baden-Württemberg: Mehr oder weniger flächig im Offenland im Norden und Nordwesten des Landes verbreitet (Neckar- und Tauber-Gäuplatten, Odenwald, Teile des Schwäbischen Keuper-Lias-Landes), zudem nach Süden entlang des Oberrheins und in Randbereichen des Schwarzwalds weiter über den Hochrhein bis in den westlichen Bodenseeraum (Teil des Voralpinen Hügel- und Moorlandes) vertreten. Horion (1941) kannte noch keine Belege aus Südbaden und Württemberg; ihm übersandte Belegtiere für die Meldung v. d. Trappens (1935, Nachtrag S. 144) aus dem Stromberg und von Kißlegg hatten sich als *N. brevicollis* erwiesen (Horion 1959a).

Nebria salina. Foto: C. Benisch.

Die Art scheint in Bad.-Württ. an Häufigkeit zugenommen zu haben und ist möglicherweise weiterhin in Ausbreitung begriffen.

Lebensweise und Habitat: Flugfähige (makroptere) und räuberische Art. Ganz überwiegend nachtaktiv, bei Thiele (1977) der Gruppe mit lediglich 0–15 % Tagaktivität zugeordnet. Paarung und Eiablage (schwerpunktmäßig) im Sommer

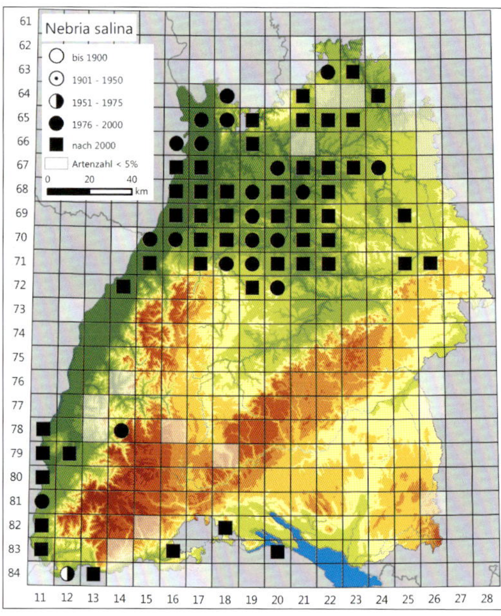

und Larvalentwicklung ab Sommer/Herbst. Aktive Imagines wurden in Bad.-Württ. nach den ausgewerteten Daten ganzjährig registriert, mit einem Aktivitätsmaximum im Mai.

N. salina ist eine Art des Offenlands, die nur vereinzelt und dann meist randlich in Wälder einstrahlt. Sie hat ihr Schwerpunktvorkommen auf Äckern, in Weinbergen sowie auf Ruderalflächen mit unterschiedlichem Sukzessionsgrad. Auch im Grünland ist sie relativ weit verbreitet.

Gefährdung und Schutz: Die Art ist sowohl bundesweit (Stand 2015) als auch in Bad.-Württ. ungefährdet. Es ist auch keine zukünftige Gefährdung absehbar. Kein Handlungsbedarf.

Oreonebria boschi

Winkler in Horion, 1949

Boschs Berg-Dammläufer

Allgemeine Verbreitung: Endemische Art in Deutschland (Odenwald, Schwarzwald und Schwäbische Alb).

Vorkommen in Baden-Württemberg: Verbreitungsschwerpunkt der Art ist der Nordschwarzwald, wo es mehrere aktuell belegte Vorkommen gibt. Aktuelle Nachweise gibt es zudem von einer Blockhalde auf der Schwäbischen Alb bei Bad Urach (s. Szallies & Ausmeier 2001b). Vom Odenwald liegen Nachweise bis zur ersten Hälfte des 20. Jahrhunderts vor (s. Horion 1941, der

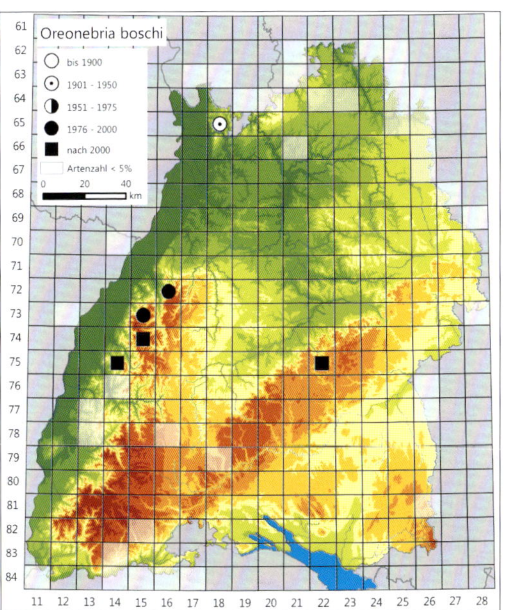

Oreonebria boschi.

auch auf Angaben vor 1900 verweist), eine später dort erfolgte Nachsuche von Hasselmann et al. (2000) war erfolglos. Angaben von *Oreonebria*-Vorkommen aus dem Südschwarzwald (z. B. Horion 1951a, Molenda 1989, Paulus 1982) beziehen sich nach aktuellem Kenntnisstand immer auf *O. castanea*. Obwohl das Taxon teilweise als Unterart von *O. castanea* oder *O. picea* behandelt wird, wird hier der Auffassung gefolgt, dass es sich um eine eigenständige Art handelt (Ledoux & Roux 2005; ebenso geführt bei Schmidt et al. 2016, Trautner et al. 2014). Genetische Untersuchungen zeigen erhebliche Unterschiede zwischen *O. boschi* im Nordschwarzwald und *O. castanea* im Südschwarzwald und weisen auf unterschiedliche Besiedlungswege der beiden Arten hin (Hasselmann et al. 2000).

Lebensweise und Habitat: Flugunfähige (brachyptere) und räuberische Art. Aktive Tiere wurden in Bad.-Württ. nach den ausgewerteten Daten zwischen April und September registriert, für die Angabe eines Aktivitätsmaximums liegen keine ausreichenden Daten vor. Funde unausgefärbter Tiere gibt es von Ende Juni.

O. boschi ist in ihren Vorkommen auf das Vorhandensein von Felsspaltensystemen im Boden (Lithoklasum) angewiesen. Dabei kommt sie sowohl in offenen Blockhalden als auch in montanen Wäldern mit entsprechendem Block- und Spalten-

Bewaldete Blockschutthalde im Nordschwarzwald mit Vorkommen von *Oreonebria boschi*. Foto: M. Bräunicke.

system vor. Die Art lebt tagsüber im kühlen und feuchten Spaltensystem im Boden. Nachts kommt sie auch an die Oberfläche und kann beim Ableuchten auf Steinen gefunden werden. Die Art ist offenkundig kälteliebend und meidet südexponierte Blockhalden. Die Vorkommen von *O. boschi* überlagern sich jedenfalls teilweise mit Lebensraumtypen des Anhangs I der FFH-Richtlinie, darunter der Lebensraumtyp 8150 (Silikatschutthalden) sowie bestimmte Waldbestände der Lebensraumtypen 9410 (Bodensaure Nadelwälder; etwa Geiselmoos-Fichtenwald auf blockreichen Standorten im Schwarzwald) und *9180 (Schlucht- und Hangmischwälder). Es steht allerdings noch eine genauere Analyse aus, inwieweit tatsächlich eine Einstufung als charakteristische Art eines oder mehrerer solcher Lebensraumtypen angezeigt ist.

Gefährdung und Schutz: Für *O. boschi* besteht in Deutschland aufgrund ihres hier endemischen Auftretens eine besonders hohe Verantwortlichkeit (Katgorie !!, s. Schmidt et al. 2016). Sie ist bundesweit (Stand 2015) als extrem seltene Art (Kategorie R) in die Rote Liste aufgenommen worden und Landesart B des Informationssystems Zielartenkonzept Bad.-Württ. (Stand 2009). In der landesweiten Roten Liste (Stand 2005) wurde *O. boschi* noch nicht separat von *O. castanea* bewertet. Im Zuge einer Fortschreibung der landesweiten Roten Liste sollte die Einstufung in eine Gefährdungsklasse diskutiert werden, zumal lokale Populationen womöglich schon erloschen und andere durch Wegebaumaßnahmen/Erschließung vermutlich beeinträchtigt wurden. Bad.-Württ. beherbergt die einzigen Populationen der Art und hat entsprechend eine besonders hohe Verantwortung für deren Erhalt. Einige der bekannten Lebensräume stehen unter Naturschutz, wobei es im Schwarzwald auch Vorkommen außerhalb von Schutzgebieten gibt. Zwar sind die Lebensräume wohl aufgrund der schwierigen Erschließbarkeit meist nur wenig durch direkte Eingriffe gefährdet. Bislang nicht untersucht ist allerdings, ob Vorkommen auf derzeit offenen Blockhalden möglicherweise sekundär infolge einer Beeinträchtigung des Lücken- und Spaltensystems bei langfristiger Sukzession gefährdet sein könnten. Als Grundlage für ein Schutzprogramm wäre eine bessere Kenntnis der Verbreitung und Lebensraumansprüche der Art wesentlich. Ausgehend von den bislang dokumentierten Populationen sollte nach weiteren Vorkommen gesucht werden, besonders auch im Odenwald (von wo aktuelle Nachweise fehlen).

Oreonebria castanea

(Bonelli, 1810)

Brauner Berg-Dammläufer

Allgemeine Verbreitung: Vorwiegend subalpin bis alpin in mehreren Unterarten im Alpenraum und gebietsweise auch in Mittelgebirgslagen vertreten. Die Nominatform tritt in den Zentral- und Westalpen auf und erreicht Deutschland im Süden. Dort kommt sie nur in der Südhälfte Bayerns und Baden-Württembergs vor. Die ssp. *raetzeri* (s. Bänninger 1932), die von mehreren Autoren auch als eigene Art behandelt wird (z. B. Ledoux & Roux 2005, Löbl & Smetana 2003), ist im Französischen und Schweizer Jura verbreitet und erreicht Deutschland im Südschwarzwald.

Vorkommen in Baden-Württemberg: *O. castanea* tritt in Bad.-Württ. nur im äußersten Süden auf, wo sichere Funde aus dem Südschwarzwald vorliegen (mehrere Vorkommen). Aktuell werden diese Populationen mit einer Ausnahme der Nominatform zugerechnet, es fehlen allerdings eingehendere Untersuchungen. Die ssp. *raetzeri* wurde bislang nur in einer Population auf einer Blockhalde im Albtal im südlichen Hochschwarzwald festgestellt (Szallies, in lit.), womit sie ebenfalls für Bad.-Württ. belegt ist. Für *O. castanea* gibt es zudem eine Fundangabe aus der Adelegg (Kostenbader 1976, leg. Mayer), die nicht in die Datenbank übernommen wurde. Ein eventuell noch aufzufindendes Belegtier müsste auf die Art

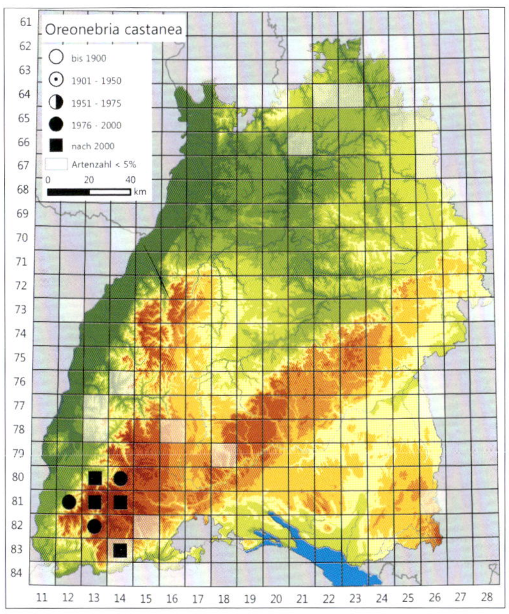

Oreonebria castanea.

und ggf. Unterartzugehörigkeit geprüft werden. Aus dem bayerischen Allgäu ist *O. picea* Dejean, 1826 bekannt (vgl. Verbreitungskarte bei Trautner et al. 2014), bei der ein bis in die Adelegg reichendes Vorkommen nicht völlig ausgeschlossen werden kann.

Lebensweise und Habitat: Flugunfähige (brachyptere) und räuberische Art. Aktive Tiere wurden in Bad.-Württ. nach den ausgewerteten Daten zwischen April und Oktober registriert, für die Angabe eines Aktivitätsmaximums liegen keine ausreichenden Daten vor. Immature Tiere wurden im Juni sowie in den Herbstmonaten festgestellt (Molenda 1989).

O. castanea ist in ihren Vorkommen in Bad.-Württ. weitestgehend auf das Vorhandensein von Felsspaltensystemen im Boden (Lithoklasum) angewiesen. Die Art ist kälteliebend und lebt ähnlich ihrer Geschwisterart *O. boschi* tagsüber im kühlen und feuchten Spaltensystem des Bodens. Nachts kommt sie auch an die Oberfläche und kann beim Ableuchten auf Steinen gefunden werden. Die meisten Fundorte sind offene Blockhalden. In höheren Lagen im Feldberggebiet oder am Belchennordhang werden auch Lawinenrinnen, Felsen oder Steinrutschen besiedelt (Baum 1989, Paulus 1982), diese allerdings in deutlich geringeren Dichten als die Blockhalden im Gebiet (Molenda 1989). Gebietsweise kommt sie in Blockhalden gemeinsam mit *Nebria praegensis, Leistus piceus*

und *L. montanus* vor. *O. castanea* ist in Bad.-Württ. zu den charakteristischen Arten des Lebensraumtyps 8150 (Silikatschutthalden) aus Anhang I der FFH-Richtlinie zu zählen.
Gefährdung und Schutz: Für das Vorkommen der ssp. *raetzeri* (hochgradig separiertes Vorposten-Vorkommen) ist Deutschland in besonders hohem Maße verantwortlich [Katgorie (!), s. SCHMIDT et al. 2016). Sie ist bundesweit (Stand 2015) als extrem seltenes Taxon (Kategorie R) in die Rote Liste aufgenommen worden. In der landesweiten Roten Liste (Stand 2005) wurde *O. castanea* ssp. *raetzeri* nicht separat von *O. castanea* s. str. bewertet. Im Zuge einer Fortschreibung der landesweiten Roten Liste liegt für die Unterart wie in der bundesweiten Bewertung eine separate Einstufung in die Kategorie R (extrem selten) nahe. Die Stammform ist dagegen bundesweit (Stand 2015) und in Bad.-Württ. (Stand 2005) als ungefährdet eingeordnet, wobei bei einer Fortschreibung der Roten Liste die landesweite Einstufung vor dem Hintergrund der aktuellen Datenlage noch einmal geprüft werden sollte. Die Annahme einer Gefährdung liegt nahe. Insgesamt sind die Vorkommen von *O. castanea* in Bad.-Württ. weitgehend auf seltene Lebensraumtypen beschränkt und oftmals weiträumig und langfristig isoliert. Zwar sind die Lebensräume – wie bei *O. boschi* – aufgrund der meist schwierigen Erschließbarkeit vermutlich nur wenig durch direkte Eingriffe gefährdet. Bislang ist aber nicht untersucht, ob Vorkommen auf derzeit offenen Blockhalden möglicherweise infolge einer Beeinträchtigung des Lücken- und Spaltensystems durch langfristige Sukzession sekundär gefährdet sein könnten. *O. castanea* ist im Informationssystem Zielartenkonzept Bad.-Württ. (Stand 2009) als Naturraumart eingestuft.

Tribus Loricerini

J. TRAUTNER

Weltweit sind nach LORENZ (2015) bislang 13 Arten einer Gattung beschrieben, die dieser Tribus zugerechnet werden. In Bad.-Württ. ist sie mit einer Art vertreten, deren Imagines eine Größe von rd. 6,5–8,5 mm erreichen. Charakteristisch sind der an der Basis halsartig verengte Kopf und die langen Borsten an den ersten Fühlergliedern, die beim Beutefang als „Reuse" eingesetzt werden (s. Kap. 4.4).

Loricera pilicornis

Fabricius, 1792
Borstenhornläufer

Allgemeine Verbreitung: Holarktisch verbreitete Art, die auch in weiten Teilen Europas (mit Ausnahme größerer Bereiche der Iberischen Halbinsel und anderer Teile Südeuropas) vertreten ist. Sie kommt in Deutschland flächendeckend in geeigneten Lebensräumen vor.
Vorkommen in Baden-Württemberg: In allen Naturräumen Baden-Württembergs nachgewiesen oder zu erwarten und mit hoher Stetigkeit im mittleren bis feuchten Standortbereich anzutreffen.
Lebensweise und Habitat: Flugfähige (makroptere) und räuberische Art, die in starkem Maße

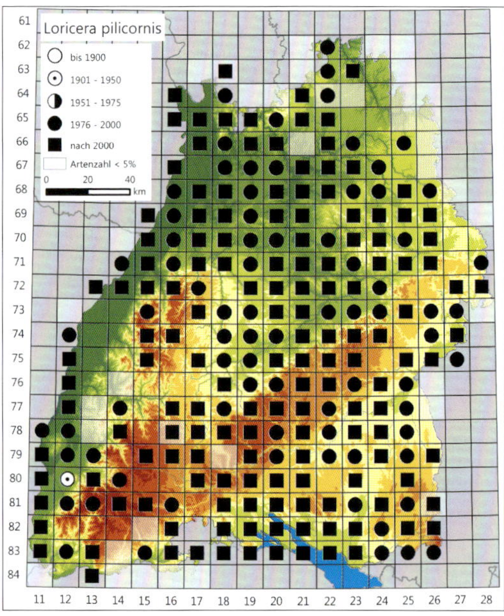

Loricera pilicornis kurz vor dem Abflug mit bereits leicht geöffneten Flügeldecken.

auf Springschwänze (Collembola) spezialisiert ist, daneben aber auch diverse Insektenlarven und Milben frisst. Zu morphologischen Anpassungen und Beutefangverhalten s. Kap. 4.4. Thiele (1977) ordnete die Art der Gruppe mit lediglich 0–15 % Tagaktivität zu, es liegen aber zahlreiche Beobachtungen tagaktiver Imagines aus Bad.-Württ. vor. Paarung und Eiablage (schwerpunktmäßig) im Frühjahr und Larvalentwicklung im Sommer. Die Imagines überwintern teils in Gruppen z. B. unter bemooster Rinde von liegenden Totholzstämmen, im Mulm von Baumstubben oder in Grashorsten. Aktive Imagines wurden in Bad.-Württ. nach den ausgewerteten Daten zwischen März und November registriert, mit Aktivitätspeaks im Mai/Juni und September.

L. pilicornis besiedelt ein breites Habitatspektrum mit Schwerpunkt im frischen bis feuchten Standortbereich, kann aber, in meist geringer Individuenzahl, auch in trockenen Lebensräumen auftreten. Die Art wird offenbar durch Streuauflage oder einen höheren Anteil organischen Materials in den oberen Bodenschichten gefördert. Sie tritt sowohl in Wäldern unterschiedlichen Typs als auch im Offenland auf und wurde in hoher Abundanz auch in häufiger gemähtem Grünland, in Maisäckern und in anderen landwirtschaftlichen Flächen hoher Nutzungsintensität registriert.

Gefährdung und Schutz: *L. pilicornis* ist bundesweit (Stand 2015) und in Bad.-Württ. (Stand 2005) ungefährdet. Aufgrund der weiten Verbreitung und der Eurytopie ist auch keine zukünftige Gefährdung absehbar. Kein Handlungsbedarf.

Tribus Elaphrini

J. Trautner

Weltweit sind nach Lorenz (2015) bislang 50 Arten aus 3 Gattungen beschrieben, die dieser Tribus zugerechnet werden. In Bad.-Württ. ist sie mit 5 Arten vertreten, deren Imagines eine Größe von rd. 5,5–13 mm erreichen. Die Imagines weisen stark vorstehende Augen und entweder deutliche Punktgruben oder „Augenflecke" auf den Flügeldecken auf.

Blethisa multipunctata

(Linnaeus, 1758)

Narbenläufer

Allgemeine Verbreitung: Holarktisch verbreitete Art, deren südliche Verbreitungsgrenze innerhalb Europas in Mitteleuropa und dem nördlichen Balkan verläuft. Die in Deutschland an ihre südliche Arealgrenze stoßende Art ist zwar aus fast allen Bundesländern gemeldet, weist aber einen Verbreitungsschwerpunkt im Norden und Osten auf, während sie Richtung West- und vor allem Süddeutschland u. a. auch aufgrund massiver Bestandsrückgänge zunehmend größere Verbreitungslücken zeigt.

Vorkommen in Baden-Württemberg: Aktuelle und historische Nachweise sind weitgehend auf das

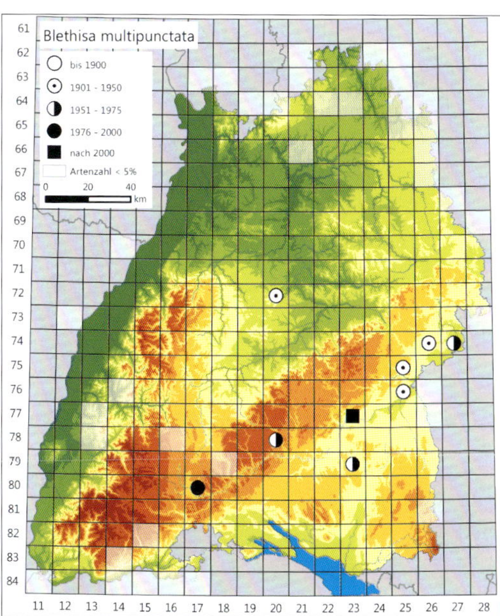

Blethisa multipunctata. Foto: M. Bräunicke.

Einzugsgebiet der Donau beschränkt (Teile der Schwäbischen Alb, der Baar sowie der Donau-Iller-Lech-Platte). Nach Horion (1959a) ist die Angabe in der Oberamtsbeschreibung von Lampert (1897) für Ulm in der Sammlung Hueber zwar nicht belegt; sie erschien allerdings als glaubhaft und wurde zwischenzeitlich durch Belege in der Sammlung Dolderer (Einsingen, Torfmoos, 1919, 1 Ex. vid. Trautner) für Ulm selbst sowie durch Nachweise in der weiteren Umgebung (Lonetal, Dolderer 1960) bestätigt. Burkart meldete die Art zudem von Winterlingen (Horion 1959a), wo mögliche Lebensräume im Schmeietal liegen bzw. lagen; ein Belegexemplar befindet sich in der Sammlung des Staatlichen Museums für Naturkunde Stuttgart. Auch diese Angabe ist plausibel, wobei anzumerken ist, dass die Sammlung Burkart leider einige weitere Tiere anderer Arten ebenfalls mit der Fundortangabe „Winterlingen“ enthält, die faunistisch fragwürdig oder abzulehnen sind. Einziger belegter Fundort nördlich der Schwäbischen Alb ist schließlich Sindelfingen, wo die Art von Zügel (1 Ex., 6.7. 1924) nachgewiesen wurde (Beleg im Staatlichen Museum für Naturkunde Stuttgart). Der Nachweis dort ist vor dem Hintergrund der historischen Situation glaubwürdig: Im Raum Sindelfingen/Böblingen waren in großem Umfang Niedermoorstandorte vorhanden (u.a. im Bereich der Hulb, laut Schubert 1983 einem der ehemals größten Feuchtgebiete im nördlichen Württemberg), wurde Torf abgebaut, und es gab eine größere Zahl an Teichen im Umfeld des heute noch vorhandenen, städtisch geprägten Klostersees, in denen geeignete Habitate der Art erwartet werden konnten. Auf historischen Luftbildern aus den 1930er bis 1950er Jahren ist selbst am randlich zur Stadt gelegenen Klostersee noch abschnittsweise eine Ufervegetation zu erkennen, bei der es sich um Röhrichte gehandelt haben dürfte.

Lebensweise und Habitat: Flugfähige (makroptere) und räuberische, vorwiegend vermutlich dämmerungs-, teils aber auch tagaktive Art. Paarung und Eiablage (schwerpunktmäßig) im Frühjahr und Larvalentwicklung ab Frühjahr/Sommer. Die Eier werden nach den von Arens (1984) im Labor durchgeführten Untersuchungen an der Unterseite von Schilf- oder Holzstückchen befestigt, die auf dem Substrat liegen, wobei die Eiablage immer an sehr feuchten Stellen erfolgt. Aktive Imagines wurden in Bad.-Württ. nach den ausgewerteten Daten zwischen Mai und Juli registriert,

Blethisa multipunctata besiedelt auch einzelne Fließgewässerufer mit Feinsubstraten und einer jedenfalls in Teilen gut ausgebildeten, stark vertikal strukturierten Vegetation, wie hier in einem Tal der Schwäbischen Alb.

In Sindelfingen stellten vermutlich der Klostersee und dort ehemals benachbarte, kleinere Stillgewässer den Lebensraum von *Blethisa multipunctata* dar. Heute sind an dieser Stelle im städtisch geprägten Umfeld keine geeigneten Lebensraumstrukturen mehr vorhanden. Foto: K. Geigenmüller.

für die Angabe eines Aktivitätsmaximums liegen keine ausreichenden Daten vor. Arens (1984) leitet aus dem Fund eines immaturen Exemplars noch im Oktober ab, dass die Art in günstigen Jahren zwei Reproduktionsphasen durchlaufen kann. In seinem Untersuchungsgebiet fand er den Aktivitätspeak im Freiland Ende Juli (Arens 1984), Imagines konnte er insgesamt zwischen Mitte April und Anfang Oktober nachweisen.

B. multipunctata ist sporadisch sowohl von vegetationsreichen Fließgewässerufern in Tälern der Schwäbischen Alb (Großes Lautertal, Lonetal) als auch aus der Ufer- und Verlandungszone größerer Stillgewässer nachgewiesen. So fand Wasner (1974) sie im äußersten Schilfgürtel am Ufersaum des Federsees (1 Ex.), und Kless und Hörster registrierten sie im Großseggenried des Unterhölzer Weihers (Kless 1998). Die Fundstellen sind vegetationsreich, können teilweise beschattet sein und weisen ansonsten, soweit nähere Angaben dazu vorliegen, einen lehmigen oder schlammigen Untergrund auf. Arens (1984) konnte unter anderem zeigen, dass die Imagines der Art regelmäßig ins Wasser gehen und „bis über eine Stunde darin bleiben [können,] ohne aufzutauchen [...]. Messungen von Sauerstoffverbrauch, Volumen des Luftvorrats und Beobachtungen des Verhaltens in [sauerstoffarmer] Atmosphäre ergaben, dass die Tauchzeiten nur möglich sind, weil der mitgeführte Luftvorrat als physikalische Kieme genutzt wird“ (s. auch Arens & Bauer 1987). Während die Imagines an der Bodenoberfläche und teils im Wasser aktiv sind, leben die Larven von *B. multipunctata* nach den Laboruntersuchungen von

Arens (1984) nahezu ausschließlich unterirdisch in selbst gegrabenen Gängen. Arens (1984) schreibt dazu: „In Torf gehaltene Larven [des 2. und 3. Stadiums] legten meist ein Gangsystem mit mehreren Ausgängen an, wobei allerdings kein festes Bauschema eingehalten wird. Oft reichten die Gänge bis auf den Boden der Haltungsgefäße und damit ca. 5 cm unter die Oberfläche hinab. Hungrige Larven lauern meist an einem der Ausgänge, verlassen aber auch bei wachsendem Hunger ihren Unterschlupf und suchen mit pendelndem Vorderkörper die Bodenoberfläche nach Beute ab. Dabei laufen sie im Dämmerlicht ungedeckt auf freien Flächen herum, die sie im hellen Sonnenlicht meiden."

Gefährdung und Schutz: *B. multipunctata* ist bundesweit gefährdet (Stand 2015) und in Bad.-Württ. (Stand 2005) vom Aussterben bedroht. Sie ist Landesart A des Informationssystems Zielartenkonzept Bad.-Württ. (Stand 2009). Im Donauraum dürfte es bereits im Zuge der historischen Donauregulierung und der Melioration im Grünland zu erheblichen Lebensraumverlusten gekommen sein, an Altwässern in der Folge zudem unter anderem durch deren Umgestaltung etwa für die Angelfischerei. Die Nutzung von Flutmulden und vegetationsreichen Altwässern für einen neuen, „renaturierten" Flusslauf im Zuge von Fließgewässerrenaturierungen stellt zudem einen potenziellen Gefährdungsfaktor dar.

Handlungsbedarf besteht in der Sicherung von noch verbliebenem Nassgrünland mit offenen Flutmulden sowie von vegetationsreichen Altarmen entlang der Auen, ebenso von ausgedehnteren Flachufern mit Ried- und Röhrichtbeständen. In den potenziellen Verbreitungsräumen der Art sollten, wo immer möglich, solche Strukturen einschließlich einer möglichst naturnahen Überschwemmungsdynamik wiederhergestellt werden. *B. multipunctata* verträgt offenbar eine teilweise Beschattung, doch ist davon auszugehen, dass unter einer zu starken Beschattung durch Gehölze die Habitatstruktur und -qualität leidet. In Bereichen mit fortgeschrittener Gehölzsukzession, die sich zur Wiederentwicklung für die Art eignen, sowie in noch vorhandenen und durch Sukzession in ihrer Qualität bedrohten Lebensräumen sollen Gehölze daher zurückgedrängt werden. Die aktuelle Verbreitung der Art sollte vertieft untersucht und im Weiteren die Bestandsentwicklung beobachtet werden.

Elaphrus aureus

P. Müller, 1821

Erzgrauer Uferläufer

Allgemeine Verbreitung: Art mit zentral- und südosteuropäischer Verbreitung. Sie stößt in Deutschland an ihre nördliche Arealgrenze und ist trotz großer Vorkommenslücken bis Mitteldeutschland weit verbreitet, während sie im Nord- und Ostdeutschen Tiefland fehlt.

Vorkommen in Baden-Württemberg: Von der Illeraue und dem Voralpinen Hügel- und Moorland über den südlichsten Teil der Neckar- und Tauber-Gäuplatten (Alb-Wutach-Gebiet) bis ins Rheintal und dort entlang des Oberrhein-Tieflands verbreitet, wobei die Nachweise nach Norden hin, möglicherweise in Zusammenhang mit vorherrschenden Substraten an dortigen Fließgewässern, ausdünnen. Auch aus dem Einzugsbereich des Neckars im nordöstlichen Bad.-Württ. liegt eine aktuellere Meldung vor. Historisch ist die Art zudem für Ulm belegt (Sammlung des Staatlichen Museums für Naturkunde Stuttgart, leg. Döttling; von v. d. Trappen 1929 für Ulm nach der Oberamtsbeschreibung von Lampert 1897 gelistet). V. d. Trappen (1929) führt außerdem Heilbronn mit Bezug auf die Württ. Naturalien-Sammlung von Scriba als Fundort an, was aufgrund der fragmentarisch heute noch vorhandenen Ufersubstrate und -strukturen am Neckar um Heilbronn (insbesondere im Bereich der Horkheimer Neckarinsel), des

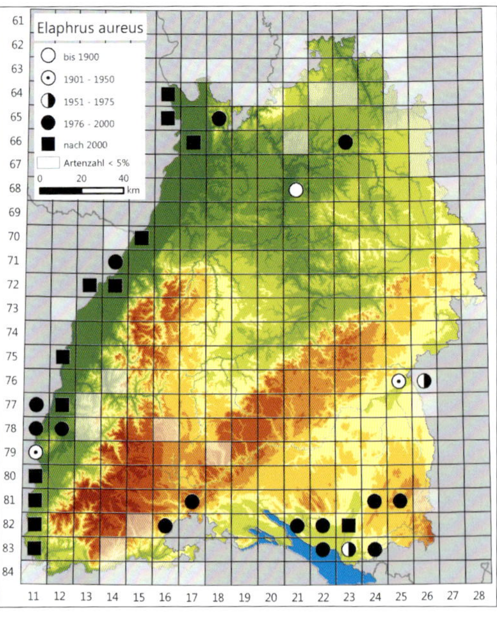

Elaphrus aureus.

ehemaligen und belegten Vorkommens von *Bembidion striatum* (s. dort) sowie des neueren Nachweises im weiteren Umfeld (s. o.) als plausibel eingestuft wird. Eine Belegtier wurde hierfür allerdings nicht gefunden.

Lebensweise und Habitat: Art mit vollständig entwickelten Hinterflügeln (makropter), von der nach Auswertungsstand aber keine Flugbeobachtung vorliegt. Bei Untersuchungen an Gewässern in Nordwestdeutschland zeigte nur ein sehr geringer Anteil der Individuen eine voll entwickelte Flugmuskulatur (Günther & Hölscher 2004). Räuberische Art. Paarung und Eiablage (schwerpunktmäßig) im Frühjahr und Larvalentwicklung ab Frühjahr/Sommer. Von Günther & Hölscher (2004) wurden die ersten eiertragenden Weibchen ab Mai und die ersten immaturen Individuen der neuen Generation ab Mitte Juli festgestellt. Die Art ist langlebig. Durch ein Fang-Markierungs-Wiederfangexperiment konnte gezeigt werden, dass bis zu 18 % der Alttiere in der zweiten und immerhin 3 % noch in der dritten Reproduktionsperiode aktiv waren (Günther & Hölscher 2004), während Bauer & Bath (1976) noch davon ausgingen, dass die imaginale Lebensdauer insgesamt nur etwa ein Jahr beträgt und die „Überwinterer [...] im Juni-August des folgenden Jahres ab[sterben]“ würden. Aktive Imagines wurden in Bad.-Württ. nach den ausgewerteten Daten zwischen April und August registriert, mit einem Aktivitätsmaximum im Mai und Juni.

E. aureus ist eine charakteristische Auwaldart der mittleren und größeren Fließgewässer mit schluffigem bis sandigem Substrat (auch zwischen Kies). Besiedelt werden Weichholzauwälder und vor allem von Weiden (*Salix* spec.) dominierte Gebüsche im zumeist engen Kontaktbereich zu Fließgewässer- oder Altarmufern oder unmittelbar an diesen. Hier kann *E. aureus* lokal hohe Individuendichten erreichen. Typisch sind z. B. die von Wolf-Schwenninger & Schwenninger (1992) mitgeteilten Funde aus dem südlichen Oberrhein-Tiefland bei Weisweil, wo zahlreiche Exemplare in Bodenfallen im Silberweidenwald und in einem Schachtelhalm-Bestand (*Equisetum* spec.) auf schluffigem Untergrund im Auwald gefangen wurden. In Präferenzversuchen erwies sich *E. aureus* in einem Feuchtegradienten gegenüber der häufigen Uferart *E. riparius* als etwas „plastischer“; ihre Individuen suchten erst allmählich feuchtere Bereiche auf, während diejenigen der verwandten Art sich dort bereits zu Versuchsbeginn konzentrierten (Bauer & Bath 1976). Günther & Hölscher (2004) bezeichnen *E. aureus* aufgrund seiner relativ geringen Ausbreitungsfähigkeit als einen für uferbewohnende Laufkäfer untypischen Fall. Sie stellten bei markierten Individuen nur sehr geringe Wanderentfernungen und eine extrem niedrige Austauschrate zwischen einzelnen Habitatflächen (Patches) fest. Dies führt dazu, dass eine neu entstehende geeignete Habitatfläche nur mit geringer Wahrscheinlichkeit auch besie-

Weichholz-Auwald mit großem Vorkommen von *Elaphrus aureus*.

delt wird, wenn sie von der nächsten (Teil-)Population einige hundert Meter entfernt ist. Habitatausdehnung und Flächenverbund spielen für die Art daher eine sehr große Rolle. *E. aureus* ist als charakteristische Art des Lebensraumtyps *91E0 (Auenwälder) des Anhangs I der FFH-Richtlinie einzustufen.

Gefährdung und Schutz: *E. aureus* ist bundesweit (Stand 2015) eine Art der Vorwarnliste und in Bad.-Württ. (Stand 2005) als stark gefährdet eingestuft sowie Landesart B des Informationssystems Zielartenkonzept Bad.-Württ. (Stand 2009). Gefährdungsursachen sind insbesondere die weiträumig erfolgten Aus- und Verbaumaßnahmen an Fließgewässern mit erheblichem Strukturverlust an Weichholzauenwald über naturnahen Bänken, Ufern und Aufschwemmungen sowie die Verhinderung oder erhebliche Einschränkung eigendynamischer Gewässerprozesse. Aus dem Raum Ulm sowie am Neckar (dort wird von ehemaligem Vorkommen ausgegangen, s. o.) liegen trotz Nachsuche keine aktuellen Nachweise mehr vor, auch an anderen Gewässern sind die Bereiche mit struktureller Eignung für die Art gegenüber dem natürlichen Potenzial überwiegend erheblich eingeschränkt (s. a. GÜNTHER & HÖLSCHER 2004 mit übertragbaren Aussagen aus Nordwestdeutschland). Schutzmaßnamen müssen auf Erhalt und Wiederentwicklung möglichst naturnaher Fließgewässerstrecken (einschließlich des Geschiebe- und Wasserhaushalts) mit eigendynamischer Entwicklung abzielen, die langfristig große Populationen der Art im räumlichen Verbund sichern können. Von entscheidender Bedeutung sind dabei Flachufer und Aufschwemmungen aus sandigem und schluffigem Substrat in Kombination mit diese überwachsendem Weichholzauwald (s. o.). Auch das Management von Ufergehölzen, z. B. im Rahmen des Hochwasserschutzes, kann Vorkommen der Art beeinträchtigen oder zum Erlöschen bringen. So bemerken GÜNTHER & HÖLSCHER (2004) für eines ihrer Untersuchungsgebiete, dort sei mehrfach beobachtet worden, „dass lokale Populationen durch das Abholzen (‚auf den Stock setzen‘) ganzer Weidengebüsche auf den betreffenden Patches aussterben [...]. Diese Gebüsche wachsen zwar innerhalb weniger Jahre wieder auf und können einen für diesen Laufkäfer geeigneten Lebensraum darstellen, müssen jedoch von benachbarten Populationen wiederbesiedelt werden.“ Eingriffe in Weichholzauwald über größere Strecken können daher – auch bei nur vorübergehendem Rückschnitt der Gehölze – im Fall lokal eng begrenzter und bereits größerräumig isolierter Vorkommen zum lokalen oder großräumigen Erlöschen führen (s. dazu oben). Vor allem an Iller und Donau, im Einzugsbereich des Bodensees und des Hochrheins sollten detaillierte Kartierungen zur Verbreitung der Art erfolgen und vorrangige Entwicklungsräume für die Art ausgewiesen sowie im Rahmen des Gewässermanagements berücksichtigt werden. Die Bestandsentwicklung der Art sollte im Weiteren beobachtet werden.

Elaphrus cupreus

Duftschmid, 1812

Glänzender Uferläufer

Allgemeine Verbreitung: Eurosibirisch verbreitete Art, die in Südeuropa aber weitgehend fehlt. Sie kommt in Deutschland flächendeckend in geeigneten Lebensräumen vor.

Vorkommen in Baden-Württemberg: Landesweit verbreitet, fehlende Nachweise in der Verbreitungskarte sind vorrangig als Erfassungslücken, i. d. R. aber nicht als tatsächliches Fehlen zu interpretieren. Lediglich in den walddominierten Hochlagen des Schwarzwalds sowie in gewässerarmen Landschaften (u. a. Hochflächen der Schwäbischen Alb) dürfte die Art gebietsweise nicht oder kaum vertreten sein.

Lebensweise und Habitat: Flugfähige (makroptere) und räuberische Art. Paarung und Eiablage (schwerpunktmäßig) im Frühjahr und Larvalentwicklung ab Frühjahr/Sommer. Aktive Imagines wurden in Bad.-Württ. nach den ausgewerteten Daten zwischen April und August registriert, wobei die meisten Funde aus den Monaten Mai und Juni stammen.

E. cupreus ist eine Feuchtgebietsart, die mäßig bis stark beschattete Lebensräume toleriert oder sogar bevorzugt. Typische Fundstellen sind lehmige oder schlammige Bachufer innerhalb bachbegleitender Gehölzbestände, zeitweise überstaute Zonen in Bruchwäldern, durch krautige

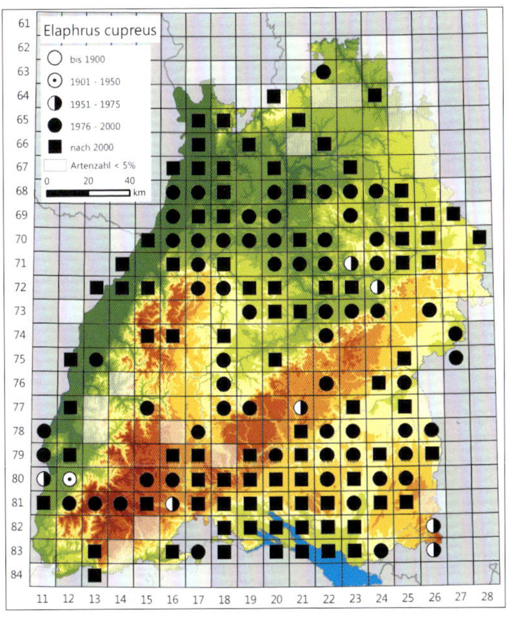

Elaphrus cupreus.

Vegetation teilweise beschattete Ufer von Weihern, aber auch nasse „Störstellen“ (z. B. durch Befahren oder Beweidung) im Grünland. Arens (1984) konnte mit Experimenten in der Klimaorgel die Hygrophilie sowohl der Larven als auch der Imagines nachweisen: Bezüglich der Luftfeuchte kam im Fall der Larven die „extreme Bevorzugung des feuchtesten Sektors [...] meist bereits nach wenigen Minuten zum Ausdruck. Die Beobachtungen während der Versuche zeigten, dass die Resistenz gegen Austrocknung vom ersten bis zum dritten Larvenstadium steigt.“ Auch bezüglich der Substratfeuchte reagierten die Larven mit Bevorzugung des feuchtesten Bereichs. Nach Untersuchungen von Schreiner & Irmler (2009) nutzt *E. cupreus* vor allem sehr vegetationsarme Bereiche (> 75–100 % offener Boden), was mit seinem Beutefangverhalten zusammenhängt: Zur Nahrungssuche, bei der sie sich optisch orientieren, laufen die Imagines mehr oder minder zufallsbedingt und rasch umher, bis sie auf Beute stoßen. Die Imagines sind tagaktiv, die Nachtaktivität der Larven wird als Isolationsmechanismus gegenüber den Imagines gedeutet (Bauer 1974). Nach Bauer (1974) erreichen *E. cupreus*-Imagines ihre volle Sehschärfe im optomotorischen Versuch bei niedrigerer Lichtintensität als diejenigen des verwandten *E. riparius*, was mit den Lebensraumpräferenzen korrespondiert.

Gefährdung und Schutz: *E. cupreus* ist bundesweit (Stand 2015) und in Bad.-Württ. (Stand 2005) ungefährdet. Aufgrund der weiten Verbreitung mit Auftreten in unterschiedlichen, auch stark beschatteten Feuchtlebensräumen ist auch keine zukünftige Gefährdung absehbar. Kein Handlungsbedarf.

Elaphrus cupreus besiedelt ein relativ breites Spektrum nasser, in der Regel deutlich bis vollständig beschatteter Lebensräume.

Elaphrus riparius

(Linnaeus, 1758)

Kleiner Uferläufer

Allgemeine Verbreitung: Holarktisch verbreitete Art, die in größeren Teilen Südeuropas aber fehlt. Sie kommt in Deutschland flächendeckend in geeigneten Lebensräumen vor.

Vorkommen in Baden-Württemberg: Landesweit verbreitet, aber mit sehr unterschiedlicher Stetigkeit entsprechend dem Angebot geeigneter Lebensräume und in einigen Naturräumen nicht oder kaum vertreten, z. B. in den Hochlagen des Schwarzwalds, auf der Schwäbischen Alb sowie in anderen gewässerarmen Landschaften.

Lebensweise und Habitat: Flugfähige (makroptere) und räuberische Art. Paarung und Eiablage (schwerpunktmäßig) im Frühjahr und Larvalentwicklung ab Frühjahr/Sommer. Aktive Imagines wurden in Bad.-Württ. nach den ausgewerteten Daten zwischen April und September registriert, mit einem Aktivitätsmaximum im Mai.

E. riparius bewohnt voll besonnte Feinsedimentufer von Still- und Fließgewässern, die durch fehlenden oder sehr lückigen Bewuchs gekennzeichnet sind. Die Imagines der Art zeigten im Präferenzversuch im Feuchtegradienten eine deutliche Konzentration in den feuchtesten Bereichen (Bauer & Bath 1976). Wie beim verwandten *E. cupreus* laufen auch die Imagines von *E. riparius*

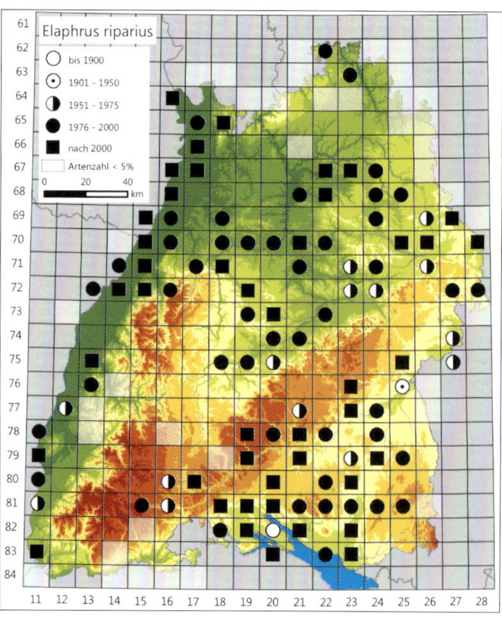

mehr oder minder zufallsbedingt und rasch umher, bis sie auf Beute stoßen, und sind tagaktiv. Nach Bauer (1974) erreichen *E. riparius*-Imagines ihre volle Sehschärfe im optomotorischen Versuch bei einer höheren Lichtintensität als diejenigen des verwandten *E. cupreus*, was mit den Lebensraumpräferenzen korrespondiert. Die Nachtaktivität der Larven wird auch bei dieser Art als Isolationsmechanismus gegenüber den Imagines gedeutet (Bauer 1974). *E. riparius* fliegt bei Störung häufig auf; er erreicht dabei nach Bauer (1974) eine Fluggeschwindigkeit von 5,9 km/h. Die Art vermag neu entstehende Lebensräume rasch zu besiedeln und kann z. B. nach Fließgewässerrenaturierung mit baulicher Herstellung eines neuen Gewässerbetts an den großflächig offenen Ufern vor Einsetzen einer stärkeren Sukzession sehr hohe Individuendichten erreichen (z. B. Trautner & Bräunicke 1997).

Elaphrus riparius.

Gefährdung und Schutz: *E. riparius* ist bundesweit (Stand 2015) und in Bad.-Württ. (Stand 2005) ungefährdet. Aufgrund der weiten Verbreitung und relativen Häufigkeit ist auch keine zukünftige Gefährdung absehbar. Kein Handlungsbedarf.

Uferabflachung im Laucherttal auf der Schwäbischen Alb, die vermutlich im Zuge einer Fließgewässer-Renaturierung entstand. Solche Strukturen bieten in den ersten Jahren individuenreichen Beständen von *Elaphrus riparius* Lebensraum. Bei dichter werdender Vegetation geht diese Art jedoch wieder zurück und kann vor allem im Fall einer aufkommenden Beschattung durch Gehölze wieder ganz verschwinden.

Elaphrus uliginosus.

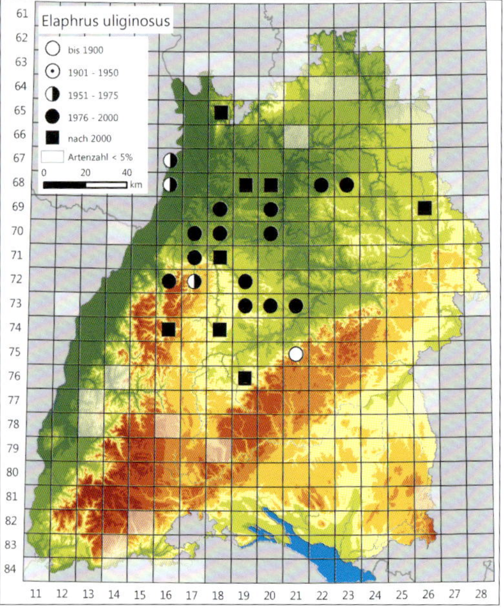

Elaphrus uliginosus

Fabricius, 1792

Dunkler Uferläufer

Allgemeine Verbreitung: Paläarktisch verbreitete Art, die nur im äußersten Norden sowie in Teilen Südeuropas fehlt, ansonsten aber teils diskontinuierlich vertreten ist. Sie ist in Deutschland weit verbreitet und kommt in allen Bundesländern vor, wobei sie vor allem im Süden (Baden-Württemberg, Bayern) größere Verbreitungslücken aufweist.

Vorkommen in Baden-Württemberg: Nahezu ausschließlich im zentralen und nordwestlichen Landesteil, hier vom Schwäbischen Keuper-Lias-Land über Teile der Neckar- und Tauber-Gäuplatten bis in das nördliche Oberrhein-Tiefland, den Odenwald und Randbereiche des Nordschwarzwalds verbreitet.

Lebensweise und Habitat: Flugfähige (makroptere) und tagaktive Art. Paarung und Eiablage (schwerpunktmäßig) im Frühjahr und Larvalentwicklung ab Frühjahr/Sommer. Aktive Imagines wurden in Bad.-Württ. nach den ausgewerteten Daten zwischen April und August registriert, mit einem Aktivitätsmaximum im Mai und Juni.

E. uliginosus ist eine Art mit Schwerpunktvorkommen im voll besonnten Feucht- und Nassgrünland bei stellenweise vorhandenen Offenbodenstrukturen und einer meist heterogenen Vegetationsstruktur, wie sie sich z. B. im Wechsel zwischen rasenartigen Beständen und Bulten oder im Übergang zu lockeren Schilfbeständen ausdrückt. In Norddeutschland haben sich zunächst Schulz & Reck (2004) und in der Folge Schreiner & Irmler (2009, 2010) näher mit der Art befasst. Demnach benötigt sie einen Offenbodenanteil bis 25 %, weist gegenüber dem häufigen *E. cupreus* eine höhere Mobilität sowie einen mit rund 40 m² größeren individuellen Aktionsraum auf (Schreiner & Irmler 2010) und bevorzugt höhere Temperaturen (Schreiner & Irmler 2009). Dies korrespondiert gut mit den dokumentierten Habitaten in Bad.-Württ. Neben flächigen Standorten kann *E. uliginosus* auch entlang von Gräben in ansonsten weitgehend entwässerten und intensiver genutzten Gründlandbereichen auftreten, wenn an den Gräben die o. g. Verhältnisse erfüllt sind. Dies kann z. B. in Kombination einseitiger Röhrichtsäume mit kleinräumig offenen Flachufern, die eine ausreichende Besonnung erhalten, der Fall sein (Beispiele aus dem zentralen Bad.-Württ. vorliegend).

Unterschiedlich extensiv beweidete Feuchtflächen im einem Tal des Nordschwarzwaldes bilden hier den Lebensraum von *Elaphrus uliginosus*.

E. uliginosus kann zudem an vegetationsreichen Stillgewässerufern auftreten.

Gefährdung und Schutz: *E. uliginosus* ist bundesweit (Stand 2015) und in Bad.-Württ. (Stand 2005) stark gefährdet und Landesart B des Informationssystems Zielartenkonzept Bad.-Württ. (Stand 2009). Hauptgefährdungsursachen sind die direkte Inanspruchnahme der heute vielfach nur noch kleinräumig ausgebildeten Habitate z. B. durch Bauvorhaben sowie Entwässerung und Nutzungsintensivierung oder aber durch die Aufgabe habitatprägender Nutzungen mit anschließender Sukzession. Das Erlöschen lokaler Bestände durch solche Faktoren ist auch für Bad.-Württ. belegt und dürfte in den Schwerpunkträumen bereits in der Vergangenheit in sehr großem Umfang stattgefunden haben (z. B. mit der Vernichtung großflächiger Feuchtgebiete im Raum Sindelfingen/Böblingen, wo heute noch Restpopulationen existieren). Der Schutz von *E. uliginosus* ist einerseits von der Sicherung und Wiederherstellung ehemals nasser Grünlandstandorte abhängig, andererseits aber von Nutzungsformen, die dauerhaft die von der Art bevorzugten Lebensraumparameter gewährleisten. Dies dürfte nach den vorliegenden Erkenntnissen an den meisten Standorten am besten durch eine extensive Beweidung mit Rindern (oder anderen Weidetieren, die eine vergleichbare Vegetationsstruktur bewirken) gelingen. Auf die Bedeutung einer extensiven Beweidung für die Art weisen auch Schulz & Reck (2004) sowie Schreiner & Irmler (2010) hin. Vor allem in den Schwerpunkträumen der Art sollten die aktuelle Verbreitung vertieft untersucht und im Weiteren die Bestandsentwicklung beobachtet werden.

Tribus Scaritini

J. Trautner

Weltweit sind nach Lorenz (2015) bislang 1983 Arten aus 134 Gattungen beschrieben, die dieser Tribus zugerechnet werden. In Bad.-Württ. ist oder war sie mit 13 Arten vertreten, deren Imagines eine Größe von rd. 2,4–7 mm erreichen. Die Arten haben eine grabende Lebensweise und besitzen stark verbreiterte, mit kräftigen Dornen und Spornen ausgestattete vordere „Grabbeine". Der Körper ist – von oben gesehen – zwischen Halsschild und Flügeldecken stark eingeschnürt.

Clivina collaris

(Herbst, 1784)

Zweifarbiger Grabspornläufer

Allgemeine Verbreitung: Europäisch-westpaläarktische Art, in größeren Teilen Nord- und Nordwesteuropas fehlend. In Nordamerika eingeschleppt (Bousquet 2012). Sie kommt in Deutschland flächendeckend in geeigneten Lebensräumen vor.

Vorkommen in Baden-Württemberg: Landesweit mit Ausnahme größerer Teile des Schwarzwalds und der Schwäbischen Alb verbreitet, fehlende Nachweise in der Verbreitungskarte sind in den übrigen Naturräumen als Erfassungslücken, i. d. R. aber nicht als ein tatsächliches Fehlen zu interpretieren.

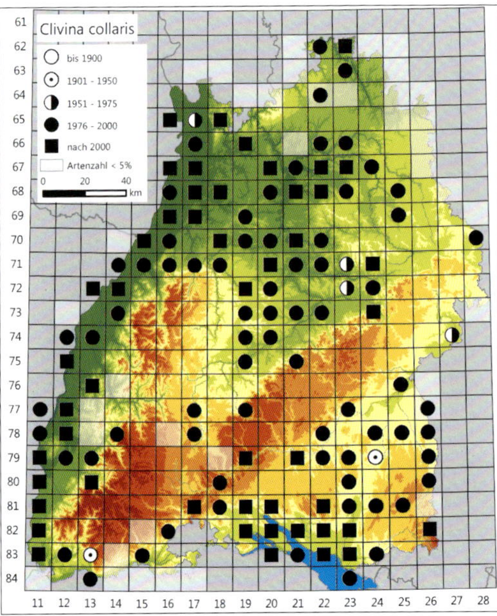

Clivina collaris. Foto: C. Benisch.

Lebensweise und Habitat: Flugfähige (makroptere) Art mit grabender Lebensweise. Paarung und Eiablage (schwerpunktmäßig) im Frühjahr und Larvalentwicklung ab Frühjahr/Sommer. Aktive Imagines wurden in Bad.-Württ. nach den ausgewerteten Daten zwischen April und September registriert, mit einem Aktivitätsmaximum im Mai.

C. collaris tritt schwerpunktmäßig und mit besonders hoher Stetigkeit an Ufern mit lehmigem oder sandigem Untergrund auf, wobei eine Durchmischung oder Auflage aus organischem Material vorhanden sein kann (aber nicht muss). Auch Balkenohl (1988) beschreibt aus Westfalen Uferstandorte mit Anteilen organischer Materialien als Lebensraum. Es werden sowohl besonnte als auch beschattete Ufer besiedelt. Die Art ist aber nicht auf Ufer beschränkt, sondern tritt auch in anderen Lebensräumen mit feuchten bis wechselfeuchten Rohböden auf, so etwa teilweise in Äckern und ihren typischen Begleitstrukturen, auf Ruderalflächen und in Abbaugebieten (z. B. Lehmgruben). In geringerer Stetigkeit kann die Art im frischen bis feuchten Grünland vertreten sein, unter anderem in beweideten Flächen.

Gefährdung und Schutz: *C. collaris* ist weder bundesweit (Stand 2015) noch in Bad.-Württ. (Stand 2005) gefährdet. Aufgrund der weiten Verbreitung mit Auftreten in unterschiedlichen, darunter oftmals ungefährdeten Lebensraumtypen, ist auch keine zukünftige Gefährdung absehbar. Kein Handlungsbedarf.

Clivina fossor

(Linnaeus, 1758)
Gewöhnlicher Grabspornläufer

Allgemeine Verbreitung: Paläarktische Art, in Europa verbreitet, in Nordamerika eingeschleppt (Bousquet 2012). Sie kommt in Deutschland flächendeckend in geeigneten Lebensräumen vor.
Vorkommen in Baden-Württemberg: Landesweit verbreitet, lediglich im Schwarzwald geringe Funddichte. Fehlende Nachweise in der Verbreitungskarte sind als Erfassungslücken, i. d. R. aber nicht als ein tatsächliches Fehlen zu interpretieren.
Lebensweise und Habitat: Flugfähige (dimorphe bzw. polymorphe) Art mit grabender Lebensweise. Nahrungsgeneralistin. Paarung und Eiablage (schwerpunktmäßig) im Frühjahr und Larvalentwicklung ab Frühjahr/Sommer. Aktive Imagines wurden in Bad.-Württ. nach den ausgewerteten Daten zwischen März und November registriert, mit einem Aktivitätsmaximum im Mai.

C. fossor ist eine eurytope Art frischer bis feuchter Standorte mit Schwerpunkt auf lehmigen Böden des Offenlands (Äcker, Grünland u. a.). Insgesamt weist sie aber ein sehr weites Standort- und Lebensraumspektrum auf und tritt auch in Wäldern (dort oft an Lichtungen), in Rieden und Röhrichten (dort eher in den weniger nassen Randzonen) sowie an Ufern auf.
Gefährdung und Schutz: *C. fossor* ist weder bundesweit (Stand 2015) noch in Bad.-Württ. (Stand

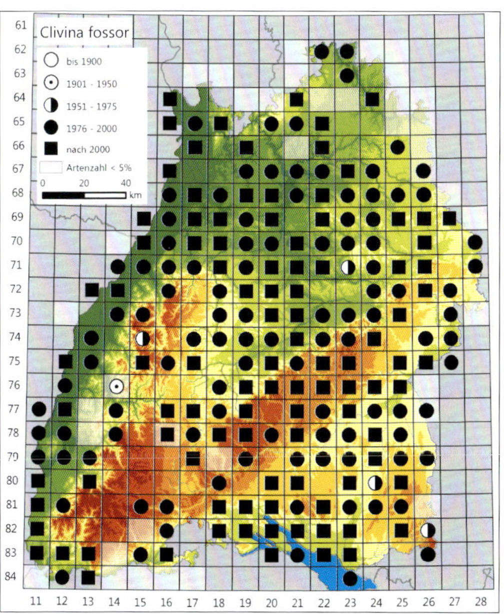

Clivina fossor.

2005) gefährdet. Aufgrund der weiten Verbreitung mit Auftreten in unterschiedlichen, darunter oftmals ungefährdeten Lebensraumtypen, ist auch keine zukünftige Gefährdung absehbar. Kein Handlungsbedarf.

Dyschirius abditus

Fedorenko, 1993
Südlicher Handläufer

Allgemeine Verbreitung: Von der Balkanhalbinsel über den Alpenraum und osteuropäische Gebirge bis Ostfrankreich und Polen verbreitet. Sie kommt in Deutschland nur in der Südhälfte Bayerns und sehr lokal in Bad.-Württ. vor.
Vorkommen in Baden-Württemberg: Nur bei Ulm in der Illeraue sicher nachgewiesen (Illerkirchberg). Zwei Belegexemplare zur Meldung durch Harde & Köstlin (1961) befinden sich in der Sammlung des Staatlichen Museums für Naturkunde in Stuttgart (vid. Wolf-Schwenninger), etikettiert mit: Ulm 18. 9. 60 Iller-Au sowie Ob. Kirchberg b. Ulm, Iller-Au, 13. 5. 1961, jeweils leg. Dr. E. Ulbrich. Entweder wurden die Tiere bei Iller-Hochwässern aus den Allgäuer Alpen verfrachtet, oder es existieren bzw. existierten im Unterlauf entlang der Iller (ggf. auch temporär) Vorkommen in geeigneten Uferhabitaten. Die Funde aus zwei verschiedenen Jahren weisen eher auf Letzteres hin, zumal im Ulmer Raum auch von weiteren Arten der dealpinen

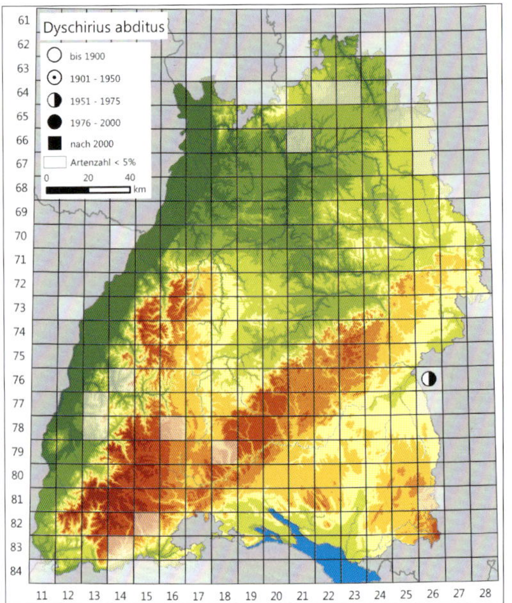

Flüsse Populationen dokumentiert sind. Bei einer weiteren Fundangabe aus dem Oberrhein-Tiefland ist es vor dem Hintergrund des Fehlens sonstiger Nachweise aus diesem Raum sowie aus hochrhein- und bodenseenahen Gebieten der Schweiz (s. Luka et al. 2009) wesentlich wahrscheinlicher, dass sie auf Verfrachtung zurückgehen könnte. Sie wurde daher nicht in die Datenbank aufgenommen.

Lebensweise und Habitat: Art mit vollständig entwickelten Hinterflügeln (makropter), von der nach Auswertungsstand keine Flugbeobachtung vorliegt. Grabende Lebensweise. Die Funde aus Bad.-Württ. datieren vom Mai und September (s. o.), für die Angabe eines Aktivitätsmaximums liegen keine ausreichenden Daten vor.

D. abditus tritt an besonnten Uferstrukturen alpiner und dealpiner Fließgewässer mit Feinsediment auf. Für Tirol beschreibt Kahlen (1987) das Auftreten der Art „sowohl im schlickigen Feinsand auf ausgedehnten Sandbänken als auch in ebensolchen Kleinnischen in Kies und Schotter. In den Tallagen des Inn- und Eisacktales sind die Biotope weitgehend zerstört, in den Seitentälern aber noch vorhanden." Bei Kahlen (1995) wird außerdem der Fund aus einem Kleinseggenried im Talboden des Rißbachs beschrieben, was darauf hinweist, dass in Auen bei geeignetem Substrat- und Strukturangebot auch Bereiche abseits des unmittelbaren Ufers besiedelt werden können.

Gefährdung und Schutz: *D. abditus* ist bundesweit (Stand 2015) stark gefährdet, in Bad.-Württ. (Stand 2005) wird bei nicht ausreichender Datenlage eine Gefährdung angenommen (Kategorie G). Die Art ist zudem als Landesart B des Informationssystems Zielartenkonzept Bad.-Württ. (Stand 2009) eingestuft. Sie ist wie andere Arten der Flussauen insbesondere durch den Verlust habitatprägender Dynamik an Fließgewässern gefährdet, unter anderem bedingt durch Verbau und energetische Nutzung der Gewässer. Ob in Bad.-Württ. (noch) Populationen existieren, müssten vertiefte Untersuchungen klären. Nach derzeitigem Kenntnisstand ist bei Fortschreibung der landesweiten Roten Liste eine Einstufung der Art als ausgestorben oder verschollen naheliegend.

Dyschirius abditus. Foto: O. Bleich.

Dyschirius aeneus

(Dejean, 1825)

Sumpf-Handläufer

Allgemeine Verbreitung: Paläarktisch verbreitete und in großen Teilen Europas vorkommende Art. Sie ist in Deutschland fast flächendeckend vertreten und kommt in geeigneten Lebensräumen stetig vor.

Vorkommen in Baden-Württemberg: In großen Teilen des Landes verbreitet, insbesondere in feuchtgebiets- und gewässerreichen Naturräumen stet auftretend. Im Schwarzwald nur randlich und auf der Schwäbischen Alb punktuell nachgewiesen. Im Osten und Nordosten Baden-Württembergs ist die Art möglicherweise erfassungsbedingt unterrepräsentiert.

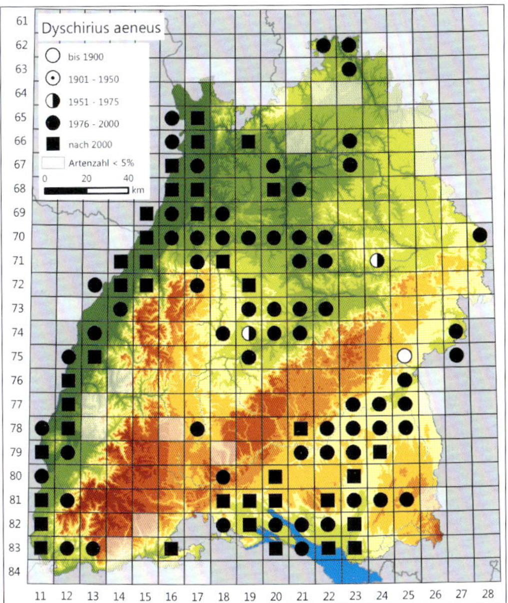

Lebensweise und Habitat: Flugfähige (makroptere) Art mit grabender Lebensweise. Als wahrscheinliche Beutetiere werden Arten der Kurzflügler-Gattungen *Heterocerus*, *Carpelimus* und *Platystethus* angesehen (Irmler & Gürlich 2004). Paarung und Eiablage (schwerpunktmäßig) im Frühjahr und Larvalentwicklung ab Frühjahr/Sommer. Aktive Imagines wurden in Bad.-Württ. nach den ausgewerteten Daten zwischen Mai und September registriert, mit einem Aktivitätsmaximum im Juni.

D. aeneus ist eine Feuchtgebiets- und Uferart. Ihre Fundorte sind in der Regel durch ein kleinräumiges Mosaik aus dichteren Vegetationsbeständen und offenen Bodenstellen in besonnter Lage gekennzeichnet. Baehr (1980) beschreibt eine demnach typische Fundsituation aus dem Schönbuch im zentralen Bad.-Württ., wo mehrere Imagines „auf einer ziemlich frischen Brandstelle gefunden [wurden], die inmitten eines kleinen Schilf- und Seggenbestandes in der sumpfigen Bachaue gelegen war. Der Untergrund war trotz hellsten Sonnenscheins ziemlich feucht, teils lehmig, teils schwarzschlammig."

Gefährdung und Schutz: *D. aeneus* ist weder bundesweit (Stand 2015) noch in Bad.-Württ. (Stand 2005) gefährdet. Aufgrund der weiten Verbreitung mit Auftreten in unterschiedlichen feuchten bis nassen, darunter oftmals ungefährdeten Lebensraumtypen, ist auch keine zukünftige Gefährdung absehbar. Kein Handlungsbedarf.

Dyschirius aeneus. Foto: C. Benisch.

Dyschirius agnatus

Motschulsky, 1844

Leuchtender Handläufer

Allgemeine Verbreitung: Europäische Art, die im Osten Kasachstan erreicht und im Norden Europas weiträumig fehlt. Vorwiegend in der westlichen Hälfte Deutschlands sowie in Mitteldeutschland stark zerstreute, diskontinuierliche Vorkommen, die nördlich bis in den Bremer Raum und östlich bis ins mittlere Thüringen reichen. Ansonsten fehlt die Art in Nord- und Ostdeutschland großflächig und ist auch in Süddeutschland nur gebietsweise oder punktuell vertreten.

Vorkommen in Baden-Württemberg: Auf das Oberrhein-Tiefland und seinen Übergangsbereich in die Neckar- und Tauber-Gäuplatten beschränkt; dort bereits von Nowotny (1949) aus dem Raum Karlsruhe gemeldet, spätere Funde wurden unter anderem von Gladitsch (1978) und Maus (1987) publiziert.

Lebensweise und Habitat: Flugfähige (makroptere) Art mit grabender Lebensweise. Paarung und Eiablage (schwerpunktmäßig) im Frühjahr und Larvalentwicklung ab Frühjahr/Sommer. Aktive Imagines wurden in Bad.-Württ. nach den ausgewerteten Daten zwischen April und August

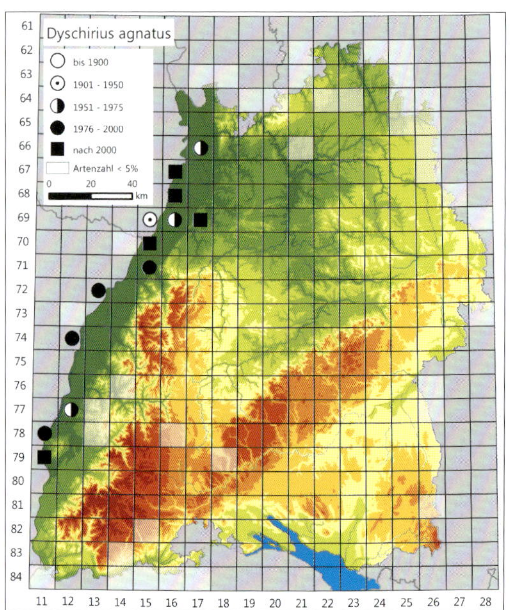

registriert, für die Angabe eines Aktivitätsmaximums liegen keine ausreichenden Daten vor.

D. agnatus ist eine Uferart. Assmann (1992) beschreibt Habitate aus Nordostspanien als überwiegend lehmige, vegetationsarme oder -freie und besonnte Bereiche „innerhalb großer Schotterflächen, die die Gebirgsflüsse säumen“; aus Nordwestdeutschland nennt er unter anderem für Weser und Ems „lehmige Uferstellen [...] etwas oberhalb des vernäßten Horizontes“ und schreibt weiter: „Neben den Flußufern werden (zumindest vorübergehend) auch ‚Sekundärbiotope‘ wie Abbaugruben angenommen, wenn die Lebensraumstrukturen (sonnenexponierte, vegetationsarme, lehmige bis Uferbereiche) den beschriebenen Flußufern entsprechen.“ So stammt z. B. der von Maus (1987) gemeldete Fund von einem Baggersee zwischen Offenburg und Kehl, auch die Nachweise von Schiel & Rademacher (2008) kommen aus einem ehemaligen Kiesabbaugebiet.

Dyschirius agnatus. Foto: O. Bleich.

Gefährdung und Schutz: *D. agnatus* ist sowohl bundesweit (Stand 2015) als auch in Bad.-Württ. (Stand 2005) stark gefährdet und als Landesart B des Informationssystems Zielartenkonzept Bad.-Württ. (Stand 2009) eingestuft. Wie bei anderen Arten der naturnahen, dynamischen Flusslandschaften müssen Schutzmaßnahmen primär auf eine Wiederherstellung der Dynamik (Wasser- und Geschiebehaushalt) an Flüssen abzielen, die geeignete Lebensräume für die Art im ausreichenden räumlich-zeitlichen Mosaik bereitstellen und langfristig sichern. Gerade für diese Art stellen die Abbaugebiete im Oberrhein-Tiefland einen sehr wichtigen Sekundärlebensraum dar. Die Ansprüche der Art müssen daher bei Abbau- und Rekultivierungsplanungen verstärkt berücksichtigt werden. Schiel & Rademacher (2008) zeigen nach elfjährigem Monitoring in einer Kiesgrube im Oberrhein-Tiefland auf, dass sich unter anderem diese Art als eine der „Leitarten offener, sandig-kiesiger Uferbereiche und Wechselwasserzonen“ über den gesamten Zeitraum in ihrem Gebiet halten konnte. Allerdings betonen sie für diesen Sekundärlebensraum die Notwendigkeit von Pflegemaßnahmen, die teilweise bereits im Untersuchungszeitraum durchgeführt wurden, aber noch verstärkt werden sollen. Dabei werden im Gesamtkonzept unter anderem die Zurückdrängung der Gehölzsukzession, der oberflächige Abtrag von Vegetations- und Bodenschicht sowie die Freihaltung besonnter Wechselwasserzonen von Schilf- und Gehölzaufwuchs genannt.

Dyschirius angustatus

(Ahrens, 1830)

Schmaler Ziegelei-Handläufer

Allgemeine Verbreitung: Europäische Art, auf der Iberischen Halbinsel fehlend und im Osten den Kaukasus erreichend. Sie ist in Deutschland trotz kleinerer Lücken weit verbreitet.

Vorkommen in Baden-Württemberg: Schwerpunkt im Oberrhein-Tiefland und im Hinterland des Bodensees (Teil des Voralpinen Hügel- und Moorlandes), darüber hinaus unter anderem entlang des Neckar- und Donautals. Ansonsten nur sehr vereinzelte, punktuelle Nachweise.

Lebensweise und Habitat: Flugfähige (makroptere), räuberische Art mit grabender Lebensweise. Nach Lindroth (1992) in seinem Vorkommen streng an das Auftreten von Kurzflügler-Arten der Gattung *Bledius* gebunden, die als Beutetiere eingestuft werden. Paarung und Eiablage (schwerpunktmäßig) im Frühjahr und Larvalentwicklung ab Frühjahr/Sommer. Aktive Imagines wurden in Bad.-Württ. nach den ausgewerteten Daten zwischen April und September registriert, für die Angabe eines Aktivitätsmaximums liegen keine ausreichenden Daten vor.

D. angustatus ist eine Rohbodenbesiedlerin, die vorwiegend in Sand und sandig-lehmigem Untergrund vorkommt. Ihre dortigen Habitate sind voll besonnt und vollständig oder weitgehend vegetationsfrei. Obwohl die Art auch im Uferbereich von

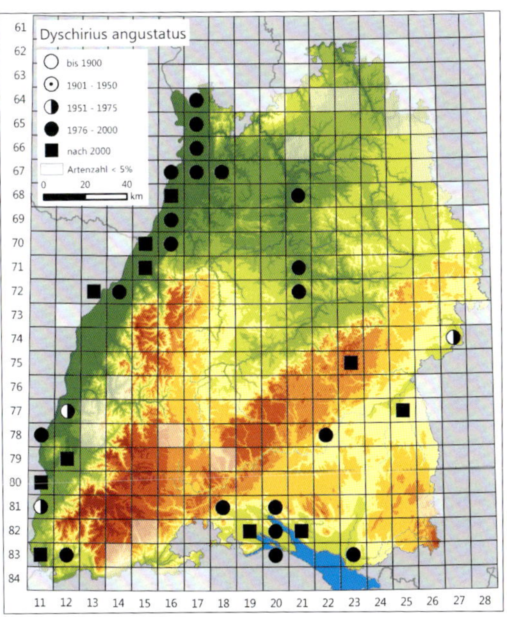

Dyschirius angustatus. Foto: C. Benisch.

Gewässern auftreten kann, ist sie nicht an Gewässer gebunden (insoweit keine Uferart) und auch dort, übereinstimmend mit den Angaben von Lindroth (1992), etwas entfernt von der Wasserkante anzutreffen. Entsprechende Funde liegen aus Bad.-Württ. unter anderem aus dem Donauraum bei Altheim vor, wo *D. angustatus* auf höher gelegenen, vegetationsfreien Sandrücken des Uferbereichs nachgewiesen wurde (eigene Daten). Die Art besiedelt aber auch Trockenlebensräume ohne jede Gewässernähe. So wurde sie auf innerstädtischen Bahnbegleitflächen (Bräunicke et al. 1997) wie auf Flugsanddünen (Wolf-Schwenninger & Schwenninger 1992) festgestellt. Darüber hinaus stammen Funde aus Abbaugebieten (Sand- und Kiesgruben, s. z. B. Kubach et al. 1999 zu früheren Funden P. Dolderers), die wesentliche Habitate für *D. angustatus* bereitstellen.

Gefährdung und Schutz: *D. angustatus* ist bundesweit (Stand 2015) eine Art der Vorwarnliste und in Bad.-Württ. (Stand 2005) gefährdet sowie Naturraumart des Informationssystems Zielartenkonzept Bad.-Württ. (Stand 2009). Gefährdungsursachen sind insbesondere die Verringerung einer habitatprägenden Dynamik mit anschließend aufkommender Vegetation, aber auch die direkte Inanspruchnahme von Lebensräumen unter anderem durch Baumaßnahmen und Aufforstung (z. B. in ehemaligen Abbaugebieten). Insbesondere in

Nagelfluh-Haufen in einer Kiesgrube im Bodenseeraum: Im verwitternden Substrat findet *Dyschirius angustatus* über mehrere Jahre hinweg geeignete Bedingungen vor.

ihren Schwerpunktverbreitungsgebieten kann *D. angustatus* sicherlich von Schutzmaßnahmen zugunsten anderer Arten der naturnahen, dynamischen Flusslandschaften profitieren, soweit diese in der Dynamik langfristig offene, höher gelegene und vegetationsfreie Standorte gewährleisten. Eine besondere Rolle spielen zudem der Schutz offener Dünen sowie die verstärkte Berücksichtigung der Ansprüche der Art bei Abbau- und Rekultivierungsplanungen.

Dyschirius bonellii

Putzeys, 1846

Bonellis Steppen-Handläufer

Allgemeine Verbreitung: Vom Süden Englands über Zentral- und Osteuropa diskontinuierlich verbreitete Art. Sie kommt in Deutschland rezent nur in zwei kleinen, lokal begrenzten Arealen in Mitteldeutschland (v. a. Sachsen-Anhalt, Thüringen, nördliches Bayern) sowie im zentralen Süddeutschland (östliches Baden-Württemberg, westliches Bayern) vor.

Vorkommen in Baden-Württemberg: Ausschließlich punktuell im Osten der Schwäbischen Alb nachgewiesen. Die bis zum Jahr 1999 bekannten Funde werden bei KUBACH et al. (1999) aufgeführt. KÖSTLIN (1957) und HORION (1959a) berichteten zunächst über den vermeintlichen Erstfund der Art für den württembergischen Landesteil am Karkstein bei Bopfingen (Juli 1955, KÖSTLIN leg.). Tatsächlich hatte jedoch P. DOLDERER die Art schon früher nachgewiesen, wie einer der Belege in seiner Sammlung aus dem Stadtmuseum Heidenheim zeigt (Niederstotzingen, Sandgrube, 20. 06. 1952); ein weiteres Exemplar vom gleichen Fundort datiert vom 07. 07. 1956. Durch KUBACH et al. (1999) gelang in diesem Raum der Wiederfund in Erosionsstellen eines Halbtrockenrasens (1 Ex., 31. 05. 1998). In jüngster Zeit wurde die Art zudem erneut im Raum Bopfingen bestätigt (eigene Daten).

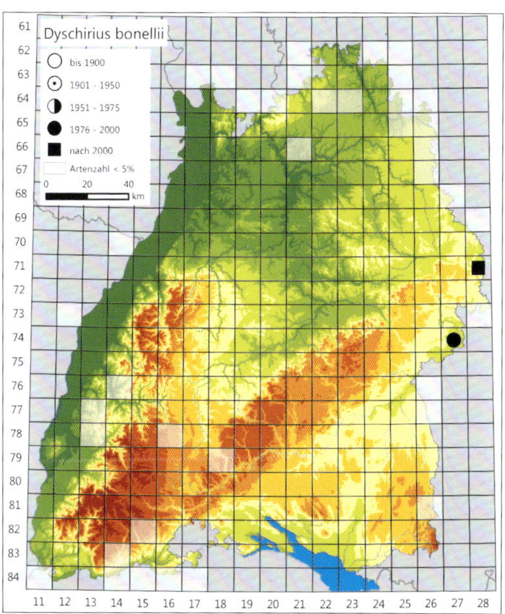

Dyschirius bonellii. Foto: O. Bleich.

Lebensweise und Habitat: Art mit vollständig entwickelten Hinterflügeln (makropter), von der nach Auswertungsstand keine Flugbeobachtung vorliegt. Grabende Lebensweise. Aktive Imagines wurden in Bad.-Württ. nach den ausgewerteten Daten zwischen Mai und Juli registriert (s. o.), für die Angabe eines Aktivitätsmaximums liegen keine ausreichenden Daten vor.

Für *D. bonellii* sind bundesweit für alle naturräumlichen Großlandschaften, in denen die Art auftritt, einheitlich kalkreiche Trocken- und Halbtrockenrasen einschließlich ihrer Initialstadien als Schwerpunktlebensräume angegeben (GAC 2009). DOLDERERS Funde aus den 1950er Jahren gelangen in einer Sandgrube, die er in einem Artikel kurz beschreibt (s. DOLDERER 1955 und Auszug in KUBACH et al. 1999). Das ehemalige Vorkommen dort steht im räumlichen Zusammenhang mit der Präsenz der Art in Halbtrockenrasen dieses Gebiets. Auch aus anderen Regionen sind Nachweise von Sandböden belegt. So beschreibt SCHILLHAMMER (1995) einen Fundort in Niederösterreich auf „leicht feuchtem, sandigem Boden mit xerothermem Einschlag". Die Nachweise aus dem Raum Bopfingen sowie derjenige von 1998 bei Niederstotzingen stammen jedoch von kurzrasigen, mit Felsen und Erosionsrinnen durchsetzten Kalkhalbtrockenrasen in sonnenexponierter Hanglage. Dies entspricht der typischen Habitatsituation der Art in Deutschland. *D. bonellii* ist als charakteristische Art der Lebensraumtypen *6110 und 6210 (Kalk-Pionierrasen, Kalk-Trockenrasen) sowie möglicherweise 5130 (Wacholderheiden) des Anhangs I der FFH-Richtlinie einzuordnen.

Gefährdung und Schutz: *D. bonellii* ist bundesweit (Stand 2015) stark gefährdet und in Bad.-Württ.

Dyschirius bonellii ist eine Art der Trocken- und Halbtrockenrasen mit einer in Teilen lückigen Vegetation. Foto: G. Kubach.

(Stand 2005) vom Aussterben bedroht sowie als Landesart A des Informationssystems Zielartenkonzept Bad.-Württ. (Stand 2009) eingestuft. Eine Gefährdung der Art könnte insbesondere bei Ausfall oder Verringerung der Pflege zur Offenhaltung ihrer Lebensräume eintreten; aufgrund der extrem geringen Anzahl aktuell dokumentierter Vorkommen besteht ein hohes Risiko, dass bereits geringfügige Veränderungen zum Erlöschen lokaler Bestände führen können. Schutzmaßnahmen müssen darauf abzielen, einerseits an den noch dokumentierten Vorkommensorten eine bestandserhaltende Nutzung oder Pflege aufrechtzuerhalten, andererseits von diesen ausgehend weitere Flächen im Umfeld, die für die Art noch Potenzial aufweisen, entsprechend zu entwickeln. Dies schließt auch Sekundärbiotope in Abbaustellen ein. Zudem sollte der Kenntnisstand über aktuelle Vorkommen der Art durch intensivierte Untersuchungen im Umfeld von bekannten Vorkommensorten verbessert werden. Aufgrund der extremen Seltenheit ist ein artbezogenes Monitoring wohl nicht mit vertretbarem Aufwand durchführbar. Allerdings sollte in längeren zeitlichen Abständen stichprobenhaft überprüft werden, ob die Art noch nachweisbar ist, und zudem eine Einschätzung der Lebensraumqualität vorgenommen werden.

Dyschirius globosus

(Herbst, 1784)

Gewöhnlicher Handläufer

Allgemeine Verbreitung: Paläarktisch verbreitete Art, in Nordamerika eingeschleppt (Bousquet 2012). Sie kommt in Deutschland flächendeckend in geeigneten Lebensräumen vor.

Vorkommen in Baden-Württemberg: Landesweit verbreitet, fehlende Nachweise in der Verbreitungskarte sind als Erfassungslücken, i. d. R. aber nicht als ein tatsächliches Fehlen zu interpretieren.

Lebensweise und Habitat: Flugfähige (dimorphe bzw. polymorphe) und überwiegend räuberische Art mit grabender Lebensweise. Nach Melber (1983) fand sich im Darm untersuchter Imagines von *D. globosus* zu geringen Anteilen auch Pflanzenmaterial (dort 5 % Samenfragmente von *Calluna*). Außerdem stellte dieser Autor „eine gewisse Spezialisierung auf Enchytraeiden (Annelida)" fest: Während sich im Darm von Tieren dieser Art in 21 % der Fälle Enchytraeidenborsten fanden, war dies bei den übrigen untersuchten Arten nur bei maximal 3 % der Individuen der Fall. Aufgrund dieser Ergebnisse und weiterer Hinweise diskutiert Balkenohl (1988) die mögliche besondere Bedeutung von Enchytraeiden als Nahrungsgrundlage für diese Art. Paarung und Eiablage (schwerpunktmäßig) im Frühjahr und Larvalentwicklung ab Frühjahr/Sommer. Aktive Imagines wurden in Bad.-Württ. nach den ausgewerteten Daten zwischen März und November registriert, mit einem Aktivitätsmaximum im Mai.

D. globosus ist eine eurytope Offenlandart (Äcker, Grünland u. a.) mit Schwerpunktvorkommen im frischen bis feuchten Standortflügel. Besonders hohe Aktivitätsdichten und sehr stetes Auftreten zeigt sie auf lehmigen Böden oder Moorböden. Sie toleriert eine relativ intensive agrarische Nutzung, weist aber in nutzungsbegleitenden Strukturen wie z. B. jüngeren Brachen deutlich erhöhte Aktivitätsdichten auf. In Wäldern fehlt *D. globosus* weitgehend oder ist auf Lichtungen und sonstige „gestörte" Flächen oder auf Bereiche mit räumig-lückigem Bestandsaufbau beschränkt. Dadurch und aufgrund ihrer geringen Flächenansprüche kann diese ausbreitungsstarke Art rasch auch kleinere, durch Windwurf entstandene Blößen im Wald besiedeln. Bei Untersuchungen an Suhlen und Wühlstellen des Wildschweins (*Sus scrofa*) im Westteil des Schwäbischen Keuper-Lias-Landes war die Art relativ stet vertreten (Trautner 2006), wobei die im Waldverband gelegenen Standorte meist ganz oder teilweise besonnt waren.

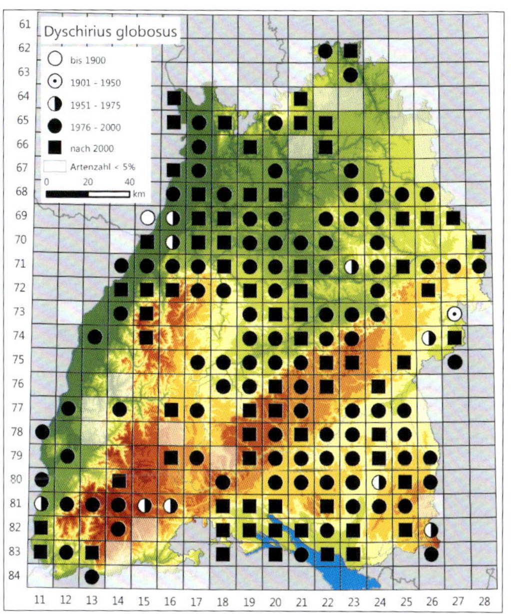

Dyschirius globosus. Foto: C. Benisch.

Gefährdung und Schutz: *D. globosus* ist weder bundesweit (Stand 2015) noch in Bad.-Württ. (Stand 2005) gefährdet. Aufgrund der weiten Verbreitung mit Auftreten in unterschiedlichen, darunter oft auch ungefährdeten Lebensraumtypen ist auch keine zukünftige Gefährdung absehbar. Kein Handlungsbedarf.

Dyschirius intermedius

Putzeys, 1846

Mittlerer Ziegelei-Handläufer

Dyschirius intermedius. Foto: C. Benisch.

Allgemeine Verbreitung: Westpaläarktisch verbreitete Art, im Nordwesten und Norden Europas teilweise fehlend. Sie ist in Deutschland trotz Lücken weit verbreitet.

Vorkommen in Baden-Württemberg: Im Oberrhein-Tiefland, der Donau-Iller-Lech-Platte, dem Voralpinen Hügel- und Moorland sowie im Nordwesten der Neckar- und Tauber-Gäuplatten, von dort vor allem entlang des Neckartals ins Schwäbische Keuper-Lias-Land vorstoßend.

Lebensweise und Habitat: Flugfähige (makroptere) Art mit grabender Lebensweise. Paarung und Eiablage (schwerpunktmäßig) im Frühjahr und Larvalentwicklung ab Frühjahr/Sommer. Aktive Imagines wurden in Bad.-Württ. nach den ausgewerteten Daten zwischen Mai und August registriert, für die Angabe eines Aktivitätsmaximums liegen keine ausreichenden Daten vor.

D. intermedius ist eine Rohbodenbesiedlerin. In Bad.-Württ. wurde die Art vor allem in Abbaugebieten (Lehm- und Kiesgruben, z. B. Baehr 1988a) sowie in Ackerbaulandschaften mit ihren typischen Begleitstrukturen auf Lehm- oder Lößböden gefunden (z. B. Spies 1998: Lichtfang; Trautner 2001: lehmiger, wechselfeuchter Feldweg). Daneben liegen mehrere Nachweise von Gewässerufern vor, auch dort, soweit dokumentiert, auf lehmigen oder sandig-lehmigen Substraten. Bei den Fundstellen handelt es sich meist um voll besonnte, vegetationsfreie oder spärlich bewachsene Rohböden. Dort treten die Individuen oft in ausgesprochen wechselfeuchten Bereichen auf. In Einzelfällen wurde die Art in einem heterogenen Vegetationsmosaik mit jedoch einzelnen Offenbodenstellen gefunden.

Gefährdung und Schutz: *D. intermedius* ist bundesweit (Stand 2015) ungefährdet, in Bad.-Württ. jedoch gefährdet (Stand 2005) und Naturraumart des Informationssystems Zielartenkonzept Bad.-Württ. (Stand 2009). Gefährdungsursachen sind wie bei *D. angustatus* insbesondere die Verringerung einer habitatprägenden Dynamik mit anschließend aufkommender Vegetation, aber auch die direkte Inanspruchnahme von Lebensräumen unter anderem durch Baumaßnahmen und Aufforstung (z. B. in ehemaligen Abbaugebieten). Insbesondere in ihren Schwerpunktverbreitungsgebieten kann *D. intermedius* sicherlich von Schutzmaßnahmen zugunsten anderer Arten der naturnahen, dynamischen Flusslandschaften profitieren, soweit diese auch langfristig offene, höher gelegene und vegetationsfreie Standorte gewährleisten. Zudem spielen Sicherung und Entwicklung von jungen, regelmäßig gestörten und daher mit Offenbodenstellen durchsetzten Sukzessionssta-

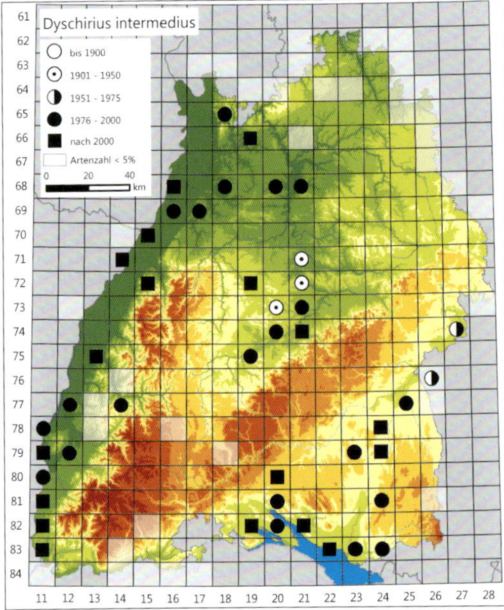

Dieser nahezu vegetationsfreie Bereich der Abbausohle einer Kiesgrube in der Donau-Iller-Lech-Platte wird von *Dyschirius intermedius* besiedelt.

dien von Begleitstrukturen in der Agrarlandschaft sowie die verstärkte Berücksichtigung der Ansprüche der Art bei Abbau- und Rekultivierungsplanungen eine besondere Rolle.

Dyschirius laeviusculus

Putzeys, 1846

Glatter Flussufer-Handläufer

Allgemeine Verbreitung: Art mit zentral- und südosteuropäischem Verbreitungsschwerpunkt, die in Nordeuropa weiträumig fehlt und im Südosten Kleinasien erreicht. Sie stößt in Deutschland an ihre nördliche Arealgrenze und weist vorwiegend im Südwesten (Baden-Württemberg, Rheinland-Pfalz), im zentralen Norddeutschland (u. a. Nordrhein-Westfalen, Niedersachsen, Sachsen-Anhalt) sowie im Nordosten (Mecklenburg-Vorpommern) stark zerstreute, diskontinuierliche Vorkommen auf.

Vorkommen in Baden-Württemberg: Nur punktuell im Einzugsbereich der Donau (Donau-Iller-Lech-Platte), am Bodensee (Teil des Voralpinen Hügel- und Moorlandes) sowie im Oberrhein-Tiefland nachgewiesen.

Lebensweise und Habitat: Art mit vollständig entwickelten Hinterflügeln (makropter), von der nach Auswertungsstand keine Flugbeobachtung vorliegt. Grabende Lebensweise. Aktive Imagines wurden in Bad.-Württ. nach den ausgewerteten Daten zwischen April und August registriert, für die Angabe eines Aktivitätsmaximums liegen keine ausreichenden Daten vor.

D. laeviusculus tritt im Feucht- und Nassgrünland mit kleinräumig offenen Bodenstellen (Nachweise Bodenseeraum, eigene Daten) sowie an lehmigen, schluffigen oder teils mit organischem Feinmaterial durchsetzten Ufern auf, wobei die Fundstellen – soweit dokumentiert – voll sonnen-

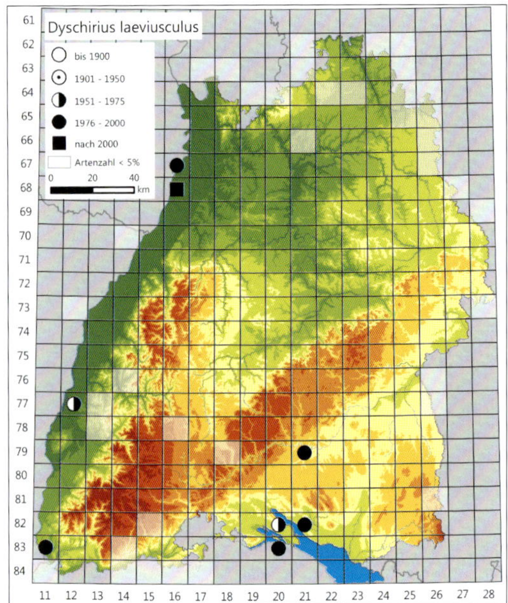

Dyschirius laeviusculus. Foto: C. Benisch.

exponiert sind. Für Tirol gibt Kahlen (1987) an: „Im feuchten, leicht lehmig-schlickigen Feinsand natürlich ausgeprägter Flachufer." Im Donauraum wurde die Art auf Schwemmflächen eines Kieswerks in höherer Individuenzahl festgestellt (eigene Daten). Es handelte sich in diesem Fall um sandig-schluffiges Substrat mit einem lückig aufwachsendem Rohrkolben-Bestand (*Typha latifolia*). Auch der aktuellste dokumentierte Fund aus dem Oberrhein-Tiefland stammt von einem Baggersee (bei Dettenheim, 10. 04. 2009, Benisch in lit.).

Lebensraum von *Dyschirius laeviusculus*, der hier individuenreich auf der Schwemmfläche eines Kieswerks im Donauraum auftrat. Foto: K. Geigenmüller.

Gefährdung und Schutz: *D. laeviusculus* ist sowohl bundesweit (Stand 2015) als auch in Bad.-Württ. (Stand 2005) stark gefährdet und als Landesart A des Informationssystems Zielartenkonzept Bad.-Württ. (Stand 2009) eingestuft. Nach aktueller Einschätzung ist die landesweite Gefährdungssituation inzwischen kritischer zu sehen, zumal kaum neue Nachweise vorliegen und einzelne Habitate, in denen die Art früher vorkam, ihre Lebensraumeignung inzwischen verloren haben oder direkt durch Eingriffe zerstört worden sind. Bei einer Neufassung der landesweiten Roten Liste ist eine Einstufung in die Kategorie „vom Aussterben bedroht" zu diskutieren und naheliegend. Gefährdungsursachen sind vor allem der Verlust habitatprägender Dynamik an Fließgewässern und in Abbaugebieten mit nachfolgender Gehölzsukzession, die direkte Inanspruchnahme von Lebensräumen, etwa durch Bebauung, sowie die Entwässerung und intensivere Nutzung in wechselfeuchten bis nassen Grünlandstandorten.

Schutzmaßnahmen müssen zunächst darauf abzielen, an allen noch nachgewiesenen Standorten der Art die notwendigen Habitateigenschaften auf möglichst großer Fläche langfristig sicherzustellen, besonders durch Pflegemaßnahmen, die ggf. ausfallende Nutzungen ersetzen und wiederkehrende „Störungen" der Bodenoberfläche gewährleisten, etwa eine Beweidung unter geeigneten Rahmenbedingungen. Ausgehend von diesen Flächen sollen weitere Habitate im Umfeld entwickelt werden, soweit dort noch Potenzial für die Art besteht. Dies schließt auch Sekundärbiotope in Abbaustellen ein. Zudem muss ausgehend von den bekannten Vorkommensorten dringend der Kenntnisstand über aktuelle Vorkommen der Art durch intensivierte Untersuchungen verbessert werden. Aufgrund der Seltenheit ist ein artbezogenes Monitoring wohl nicht mit vertretbarem Aufwand durchführbar. Allerdings sollte in längeren zeitlichen Abständen stichprobenhaft überprüft werden, ob die Art noch nachweisbar ist, und zudem eine Einschätzung der Lebensraumqualität vorgenommen werden.

Dyschirius nitidus

(Dejean, 1825)

Grobgestreifter Handläufer

Allgemeine Verbreitung: Paläarktisch verbreitete Art, die allerdings in Nord- und Nordwesteuropa weiträumig fehlt. Sie erreicht in Deutschland ihre nördliche Arealgrenze. Früher war sie vor allem in West- und Mitteldeutschland wesentlich flächendeckender verbreitet, kommt aber heute aufgrund massiver Bestandsrückgänge nur noch lokal an der Nordseeküste sowie vom Saarland und Baden-Württemberg im Südwesten bis in den Berliner Raum im Osten vor, wobei sie auch in Süd- und Nordostdeutschland großflächig verschwunden ist.

Vorkommen in Baden-Württemberg: Mit sicheren Funden auf das Oberrhein-Tiefland (und einzelne unmittelbar angrenzende Übergangsbereiche zu anderen Naturräumen) beschränkt, hier vor allem auf den Nordteil; nur wenige der Nachweise sind publiziert (so Nowotny 1949, Bense et al. 2000). In der Oberamtsbeschreibung für Ulm (Lampert 1897) wird die Art ebenfalls aufgeführt, was vor dem Hintergrund der historischen Angaben aus dem bayerischen Donauraum als plausibel angesehen wird. Horion (1941) bezeichnete die Art als in Deutschland nicht häufig, gibt aber keine einzelnen Fundorte für Bad.-Württ. an. Die früheste konkrete Fundmeldung für das Oberrhein-Tiefland findet sich bei Nowotny (1949) aus dem

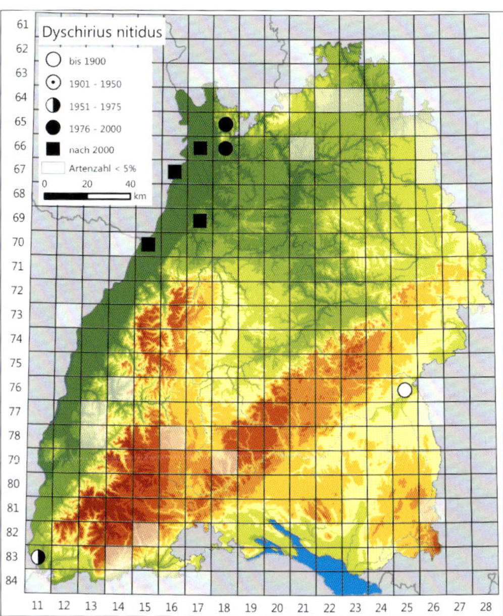

Dyschirius nitidus. Foto: C. Benisch.

Raum Karlsruhe. Nicht übernommen wurden die Angaben v. d. Trappens (1929) für den Schönbuch, für Botnang (Stuttgart) und für Reutlingen (Letzteres mit Bezug auf Keller 1864), da sonst keine Daten auf ein ehemaliges oder aktuelles Vorkommen der Art außerhalb von Oberrhein- und Donautal hinweisen.

Lebensweise und Habitat: Flugfähige (makroptere) Art mit grabender Lebensweise. Aktive Imagines wurden in Bad.-Württ. nach den ausgewerteten Daten zwischen April und Juli registriert, für die Angabe eines Aktivitätsmaximums liegen keine ausreichenden Daten vor.

D. nitidus ist eine ufer- und möglicherweise feuchte bis nasse Rohböden bewohnende Art. Balkenohl (1988) schreibt für Westfalen, sie könne „sowohl auf Lehm- als auch auf Sandböden an Ufern von Flüssen, Teichen, Ziegeleitümpeln und kleinen bis sehr kleinen Wasserstellen" gefunden werden. Funde nach 2000 stammen unter anderem vom Phillipsburger Altrhein und von einem Baggersee im Raum Rastatt (Benisch in lit.).

Gefährdung und Schutz: *D. nitidus* ist sowohl bundesweit (Stand 2015) als auch in Bad.-Württ. (Stand 2005) stark gefährdet und als Landesart B des Informationssystems Zielartenkonzept Bad.-Württ. (Stand 2009) eingestuft. Wie bei anderen Arten, deren ursprüngliche Lebensräume zumindest überwiegend naturnahen, dynamischen Flusslandschaften zuzurechnen sind, müssen Schutzmaßnahmen primär auf eine Wiederherstellung der Dynamik (Wasser- und Geschiebehaushalt) an Flüssen abzielen, die im ausreichenden räumlich-zeitlichen Mosaik geeignete Standorte für die Art bereitstellen und langfristig sichern. Abbaugebiete im Oberrhein-Tiefland stellen einen sehr wichtigen Sekundärlebensraum dar. Die Ansprüche der Art müssen daher bei Abbau- und Rekultivierungsplanungen verstärkt berücksichtigt werden.

Dyschirius politus

(Dejean, 1825)

Bronzeglänzender Handläufer

Allgemeine Verbreitung: Holarktisch verbreitete Art, die auch in größeren Teilen Europas vertreten ist. In der nördlichen Hälfte Deutschlands ist sie weit verbreitet und weist nur im Süden (Baden-Württemberg, Bayern) größere Verbreitungslücken auf.

Vorkommen in Baden-Württemberg: Auf das Oberrhein-Tiefland (dort vor allem auf den Norden), den Donauraum sowie den Bodensee (dort nur punktuell nachgewiesen) beschränkt. Publizierte Funde finden sich unter anderem bei Nowotny (1949) und Rheinheimer (2000). Dolderers (1960) Angabe für das Lonetal auf der Schwäbischen Alb ist in seiner Sammlung nicht belegt, dort fanden sich bei der Aufnahme der Sammlung 1995 lediglich mehrere Belege von *D. aeneus* von der Lone; daher wurde seine Angabe nicht in die Datenbank übernommen. Ebenfalls nicht übernommen wurden die Angaben v. d.

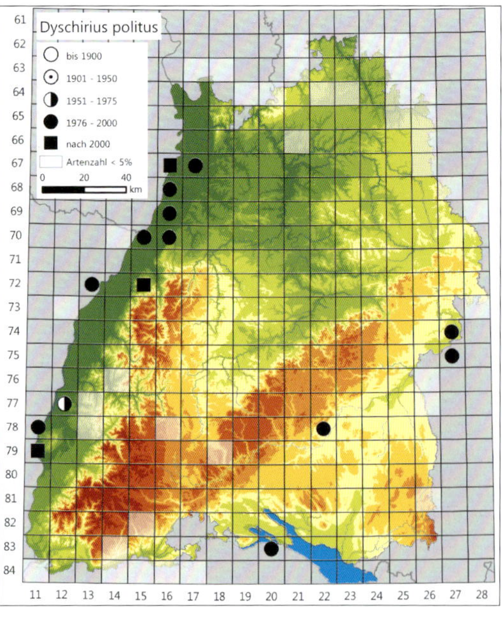

Dyschirius politus. Foto: W. Paill.

Trappens (1929) für den Schönbuch, sowie für Kirchenkirnberg (Murrhardt) und Reutlingen (Letzteres mit Bezug auf Keller 1864), da sonst keine Daten auf ein ehemaliges oder aktuelles Vorkommen der Art außerhalb des Oberrhein- und Donautals sowie des Bodenseeraums hinweisen.

Lebensweise und Habitat: Flugfähige (makroptere) und räuberische Art mit grabender Lebensweise. Paarung und Eiablage (schwerpunktmäßig) im Frühjahr und Larvalentwicklung ab Frühjahr/ Sommer. Aktive Imagines wurden in Bad.-Württ. nach den ausgewerteten Daten zwischen März und Juli registriert, für die Angabe eines Aktivitätsmaximums liegen keine ausreichenden Daten vor.

D. politus ist eine Art der Ufer und (feuchten bis nassen) Rohböden, die teilweise auch abseits des engen ufernahen Bereichs liegen können. Balkenohl (1988) schreibt, dass sie in der Westfälischen Tieflandsbucht an „durchfeuchteten, von Mensch und Vieh weniger berührten lehmigen Steilufern" lebt. Kless (1969) meldet sie aus dem Taubergießengebiet im südlichen Oberrhein-Tiefland von Seitenarmen des Rheins sowie von Gießen. Eigene Funde stammen aus Kiegruben des Donautals (Donau-Iller-Lech-Platte), wo die Art sowohl auf Feinsediment-Schwemmflächen als auch an lehmig-kiesigen Steilufern gefunden wurde.

Gefährdung und Schutz: *D. politus* ist bundesweit (Stand 2015) ungefährdet, in Bad.-Württ. (Stand 2005) jedoch gefährdet und Naturraumart des Informationssystems Zielartenkonzept Bad.-Württ. (Stand 2009). Wie bei anderen Arten der naturnahen, dynamischen Flusslandschaften müssen Schutzmaßnahmen primär auf eine Wiederherstellung der Dynamik (Wasser- und Geschiebehaushalt) an Flüssen abzielen, die im ausreichenden räumlich-zeitlichen Mosaik geeignete Standorte für die Art bereitstellen und langfristig sichern. Auch für diese Art stellen die Abbaugebiete im Oberrhein-Tiefland und im Donauraum einen sehr wichtigen Sekundärlebensraum dar. Die Ansprüche der Art müssen daher bei Abbau- und Rekultivierungsplanungen verstärkt berücksichtigt werden.

Dyschirius tristis

Stephens, 1828

Dunkler Handläufer

Allgemeine Verbreitung: Paläarktisch verbreitete Art, die allerdings in Südeuropa sowie in Teilen Nord- und Nordwesteuropas weiträumig fehlt. Sie ist in der nördlichen Hälfte Deutschlands flächendeckend vertreten, dünnt aber nach Süden hin (Baden-Württemberg und Bayern) erheblich aus (südlicher Arealrand).

Vorkommen in Baden-Württemberg: Nur punktuell im Einzugsbereich des Neckars sowie im Oberrhein-Tiefland nachgewiesen. Auf den letztgenannten Naturraum dürfte sich auch die Angabe für Südbaden bei Horion (1959a) beziehen, die aber leider keine nähere Eingrenzung zulässt und

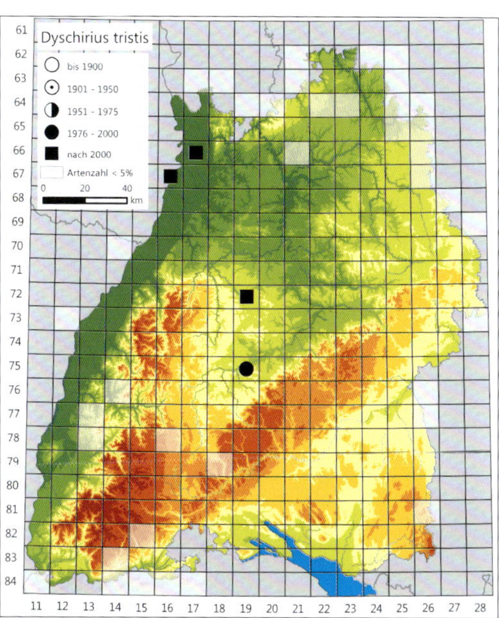

Dyschirius tristis. Foto: O. Bleich.

daher nicht in die Datenbank aufgenommen werden konnte. Ansonsten war bisher nur die Angabe BAEHRS (1988a) für einen Baggersee aus dem Neckartal zwischen Tübingen und Rottenburg publiziert. Neuere Funde liegen lediglich aus den Neckar- und Tauber-Gäuplatten, aus dem Raum Weil der Stadt (Merklinger Ried, SCHÜLE in lit., s. u.) sowie aus dem Oberrhein-Tiefland (Philippsburger Altrhein, 12. 05. 2015, BENISCH in lit.) vor.

Lebensweise und Habitat: Flugfähige (makroptere) Art mit grabender Lebensweise. Paarung und Eiablage (schwerpunktmäßig) im Frühjahr und Larvalentwicklung ab Frühjahr/Sommer. Zu jahreszeitlichem Auftreten und Aktivitätsmaximum in Bad.-Württ. liegen keine hinreichenden Daten vor. Die wenigen Einzelfunde stammen – soweit bekannt – aus dem Frühjahr.

D. tristis tritt im Nordwesten Deutschlands, wo die Art recht häufig ist, nach BALKENOHL (1988) „an Wasserstellen aller Art [auf], sofern der Untergrund nicht zu stark bewachsen ist", oft zusammen mit dem noch häufigeren *D. aeneus*. „Wenn die Arten nebeneinander nachgewiesen werden, ist der Anteil an *D. tristis* auf festerem und etwas beschatteterem Untergrund meistens höher. Auf feucht-schlammigen freieren Flächen überwiegt dagegen oft *D. aeneus*" (BALKENOHL 1988). Das Tier aus dem Merklinger Ried wurde bei sonnigem Wetter an einem unbewachsenen, schwarzerdigen Wassergraben am Rand eines Schilfbestands von Hand gefangen (11. 6. 2012; SCHÜLE, in lit.).

Gefährdung und Schutz: *D. tristis* ist bundesweit (Stand 2015) ungefährdet, in Bad.-Württ. (Stand 2005) aber als gefährdet und Naturraumart des Informationssystems Zielartenkonzept Bad.-Württ. (Stand 2009) eingestuft. Vor dem Hintergrund der aktuellen Datenlage mit extrem wenigen Nachweisen in Bad.-Württ., die außerdem – soweit dokumentiert – aus Gebieten stammen, bei denen ein günstiger Habitatzustand nicht dauerhaft gesichert ist, ist eine verstärkte Gefährdung und damit eine höhere Einstufung bei einer Neufassung der landesweiten Roten Liste zu diskutieren und naheliegend.

Tribus Broscini

J. TRAUTNER

Weltweit sind nach LORENZ (2015) bislang 303 Arten aus 35 Gattungen beschrieben, die dieser Tribus zugerechnet werden. In Bad.-Württ. ist sie mit einer Art vertreten, deren Imagines eine Größe von rd. 17–25 mm erreichen. Die Imagines wie auch die Larven graben eigene Gänge in den Boden, der Halsschild der mattschwarzen Imagines der einheimischen Art ist zur Flügeldeckenbasis hin deutlich verengt.

Broscus cephalotes

(Linnaeus, 1758)

Kopfläufer

Allgemeine Verbreitung: Westpaläarktisch verbreitete Art, in Nordamerika eingeschleppt (LAROCHELLE & LARIVIÉRE 1989, BOUSQUET 2012). Sie ist in nahezu ganz Deutschland in geeigneten Lebensräumen verbreitet und weist nur im Westen und Südwesten Verbreitungslücken auf.

Vorkommen in Baden-Württemberg: Nur in wenigen Naturräumen mit Sand- oder Lößböden bzw. entsprechenden Aufschlüssen vertreten. Funde nach 1975 liegen nur aus dem Oberrhein-Tiefland, den Neckar- und Tauber-Gäuplatten, dem Schwäbischen Keuper-Lias-Land sowie dem Hegau im Westen des Voralpinen Hügel- und Moorlandes vor, wobei es sich meist um nur sehr kleinräumige Vorkommen handelt. Historische Belege gibt es zudem unter anderem vom Übergang der Schwäbischen Alb zum Naturraum Donauried im Osten Baden-Württembergs.

Lebensweise und Habitat: Flugfähige (makroptere) und räuberische Art. Paarung und Eiablage (schwerpunktmäßig) im Sommer und Larvalentwicklung ab Sommer/Herbst. KEMPF (1955) hat

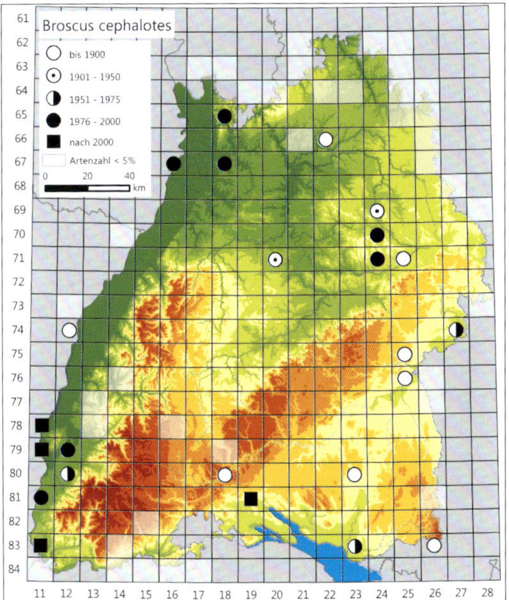

sich mit der Biologie der Art näher befasst. Demnach gräbt *B. cephalotes* als Larve wie auch als Imago Gänge in das Substrat, in denen sich die Tiere tagsüber aufhalten; zum Graben werden die Mundwerkzeuge benutzt. Die Eiablage erfolgt in separate Eikammern, die ausgehend vom schräg verlaufenden Hauptgang angelegt werden. Sowohl Imagines als auch Larven überwintern. Die Imagines der Art sind ausschließlich nachts aktiv. „*Broscus* lauert nicht, wie von verschiedenen Beobachtern angegeben wurde, am Eingang seiner Röhre auf Beute, um sie in seinen Bau zu ziehen und zu verzehren. Vielmehr jagt er stets nachts auf der Erdoberfläche, wozu er als schneller Läufer gut befähigt ist. Der Eingang zum Bau ist nie mit Beuteresten umgeben" (Kempf 1955). Imagines können bei Aufeinandertreffen miteinander kämpfen. Dieses Verhalten wird von Mossakowski (2006) als ein „Catch-as-catch-can" beschrieben, das insgesamt „in den meisten Fällen für den Beobachter völlig ohne Grund" auftritt, auch abrupt wieder beendet wird und bei den Tieren nicht zu Verletzungen führt. Neben einfach schräg verlaufenden, von den Tieren gegrabenen Gängen wurden in Bad.-Württ. auch U-förmige Gänge mit zwei Ausgängen festgestellt, in denen Individuen tagsüber im untersten Bereich saßen. Aktive Imagines wurden in Bad.-Württ. nach den ausgewerteten Daten zwischen Mai und Juli registriert, für die Angabe eines Aktivitätsmaximums liegen keine ausreichenden Daten vor.

B. cephalotes wurde in Bad.-Württ. ausschließlich an Standorten mit voll besonntem, vegetationsarmem bis vegetationslosem Sand- oder Lößboden nachgewiesen. In nahezu allen Fällen waren mittel bis stark geneigte Böschungen mit diesen Substraten vorhanden. Es liegen jedoch auch einzelne Funde aus Begleitstrukturen in weitestgehend ebener Lage in Ackerbaulandschaften

Broscus cephalotes. Foto: M. Bräunicke.

Lebensraum von *Broscus cephalotes* in einer Sandgrube im Schwäbischen Keuper-Lias-Land.

Die beiden nebeneinander liegenden Öffnungen einer U-förmigen Röhre, in der sich *Broscus cephalotes* fand.

vor (Oberrhein-Tiefland). Die wenigen direkt aufgefundenen Röhren in Abbaugebieten befanden sich nicht in Steilböschungen, sondern an deren Fuß in schwach geneigter bis ebener Lage. Dies lag möglicherweise an einem erosionsbedingt gegenüber anderen Bereichen der Abbausohle besonders günstigen Substrat. Während in Teilen des Oberrhein-Tieflands und möglicherweise im Kraichgau Vorkommen von *B. cephalotes* noch in größerem Umfang und im räumlichen Zusammenhang an einer Reihe von Stellen vermutet oder angenommen werden, sind oder waren die noch nach 1975 nachgewiesenen Vorkommen in anderen Naturräumen lokal eng begrenzt, potenzielle weitere geeignete Lebensräume im dortigen Umfeld waren rar oder nicht mehr vorhanden. Mehrere der entsprechenden Populationen sind inzwischen aufgrund von Sukzession oder Rekultivierung bzw. Umgestaltung ehemaliger Abbaugebiete nachweislich erloschen, so in ehemaligen Sandgruben bei Heilbronn und im Welzheimer Wald.

Gefährdung und Schutz: *B. cephalotes* ist bundesweit (Stand 2015) nicht als gefährdet eingestuft, in Bad.-Württ. (Stand 2005) aber stark gefährdet und aufgrund der wenigen noch dokumentierten Populationen Landesart A im Informationssystem

Zielartenkonzept Bad.-Württ. (Stand 2009). Vordringlich wäre zum einen eine Kontrolle aller außerhalb des Oberrhein-Tieflands noch vorhandenen, mit geeigneten Substraten ausgestatteten Abbaugebiete auf eventuelle Vorkommen der Art sowie ihre Berücksichtigung im Rahmen der dortigen Abbau- und Rekultivierungs- bzw. Renaturierungskonzepte. Im Kraichgau sollten verstärkt Begleitstrukturen in Ackerbaugebieten in eine Kontrolle einbezogen werden. In Gebieten mit Vorkommen der Art sollten gezielte Schutz- und Pflegemaßnahmen vorgesehen und umgesetzt werden, sofern der ggf. noch laufende Abbau für den Erhalt der Art nicht (mehr) ausreicht. Im Oberrhein-Tiefland sollte zunächst großräumig die Präsenz und Stetigkeit der Art im Landschaftsmaßstab geprüft werden. Erst danach sind ggf. Schutz- und Entwicklungsprioritäten sowie konkrete Maßnahmen auch in jenem Raum festzulegen.

Tribus Trechini

J. Trautner & J. Rietze

Weltweit sind nach Lorenz (2015) bislang 3124 Arten aus 236 Gattungen beschrieben, die dieser Tribus zugerechnet werden. In Bad.-Württ. ist sie mit 10 Arten vertreten, deren Imagines eine Größe von rd. 2,2–6,5 mm erreichen. Die einheimischen, meist gelblich, rötlich oder dunkelbraun gefärbten Arten sind mit Ausnahme des unter 3 mm messenden *Perileptus areolatus* durch einen am Ende der Flügeldecken bogenförmig verlängerten Nahtstreif gekennzeichnet („Trechusbogen“). Die Augen sind mit dem umgebenden Schläfenbereich durch deutliche Furchen vollständig vom Rest des Kopfes abgesetzt.

Blemus discus

(Fabricius, 1792)

Quergebänderter Haarflinkläufer

Allgemeine Verbreitung: Paläarktisch verbreitete Art, in Europa im Großteil Süd- und Nordeuropas fehlend, in Nordamerika eingeschleppt (Bousquet 2012). Sie kommt in Deutschland verbreitet vor.

Vorkommen in Baden-Württemberg: Landesweit relativ weit verbreitet, mit Schwerpunkten im Oberrhein-Tiefland, in der Donau-Iller-Lech-Platte

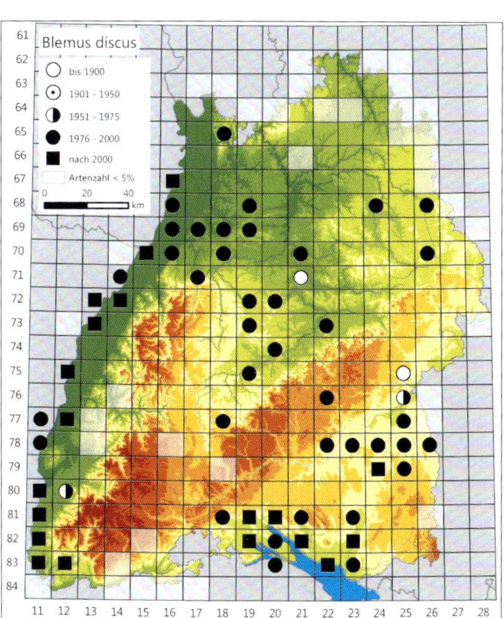

sowie im voralpinen Hügel- und Moorland. Im Schwarzwald weitestgehend fehlend, ebenso auf der Schwäbischen Alb. In anderen Naturräumen eher sporadisch, meist nur entlang der Auen mittlerer bis größerer Fließgewässer.

Lebensweise und Habitat: Flugfähige (makroptere) und räuberische Art. Paarung und Eiablage (schwerpunktmäßig) im Sommer und Larvalentwicklung ab Sommer/Herbst. Aktive Imagines wurden in Bad.-Württ. nach den ausgewerteten Daten zwischen April und September registriert, mit einem Aktivitätsmaximum im August und September.

B. discus tritt vorwiegend an feuchten Standorten, oft an Ufern und in Auen auf. Zu typischen Lebensräumen zählen lehmige oder schlammige Uferbereiche mit offenen Stellen zwischen ansons-

Blemus discus.

ten dichterer Vegetation sowie Flutmulden. Aber auch in Abbaugebieten (z. B. Lehm- und Kiesgruben) wurde *B. discus* auf wechselfeuchten Rohböden festgestellt, ebenso in Ackergebieten, meist auf lehmigem oder lehmig-kiesigem Untergrund. So nennen etwa Wolf-Schwenninger & Schwenninger (1992) Nachweise mittels Bodenfallen aus einem Acker, aus feuchtem Grünland und von einem Feldwegrand im Voralpinen Hügel- und Moorland. Ähnlich wie bei *Trechoblemus micros* wird auch bei *B. discus* eine teilweise bis vorwiegend unterirdische Lebensweise und die Nutzung von Tierbauten (v. a. von Säugern) vermutet.

Gefährdung und Schutz: *B. discus* ist weder bundesweit (Stand 2015) noch in Bad.-Württ. (Stand 2005) gefährdet. Aufgrund der relativ weiten Verbreitung mit Auftreten in unterschiedlichen feuchten Lebensraumtypen ist auch keine zukünftige Gefährdung absehbar. Kein Handlungsbedarf.

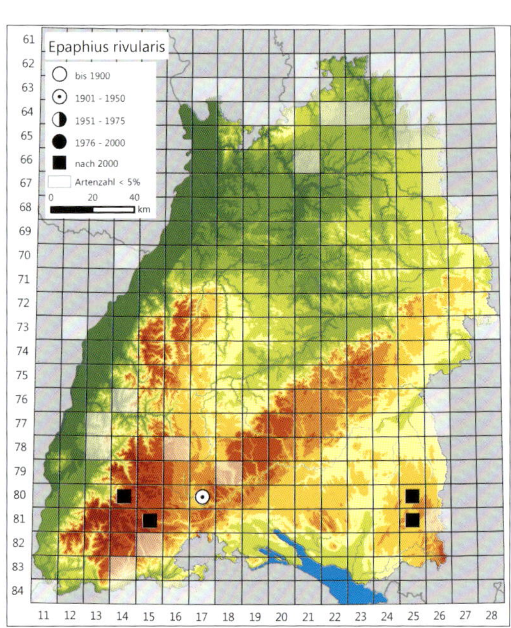

Epaphius rivularis

(Gyllenhal, 1810)

Moor-Flinkläufer

Allgemeine Verbreitung: Art mit nord- und mitteleuropäischer Verbreitung. In Deutschland ist sie mit einem Verbreitungsschwerpunkt im Nordosten zerstreut vorwiegend in der östlichen Hälfte vertreten, wobei sie im Westen das Rothaargebirge (Nordrhein-Westfalen) und das südliche Baden-Württemberg erreicht und in weiten Teilen Westdeutschlands (z. B. Rheinland-Pfalz, Saarland) fehlt.

Vorkommen in Baden-Württemberg: Lokal in Moorgebieten des Südschwarzwalds, der Baar (Teil der Neckar- und Tauber-Gäuplatten), der Donau-Iller-Lech-Platte und des Voralpinen Hügel- und Moorlands nachgewiesen. Hartmann (1924) meldet die Art aus dem Pfohrener Ried in der Baar bei Donaueschingen (1 Ex., leg. Förster), wozu sich Horion (1941) etwas zweifelnd, aber mit „da aus einem Moorgebiet stammend, möglich" äußert. Vor dem Hintergrund der zwischenzeitlichen Funde sowohl im Südschwarzwald als auch im Voralpinen Hügel- und Moorland ist die Hartmann'sche Angabe plausibel. Es ergibt sich so das Bild einer in Mooren im Süden Baden-Württembergs womöglich noch etwas weiter verbreiteten, zumindest aber punktuell vertretenen Art. Den ersten sicheren Nachweis in neuerer Zeit erbrachten Reck & Rietze (1995) im Wurzacher Ried.

Lebensweise und Habitat: Art mit unterschiedlicher Flügelausbildung (dimorph bzw. polymorph), von der nach Auswertungsstand keine Flugbeobachtung vorliegt und deren Ausbreitungspotenzial von Lindroth (1992) als sehr gering bewertet wird. Räuberische Art. Paarung und Eiablage (schwerpunktmäßig) im Sommer und Larvalentwicklung ab Sommer/Herbst. Aktive Imagines

Epaphius rivularis.

Fundort von *Epaphius rivularis* im Randbereich des Wurzacher Rieds.

wurden in Bad.-Württ. nach den ausgewerteten Daten zwischen Mai (als Ausnahme, s. u.) und August registriert, für die Angabe eines Aktivitätsmaximums liegen keine ausreichenden Daten vor. Der Fang eines deutlich immaturen Individuums Mitte Mai 2013 im Brunnenholzried im Voralpinen Hügel- und Moorland (eigene Daten) unterstreicht, dass bei der Art nach der Fortpflanzung und Larvalentwicklung im Sommer/Herbst die Larven überwintern und Imagines der neuen Generation dann erst im Folgejahr auftreten (so auch Lindroth 1992, Larsson 1939). Soweit bekannt, stammen die sonstigen Fänge aus dem Zeitraum Juni bis August.

E. rivularis ist eine Moorart, die offenbar sehr nasse, zumindest in Bodennähe aber durch dichte Ried-/Röhrichtvegetation oder überschirmende Bäume jedenfalls teilweise beschattete Lebensräume bevorzugt. Für Nordeuropa werden starke Beschattung und eine von *Sphagnum*-Moosen dominierte Bodenvegetation als Lebensraumcharakteristika angegeben (Lindroth 1992); ansonsten scheint eine ausgeprägte Streuschicht für ihr Habitat charakteristisch zu sein. Im Wurzacher Ried war die Art zunächst in einer Bodenfalle in einer „nassen Senke/Rinne innerhalb einer oberflächlich abtrocknenden Streuwiese im Niedermoor der Haidgauer Aach“ (Reck & Rietze 1995) nachgewiesen worden. Die Nachsuche über Handaufsammlungen und Gesiebefänge erbrachte dann mehrere weitere Individuen in einer „leicht verschilften und mit einzelnen Faulbäumen und Birken bestandenen, seggendominierten Brache“ (Reck & Rietze 1995), die unmittelbar an den Bodenfallenstandort des ersten Nachweises angrenzte. Der Fund im Brunnenholzried gelang in einer seggen- und schilfdominierten Verlandungszone (eigene Daten). Im Südschwarzwald wurde die Art in einem lichten Spirkenfilz (Müller-Kroehling 2013a) sowie in einem Bruchwald und in einer Feuchtwiese am Moorrand (leg. Harry) nachgewiesen.

Gefährdung und Schutz: *E. rivularis* ist bundesweit (Stand 2015) gefährdet, in Bad.-Württ. (Stand 2005) aber als vom Aussterben bedroht eingestuft und Landesart A des Informationssystems Zielartenkonzept Bad.-Württ. (Stand 2009). Zur damaligen Erarbeitung der landesweiten Roten Liste lagen als aktuellere Funde nur diejenigen aus dem Wurzacher Ried vor. Ob die Art bei derzeitigem Kenntnisstand in Bad.-Württ. womöglich weniger kritisch einzustufen ist, wäre bei einer Überarbeitung der Roten Liste zu diskutieren. Neben allgemein bekannten Gefährdungsursachen von Moorlebensräumen könnten bei dieser Art auch klimatische Veränderungen beeinträchtigend wirken. Besonders relevant dürfte die Frage der Bodenfeuchte sein, worauf bereits Reck & Rietze (1995) hinweisen. Gegenüber Veränderungen der Feuchteverhältnisse scheint sie sehr empfindlich: Balke et al. (1992, zit. in Reck & Rietze 1995) konnten sie im Rahmen eines Monitorings in Berliner Moorgebieten vermutlich wegen Austrocknung in zwei Gebieten nicht mehr nachweisen, in zwei anderen war sie dagegen wegen Überflutung bzw. Vernässung deutlich zurückgegangen. Genauere Untersuchungen sollten durchgeführt werden, um die Verbreitung der Art in den Moorgebieten Baden-Württembergs besser zu dokumentieren. Sie sollte zudem in ein Monitoring aufgenommen werden. Ob und welche konkreten Schutzmaßnahmen erforderlich sind, die ggf. von allgemeinen Biotopschutzzielen- und Maßnahmen in Mooren abweichen, ist derzeit nicht anzugeben. Zumindest im Rahmen von Wiedervernässungsmaßnahmen in Mooren und deren Randbereichen muss ihr im Rahmen der Voruntersuchungen und Planung jedoch eine besondere Aufmerksamkeit zuteil werden, da eine Beeinträchtigung ihrer Vorkommen ansonsten nicht auszuschließen ist.

Epaphius secalis

(Paykull, 1790)

Sumpf-Flinkläufer

Allgemeine Verbreitung: Europäisch verbreitete Art, die aber in Südeuropa und in Teilen Nordwest- sowie Nordeuropas fehlt. Sie kommt in Deutschland flächendeckend in geeigneten Lebensräumen vor.

Vorkommen in Baden-Württemberg: Landesweit mit Ausnahme großer Teile des Schwarzwalds verbreitet; fehlende Nachweise in der Verbreitungskarte sind ansonsten ganz überwiegend als Erfassungslücken, i. d. R. aber nicht als ein tatsächliches Fehlen zu interpretieren.

Lebensweise und Habitat: Flugunfähige (brachyptere) Art. Paarung und Eiablage (schwerpunktmäßig) im Sommer und Larvalentwicklung ab Sommer/Herbst. Aktive Imagines wurden in Bad.-Württ. nach den ausgewerteten Daten zwischen Juni und Oktober registriert, mit einem Aktivitätsmaximum im September und zum Teil Oktober.

E. secalis ist im Wesentlichen eine Feuchtgebietsart, dabei aber relativ eurytop. Ihr Lebensraumspektrum in Bad.-Württ. stimmt recht gut mit der Beschreibung von Baehr (1980) für den Schönbuch im zentralen Bad.-Württ. überein. Dieser bezeichnet sie als nicht selten „an Feuchtstellen auf lehmigem Boden in Laubwäldern, in Auwäldern, auch in Schilfsümpfen und auf wechselfeuchten, tonigen Ödländern und Wiesen“ und

Epaphius secalis
bis 1900
1901 - 1950
1951 - 1975
1976 - 2000
nach 2000
Artenzahl < 5%
0 20 40 km

Epaphius secalis.

schreibt weiter, „die maximale Abundanz erreich[e] die Art jedoch im *Sphagnum*-reichen Birkenbruch […]". *E. secalis* wird in Bad.-Württ. zudem in frischen bis feuchten Äckern gefunden, z. B. auf Lehm- und Moorboden.

Gefährdung und Schutz: *E. secalis* ist weder bundesweit (Stand 2015) noch in Bad.-Württ. (Stand 2005) gefährdet. Aufgrund der weiten Verbreitung mit Auftreten in unterschiedlichen, überwiegend feuchten und beschatteten Lebensraumtypen ist auch keine zukünftige Gefährdung absehbar. Kein Handlungsbedarf.

Perileptus areolatus

(Creutzer, 1799)

Schlanker Sand-Ahlenläufer

Allgemeine Verbreitung: Westpaläarktisch verbreitete Art, im Großteil Nord- und Nordwesteuropas fehlend. Sie erreicht in Deutschland ihre nördliche Arealgrenze und kommt vom süddeutschen Raum bis nach Mitteldeutschland vor allem aufgrund massiver Bestandsrückgänge zunehmend lückiger vor, während sie im Nord- und Ostdeutschen Tiefland fast vollständig fehlt.

Vorkommen in Baden-Württemberg: Weitestgehend auf die Donau-Iller-Lech-Platte, das Voralpine Hügel- und Moorland sowie das Oberrhein-Tiefland beschränkt; wenige Nachweise in einzelnen weiteren Naturräumen. Aus dem Einzugsgebiet

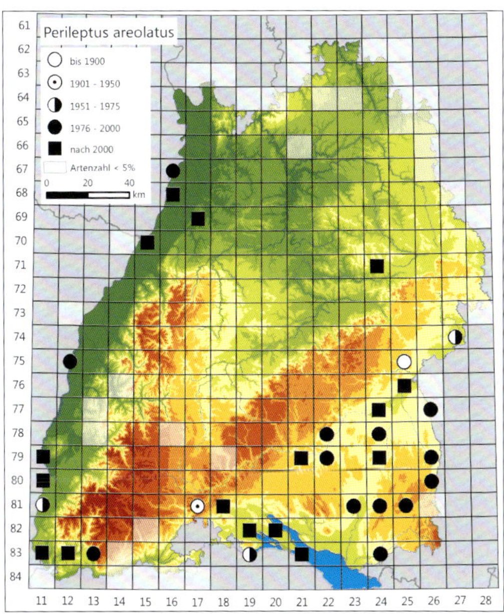

Perileptus areolatus.

des Neckars war die Art lange Zeit nur durch einen einzigen Fund P. Dolderers belegt (Schwäbisch Gmünd, Remsufer, 15. 6. 1935, coll. Dolderer, vid. Trautner) und konnte in jenem Raum trotz gezielter Suche zunächst nicht wieder aufgefunden werden. Erst nach 2000 gelang ein Nachweis im weiteren Umfeld des damaligen Fundes (Ufer der Schwarzen Rot, 5. 7. 2003, leg. Trautner).

Lebensweise und Habitat: Flugfähige (makroptere) Art. Aktive Imagines wurden in Bad.-Württ. nach den ausgewerteten Daten zwischen April und September registriert, für die Angabe eines Aktivitätsmaximums liegen keine ausreichenden Daten vor.

P. areolatus ist eine Art des teilweise luftgefüllten Lückensystems (Interstitial) von Sand- und Feinkies in der unmittelbaren Wasserwechselzone von Gewässern, meist von Fließ- oder größeren Stillgewässern. Dort sind die sehr kleinen Tiere meist im Substrat durch Aufgraben zu finden, ansonsten können Sie durch Aufschwemmen (Übergießen mit Wasser), Klopfen oder Treten des Ufersubstrats an die Oberfläche getrieben werden. Die besiedelten Uferstandorte sind meist voll besonnt und entweder völlig vegetationsfrei oder mit spärlicher, bisweilen erst an der höheren Uferböschung dichter werdender Vegetation bestanden. Besonders typische Habitate sind kleinräumige, inner-

Lebensraum von *Perileptus areolatus* an einem der wenigen zugleich vegetationsarmen und wenig betretenen Ufer am Bodensee.

halb großer Kies- und Sandbänke oder -ufer auftretende Abbruchkanten an der Strömungslinie. *P. areolatus* ist daher eine charakteristische Art der Uferfauna dynamischer, mittlerer bis größerer Fließgewässer und Seen (z. B. Bodensee) mit naturnahen Uferstrukturen, tritt aber auch – meist zeitlich begrenzt – an entsprechend geeigneten Sekundärstandorten vor allem in Abbaugebieten auf.

Gefährdung und Schutz: *P. areolatus* ist bundesweit (Stand 2015) stark gefährdet und in Bad.-Württ. (Stand 2005) als gefährdet sowie als Naturraumart des Informationssystems Zielartenkonzept Bad.-Württ. (Stand 2009) eingestuft. Gefährdungsursachen sind vor allem Uferverbau und Regulierung von Fließgewässern sowie Veränderungen in deren natürlichem Wasser- und Substrathaushalt. Die Art ist als relativ empfindlich gegenüber Substratverschlammung einzuschätzen. Im Gegensatz zu vielen anderen Bewohnern dynamischer Ufer scheint die sehr kleine Art relativ geringe Flächenansprüche zu haben. Sie dürfte aber wie die anderen Arten auch an ein in räumlich-zeitlicher Dynamik ausreichend dichtes Netz von Habitaten gebunden sein, um ihre eigenen Bestände langfristig halten zu können. Wie bei anderen Arten der naturnahen, dynamischen Flusslandschaften müssen Schutzmaßnahmen primär auf die (Sicherung und) Wiederherstellung einer ausreichenden Dynamik (Wasser- und Geschiebehaushalt) an Flüssen und auf den Erhalt einer entsprechenden Uferstruktur abzielen. Zudem stellen die Abbaugebiete in den Schwerpunkträumen der Art sehr wichtige Sekundärlebensräume dar; bei der Abbau- und Rekultivierungsplanung sollten ihre Ansprüche daher besonders berücksichtigt werden.

Thalassophilus longicornis

(Sturm, 1825)

Langfühleriger Zartläufer

Allgemeine Verbreitung: Europäische Art, in Nordeuropa und in Teilen Südeuropas fehlend. Die in Deutschland an ihre nördliche Arealgrenze stoßende Art weist ihre Verbreitungsschwerpunkte im Süden (Baden-Württemberg, Bayern) und im Westen (Rheinland-Pfalz, Nordrhein-Westfalen) auf, wobei sie nach Norden hin den Hamburger Raum erreicht und in großen Teilen Nordost- und Ostdeutschlands fehlt.

Vorkommen in Baden-Württemberg: Punktuell an Hoch- und Oberrhein, im Südschwarzwald, im Voralpinen Hügel- und Moorland sowie im Einzugsbereich des Neckars nachgewiesen.

Lebensweise und Habitat: Flugfähige (makroptere) Art. Paarung und Eiablage (schwerpunktmäßig) im Frühjahr und Larvalentwicklung ab Frühjahr/Sommer. Aktive Imagines wurden in Bad.-Württ. nach den ausgewerteten Daten zwischen Mai und September registriert, für die Angabe eines Aktivitätsmaximums liegen keine ausreichenden Daten vor.

T. longicornis ist eine charakteristische Art der Uferfauna dynamischer, mittlerer bis größerer Fließgewässer mit naturnahen Uferstrukturen. Bei den von *T. longicornis* besiedelten Lebensräumen handelt es sich meist um etwas größere, voll oder überwiegend besonnte Kies- oder Schotterbänke

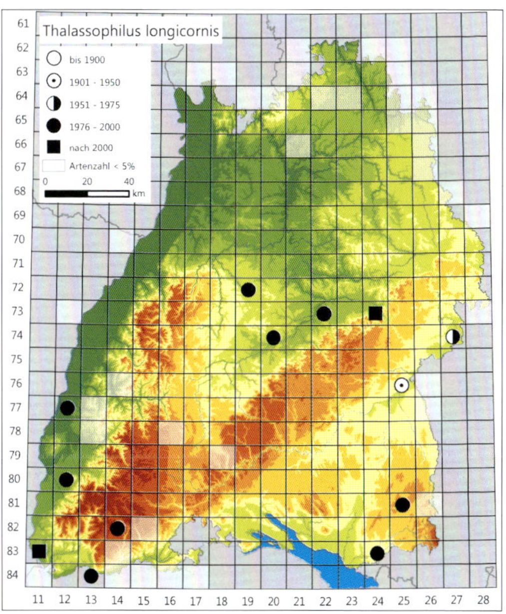

Thalassophilus longicornis. Foto: M. Bräunicke.

oder um große Flächenkomplexe mit derartigen Uferstrukturen. Aktive Individuen der Art werden meist direkt an der Wasserkante im Substrat gefunden, sie können aber in Kiesbänken in größerer Tiefe auch an der Grenze von momentan trockenem Kies hin zu wassergefüllten Schichten sitzen. Wie *Perileptus areolatus* ist auch *T. longicornis* eine Art des teilweise luftgefüllten Lückensystems (Interstitial) der Ufer, im Gegensatz zur ersteren bevorzugt sie jedoch gröberes Material oder zumindest dessen Beimengung im Ufersubstrat. Beinahe alle dokumentierten Funde stammen von Fließgewässern oder diesen Gewässern zugeordneten Auestrukturen [s. für Letzteres z. B. den Nachweis von Wolf-Schwenninger & Schwenninger (1992) aus einer feuchten Senke an einem Altrheinarm]; eine Ausnahme ist der Nachweis in einem Steinbruch-Stillgewässer im Muschelkalk im zentralen Bad.-Württ., wo die Art im sterilen Uferschotter gefunden wurde (eigene Daten).

Gefährdung und Schutz: *T. longicornis* ist sowohl bundesweit (Stand 2015) als auch in Bad.-Württ. (Stand 2005) stark gefährdet und Landesart B des Informationssystems Zielartenkonzept Bad.-Württ. (Stand 2009). Gefährdungsursachen sind vor allem Uferverbau und die Regulierung von Fließgewässern sowie Veränderungen in deren natürlichem Wasser- und Substrathaushalt. Wie bei anderen Arten der naturnahen, dynamischen Flusslandschaften müssen Schutzmaßnahmen primär auf die (Sicherung und) Wiederherstellung einer ausreichenden Dynamik (Wasser- und Geschiebehaushalt) an Flüssen abzielen sowie auf die Schaffung einer entsprechenden Uferstruktur mit ausreichendem Angebot an geeigneten Habi-

Kiesbank an der Lauter (Zufluss des Neckars) bei Wendlingen mit Vorkommen von *Thalassophilus longicornis*.

taten in zeitlich-räumlichem Wechsel. Ausgehend von den bisher dokumentierten Nachweisen sollten gezielte Kontrollen an Fließgewässern vorgenommen werden, um die aktuelle Verbreitung der Art zu dokumentieren. Ihre Bestände sollten zudem einem Monitoring unterzogen werden.

Trechoblemus micros

(Herbst, 1784)

Bräunlicher Haarflinkläufer

Allgemeine Verbreitung: Westpaläarktisch verbreitete Art, im Norden und in Teilen Südeuropas fehlend. In Deutschland kommt sie trotz kleinerer Lücken weit verbreitet vor.

Vorkommen in Baden-Württemberg: Landesweit relativ weit mit unterschiedlicher Stetigkeit verbreitet, lediglich im Schwarzwald und auf der Schwäbischen Alb vollständig bis weitestgehend fehlend. Nachweisschwerpunkte liegen in der Donau-Iller-Lech-Platte, im südlichen Oberrhein-Tiefland und in Teilen der Neckar- und Tauber-Gäuplatten sowie des Schwäbischen Keuper-Lias-Lands. Im Nordosten des Landes möglicherweise aufgrund von Erfassungsdefiziten unterrepräsentiert.

Trechoblemus micros. Foto: E. Wachmann.

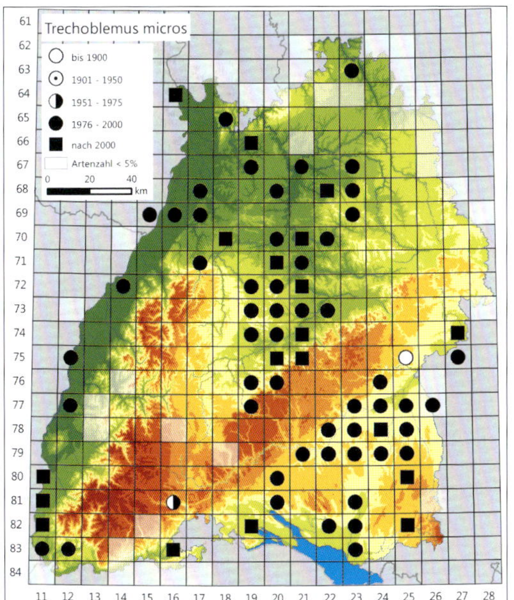

Lebensweise und Habitat: Flugfähige (makroptere) Art. Paarung und Eiablage (schwerpunktmäßig) im Frühjahr und Larvalentwicklung ab Frühjahr/Sommer. Aktive Imagines wurden in Bad.-Württ. nach den ausgewerteten Daten zwischen April und Oktober registriert, mit einem Aktivitätsmaximum im Mai und Juni. BAEHR (1980) vermerkt den Fang frisch geschlüpfter Imagines im Oktober.

T. micros ist eine relativ eurytope Art, die ganz überwiegend in Äckern und teilweise auch in Sonderkulturen (z. B. Obstanlagen, Hopfenkulturen) auf lehmigen, lehmig-kiesigen oder Torfböden sowie im frischen bis feuchten Grünland registriert wurde. Daneben tritt die Art aber auch an Ufern und an wechselfeuchten bis feuchten Stellen im Wald auf (Beispiele u. a. bei BAEHR 1980). Sie gilt als überwiegend unterirdisch lebend, wobei sie wahrscheinlich häufig Tierbauten (z. B. Gänge von Kleinsäugern) nutzt. Nach und während Hochwasserereignissen kann man sie – wie bereits HORION (1941) vermerkt – manchmal zahlreich im Hochwassergenist finden.

Gefährdung und Schutz: *T. micros* ist weder bundesweit (Stand 2015) noch in Bad.-Württ. (Stand 2005) gefährdet. Aufgrund der weiten Verbreitung mit Auftreten in unterschiedlichen, bisweilen intensiv bewirtschafteten Lebensraumtypen ist auch keine zukünftige Gefährdung absehbar. Kein Handlungsbedarf.

Trechus obtusus

Erichson, 1837

Schwachgestreifter Flinkläufer

Allgemeine Verbreitung: Europäische Art, im Norden teilweise fehlend, im Süden Nordafrika erreichend. In Nordamerika wurde die Art eingeschleppt (BOUSQUET 2012) und hat auch Hawaii im Pazifischen Ozean erreicht (LIEBHERR & TAKUMI 2002). Sie kommt in Deutschland mehr oder minder flächendeckend in geeigneten Lebensräumen vor.

Vorkommen in Baden-Württemberg: Landesweit verbreitet, bei allerdings regional sehr unterschiedlicher Nachweisdichte. Insbesondere im Schwäbischen Keuper-Lias-Land und in größeren Teilen der Neckar- und Tauber-Gäuplatten schwach und teils nur punktuell vertreten.

Lebensweise und Habitat: Flugfähige (dimorphe bzw. polymorphe), räuberische Art. Paarung und Eiablage (schwerpunktmäßig) im Sommer und Larvalentwicklung ab Sommer/Herbst. Aktive Imagines wurden in Bad.-Württ. nach den ausgewerteten Daten zwischen März und November registriert, mit einem Aktivitätsmaximum im August und September.

T. obtusus tritt in einem Spektrum stark differierender Lebensräume auf, das von offenen, entkalkten Sandrasen im Oberrhein-Tiefland über Sandäcker, Feuchtbrachen und Auwälder colliner und submontaner Lagen bis hin zu sehr feuchten

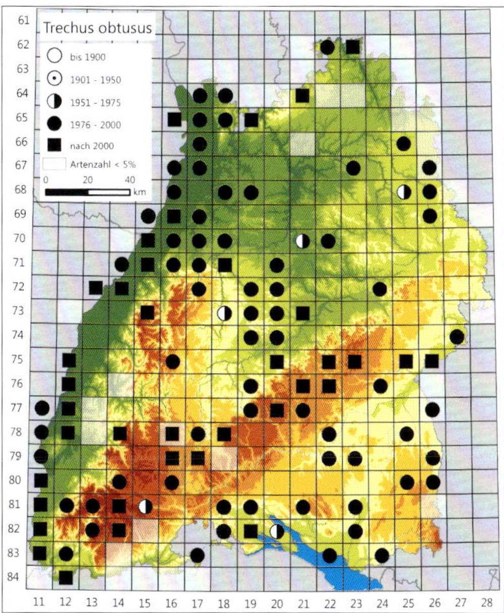

Trechus obtusus. Foto: C. Benisch.

Fichtenwäldern in den Hochlagen des Schwarzwalds reicht. Gleichwohl ist die Art regional nicht eurytop. Baehr (1980) beschreibt sie für den Schönbuch im zentralen Bad.-Württ. als „sehr häufig in offenen Auwäldern [...], nicht selten in lichten, aber feuchten Buchenwäldern, vorzugsweise im Gebüsch am Rande. Wurde nicht auf Feldern oder [...] Ödflächen gefunden“. Im Oberrhein-Tiefland liegen dagegen individuenreich Nachweise aus offenen Sandrasen sowie teilweise aus Äckern auf Sandböden vor. In den von Trautner et al. (1998) untersuchten Bannwäldern in Bad.-Württ. trat die Art nur in sehr wenigen Gebieten und an sehr wenigen Stellen einzeln auf, Ausnahme waren sehr feuchte Fichtenwaldstandorte im Bannwald Napf auf einer Höhe von über 1000 m ü. NHN, wo sie in höherer Individuenzahl registriert werden konnte. Insgesamt überwiegen Wald- und feuchtere Standorte mit dichter Vegetation im Habitatspektrum.

Gefährdung und Schutz: *T. obtusus* ist weder bundesweit (Stand 2015) noch in Bad.-Württ. (Stand 2005) gefährdet. Aufgrund der weiten Verbreitung mit Auftreten in unterschiedlichen Lebensraumtypen ist auch keine zukünftige Gefährdung absehbar. Kein Handlungsbedarf.

Trechus pilisensis

Csiki, 1918

Herzhals-Flinkläufer

Allgemeine Verbreitung: Von den Karpaten über die Slowakei und den Ostalpenraum bis in deutsche Mittelgebirge verbreitete Art, von der neben der Stammform eine weitere Unterart beschrieben ist (s. u.). In Deutschland kommt sie in den Mittelgebirgslagen Ost-Bayerns, Sachsens und Thüringens vor und gelangt in Hessen und dem nördlichen Baden-Württemberg an ihre Arealgrenze.

Vorkommen in Baden-Württemberg: Ausschließlich im äußersten Norden (Odenwald und Spessart) punktuell nachgewiesen, in diesen Naturräumen möglicherweise etwas weiter verbreitet als bislang dokumentiert. Bereits von Horion (1941; dort noch als ssp. *pilisensis* von *T. cardioderus* geführt) für das Mausbachtal bei Heidelberg angegeben, wo sie von Hüther in Anzahl gefunden worden war. Das dortige Vorkommen konnte Mitte der 1990er Jahre im Rahmen einer eigenen Exkursion unter Beteiligung von F. Ausmeier, M. Bräunicke und anderen bestätigt werden. Der erste Wiederfund der Art in neuerer Zeit war 1988 im Rahmen einer Schwemmanalyse an einem Fließgewässer bei Hardheim gelungen (20. 7. 88, leg. Weller, coll. Buck; s. Frank & Konzelmann 2002, auch dort noch als *T. cardioderus* geführt). Im selben Raum konnte sie auch später an anderer Stelle nachgewiesen werden (eigene Daten). Die

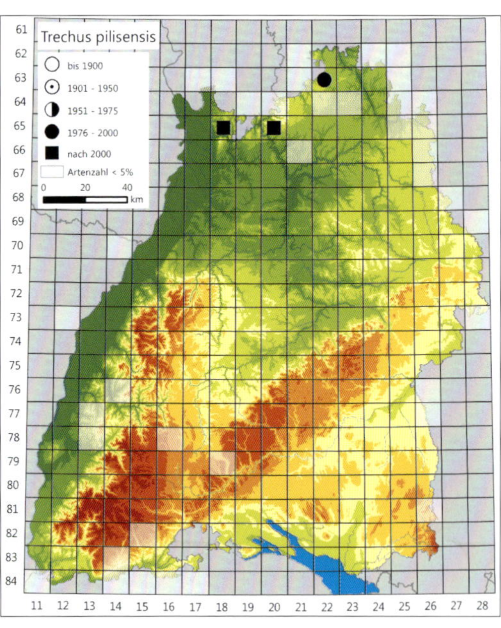

Angabe v. d. Trappens (1929) für einen *T. subnotatus* ssp. *cardioderus* aus Stuttgart wurde bereits von Horion (1941) als unzutreffend bewertet: Es handelte sich um eine Fehlbestimmung.

Lebensweise und Habitat: Flugunfähige (brachyptere) Art. Paarung und Eiablage (schwerpunktmäßig) im Frühjahr und Larvalentwicklung ab Frühjahr/Sommer. Aktive Imagines wurden in Bad.-Württ. nach den ausgewerteten Daten im Juli und September registriert, für die Angabe eines Aktivitätsmaximums liegen keine ausreichenden Daten vor.

T. pilisensis wurde entlang von Bächen an Ufern sowie in feuchten, quelligen Bereichen innerhalb des Waldverbands nachgewiesen. Die eigenen Funde stammen überwiegend aus Gesiebe feuchter Laubstreu, mehrere Individuen wurden aber auch direkt durch Handfang registriert. Aus anderen Regionen Deutschlands wird die Art auch aus mesophilen Waldstandorten und teils Feldhecken (Fritze in lit.) gemeldet. Möglicherweise sind die Habitatansprüche im Grenzbereich der Gesamtverbreitung, der in Bad.-Württ. erreicht wird, nur in einem engen Lebensraumspektrum verwirklicht.

Gefährdung und Schutz: Eine besondere Verantwortlichkeit Deutschlands für den Erhalt des hier vorkommenden Taxons ist derzeit nicht sicher feststellbar (Kategorie ?, s. Schmidt et al. 2016). Die Unterart *sudeticus* Pawlowski, 1975, die aus

Trechus pilisensis.

Lebensraum von *Trechus pilisensis* im Odenwald.

dem polnisch-tschechischen Grenzgebiet beschrieben wurde, soll nach Hůrka (1996) auch in Böhmen und Mähren vorkommen, und Populationen in Deutschland könnten dieser Unterart angehören. Ihre Arealgrenzen sind aber noch nicht sicher bekannt, und ihr Status wurde in der Literatur teils unterschiedlich bewertet. *T. pilisensis* ist bundesweit (Stand 2015) ungefährdet und in Bad.-Württ. (Stand 2005) als stark gefährdet eingestuft sowie Landesart B des Informationssystems Zielartenkonzept Bad.-Württ. (Stand 2009). Hintergrund der landesweiten Einstufung waren die sehr wenigen Funde an naturnahen Gewässerufern sowie im Quellbereich von Gewässeroberläufen, für die wesentliche Beeinträchtigungen bereits bei kleinräumigen lokalen Eingriffen (z. B. forstlicher Wegebau) nicht ausgeschlossen werden können. Die dokumentierten Vorkommen sollen vor Beeinträchtigungen geschützt werden, und die Verbreitung der Art sollte weitergehend untersucht werden. Erst auf dieser Basis ist zu klären, ob bei einer Fortschreibung der landesweiten Roten Liste eine niedrigere Einstufung angezeigt ist und ob bestimmte Schutzmaßnahmen erforderlich sind.

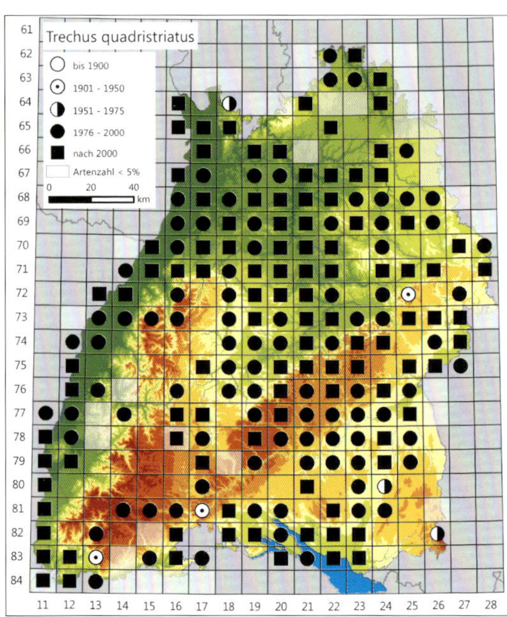

Trechus quadristriatus

(Schrank, 1781)

Gewöhnlicher Flinkläufer

Allgemeine Verbreitung: Paläarktisch verbreitete Art, in fast ganz Europa mit Ausnahme von Teilen Nordeuropas anzutreffen, in Nordamerika eingeschleppt (Bousquet 2012). Sie kommt in Deutschland flächendeckend in geeigneten Lebensräumen vor.

Vorkommen in Baden-Württemberg: Landesweit verbreitet, lediglich in den walddominierten Lagen des Schwarzwalds weitgehend nicht vertreten; fehlende Nachweise in der Verbreitungskarte sind ansonsten als Erfassungslücken, i. d. R. aber nicht als ein tatsächliches Fehlen zu interpretieren.

Lebensweise und Habitat: Flugfähige (dimorphe bzw. polymorphe) und überwiegend räuberische Art. Paarung und Eiablage (schwerpunktmäßig) im Sommer und Larvalentwicklung ab Sommer/Herbst. Aktive Imagines wurden in Bad.-Württ. nach den ausgewerteten Daten ganzjährig registriert (auch Fänge winteraktiver Tiere), mit einem Aktivitätsmaximum im September.

T. quadristriatus ist eine eurytope Offenlandart mit Schwerpunkt im frischen bis trockenen Stand-

Trechus quadristriatus. Foto: E. Wachmann.

ortspektrum. Sie gehört zu den häufigsten und stetigsten Arten europäischer Getreidefelder (z. B. Basedow et al. 1976) und tritt auch in Bad.-Württ. mit besonders hoher Abdundanz und Stetigkeit in ackerbaulich genutzten Landschaften auf. Auch im Grünland und in Weinbergen sowie in Ruderalflächen findet sich die Art in großer Zahl. In innerstädtischer Lage gehört sie zu den wenigen Laufkäferarten, die – zumindest zeitweise – auch kleinräumig unversiegelte Flächen noch zu besiedeln vermögen, darunter selbst Verkehrsinseln mit Ziergrün. Sie dringt zudem teilweise in Wald-Offenland-Übergangsbiotope und in lichte, trockene Wälder vor, meist jedoch in geringer Zahl.

Gefährdung und Schutz: *T. quadristriatus* ist weder bundesweit (Stand 2015) noch in Bad.-Württ. (Stand 2005) gefährdet. Aufgrund der weiten Verbreitung mit Auftreten in unterschiedlichen Lebensraumtypen überwiegend des Offenlandes ist auch keine zukünftige Gefährdung absehbar. Kein Handlungsbedarf.

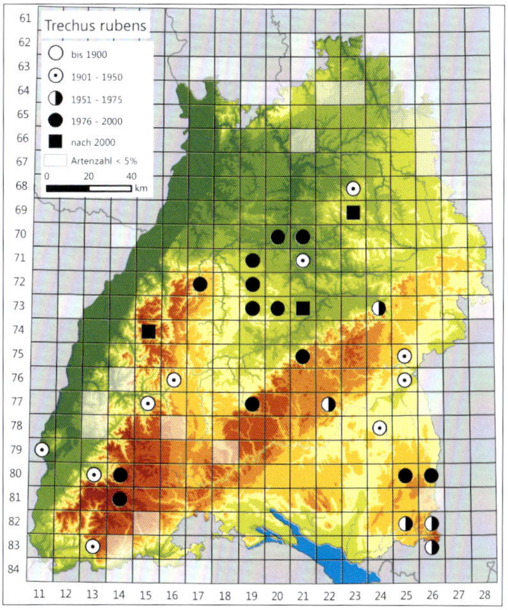

Trechus rubens

(Fabricius, 1792)

Ziegelroter Flinkläufer

Allgemeine Verbreitung: Paläarktisch verbreitete Art, im Süden und Südwesten Europas fehlend. In Nordamerika eingeschleppt (Bousquet 2012). Trotz größerer Verbreitungslücken vor allem in Süd- und Nordostdeutschland ist sie ansonsten in Deutschland weit verbreitet.

Vorkommen in Baden-Württemberg: Weitgehend auf submontane und montane Lagen beschränkt, mit Schwerpunkt im Schwäbischen Keuper-Lias-Land und im Schwarzwald. Insgesamt sowohl historisch (Fischer 1843 meldet die Art z. B. vom Dreisam-Ufer in Freiburg i. Br.) als auch aktuell nur relativ wenige Funde.

Lebensweise und Habitat: Flugfähige (makroptere) Art. Paarung und Eiablage (schwerpunktmäßig) im Frühjahr und Larvalentwicklung ab Frühjahr/Sommer. Aktive Imagines wurden in Bad.-Württ. nach den ausgewerteten Daten zwischen April und Oktober registriert, für die Angabe eines Aktivitätsmaximums liegen keine ausreichenden Daten vor.

T. rubens tritt überwiegend an gehölzüberschirmten, naturnahen Fließgewässerufern (z. B. Trautner 1999) sowie an Nassstellen auf Moor- oder anmoorigen Böden auf, dort ebenfalls meist

Trechus rubens.

Trechus rubens kann man unter tiefer eingebettetem Schwemmgut an Fließgewässern finden, wie hier an einem Ufer der Aich im zentralen Baden-Württemberg.

in beschatteten Bereichen (u.a. Horion 1973, Maus 1987). Bei dem von Trautner (1999) beschriebenen Fundort an der Aich im zentralen Bad.-Württ. handelte es sich um einen sandigen Uferbereich unter einem Traubenkirschen-Eschen-Auwald (Pruno-padi-Fraxinetum), an dem sich umfangreich Schwemmholz abgelagert hatte. Die Individuen der Art wurden dort zwischen und unter tief in den Ufersand eingebetteten Ästen und Stammteilen gefunden. Ähnliche Fundumstände sind von anderen Fließgewässern bekannt (eigene Daten). Bei Funden aus Moorgebieten handelte es sich, soweit bekannt, um baumbestandene Missen im Nordschwarzwald (s. Horion 1973) sowie um Bruch- und Moorrandwälder (eigene Daten). Maus (1987) fing die Art an einer beschatteten Stelle im Gebiet des Hinterzartener Moores.

Gefährdung und Schutz: *T. rubens* ist bundesweit (Stand 2015) eine Art der Vorwarnliste und in Bad.-Württ. (Stand 2005) stark gefährdet sowie Landesart B des Informationssystems Zielartenkonzept Bad.-Württ. (Stand 2009). Als Hauptgefährdungsursachen sind Veränderungen im Wasserhaushalt von Moorgebieten und deren Randzonen sowie Verbau, Regulierung und Änderungen des Wasser- und Geschiebehaushalts in früher naturnahen Fließgewässersystemen anzusehen. Bei dieser Art können sich zudem klimatische Veränderungen negativ auswirken. Schutzmaßnahmen müssen auf die Sicherung der bestehenden Habitate sowie die Wiederentwicklung naturnaher Fließgewässerstrecken mit dynamischen Ufern und Auwaldstrukturen in den Schwerpunkträumen der Verbreitung abzielen. In bereits degradierten Mooren dürfte dieser Art eine Wiedervernässung entgegenkommen, wobei betont werden muss, dass *T. rubens* keine Hochmoorart ist.

Tribus Anillini

J. Trautner

Weltweit sind nach Lorenz (2015) bislang 495 Arten aus 64 Gattungen beschrieben, die dieser Tribus zugerechnet werden. Es handelt sich in der Mehrzahl um im Boden oder in Höhlen lebende Arten ohne oder mit stark reduzierten Augen. In Bad.-Württ. ist die Tribus mit einer sehr kleinen, höchstwahrscheinlich eingeschleppten und inzwischen etablierten Art vertreten, deren blinde Imagines nur eine Größe von rd. 2,2–2,6 mm erreichen und im Boden leben.

Anillus caecus

Jacquelin du Val, 1851

Blindahlenläufer

Allgemeine Verbreitung: Südwesteuropäisch verbreitete Art. Aus Deutschland sind lokale Vorkommen nur aus städtischen Park- und Grünanlagen im zentralen Baden-Württemberg bekannt.

Vorkommen in Baden-Württemberg: Die Art wurde in Deutschland im Rahmen von Sanierungsprojekten in den Parkanlagen von Ludwigsburg im zentralen Bad.-Württ. entdeckt, wie Malzacher (2000) und Malzacher & Konzelmann (2001) beschreiben. Bei den Arbeiten wurden zahlreiche sehr alte Bäume gefällt, darunter bis zu 200-jährige Kastanien. Unterschiedliche Substrate der gefällten Bäume waren eingebracht und die darin befindlichen Käfer mittels Eklektoren ausgelesen worden, wobei man auch ein erstes Exemplar von *A. caecus* entdeckte. Später wurden in Ludwigsburg an einer weiteren, etwa einen halben Kilometer vom Erstfundort entfernten Stelle weitere Nachweise erbracht (s. u.), inzwischen ist die Art auch aus dem Stadtgebiet von Stuttgart nachgewiesen. Mithin ergibt sich das Bild einer im städtischen Raum Ludwigsburgs und Stuttgarts etablierten Art, deren Vorkommen sich jedenfalls „über einen Großteil der Parkanlagen des Ludwigsburger Stadtgebietes erstrecken dürfte. Eine bereits vor längerer Zeit erfolgte Einschleppung mit mediterranem Pflanzen- oder Erdmaterial ist wahrscheinlich“ (Malzacher 2000).

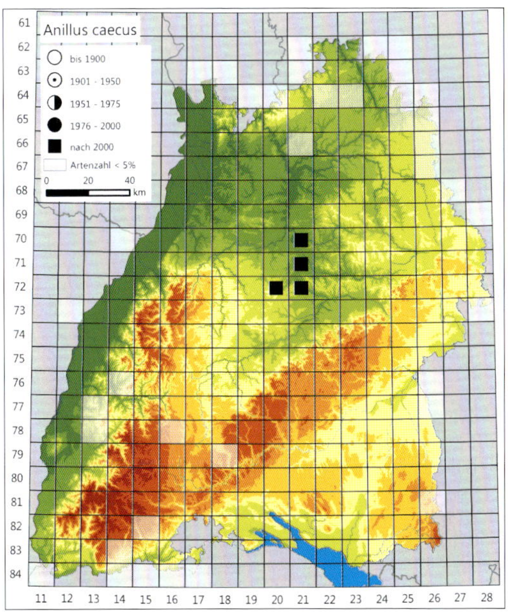

Anillus caecus.

Lebensweise und Habitat: Flugunfähige (brachyptere) und blinde Art. Die meisten Tiere wurden im Winterhalbjahr gefunden, möglicherweise als Folge einer Aggregation (s. u.). Zur Phänologie liegen keine ausreichenden Daten aus Bad.-Württ. vor.

A. caecus ist ein in Südwesteuropa weit verbreiteter Bodenbewohner, zu dessen Biologie und Habitatansprüchen jedoch kaum Daten verfügbar sind. Malzacher (2000) beschreibt detailliert die Fundumstände seiner ersten Serie von Tieren

Diese Allee im Stadtgebiet von Ludwigsburg ist Lebensraum des blinden Bodenbewohners *Anillus caecus*.

(nach dem Erstfund) von Ende Februar 2000 wie folgt: „Hier handelte es sich um den Wurzelstock einer mittelalten Linde, der eine schmale, tiefe Höhlung aufwies, welche vollständig mit dunkelbraunem, erdigem Mulm gefüllt war. [...] Substrat [...] konnte bis in eine Tiefe von 0,8 m entnommen werden. Es war im unteren Bereich sehr locker, möglicherweise auch von kleinen Hohlräumen ausgefaulter Wurzeln durchsetzt. Aus diesen Proben kamen [...] 14 *Anillus* heraus [...]. Die meisten hielten sich im Bereich zwischen 40 und 80 cm Tiefe auf. Sie befanden sich in Gesellschaft von 2 anderen blinden Bodenkäfern, nämlich von *Anommatus reitteri* und *Langelandia anophthalma*." MALZACHER (2000) schreibt weiter, aufgrund der hohen festgestellten Siedlungsdichte (14 Individuen bei ca. 10 Litern Substrat) sei anzunehmen, „dass die Tiere geeignete Wurzelhöhlen gezielt aufsuchen. Sei es, weil dort ein größeres Nahrungsangebot gegeben ist, oder aber, was angesichts des Fundzeitpunktes sehr wahrscheinlich ist, als Winterquartier, um die innerhalb des lebenden Baumes etwas höheren Temperaturen zu nutzen. In den Sommermonaten dürfte die Art dann an geeigneten Stellen im Boden der Parkanlagen zu finden sein, möglicherweise aber in tieferen Schichten."

Gefährdung und Schutz: *A. caecus* ist bundesweit (Stand 2015) als Neozoon eingestuft und unbewertet, in Bad.-Württ. (Stand 2005) war die Art aufgrund nicht ausreichender Daten in die Kategorie D (Daten defizitär) aufgenommen worden. Nach heutiger Einschätzung sollte die Art auch in Bad.-Württ. nicht bewertet werden. Es ist kein Handlungsbedarf erkennbar.

Tribus Bembidiini

J. Trautner, M. Bräunicke & M.-A. Fritze

Weltweit sind nach Lorenz (2015) bislang 2287 Arten aus 28 Gattungen beschrieben, die dieser Tribus zugerechnet werden. In Bad.-Württ. ist oder war sie mit 80 Arten vertreten, deren Imagines eine Größe von rd. 1,7–8,1 mm erreichen. Die einheimischen Arten sind durch das sehr kleine, stiftförmig auf das vorletzte Glied aufgesetzte Endglied der Kiefertaster ausgezeichnet, das manchmal kaum erkennbar ist. Ein Großteil der zahlreichen Arten bewohnt Ufer oder Rohbodenstandorte.

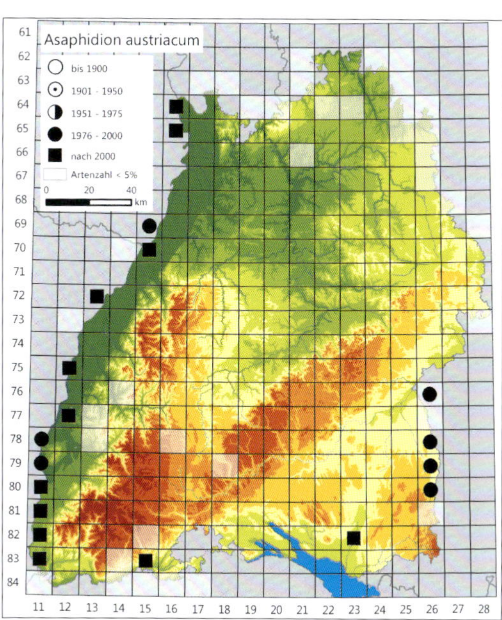

Asaphidion austriacum

Schweiger, 1975

Österreichischer Haarahlenläufer

Allgemeine Verbreitung: Vom Alpenraum und dessen Vorland nach Osten über den Kaukasus bis nach Zentralsibirien verbreitet. In Deutschland ist die Art mit einem Verbreitungsschwerpunkt in Bayern und zudem vor allem in Baden-Württemberg und Rheinland-Pfalz vertreten, während lokale Vorkommen nördlich bis Sachsen-Anhalt bekannt sind.

Vorkommen in Baden-Württemberg: Im Einzugsgebiet des Rheins von Bodenseezuflüssen (in Bad.-Württ. die Schussen) über den Hochrhein bis ins Oberrhein-Tiefland verbreitet, wo sie im Süden einen Schwerpunkt hat. Zudem im Einzugsgebiet der Donau entlang der Iller vertreten. *A. austriacum* ist Teil eines Artkomplexes, der in Mitteleuropa vier Arten umfasst (s. Lohse 1983, Hartmann 1985). Von diesen wiederum kommen drei in Bad.-Württ. vor. Fundmeldungen der morphologisch sehr ähnlichen Arten *A. flavipes* und *A. curtum* aus den obigen Schwerpunkträumen sind vor allem für die Zeit vor 1975 womöglich teilweise *A. austriacum* zuzuordnen. Marggi (1992) schreibt hierzu für die Schweiz: „Die Angaben in der alten Literatur beziehen sich auf mehrere Arten [...]. Literaturangaben, welche Sandufer erwähnen, treffen nicht auf diese Art [gemeint ist *A. flavipes*], sondern auf *A. austriacum* zu." Letztere Aussage ist für Bad.-Württ. allerdings auf *A. curtum* zu erweitern, die ebenfalls an Sandufern vorkommen kann.

Lebensweise und Habitat: Flugfähige (makroptere) und räuberische Art. Paarung und Eiablage (schwerpunktmäßig) im Frühjahr und Larvalentwicklung ab Frühjahr/Sommer. Aktive Imagines wurden in Bad.-Württ. nach den ausgewerteten Daten zwischen März und September registriert, mit einem Aktivitätsmaximum im Mai; nach Marggi (1992) sind Individuen ganzjährig aktiv und konnten auch an wärmeren Wintertagen an besonnten Ufern beobachtet werden. Die Aussagen der Arbeit von Bauer (1971) dürften sich nach den dort beschriebenen Habitaten aller Wahrscheinlichkeit nach auf *A. austriacum* beziehen und nicht auf *A. flavipes*.

Asaphidion austriacum. Foto: O. Bleich.

Lebensraum von *Asaphidion austriacum* im südlichen Oberrhein-Tiefland. Imagines fanden sich zum Zeitpunkt der Aufnahme hier insbesondere im Übergangsbereich beschatteter zu besonnten Zonen. Foto: K. Geigenmüller.

A. austriacum ist eine charakteristische Art sandiger oder schluffiger, wassernaher und regelmäßig überfluteter Standorte, wobei in Bad.-Württ. Weichholzauwälder und deren Fragmente einschließlich der angrenzenden Ufer ihren Schwerpunktlebensraum darstellen (publizierte Funde u. a. bei Wolf-Schwenninger & Schwenninger 1992). Aus dem Oberrhein-Tiefland liegen auch einzelne Funde aus Sekundärlebensräumen in Abbaugebieten mit entsprechenden Substratbedingungen vor. *A. austriacum* ist als charakteristische Art des Lebensraumtyps *91E0 (Auenwälder) aus Anhang I der FFH-Richtlinie einzustufen.

Gefährdung und Schutz: *A. austriacum* ist bundesweit ungefährdet (Stand 2015). In Bad.-Württ. wurde die Art allerdings als stark gefährdet eingestuft (Stand 2005) und ist im Informationssystem Zielartenkonzept Bad.-Württ. Landesart der Gruppe B (Stand 2009). Als Bewohnerin naturnaher Lebensraumkomplexe vorwiegend größerer Fließgewässer mit dynamischen Ufern und Auestandorten (bei zudem naturräumlich eingeschränkter Verbreitung) sind ihre Lebensräume durch Uferverbau, Einengung von Auestandorten und Veränderungen der hydrologischen Rahmenbedingungen sowie der Substratdynamik stark zurückgegangen und beeinträchtigt. Ausdehnung und Qualität dynamischer Uferstrukturen sollten für den Erhalt der Art optimiert werden. Schutzmaßnahmen müssen abzielen auf Erhalt und Wiederentwicklung möglichst naturnaher Fließgewässerstrecken (einschließlich des Geschiebe- und Wasserhaushalts), die eine eigendynamische Entwicklung aufweisen und langfristig große Populationen der Art im räumlichen Verbund sichern können. Von entscheidender Bedeutung sind dabei Flachufer und Aufschwemmungen aus sandigem und schluffigem Substrat in Kombination mit Weichholzauwald (s. o.), der diese überwächst.

Asaphidion caraboides.

Asaphidion caraboides

(Schrank, 1781)

Flussufer-Haarahlenläufer

Allgemeine Verbreitung: Art mit südosteuropäischem Verbreitungsschwerpunkt. Sie kommt in Deutschland rezent nur im Süden Bayerns vor.

Vorkommen in Baden-Württemberg: Historisch nur aus dem Ulmer Raum belegt, von dort bereits unter anderem von NETOLITZKY (1918a) und v. D. TRAPPEN (1929) genannt, Belege befinden sich in der Sammlung HUEBER (HORION 1959a). Keine neuen Funde. Die Art könnte in Bad.-Württ. früher auch im Bodenseegebiet sowie am Hochrhein vorgekommen sein, da sie aus dem Rheindelta auf österreichischer und Schweizer Seite noch aktuell belegt ist (vgl. BRÄUNICKE & TRAUTNER 2002) und von STIERLIN (1900) Vorkommen bei Schaffhausen und Basel genannt werden. Ein ehemaliges Vorkommen bei Urlau (v. D. TRAPPEN 1929 nach Pfarrer MÜLLER) ist nicht undenkbar, wurde aber aufgrund zahlreicher anderer fragwürdiger Angaben aus dieser Quelle und fehlender anderer Belege aus diesem Raum als fraglich eingestuft und nicht in die Datenbank aufgenommen. Die Angabe für Reutlingen nach KELLER (1864) ist unglaubwürdig, die Angabe von BERNERT (1976) für den Raum Schwäbisch-Gmünd unrichtig (t. TRAUTNER), so dass diese Meldungen ebenfalls keine Berücksichtigung fanden.

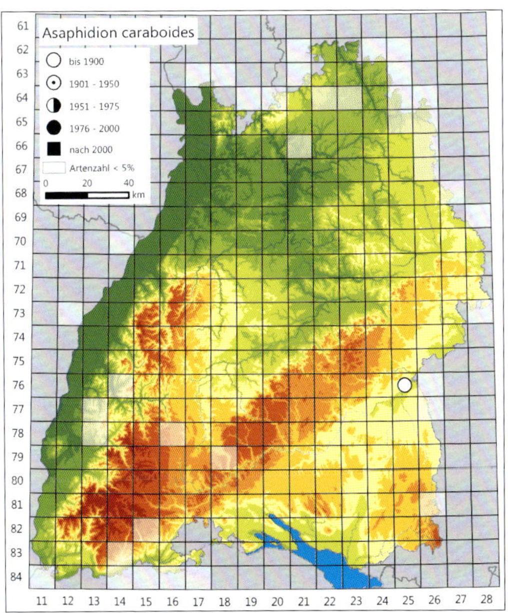

Lebensweise und Habitat: Art mit vollständig entwickelten Hinterflügeln (makropter), von der nach Auswertungsstand keine Flugbeobachtung vorliegt. Paarung und Eiablage (schwerpunktmäßig) im Frühjahr und Larvalentwicklung ab Frühjahr/Sommer.

A. caraboides besiedelt voll besonnte, vegetationsfreie bis -arme Ufer dynamischer Fließgewässer mit sandigem bis schluffigem Substrat (Beispiel bei FRITZE & PAILL 2008; auch zahlreiche eigene Funde in entsprechenden Lebensräumen des Alpenraums und dessen Vorlands). Sowohl an der Donau als auch an der Iller waren im Ulmer Raum ehemals solche Standorte vorhanden. Vor dem Hintergrund, dass keine aktuellen Vorkommen aus Bad.-Württ. bekannt sind, wird eine eventuelle Zuordnung als charakteristische Art bestimmter Lebensraumtypen des Anhangs I der FFH-Richtlinie hier nicht diskutiert.

Gefährdung und Schutz: *A. caraboides* ist bundesweit stark gefährdet (Stand 2015). In Bad.-Württ.

ist die Art seit über 100 Jahren ausgestorben (Stand 2005). Da keine Hinweise auf eventuell noch vorhandene Populationen in Bad.-Württ. oder angrenzenden Bereichen Bayerns vorliegen (vgl. Trautner et al. 2014) und auch am Bodensee potenziell geeignete Standorte auf baden-württembergischer Seite fehlen, ist die Wiederetablierung von Vorkommen der Art im Land zumindest mittelfristig unwahrscheinlich. Daher wird derzeit auch kein spezifischer Handlungsbedarf gesehen.

Asaphidion curtum. Foto: O. Bleich.

Asaphidion curtum

(Heyden, 1870)
Gehölz-Haarahlenläufer

Allgemeine Verbreitung: Vom westmediterranen Raum bis nach Mitteleuropa und ins südliche Nordeuropa verbreitet, in Nordamerika eingeschleppt (Bousquet 2012). Die in Deutschland an ihre östliche Arealgrenze stoßende Art ist trotz kleinerer Vorkommenslücken vor allem in der nördlichen Hälfte weit verbreitet und fehlt offenbar nur in großen Teilen Bayerns.

Vorkommen in Baden-Württemberg: Im Einzugsgebiet des Rheins von verschiedenen Bodenseezuflüssen über den Hochrhein und Ausläufer des Schwarzwaldes bis ins Oberrhein-Tiefland verbreitet, zudem im Einzugsgebiet von Neckar und Rhein in Teilen der Neckar- und Tauber-Gäuplatten sowie des Schwäbischen Keuper-Lias-Lands und im Odenwald. *A. curtum* ist Teil eines Artkomplexes, der in Mitteleuropa vier Arten umfasst (s. Lohse 1983, Hartmann 1985). Von diesen kommen drei in Bad.-Württ. vor. Fundmeldungen der morphologisch sehr ähnlichen Art *A. flavipes* aus Situationen, die dem Schwerpunktlebensraum von *A. curtum* entsprechen (s. u.), sind vor allem für die Zeit vor 1975 wahrscheinlich ganz überwiegend *A. curtum* zuzuordnen.

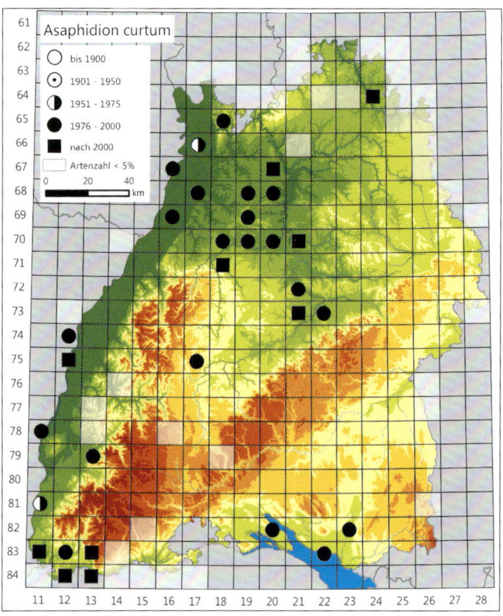

Lebensweise und Habitat: Flugfähige (makroptere) Art. Paarung und Eiablage (schwerpunktmäßig) im Frühjahr und Larvalentwicklung ab Frühjahr/Sommer; in den Niederlanden wurde die neue Käfergeneration im Herbst nachgewiesen (Muilwijk & Heijerman 1991). Aktive Imagines wurden in Bad.-Württ. nach den ausgewerteten Daten zwischen März und September registriert, mit einem Aktivitätsmaximum im Mai und Juni.

A. curtum bevorzugt mäßig bis stark beschattete Lebensräume in gehölzbestandenen Bereichen (Wald, Feldgehölze, Waldrandsituationen) auf überwiegend sandigen bis ansandigen oder schluffigen und feuchteren Böden, wobei die Habitate meist eine sehr geringe Deckung an grasiger oder krautiger Vegetation, oft aber eine dünne Laubstreu aufweisen. Das vorwiegende Auftreten in gehölzbestandenen Bereichen korrespondiert mit den Befunden von Bauer et al. (1998); demnach weist *A. curtum* im Vergleich mit zwei eng verwandten Arten die größte Augenoberfläche und die geringste Zahl am Ommatidien des Facettenauges auf, was für eine tagaktive, aber in meist beschatteten Bereichen jagende Art plausibel ist. Vielfach wird die Art in Auwäldern auch der kleineren Bäche und Flüsse nachgewiesen, sie ist jedoch nicht vollständig darauf beschränkt. So liegen auch Funde von Feldgehölzen abseits von Ufern und einzelne Nachweise aus dem Offenland vor, wobei es sich bei letzteren auch um dispergierende Individuen gehandelt haben könnte. Ob *A. curtum* als charakteristische Art des Lebensraumtyps *91E0 (Auenwälder) aus Anhang I der FFH-Richtlinie infrage kommen könnte, sollte näher geprüft werden. Nach derzeitigem Stand erscheint das besiedelte Lebensraumspektrum hierfür jedoch als etwas zu breit.

Gefährdung und Schutz: *A. curtum* ist bundesweit ungefährdet (Stand 2015), in Bad.-Württ. (Stand 2005) aber eine Art der Vorwarnliste. Für die landesweite Einstufung war primär ein Rückgang geeigneter Standorte aufgrund von Änderungen im Wasserhaushalt und direktem Lebensraumverlust vor allem entlang der Fließgewässer ausschlaggebend. Es ist davon auszugehen, dass die Bestandssituation der Art bei Umsetzung von Maßnahmen für andere, stärker gefährdete Laufkäferarten dynamischer Gewässerufer und Auwaldstandorte ausreichend mit gefördert oder verbessert wird – soweit die Maßnahmen Bereiche mit sandigem und schluffigem Substrat einschließen.

Asaphidion flavipes.

Asaphidion flavipes

(Linnaeus, 1760)

Gewöhnlicher Haarahlenläufer

Allgemeine Verbreitung: Europäisch verbreitete Art, die auf der Iberischen Halbinsel und in Teilen Nordeuropas fehlt. Sie kommt in Deutschland flächendeckend in geeigneten Lebensräumen vor.

Vorkommen in Baden-Württemberg: Landesweit verbreitet, nur in einzelnen Naturräumen mit geringem Anteil an lehmigen Böden oder hoher Walddeckung (Teile des voralpinen Hügel- und Moorlandes, größere Teile des Schwarzwalds, Teile der Schwäbischen Alb) gering vertreten oder in größeren Teilen fehlend. *A. flavipes* ist Teil eines Artkomplexes, der in Mitteleuropa vier Arten umfasst (s. Lohse 1983, Hartmann 1985). Von diesen kommen drei in Bad.-Württ. vor. Besonders frühere Fundmeldungen können teilweise *A. curtum* oder *A. austriacum* zuzuordnen sein, insbesondere wenn sie von sandigen oder schluffigen Ufern stammen.

Lebensweise und Habitat: Flugfähige (makroptere), räuberische Art. Paarung und Eiablage (schwerpunktmäßig) im Frühjahr und Larvalentwicklung ab Frühjahr/Sommer. Aktive Imagines wurden in Bad.-Württ. nach den ausgewerteten Daten zwischen April und Oktober registriert, mit einem Aktivitätsmaximum im Mai. Die Aussagen der Arbeit von Bauer (1971) dürften sich nach den dort beschriebenen Habitaten nicht auf diese Art, sondern aller Wahrscheinlichkeit nach auf *A. austriacum* beziehen.

A. flavipes ist eine typische Besiedlerin der überwiegend offenen Kulturlandschaft, die schwerpunktmäßig auf Löß und auf lehmigen bis humo-

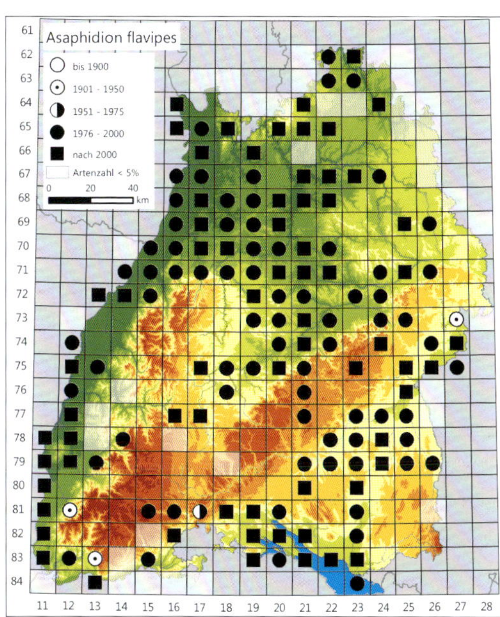

sen Substraten vorkommt, teilweise aber auch auf sandigem Untergrund (dann bei eher feuchten Standortbedingungen). An entsprechenden Standorten kann die Art in Äckern und im Grünland (dann meist in Bereichen mit „Störstellen“, also mit vegetationsfreien bis lückig bewachsenen Zonen) oder etwa auf Ruderalflächen auftreten und strahlt auch in Wälder und Waldrandbereiche aus; ihr Schwepunktlebensraum liegt jedoch klar im Offenland. Sie ist in Bad.-Württ. von den drei Arten des engen Verwandtschaftskomplexes (s. o.) insgesamt die am weitesten verbreitete.

Gefährdung und Schutz: *A. flavipes* ist weder bundesweit (Stand 2015) noch in Bad.-Württ. (Stand 2005) gefährdet. Aufgrund der weiten Verbreitung mit Auftreten in unterschiedlichen, auch ungefährdeten Lebensraumtypen vor allem des Offenlands ist auch keine zukünftige Gefährdung absehbar. Kein Handlungsbedarf.

Asaphidion pallipes. Foto: C. Benisch.

Asaphidion pallipes

(Duftschmid, 1812)

Ziegelei-Haarahlenläufer

Allgemeine Verbreitung: Paläarktisch verbreitete Art, die auch im Großteil Europas vorkommt. Sie ist in Deutschland weit verbreitet und weist nur in Süddeutschland kleinere Vorkommenslücken auf.

Vorkommen in Baden-Württemberg: Schwerpunkte im Voralpinen Hügel- und Moorland, in der Donau-Iller-Lech-Platte und im Oberrhein-Tiefland. Punktuell und räumlich (heute) eng begrenzt in weiteren Naturräumen.

Lebensweise und Habitat: Flugfähige (makroptere) und räuberische Art. Paarung und Eiablage (schwerpunktmäßig) im Sommer und Larvalentwicklung ab Sommer/Herbst. Aktive Imagines wurden in Bad.-Württ. nach den ausgewerteten Daten zwischen April und September registriert. Für die Ableitung eines Aktivitätsmaximums liegen keine ausreichenden Daten vor, die meisten Fundmeldungen von Imagines stammen jedoch aus dem Juni oder später im Jahr, was mit den Angaben bei Lindroth (1992) zur Phänologie korrespondiert. Da in der Schweiz auch winteraktive Imagines beobachtet wurden, „ist [...] anzunehmen, dass sowohl Larven wie Imagines überwintern“ (Marggi 1992).

A. pallipes ist eine typische Art vegetationsarmer, bindiger Rohböden, die früher in naturnahen Flusslandschaften entlang von Ufern und Aufschwemmungen größerer Fließgewässer ihren Vorkommensschwerpunkt gehabt haben dürfte. Sie tritt aber auch abseits der Auen auf besonnten, vegetationsarmen Rohböden, etwa auf wechsel-

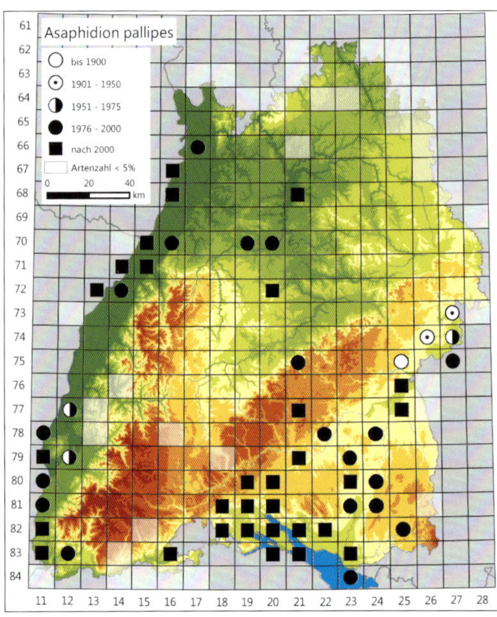

Lebensraum von *Asaphidion pallipes* in einer Kiesgrube des Bodenseeraums. Im Bildhintergrund Bereiche, in denen eine forstliche Rekultivierung vorbereitet wird.

feuchten Hangrutschungen oder in Abbaugebieten wie Lehm- und Ziegeleigruben auf. Aktuell besteht der Großteil der baden-württembergischen Vorkommen in Sekundärlebensräumen. Die Art ist nicht an Ufer gebunden, ihre Standorte sind aber immer von einer ausgeprägten Wechseltrockenheit oder Wechselfeuchte geprägt, meist mit ephemeren Kleingewässern.

Gefährdung und Schutz: *A. pallipes* ist bundesweit (Stand 2015) eine Art der Vorwarnliste und in Bad.-Württ. (Stand 2005) gefährdet. Zudem ist sie Naturraumart des Informationssystems Zielartenkonzept Bad.-Württ. (Stand 2009). Gefährdungsursachen sind einerseits Uferverbau, Einengung von Auestandorten sowie Veränderungen der hydrologischen Rahmenbedingungen und der Substratdynamik an größeren Fließgewässern, andererseits Nutzungsaufgabe und Rekultivierung von bisher geeigneten Standorten in Abbaugebieten. Ausdehnung und Qualität dynamischer Uferstrukturen sollen vor allem entlang der größeren Fließgewässer für den Erhalt der Art optimiert werden, zudem müssen in Abbau- und Rekultivierungsvorhaben die Ansprüche der Art verstärkt berücksichtigt werden.

Bembidion argenteolum

Ahrens, 1812

Silberfleck-Ahlenläufer

Allgemeine Verbreitung: Im Tief- und Hügelland von Mittelfrankreich nach Osten bis ins Amurgebiet teils diskontinuierlich verbreitet, in Südwesteuropa und im größten Teil Nordeuropas fehlend. Eine Verbreitungskarte für den westlichen Arealteil (Europa) findet sich bei Bräunicke & Trautner (1999). In Deutschland ist die Art fast ausschließlich entlang der großen Flusstäler vertreten und fehlt im Südosten

Vorkommen in Baden-Württemberg: Erstmals 2012 bei Steinmauern in einem Abbaugebiet des Oberrhein-Tieflands nachgewiesen (Benisch, in lit.). Unter anderem gab es historische Angaben von der französischen Rheinseite flussaufwärts des

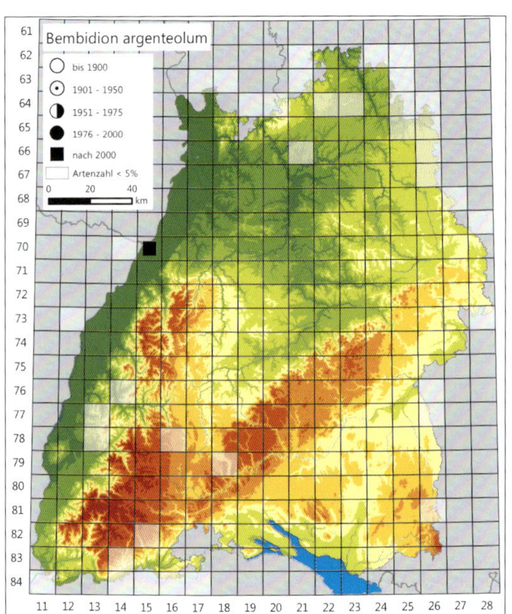

Bembidion argenteolum.

aktuellen Vorkommens (s. Bräunicke & Trautner 1999), die aber offensichtlich nicht mehr als glaubwürdig gelten, da die Art nicht in das neue Verzeichnis der Käfer des Elsass (Callot 2015) aufgenommen wurde. Aus Bad.-Württ. selbst fehlen historische Nachweise.

Lebensweise und Habitat: Flugfähige (makroptere) und räuberische Art. Paarung und Eiablage (schwerpunktmäßig) im Frühjahr und Larvalentwicklung ab Frühjahr/Sommer. Für Angaben zu Phänologie und Aktivitätsmaximum liegen aus Bad.-Württ. keine ausreichenden Daten vor; die höchste monatliche Anzahl der von Bräunicke & Trautner (1999) ausgewerteten Funddaten stammte aus dem Mai.

B. argenteolum besiedelt vegetationsfreie bis -arme, sandige oder schluffige und voll sonnenexponierte Ufer und Aufschwemmungen (Bräunicke & Trautner 1999). Sie kommt grundsätzlich als charakteristische Art der Fließgewässer-Lebensraumtypen 3260 und 3270 (Fließgewässer mit flutender Wasservegetation, Schlammige Flussufer mit Pioniervegetation) aus Anhang I der FFH-Richtlinie infrage, in Bad.-Württ. aber nur mit stark eingeschränktem potenziellen Verbreitungsgebiet. Der Nachweis in Bad.-Württ. stammt von der Schwemmfläche eines Kieswerks (Benisch, in lit; coll. Forcke), wo am 9. 6. 2012 ein Exemplar der Art gefangen wurde (im gleichen Gebiet auch *B. velox* und *B. striatum*).

Gefährdung und Schutz: *B. argenteolum* ist bundesweit (Stand 2015) gefährdet und war in Bad.-Württ. (Stand 2005) bislang noch nicht in der Checkliste und Roten Liste verzeichnet. Aufgrund der Lebensraumbindung sowie des jetzigen Nachweises ist bei Fortschreibung der landesweiten Roten Liste die Einstufung in eine Gefährdungsklasse – voraussichtlich Kategorie 1 – zu diskutieren. Wie bei *B. litorale* und anderen hochgradig gefährdeten Auenarten dürfte auch bei *B. argenteolum* die Bestandssicherung heute stark von Sekundärstandorten in Abbaugebieten abhängig sein, da ihre ursprünglichen Lebensräume durch den Ausbau der großen Fließgewässer weitgehend zerstört wurden. Eine ausreichende Flächenverfügbarkeit notwendiger Habitate in mehr oder weniger naturnahen Lebensraumkomplexen kann mittel- bis langfristig nur im Rahmen dringend erforderlicher umfangreicher Revitalisierungsprojekte an größeren Fließgewässern wiederhergestellt werden. Im Oberrhein-Tiefland sollte – ausgehend von dem jetzt bekannt gewordenen Fund – eine Prüfung auf weitere Vorkommen dieser und weiterer Arten der engeren Verwandtschaftsgruppe vorgenommen und ein spezifisches Schutzkonzept erarbeitet werden.

Bembidion articulatum

(Panzer, 1796)
Hellfleckiger Ufer-Ahlenläufer

Bembidion articulatum. Foto: O. Bleich.

Allgemeine Verbreitung: Paläarktisch verbreitete Art, die nur in Teilen Nordeuropas und kleineren Teilen Südeuropas fehlt. Sie kommt in Deutschland flächendeckend in geeigneten Lebensräumen vor.

Vorkommen in Baden-Württemberg: Landesweit verbreitet. Fehlende Nachweise in der Verbreitungskarte sind, mit Ausnahme gewässerfreier und walddominierter Bereiche einzelner Naturräume, i. d. R. nicht als ein tatsächliches Fehlen zu interpretieren.

Lebensweise und Habitat: Flugfähige (makroptere) und räuberische Art. Paarung und Eiablage (schwerpunktmäßig) im Frühjahr und Larvalentwicklung ab Frühjahr/Sommer. Aktive Imagines wurden in Bad.-Württ. nach den ausgewerteten Daten zwischen April und November registriert, mit einem Aktivitätsmaximum im Mai.

B. articulatum ist eine weit verbreitete Uferart fließender oder stehender Gewässer und tritt auf unterschiedlichen Subtraten auf, die häufig aber einen bindigen oder organischen Anteil aufweisen. Daneben ist sie auch abseits von Ufern auf staunassen bis wechselfeuchten Böden vertreten. Barndt (1981) nennt als Schwerpunktlebensräume Kriechpflanzenrasen an periodisch überfluteten Flussufern und staunasse Ruderalflächen, was auch für Bad.-Württ. gut passt. Baehr (1980) beschreibt ihre Vorkommen für den Schönbuch im zentralen Bad.-Württ. wie folgt: „auf tonigen Sänden der Bäche, an feuchten Stellen der Hangrutschungen sowie an tonig-schlammigen Stellen in Sumpfwiesen und an Ufern. Der Untergrund meist mit stärkerem Schlammanteil.“ Insgesamt ist *B. articulatum* gegenüber Belichtung und Vegetationsdichte am Boden relativ tolerant und tritt auch in nassen, stark grasig-krautig bewachsenen Flächen und innerhalb weitestgehend beschatteter Standorte auf, soweit punktuell offene und zeitweise besonnte Bodenstellen vorhanden sind. Diese müssen nur extrem kleinflächig ausgeprägt sein.

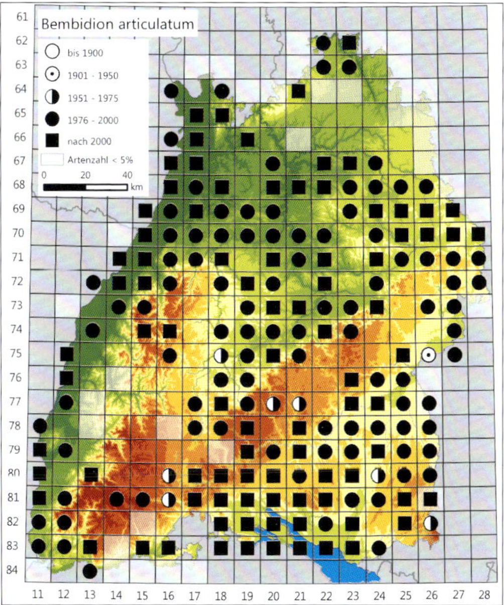

Gefährdung und Schutz: *B. articulatum* ist weder bundesweit (Stand 2015) noch in Bad.-Württ. (Stand 2005) gefährdet. Aufgrund der weiten Verbreitung in unterschiedlichen, selbst kleinflächigen Feuchtlebensräumen ist auch keine zukünftige Gefährdung absehbar. Kein Handlungsbedarf.

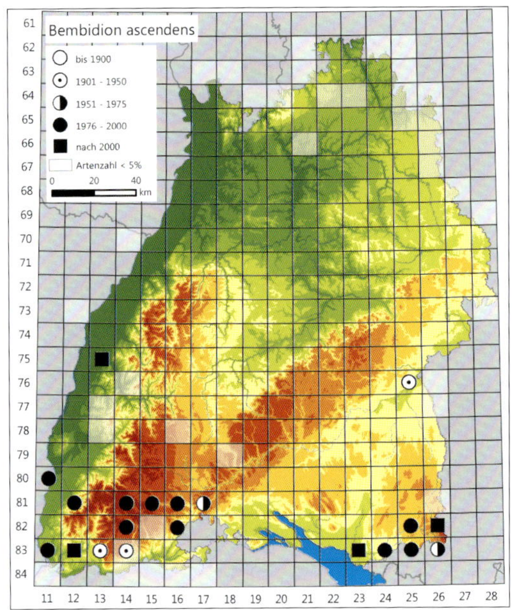

Bembidion ascendens

K. Daniel, 1902

Spitzdecken-Ahlenläufer

Allgemeine Verbreitung: Vom südlichen Westeuropa über den Alpen- und Voralpenraum und Teile Mitteleuropas sowie der Balkanhalbinsel im Osten bis nach Kleinasien vertreten. Diese in Deutschland rezent mit Ausnahme eines kleinen Restareals im südlichen Niedersachsen und Sachsen-Anhalt (Harz) ansonsten nur noch im Süden Bayerns und Baden-Württembergs vorkommende Art war früher deutlich weiter in deutschen Mittelgebirgen oder deren Vorland verbreitet (s. Verbreitungskarte bei Trautner et al. 2014).

Bembidion ascendens. Foto: O. Bleich.

Vorkommen in Baden-Württemberg: Nur im Süden verbreitet; schwerpunktmäßig tritt sie im Einzugsgebiet des Rheins vom Argensystem über den Hochrhein bis hin zu größeren Fließgewässern des Alb-Wutach-Gebiets und des Südschwarzwaldes (u. a. Wiese) bis ins südliche und mittlere Oberrhein-Tiefland auf. Im Bereich der Adelegg sowohl im Donau- als auch im Rheineinzugsgebiet vertreten, historisch bis in den Donauraum bei Ulm belegt.

Lebensweise und Habitat: Art mit vollständig entwickelten Hinterflügeln (makropter), von der nach Auswertungsstand keine Flugbeobachtung vorliegt. Paarung und Eiablage (schwerpunktmäßig) im Frühjahr und Larvalentwicklung ab Frühjahr/Sommer. Nach Manderbach (1998) erfolgt die Reproduktion der Vorjahresgeneration bis Mitte Juli. Aktive Imagines wurden in Bad.-Württ. nach den ausgewerteten Daten zwischen April und September registriert, die meisten Fundmeldungen stammen aus dem Mai und Juni. Marrgi (1992) folgend ist die Art eine „Imaginalüberwinter[in] in tiefen Schotterwällen“ weiter vom Flussbett entfernter Bereiche.

B. ascendens ist eine Uferart, die ausschließlich vegetationsarme Geröll-, Schotter- oder Kiesbänke an Fließgewässern besiedelt, wobei diese überwiegend besonnt sein müssen. Sie benötigt zwar nach Marggi (1992) „bereits breitere, naturbelassene Ufer“, kommt aber, wie Manderbach (2002) beispielsweise für Iller und Isar betont, in auffallend hohen Abundanzen auch noch an Flüssen vor, „die [...] erhebliche Längsverbauungen und Geschiebedefizite aufweisen“. Dazu müssen aber offenbar die grundsätzlichen Strukturen offener Uferzonen bei passenden Substraten noch vorhanden sein. Aus Sekundärlebensräumen in Abbaugebieten, die für die Art offenkundig nicht geeignet sind, wurden keine Vorkommen gemeldet. Sie ist als charakteristische Art des Lebensraumtyps 3240 (Alpine Flüsse mit Lavendelweiden-Ufergehölzen) sowie bestimmter Ausprägungen des Lebensraumtyps 3260 (Fließgewässer mit flutender Wasservegetation) aus Anhang I der FFH-Richtlinie einzustufen.

Gefährdung und Schutz: *B. ascendens* ist bundesweit (Stand 2015) und in Bad.-Württ. (Stand 2005) gefährdet. Zudem ist sie Naturraumart des Informationssystems Zielartenkonzept Bad.-

Bembidion ascendens ist eine Art offener Kies- und Schotterufer; hier ein besiedelter Uferabschnitt des Rheins im südlichen Oberrhein-Tiefland.

Württ. (Stand 2009). Vor dem Hintergrund der zwischenzeitlich vorliegenden Bestandsinformationen ist möglicherweise die Einordnung in eine höhere Gefährdungsstufe angezeigt, was im Rahmen einer Fortschreibung der landesweiten Roten Liste überprüft werden sollte. Gefährdungsursachen sind Uferverbau, Einengung von Auestandorten und Veränderungen der hydrologischen Rahmenbedingungen sowie der Substratdynamik; strukturell geeignete Schotterufer sind zudem teilweise durch Gehölze zu stark beschattet. Für die Erhaltung der Art müssen Ausdehnung und Qualität dynamischer Uferstrukturen verbessert werden. Schutzmaßnahmen müssen auf Erhaltung und Wiederentwicklung möglichst naturnaher Fließgewässerstrecken (einschließlich des Geschiebe- und Wasserhaushalts) abzielen, die eine eigendynamische Entwicklung aufweisen und langfristig große Populationen der Art im räumlichen Verbund sichern können. Dies ist für *B. ascendens* nur an kies- oder schotterreichen Fließgewässern in den historischen oder rezenten Verbreitungsräumen der Art möglich. Ihre Bestandsentwicklung sollte im Rahmen eines Monitorings verfolgt werden.

Bembidion assimile

Gyllenhal, 1810

Flachmoor-Ahlenläufer

Allgemeine Verbreitung: Während sie in der nördlichen Hälfte Deutschlands fast flächendeckend in geeigneten Lebensräumen vorkommt, weist die Art nur im süddeutschen Raum (Baden-Württemberg, Bayern) größere Verbreitungslücken auf.

Vorkommen in Baden-Württemberg: Schwerpunkte im Bodenseeraum (Teil des Voralpinen Hügel- und Moorlands), im Oberrhein-Tiefland und in den tiefer gelegenen, nordwestlichen Bereichen der Neckar- und Tauber-Gäuplatten. Zudem ist die Art entlang der Donau sowie punktuell im Einzugsgebiet des Neckars auch im Schwäbischen-Keuper-Lias-Land vertreten. Sie fehlt dagegen im Schwarzwald, auf der Schwäbischen Alb (mit Ausnahme von Randbereichen hin zum Donautal) und offenbar in den nordöstlichsten Landesteilen.

Lebensweise und Habitat: Flugfähige (dimorphe bzw. polymorphe) Art. Paarung und Eiablage (schwerpunktmäßig) im Frühjahr und Larvalentwicklung ab Frühjahr/Sommer. Aktive Imagines wurden in Bad.-Württ. nach den ausgewerteten

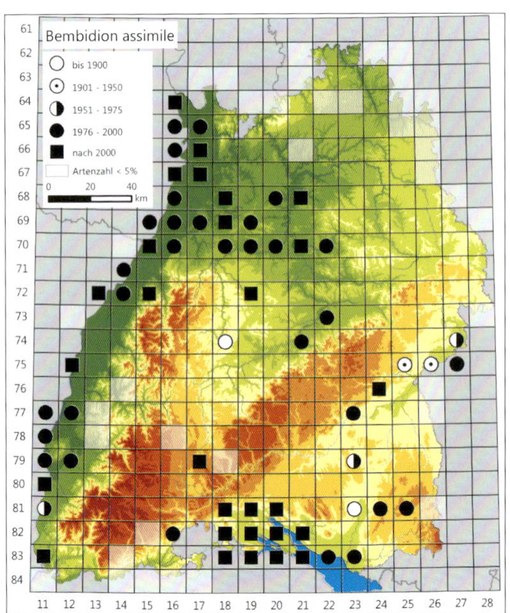

Bembidion assimile. Foto: M. Bräunicke.

Lebensraum von *Bembidion assimile* in Feucht- und Nassbrachen des Donautals.

Daten von Mai bis November registriert, die meisten Funde stammen aus dem Mai und Juni. MARGGI (1992) sowie SCHÜRSTEDT & ASSMANN (1999) berichten über überwinternde Tiere in der Vegetation (Grasbüschel, Stängel/Blattscheiden von Schilf, Rohrkolben und Wasserschwaden); solche Beobachtungen liegen auch aus Bad.-Württ. vor.

B. assimile tritt in vegetationsreicheren Feuchtgebieten und Uferzonen auf, wobei sie sowohl Röhrichte und Riede als auch Nasswiesen, feuchte Hochstaudenfluren und Standorte des Auwalds (für Letzteres s. z. B. ZAWADZKI & SCHMIDT 1994) besiedelt. Sie zeigt damit im feuchten bis nassen Standortbereich ein breites Lebensraumspektrum und kommt auch in stärker beschatteten Bereichen vor, ihr Schwerpunkt liegt jedoch im Offenland. Tendenziell scheint eine gut ausgebildete Streuauflage das Vorkommen der Art zu begünstigen.

Gefährdung und Schutz: *B. assimile* ist bundesweit ungefährdet (Stand 2015), wurde aber in Bad.-Württ. (Stand 2005) in die Vorwarnliste aufgenommen. Rückgangstendenzen zeigt die Art aufgrund direkter Flächenverluste, der Entwässerung im Zuge einer intensivierten landwirtschaftlichen Nutzung und des Verlusts von nutzungsbegleitenden, eher kleinflächigen Feucht- und Nasslebensräumen. Geeignete Maßnahmen zum Schutz und zur Förderung sind unter anderem die Wiedervernässung auf derzeit intensiver landwirtschaftlich genutzten Flächen und die gleichzeitige Verbesserung von feuchten bis nassen Begleitstrukturen (u. a. durch Aufweitung von Grabenrändern).

Bembidion atrocaeruleum

(Stephens, 1828)

Schwarzblauer Ahlenläufer

Allgemeine Verbreitung: Art mit relativ kleinem zentraleuropäischem Areal. Sie stößt in Deutschland an ihre nordöstliche Arealgrenze und ist hier hauptsächlich in Westdeutschland (Nordrhein-Westfalen, Rheinland-Pfalz) und Mitteldeutschland (Thüringen, Hessen) verbreitet, wobei sie im südlichen Niedersachsen ihr nördlichstes Vorkommen hat.

Vorkommen in Baden-Württemberg: Schwerpunkte im Oberrhein-Tiefland, am Hochrhein und in Teilen des Schwarzwalds sowie des Alb-Wutach-Gebiets. Zudem im Einzugsgebiet des unteren Neckars sowie entlang der Argen im Voralpinen Hügel- und Moorland; ehemals auch im Donauraum

Bembidion atrocaeruleum. Foto: M. Bräunicke.

bei Ulm (s. MEYER 1938, HORION 1959a). Fraglich erscheint ein ehemaliges oder rezentes autochthones Vorkommen im Schwäbischen Keuper-Lias-Land, wo die Art von ULBRICH (11. 7. 1958,

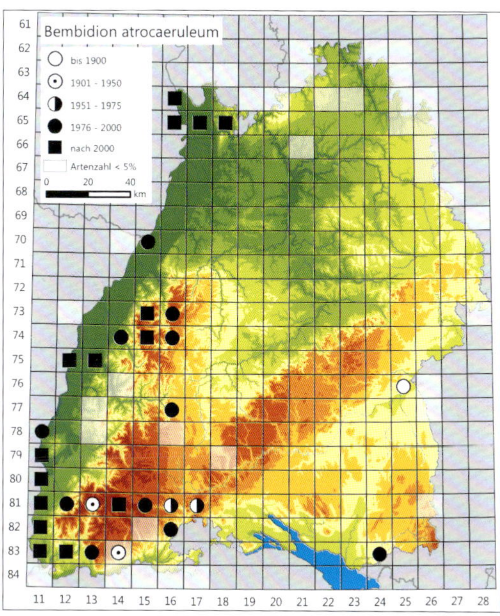

s. Harde & Köstlin 1961) aus dem Brettachtal bei Neuhütten gemeldet wurde. Ein Beleg für diesen Fund konnte nicht ermittelt werden (kein Belegtier in der Sammlung des Staatlichen Museums für Naturkunde in Stuttgart); er wurde daher nicht in die Datenbank aufgenommen.

Lebensweise und Habitat: Flugfähige (makroptere) und räuberische Art. Paarung und Eiablage (schwerpunktmäßig) im Frühjahr und Larvalentwicklung ab Frühjahr/Sommer. Aktive Imagines wurden in Bad.-Württ. nach den ausgewerteten Daten von März bis November registriert, die meisten Funde stammen aus dem Mai und Juni.

B. atrocaeruleum besiedelt vorwiegend vegetationsfreie bis -arme Schotter- und Kiesufer. Zumindest lokal wird sie aber auch auf sandigem Substrat ohne oder mit nur sehr geringer Feinkiesbeimengung gefunden (z. B. am Fluss Wiese im südlichen Hochschwarzwald, Wolf-Schwenninger in lit. und eigene Daten). Tendenziell scheint die Art auch im Kies die feineren Fraktionen zu bevorzugen. Bei Untersuchungen mittels Markierung von Individuen konnte gezeigt werden, dass zum Beispiel Flutereignisse die Imagines zu kurzen Flügen zwischen verschiedenen Habitat-Patches entlang der Fließgewässer veranlassen (Bates et al. 2006). Wie bei den übrigen spezialisierten Arten offener, dynamischer Uferstandorte ist ein ausreichendes Flächenangebot bei zeitlicher Konstanz, aber ggf. räumlichem Wechsel der besiedelbaren Strukturen für ein längerfristiges Überleben unerlässlich. Dies erfordert unter anderem wiederkehrende Substratum- und -verlagerungen. *B. atrocaeruleum* wurde zwar nicht nur an Fließgewässerufern, sondern in wenigen Fällen auch an Ufern in Sekundärstandorten (Kiesgruben) nachgewiesen. Sie ist dennoch als charakteristische Art des Lebensraumtyps 3240 (Alpine Flüsse mit Lavendelweiden-Ufergehölzen) sowie bestimmter Ausprägungen des Lebensraumtyps 3260 (Fließgewässer mit flutender Wasservegetation) aus Anhang I der FFH-Richtlinie einzustufen.

Gefährdung und Schutz: Deutschland liegt im Arealzentrum der Art, beherbergt mehr als 1/10 ihrer weltweiten Populationen und trägt somit eine hohe Verantwortlichkeit für ihren Erhalt (Einstufung !; vgl. Schmidt et al. 2016). *B. atrocaeruleum* ist bundesweit (Stand 2015) stark gefährdet, in Bad.-Württ. (Stand 2005) wurde sie als gefährdet eingeordnet. Zudem ist sie Naturraumart des Informationssystems Zielartenkonzept Bad.-Württ. (Stand 2009). Möglicherweise ist – wie etwa bei *B. ascendens* – vor dem Hintergrund der zwischenzeitlich vorliegenden Bestandsinformationen die Einordnung in eine höhere Gefährdungsstufe angezeigt, was bei einer Fortschreibung der landesweiten Roten Liste überprüft werden sollte. Gefährdungsursachen sind Uferverbau, Einengung von Auestandorten und Veränderungen der hydrologischen Rahmenbedingungen sowie der Substratdynamik; Ausdehnung und Qualität dynamischer Uferstrukturen müssen für den Erhalt der Art verbessert werden. Schutzmaßnahmen müssen auf Erhalt und Wiederentwicklung möglichst naturnaher Fließgewässerstrecken (einschließlich des Geschiebe- und Wasserhaushalts) abzielen. Diese sollten eine eigendynamische Entwicklung aufweisen und langfristig große Populationen der Art im räumlichen Verbund sichern können. Solches ist für *B. atrocaeruleum* nur an kies- oder schotterreichen Fließgewässern in ihren historischen oder rezenten Verbreitungsräumen möglich. Die Bestandsentwicklung der Art sollte im Rahmen eines Monitorings verfolgt werden.

Bembidion azurescens

Dalla Torre, 1877

Blauglänzender Ahlenläufer

Allgemeine Verbreitung: Schwerpunktmäßig in Mitteleuropa und Südosteuropa montan und de-

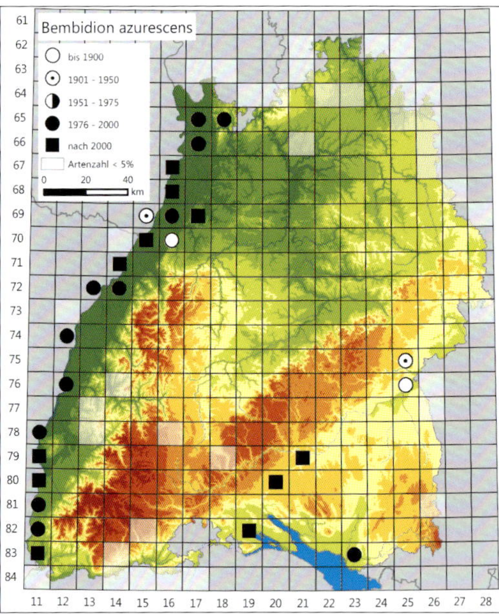

Bembidion azurescens. Foto: O. Bleich.

alpin verbreitete Art. Sie stößt in Deutschland an ihre nördliche Arealgrenze und zeigt zwei möglicherweise durch eine Verbreitungslücke getrennte Teilareale im Zentrum und Süden Deutschlands (vgl. Verbreitungskarte bei Trautner et al. 2014).

Vorkommen in Baden-Württemberg: Schwerpunkt im Oberrhein-Tiefland, daneben Vorkommen im Bodenseeraum (Teil des Voralpinen Hügel- und Moorlandes) sowie im Donau-Einzugsgebiet (Donau-Iller-Lech-Platte). Wahrscheinlich geht die frühere, unbelegte Meldung von *B. tenellum* aus dem Raum Ulm (v. d. Trappen 1929) auf diese Art zurück; Gleiches wurde für einige Meldungen von *B. tenellum* aus dem Oberrhein-Tiefland festgestellt und ist für die weiteren anzunehmen.

Lebensweise und Habitat: Flugfähige (makroptere) und räuberische Art. Die vorliegenden Funddaten weisen auf Paarung und Eiablage (schwerpunktmäßig) im Frühjahr und Larvalentwicklung ab Frühjahr/Sommer hin; nach Marggi (1992) handelt es sich bei *B. azurescens* um eine Imaginalüberwinterin. Aktive Imagines wurden in Bad.-Württ. nach den ausgewerteten Daten zwischen März und September registriert, die meisten Funde stammen aus den Monaten Mai bis Juli.

B. azurescens tritt auf voll besonnten, mit spärlicher Vegetation bewachsenen Ufern, Bänken und Aufschwemmungen sowie an sonstigen zeitweise überfluteten oder staunassen Standorten mit oft bindigem Substrat (Lehm, Ton) oder einer entsprechenden Beimengung auf. Im Gegensatz zur Charakterisierung bei Marggi (1992) werden in Bad.-Württ. aber nicht nur lehmige Böden besiedelt. Vielmehr liegt auch eine Reihe von Funden auf sandigem, überwiegend kiesigem oder schluffigem Untergrund vor. Einige Funde sind uferfern,

Lebensraum von *Bembidion azurescens* in einer noch in Betrieb befindlichen Kiesgrube des Bodenseeraums.

und die Mehrzahl der aktuelleren Nachweise stammt aus Sekundärlebensräumen wie Kiesgruben (publiziertes Beispiel u. a. bei Wolf-Schwenninger & Schwenninger 1992), während direkt von Fließgewässerufern nur wenige Funde vorliegen.

Gefährdung und Schutz: *B. azurescens* steht bundesweit auf der Vorwarnliste (Stand 2015) und ist in Bad.-Württ. stark gefährdet (Stand 2005) sowie als Landesart B des Informationssystems Zielartenkonzept Bad.-Württ. (Stand 2009) eingestuft. Gefährdungsursachen sind vor allem der Verlust der habitatprägenden Dynamik an Fließgewässern und in Abbaugebieten mit nachfolgender Sukzession. Schutzmaßnahmen müssen zunächst darauf abzielen, an den nachgewiesenen Standorten der Art die notwendigen Habitateigenschaften langfristig und möglichst großflächig sicherzustellen, ggf. durch Pflegemaßnahmen mit wiederkehrenden „Störungen" der Bodenoberfläche. Ausgehend von diesen Flächen sollen weitere Habitate im Umfeld entwickelt werden, soweit dort noch Potenzial für die Art besteht. Ausdehnung und Qualität dynamischer Uferstrukturen sollen vor allem entlang der größeren Fließgewässer für den Erhalt der Art optimiert werden, zudem müssen in Abbau- und Rekultivierungsvorhaben die Ansprüche der Art verstärkt berücksichtigt werden.

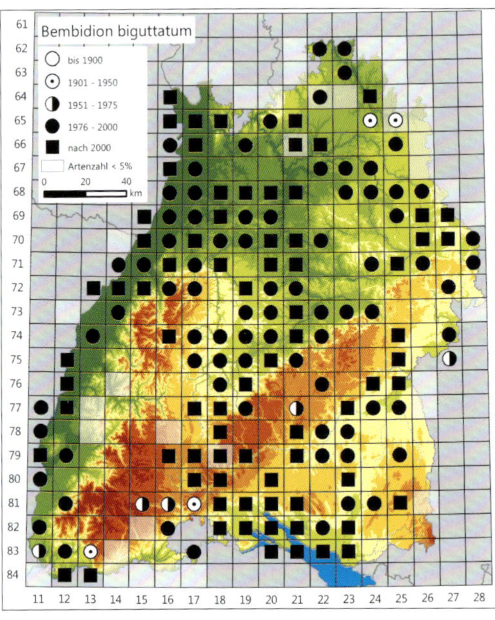

Bembidion biguttatum

(Fabricius, 1779)

Zweifleckiger Ahlenläufer

Allgemeine Verbreitung: Paläarktisch verbreitete und im Großteil Europas vertretene Art, die nur in Teilen Nordeuropas fehlt. Sie kommt in Deutschland flächendeckend in geeigneten Lebensräumen vor.

Vorkommen in Baden-Württemberg: Landesweit verbreitet, nur im Schwarzwald kaum Nachweise; fehlende Nachweise in der Verbreitungskarte sind ansonsten mit Ausnahme einiger hoher Lagen und Bereiche ohne Feuchtstandorte als Erfassungslücken, i. d. R. aber nicht als ein tatsächliches Fehlen zu interpretieren.

Lebensweise und Habitat: Flugfähige (makroptere) Art und Nahrungsgeneralistin. Paarung und Eiablage (schwerpunktmäßig) im Frühjahr und Larvalentwicklung ab Frühjahr/Sommer. Aktive Imagines wurden in Bad.-Württ. nach den ausgewerteten Daten zwischen März und November registriert, mit einem Aktivitätsmaximum im Mai. Die Art überwintert als Imago (Marggi 1992, eigene Daten) und kann zum Beispiel bei winterlichen Gesiebefängen zahlreich in der Streu in etwas trockeneren Randzonen von Schilfbeständen gefunden werden.

B. biguttatum tritt in unterschiedlichen Lebensräumen des feuchten bis nassen Standortbereichs auf, mit tendenzieller Bevorzugung von Brachestadien im Grünland (nasse Hochstaudenfluren, Riede, Landschilfbestände) und von nassen, aber eher lichten Waldbeständen (Sumpf- und Auwälder). Die Standorte weisen oft bindige oder solche Böden mit hohen organischen Substratanteilen

Bembidion biguttatum. Foto: O. Bleich.

auf. Häufig findet sich eine gut ausgebildete Bodenauflage aus abgestorbenen Pflanzenstängeln und Blättern.

Gefährdung und Schutz: *B. biguttatum* ist weder bundesweit (Stand 2015) noch in Bad.-Württ. (Stand 2005) gefährdet. Aufgrund der weiten Verbreitung mit Auftreten in unterschiedlichen Feuchthabitaten ist auch keine zukünftige Gefährdung absehbar. Kein Handlungsbedarf.

Bembidion bipunctatum

(Linnaeus, 1760)

Zweipunkt-Ahlenläufer

Allgemeine Verbreitung: Paläarktisch verbreitete Art, im Osten bis Zentralsibirien, die in alpinen Höhenlagen unter anderem der Alpen in der ssp. *nivale* Heer, 1837 auftritt. Die ausschließlich in niedrigeren Lagen vertretene Nominatform kommt in Deutschland mit einem Verbreitungsschwerpunkt im Nordwesten vorrangig in der nördlichen Hälfte vor, während sie in weiten Teilen West- und Süddeutschlands fehlt und im mittleren Deutschland vielfach nur alte Funde vorliegen (vgl. Verbreitungskarte bei Trautner et al. 2014).

Vorkommen in Baden-Württemberg: Nur in der Nominatform an sehr wenigen Stellen nachgewiesen, zuletzt in den 1990er Jahren im Raum Böblingen/Sindelfingen; der dortige Lebensraum wurde im Rahmen der Siedlungsentwicklung zerstört (eigene Daten). Von Fischer (1843) für die Umgebung Freiburgs angegeben, Keller (1864) meldet sie dann für Reutlingen und v. d. Trappen (1929) ergänzt diese Angabe um die Fundorte Unterstadion nach Pfarrer Müller sowie „Rotenacker" (letzterer so auch bei Horion 1941, 1959a wiedergegeben). In der Sammlung v. d. Trappens im Staatlichen Museum für Naturkunde Stuttgart ist kein Beleg vorhanden. obwohl Meyer (1938) auf einen solchen verweist, allerdings als dessen Fundort „Rottenacker Ried" (nicht: Rotenacker) angibt. Während sich „Rotenacker" auf das Grundstück des Entomologischen Vereins Stuttgart (aufgelassener ehemaliger Weinberg) bei Markgröningen beziehen würde, liegt das Rottenacker Ried im Donautal bei Munderkingen in unmittelbarer Nachbarschaft der ebenfalls bei v. d. Trappen als Fundort geführten Gemeinde Unterstadion (s. o.). Im Donauraum östlich von Ulm war die Art in den 1960er Jahren dann von J. Frank gefunden worden (1 Ex. Langenau/Ramminger Moos, 20. 4. 1969, vid. Trautner), spätere eigene Nachsuchen in diesem Raum blieben aber erfolglos. Im Jahr 1990 wurde *B. bipunctatum* dann bei Böblingen/Sindelfingen nachgewiesen (3 Ex., April und Mai., leg. Trautner). Von den oben aufgeführten Fundorten wird „Rotenacker"/Markgröningen verworfen und als irrtümliche Angabe anstelle des Rottenacker Rieds interpretiert; letzteres wird vor dem Hintergrund des späteren Wiederfundes im Donauraum als Fundort berücksichtigt. Die Angabe Kellers (1864) für Reutlingen wird als fraglich eingestuft und wurde nicht in die Datenbank übernommen.

Bembidion bipunctatum. Foto: O. Bleich.

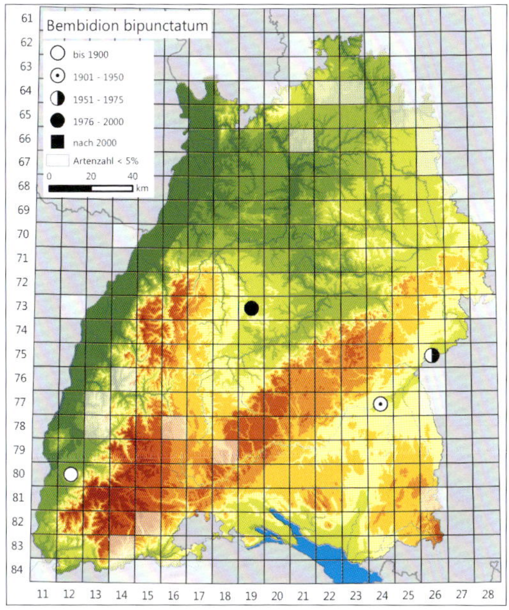

Das letzte in Baden-Württemberg dokumentierte Vorkommen von *Bembidion bipunctatum*, hier ein Foto von Ende der 1980er Jahre, wurde im Zuge der Konversion eines ehemals militärisch genutzten Areals in Böblingen/Sindelfingen überformt und zerstört.

Lebensweise und Habitat: Flugfähige (makroptere) und räuberische Art. Paarung und Eiablage (schwerpunktmäßig) im Frühjahr und Larvalentwicklung ab Frühjahr/Sommer. Für Angaben zu Phänologie und Aktivitätsmaximum liegen aus Bad.-Württ. keine ausreichenden Daten vor. Soweit dokumentiert, stammen die Funde hier aus den Monaten April, Mai und September.

B. bipunctatum wird von Lindroth (1992) für Nordeuropa als ausschließlich an Ufern auftretende Art eingestuft, die dort aber die unterschiedlichsten Ufertypen besiedelt. Für das nordwestdeutsche Binnenland wird sie den Lebensraumtypen der Ufer mit schluffigem bis tonigem oder organischem Substrat sowie dem Feucht- und Nassgrünland zugeordnet (GAC 2009). Handke & Kundel (1989) wiesen sie an einem jungen Uferstandort mit fehlender oder sehr geringer Vegetation nach. Die jüngsten Nachweise bei Böblingen/Sindelfingen stammen von einem Teichufer des dortigen ehemaligen Panzerreparaturwerksgeländes, auf dem inzwischen in großem Umfang Siedlungsentwicklung erfolgt. Die Uferzone des einst dort befindlichen, heute nicht mehr existierenden Gewässers wies offene, schlammige Partien auf, die an Rohrkolbenröhrichte und Ausprägungen der Blaubinsen-Gesellschaft angrenzten.

Gefährdung und Schutz: *B. bipunctatum* ist bundesweit gefährdet (Stand 2015). In Bad.-Württ. ist die Art als ausgestorben oder verschollen eingestuft (Stand 2005), nachdem ihr letzter bekannter Nachweisort bei Böblingen/Sindelfingen zerstört wurde und Nachsuchen im Donauraum nach einem dort eventuell noch rezenten Vorkommen bisher erfolglos blieben. Bei dem inzwischen zerstörten Lebensraum in Böblingen/Sindelfingen hatte es sich um den letzten Nachweis in ganz Süddeutschland gehandelt. Es ist allerdings nicht völlig auszuschließen, dass die Art in Bad.-Württ. noch lokal vorkommt. Daher sollten ausgehend von den zuletzt nachgewiesenen Standorten in Donautal und mittlerem Neckarraum entsprechend intensivierte Nachsuchen vorgenommen werden. Im Fall eines Wiederauftretens oder eines Wiederfunds der Art sollen die Standorte gesichert und ein Schutz- oder Pflegekonzept entwickelt werden.

Bembidion bruxellense

Wesmael, 1835

Schieffleckiger Ahlenläufer

Bembidion bruxellense.

Allgemeine Verbreitung: Paläarktisch verbreitete Art, die in größeren Teilen Südeuropas fehlt. In Nordamerika eingeschleppt (Bousquet 2012). Sie ist in Deutschland trotz kleinerer Vorkommenslücken weit verbreitet.

Vorkommen in Baden-Württemberg: Schwerpunkte im Südschwarzwald, in der Donau-Iller-Lech-Platte und im Ostteil des Schwäbischen Keuper-Lias-Landes, daneben meist lokal in weiteren Naturräumen. v. d. Trappen (1929) erwähnt sie als früher am Neckar bei Stuttgart sehr häufige Art (unter dem Synonym *rupestre*).

Lebensweise und Habitat: Flugfähige (makroptere) und räuberische Art. Paarung und Eiablage (schwerpunktmäßig) im Frühjahr und Larvalentwicklung ab Frühjahr/Sommer. Aktive Imagines wurden in Bad.-Württ. nach den ausgewerteten Daten zwischen April und September registriert. Für die Angabe eines Aktivitätsmaximums liegen keine ausreichenden Daten vor.

B. bruxellense tritt vor allem auf vegetationsarmen Ufern, Bänken und Aufschwemmungen mit organischem (Schlamm, Torf) oder bindigem Material (Lehm, Ton) auf, zumindest bei einer entsprechenden Beimengung. So konnte die Art an Moorkörper querenden oder tangierenden Bächen auf reinem Torfuntergrund oder teils auch an von Schlamm und Torf durchsetzten Kiesufern nachgewiesen werden (eigene Daten). Maus (1987) fand sie „ausgesprochen häufig […] im Bereich des Hinterzartener Hochmoors auf feuchtem, moorigem Boden“. Funde liegen sowohl von Fließ- als auch von Stillgewässerufern vor (z. B. von Rückhaltebecken mit starken Feinsedimentablagerungen), zudem in Einzelfällen von feuchten, vegetationsarmen Rohböden. Die Fundorte können teilweise durch Gehölze beschattet sein.

Gefährdung und Schutz: *B. bruxellense* ist bundesweit (Stand 2015) ungefährdet, wurde in Bad.-Württ. (Stand 2005) aber als gefährdet sowie als Naturraumart des Informationssystems Zielartenkonzept Bad.-Württ. (Stand 2009) eingestuft. Hintergrund waren vor allem die naturräumlich begrenzten Schwerpunkträume der Verbreitung in Verbindung mit dem Auftreten an Uferstandorten, die einer gewissen Dynamik ausgesetzt sind (und wenigen weiteren, ebenfalls rückläufigen Lebensräumen). Sicherung und Neuentwicklung naturnaher Uferstandorte mit geeigneten Substraten und einer Uferdynamik können zu ihrem Schutz beitragen. Besonders in Moor- und Moorrandbereichen kann die Art vermutlich auch von einer angepassten Beweidung profitieren, die zu Störstellen etwa im Uferbereich dortiger Gewässer führt.

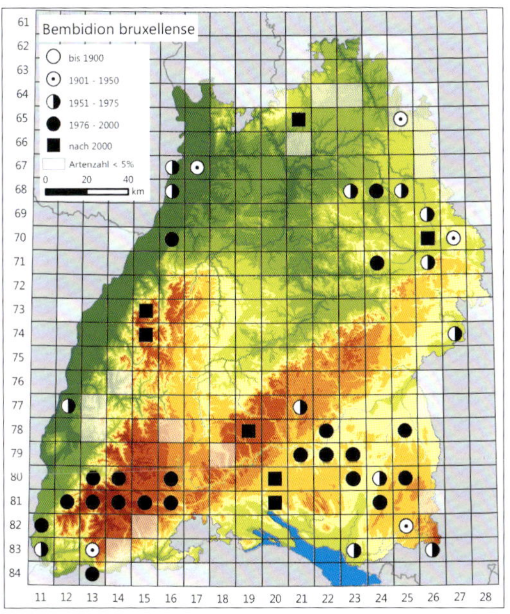

Bembidion conforme

(Dejean, 1831)

Verwaschener Ahlenläufer

Allgemeine Verbreitung: Von Teilen der Pyrenäen über den Alpenraum und weitere Gebirge bis hin zum Kaukasus verbreitet. Sie kommt in Deutschland nur in der Südhälfte Bayerns und Baden-Württembergs vor.

Vorkommen in Baden-Württemberg: Nur am Hochrhein und im südlichen Oberrhein-Tiefland sowie am Fluss Wiese am Südrand des Hochschwarzwaldes nachgewiesen, von dort möglicherweise weiter flussaufwärts vertreten. Zudem liegen Hinweise aus den 1980er Jahren auf ein Vorkommen im Einzugsbereich der Kinzig im Schwarzwald vor, die aber nicht verifiziert werden konnten. Für den Schwarzwald verwies Horion (1941) bereits unter Bezugnahme auf Meyer (1937) auf „1. Ex. zweifelhafter Herkunft" und stufte ein dortiges Vorkommen als unwahrscheinlich ein. Auch von Bodenseezuflüssen belegt (s. Bräunicke & Trautner 2002), allerdings nicht auf baden-württembergischem Gebiet. Die auf Reitters Fauna Germanica zurückgehende Angabe v. d. Trappens (1929) für den württembergischen Landesteil ist zweifelhaft, ebenso die Angabe „Ulm" (s. Horion 1941), und wurde nicht in die Datenbank übernommen. Die Art wurde zwar bereits seit Ende der 1970er Jahre am südlichen Oberrhein von mehreren Sammlern nachgewiesen (u. a. Pankow, Ausmeier, Neumann), doch wurden diese Funde nicht publiziert und erst spät bekannt. Fundorte einzelner bereits früher bekannter Belegtiere aus dem Raum waren nicht mehr zweifelsfrei zu klären, so dass die Art nicht in die erste Rote Liste und Checkliste Bad.-Württ. (Trautner 1992a) aufgenommen worden war. Auch Marggi (1992) hatte eine ältere Angabe Netolitzkys für Basel als „außerhalb des Verbreitungsgebietes liegend" bezeichnet und befand sich dabei in guter Gesellschaft, da schon Horion (1941) die Auffassung vertrat, die Art dringe „nicht ins Alpenvorland vor": Bei Bense et al. (2000) wurde sie vom Oberrhein dann erstmals nach sicheren Belegen publiziert.

Bembidion conforme. Foto: M. Bräunicke.

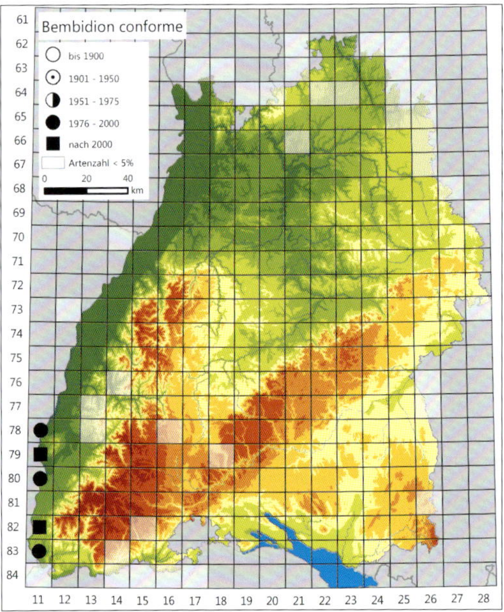

Lebensweise und Habitat: Art mit vollständig entwickelten Hinterflügeln (makropter), von der nach Auswertungsstand keine Flugbeobachtung vorliegt. Paarung und Eiablage (schwerpunktmäßig) im Frühjahr und Larvalentwicklung ab Frühjahr/ Sommer. Nach Manderbach (1998) erfolgt die Reproduktion der Vorjahresgeneration bis Mitte Juli. Aktive Imagines wurden in Bad.-Württ. nach den ausgewerteten Daten zwischen April und Oktober registriert. Für die Angabe eines Aktivitätsmaximums liegen keine ausreichenden Daten vor.

B. conforme ist eine Art vollständig bis überwiegend besonnter, vegetationsarmer bis -freier Ufer,

Ausgedehnte und strukturreiche Kiesufer stellen am baden-württembergischen Oberrhein eine Seltenheit dar. Hier siedelt eine äußerst artenreiche Laufkäferfauna, darunter *Bembidion conforme*.

Bänke und Aufschwemmungen aus Schotter oder Kiessubstrat. Im Bereich der sogenannten Isteiner Schwellen wurde sie bei wiederholten Handaufsammlungen zwischen 1997 und 2002 in geringer Individuenzahl (maximal ca. 5 Individuen pro Einzeltermin), insgesamt aber stet an den vegetationslosen Ufern in unmittelbarer Wassernähe nachgewiesen (eigene Daten). An naturnahen, schotterreichen Flussufern der Nordalpen zählt *B. conforme* zu den häufigen und stet vertretenen Arten (z. B. Manderbach 2002), nach Marggi (1992) „im sterilen Uferschotter nahe dem Wasser", was mit den baden-württembergischen Funden und eigenen Daten aus dem Alpenraum gut übereinstimmt. Sie kommt grundsätzlich als Charakterart bestimmter Ausprägungen des Lebensraumtyps 3260 (Fließgewässer mit flutender Wasservegetation) sowie 3240 (Alpine Flüsse mit Lavendelweiden-Ufergehölzen) aus Anhang I der FFH-Richtlinie infrage. Allerdings wurde sie in Bad.-Württ. bisher nicht im Argensystem, das landesweit die größten Ausprägungen des zuletzt genannten Lebensraumtyps aufweist, nachgewiesen.

Gefährdung und Schutz: *B. conforme* ist bundesweit (Stand 2015) aufgrund der noch zahlreichen Vorkommen in Bayern zwar ungefährdet. In Bad.-Württ. (Stand 2005) wird die Art aber als stark gefährdet eingestuft und ist Landesart B des Informationssystems Zielartenkonzept Bad.-Württ. (Stand 2009). Neben der grundsätzlichen Gefährdungssituation von Uferarten stark dynamischer Fließgewässer, die in hohem Maße durch Verbau sowie Veränderungen der hydrologischen Rahmenbedingungen einschließlich des Geschiebetransports beeinträchtigt sind, unterliegt diese Art aufgrund ihrer zumindest an den Fundstellen in Bad.-Württ. eher geringen Bestandsgrößen und deren räumlich starker Einschränkung zusätzlichen Risiken. In den ansonsten zumindest bis Anfang der 2000er Jahre besonders günstigen Habitaten im Bereich der Isteiner Schwellen ist auch durch die starke Freizeitnutzung eine deutliche Belastung gegeben. Wichtige Ziele für die Vorkommen am südlichen Oberrhein (sowie möglicherweise am Hochrhein) und an geeigneten größeren Zuflüssen sind der Erhalt und die (Wieder-)Entwicklung geeigneter Habitate mit einer für die Art erforderlichen Dynamik der Substratverlagerung insbesondere auch für gröberes Material, außerdem die Ausweitung entsprechender Ufer und Bänke sowie deren Schutz vor zu starker Freizeitnutzung. Ausgehend von den bisher bekannten Vorkommen und den Hinweisen auf eventuelle weitere Bestände (etwa auch im Schwarzwald) sollten eine gezielte Prüfung vorgenommen und bei Nachweis entsprechende Fließgewässerabschnitte in Schutzkonzepte aufgenommen werden.

Bembidion cruciatum. Foto: M. Bräunicke.

Bembidion cruciatum

(Dejean, 1831)

Buales Ahlenläufer

Allgemeine Verbreitung: Südwestpaläarktisch verbreitete Art, von der mehrere Unterarten beschrieben sind. In Deutschland hat sie ihren Vorkommensschwerpunkt im bayerischen Alpenraum und Alpenvorland südlich der Donau, sie dringt aber vor allem entlang des Rheintals weiter nach Nordwesten vor. Zudem ist sie an der Ostsee in der ssp. *polonicum* J. Müller, 1930 vertreten (s. Verbreitungskarte bei Trautner et al. 2014).

Vorkommen in Baden-Württemberg: In Bad.-Württ. ist nur von einem Auftreten der ssp. *bualei* Jaquelin du Val, 1852 auszugehen; soweit sie zuzuordnen waren, wurden Belegindividuen auch zu dieser Unterart gestellt. Schwerpunktvorkommen im Oberrhein-Tiefland, zudem am Hochrhein und an seinen Zuflüssen sowie im Bodenseeraum. Sehr wenige Nachweise im Einzugsgebiet der Donau. Für einzelne weitere, darunter auch publizierte Meldungen (z. B. Bernert 1976) aus anderen Landesteilen wird Verwechslung angenommen, da sich alle sonst überprüften Tiere als Fehlbestimmungen erwiesen (meist Verwechslung mit *B. femoratum* oder unausgefärbten Exemplaren von *B. tetracolum*). Solche Meldungen – auch die (noch) nicht überprüften – wurden daher nicht in die Datenbank übernommen.

Lebensweise und Habitat: Art mit vollständig entwickelten Hinterflügeln (makropter), von der nach Auswertungsstand keine Flugbeobachtung vorliegt. Räuberische Art. Paarung und Eiablage (schwerpunktmäßig) im Frühjahr und Larvalentwicklung ab Frühjahr/Sommer. Aktive Imagines wurden in Bad.-Württ. nach den ausgewerteten Daten zwischen April und August registriert. Für

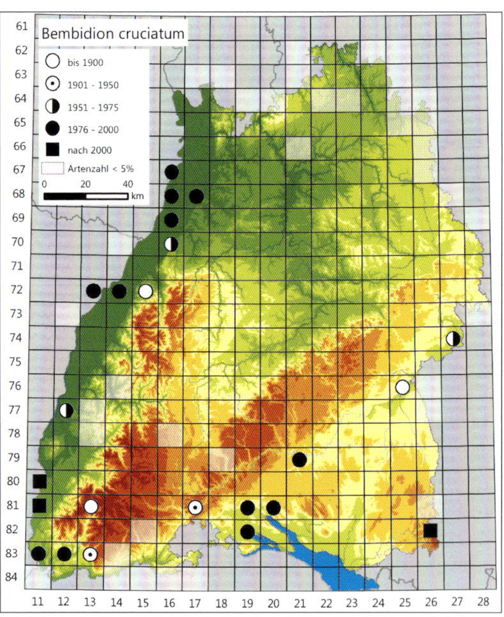

die Angabe eines Aktivitätsmaximums liegen keine ausreichenden Daten vor.

B. cruciatum tritt auf voll besonnten, vegetationsarmen bis vegetationslosen Kies- und Schotterflächen (teils mit Beimengung von Schluff oder Sand) auf, wobei keine unmittelbare Uferbindung zu bestehen scheint. Kämpfer (2004) ermittelte auf Kiesinseln in der Rhone zwar auf allen untersuchten Ufertypen ein regelmäßiges Auftreten der Art, die größte Dichte erreichte *B. cruciatum* aber auf Sandufern. Er schreibt weiter: „An den grobschotterigen Ufern hielt sich diese Art bevorzugt an Stellen mit mehrheitlich feinem Substrat auf." Aus Bad.-Württ. sind Funde unter anderem von trockenen, schluffigen, weit von Ufern entfernt gelegenen Kiesflächen mit Pioniervegetation dokumentiert. Auch Marggi (1992) bezeichnet sie zwar als typische Uferbewohnerin, erwähnt aber zudem Vorkommen „zuweilen auf Ruderalstellen mit kiesig-sandigem Untergrund". Noch deutlicher weisen die Ergebnisse von Manderbach (1998) darauf hin, dass die Art insgesamt eher der Fauna von höher gelegenen Kies- und Sandrücken in Auen (sowie entsprechenden Sekundärstandorten) mit überwiegend trockenen oder wechseltrockenen Standortverhältnissen zuzurechnen sein könnte; denn dieser ermittelte in einem Abschnitt der Isar die höchste Aktivitätsdichte von *B. cruciatum* auf xerothermen Schotterflächen. Die Art trat dort unter anderem gemeinsam mit *Elaphropus quadrisignatus*, *Calathus erratus* und *Poecilus lepidus* auf.

Gefährdung und Schutz: *B. cruciatum* ist bundesweit (Stand 2015) gefährdet, wird in Bad.-Württ. (Stand 2005) aber als stark gefährdet eingestuft und ist Landesart B des Informationssystems Zielartenkonzept Bad.-Württ. (Stand 2009). Sie ist von einer starken Substratdynamik an ihren Standorten abhängig und außerhalb von primären (Begleit-)Lebensräumen der naturnahen, dynamischen Flusslandschaften auf Sekundärstandorte mit entsprechendem Nutzungs- oder Pflegemanagement angewiesen. Aktuell bezieht sich Letzteres vor allem auf Abbaugebiete (Kiesgruben), wo sie bei Nutzungsaufgabe durch Sukzession oder Rekultivierung bedroht ist. Nachweise von naturnahen Fließgewässerufern liegen nur noch wenige vor, auch im Schwerpunktraum der landesweiten Verbreitung. Von eventuellen Renaturierungsmaßnahmen an Flüssen kann die Art vermutlich nur dann profitieren, wenn dabei großflächig auch seltener und nur kurzzeitig überflutete Kiesbänke und -rücken mit entstehen. Diese sollten einer ausreichenden Substratdynamik unterliegen, die das Aufkommen einer mehr als lückigen Vegetationsdecke verhindert. Bei Abbau- und Rekultivierungsvorhaben sollten die Ansprüche der Art verstärkt berücksichtigt werden. Außerhalb des Oberrhein-Tieflands sollen gezielte Prüfungen auf noch vorhandene Bestände in Räumen durchgeführt werden, aus denen bereits aktuelle oder historische Vorkommen belegt sind.

Bembidion decorum

(Panzer, 1799)

Blaugrüner Punkt-Ahlenläufer

Allgemeine Verbreitung: Westpaläarktisch in mehreren Unterarten verbreitet, im zentralen Europa kommt nur die Stammform vor. In Nordeuropa fehlt die Art, im Nordwesten ist sie diskontinuierlich verbreitet. In Deutschland gelangt sie an ihre nördliche Arealgrenze und gehört hier zu den vom Süden bis zum Nordrand der Mittelgebirge recht verbreiteten Laufkäferarten. Im Nord- und Ostdeutschen Tiefland fehlt sie dagegen weitestgehend.

Vorkommen in Baden-Württemberg: Landesweit mit Ausnahme eines Großteils der Schwäbischen Alb, der höheren Lagen des Schwarzwalds und der Räume ohne größere Fließgewässer verbreitet, aber in unterschiedlicher Häufigkeit und Funddichte. Schwerpunkte entlang der Flüsse und ihrer Auen sowie im Bodenseeraum.

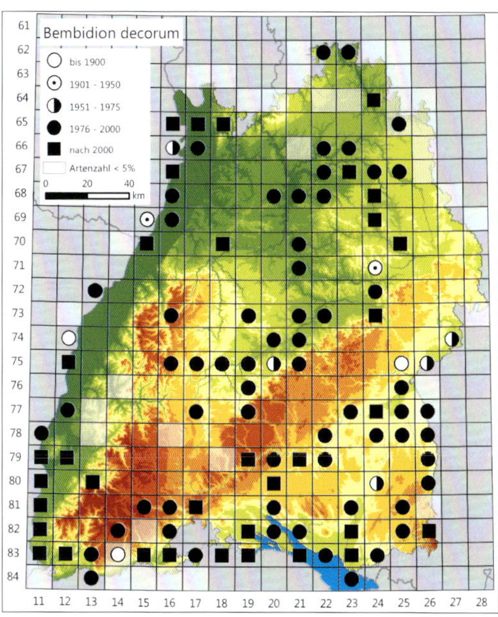

Bembidion decorum. Foto: M. Bräunicke.

Lebensweise und Habitat: Flugfähige (makroptere) Art. Paarung und Eiablage (schwerpunktmäßig) im Frühjahr und Larvalentwicklung ab Frühjahr/Sommer. Aktive Imagines wurden in Bad.-Württ. nach den ausgewerteten Daten zwischen März und Oktober registriert, mit einem Aktivitätsmaximum im Mai und Juni.

B. decorum ist eine Art der überwiegend besonnten, vegetationsfreien bis -armen Grobsubstratufer (Schotter, Kies, Geröll), die vorwiegend an Fließgewässern, teils aber auch an Stillgewässern auftritt. Marggi (1992) schreibt unter anderem: „meist in sterilem Kies in großer Dichte". Die Grobsubstrate können unterschiedliche Beimengungen aufweisen (z. B. Schluff, Sand). Die Art vermag auch recht kleinflächig ausgebildete Uferstrukturen mit geeignetem Substrat zu besiedeln, wobei für eine längerfristige Präsenz wahrscheinlich ein Austausch mit anderen Habitatflächen im Umfeld erforderlich ist.

Gefährdung und Schutz: *B. decorum* ist bundesweit (Stand 2015) sowie in Bad.-Württ. (Stand 2005) ungefährdet. Aufgrund der weiten Verbreitung mit Auftreten an zahlreichen Uferstandorten ist auch keine zukünftige Gefährdung anzunehmen, wenngleich auch diese Art im Zuge des Verbaus und der Einengung von Fließgewässern bereits in größerem Umfang Habitatverluste erlitten hat. Spezifischer Handlungsbedarf wird unter Berücksichtigung der für andere gefährdete Uferarten formulierten Ziele nicht gesehen.

Bembidion deletum

Audinet-Serville, 1821

Mittlerer Lehmwand-Ahlenläufer

Allgemeine Verbreitung: Westpaläarktisch verbreitete Art, die nur in kleineren Teilen etwa Nord- und Nordwesteuropas fehlt. Trotz dünnerer Nachweisdichte und kleinerer Lücken im Norden ist sie in Deutschland annähernd flächendeckend vertreten.

Vorkommen in Baden-Württemberg: Landesweit

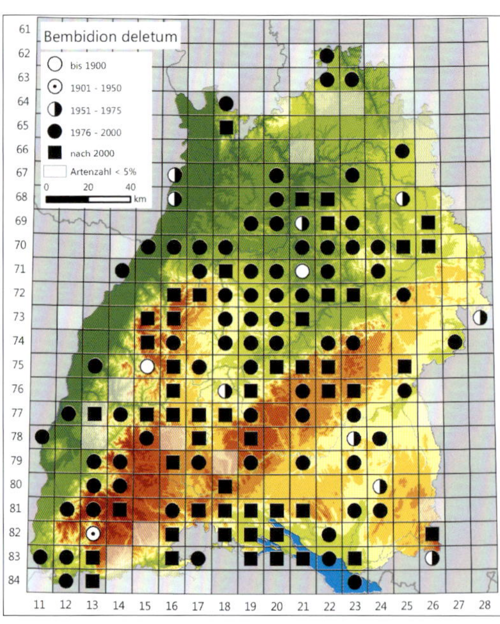

verbreitet, fehlende Nachweise in der Verbreitungskarte sind als Erfassungslücken, i. d. R. aber nicht als ein tatsächliches Fehlen zu interpretieren. Nur in Räumen mit weitgehendem Fehlen bindiger Substrate tritt sie selten auf.

Lebensweise und Habitat: Flugfähige (makroptere) und räuberische Art. Paarung und Eiablage (schwerpunktmäßig) im Frühjahr und Larvalentwicklung ab Frühjahr/Sommer. Aktive Imagines wurden in Bad.-Württ. nach den ausgewerteten Daten zwischen März und Oktober registriert. Baehr (1980) nennt für den Schönbuch im zentralen Bad.-Württ. zwei Maxima, das eine früh im Jahr (April), das andere spät (September und Oktober).

B. deletum ist eine Art von teilweise nur kleinräumig ausgebildeten „Störstellen" mit lehmigem oder tonigem Rohboden, wie dies anschaulich von Sokolowski (1958) beschrieben wird: „Ihr Lebensraum ist der Tonboden, allenfalls tongemischter Boden, wie er im Walde an Graben- und Wegböschungen [...], in Ziegeleigruben und an freiliegenden Tonhängen [...] zu finden ist. Offensichtlich hat diese Art [...] ein größeres Feuchtigkeitsbedürfnis als die beiden anderen Arten [*B. milleri* und *B. stephensii*], denn sie hält sich gerne am Fuße solcher Hänge auf, wo Feuchtigkeit aus dem Boden quillt." In hoher Stetigkeit besiedelt werden neben den oben bereits genannten Strukturen unter anderem bei Sturmwurf umgeklappte Wurzelteller von Bäumen und lehmige Abbruchkanten entlang von Bächen, aber auch

Bembidion deletum.

Rohbodenstrukturen, die wie hier im Zuge von Windwürfen entstehen, werden meist rasch von *Bembidion deletum* besiedelt.

zum Beispiel Suhlen oder Wühlstellen von Wildschweinen (*Sus scrofa*), s. TRAUTNER (2006).
Gefährdung und Schutz: *B. deletum* ist weder bundesweit (Stand 2015) noch in Bad.-Württ. (Stand 2005) gefährdet. Aufgrund der weiten Verbreitung mit Auftreten in unterschiedlichen, auch ungefährdeten Lebensraumtypen ist auch keine zukünftige Gefährdung absehbar. Kein Handlungsbedarf.

Bembidion dentellum

(Thunberg, 1787)
Metallbrauner Ahlenläufer

Allgemeine Verbreitung: Westpaläarktisch verbreitete Art, die allerdings im größten Teil Südeuropas und in Teilen Nord- sowie Nordwesteuropas fehlt. Sie kommt in Deutschland flächendeckend in geeigneten Lebensräumen vor.
Vorkommen in Baden-Württemberg: Landesweit verbreitet, mit Ausnahme eines Großteils des Schwarzwaldes sowie einzelner weiterer Räume. Auffällig ist die geringe Nachweisdichte in umfangreicheren Teilen der südlich der Donau gelegenen Landschaftsräume (Ausnahme Bodenseeraum), trotz eines dort recht hohen Angebots an Feuchtgebieten. Die geringere Nachweisdichte im Norden Baden-Württembergs dürfte dagegen überwiegend auf Erfassungslücken zurückgehen. Für das weitestgehende Fehlen im Schwarzwald sowie die geringe Nachweisdichte in Teilräumen südlich der Donau könnten primär die Substratverhältnisse verantwortlich sein (s. u.).
Lebensweise und Habitat: Flugfähige (makroptere) Art. Paarung und Eiablage (schwerpunktmäßig) im Frühjahr und Larvalentwicklung ab Frühjahr/Sommer. Aktive Imagines wurden in Bad.-Württ. nach den ausgewerteten Daten zwischen März und August registriert, mit einem Aktivitätsmaximum im Mai.

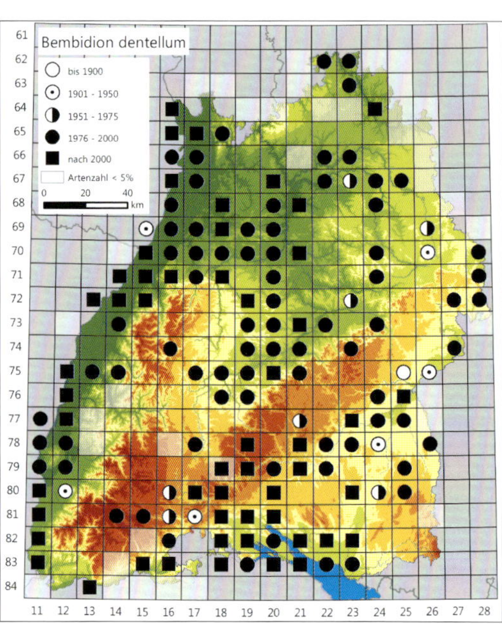

Bembidion dentellum. Foto: M. Bräunicke.

B. dentellum tritt vor allem an stärker beschatteten, schlammigen Ufern und Nassstellen etwa in Altarmen und Schluten, an Tümpelufern oder in Bachauwäldern an Fließgewässern auf. Entsprechende Bereiche können neben einer fehlenden oder spärlichen Krautschicht auch stärker bewachsen sein (z. B. mit Seggen) oder eine Laubstreuauflage aufweisen, sofern diese sehr nass ist. LINDROTH (1992) betont die deutliche Abhängigkeit von schlammigem Untergrund, wozu auch die Ergebisse von STEIN (1984) passen, der für *B. dentellum* an einem Seeufer in Nordhessen die Bevorzugung von feinem Substrat mit einem hohen Anteil an organischer Substanz ermittelte. Nach den vorliegenden Daten scheint die Art reinen Torfuntergrund und saure Substrate zu meiden.
Gefährdung und Schutz: *B. dentellum* ist weder bundesweit (Stand 2015) noch in Bad.-Württ. (Stand 2005) gefährdet. Aufgrund der weiten Verbreitung mit Auftreten in unterschiedlichen feuchten bis nassen Lebensraumtypen ist auch keine zukünftige Gefährdung absehbar. Kein Handlungsbedarf.

Bembidion doris

(Panzer, 1796)
Ried-Ahlenläufer

Allgemeine Verbreitung: Paläarktisch verbreitete Art, die jedoch im Großteil Südeuropas fehlt. In Deutschland ist sie weit verbreitet, wobei sie in der nördlichen Hälfte nahezu flächendeckend vertreten ist, während sie in Süddeutschland (Baden-Württemberg, Bayern) Verbreitungslücken aufweist.

Vorkommen in Baden-Württemberg: Schwerpunkt im Süden des Landes, insbesondere im Bereich des Voralpinen Hügel- und Moorlandes sowie der Donau-Iller-Lech-Platte. Die übrigen Funde stammen vor allem aus dem östlichen Teil des Schwäbischen Keuper-Lias-Landes sowie aus Teilen des Schwarzwalds, der Neckar- und Tauber-Gäuplatten und des Oberrhein-Tieflands. Bemerkenswert ist der alte Nachweis aus dem Schönbuch im zentralen Bad.-Württ. (v. d. Trappen 1929, Ende März und Anfang Oktober als zahlreich angegeben), der in der Trappen'schen Sammlung im Staatlichen Museum für Naturkunde Stuttgartt auch belegt ist (3 Ex., 26.3.1921, det. Netolitzky, vid. Wolf-Schwenninger). Die Art konnte aber in diesem Raum trotz intensiver Suche in neuerer Zeit nicht mehr bestätigt werden.

Lebensweise und Habitat: Flugfähige (makroptere) Art. Paarung und Eiablage (schwerpunktmäßig) im Frühjahr und Larvalentwicklung ab Frühjahr/Sommer. Aktive Imagines wurden in Bad.-Württ. nach den ausgewerteten Daten zwischen März und Oktober registriert, mit einem

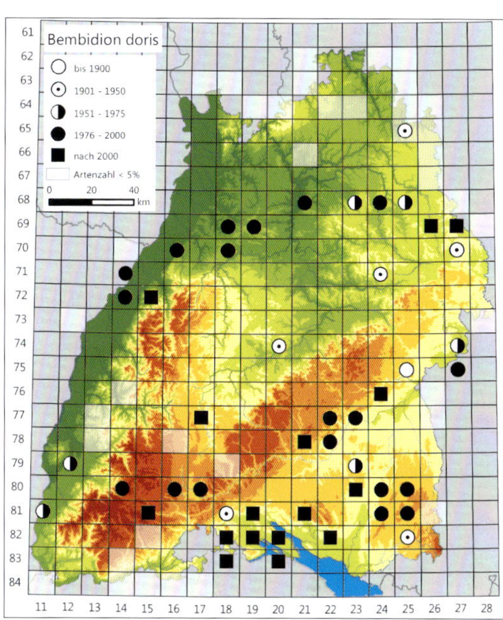

Aktivitätsmaximum im Mai und Juni. Aus Bad.-Württ. liegen Funde unausgefärbter Tiere von Anfang August vor, was mit den Angaben bei Lindroth (1992) korrespondiert.

B. doris tritt vor allem in vegetationsreichen Verlandungszonen von Stillgewässern mit stark vertikal strukturierter Vegetation oder Bultbildung auf (Großseggen, Binsen u.a.), auch im Bereich zeitweise austrocknender Gewässer wie Flutmulden im Donautal (eigene Daten). Unter anderem wurde die Art am Binninger See (Hartmann 1926), am Federsee (Wasner 1974), am Mindelsee (Kless 1983) und am Roßweiher bei Maulbronn (Breunig & Trautner 1996) nachgewiesen. Daneben kommt sie auch in entsprechend strukturierten Nasslebensräumen ohne unmittelbare Gewässeranbindung vor. Die Lebensräume können durch Gehölze teilweise bis stärker beschattet oder vollständig gehölzfrei sein.

Gefährdung und Schutz: *B. doris* ist bundesweit (Stand 2015) eine Art der Vorwarnliste und wurde in Bad.-Württ. (Stand 2005) als gefährdet sowie als Naturraumart des Informationssystems Zielartenkonzept Bad.-Württ. (Stand 2009) eingestuft. Gefährdungsursachen sind insbesondere Entwässerung und Eutrophierung von Nassstandorten sowie die direkte Flächeninanspruchnahme. Obwohl *B. doris* nicht als (besonders) beschattungssensibel angesehen wird, muss dennoch davon ausgegangen werden, dass eine relativ weitge-

Bembidion doris. Foto: M. Bräunicke.

Lebensraum von *Bembidion doris* im Hinterland des Bodensees.

hende Offenhaltung in den Lebensräumen und damit in den meisten Fällen eine Pflege wichtig ist, um besonders günstige strukturelle Bedingungen für die Art zu sichern. Schutz und Ausdehnung von Nassstandorten mit vor allem Riedvegetation sind für den Erhalt und die Förderung der Art in deren Verbreitungsräumen notwendig.

Bembidion fasciolatum

(Duftschmid, 1812)

Braunschieniger Ahlenläufer

Allgemeine Verbreitung: Europäische Art, die vor allem in den Gebirgen und deren Vorland vorkommt und von den Pyrenäen über den Alpenraum bis zu den Karpaten verbreitet ist. In Deutschland erreicht sie ihre nördliche Arealgrenze, wobei sie nur die Südhälfte Bayerns sowie die Rheinschiene vom Hoch- und Oberrhein (Baden-Württemberg) bis zum Niederrhein (Nordrhein-Westfalen) besiedelt.

Vorkommen in Baden-Württemberg: Schwerpunkt im Oberrhein-Tiefland, daneben im Alb-Wutach-Gebiet (s. Sokolowski 1958) und zudem am Bodensee, wobei die dortigen Funde (s. Rödel & Kaupp 1990) auf Verfrachtung mit Treibholz (Absammlung von auf dem Bodensee treibendem Holz) zurückgehen; dieses dürfte von der Vorarlberger Seite eingeschwemmt worden sein. Hinweise auf ein autochthones Vorkommen der Art an baden-württembergischen Bodenseeufern lie-

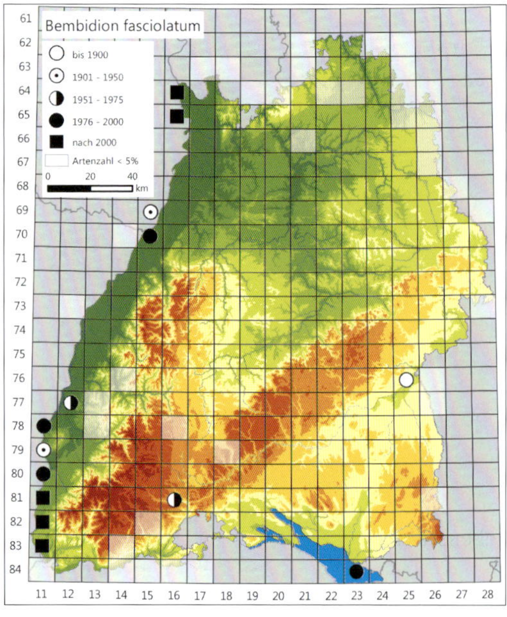

gen bislang zwar nicht vor (s. Bräunicke & Trautner 2002); auch an der Argen wurde die Art nicht nachgewiesen (Baehr 1983, eigene Daten). Dennoch wurde der genannte Nachweis von Rödel & Kaupp (1990) in die Verbreitungskarte aufgenommen, da aufgrund der Fundumstände zumindest mit zeitweisen Ansiedlungen z.B. im Mündungsbereich der Schussen gerechnet werden kann. Die diversen alten Angaben v. d. Trappens (1929) unter anderem für Stuttgart und Freudenstadt sind zweifelhaft oder unzutreffend und wurden mit Ausnahme des Ulmer Nachweises (s. u.) nicht in die Datenbank aufgenommen, obwohl auch Meyer (1938) vage das „Neckar- [...]gebiet" für die Art angibt. Ein im Staatlichen Museum für Naturkunde Stuttgart befindliches, vermeintliches Belegexemplar (coll. Pinhard, Umg. Stuttgart, 15. 8. 1918) erwies sich bei Überprüfung als zu *B. milleri* gehörend, ein weiteres aus Freudenstadt (leg. Pinhard, 15. 5. 1917) als *B. deletum* (beide rev. Wolf-Schwenninger). Die alte Angabe für Ulm, die auf Lampert (1897) zurückgeht und für die Horion (1941) Belege aus der Sammlung Bosch (t. Hüther) nennt, wurde berücksichtigt.

Lebensweise und Habitat: Flugfähige (makroptere) Art. Paarung und Eiablage (schwerpunktmäßig) im Frühjahr und Larvalentwicklung ab Frühjahr/Sommer. Aktive Imagines wurden in Bad.-Württ. nach den ausgewerteten Daten zwischen März und Oktober registriert, für die Angabe eines Aktivitätsmaximums liegen keine ausreichenden Daten vor. Kämpfer (2004) berichtet von Kiesinseln der Rhone in der Schweiz, dass dort „nach hohen Dichten im April [...] ihre Häufigkeit im Mai ab[nahm] und im Juni und August [...] nur noch vereinzelte Exemplare gefangen" wurden.

B. fasciolatum tritt überwiegend auf vegetationslosen bis vegetationsarmen Grobsubstratufern (Schotter, Kies) auf, wobei die Art eine Tendenz zu Stellen zeigt, die mit feineren Sedimenten (Sand, Schluff) durchsetzt sind. Eigene Funde stammen meist direkt von der Wasserkante oder aus deren unmittelbarer Nähe. Auch Heckes et al. (1999) ordneten diese Art auf Basis ihrer Untersuchungen am Lech den „Arten der feuchten Uferpartien nahe der Wasserlinie" zu. Sie ist als charakteristische Art bestimmter Ausprägungen des Lebensraumtyps 3260 (Fließgewässer mit flutender Wasservegetation) aus Anhang I der FFH-Richtlinie einzustufen.

Bembidion fasciolatum. Foto: M. Bräunicke.

Gefährdung und Schutz: *B. fasciolatum* ist bundesweit (Stand 2015) gefährdet und in Bad.-Württ. (Stand 2005) als stark gefährdet sowie als Landesart B des Informationssystems Zielartenkonzept Bad.-Württ. (Stand 2009) eingestuft. Uferarten stark dynamischer Fließgewässer, die in hohem Maße durch Verbau sowie Veränderungen der hydrologischen Rahmenbedingungen einschließlich des Geschiebetransports beeinträchtigt sind, sind grundsätzlich gefährdet. Daneben unterliegt diese Art aufgrund ihrer in Bad.-Württ. eher geringen Bestandsgrößen und ihrer hier starken räumlichen Einschränkung zusätzlichen Risiken, etwa durch die starke Freizeitnutzung an mehreren bekannten Vorkommensorten. Wichtige Ziele sind der Erhalt und die (Wieder-)Entwicklung geeigneter Habitate mit einer für die Art erforderlichen Dynamik der Substratverlagerung, insbesondere auch für gröberes Material, sowie die Ausweitung entsprechender Ufer und Bänke und deren Schutz vor zu starker Freizeitnutzung. Ausgehend von den bisher bekannten Vorkommen und von Hinweisen auf eventuelle weitere Bestände sollten eine gezielte Prüfung vorgenommen und im Falle eines Nachweises entsprechende Abschnitte in Schutzkonzepte aufgenommen werden.

Bembidion femoratum

Sturm, 1825

Kreuzgezeichneter Ahlenläufer

Allgemeine Verbreitung: Paläarktisch verbeitete Art, in Nordamerika eingeschleppt (Bousquet 2012). Sie kommt in Deutschland flächendeckend in geeigneten Lebensräumen vor.

Vorkommen in Baden-Württemberg: Im ganzen Land weit verbreitet, mit Ausnahme von Schwarzwald und Schwäbischer Alb, von wo nur vereinzelte, nicht höhenabhängige Funde vorliegen. Geringe Nachweisdichten im Nordosten des Landes sind als Erfassungslücken zu interpretieren.

Lebensweise und Habitat: Flugfähige (makroptere) und räuberische Art. Paarung und Eiablage zwar (schwerpunktmäßig) wohl im Frühjahr und Larvalentwicklung ab Frühjahr/Sommer, die Fortpflanzungsaktivität hält aber nach Meissner (1983) ganzjährig an, und die „Eiablage erstreckt sich von Mitte März bis Anfang September. Noch 4 Monate nach der letzten Begattung können [von den Weibchen] Eier produziert werden". Die Eiablage erfolgt nach den Beobachtungen Meissners (1983) „direkt an der Oberfläche bzw. in Bodenunebenheiten". Aktive Imagines wurden in Bad.-Württ. nach den ausgewerteten Daten zwischen März und Oktober registriert, mit einem Aktivitätsmaximum im Mai und Juni. Zahlreiche Funde unausgefärbter Imagines liegen aus den Sommermonaten vor.

B. femoratum ist eine häufige und stet vertretene Art auf Roh- und Skelettböden unterschiedlichster Substrate mit voller oder überwiegender Besonnung. Bei Versuchen in der Substratorgel streute *B. femoratum* weit, tendierte aber zu lehmigen Böden, während sie im Freiland schluffig-lehmigen Sand bis sandige Lehme bevorzugt (Meissner 1983). Typisch ist sie unter anderem für Bahnanlagen und Industriebrachen und kommt innerhalb des Siedlungsbereichs teilweise auch auf relativ kleinflächigen, von Sand oder Lehm durchsetzten Schottern mit Tritt- oder Pioniervegetation im Randbereich von Parkplätzen vor. Die Einschätzung Marggis (1992), wonach die Art trockene Standorte meiden soll, kann anhand der baden-württembergischen Funde nicht bestätigt werden, wenngleich hier oftmals wechselfeuchte oder wechseltrockene Standorte besiedelt werden.

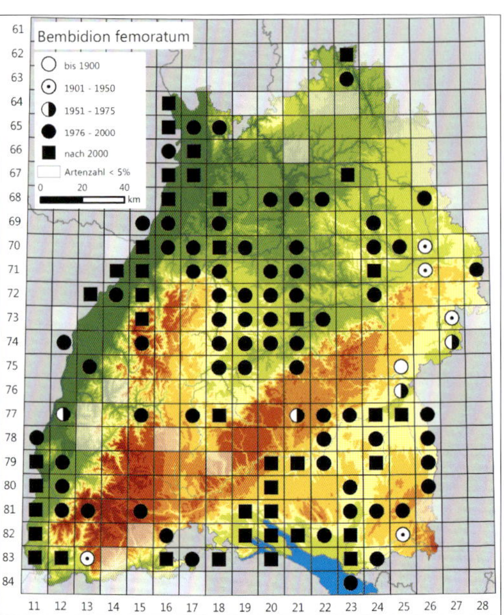

Gefährdung und Schutz: *B. femoratum* ist weder bundesweit (Stand 2015) noch in Bad.-Württ. (Stand 2005) gefährdet. Aufgrund der weiten Verbreitung mit Auftreten in unterschiedlichen Lebensraumtypen des Offenlands ist auch keine zukünftige Gefährdung absehbar. Kein Handlungsbedarf.

Bembidion femoratum.

Rechts: *Bembidion fluviatile*. Foto: M. Bräunicke.

Bembidion fluviatile

Dejean, 1831

Lehmufer-Ahlenläufer

Allgemeine Verbreitung: Schwerpunktmäßig im zentraleuropäischen Raum und dem nördlichen Südeuropa verbreitete Art, die im Südosten Kleinasien erreicht. Sie stößt in Deutschland an ihre nördliche Verbreitungsgrenze, ist hier diskontinuierlich vertreten und weist größere Verbreitungslücken auf. Nach Norden hin kommt sie zerstreut und lokal bis ins Bremer Umland vor.

Vorkommen in Baden-Württemberg: Schwerpunkt in der Donau-Iller-Lech-Platte, auch dort aber nur noch lokal vertreten; aus anderen Naturräumen sind einzelne, teils alte Funde dokumentiert (u. a. LAUTERBORN 1933, BAEHR 1988a). Die alte Angabe V. D. TRAPPENS (1929) für Köngen a. N. ist richtig belegt (s. MEYER 1938, HORION 1959a), während Belegtiere für historische Meldungen aus Ulm zwar fehlbestimmt waren (s. HORION 1959a), die Art dort aber in neuerer Zeit nachgewiesen werden konnte (eigene Daten).

Lebensweise und Habitat: Art mit vollständig entwickelten Hinterflügeln (makropter), von der nach Auswertungsstand keine Flugbeobachtung vorliegt. Paarung und Eiablage (schwerpunktmäßig) im Frühjahr und Larvalentwicklung ab Frühjahr/Sommer. Aktive Imagines wurden in Bad.-Württ. nach den ausgewerteten Daten zwischen März und August registriert, für die Angabe eines Aktivitätsmaximums liegen keine ausreichenden Daten vor.

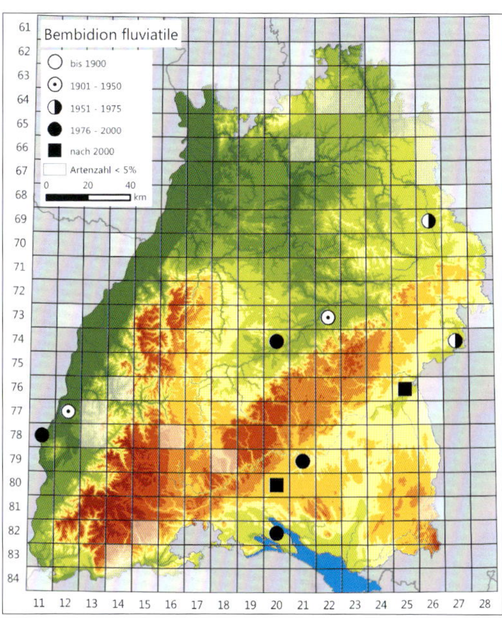

B. fluviatile ist eine spezialisierte Bewohnerin von besonnten, lehmiges oder lehmig-kiesiges Substrat aufweisenden Abbruchkanten und Prallhängen an Gewässern; derartige Strukturen sind heute vielfach nur noch in Sekundärlebensräumen der Abbaugebiete (v.a. Kiesgruben entlang der größeren Flusstäler) anzutreffen. Im Donautal westlich von Ulm wurde die Art zum Beispiel sehr lokal in hoher Individuenzahl an steilen, vegetationsfreien bis vegetationsarmen Abbruchufern

Bembidion fluviatile besiedelt vorzugsweise steile Uferabbrüche mit laufenden Erosionsprozessen. Die hier gezeigte Aufnahme stammt nicht aus Baden-Württemberg, sondern von der Mulde (Zufluss der Elbe) in Sachsen, wo die Art einen großen Bestand und gut geeignete Lebensräume bei zum Untersuchungszeitpunkt günstiger Habitatdynamik aufwies. Foto: M. Bräunicke.

von Kiesseen nachgewiesen (eigene Daten). Ähnliche Fundumstände sind an Fließgewässern auch anderer Regionen beschrieben, etwa von der Mulde in Sachsen (eigene Daten) sowie aus der Steiermark (Paill et al. 2000: „kleinflächig vegetationsfreier, unbeschatteter, senkrechter Prallhang am Ufer der Kainach"). Sie kommt als charakteristische Art bestimmter Ausprägungen des Lebensraumtyps 3260 (Fließgewässer mit flutender Wasservegetation) und möglicherweise auch des Lebensraumtyps 3270 (Schlammige Flussufer mit Pioniervegetation) aus Anhang I der FFH-Richtlinie infrage, wenn die von ihr bevorzugt besiedelten Strukturen in der Abgrenzung dem Gewässerbett zugerechnet werden.

Gefährdung und Schutz: *B. fluviatile* ist bundesweit (Stand 2015) stark gefährdet und in Bad.-Württ. (Stand 2005) vom Aussterben bedroht sowie Landesart A des Informationssystems Zielartenkonzept Bad.-Württ. (Stand 2009). Wie bei einer Reihe anderer hochgradig gefährdeter Auenarten ist auch bei dieser Art die derzeitige Bestandssicherung stark von Sekundärstandorten in Abbaugebieten abhängig, da ihre ursprünglichen Lebensräume weitgehend durch den Ausbau der großen Fließgewässer zerstört wurden. Zudem werden die gerade für diese Art entscheidenden größerflächigen Seitenerosionsprozesse an Ufern selbst im Rahmen von Renaturierungsvorhaben kaum zugelassen oder gefördert. Nur im Rahmen umfangreicher, dringend erforderlicher Revitalisierungsprojekte an größeren Fließgewässern kann eine ausreichende Flächenverfügbarkeit notwendiger Habitate in mehr oder weniger naturnahen Lebensraumkomplexen mittel- bis langfristig wiederhergestellt werden. Schwerpunkt muss dabei nach derzeitigem Kenntnisstand die Donauaue sein, ggf. unter Einbeziehung der größeren zuführenden Fließgewässer wie der Riß. Ausgehend von den bisher bekannten Vorkommen sollte hier vorrangig eine Prüfung auf weitere Vorkommen vorgenommen und ein spezifisches Schutzkonzept erarbeitet werden. Auch bei Abbau- und Rekultivierungsvorhaben müssen die Ansprüche dieser Art verstärkt berücksichtigt werden.

Bembidion foraminosum

Sturm, 1825

Punktierter Gebirgsfluss-Ahlenläufer

Allgemeine Verbreitung: Art mit vergleichsweise kleinem Areal, das die Gebirgsregionen zwischen den Pyrenäen und den Karpaten sowie deren Vorland umfasst; in vielen Räumen ist die Art jedoch bereits erloschen oder weist nur noch punktuelle Vorkommen auf (s. die Verbreitungskarte bei BRÄUNICKE & TRAUTNER 1999). Analog dazu sind auch aus Süddeutschland (Baden-Württemberg, Bayern) vorwiegend historische und nur wenige rezente Fundmeldungen (Südbayern) bekannt.

Vorkommen in Baden-Württemberg: Historisch aus dem Donauraum bei Ulm belegt (leg. FORNER, GRASSEL, s. MEYER 1938, HORION 1959a), für den Raum Freiburg zudem die alte Angabe von FISCHER (1843). Weitere historische Funde aus dem Bodenseeraum (dort zuletzt in den 1970er Jahren), vom Hochrhein und vom Oberrhein stammen aus angrenzenden Ländern (Österreich, Schweiz, Frankreich; s. u. a. BRÄUNICKE & TRAUTNER 1999, 2002; MARGGI 1992). Die Angabe V. D. TRAPPENS (1929) für Heilbronn nach der Württ. Naturalien-Sammlung (SCRIBA), „auch nur 2 Stück", ist vor dem Hintergrund der ansonsten historisch dokumentierten Artverbreitung in Deutschland im Gegensatz zu *B. striatum* (s. dort) als zweifelhaft einzustufen; sie wurde daher nicht in die Datenbank übernommen.

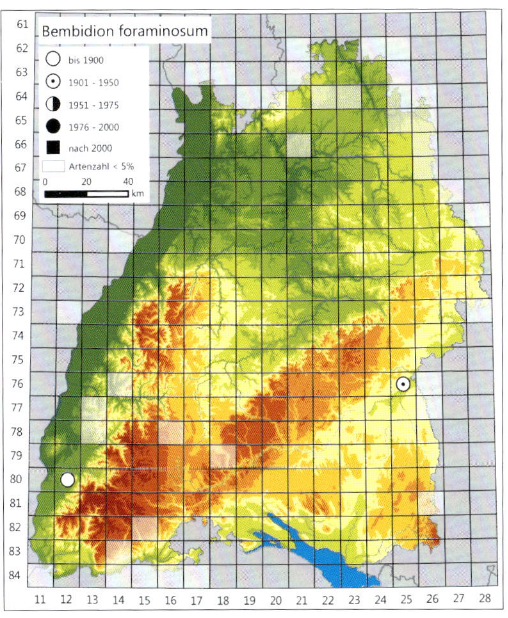

Bembidion foraminosum.

Lebensweise und Habitat: Flugfähige (makroptere) und räuberische Art. Paarung und Eiablage (schwerpunktmäßig) im Frühjahr und Larvalentwicklung ab Frühjahr/Sommer. Für Angaben zu Phänologie und Aktivitätsmaximum liegen aus Bad.-Württ. keine ausreichenden Daten vor; die höchste monatliche Anzahl der von BRÄUNICKE & TRAUTNER (1999) ausgewerteten Funddaten stammte aus dem Mai und Juni.

B. foraminosum tritt auf größerflächigen, vegetationsfreien bis -armen Sandufern und -bänken sowie auf Kiesbänken mit Sandbeimischung an Fließgewässern auf. BRÄUNICKE & TRAUTNER (1999) verweisen darauf, dass es sich bei den wenigen bekannten Nachweisen, „die nicht von Flussufern stammen (Forggensee, Chiemsee) [...], mit hoher Wahrscheinlichkeit um durch Hochwasser verdriftete Tiere [handelt]. In Sekundärbiotopen scheint die Art – auch in benachbarten Staaten – dagegen vollständig zu fehlen." Eine hohe Empfindlichkeit dürfte nach den vorliegenden Daten sowohl gegenüber Änderungen der natürlichen Gewässerstruktur und -dynamik als auch gegenüber stofflichen, insbesondere organischen Belastungen bestehen. *B. foraminosum* kommt grundsätzlich als charakteristische Art der Fließgewässer-Lebensraumtypen 3260 und 3270 (Fließgewässer mit flutender Wasservegetation, Schlammige Flussufer mit Pioniervegetation) aus Anhang I der FFH-Richtlinie infrage, ist in Bad.-Württ. aber aller Voraussicht nach nicht mehr zu fördern (s. u.).

Gefährdung und Schutz: *B. foraminosum* ist in über zwei Drittel des relativ kleinen Gesamtareals (s. o.) stark gefährdet. Die deutschen Vorkommen am nördlichen Alpenrand gehören zum Hauptareal. Damit besteht eine besonders hohe Verantwortlichkeit für die noch vorhandenen Populationen (Einstufung !!; vgl. SCHMIDT et al. 2016). Die Art ist bundesweit (Stand 2015) vom Aussterben bedroht und in Bad.-Württ. (Stand 2005) bereits ausgestorben oder verschollen. Verantwortlich hierfür wie auch allgemein für die Gefährdung zahlreicher anderer Arten dynamischer Fließgewässerufer ist der Ausbau vor allem der großen Fließgewässer, der in vielen Fällen zum vollständigen oder weitgehenden Verlust von geeigneten Lebensraumstrukturen geführt hat. Schon aufgrund der Gesamtsituation der Art und des Fehlens von aktuellen Nachweisen im Umfeld Baden-Württembergs ist eine Wiederbesiedlung unwahrscheinlich. Kein Handlungsbedarf.

Bembidion fumigatum

(Duftschmid, 1812)

Rauchbrauner Ahlenläufer

Allgemeine Verbreitung: Paläarktisch verbreitete Art, die in Europa allerdings im Südwesten sowie in größeren Teilen Nordwest- und Nordeuropas fehlt. In Deutschland ist sie mit einem Verbreitungsschwerpunkt im Norden und Osten (Schleswig-Holstein, Mecklenburg-Vorpommern, Sachsen-Anhalt, Brandenburg) hauptsächlich in der nördlichen Hälfte vertreten, während sie größere Verbreitungslücken in Westdeutschland aufweist und in Süddeutschland (v. a. Bayern) größerflächig fehlt.

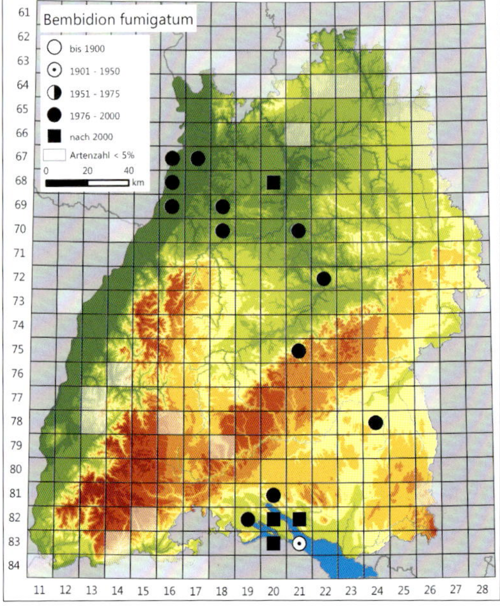

Bembidion fumigatum. Foto: M. Bräunicke.

Vorkommen in Baden-Württemberg: Schwerpunkte im nördlichen Oberrhein-Tiefland, im Nordwestteil der Neckar- und Tauber-Gäuplatten sowie am westlichen Bodensee (Teil des Voralpinen Hügel- und Moorlandes).

Lebensweise und Habitat: Flugfähige (makroptere) Art. Paarung und Eiablage (schwerpunktmäßig) im Frühjahr und Larvalentwicklung ab Frühjahr/Sommer. Aktive Imagines wurden in Bad.-Württ. nach den ausgewerteten Daten zwischen März und Oktober registriert, für die Angabe eines Aktivitätsmaximums liegen keine ausreichenden Daten vor.

B. fumigatum tritt an überwiegend oder vollständig besonnten Ufern und in periodisch oder episodisch überschwemmten, vegetationsreicheren Flächen wie zum Beispiel Röhrichten auf, wobei meist zumindest kleinflächig offene Bodenstellen mit organischen Feinsubstrat-Anteilen dokumentiert wurden. Typisch sind die Fundorte an Weiherufern mit gut ausgebildeter Verlandungszone im Naturraum Stromberg (s. BREUNIG & TRAUTNER 1996). *B. fumigatum* ist als Art einzuschätzen, die von im Jahresverlauf wechselnden

Bembidion fumigatum profitiert wie einige andere Arten wohl von einer Teichsömmerung, bei der große, feuchte bis nasse Feinsubstratflächen mit fehlender oder geringer Vegetationsbedeckung entstehen.

Wasserständen und dadurch offen liegenden Schlammflächen in der Uferzone profitiert, und damit auch zum Beispiel von der Teichsömmerung. Sie kommt grundsätzlich als charakteristische Art der Stillgewässer-Lebensraumtypen 3150 und 3130 (Eutrophe Seen, Nährstoffarme bis mäßig nährstoffreiche Stillgewässer) aus Anhang I der FFH-Richtlinie infrage.

Gefährdung und Schutz: *B. fumigatum* ist bundesweit (Stand 2015) ungefährdet, wurde jedoch in Bad.-Württ. (Stand 2005) als gefährdet sowie als Naturraumart des Informationssystems Zielartenkonzept Bad.-Württ. (Stand 2009) eingestuft. Als Gefährdungsursachen kommen insbesondere Entwässerung und direkte Flächenverluste in Feuchtgebieten, aber auch Sukzessionsprozesse infrage, die zu einer überwiegenden Beschattung bisheriger Lebensräume oder zu starker Verdichtung der Vegetation führen. Darüber hinaus könnte die Stabilisierung bisher wechselnder Wasserstände in Feuchtgebieten und Uferzonen mit Vorkommen der Art negative Auswirkungen haben. Schutz- und Fördermaßnahmen sollten auf den Erhalt entsprechend geeigneter Uferzonen sowie deren Verbesserung und ggf. Neuentwicklung fokussieren. Auch im Rahmen der Bewirtschaftung regelbarer, fischereilich genutzter Stillgewässer bestehen Möglichkeiten, die Ansprüche der Art verstärkt zu berücksichtigen. Müller-Motzfeld (2004) schrieb, die Art würde in „Mitteleuropa zunehmend häufiger", worauf unter anderem auch Schliemann (2007) mit der Formulierung einer starken Ausbreitung in Süßwasserröhrichten des Binnenlands Bezug nimmt. Dies bleibt für Bad.-Württ. weiter zu beobachten, lässt sich auf Basis der bisherigen Daten jedoch nicht klar erkennen. Es liegen allerdings kaum historische Funde vor, was auch auf der früher eher schwachen Besammlung der dokumentierten Schwerpunkträume mit Artvorkommen beruhen kann.

Bembidion genei.
Foto: M. Bräunicke.

Bembidion genei

Küster, 1847

Illigers Ahlenläufer

Allgemeine Verbreitung: Westpaläarktisch verbreitete Art, die in größeren Teilen Nordeuropas fehlt. Sie kommt in Deutschland in der ssp. *tetragrammum* Netolitzky, 1914 flächendeckend in geeigneten Lebensräumen vor.

Vorkommen in Baden-Württemberg: Landesweit mit Ausnahme einiger Teile des Schwarzwalds und der Schwäbischen Alb verbreitet; in überwiegend durch trockene Standorte geprägten Räumen teils fehlend bis selten; fehlende Nachweise in der Verbreitungskarte sind ansonsten als Erfassungslücken, i. d. R. aber nicht als ein tatsächliches Fehlen zu interpretieren.

Lebensweise und Habitat: Flugfähige (makroptere) Art. Nahrungsgeneralistin. Paarung und Eiablage (schwerpunktmäßig) im Frühjahr und Larvalentwicklung ab Frühjahr/Sommer. Aktive Imagines wurden in Bad.-Württ. nach den ausgewerteten Daten zwischen März und Oktober registriert, mit einem Aktivitätsmaximum im Mai.

B. genei ist eine typische „Störstellenbesiedlerin“ feuchter bis nasser Rohböden, wobei dies sowohl Ufer an Fließ- oder Stillgewässern als auch uferferne Standorte sein können. Baehr (1980) schreibt zu Fundorten im Schönbuch im zentralen Bad.-Württ.: „auf fast unbewachsenem, feuchtem Lehmboden, aber auch auf tonig-schlammigem Untergrund [...]. Niemals in dichterer Vegetation.“ Ergänzend zu seinen Funden, die abseits von Gewässern gelangen, ist auf zahlreiche andere Funde etwa an Bachufern und Rohböden am Ufer neu angelegter Tümpel und Weiher hinzuweisen, ebenso auf die besiedelten Uferzonen von Kleingewässern in Abbaugebieten. Die Art zeigt eine deutliche Präferenz für bindiges Substrat, kann aber auch auf Sand und Schluff auftreten.

Gefährdung und Schutz: *B. genei* ist weder bundesweit (Stand 2015) noch in Bad.-Württ. (Stand 2005) gefährdet. Aufgrund der weiten Verbreitung mit Auftreten in unterschiedlichen Lebensraumtypen und der raschen Besiedlung neuer, selbst kleinräumiger Standorte mit geeigneten Bedingungen ist auch keine zukünftige Gefährdung absehbar. Kein Handlungsbedarf.

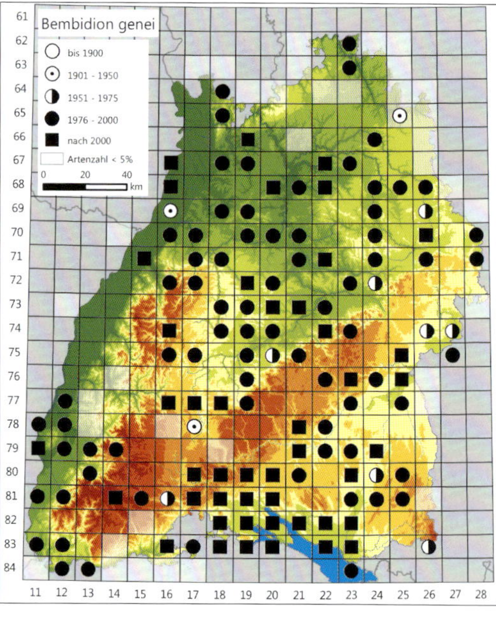

Bembidion geniculatum

Heer, 1837

Kleiner Uferschotter-Ahlenläufer

Allgemeine Verbreitung: Diese in Deutschland an ihre nördliche Arealgrenze gelangende Art kommt nur in den Alpen, den Mittelgebirgen Baden-Württembergs und Bayerns sowie den östlichen Mittelgebirgen (u.a. Sachsen und Thüringen) nach Norden hin bis zum Harz vor.

Vorkommen in Baden-Württemberg: Schwerpunkt im Schwarzwald (Netolitzky 1915 führt die Art von dort bereits an, u.a. vom Kniebis nach Reineck), daneben von dort ausstrahlend entlang von Fließgewässern lokal teils auch in angrenzenden Naturräumen, wobei zumindest ein Teil solcher Funde nicht als autochthon zu werten ist, sondern vermutlich auf Verdriftung zurückgeht. Zudem Vorkommen im Bereich der Adelegg und des Argensystems im südöstlichsten Teil Baden-Württembergs. Eine Meldung aus dem Taubergebiet (Handke 1988) ist mit Sicherheit auf Verwechslung zurückzuführen und wurde nicht in die Datenbank aufgenommen.

Lebensweise und Habitat: Art mit vollständig entwickelten Hinterflügeln (makropter), von der eigene Flugbeobachtungen vorliegen. Paarung und Eiablage (schwerpunktmäßig) im Frühjahr und Larvalentwicklung ab Frühjahr/Sommer. Aktive Imagines wurden in Bad.-Württ. nach den ausgewerteten Daten zwischen April und Oktober registriert, mit einem Aktivitätsmaximum im Mai und Juni.

B. geniculatum ist eine Bewohnerin der vegetationslosen bis -armen Uferschotter von Flüssen und Bächen in überwiegend montaner (im Gebiet bis subalpiner) Lage, wobei auch sehr kleine, entsprechend ausgebildete Strukturen an „Rinnsalen" der Oberläufe noch besiedelt werden können.

Gefährdung und Schutz: *B. geniculatum* ist bundesweit (Stand 2015) eine Art der Vorwarnliste, wurde in Bad.-Württ. (Stand 2005) jedoch als ungefährdet eingestuft. Aufgrund der weiten Verbreitung an Fließgewässern im Schwarzwald und dort auch an kleinen Gewässern ist trotz des Rückgangs geeigneter Uferstrukturen auch zukünftig noch keine Gefährdung absehbar. Kein Handlungsbedarf.

Bembidion geniculatum. Foto: C. Benisch.

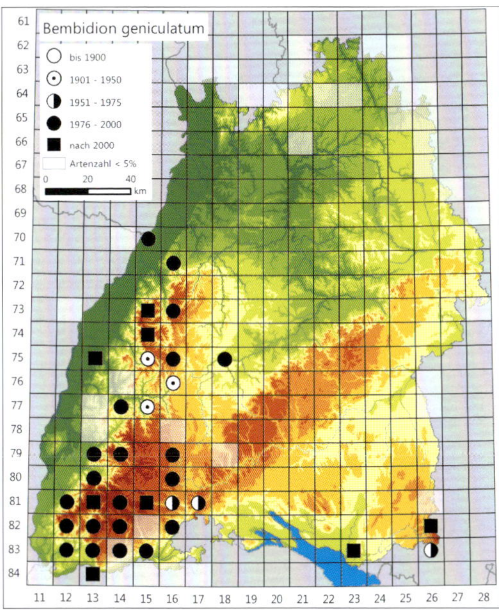

Bembidion gilvipes

Sturm, 1825

Feuchtbrachen-Ahlenläufer

Bembidion gilvipes. Foto: O. Bleich.

Allgemeine Verbreitung: Von Teilen Westeuropas über Mitteleuropa und das südliche Nordeuropa bis Westsibirien verbreitete Art. Sie kommt im Großteil Deutschlands weit verbreitet in geeigneten Lebensräumen vor, dünnt aber im Süden aus und ist dort nur noch regional vertreten. Ihre südliche Verbreitungsgrenze verläuft im Alpenraum.

Vorkommen in Baden-Württemberg: In einer Reihe von Naturräumen regional bis lokal vertreten, den Schwerpunkt bildet der Nordwesten Baden-Württembergs mit dem nördlichen Oberrhein-Tiefland und Teilen der Neckar- und Tauber-Gäuplatten. Die Art fehlt weiträumig im Voralpinen Hügel- und Moorland (trotz des dort umfangreichen Angebots an Feucht- und Nassstandorten) sowie in größeren Teilen des Schwarzwalds.

Lebensweise und Habitat: Art mit unterschiedlicher Flügelausbildung (dimorph bzw. polymorph), von der nach Auswertungsstand keine Flugbeobachtung vorliegt. Räuberische Art. Paarung und Eiablage (schwerpunktmäßig) im Frühjahr und Larvalentwicklung ab Frühjahr/Sommer. Aktive Imagines wurden in Bad.-Württ. nach den ausgewerteten Daten zwischen April und Oktober registriert, mit einem Aktivitätsmaximum im Mai und Juni.

B. gilvipes ist eine Art vegetationsreicher, überwiegend feuchter bis wechselnasser, meist besonnter Standorte und tritt beispielsweise in Feucht- und Nassbrachen, an vegetationsreichen Grabenufern sowie im Feuchtgrünland auf. Entsprechende Fundumstände sind unter anderem bei Wolf-Schwenninger & Schwenninger (1992) publiziert. Aus dem Raum Böblingen/Sindelfingen im zentralen Bad.-Württ. liegen umfangreiche eigene Daten zu dieser Art vor. Hier wurde sie neben den genannten Lebensräumen vielfach auch im Wirtschaftsgrünland in Bereichen registriert, die zumindest teilweise als wechselfeucht zu charakterisieren sind und deren Vegetation insgesamt typischen Glatthaferwiesen oder Kohldistel-Glatthaferwiesen zuzurechnen war. Im Gegensatz zu Angaben aus anderen Regionen (z. B. Turin 2000) sind aus Bad.-Württ. nur einzelne Nachweise aus gehölzdominierten Bereichen dokumentiert. Hierbei dürfte es sich allenfalls um Nebenvorkommen oder dispergierende Tiere gehandelt haben.

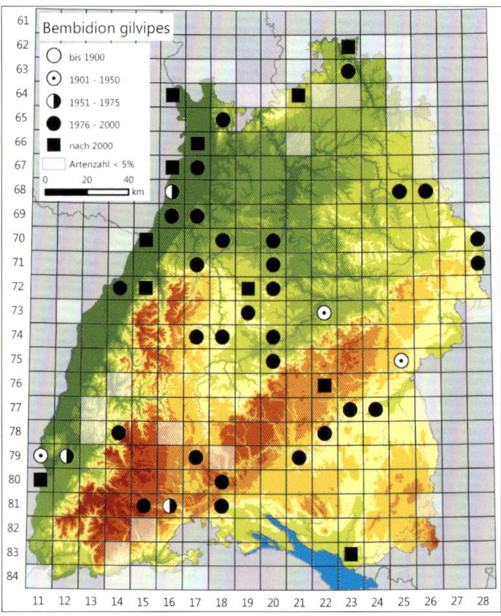

Gefährdung und Schutz: *B. gilvipes* ist bundesweit (Stand 2015) ungefährdet, in Bad.-Württ. (Stand 2005) ist sie hingegen als gefährdet und als Naturraumart des Informationssystems Zielartenkonzept Bad.-Württ. (Stand 2009) eingestuft. Als Gefährdungsursachen kommen insbesondere Entwässerung und direkte Flächenverluste in Feuchtgebieten sowie die Intensivierung der Grünlandnutzung, aber auch längerfristige Sukzessionsprozesse nach Nutzungsaufgabe infrage. Extensive Grünlandnutzung auf wechselfeuchten bis nassen Standorten bei einem höheren Anteil begleitender Brachen (Riede, Röhrichte, Hochstaudenfluren, ggf. räumlich-zeitlich wechselnd) wird als der wichtigste Ansatz zum Schutz der Art in den Vorkommensgebieten gesehen.

Frisches bis feuchtes Grünland und Brachen entsprechender Standorte gehören zu den Lebensräumen von *Bembidion gilvipes*, wie hier in den Neckar- und Tauber-Gäuplatten westlich von Sindelfingen.

Bembidion guttula

(Fabricius, 1792)
Wiesen-Ahlenläufer

Allgemeine Verbreitung: Paläarktisch verbreitete Art die auch im größten Teil Europas vertreten ist. Turin (2000) führt an, die Art sei auch in Nordamerika eingeschleppt, allerdings wird sie bei Bousquet (2012) nicht gelistet. Sie kommt in ganz Deutschland in geeigneten Lebensräumen vor.

Vorkommen in Baden-Württemberg: Landesweit recht weit verbreitet. Allerdings fehlt die Art größtenteils im Schwarzwald und ist auch auf der Schwäbischen Alb nur gering vertreten.

Lebensweise und Habitat: Flugfähige (dimorphe bzw. polymorphe) und überwiegend räuberische Art. Paarung und Eiablage (schwerpunktmäßig) im Frühjahr und Larvalentwicklung ab Frühjahr/Sommer. Aktive Imagines wurden in Bad.-Württ. nach den ausgewerteten Daten zwischen April und November registriert, mit einem Aktivitätsmaximum im Mai.

B. guttula hat ihren Vorkommensschwerpunkt auf frischen bis feuchten, offenen Standorten mit reicher, aber nicht zu dichter und nicht zu hochwüchsiger Vegetation. Vor allem tritt sie im regelmäßig genutzten, artenreicheren Grünland (Frischwiesen, Feuchtwiesen) auf und dringt bis in nasse Lebensräume vor.

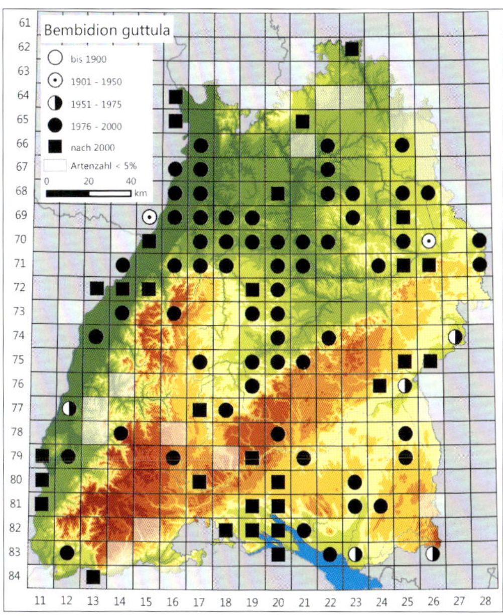

Bembidion guttula. Foto: C. Benisch.

Gefährdung und Schutz: *B. guttula* ist bundesweit (Stand 2015) ungefährdet, wurde aber in Bad.-Württ. (Stand 2005) als gefährdet eingestuft und ist Naturraumart des Informationssystems Zielartenkonzept Bad.-Württ. (Stand 2009). Hintergrund waren Hinweise auf eine deutliche Bestandsabnahme, die sich in einer Verminderung der Nachweiszahl und in geringeren Aktivitätsdichten gegenüber den Daten bis Mitte der 1990er Jahre ausdrückte. Dies steht möglicherweise im Zusammenhang mit der bundesweit erheblichen Qualitätsverschlechterung sowie mit Flächenverlusten im artenreicheren Grünland (vgl. BfN 2014). Insbesondere hoch- und dichtwüchsigere Bestände dürften sich auf die Art negativ auswirken. Hinzu kommen vermutlich Entwässerung und direkte Flächenverluste in Feuchtgebieten. Eine angepasste, extensive Grünlandnutzung im frischen bis feuchten Standortbereich ist für die Förderung der Art als wesentlich einzustufen.

Bembidion humerale

Sturm, 1825

Hochmoor-Ahlenläufer

Allgemeine Verbreitung: In Deutschland relativ weit, wenngleich lückig verbreitet und regional offenbar fehlend.

Vorkommen in Baden-Württemberg: Schwerpunkte in den Moorgebieten südlich der Donau, daneben im südlichen Schwarzwald und lokal auch in weiteren Naturräumen historisch oder aktuell nachgewiesen.

Lebensweise und Habitat: Art mit vollständig entwickelten Hinterflügeln (makropter), von der nach Auswertungsstand keine Flugbeobachtung vorliegt. Paarung und Eiablage (schwerpunktmäßig) im Frühjahr und Larvalentwicklung ab Frühjahr/Sommer. Aktive Imagines wurden in Bad.-Württ. nach den ausgewerteten Daten zwischen April und September registriert, ein klares Aktivitätsmaximum ist aus den vorliegenden Daten nicht zu erkennen.

B. humerale hat zwar ihren Vorkommensschwerpunkt auf voll besonnten, vegetationsarmen bis -freien, zumindest in Teilen feuchten bis nassen Torfen. Die Art ist aber nicht tyrphobiont, wie besonders in der älteren Literatur (z. B. Horion & Hoch 1954) angegeben. Vielmehr liegen auch aus Bad.-Württ. Nachweise etwa von wechselfeuchten Tonböden in Abbaugebieten sowie von ehemaligen militärischen Übungsflächen auf sandig-lehmigem Untergrund vor, ohne dass hier Verschleppung oder Verdriftung naheliegen würden. In Bayern wurde *B. humerale* beispielsweise individuenreich in einer wechselfeuchten Binsenflur auf Lehmboden festgestellt (Fritze, in lit.). Im Oberrhein-Tiefland wurde die Art an einem eutrophen Tümpelufer des ehemaligen Rieselfelds bei Freiburg nachgewiesen (Trautner 1998). Dennoch liegen die Hauptvorkommen zweifelsfrei in Moorgebieten und dort an „Störstellen“, wie sie anthropogen (z. B. durch Torfabbau) oder natür-

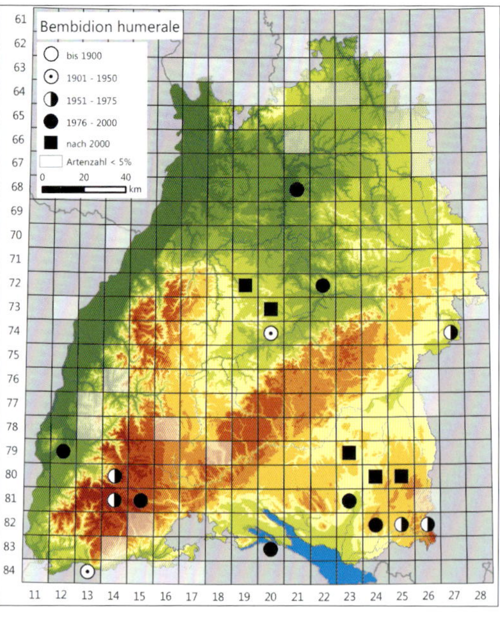

Bembidion humerale.

licherweise, etwa infolge von Moorbruch und Tritt oder durch Wühltätigkeit größerer Säugetiere sowie an Moorgewässern mit schwankenden Wasserständen entstehen können. Horion & Hoch (1954) beschreiben plakativ typische Fundumstände „auf vegetationslosen, feuchten, schwarzen Moorboden-Flecken, die man abklopfen und sorgfältig beobachten [muss]". Möglicherweise lässt sich die Art im Zusammenhang mit natürlicherweise in diesen Lebensraumtypen auftretenden Störereignissen als charakteristische Art der Lebensraumtypen *7110, 7120 (Hochmoore), 7140 (Übergangs- und Schwingrasenmoore) sowie lichter Bereiche in *91D0 (Moorwälder) des Anhangs I der FFH-Richtlinie einordnen.

Gefährdung und Schutz: *B. humerale* ist bundesweit (Stand 2015) und in Bad.-Württ. (Stand 2005) stark gefährdet sowie Landesart B des Informationssystems Zielartenkonzept Bad.-Württ. (Stand 2009). Hauptrückgangsursachen liegen neben dem allgemeinen Verlust von Moorstandorten derzeit darin, dass auf geeigneten Standorten Nutzungen wie Beweidung und Schwendung (Entnahme von Bäumen im Moor) abgelöst wur-

Offene Schlämmtorffläche im Wurzacher Ried in den 1990er Jahren, als Lebensraum von *Bembidion humerale*; die Art war hier individuenreich vertreten. Foto: M. Bräunicke.

den oder stark zurückgegangen sind und bei Pflegemaßnahmen Bodenverwundungen explizit vermieden werden. Hierdurch kommt es möglicherweise auf der jeweiligen Moorgebietsebene zu einer langfristig für die Bestandssicherung der Art nicht mehr ausreichenden Störungsdynamik. Auch Wiedervernässungen mit vollständigem Nutzungs- oder Pflegeverzicht können sich als mittel- bis langfristig kritisch für die Art erweisen, insbesondere wenn es auf grundsätzlich waldfähigen Standorten zu starker Gehölzsukzession kommt. Paill et al. (2000) schreiben zu der Art nach Funden im steiermärkischen Ennstal, dass sie „auf torfigen Böden [lebt], die sowohl feucht und sonnenexponiert sind als auch Stellen mit lückiger Vegetation aufweisen. Derartige kleinräumige Verhältnisse existieren im Ennstal vor allem in extensiv bewirtschafteten, als Streuwiesen genutzen Niedermooren, in denen durch den Einsatz von Mähmaschinen oder Traktoren offene Stellen immer wieder aufs Neue entstehen." Im Rahmen der Nutzung oder bei spezieller Pflege in Moorgebieten mit Vorkommen oder Potenzial für die Art sollten daher grundsätzlich auch solche Maßnahmen durchgeführt oder zugelassen werden, die in räumlich-zeitlichem Wechsel und in ausreichendem Umfang zur Entstehung von durch sie besiedelbaren „Störstellen" führen.

Bembidion lampros

(Herbst, 1784)

Gewöhnlicher Ahlenläufer

Allgemeine Verbreitung: Paläarktisch verbreitete Art, in Nordamerika eingeschleppt (Bousquet 2012). Sie kommt in Deutschland flächendeckend in geeigneten Lebensräumen vor.

Vorkommen in Baden-Württemberg: Landesweit verbreitet, fehlende Nachweise in der Verbreitungskarte sind als Erfassungslücken, nicht aber als ein tatsächliches Fehlen zu interpretieren.

Lebensweise und Habitat: Flugfähige (dimorphe bzw. polymorphe), überwiegend räuberische Art. Paarung und Eiablage (schwerpunktmäßig) im Frühjahr und Larvalentwicklung ab Frühjahr/ Sommer. Aktive Imagines wurden in Bad.-Württ. nach den ausgewerteten Daten annähernd ganzjährig registriert, mit einem Aktivitätsmaximum im Mai und Juni.

B. lampros ist eine eurytope Art mit Schwerpunkt in Ackerbaulandschaften und dort zumeist höchsten Aktivitätsdichten. Sie tritt aber beispielsweise auch im Grünland individuenreich auf, ebenso in Waldgebieten, wo sie vor allem in lichten Beständen der niedrigeren Lagen sowie entlang von inneren (z. B. an Waldwegen) oder äußeren Randlinien vertreten ist. Die Überwinterung der Imagines in Begleitstrukturen der Ackerbau-

Bembidion lampros. Foto: C. Benisch.

landschaften wie Feldrainen ist nachgewiesen (z. B. Wallin 1989, Petersen 1997).

Gefährdung und Schutz: *B. lampros* ist weder bundesweit (Stand 2015) noch in Bad.-Württ. (Stand 2005) gefährdet. Aufgrund der weiten Verbreitung mit Auftreten in unterschiedlichen, vielfach ungefährdeten Lebensraumtypen überwiegend des Offenlands ist auch keine zukünftige Gefährdung absehbar. Kein Handlungsbedarf.

Bembidion laticolle

(Duftschmid, 1812)

Breithalsiger Ahlenläufer

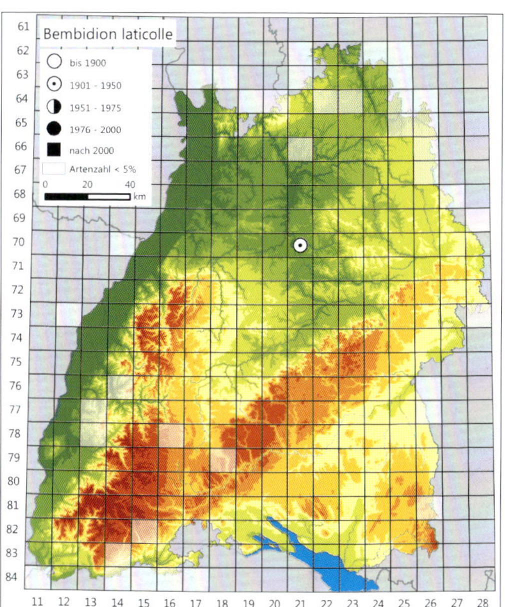

Allgemeine Verbreitung: Ehemals vom Rhonetal über das südliche Mitteleuropa bis zum Kaukasus verbreitet. Aus Deutschland liegen nur Funde vor 1950 aus dem Süden vor, fast ausschließlich aus Bayern.

Vorkommen in Baden-Württemberg: Horion (1941) bewertet ein Vorkommen in Württemberg als unwahrscheinlich, wenngleich ein älteres Belegtier vorliegt, das er anführt: „Murr i. Württ., 1 Ex. aus coll. Schaaff in coll. Bosch, t. Hüther." Der Einschätzung Horions (1941) wird nicht gefolgt. Das historische Vorkommen der Art im Einzugsbereich des Neckars vor dem Hintergrund der dort (ehemals) vorhandenen Lebensräume (s. u.) sowie der Gesamtverbreitung der Art ist vielmehr plausibel; fehlende neuere Nachweise sind in Übereinstimmung mit der Gesamtsituation im zentraleuropäischen Raum auf eine vermutlich bereits früh einsetzende, stark negative Bestandsentwicklung zurückzuführen. Horion (1941) betrachtet die Art als „südosteuropäisch" und wertet die früheren Funde an der Rhone in Frankreich, aus den Nordalpen sowie aus Italien als „isolierte Vorkommen". Aus heutiger Sicht ergibt sich aber – unter ergänzender Berücksichtigung weiterer historischer Funde aus der Schweiz (s. Marggi 1992, Luka et al. 2009) – das Bild einer Art, deren weit verstreute historische Funde als Relikte einer ehemals dichteren Besiedlung der Flusssysteme unter anderem von Rhein, Rhone und Donau gedeutet werden können (so auch Lorenz, in lit.). Durch Eingriffe in meist größere Fließgewässer wurden sie schon früh beeinträchtigt und isoliert.

Bembidion laticolle.
Foto: O. Bleich.

Lebensweise und Habitat: Von Flugfähigkeit ist auszugehen. Paarung und Eiablage nach Franz (1970) (schwerpunktmäßig) im Frühjahr und Larvalentwicklung ab Frühjahr/Sommer. Für Angaben zu Phänologie und Aktivitätsmaximum liegen aus Bad.-Württ. keine ausreichenden Daten vor.

B. laticolle ist eine Uferbewohnerin vorwiegend größerer Flüsse, wo sie insbesondere „auf Sand- und Schlammbänken" (Marggi 1992) gefunden wird. Solche waren früher am Neckar und an Flüssen seines Einzugsbereichs wie etwa der Murr in größerer Ausdehnung vorhanden. Die Murr selbst weist in längeren Abschnitten sandige Ufersubstrate auf. Kahlen (2009) schreibt im Kontext eines Nachweises am Tagliamento-Unterlauf in Italien: „Ehemals weit verbreitet und an sandigen Flussufern nicht selten, ist die Art rezent praktisch überall verschwunden (z. B. aus Tirol liegt der letzte

Fund 45 Jahre zurück). Die Art konnte an einer mit Weidengesträuch und Uferreitgras spärlich bewachsenen Sand-/Schlammbank [...] aufgefunden werden." In Österreich scheint die Art lediglich im Osten im Nationalpark Donauauen in etwas größerem Umfang „noch Lebensbedingungen an geeigneten Stellen vorzufinden (vgl. ZETTEL 1993), am Eckartsauer Donauufer, einem unspektakulären Sand-Schottermosaik" wird sie als individuenreich angegeben (ZULKA 2012).

Gefährdung und Schutz: *B. laticolle* ist bundesweit (Stand 2015) ausgestorben und war in Bad.-Württ. (Stand 2005) bislang nicht in der Checkliste und Roten Liste geführt. Nach der aktuellen Bewertung ist die Art im Rahmen einer Fortschreibung der landesweiten Roten Liste auch hier als ausgestorben oder verschollen aufzunehmen. Aufgrund der kritischen Bestandssituation im zentralen Europa und des Fehlens aktuellerer Nachweise im weiträumigen Umfeld werden die Chancen auf ein Wiederauftreten der Art in Bad.-Württ. als sehr gering eingestuft. Handlungsbedarf wird nicht gesehen.

Bembidion latinum

Netolitzky, 1911

Latinischer Ahlenläufer

Allgemeine Verbreitung: Von den Pyrenäen über Zentral- und Südostfrankreich sowie Belgien und den Alpenraum bis in den Süden Italiens (Sizilien) verbreitet. Eine Verbreitungskarte nach damaligem Stand findet sich in BRÄUNICKE & TRAUTNER (1994). In Deutschland bisher nur im äußersten Südwesten festgestellt.

Bembidion latinum.
Foto: O. Bleich.

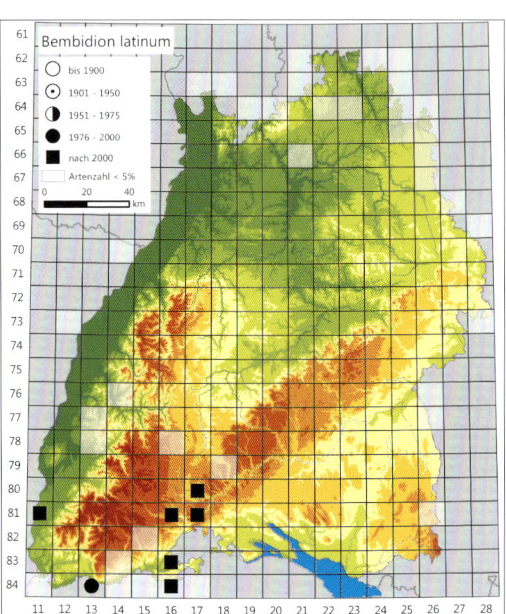

Vorkommen in Baden-Württemberg: Erstmals für Deutschland und Bad.-Württ. bei Bad Säckingen am Rand des Südschwarzwalds nachgewiesen, zwischenzeitlich durch GÖTZ & KIECHLE (in lit.) von weiteren Fundorten belegt, die nach Norden bis in den südlichen Teil der Neckar- und Tauber-Gäuplatten reichen (Alb-Wutach-Gebiet, Baar), und im Oberrhein-Tiefland durch I. HARRY (in lit.). Das deutsche Verbreitungsgebiet schließt unmittelbar an bereits länger belegte Funde in der Nordschweiz an (s. BRÄUNICKE & TRAUTNER 1994).

Lebensweise und Habitat: Art mit vollständig entwickelten Hinterflügeln (makropter), von der nach MARGGI (1992) Anflug am Licht beobachtet wurde. Nach den vorliegenden Daten ist davon auszugehen, dass Paarung und Eiablage (schwerpunktmäßig) im Sommer und Larvalentwicklung ab Sommer/Herbst stattfinden. Frisch geschlüpfte Imagines wurden in der Schweiz im Mai und Juli beobachtet (MARGGI 1992), das von BRÄUNICKE & TRAUTNER (1994) gefangene Tier war ebenfalls immatur und stammte aus einem Fallenfang von Mitte Mai bis Anfang Juni. Für Angaben zu Phänologie und Aktivitätsmaximum liegen aus Bad.-Württ. keine ausreichenden Daten vor, individuenreich wurde die Art jedoch im Sommer registriert.

Der Erstnachweis von *B. latinum* in Deutschland gelang an einer Vernässungsstelle im Wald, die sich an einem lückig von Fichten bestandenen Hang befand. Im Umfeld der Fundstelle existierten sowohl bereits dichter bewachsene Bereiche mit Übergängen zu Vorwaldstadien als auch offene, lehmige Rohböden (Bräunicke & Trautner 1994). Weitere Funde in Bad.-Württ. gelangen in Abbaugebieten und an Ufern; auf einem offenen, schlammigen Ufer eines größeren Stillgewässers trat die Art in hoher Zahl auf (Götz & Kiechle, in lit).

Gefährdung und Schutz: *B. latinum* ist bundesweit (Stand 2015) und in Bad.-Württ. (Stand 2005) der Kategorie R (Art mit geographischer Restriktion) zugeordnet. Im Informationssystem Zielartenkonzept Bad.-Württ. (Stand 2009) ist sie als Landesart A eingestuft. Im Zuge einer Fortschreibung der landesweiten Roten Liste ist eine Anpassung der Einstufung zu diskutieren, die Kategorie R ist nicht mehr zutreffend. Ein Handlungsbedarf ist derzeit aufgrund der Fundumstände und der möglicherweise bestehenden Ausbreitungstendenz nicht zu erkennen.

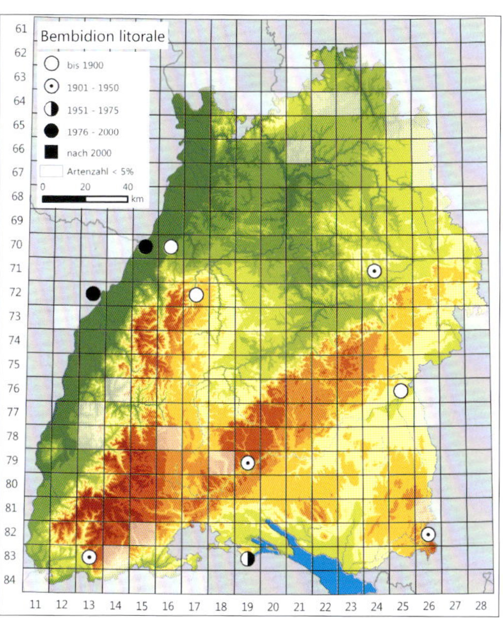

Bembidion litorale

(Olivier, 1790)

Flussauen-Ahlenläufer

Allgemeine Verbreitung: Von Südfrankreich bis zum Baikalgebirge in Sibirien verbreitete Art, die nur auf der Balkanhalbinsel weiter nach Süden vordringt. Eine Verbreitungskarte für den westlichen Arealteil (Europa) findet sich bei Bräunicke & Trautner (1999). Trotz größerer Verbreitungslücken (u.a. aufgrund massiver Bestandseinbußen) ist sie in Deutschland noch recht weit verbreitet und weist Verbreitungsschwerpunkte im Westen (v.a. Nordrhein-Westfalen, Niedersachsen) und besonders im Nordosten (Mecklenburg-Vorpommern, Brandenburg) auf, während sie in weiten Teilen Mittel- und Süddeutschlands (z.B. im Voralpenraum) weitestgehend fehlt.

Vorkommen in Baden-Württemberg: Ehemalige Vorkommen vom westlichen Bodensee (Teil des voralpinen Hügel- und Moorlande) über den Hochrhein bis ins Oberrhein-Tiefland, zudem aus dem Einzugsgebiet des Neckars und der Donau. Aktuell nur noch im nördlichen Teil des Oberrhein-

Bembidion litorale.

Tieflands nachgewiesen (z. B. SCHIEL & RADEMACHER 2008), in allen anderen Naturräumen mit ehemaligen Vorkommen erloschen. Die historischen Angaben aus Bad.-Württ. sind bereits im Rahmen der Auswertung von BRÄUNICKE & TRAUTNER (1999) weitgehend ermittelt und bewertet worden. Als zweifelhaft war dabei unter anderem die Angabe V. D. TRAPPENS (1929) für Urlau nach Pfarrer MÜLLER eingeordnet worden. Allerdings fand sich im Staatlichen Museum für Naturkunde Stuttgart ein Belegtier für Isny (Eisenbach, 06. 8. 1902, vid. TRAUTNER). Zudem wird die Angabe aus dem Raum Reutlingen nach V. D. TRAPPEN (1929) mit Bezug auf KELLER (1864) vor dem Hintergrund weiterer historischer Nachweise und Meldungen aus dem Neckar-Einzugsgebiet heute anders bewertet. Hierbei sind insbesondere Belege für Schwäbisch Gmünd (Remstal) zu nennen, die noch von Ende der 1940er Jahre stammen (2 Ex., 15. 6.1948, coll. STEGMANN im Staatlichen Museum für Naturkunde Stuttgart, vid. TRAUTNER). Zusammen mit einer weiteren alten Meldung aus dem Umfeld Tuttlingens (det. Eppelsheim, HOFMANN 1874; Belege für den Raum der Oberen Donau im Staatlichen Museum für Naturkunde Stuttgart) ist ein ehemals bis in die oberen Donauabschnitte und deren größere Zuflüsse sowie entlang größerer Teile des Neckars reichendes Vorkommen wahrscheinlich; die entsprechenden Angaben wurden in die Verbreitungskarte aufgenommen.

Lebensweise und Habitat: Flugfähige (makroptere), räuberische Art. Paarung und Eiablage (schwerpunktmäßig) im Frühjahr und Larvalentwicklung ab Frühjahr/Sommer. Aktive Imagines wurden in Bad.-Württ. nach den ausgewerteten Daten zwischen April und August registriert, für die Angabe eines Aktivitätsmaximums liegen aus Bad.-Württ. keine ausreichenden Daten vor; die höchste monatliche Anzahl der von BRÄUNICKE & TRAUTNER (1999) ausgewerteten Funddaten stammte aus dem Mai (Juni als deutlich zweitstärkster Monat).

B. litorale ist eine Art vegetationsfreier bis -armer, sandiger oder schluffiger, voll sonnenexponierter Ufer und Aufschwemmungen. Im Gegensatz zu einigen anderen Arten der engeren Verwandtschaftsgruppe vermag die Art allerdings ein etwas breiteres Spektrum an Standorten zu besiedeln und kann auch „stetig [...] in einiger Entfernung zum Gewässer an trockeneren und lückig bewachsenen Standorten" auftreten (BRÄUNICKE & TRAUTNER 1999). Funde nach 1975 in Bad.-Württ. stammen – soweit dokumentiert – ganz überwiegend von Schwemmflächen in Kiesabbaugebieten.

Gefährdung und Schutz: *B. litorale* ist bundesweit (Stand 2015) gefährdet und in Bad.-Württ. (Stand 2005) vom Aussterben bedroht sowie Landesart A des Informationssystems Zielartenkonzept Bad.-Württ. (Stand 2009). Zur Gefährdungssituation aller Arten der engeren Verwandtschaftsgruppe schreiben BRÄUNICKE & TRAUTNER (1999): „Die Bestandsrückgänge, welche [diese] Arten in Deutschland und anderen Staaten zeigen, äußerten sich vor allem in einer Verringerung der Stetigkeit entlang verschiedener Flusssysteme oder im völligen Ausfallen an diesen. [...] Die Hauptursachen hierfür liegen auf der Hand: der Ausbau vor allem der großen Fließgewässer, der in vielen Fällen zum vollständigen oder weitgehenden Verlust geeigneter Lebensraumstrukturen geführt hat. Sowohl mit Begradigung und Flussbettvertiefung für die Schifffahrt als auch mit einer Wasserkraftnutzung (über Stauhaltungen) ist eine Reduzierung der Grenzlinien Wasser–Land und der natürlichen Fließgewässerdynamik verbunden, die für eine raum-zeitliche Kontinuität ausgedehnter, vegetationsfreier Sandufer entscheidend ist." Zur Bedeutung von Sekundärstandorten wird weiter ausgeführt: „Im Kiesabbau kommt den umfangreichen Schwemmflächen, die bei der Kieswäsche entstehen und durch ständige Auflandung weiteren Materials größere vegetationsarme Bereiche aufweisen, eine besondere Bedeutung zu. Dies sollte sowohl in Genehmigungsverfahren als auch bei Folgenutzungsplanungen berücksichtigt werden" (BRÄUNICKE & TRAUTNER 1999). Hieran hat sich nichts geändert. Solange keine umfangreichen Revitalisierungsprojekte an größeren Fließgewässern realisiert werden, die eine ausreichende Flächenverfügbarkeit notwendiger Habitate in mehr oder weniger naturnahen Lebensraumkomplexen wiederherstellen, sind die entsprechenden Abbaugebiete und -prozesse für die Bestandserhaltung dieser und einer ganzen Reihe weiterer hochgradig gefährdeter Laufkäferarten in Bad.-Württ. essenziell. Im Oberrhein-Tiefland sollte – ausgehend von den noch bekannten Vorkommen – eine Prüfung auf weitere Vorkommen dieser und weiterer Arten der engeren Verwandtschaftsgruppe vorgenommen und ein spezifisches Schutzkonzept erarbeitet werden.

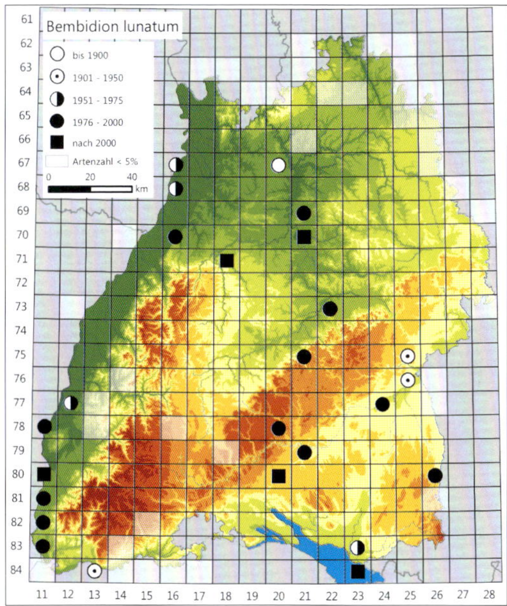

Bembidion lunatum.

Bembidion lunatum

(Duftschmid, 1812)
Mondfleck-Ahlenläufer

Allgemeine Verbreitung: Paläarktisch, aber teils diskontinuierlich verbreitete Art, die in Europa vor allem im zentraleuropäischen Raum vorkommt. Früher in ganz Deutschland weit verbreitet, inzwischen zwei Verbreitungsschwerpunkte im äußersten Norden (Niedersachsen, Schleswig-Holstein, Mecklenburg-Vorpommern) und Süden (Baden-Württemberg, Bayern), während sie im zentralen Deutschland bis auf wenige isolierte Vorkommen weiträumig fast vollständig verschwunden ist (s. Verbreitungskarte in Trautner et al. 2014).

Vorkommen in Baden-Württemberg: In den Einzugsbereichen von Rhein, Neckar und Donau, vor allem im südlichen Oberrhein-Tiefland und im Bereich der Donau-Iller-Lech-Platte, noch lokale Vorkommen als Fragmente einer früher vermutlich relativ weiten Verbreitung entlang der großen Flusstäler.

Lebensweise und Habitat: Flugfähige (makroptere) Art. Paarung und Eiablage (schwerpunktmäßig) im Sommer und Larvalentwicklung ab Sommer/Herbst. Aktive Imagines wurden in Bad.-Württ. nach den ausgewerteten Daten zwischen Mai und September registriert, für die Angabe eines Aktivitätsmaximums liegen keine ausreichenden Daten vor.

B. lunatum tritt auf überwiegend vegetationsarmen Ufern, Bänken und Aufschwemmungen aus lehmigem oder sandig-lehmigem bis sandig-schluffigem Substrat auf, wobei die Standorte besonnt bis geringfügig beschattet sind. Funde an Fließgewässern sind heute selten (aktuell z. B. noch am Oberrhein, s. Bense et al. 2000), in den meisten Fällen stammen die Nachweise von Sekundärstandorten, insbesondere aus Kiesgruben. Wolf-Schwenninger & Schwenninger (1992) beschreiben den Fundort in einer Kiesgrube im südlichen Oberrhein-Tiefland als „zeitweise überflutete Senke mit schütter bewachsenem Grob- und Fein-Kies“, wobei auch hier zusätzlich bindiges Material vorhanden gewesen sein dürfte; von reinen Kies- oder Schotterufern liegen ansonsten keine Nachweise vor. Individuenreich konnte die Art auf den Schwemmflächen eines Kieswerks im Donauraum festgestellt werden (eigene Daten). Neben der unmittelbaren Uferzone ist *B. lunatum* auch in einiger Entfernung von der Wasserkante zu finden, soweit dort passende Substratverhältnisse vorliegen.

Gefährdung und Schutz: *B. lunatum* ist bundesweit (Stand 2015) gefährdet und in Bad.-Württ. (Stand 2005) stark gefährdet sowie Landesart A des Informationssystems Zielartenkonzept Bad.-Württ. (Stand 2009). Wie bei einer Reihe anderer hochgradig gefährdeter Auenarten ist auch bei *B. lunatum* die derzeitige Bestandssicherung stark

Typische Lebensraumstruktur für *Bembidion lunatum* am Ufer des Schwemmteichs eines Kieswerks im Donauraum.

von Sekundärstandorten in Abbaugebieten abhängig, da ihre ursprünglichen Lebensräume weitgehend durch den Ausbau der großen Fließgewässer zerstört wurden. Nur im Rahmen umfangreicher, dringend notwendiger Revitalisierungsprojekte an größeren Fließgewässern kann eine ausreichende Flächenverfügbarkeit notwendiger Habitate in mehr oder weniger naturnahen Lebensraumkomplexen mittel- bis langfristig wiederhergestellt werden. Schwerpunkt müssen dabei nach derzeitigem Kenntnisstand die Donauaue und das Oberrhein-Tiefland sein. Allerdings bestehen auch im Neckarraum möglicherweise noch Potenziale. Ausgehend von den bisher bekannten Vorkommen sollte eine Prüfung auf weitere Vorkommen vorgenommen und ein spezifisches Schutzkonzept erarbeitet werden; hierbei ist die (vorwiegend) larvale Überwinterung zu berücksichtigen, woraus vermutlich gegenüber den meisten anderen Arten erhöhte Ansprüche an hochwassersichere Überwinterungsräume resultieren. Auch bei Abbau- und Rekultivierungsvorhaben müssen die Ansprüche dieser Art verstärkt berücksichtigt werden.

Bembidion lunulatum

(Geoffroy, 1785)

Sumpf-Ahlenläufer

Allgemeine Verbreitung: Westpaläarktisch verbreitete und auch im Großteil Europas mit Ausnahme größerer Teile Nordeuropas vertretene Art. Sie kommt in Deutschland flächendeckend in geeigneten Lebensräumen vor.

Vorkommen in Baden-Württemberg: Beinahe landesweit verbreitet, nur im Schwarzwald weiträumig fehlend. Sonstige Lücken in der Verbreitungskarte sind als Erfassungsdefzite, i. d. R. aber nicht als ein tatsächliches Fehlen zu interpretieren.

Lebensweise und Habitat: Flugfähige (makroptere) und überwiegend räuberische Art. Paarung und Eiablage (schwerpunktmäßig) im Frühjahr und Larvalentwicklung ab Frühjahr/Sommer. Aktive Imagines wurden in Bad.-Württ. nach den ausgewerteten Daten zwischen März und November registriert, wobei neben zahlreichen Funden im Frühjahr (April und Mai) viele Imagines im Herbst (September) registriert wurden und sich aus den Funddaten für Bad.-Württ. insgesamt kein klares Maximum ableiten lässt.

B. lunulatum ist eine Art feuchter bis nasser oder wechselfeuchter Standorte auf unterschiedlichen Substraten, die in zahlreichen Lebensraumtypen auftritt, eine hohe Schattentoleranz aufweist und daher auch durch Gehölze beschattete Standorte oder solche mit überwiegend dichter und

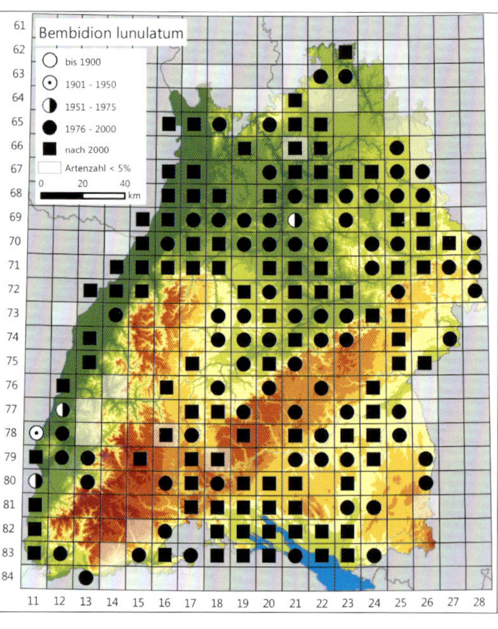

hoher, krautiger Vegetation zu besiedeln vermag. Sie gehört zu den wenigen Feuchtgebietsarten, die auch dicht mit Hochstauden bewachsene, eutrophe Grabenböschungen im intensiver genutzten Grünland noch stet besiedeln. Zu ihren Lebensräumen zählen zudem Feuchtstellen in Wäldern eher niederer Lagen, Bachbegleitgehölze und Nassbrachen, ebenso wie Begleitstrukturen in Äckern wechselfeuchter Standorte.

Gefährdung und Schutz: *B. lunulatum* ist weder bundesweit (Stand 2015) noch in Bad.-Württ. (Stand 2005) gefährdet. Aufgrund der weiten Verbreitung mit Auftreten in unterschiedlichen, oftmals ungefährdeten Lebensraumtypen ist auch keine zukünftige Gefährdung absehbar. *B. lunulatum* zählt zu denjenigen Arten, die in den letzten Jahrzehnten gegenüber der früher dokumentierten Situation offenbar häufiger und deutlich steter in der Landschaft vertreten sind, zum Beispiel galt sie früher im württembergischen Landesteil als recht selten (vgl. Ausführung bei BAEHR 1980). Möglicherweise konnte sie von Verbrachungstendenzen und zunehmender Gehölzbedeckung auf feuchten bis nassen Standorten profitieren. Kein Handlungsbedarf.

Bembidion lunulatum. Foto: M. Bräunicke.

Vegetationsreiche Gräben werden, selbst innerhalb intensiver genutzter landwirtschaftlicher Flächen, in aller Regel von *Bembidion lunulatum* besiedelt; hier ein Beispiel aus dem Voralpinen Hügel- und Moorland.

Bembidion mannerheimii

C. R. Sahlberg, 1827

Sumpfwald-Ahlenläufer

Allgemeine Verbreitung: Paläarktisch verbreitete Art, die in Europa mit Ausnahme großer Teile Südeuropas und kleinerer Teile Nordeuropas auftritt. Sie kommt in Deutschland verbreitet in geeigneten Lebensräumen vor.

Vorkommen in Baden-Württemberg: Landesweit recht weit verbreitet, bei allerdings sehr geringer Nachweisdichte im nordöstlichen Bad.-Württ. (möglicherweise primär auf Erfassungsdefizite zurückzuführen) und auf der Schwäbischen Alb. In großen Teilen des Schwarzwalds fehlt sie.

Lebensweise und Habitat: Flugunfähige (brachyptere) Art. Paarung und Eiablage (schwerpunktmäßig) im Frühjahr und Larvalentwicklung ab Frühjahr/Sommer. Aktive Imagines wurden in Bad.-Württ. nach den ausgewerteten Daten zwischen April und Oktober registriert, mit einem Aktivitätsmaximum im Mai.

B. mannerheimii hat ihr Schwerpunktvorkommen in feuchten, oftmals beschatteten Lebensräumen wie Feuchtwäldern und -gebüschen und ist im Waldverband auch in teils kleinflächigen feuchteren Bereichen und auf Lichtungen vertreten. Zudem kommt die Art aber auch im Offenland in Feuchtwiesen, in Feuchtbrachen (Rieden und feuchten Hochstaudenfluren) abseits größerer, geschlossener Wälder sowie an vegetationsreicheren Ufern vor.

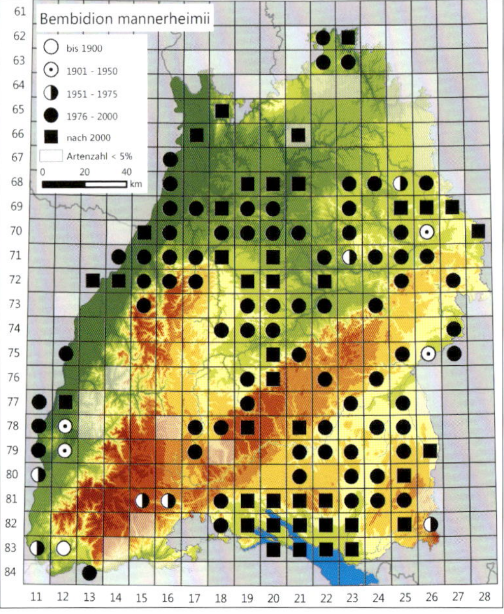

Bembidion mannerheimii. Foto: C. Benisch.

Gefährdung und Schutz: *B. mannerheimii* ist weder bundesweit (Stand 2015) noch in Bad.-Württ. (Stand 2005) gefährdet. Aufgrund der weiten Verbreitung mit Auftreten in unterschiedlichen, mitunter ungefährdeten Lebensraumtypen feuchter Standorte ist auch keine zukünftige Gefährdung absehbar. Kein Handlungsbedarf.

Bembidion milleri

Jacquelin du Val, 1852

Kleiner Lehmwand-Ahlenläufer

Allgemeine Verbreitung: Europäische Art, die in Mittel- und Südosteuropa vertreten ist, wobei aus Deutschland zwei Unterarten gemeldet sind. Sie stößt in Deutschland an ihre nördliche Arealgrenze und ist trotz kleinerer Lücken vor allem in der südlichen Hälfte weit verbreitet, während sie nach Norden hin ausdünnt und in großen Teilen Niedersachsens, Schleswig-Holsteins und Mecklenburg-Vorpommerns fehlt.

Vorkommen in Baden-Württemberg: Relativ weit verbreitet. Schwerpunkte in Teilen der Neckar- und Tauber-Gäuplatten, im Schwäbischen Keuper-Lias-Land sowie im Bereich der Donau-Iller-Lech-Platte und des Voralpinen Hügel- und Moorlandes. Die Art fehlt weiträumig im Großteil des Schwarzwalds sowie in den Sandgebieten des nördlichen Oberrhein-Tieflandes. Die geringe Nachweisdichte im Nordosten des Landes wird teilweise auf Erfassungslücken zurückgeführt. Alle baden-württembergischen Populationen dürften der Stammform zuzurechnen sein.

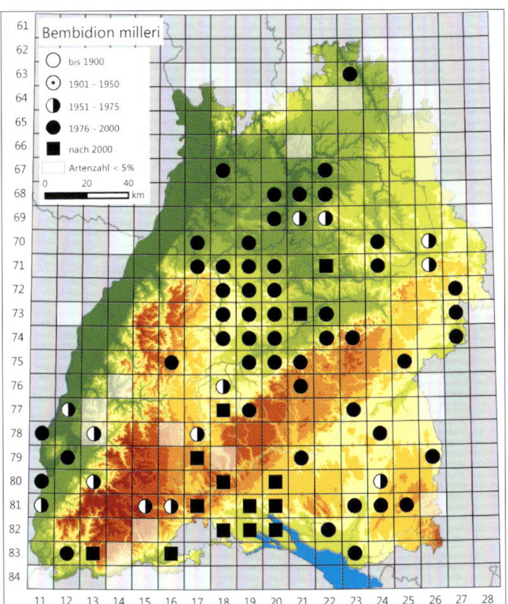

Bembidion milleri. Foto: W. Paill.

Bembidion milleri ist eine weit verbreitete Art vor allem lehmiger, vegetationsarmer Standorte, die stet auch in Abbaugebieten mit entsprechenden Substraten anzutreffen ist. Das Bild zeigt einen typischen Fundort.

Lebensweise und Habitat: Flugfähige (makroptere) Art. Paarung und Eiablage (schwerpunktmäßig) im Frühjahr und Larvalentwicklung ab Frühjahr/Sommer. Aktive Imagines wurden in Bad.-Württ. nach den ausgewerteten Daten zwischen März und Oktober registriert, mit zwei Aktivitätsmaxima: im Mai und spät im Jahr (September und Oktober).

B. milleri besiedelt Rohböden mit bindigen Substratanteilen (Lehm, Löss). Baehr (1980) nennt Funde aus dem Schönbuch im zentralen Bad.-Württ. „[vor] allem und fast regelmäßig auf ganz kahlen Tonflächen und an Hangrutschungen". Die Art tritt vielfach auch an stark austrocknenden Standorten auf, wie dies Sokolowski (1958) aus dem Wutachgebiet beschreibt, dort „an natürlichen wie auch bei Wegebauten künstlich geschaffenen Kalkhängen in teils sonnenexponierter, teils beschatteter Lage. [...] [E]ntfernt man die obere Verwitterungskruste [an den oberflächig ausgetrockneten Standorten], so wird man erstaunt sein, was sich in dem darunter geschützt liegenden Ton an Lebewesen vorfindet." Um die Individuen aus losgelösten Brocken oder Krusten dieses Substrats herauszutreiben, rät Sokolowski (1958) dazu, dass man dieses „beklopft oder auch mit den Füßen beknetet". *B. milleri* ist allerdings nicht überall stet an entsprechenden Rohbodenstandorten vertreten. Höhere Stetigkeiten erreicht die Art vor allem bei lokal großflächiger Ausprägung (z. B. in Lehmgruben) sowie in Räumen mit einem hohen Angebot an entsprechenden Strukturen. Im Vergleich zu den verwandten Arten *B. stephensii* und B. *deletum* werden besonnte oder teilweise besonnte Standorte deutlich bevorzugt.

Gefährdung und Schutz: *B. milleri* ist bundesweit (Stand 2015) differenziert nach Unterart im kritischsten Fall als Taxon der Vorwarnliste eingestuft und in Bad.-Württ. (Stand 2005) gefährdet sowie Landesart B des Informationssystems Zielartenkonzept Bad.-Württ. (Stand 2009). Die Einstufung im Zielartenkonzept beruhte auf der zwischenzeitlich zu korrigierenden Annahme einer sehr hohen Schutzverantwortung; insoweit ist die Einstufung bei einer Fortschreibung anzupassen (voraussichtlich Naturraumart oder keine Zielart mehr). Auch die Gefährdungseinstufung ist im Rahmen einer Fortschreibung der landesweiten Roten Liste zu diskutieren; die Aufnahme der Art in die Vorwarnliste scheint nach aktuellem Stand naheliegend.

Bembidion minimum

(Fabricius, 1792)

Kleiner Ahlenläufer

Allgemeine Verbreitung: Paläarktisch verbreitete Art, die in Europa mit Ausnahme des hohen Nordens vorkommt. Mit einem Verbreitungsschwerpunkt in der nördlichen Hälfte wird sie aus allen Bundesländern Deutschlands gemeldet, wobei sie allerdings auf regionaler Ebene teilweise zu fehlen scheint.

Vorkommen in Baden-Württemberg: Schwerpunkt im zentralen Bad.-Württ. in Teilen der Neckar- und Tauber-Gäuplatten sowie des Schwäbischen Keuper-Lias-Landes, daneben im Oberrhein-Tiefland; zudem lokal Nachweise aus einzelnen weiteren Naturräumen. Horion (1941) kannte noch keine sicheren Funde aus Bad.-Württ.: Die Angaben v. d. Trappens (1929) waren unbelegt, und Horion (1959a) führt dann als ersten badischen Nachweis den Fund von Nowotny (VI.1956, „an den Abraumhalden des Kaliwerks bei Buggingen) vom südlichen Oberrhein-Tiefland an. Inzwischen ist die Art aus einer Reihe von Gebieten belegt; einige frühere Angaben zu *B. tenellum* und *B. azurescens* gehen sicher oder mit hoher Wahrscheinlichkeit auf Verwechslung mit dieser Art zurück.

Lebensweise und Habitat: Flugfähige (makroptere) Art. Paarung und Eiablage (schwerpunktmäßig) im Frühjahr und Larvalentwicklung ab Frühjahr/Sommer. Aktive Imagines wurden in

Bembidion minimum. Foto: M. Bräunicke.

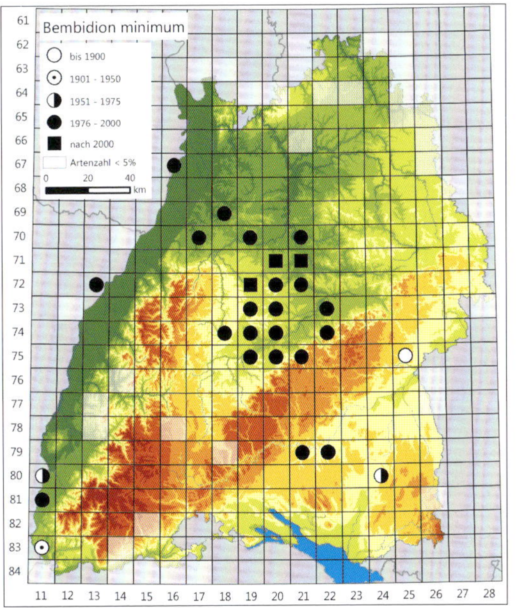

Bad.-Württ. nach den ausgewerteten Daten zwischen März und Oktober registriert, mit einem Aktivitätsmaximum im Juni.

B. minimum gilt in Mitteleuropa als „häufigste Art des Salzgrünlands, an den Küsten und an Binnenlandsalzstellen" und als halophil (Müller-Motzfeld 2006b), obwohl auch für das Binnenland nach heutigem Stand viele Vorkommen außerhalb von salzbeeinflussten Lebensräumen vor allem von Pionierstandorten auf bindigem Substrat sowie von Ufern belegt sind. Den typischen Lebensraum beschreibt Baehr (1980) aus dem Schönbuch im zentralen Bad.-Württ.: „[a]uf sehr schütter bewachsenen, feuchten Lehmflächen, z. T. mit ephemeren, lehmigen Pfützen." Die Art tritt zudem auch in Bad.-Württ. in feuchtem bis wechselfeuchtem Grünland (meist mit zumindest kleinflächigen Störstellen), an anthropogenen Salzstellen (Buggingen) sowie an Ufern auf; die Fundstellen sind – soweit dokumentiert – überwiegend bis

Typische Habitatstruktur an Fundstellen von *Bembidion minimum*: bindiges, wechselfeuchtes Substrat mit geringer Vegetationsdeckung, das beim Abtrocknen starke Trockenrisse ausbildet. Soweit keine oder wenige Individuen zum Zeitpunkt einer Suche oberflächig aktiv sind, kann sich Schlagen oder Treten auf die Bodenoberfläche zum Heraustreiben der Tiere oder Aufgraben des Substrates lohnen (auch für andere Arten). Foto: K. Geigenmüller.

vollständig besonnt. Ihr ehemals sicherlich größtes Vorkommen in Bad.-Württ. hatte die Art auf militärisch genutzten Flächen bei Böblingen, wo sie großflächig in sehr hoher Individuendichte auf vegetationsarmen Rohböden auftrat (Trautner 1986a, 1994c); geeignete Habitate bestehen dort heute nach weitgehender Aufgabe der damaligen Nutzung und sukzessionsbedingten Veränderungen nur noch in wesentlich geringerem Umfang.

Gefährdung und Schutz: *B. minimum* ist bundesweit (Stand 2015) aufgrund der großen Vorkommen im Küstenbereich ungefährdet, in Bad.-Württ. (Stand 2005) aber gefährdet sowie Naturraumart des Informationssystems Zielartenkonzept Bad.-Württ. (Stand 2009). Sie ist hier weitestgehend an vegetationsfreie bis -arme Pionierstandorte gebunden, deren Entstehung durch allgemeine Minimierung von „Bodenverwundungen" heute seltener erwartet werden kann und die oft nur von kurzer Lebensdauer sind. Gegenüber den 1980er und 1990er Jahren sind die Nachweise rückläufig, zudem sind große Populationen der Art heute selten geworden. Insbesondere bei der Betriebs- und Rekultivierungsplanung von Abbaugebieten und Deponien bestehen Potenziale, die Ansprüche der Art stärker zu berücksichtigen. Bei natürlicherweise auftretenden Erosionsereignissen (z.B. Hangrutschungen) sollten, wo aus Sicherheitsgründen möglich, Rohböden ihrer weiteren natürlichen Entwicklung überlassen werden, so dass dort zumindest zeitweise Habitatpotenziale für die Art verbleiben. Auf geeigneten Standorten könnten auch Beweidungssysteme zu einer Förderung von *B. minimum* beitragen.

Bembidion modestum

(Fabricius, 1801)

Großfleck-Ahlenläufer

Allgemeine Verbreitung: Europäische Art, hier im zentral- und südosteuropäischen Raum vertreten. Sie stößt in Deutschland an ihre nördliche Arealgrenze und ist trotz größerer Verbreitungslücken vor allem in der südlichen Hälfte sowie dem zentralen Deutschland regional verbreitet. Nördlich kommt sie bis ins Bremer Umland vor, während sie in Schleswig-Holstein und Mecklenburg-Vorpommern bereits fehlt.

Vorkommen in Baden-Württemberg: Weitgehend auf das Oberrhein-Tiefland beschränkt, Nachweise liegen auch aus wenigen weiteren Naturräumen vor. Aktuell wurde die Art hierbei im Neckartal

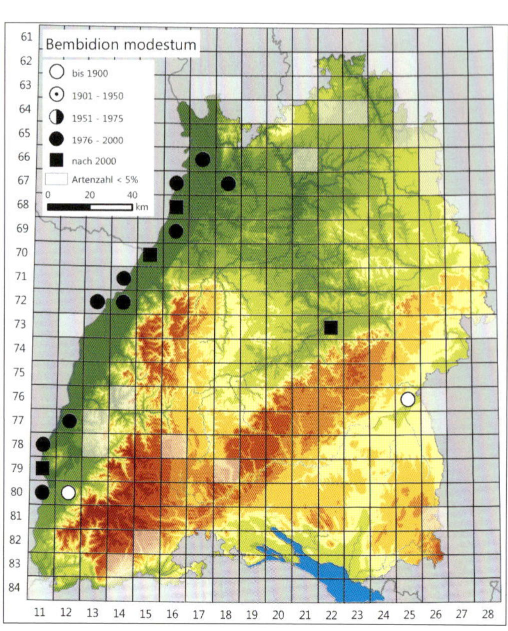

nachgewiesen (leg. Rieger). Das historische Vorkommen bei Ulm ist belegt (s. Horion 1959a) und aufgrund der früher im Ulmer Raum an Donau und Iller vorhandenen Uferstrukturen auch als autochthon plausibel. Die ältere Angabe v. d. Trappens (1929) für Urlau nach Pfarrer Müller wurde aufgrund des Fehlens weiterer Nachweise oder Hinweise auf Vorkommen in diesem Raum nicht in die Datenbank aufgenommen; ein ehemaliges Vorkommen dort ist aber nicht auszuschließen, zumal die Art auch aus dem östlichen Bodenseeumfeld außerhalb von Bad.-Württ. gemeldet wurde (vgl. Bräunicke & Trautner 2002).

Lebensweise und Habitat: Art mit vollständig entwickelten Hinterflügeln (makropter), von der in Bad.-Württ. Anflug am Licht festgestellt wurde. Aktive Imagines wurden in Bad.-Württ. nach den ausgewerteten Daten zwischen März und Oktober registriert, für die Angabe eines Aktivitätsmaximums liegen keine ausreichenden Daten vor. Aus Bad.-Württ. gibt es auch Imaginalnachweise im Winterquartier: Im Oberrhein-Tiefland wurden mehrere Individuen aus dem oberen Bereich der schwach durchwurzelten Kiesböschung einer Kiesgrube ausgegraben (eigene Daten).

B. modestum ist eine Uferart, die vegetationsfreie bis -arme Ufer und Bänke mit Schotter oder Kies, bevorzugt aber wohl Feinkies besiedelt; diesen Substraten kann zudem feineres Substrat unterlegt oder beigemengt sein. Die Mehrzahl der

Bembidion modestum. Foto: M. Bräunicke.

aktuelleren Funde stammt von entsprechenden Strukturen aus Abbaugebieten, insbesondere aus offenen Kiesböschungen von Baggerseen. An Fließgewässern in Bad.-Württ. sind potenziell geeignete Uferstrukturen mit entsprechender Wasser- und Geschiebedynamik nur noch in wenigen Bereichen innerhalb der Vorkommensgebiete der Art vorhanden. Nach einzelnen Literaturangaben (u. a. Marggi 1992) soll die Art „vorwiegend schattige Stellen" bevorzugen. Dies kann anhand der eigenen Funde in Bad.-Württ. sowie in anderen Regionen Deutschlands nicht bestätigt werden. Gleichwohl scheint die Art relativ beschattungstolerant zu sein, da auch Funde von teilweise bis überwiegend durch Bäume überschirmten Ufern vorliegen. *B. modestum* ist als charakteristische Art bestimmter Ausprägungen des Lebensraumtyps 3260 (Fließgewässer mit flutender Wasservegetation) aus Anhang I der FFH-Richtlinie einzustufen.

Gefährdung und Schutz: *B. modestum* ist bundesweit (Stand 2015) gefährdet und in Bad.-Württ. (Stand 2005) stark gefährdet sowie Landesart B des Informationssystems Zielartenkonzept Bad.-Württ. (Stand 2009). Die Bestandssicherung der Art ist derzeit stark von Sekundärstandorten in Abbaugebieten abhängig. Wie andere Uferarten stark dynamischer Fließgewässer ist auch sie in hohem Maße durch Verbau sowie Veränderungen der hydrologischen Rahmenbedingungen einschließlich des Geschiebetransports beeinträchtigt. Daneben unterliegt die Art aufgrund ihrer zumindest an den Fundstellen in Bad.-Württ. eher geringen Bestandsgrößen und deren räumlich starker Einschränkung zusätzlichen Risiken, unter anderem durch starke Freizeitnutzung an einzelnen bekannten Vorkommensorten. Wichtige Ziele sind Erhalt und (Wieder-)Entwicklung geeigneter Habitate mit einer für die Art erforderlichen Dynamik der Substratverlagerung, insbesondere auch für gröberes Material, sowie die Ausweitung entsprechender Ufer und Bänke und deren Schutz vor zu starker Freizeitnutzung. Ausgehend von den bisher bekannten Vorkommen und den Hinweisen auf eventuelle weitere Bestände sollten eine gezielte Prüfung vorgenommen und bei Nachweis entsprechende Abschnitte in Schutzkonzepte aufgenommen werden. Bei Abbau- und Rekultivierungsvorhaben sollen die Ansprüche der Art verstärkt berücksichtigt werden.

Bembidion monticola

Sturm, 1825

Sandufer-Ahlenläufer

Allgemeine Verbreitung: Europäische Art des west- und mitteleuropäischen Raums, die im Norden das südliche Nordeuropa und im Osten den Kaukasus erreicht. In Deutschland ist sie in der südlichen Hälfte trotz kleinerer Vorkommenslücken weit verbreitet, während sie in der Nord- und Ostdeutschen Tiefebene mit Ausnahme zweier isolierter Vorkommen (Schleswig-Holstein) fehlt.

Vorkommen in Baden-Württemberg: Landesweit relativ weit vor allem in submontanen bis montanen Lagen verbreitet, kaum Nachweise aus dem Oberrhein-Tiefland. Im Bereich der Schwäbischen Alb nur wenige Fließgewässer mit potenziell geeigneten Substraten, dort weiträumig fehlend.

Lebensweise und Habitat: Art mit vollständig entwickelten Hinterflügeln (makropter), von der nach Auswertungsstand keine Flugbeobachtung vorliegt. Paarung und Eiablage (schwerpunktmäßig) im Frühjahr und Larvalentwicklung ab Frühjahr/Sommer. Aktive Imagines wurden in Bad.-Württ. nach den ausgewerteten Daten zwischen März und Oktober registriert, mit erkennbarer Häufung der Nachweiszahlen im Mai und September.

B. monticola ist eine Art der sandigen oder sandig-lehmigen Substrate an Fließgewässerufern (z. B. Baehr 1980, Trautner 1999). Die Fundorte sind – soweit Beschreibungen dazu vorliegen – meist zum Teil oder vollständig beschattet. Die Art hat ihre Hauptvorkommen in Bad.-Württ. an kleineren bis mittelgroßen Fließgewässern. Bei den

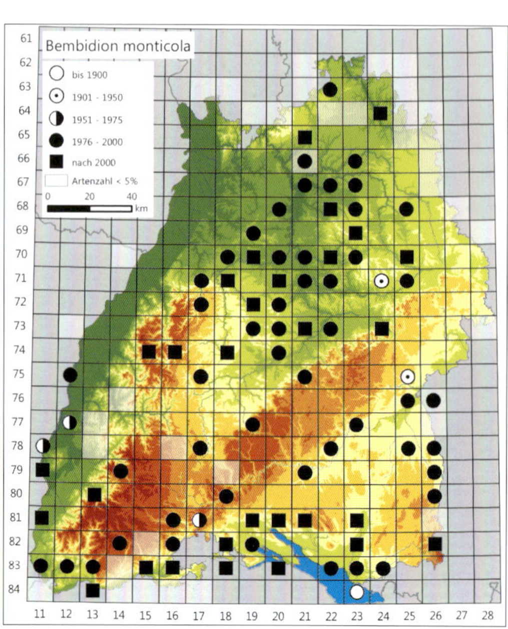

Fließgewässerdynamik führt zur Ausbildung von Prall- und Gleithängen und einer gewissen Substratsortierung, wobei Lebensraumstrukturen für eine Reihe uferbewohnender Laufkäferarten ausgebildet werden können. *Bembidion monticola* wurde hier während der Aktivitätszeit insbesondere in sandigem Substrat an flacheren Uferabschnitten gefunden. Zur Überwinterung suchen die Tiere Quartiere auf, die im weiteren Umfeld oder höher an der Uferböschung gelegen sind.

dort bevorzugt besiedelten Strukturen handelt es sich vor allem um Bereiche der Gleitufer (eigene Daten), in denen es auf größerer Fläche zur Sedimentation sandiger oder sandig-lehmiger Substrate (s. o.) kommt. Baehr (1980) verweist analog zu Angaben von Lohse (1954) darauf, dass einige seiner Funde aus Hochwassergenisten stammten. Da sich die Hauptvorkommen von *B. monticola* schwerpunktmäßig gerade auch auf solche Gewässerabschnitte erstrecken, bei denen davon auszugehen ist, dass der Lebensraumtyp 3260 (Fließgewässer mit flutender Wasservegetation) aus Anhang I der FFH-Richtlinie nicht oder nur teilweise ausgeprägt ist, wird keine Zuordnung als charakteristische Art eines Lebensraumtpys dieser Richtlinie gesehen.

Gefährdung und Schutz: *B. monticola* ist bundesweit (Stand 2015) sowie in Bad.-Württ. (Stand 2005) gefährdet, zudem ist sie Naturraumart des Informationssystems Zielartenkonzept Bad.-Württ. (Stand 2009). Große Populationen vermag die Art in naturnahen Fließgewässerabschnitten mit umfangreicherem Angebot an sandigen bis sandig-lehmigen Flachufern bei ausreichender Gewässerdynamik auszubilden. Diese sind bereits deutlich rückläufig und stellen weiterhin einen gefährdeten Lebensraum dar. Zwar ist *B. monticola* (u. a. aufgrund ihrer Bevorzugung beschatteter Standorte) noch weiter verbreitet als viele andere anspruchsvolle Uferarten, doch haben die erheblichen negativen strukturellen und hydrologischen Veränderungen an Fließgewässern schon viele Habitate zerstört oder degradiert. Der Erhalt verbliebener naturnaher Fließgewässerstrecken sowie deren Förderung/Wiederherstellung bei ausreichender Gewässerdynamik sind wichtige Ziele.

Bembidion monticola. Foto: M. Bräunicke.

Bembidion obliquum

Sturm, 1825

Schrägbindiger Ahlenläufer

Allgemeine Verbreitung: Paläarktisch mit eher nördlichem bis nordöstlichem Schwerpunkt verbreitete Art, die in Südeuropa und in Teilen Westeuropas fehlt. Sie kommt in Deutschland relativ verbreitet in geeigneten Lebensräumen vor, dünnt aber in Süddeutschland (Baden-Württemberg, Bayern) aufgrund der dortigen Arealrandlage stark aus.

Vorkommen in Baden-Württemberg: Überwiegend vereinzelte und teils nur historische Nachweise oder Angaben, Schwerpunkt aktuell im Oberrhein-Tiefland.

Lebensweise und Habitat: Flugfähige (dimorphe bzw. polymorphe) und räuberische Art. Paarung und Eiablage (schwerpunktmäßig) im Frühjahr und Larvalentwicklung ab Frühjahr/Sommer. Aktive Imagines wurden in Bad.-Württ. nach den ausgewerteten Daten zwischen April und August registriert, für die Benennung eines Aktivitätsmaximums liegen keine ausreichenden Daten vor.

B. obliquum ist eine Uferart, für die Horion (1937) bezogen auf das Rheinland eine Bindung an „schlammige, sumpfige Stellen" angibt. Lindroth (1992) beschreibt unterschiedliche Substrate, betont dabei aber die Bevorzugung einer starken Beimengung organischen Feinmaterials; zudem ist seinen Ausführungen zu entnehmen,

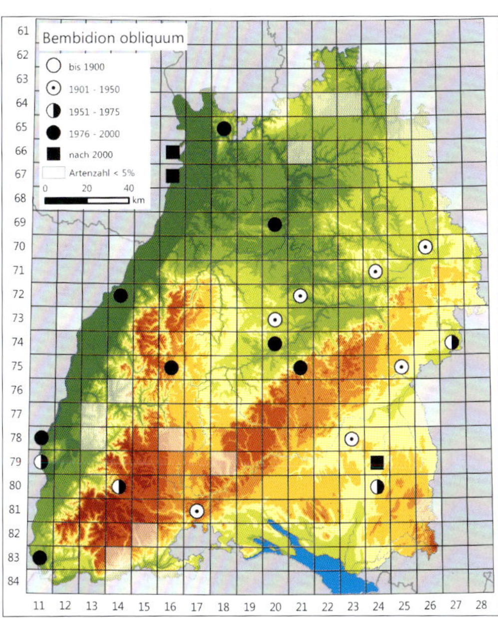

Bembidion obliquum. Foto: E. Wachmann.

dass die Art vor allem Bereiche mit einem Mosaik aus einer stark vertikal strukturierten Vegetation (etwa Seggen, Binsen) in Kombination mit offenen, wohl besonnten Bodenstellen bevorzugt. In Bad.-Württ. wurde die Art unter anderem am Altrhein bei Breisach (Sokolowski 1958), im Burkheimer Rheinwald (Maus 1987) und in der Wutachschlucht (Hartmann 1924) nachgewiesen. Hartmann (1924) nennt dabei einen Fundort bei Aachdorf „an einer sumpfigen Stelle neben der Wutach“ [Anm.: dort gemeinsam mit *B. varium*] und Maus (1987) im Burkheimer Rheinwald ein schlammiges Tümpelufer. Eigene Funde der Art aus Bad.-Württ. und Bayern stammen von Standorten, die mit diesen Angaben korrespondieren; sie waren dabei teilweise durch überschirmende Gehölze beschattet, in anderen Fällen dagegen voll besonnt.

Gefährdung und Schutz: *B. obliquum* ist bundesweit (Stand 2015) ungefährdet, wurde in Bad.-Württ. (Stand 2005) aber als stark gefährdet und als Landesart B des Informationssystems Zielartenkonzept Bad.-Württ. (Stand 2009) eingestuft. Vorkommen bestehen nur in wenigen Räumen, überwiegend offenbar lokal eng begrenzt, wobei für die Art von vielen ehemaligen Fundorten samt deren Umfeld keine aktuelle Bestätigung mehr vorliegt. Insbesondere der Verlust von auebegleitenden, naturnahen Stillgewässern und von Flutmulden in Auen dürften für diese Art besondere Gefährdungsursachen darstellen. In den Räumen mit ehemaligen oder aktuellen Vorkommen sollten potenziell geeignete Standorte zunächst auf (weitere) Vorkommen geprüft werden. Schutzmaßnahmen, insbesondere die Wiederentwicklung von Überschwemmungsbereichen sowie zusätzlichen Altwasser- und Uferstrukturen, sollten an bestehende Vorkommen anknüpfen. Möglicherweise bietet auch die Umgestaltung von Ufern an fischereilich genutzten, bislang strukturell verarmten Stillgewässern eine Möglichkeit, die Art zu fördern.

Bembidion obtusum

Audinet-Serville, 1821

Schwachgestreifter Ahlenläufer

Allgemeine Verbreitung: Europäische Art mit west- und zentraleuropäischem Verbreitungsschwerpunkt, die in größeren Teilen Südeuropas sowie in Teilen Nordeuropas fehlt. In Nordamerika eingeschleppt (Bousquet 2012). In Deutschland ist sie in geeigneten Habitaten flächendeckend vertreten.

Vorkommen in Baden-Württemberg: Landesweit mit Ausnahme größerer Bereiche des Schwarzwalds verbreitet, fehlende Nachweise in der Verbreitungskarte sind ansonsten als Erfassungslücken, i. d. R. aber nicht als ein tatsächliches Fehlen zu interpretieren.

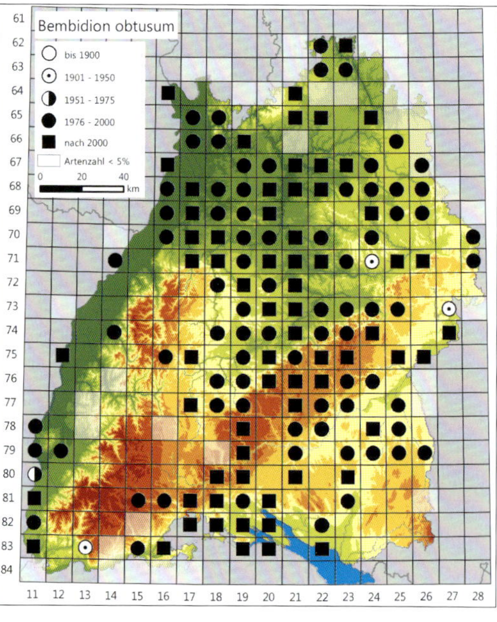

Bembidion obtusum. Foto: C. Benisch.

Lebensweise und Habitat: Art mit unterschiedlicher Flügelausbildung (dimorph bzw. polymorph), von der nach Auswertungsstand keine Flugbeobachtung vorliegt. Nahrungsgeneralistin. Paarung und Eiablage (schwerpunktmäßig) im Frühjahr und Larvalentwicklung ab Frühjahr/Sommer. Aktive Imagines wurden in Bad.-Württ. nach den ausgewerteten Daten annähernd ganzjährig registriert (Winteraktivität nachgewiesen, eigene Daten), mit einem Aktivitätsmaximum im April.

B. obtusum ist eine stet in der offenen Kulturlandschaft vertretene Art, die insbesondere auf Äckern und in Ackerbrachen sehr hohe Aktivitätsdichten erreichen kann. Sie tritt stark aber auch im frischen bis wechselfeuchten Grünland, in Grünlandbrachen sowie zum Beispiel in Weinbergen auf.

Gefährdung und Schutz: *B. obtusum* ist weder bundesweit (Stand 2015) noch in Bad.-Württ. (Stand 2005) gefährdet. Aufgrund der weiten Verbreitung mit Auftreten in unterschiedlichen, weitgehend ungefährdeten Lebensraumtypen des Offenlands ist auch keine zukünftige Gefährdung absehbar. Kein Handlungsbedarf.

Bembidion octomaculatum

(Goeze, 1777)

Achtfleck-Ahlenläufer

Allgemeine Verbreitung: (West-)paläarktisch verbreitete Art, die in Nord- und Nordwesteuropa weitgehend fehlt. In Deutschland ist sie mit einem Verbreitungsschwerpunkt im Norden und Osten (u. a. Niedersachsen, Mecklenburg-Vorpommern, Sachsen-Anhalt, Brandenburg) hauptsächlich in der nördlichen Hälfte vertreten, während sie größere Verbreitungslücken in Westdeutschland aufweist und in Süddeutschland teils weiträumig fehlt.

Vorkommen in Baden-Württemberg: Schwerpunkt in der nördlichen Hälfte des Oberrhein-Tieflands, aktuellere Funde zudem aus Teilen der Neckar- und Tauber-Gäuplatten sowie des Voralpinen Hügel- und Moorlandes. Einzelne historische Nachweise aus weiteren Naturräumen.

Lebensweise und Habitat: Flugfähige (makroptere) Art. Aktive Imagines wurden in Bad.-Württ. nach den ausgewerteten Daten zwischen April und September registriert, für die Angabe eines Aktivitätsmaximums liegen keine ausreichenden Daten vor.

B. octomaculatum ist eine Art der Ufer und sehr nassen Röhrichte und Riede. Ein Teil der Funde in Bad.-Württ. stammt aus den vegetationsreichen Uferzonen von Stillgewässern (Seen, Weiher), beispielhaft seien der Aalkistensee und der Bern-

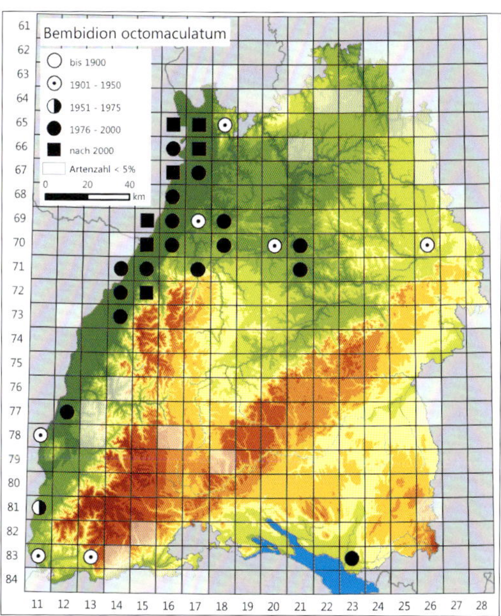

Bembidion octomaculatum. Foto: C. Benisch.

hardsweiher im Stromberg (Breunig & Trautner 1996) genannt. Aber auch von Bach- und Grabenufern liegen Nachweise vor (z. B. Wolf-Schwenninger & Schwenninger 1992). Meist tritt die Art auf Schlammufern oder Feinsubstraten mit erkennbarem organischem Anteil auf. Charakteristisch sind nach eigenen Funden „halbschattige" Situationen an von lichten Gehölzen überschirmten Bachufern oder auf vegetationslosen Bodenstellen am Rand oder zwischen höherer Ried- und Röhrichtvegetation. Irmler & Gürlich (2004) schreiben für Schleswig Holstein, dass die Art dort (bei verstreutem und seltenem Vorkommen) „an stehenden oder langsam fließenden Gewässern unterschiedlicher Größe auf schlammigen Böden zumeist mit geringer Beschattung zu finden" sei, wobei sie das sehr individuenreiche Auftreten in Aueabschnitten der Elbe „am Rande im Sommer austrocknender Flutmulden und Altwasser auf Schlick" hervorheben.

Gefährdung und Schutz: *B. octomaculatum* ist bundesweit (Stand 2015) gefährdet und in Bad.-Württ. (Stand 2005) stark gefährdet sowie Landesart B des Informationssystems Zielartenkonzept Bad.-Württ. (Stand 2009). Wie *B. fumigatum* und *B. quadripustulatum* ist sie als Art einzuschätzen, die von über den Jahresverlauf wechselnden Wasserständen mit offen liegenden Schlammflächen in der Uferzone profitiert. Als Gefährdungsursachen kommen insbesondere Entwässerung und direkte Flächenverluste, die Einengung von Auestandorten sowie die naturferne Gestaltung von Stillgewässerufern infrage. Darüber hinaus könnte sich die Stabilisierung bisher wechselnder Wasserstände in Feuchtgebieten und Uferzonen mit Vorkommen der Art negativ auswirken. Schutz- und Fördermaßnahmen sollten auf den Erhalt entsprechend geeigneter Uferzonen und deren Verbesserung oder Neuentwicklung fokussieren. Auch im Rahmen der Bewirtschaftung regelbarer, fischereilich genutzter Stillgewässer bestehen Möglichkeiten, die Ansprüche der Art verstärkt zu berücksichtigen.

Bembidion prasinum

(Duftschmid, 1812)
Grünlicher Ahlenläufer

Allgemeine Verbreitung: Boreo-montan in der Westpaläarktis verbreitete Art, aber mit weiträumigen Verbreitungslücken im nördlichen Mitteleuropa und im südlichen Skandinavien. Sie war früher in Mittel- und Westdeutschland nach Norden hin bis in den Hamburger Raum verbreitet, ist inzwischen aber großräumig erloschen oder weist im Westen überwiegend nur noch isolierte Vorkommen auf (s. Verbreitungskarte bei Trautner et al. 2014), während sie vor allem im Südosten (Bayern) in geeigneten Lebensräumen noch weiter verbreitet ist.

Vorkommen in Baden-Württemberg: Vom Alpenrand entlang der Iller sowie aus der Adelegg kommend entlang der Argen bis zum Bodensee vertreten, dann weiter am Hochrhein (nur historisch, keine aktuellen Funde), im Alb-Wutach-Gebiet, im Oberrhein-Tiefland und randlich dazu am Unterlauf von im Schwarzwald entspringenden Fließgewässern. Zudem existieren historische Funde aus dem Neckarraum in den Neckar- und Tauber-Gäuplatten.

Lebensweise und Habitat: Flugfähige (makroptere) Art. Paarung und Eiablage (schwerpunktmäßig) im Frühjahr und Larvalentwicklung ab Frühjahr/Sommer. Aktive Imagines wurden in Bad.-Württ. nach den ausgewerteten Daten zwischen März und Oktober registriert, wobei sich ein Aktivitätsmaximum im Mai und Juni andeutet. Es liegen Funde überwinternder Imagines aus Bad.-Württ. vor.

B. prasinum ist eine Art besonnter, vegetationsfreier bis -armer Ufer an Fließgewässern mit einer

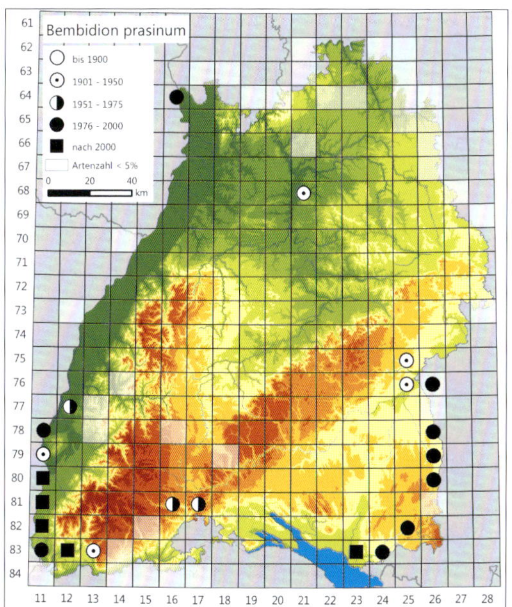

Bembidion prasinum. Foto: M. Bräunicke.

Bembidion prasinum ist eine Uferart an Fließgewässern. Hier sieht man ein Kiesufer an der Argen im südöstlichen Baden-Württemberg, an dem die Art in Anzahl zu finden war.

deutlichen Wasser- und Geschiebedynamik. BAEHR (1983) vermerkt hierzu jedoch, dass sie im Unterschied zu Arten wie etwa *B. decorum* und *B. ascendens* „mehr auf Sandbänken, weniger im Schotter" vorkomme und er sie an der Unteren Argen „auf feinsandig-schlammigen Uferbänken nicht selten" vorfand. Am Ufer des Flusses Wiese am Rand des Hochschwarzwalds wurde sie auf Sandufern- und -inseln sowie auf sehr stark mit Sand durchsetzten Schotterufern nachgewiesen (WOLF-SCHWENNINGER, in lit. und eigene Daten). Weitere Funde aus dem Oberrhein-Tiefland stammen unter anderem von stärker mit organischem Feinsubstrat durchsetzten Kies-Sand-Ufern. Sie ist als charakteristische Art des Lebensraumtyps 3240 (Alpine Flüsse mit Lavendelweiden-Ufergehölzen) sowie bestimmter Ausprägungen der Lebensraumtypen 3260 und 3270 (Fließgewässer mit flutender Wasservegetation, Schlammige Flussufer mit Pioniervegetation) aus Anhang I der FFH-Richtlinie einzustufen.

Gefährdung und Schutz: *B. prasinum* ist bundesweit (Stand 2015) und in Bad.-Württ. (Stand 2005) stark gefährdet, zudem ist sie Landesart B des Informationssystems Zielartenkonzept Bad.-Württ. (Stand 2009). Auch für diese Art gilt die grundsätzliche Gefährdungssituation von Uferarten stark dynamischer Fließgewässer, die durch Verbau und durch Veränderungen der hydrologischen Rahmenbedingungen einschließlich des Geschiebetransports in hohem Maße beeinträchtigt sind. Wichtige Ziele sind die Erhaltung und (Wieder-)Entwicklung geeigneter Habitate mit einer für die Art erforderlichen Dynamik der Substratverlagerung sowie die Ausweitung entsprechender Ufer und Bänke und deren Schutz vor zu starker Freizeitnutzung. Ausgehend von den bisher bekannten Vorkommen und von Hinweisen auf eventuelle weitere Bestände sollten eine gezielte Prüfung vorgenommen und bei einem Nachweis entsprechende Abschnitte in Schutzkonzepte aufgenommen werden.

Bembidion properans

(Stephens, 1828)

Feld-Ahlenläufer

Allgemeine Verbreitung: Paläarktisch verbreitete Art, in Nordamerika eingeschleppt (BOUSQUET 2012). Sie kommt in Deutschland flächendeckend in geeigneten Lebensräumen vor.

Vorkommen in Baden-Württemberg: Landesweit verbreitet, nur in den höheren oder walddominierten Lagen des Schwarzwalds oft nicht vertreten; fehlende Nachweise in der Verbreitungskarte sind ansonsten als Erfassungslücken, i. d. R. aber nicht als ein tatsächliches Fehlen zu interpretieren.

Lebensweise und Habitat: Flugfähige (dimorphe bzw. polymorphe) und räuberische Art. Paarung und Eiablage (schwerpunktmäßig) im Frühjahr und Larvalentwicklung ab Frühjahr/Sommer. Aktive Imagines wurden in Bad.-Württ. nach den ausgewerteten Daten zwischen März und November registriert, mit einem Aktivitätsmaximum im Mai und Juni.

B. properans ist eine eurytope Offenlandart, die in besondes hoher Aktivitätsdichte insbesondere im Grünland, teils aber auch auf Äckern und an Uferstandorten mit bindigem Substrat zu registrieren ist; insbesondere in tieferen Lagen kann die Art vereinzelt (wenngleich meist in geringer Indi-

Bembidion properans. Foto: C. Benisch.

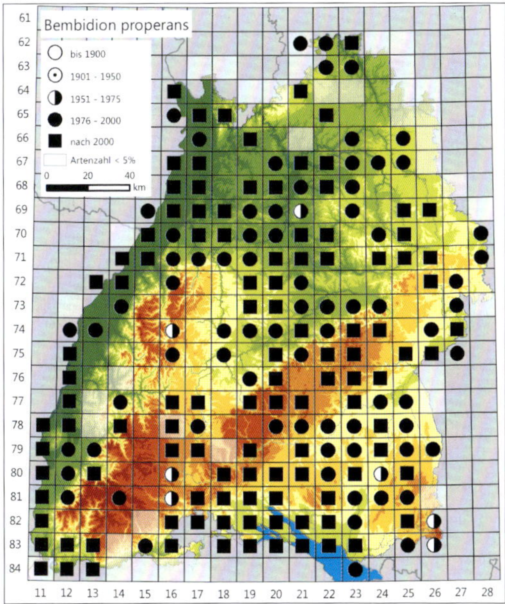

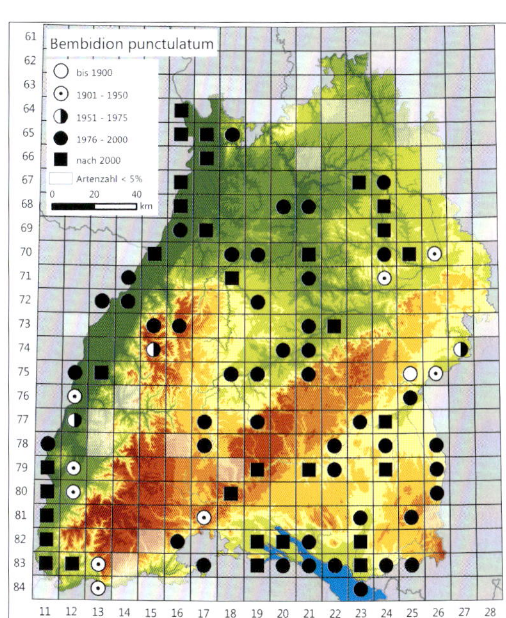

viduenzahl) auch in eher lichten Wäldern sowie in Wald-Offenland-Ökotonen angetroffen werden.
Gefährdung und Schutz: *B. properans* ist weder bundesweit (Stand 2015) noch in Bad.-Württ. (Stand 2005) gefährdet. Aufgrund der weiten Verbreitung mit Auftreten in unterschiedlichen, häufig ungefährdeten Lebensraumtypen ist auch keine zukünftige Gefährdung absehbar. Kein Handlungsbedarf.

Bembidion punctulatum

Drapiez, 1820

Grobpunktierter Ahlenläufer

Allgemeine Verbreitung: Euro-mediterran verbreitete Art. Sie stößt in Deutschland an ihre nördliche Arealgrenze und ist vor allem in der südlichen Hälfte sowie im zentralen Deutschland weit verbreitet, während sie nach Norden hin bis in den Hamburger Raum vorkommt und nur in großen Teilen Schleswig-Holsteins sowie Mecklenburg-Vorpommerns fehlt.
Vorkommen in Baden-Württemberg: Schwerpunktmäßig entlang der größeren Flusstäler (neben Rhein und Donau u. a. Iller, Neckar, Enz) und im Bodenseeraum verbreitet, in teils sehr unterschiedlicher Funddichte und Häufigkeit.
Lebensweise und Habitat: Flugfähige (makroptere) Art. Paarung und Eiablage (schwerpunktmäßig) im Frühjahr und Larvalentwicklung ab Frühjahr/Sommer. Die Weibchen von *B. punctulatum* verpacken ihre Eier bei der Ablage einzeln in einen Substratkokon; MEISSNER (1983) schreibt aus der Hälterung im Labor: „Hinter abgedunkelten Glasscheiben graben Weibchen charakteristisch geformte Gänge von 4 bis 6 cm Länge in den eingebrachten Ufersand, an deren Ende sich eine erweiterte Kammer befindet […]. Zwar konnte die Eiablage in diesen Röhren nicht definitiv beobachtet werden, doch fanden sich wenige Tage nach deren Fertigung Larven des 1. Stadiums in den Versuchsbehältern.“ Aktive Imagines wurden in

Bembidion punctulatum. Foto: M. Bräunicke.

Bembidion punctulatum ist eine Art der kies- oder schotterreichen Ufer, die sie auch bei stärkerer Verschlammung noch besiedelt. Das Bild zeigt von der Art besiedelte Ufer an der Enz bei Niedrigwasser.

Bad.-Württ. nach den ausgewerteten Daten zwischen April und Oktober registriert, mit einem Aktivitätsmaximum im Mai und Juni.

B. punctulatum ist eine Art offener, vegetationsfreier bis -armer Uferzonen überwiegend an Fließgewässern. Bei geeigneten Substraten tritt sie aber auch individuenreich an Stillgewässern auf (z. B. an Sekundärstandorten in Abbaugebieten). Meissner (1983) konnte anhand von Versuchen mit einer Substratorgel belegen, dass *B. punctulatum* grobe Materialien (Kies, Sand) klar bevorzugt, und zeigte zudem, dass die Verteilung im Freiland signifikant von der Korngröße des Substrats abhängt. Er fand die Imagines „fast ausschließlich in den mit grobem Material bedeckten, wassernahen Bezirken ohne jeglichen Pflanzenbewuchs" (Meissner 1983). *B. punctulatum* tritt in Bad.-Württ. vor allem in Uferzonen auf, denen grober Sand oder feinerer Kies zumindest beigemengt sind, und verträgt eine erhebliche Verschlammung in ihren Habitaten. Eine leichte bis mäßige Beschattung wird offenbar toleriert, höchste Individuendichten wurden jedoch an voll besonnten Standorten registriert.

Gefährdung und Schutz: *B. punctulatum* ist weder bundesweit (Stand 2015) noch in Bad.-Württ. (Stand 2005) gefährdet. Aufgrund der weiten Verbreitung mit Auftreten an vielen Uferstandorten ist trotz einer bereits erfolgten deutlichen Einengung der Lebensräume (durch Verbau von Fließgewässern mit Verlust von Uferstrukturen) auch zukünftig keine Gefährdung absehbar. Kein Handlungsbedarf.

Bembidion pygmaeum

(Fabricius, 1792)

Matter Lehm-Ahlenläufer

Allgemeine Verbreitung: Europäische Art mit eher östlichem Verbreitungsschwerpunkt, die in größeren Teilen Südwesteuropas und in Teilen Nordeuropas fehlt. In Deutschland erreicht sie ihre westliche Verbreitungsgrenze und weist daher in Westdeutschland (u. a. Nordrhein-Westfalen, Rheinland-Pfalz und Hessen) nur überwiegend punktuelle und isolierte Vorkommen auf, während sie in der ostdeutschen Hälfte trotz kleinerer Vorkommenslücken weit verbreitet ist.

Bembidion pygmaeum.
Foto: M. Bräunicke.

Vorkommen in Baden-Württemberg: Schwerpunkte im Oberrhein-Tiefland, im Voralpinen Hügel- und Moorland sowie auf der Donau-Iller-Lech-Platte. In einzelnen anderen Naturräumen existieren historische oder aktuelle Nachweise.

Lebensweise und Habitat: Art mit unterschiedlicher Flügelausbildung (dimorph bzw. polymorph), von der nach Auswertungsstand keine Flugbeobachtung vorliegt. Aktive Imagines wurden in Bad.-Württ. nach den ausgewerteten Daten zwischen März und Oktober registriert, mit einem Aktivitätsmaximum im April und Mai.

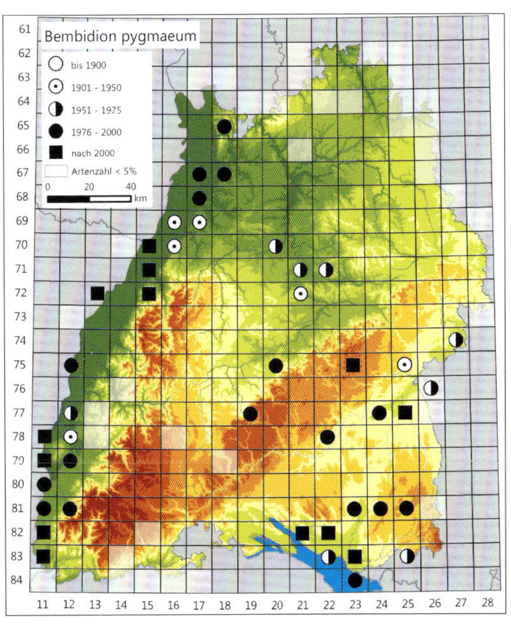

B. pygmaeum tritt auf sandigen und schluffigen oder lehmigen Rohböden, bisweilen mit Kies- oder Schotterbeimengung, auf. Die Art ist dabei nicht an Ufer gebunden. Vielmehr werden auch uferferne Rohböden vor allem an wechseltrockenen bis wechselfeuchten Standorten besiedelt. Marggi (1992) betont die Bevorzugung von sandigem Substrat („Feinsand") an Ufern, und auch Kämpfer (2004) fand sie auf Kiesinseln der Rhone „fast ausschliesslich auf dem feuchten Sandufer [...] und Feinsandstellen auf [einem] Zwischenplateau." Die baden-württembergischen Funde stammen – unabhängig davon, ob am Ufer oder uferfern – sowohl von sandigem als auch von schluffigem oder lehmig-tonigem Substrat, überwiegend aus Sand-, Lehm- und Kiesgruben. Die Fundstellen sind – soweit beschrieben – voll besonnt oder allenfalls teilweise und geringfügig beschattet und weisen oft keine oder eine nur sehr spärliche Vegetation auf.

Gefährdung und Schutz: *B. pygmaeum* ist bundesweit (Stand 2015) eine Art der Vorwarnliste und in Bad.-Württ. (Stand 2005) gefährdet sowie Naturraumart des Informationssystems Zielartenkonzept Bad.-Württ. (Stand 2009). Gefährdungsursachen sind einerseits Uferverbau, Einengung von Auestandorten und Veränderungen der hydrologischen Rahmenbedingungen sowie der Substratdynamik an größeren Fließgewässern, andererseits

Die vegetationsarmen Flächen mit bindigem Substrat im Bildvordergrund sind Lebensraum von *Bembidion pygmaeum*. Das Bild wurde in einer Kiesgrube der Donau-Iller-Lech-Platte aufgenommen.

seits Nutzungsaufgabe und Rekultivierung bisher geeigneter Standorte in Abbaugbieten. Für den Erhalt der Art sollen Ausdehnung und Qualität dynamischer Uferstrukturen vor allem entlang der größeren Fließgewässer optimiert werden, zudem müssen in Abbau- und Rekultivierungsvorhaben die Ansprüche der Art verstärkt berücksichtigt werden.

Bembidion quadrimaculatum

(Linnaeus, 1760)

Vierfleck-Ahlenläufer

Allgemeine Verbreitung: Holarktisch, allerdings mit unterschiedlichen Unterarten in der Nearktis und Paläarktis verbreitete Art (Bousquet 2012). Sie kommt in Deutschland flächendeckend in geeigneten Lebensräumen vor.

Vorkommen in Baden-Württemberg: Landesweit verbreitet, fehlende Nachweise in der Verbreitungskarte mit Ausnahme walddominierter Hochlagen des Schwarzwalds sind als Erfassungslücken, i. d. R. aber nicht als ein tatsächliches Fehlen zu interpretieren.

Lebensweise und Habitat: Flugfähige (makroptere) und überwiegend räuberische Art. Paarung und Eiablage (schwerpunktmäßig) im Frühjahr und Larvalentwicklung ab Frühjahr/Sommer. Aktive Imagines wurden in Bad.-Württ. nach den ausgewerteten Daten zwischen März und November registriert, mit einem Aktivitätsmaximum im Mai.

B. quadrimaculatum ist eine eurytope Offenlandart, die eine Vielzahl von Biotopen und Substraten besiedelt, soweit dort zumindest kleinflächig offene Bodenstellen vorhanden sind. Lindroth (1992) formuliert, die wesentlichste Voraussetzung sei eine „sehr spärliche, üblicherweise niedrige Vegetation, die volle Sonnenexposition zulässt".

Gefährdung und Schutz: *B. quadrimaculatum* ist weder bundesweit (Stand 2015) noch in Bad.-Württ. (Stand 2005) gefährdet. Aufgrund der weiten Verbreitung mit Auftreten in unterschiedlichen, vielfach ungefährdeten Lebensraumtypen des Offenlandes ist auch keine zukünftige Gefährdung absehbar. Kein Handlungsbedarf.

Bembidion quadrimaculatum. Foto: O. Bleich.

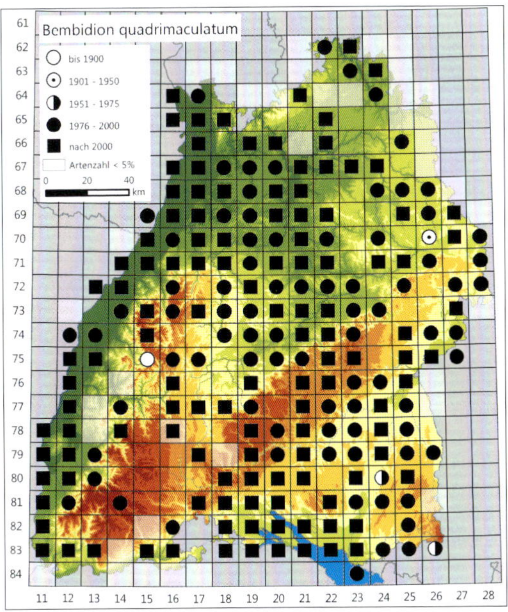

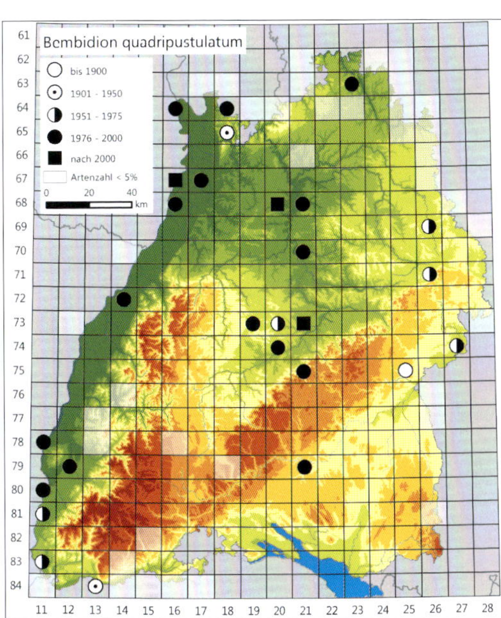

Bembidion quadripustulatum

Audinet-Serville, 1821
Schlammufer-Ahlenläufer

Allgemeine Verbreitung: Westpaläarktisch verbreitete Art, die in großen Teilen Nordeuropas fehlt. Sie ist in Deutschland mit einem Vorkommensschwerpunkt in Mittel- und Ostdeutschland weit verbreitet und weist nur im Süden (Baden-Württemberg, Bayern) größere Verbreitungslücken auf.

Vorkommen in Baden-Württemberg: Schwerpunkte im Oberrhein-Tiefland, den Neckar- und Tauber-Gäuplatten sowie dem Schwäbischen Keuper-Lias-Land, in den beiden zuletzt genannten Naturräumen sind allerdings nur lokale und teils historische Funde bekannt. Wenige Meldungen stammen aus weiteren Naturräumen. Der Fund aus dem Einzugsgebiet der Donau bei Ulm geht auf eine Meldung von P. Dolderer zurück (s. Meyer 1938, Horion 1959a) und ist in der Sammlung Dolderer auch mit näherer Fundortangabe belegt (Niederstotzingen, Säulach, 11.6.1934); der dortige Lebensraum ist heute allerdings nicht mehr für die Art geeignet (s. Kubach et al. 1999).

Lebensweise und Habitat: Flugfähige (makroptere) Art. Paarung und Eiablage nach Angaben bei Turin (2000) (schwerpunktmäßig) im Frühjahr und Larvalentwicklung ab Frühjahr/Sommer. Aktive Imagines wurden in Bad.-Württ. nach den ausgewerteten Daten zwischen April und August registriert, wobei die Verteilung der baden-württembergischen Funde im Gegensatz zu Luka et al. (2009) für die Schweiz auf ein Aktivitätsmaximum im Sommer hindeutet (höchste Zahl an Fundmeldungen aus den Monaten Juli und August).

B. quadripustulatum tritt an Ufern mit Feinsubstrat auf, das meist einen starken Anteil an organischem Material beinhaltet („schlammig"), in selteneren Fällen aber auch aus ausschließlich lehmig-tonigen Rohböden besteht (z.B. an Still-

Bembidion quadripustulatum. Foto: M. Bräunicke.

Lebensraum von *Bembidion quadripustulatum* an offenen, teils vegetationsarmen Stillgewässerufern eines ehemaligen Abbaugebiets in den Neckar- und Tauber-Gäuplatten.

gewässern in Abbaugebieten wie etwa Lehmgruben). Zudem liegen Funde von wechselfeuchten bis nassen kiesigen Flächen vor, bei denen aber davon ausgegangen werden kann, dass dort ebenfalls eine Feinsediment-Beimengung enthalten war; die Art ist keine Besiedlerin reiner Kies- oder Schotterufer. Die Fundorte sind meist voll bis überwiegend besonnt und weisen eine sehr spärliche bis lückige, vorwiegend vertikal strukturierte Vegetation auf. Typisch sind Fließ- und Stillgewässerränder mit stark schwankendem Wasserstand, bei denen an eine Zone dichterer Ried- oder Röhrichtvegetation offene Schlammflächen anschließen (so z. B. ein eutrophes Teichufer im ehemaligen Rieselfeld Freiburg, s. Trautner 1998). Möglicherweise korrespondiert die Häufung von Nachweisen im Sommer (s. o.) mit der meist flächenmäßig größeren Ausdehnung solcher offenen Habitatflächen in den trockeneren Sommermonaten (mit niedrigeren Wasserständen).

Gefährdung und Schutz: *B. quadripustulatum* ist bundesweit (Stand 2015) ungefährdet, wurde jedoch in Bad.-Württ. (Stand 2005) als gefährdet eingestuft und ist Naturraumart des Informationssystems Zielartenkonzept Bad.-Württ. (Stand 2009). Wie *B. fumigatum* und *B. octomaculatum* ist sie als Art einzuschätzen, die von im Jahresverlauf wechselnden Wasserständen mit offen liegenden Schlammflächen in der Uferzone profitiert. Als Gefährdungsursachen kommen insbesondere Entwässerung und direkte Flächenverluste sowie die Einengung von Auestandorten und die naturferne Gestaltung von Stillgewässerufern infrage. Darüber hinaus könnte sich die Stabilisierung bisher wechselnder Wasserstände in Feuchtgebieten und Uferzonen mit Vorkommen der Art negativ auswirken. Schutz- und Fördermaßnahmen sollten auf den Erhalt entsprechend geeigneter Uferzonen und deren Verbesserung oder Neuentwicklung abzielen. Auch im Rahmen der Bewirtschaftung regelbarer, fischereilich genutzter Stillgewässer bestehen Möglichkeiten, die Ansprüche der Art verstärkt zu berücksichtigen. Nach der aktuell dokumentierten Nachweissituation ist bei einer Fortschreibung der landesweiten Roten Liste eine Höherstufung der Art in die Kategorie stark gefährdet zu prüfen.

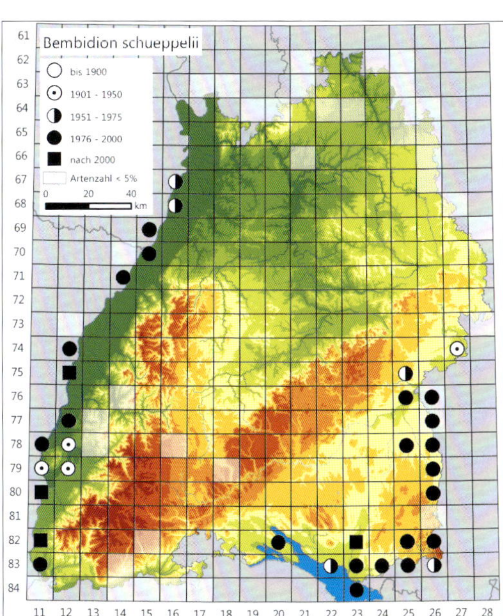

Bembidion schueppelii

Dejean, 1831

Schüppels Ahlenläufer

Allgemeine Verbreitung: Mit boreo-montanem Schwerpunkt in der Paläarktis verbreitete Art. In Deutschland kommt sie in getrennten Teilarealen einerseits relativ verbreitet im Südosten, andererseits entlang des Oberrheins sowie in den Mittelgebirgslagen West- und Ostdeutschlands vor, während sie im Nord- und Ostdeutschen Tiefland mit Ausnahme isolierter, lokaler Vorkommen weitgehend fehlt.

Vorkommen in Baden-Württemberg: Vom Bodenseeraum und dem Einzugsgebiet der Iller sowie teilweise der Donau bis in den Ulmer Raum (Teile des Voralpinen Hügel- und Moorlandes sowie der Donau-Iller-Lech-Platte) verbreitet, zudem entlang des Oberrhein-Tieflands stet vertreten. Die Meldung von Lang (1990) aus dem Neckarraum wird als zweifelhaft gewertet und dürfte auf Verwechslung zurückgehen, sie wurde daher nicht in die Datenbank übernommen. Gleiches gilt für die alte Angabe für Reutlingen (Keller 1864, v. d. Trappen 1929).

Lebensweise und Habitat: Art mit unterschiedlicher Flügelausbildung (dimorph bzw. polymorph), von der nach Auswertungsstand keine Flugbeobachtung vorliegt. Paarung und Eiablage (schwerpunktmäßig) im Frühjahr und Larvalentwicklung ab Frühjahr/Sommer. Aktive Imagines wurden in Bad.-Württ. nach den ausgewerteten Daten zwischen April und Oktober registriert, mit einem Aktivitätsmaximum im Mai und Juni.

B. schueppelii tritt an Ufern und im Auebereich auf feuchten Feinsubstraten auf, zumeist auf schluffigem bis sandigem Untergrund, und hier meist in vegetationsreicheren Flächen und ihren Übergangszonen zum offenen Ufer. Typisch ist die von Wolf-Schwenninger & Schwenninger (1992) beschriebene Fundstelle am Illerufer „mit sandig-lehmigem Substrat zwischen Schilfwurzeln". Vergleichbare, auch eigene Funde stammen unter anderem von verschiedenen Stellen des Oberrhein-Tieflands und der Donau-Iller-Lech-Platte, hier etwa aus Uferzonen der Rot. Baehr (1983) meldet sie aus dem Argensystem vereinzelt von Sandbänken, allerdings auch „auf feinerem Schotter". Die Art tritt häufig an beschatteten oder teilweise beschatteten Standorten auf, die sie möglicherweise präferiert. Daher gehören Auwaldstandorte und deren Fragmente auf geeignetem Substrat zu wichtigen Lebensräumen. Einer Zuordnung als charakteristische Weichholzauwaldart (Lebensraumtyp *91E0 des Anhangs I der FFH-Richtlinie) stehen aber die zahlreichen Nachweise außerhalb dieses Lebensraumtyps entgegen, einer Zuordnung zu einem Fließgewässer-Lebensraum-

Bembidion schueppelii. Foto: M. Bräunicke.

typ derselben Richtlinie die wenig spezifischen Vorkommen, die auch solche abseits der Ufer auf geeigneten Substraten einschließen.

Gefährdung und Schutz: *B. schueppelii* ist bundesweit (Stand 2015) ebenso wie in Bad.-Württ. (Stand 2005) eine Art der Vorwarnliste. Als Gefährdungsursachen kommen insbesondere Entwässerung und direkte Flächenverluste, die Einengung von Auestandorten sowie die naturferne Gestaltung von Fließ- und Stillgewässerufern infrage. Zur Förderung der Art können in besiedelten Räumen bereits relativ einfache Maßnahmen der Uferrenaturierung beitragen; ein wichtiger Schutzansatz ist die Wiederentwicklung naturnaher Fließgewässer mit Wasserstands- und Geschiebedynamik, die auch zu Auflandungen vor allem feinerer, sandig-schluffiger Substrate und zur Ausbildung entsprechender, stärker (auch mit Auwald und Feuchtgebüschen) bewachsener Flachuferzonen führt.

Bembidion semipunctatum. Foto: M. Bräunicke.

Bembidion semipunctatum

(Donovan, 1806)
Grünbindiger Ahlenläufer

Allgemeine Verbreitung: Holarktisch verbreitete Art, die in Europa in weiten Teilen Südeuropas sowie Nordwest- und Nordeuropas fehlt. Sie ist von Westen nach Osten vor allem im zentralen Deutschland weit verbreitet und wird aus allen Bundesländern gemeldet, während die Verbreitung im Norden und Süden lückiger wird.

Vorkommen in Baden-Württemberg: Schwerpunkt im Oberrhein-Tiefland, daneben am Hochrhein, am Bodensee (Teil des Voralpinen Hügel- und Moorlandes), lokal in den Neckar- und Tauber-Gäuplatten sowie darüber hinaus im Einzugsgebiet des Neckars im Schwäbischen Keuper-Lias-Land verbreitet. Historisch auch aus dem Ulmer Raum (Donau-Iller-Lech-Platten) belegt.

Lebensweise und Habitat: Flugfähige (makroptere) Art. Paarung und Eiablage (schwerpunktmäßig) im Frühjahr und Larvalentwicklung ab Frühjahr/Sommer; Marggi (1992) gibt unausgefärbte Imagines für die Monate August und September an. Aktive Imagines wurden in Bad.-Württ. nach den ausgewerteten Daten zwischen April und Oktober registriert, mit einem Aktivitätsmaximum im Mai.

B. semipunctatum tritt vorwiegend an Ufern, in Auwäldern und in Flutmulden auf schluffigem bis feinsandigem Substrat sowie auf Feinsedimenten mit hohem Anteil an organischen Stoffen auf. Die Fundstellen sind zumeist nur spärlich bis lückig bewachsen, können aber – obgleich die Art insgesamt besonnte Standorte bevorzugt – durch überschirmende Büsche oder Bäume stärker beschattet sein und auch eine oft sehr dünne und ebenfalls

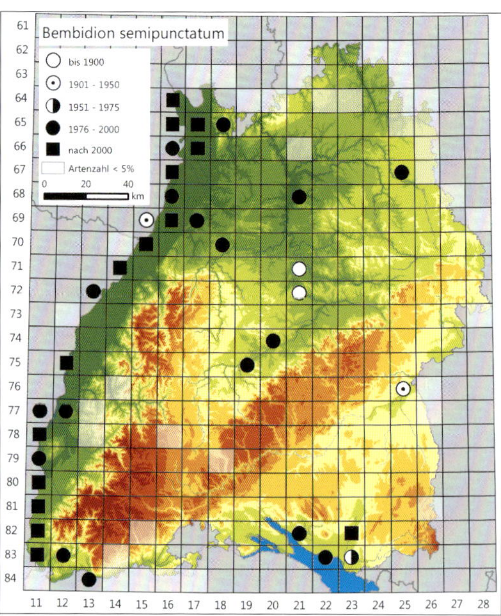

lückige Schicht an Laubstreu (z. B. Weidenblätter) aufweisen. So wiesen ZAWADZKI & SCHMIDT (1994) *B. semipunctatum* in hoher Aktivitätsdichte am periodisch überfluteten Ufer eines Altrheinarmes und ebenfalls noch in der angrenzenden Silberweidenaue nach, wenngleich dort in geringerer Dichte; dies sind typische Fundsituationen.

Gefährdung und Schutz: *B. semipunctatum* ist weder bundesweit (Stand 2015) noch in Bad.-Württ. (Stand 2005) gefährdet. Aufgrund der regional relativ weiten Verbreitung mit Auftreten in unterschiedlichen Lebensraumtypen der Ufer und Auen ist für Bad.-Württ. insgesamt auch noch keine zukünftige Gefährdung absehbar. Außerhalb des Oberrhein-Tieflands sollten aber noch vorhandene Lebensräume der Art speziell gesichert und ggf. erweitert werden. Ansonsten kein Handlungsbedarf.

Bembidion starkii

Schaum, 1860

Starks Ahlenläufer

Allgemeine Verbreitung: Diskontinuierlich zentraleuropäisch-montan in einem kleinen Areal verbreitete Art. Aus dem Süden Deutschlands, von wo die Art auch beschrieben wurde (Typusmaterial von Immenstadt i. A., s. HORION 1959a), sind vorwiegend historische und nur wenige rezente Fundmeldungen bekannt.

Vorkommen in Baden-Württemberg: V. D. TRAPPEN (1929) führt die Art nach Angabe in REITTERS Fauna Germanica – dort irrtümlich auf SCRIBA zurückgehend – für Heilbronn an und schreibt weiter: „Was ich selbst und andere früher für diese Art gehalten habe, waren alles Stücke von *dentellum* mit dunklen Epipleuren." Diese Fundangabe wurde aber bereits korrigiert, denn „Herr E. Scriba fing das Tier an Schlammufern längs der Iller, nicht aber bei Heilbronn, wo das Tier fehlt (brieflich!)" (NETOLITZKY 1913). Belegt ist die Art aus Bad.-Württ. allerdings von Ulm, einerseits durch mehrere von FORNER und GRASSEL gesammelte Tiere im Museum Dresden (MEYER 1938, HORION 1959a), andererseits duch zwei Belegexemplare aus den Jahren 1885 und 1900 aus Donaugenist in der Sammlung HUEBER in Ulm (HORION 1959a). HORION meinte zu letzteren, diese Tiere seien „sicher aus dem Allgäu angeschwemmt", und neue Funde müssten zeigen, „[o]b die Art nun bei Ulm autochthon vorkommt". Dieser Einschätzung wird

Bembidion starkii. Foto: M. Bräunicke.

nicht gefolgt, sondern vielmehr von Bodenständigkeit ausgegangen: Aufgrund der früher im Ulmer Raum an Donau und Iller vorhandenen Auwald- und Uferstrukturen ist ein dort ehemals autochthones Vorkommen plausibel, zudem liegen mehrere Belege unterschiedlicher Sammler und aus unterschiedlichen Jahren vor.

Lebensweise und Habitat: Für Angaben zu Flugfähigkeit, Phänologie und Aktivitätsmaximum liegen keine ausreichenden Daten vor; uns bekannte Funde außerhalb Baden-Württembergs stammen aus den Monaten April und Mai.

B. starkii ist eine Uferart mit Schwerpunktvorkommen auf schlammigen Substraten in Sedimen-

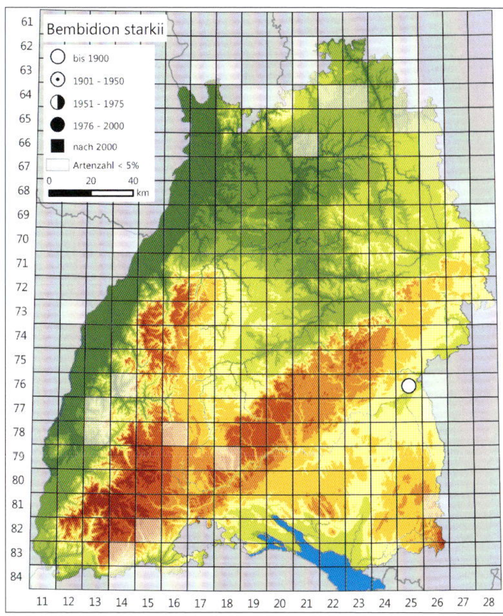

tationszonen entlang von Fließgewässern. FREUDE (1972) nennt im Zusammenhang mit dem Fund einer anderen Art eine Stelle „an einem toten Arm der Isar in der Nähe des früheren Vorkommens von *B[...] starkii*, das völlig verschwunden ist." NETOLITZKY (1913) führt aus: „Man suche das Tier besonders in Laubwäldern an Sumpfstellen, Quelltümpeln, alten Prügelwegen usw., dort, wo der Pflanzenwuchs nicht allzu dicht ist. Durch Erschütterung des Bodens (Treten, Schlagen usw.) treibt man das Tier aus den Verstecken, meist mit *B. dentellum* gemeinsam." Er weist darauf hin, dass die Art auch an Stillgewässerufern („Teichrändern") gefunden worden ist. PAILL & HOLZER (2003) schreiben anhand eines Wiederfundes in der Steiermark als einzigem rezenten Vorkommen der Art im Osten Österreichs, dass sie „schlammige Ufer von Waldbächen in tiefen Lagen [besiedelt] und [im dortigen] Gebiet entlang eines kleinen durch einen Bruchwald strömenden Gerinnes festgestellt werden" konnte. Eigene Funde außerhalb Baden-Württembergs stammen aus dem überwiegend besonnten Nebengerinne eines Flusses, das offene Lehm- und Schlammbänke aufwies. Vor dem Hintergrund, dass keine aktuellen Vorkommen aus Bad.-Württ. bekannt sind, wird eine eventuelle Zuordnung als charakteristische Art bestimmter Lebensraumtypen des Anhangs I der FFH-Richtlinie hier nicht diskutiert.

Gefährdung und Schutz: Aufgrund der Areal- und Gefährdungssituation (in über 2/3 ihres Gesamtareals gefährdet, die deutschen Vorkommen liegen im Hauptareal) hat Deutschland eine hohe Verantwortlichkeit für den Erhalt der Art (Einstufung !; vgl. SCHMIDT et al. 2016). *B. starkii* ist bundesweit (Stand 2015) vom Aussterben bedroht und in Bad.-Württ. (Stand 2005) bereits ausgestorben oder verschollen. Da keine Hinweise auf eventuell noch vorhandene Populationen in Bad.-Württ. vorliegen und auch die noch bekannten Vorkommen in Bayern (vgl. TRAUTNER et al. 2014) und Österreich relativ weit entfernt liegen, ist die Wiederetablierung von Vorkommen der Art im Land schon vor diesem Hintergrund unwahrscheinlich. Zudem dürften potenziell geeignete Habitate heute fehlen. Ein spezifischer Handlungsbedarf wird nicht gesehen.

Bembidion stephensii

Crotch, 1869

Großer Lehmwand-Ahlenläufer

Allgemeine Verbreitung: Europäische Art mit südost- und zenraleuropäischem Schwerpunkt, die in größeren Teilen Nord- und Südeuropas fehlt; in Nordamerika eingeschleppt (BOUSQUET 2012). Sie ist in Deutschland weit verbreitet, kommt in allen Bundesländern vor und weist nur im Südosten und im Norden kleinere Verbreitungslücken auf.

Vorkommen in Baden-Württemberg: Landesweit eher lückig mit Schwerpunkt in submontanen bis montanen Lagen verbreitet. Die höchste Nachweisdichte liegt aus Teilen der Neckar- und Tauber-Gäuplatten sowie dem Schwäbischen Keuper-Lias-Land vor.

Lebensweise und Habitat: Flugfähige (makroptere) und räuberische Art. Paarung und Eiablage (schwerpunktmäßig) im Frühjahr und Larvalentwicklung ab Frühjahr/Sommer. Aktive Imagines wurden in Bad.-Württ. nach den ausgewerteten Daten zwischen März und Oktober registriert, mit einem Aktivitätsmaximum im Mai.

B. stephensii besiedelt offene Rohböden mit

Bembidion stephensii. Foto: M. Bräunicke.

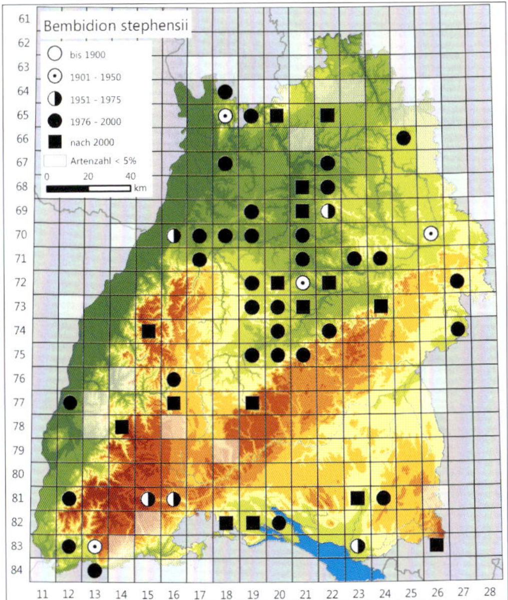

lehmigem oder sandig-lehmigem Substrat, bei offenbar höheren Flächenansprüchen als die verwandte Art *B. deletum*, wobei die Standorte besonnt oder beschattet sein können. So liegen sowohl Funde von Felsanrissen und Verwitterungshalden oberhalb von Weinbergen in Südexposition (Raum Heilbronn) als auch von tief eingeschnittenen und vollständig beschatteten Lehmwänden in Bachtobeln vor (jeweils eigene Daten). Baehr (1980) beschreibt aus dem Schönbuch im zentralen Bad.-Württ. Funde „von fast unbewachsenen feuchten Tonflächen und von einer schattigen Hangrutschung“. Die Art dringt – wie die beiden anderen Arten *B. deletum* und *B. milleri* – tief ins Substrat vor und kann bei ungünstigen (heißen und trockenen) Witterungsbedingungen durch Aufgraben im dortigen Lückensytem gefunden werden, zum Beispiel in lehmgefüllten Spalten zwischen Felsnasen. Typische Fundstellen sind stark geneigt bis steil.

Gefährdung und Schutz: *B. stephensii* ist weder bundesweit (Stand 2015) noch in Bad.-Württ. (Stand 2005) gefährdet. Aufgrund der recht weiten Verbreitung mit Auftreten in unterschiedlichen, teilweise ungefährdeten Lebensraumtypen ist auch keine zukünftige Gefährdung absehbar. Kein Handlungsbedarf.

Lehmige oder sandig-lehmige Rohböden von etwas größerer Fläche, wie hier in einem Abbaugebiet im Osten Baden-Württembergs, werden von *Bembidion stephensii* bevorzugt.

Bembidion striatum

(Fabricius, 1792)

Gestreifter Ahlenläufer

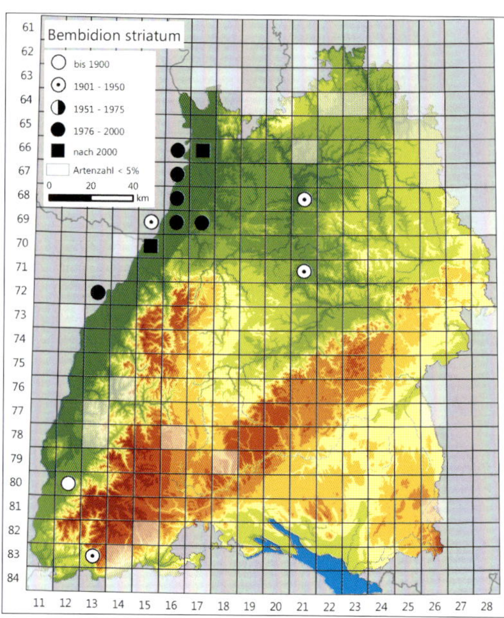

Allgemeine Verbreitung: Paläarktisch verbreitete Art, die in Europa sowohl im Norden als auch im äußersten Süden fehlt und in einigen Teilen ihres ehemaligen Verbreitungsareals bereits erloschen ist. Eine Verbreitungskarte für den westlichen Arealteil (Europa) findet sich bei Bräunicke & Trautner (1999). Die in Deutschland an ihre nördliche Arealgrenze stoßende Art besiedelte hier bis zur Jahrhundertwende noch alle größeren Flusssysteme (u. a. Rhein, Elbe, Donau, Oder, Weser, Ems), ehe sie überregional massive Bestandseinbrüche erlitt und aktuell nur noch vom nördlichen Oberrhein (Baden-Württemberg) bis zum Niederrhein (Nordrhein-Westfalen) an der niederländischen Grenze vorkommt.

Vorkommen in Baden-Württemberg: Aktuell noch im nördlichen Teil des Oberrhein-Tieflands vertreten, von dort bereits durch Netolitzky (1918b), später unter anderem von Gladitsch (1978) und Forcke (2012) gemeldet. Zudem historische Nachweise aus dem Neckarraum (Stuttgart, Heilbronn) sowie bei Schopfheim aus dem Übergangsbereich des Hochschwarzwalds zum Rheintal (dort leg. Hartmann, s. Netolitzky 1918b). Auch von Fischer (1843: „nicht häufig") für den Freiburger Raum angegeben. Die Angaben v. d. Trappens (1929) für Urlau nach Pfarrer Müller und für Reutlingen unter Bezug auf Keller (1864) wurden als zweifelhaft eingestuft und nicht in die Datenbank übernommen. Dagegen liegen sowohl für den von ihm geführten Fundort Heilbronn (zurückgehend auf Scriba) als auch für Stuttgart historische Belege vor (Staatliches Museum für Naturkunde Stuttgart), zudem sind ehemalige Vorkommen aufgrund der früheren Habitatausstattung am Neckar in diesen Abschnitten ebenfalls plausibel.

Lebensweise und Habitat: Flugfähige (makroptere) Art. Paarung und Eiablage (schwerpunktmäßig) im Frühjahr und Larvalentwicklung ab Frühjahr/Sommer. Aktive Imagines wurden in Bad.-Württ. nach den ausgewerteten Daten zwi-

Bembidion striatum.

schen Mai und Oktober registriert, für die Angabe eines Aktivitätsmaximums liegen keine ausreichenden Daten aus Bad.-Württ. vor. Die höchste monatliche Anzahl der von Bräunicke & Trautner (1999) ausgewerteten Funddaten stammte aus dem Mai.

B. striatum hat nach Bräunicke & Trautner (1999) ähnliche Ansprüche wie *B. foraminosum*, kommt demgegenüber aber auch in Sekundärbiotopen vor und zeigt etwas geringere Flächenansprüche. Habitate der Art sind vegetationsfreie bis -arme Sandufer und -bänke, teilweise wird auch schluffiges Substrat besiedelt. Von Bräunicke & Trautner (1999) wird auf die Möglichkeit verwiesen, dass „für das Vorkommen von *B. striatum* [...] neben dynamischen Uferstrukturen eine hinreichend gute Wasserqualität erforderlich [sein könnte]. Dies könnte z.B. die Rückgänge der Art an der Elbe und deren Zuflüssen erklären. Hier verschwand *B. striatum* Mitte diesen Jahrhunderts, zur Zeit allgemein stark ansteigender Gewässerverschmutzung.“ *B. striatum* ist als charakteristische Art der Fließgewässer-Lebensraumtypen 3260 und 3270 (Fließgewässer mit flutender Wasservegetation, Schlammige Flussufer mit Pioniervegetation) aus Anhang I der FFH-Richtlinie, zumindest in bestimmten Ausprägungen, einzuordnen.

Gefährdung und Schutz: *B. striatum* ist bundesweit (Stand 2015) und in Bad.-Württ. (Stand 2005) vom Aussterben bedroht, zudem ist sie Landesart A des Informationssystems Zielartenkonzept Bad.-Württ. (Stand 2009). Wie bei *B. litorale* und weiteren Arten der Verwandtschaftsgruppe sind auch die ursprünglichen Lebensräume dieser Art durch den Ausbau der großen Fließgewässer weitgehend zerstört worden. Nur im Rahmen umfangreicher, dringend erforderlicher Revitalisierungsprojekte an größeren Fließgewässern kann eine ausreichende Flächenverfügbarkeit notwendiger Habitate in mehr oder weniger naturnahen Lebensraumkomplexen mittel- bis langfristig wiederhergestellt werden. Im Oberrhein-Tiefland sollte – ausgehend von den dokumentierten Funden – eine Prüfung auf weitere Vorkommen dieser und weiterer Arten der engeren Verwandtschaftsgruppe vorgenommen und ein spezifisches Schutzkonzept erarbeitet werden. Zudem ist es wesentlich, dass bei Abbau- und Rekultivierungsvorhaben die Ansprüche dieser Art verstärkt berücksichtigt werden, da Sekundärlebensräume wesentlich zur Bestandsstützung beitragen.

Bembidion testaceum

(Duftschmid, 1812)

Ziegelroter Ahlenläufer

Allgemeine Verbreitung: Europäische Art, die in Deutschland an ihre nordöstliche Arealgrenze stößt und nach Südosten über Südeuropa Kleinasien erreicht. Sie fehlt in größeren Teilen Südwesteuropas und im Norden. In Deutschland ist sie heute vorrangig in der Südhälfte Bayerns und Baden-Württembergs über den Oberrhein bis zum Niederrhein (Nordrhein-Westfalen) verbreitet, während sie aufgrund massiver Bestandseinbrüche in Nord-, Mittel- und Ostdeutschland großflächige Arealverluste zu verzeichnen hatte und dort inzwischen weitestgehend fehlt (s. Verbreitungskarte bei Trautner et al. 2014).

Vorkommen in Baden-Württemberg: Schwerpunkte im Oberrhein-Tiefland und im Voralpenraum (Donau-Iller-Lech-Platte, Voralpines Hügel- und Moorland). Daneben mit lokal begrenzten Vorkommen am Hochrhein, an einzelnen größeren, aus dem Hochschwarzwald kommenden Fließgewässern (u.a. Wiese bei Schopfheim) und gebietsweise im Einzugsbereich des Neckars vertreten.

Lebensweise und Habitat: Art mit vollständig entwickelten Hinterflügeln (makropter), von der nach Auswertungsstand keine direkte Flugbeobachtung vorliegt, die jedoch bereits an Lichtquellen be-

Bembidion testaceum. Foto: M. Bräunicke.

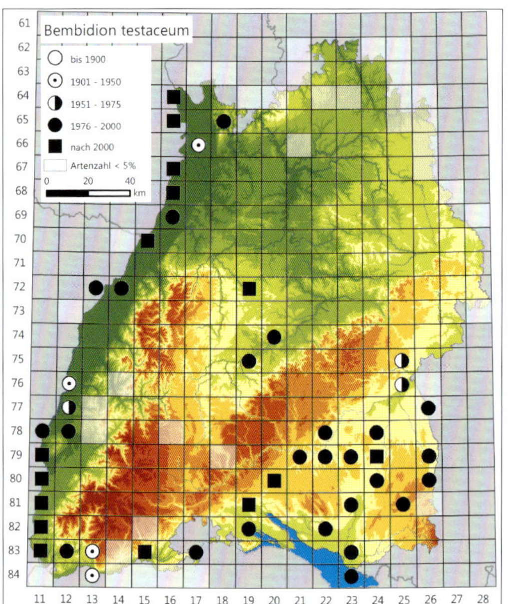

obachtet wurde und dort angeflogen sein dürfte (eigene Daten). Von Paarung und Eiablage ist (schwerpunktmäßig) im Frühjahr und von Larvalentwicklung ab Frühjahr/Sommer auszugehen, da Funde überwinternder Imagines dokumentiert sind (Marggi 1992) und immature Tiere in Bad.-Württ. in den Sommermonaten gefunden wurden (eigene Daten). Aktive Imagines wurden in Bad.-Württ. nach den ausgewerteten Daten zwischen April und Oktober registriert, mit einem Aktivitätsmaximum im Mai.

B. testaceum ist eine Art voll bis überwiegend besonnter, vegetationsfreier bis -armer Grobsubstratufer (Schotter, Kies, Geröll), die natürlicherweise vorwiegend an Fließgewässern, teils aber auch an Stillgewässern auftritt (Sekundärgewässer in Abbaugebieten, besonders Kiesgruben). Die Grobsubstrate können unterschiedliche Beimengungen aufweisen (z. B. Schluff, Sand). In Einzelfällen wurde die Art in Bad.-Württ. auch auf uferferneren, wechselfeuchten Kies- oder Schotterflächen festgestellt. Einen wesentlichen Anteil der Lebensraumfläche von heute noch bestehenden Populationen dieser Art stellen Abbaugebiete, wobei die dortigen Habitate nicht dauerhaft sind. An einigen Fließgewässerabschnitten konzentrieren sich Vorkommen von *B. testaceum* aufgrund des Gewässer- und Uferverbaus auf die wenigen offenen Kies- oder Schotterbereiche in Restwasserstrecken unterhalb von Wehranlagen.

Gefährdung und Schutz: *B. testaceum* ist bundesweit (Stand 2015) wie auch in Bad.-Württ. (Stand 2005) gefährdet, zudem ist sie Naturraumart des Informationssystems Zielartenkonzept Bad.-Württ. (Stand 2009). Sie gehört zu den Uferarten stark dynamischer Fließgewässer, deren Bestände in hohem Maße durch Verbau sowie Veränderungen der hydrologischen Rahmenbedingungen einschließlich des Geschiebetransports beeinträchtigt sind, auch wenn die Art in Bad.-Württ. derzeit noch etwas weiter verbreitet ist. Wichtige Ziele sind die Erhaltung und (Wieder-)Entwicklung geeigneter Habitate mit einer für die Art erforderlichen Dynamik der Substratverlagerung, insbesondere auch für gröberes Material, sowie die Ausweitung entsprechender Ufer und Bänke.

Bembidion tetracolum

Say, 1823

Gewöhnlicher Ufer-Ahlenläufer

Allgemeine Verbreitung: Westpaläarktisch verbreitete Art, in Nordamerika eingeschleppt (Bousquet 2012). Sie kommt in Deutschland flächendeckend in geeigneten Lebensräumen vor.

Vorkommen in Baden-Württemberg: Landes-

Bembidion tetracolum. Foto: M. Bräunicke.

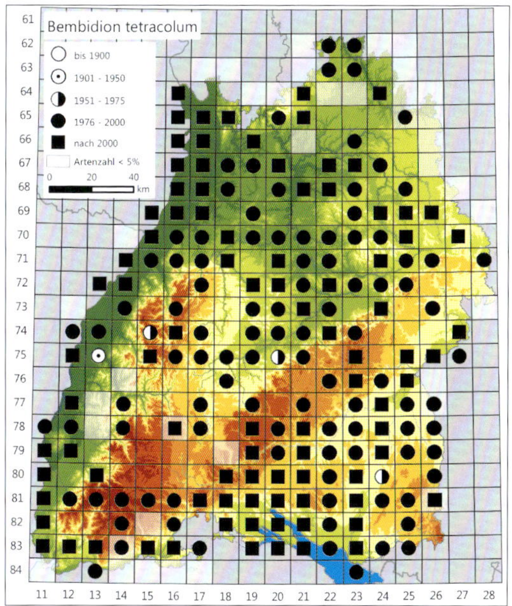

weit verbreitet, lediglich in den Hochlagen des Schwarzwalds und in fließgewässerarmen Regionen lückiger vertreten; fehlende Nachweise in der Verbreitungskarte sind aber i. d. R. als Erfassungslücken, nicht als ein tatsächliches Fehlen zu interpretieren.

Lebensweise und Habitat: Flugfähige (dimorphe bzw. polymorphe) und überwiegend räuberische Art. Paarung und Eiablage (schwerpunktmäßig) im Frühjahr und Larvalentwicklung ab Frühjahr/Sommer. Aktive Imagines wurden in Bad.-Württ. nach den ausgewerteten Daten zwischen März und Oktober registriert, mit einem Aktivitätsmaximum im Mai.

B. tetracolum ist in Bad.-Württ. größtenteils eine Uferbewohnerin und sowohl an Fließ- als auch an Stillgewässern mit vegetationsarmen Uferzonen weit verbreitet. Die Art präferiert dabei, wie unter anderem bereits bei BAEHR (1980) für den Schönbuch im zentralen Bad.-Württ. vermerkt, keine groben Substrate; sie tritt allerdings auch an Kies- und Schotterufern auf, wenn diese mit Feinsubstrat vermengt sind oder an Zonen mit eben solchem angrenzen. Ihre Lebensräume können voll besonnt oder stark beschattet sein. Während *B. tetracolum* im Nordwesten Deutschlands allgemein relativ stet im Offenland vertreten und zum Beispiel in Schleswig-Holstein auf „allen lehmigen bis sandig-lehmigen Äckern [...] in großer Anzahl vorhanden" ist (IRMLER & GÜRLICH 2004), tritt sie zwar auch in Bad.-Württ. auf Äckern und in anderen uferfernen Standorten mit offenen Bodenstellen (etwa in Abbaugebieten) auf, dies aber regional ganz überwiegend nur in geringer Aktivitätsdichte und Stetigkeit. An vielen Ackerstandorten wurde die Art überhaupt nicht nachgewiesen, so von KUBACH (1995) im Kraichgau und von KLINGER (1987) bei Heilbronn oder im Rahmen der Untersuchung von Weizenbeständen auf Ackerparzellen unterschiedlicher Naturräume durch FEURER (1985). Ebenso wenig wurde die Art bei der Untersuchung einer ganzen Reihe von Ackerstandorten und ihren Begleitstrukturen auf der Schwäbischen Alb festgestellt (eigene Daten und RECK, unveröff.). Etwas abweichend ist die Situation offensichtlich nur in den Naturräumen der Donau-Iller-Lech-Platte, des Voralpinen Hügel- und Moorlandes sowie in Teilen des Oberrhein-Tieflands, aus denen jeweils ein häufigeres oder steteres Auftreten der Art auch in Äckern und Ackerrandstreifen belegt ist, wahscheinlich im Zusammenhang mit vorherrschenden Substrat- oder klimatischen Bedingungen.

Gefährdung und Schutz: *B. tetracolum* ist weder bundesweit (Stand 2015) noch in Bad.-Württ. (Stand 2005) gefährdet. Aufgrund der weiten Verbreitung mit Auftreten vor allem an Ufern, zudem in unterschiedlichen Lebensraumtypen des Offenlands, ist auch keine zukünftige Gefährdung absehbar. Kein Handlungsbedarf.

Bembidion tibiale

(Duftschmid, 1812)

Großer Uferschotter-Ahlenläufer

Allgemeine Verbreitung: Vorwiegend montan bis alpin in West-, Mittel- und Südosteuropa verbreitete Art, die im Südosten Kleinasien erreicht. In Deutschland gehört sie zu den von Süden bis zum Nordrand der Mittelgebirge recht verbreiteten Laufkäferarten, sie fehlt jedoch im Nord- und Ostdeutschen Tiefland.

Vorkommen in Baden-Württemberg: Landesweit verbreitet mit Schwerpunkt in montanen bis submontanen Lagen, geringere Präsenz lediglich auf der Schwäbischen Alb (mit Ausnahme von deren Randlagen) aufgrund der dort eher geringen Dichte geeigneter Fließgewässer, sowie im Oberrhein-Tiefland; fehlende Nachweise in der Verbreitungskarte sind ansonsten i. d. R. als Erfassungslücken, aber nicht als ein tatsächliches Fehlen zu interpretieren.

Bembidion tibiale.

Lebensweise und Habitat: Flugfähige (makroptere) Art. Paarung und Eiablage (schwerpunktmäßig) im Frühjahr und Larvalentwicklung ab Frühjahr/ Sommer. Aktive Imagines wurden in Bad.-Württ. nach den ausgewerteten Daten zwischen Februar und November registriert, mit einem Aktivitätsmaximum im April und Mai. Unausgefärbte Tiere fand Baehr (1980) im Schönbuch im zentralen Bad.-Württ. vor allem im Juli und August.

B. tibiale ist die häufigste und am weitesten verbreitete uferbewohnende *Bembidion*-Art der vegetationsfreien Uferschotter kleinerer Bäche und Flüsse. Sie bewohnt sowohl vollständig beschattete als auch besonnte Bänke und Ufer.

Gefährdung und Schutz: *B. tibiale* ist weder bundesweit (Stand 2015) noch in Bad.-Württ. (Stand 2005) gefährdet. Aufgrund der weiten Verbreitung an Ufern ist auch keine zukünftige Gefährdung absehbar, wenngleich auch diese Art Rückgänge etwa durch Uferverbau zu verzeichnen hat. Kein Handlungsbedarf.

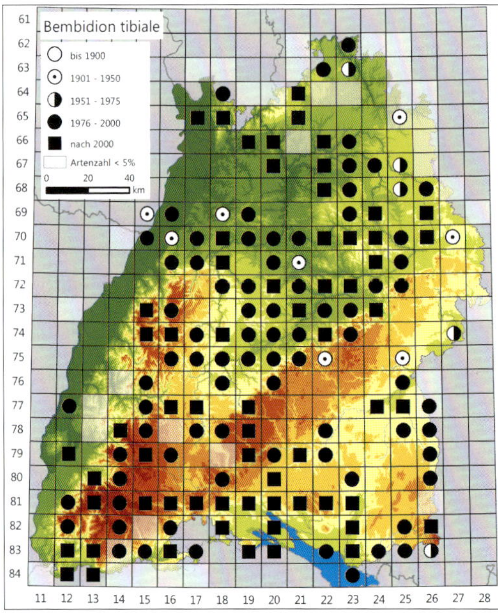

Bembidion varicolor

Fabricius, 1803

Zweifarbiger Ahlenläufer

Allgemeine Verbreitung: Europäische Art mit montaner bis alpiner Verbreitung in Mittel- und Südeuropa. Sie stößt in Deutschland an ihre nördliche Arealgrenze und kommt nur in der Südhälfte Bayerns und Baden-Württembergs vor.

Vorkommen in Baden-Württemberg: Schwerpunktvorkommen entlang des Argensytems in der Adelegg und im Westallgäuer Hügelland (Teile des Voralpinen Hügel- und Moorlands), im Südosten des Landes zudem entlang von Iller und Riß in den Donauraum vorstoßend (Donau-Iller-Lech-Platte). Außerdem vom Baar-Wutach-Gebiet (s. Sokolowski 1958, Kless 1961) über den Hochrhein in den südlichsten Bereich des Oberrhein-Tieflands und diesem aus dem Hochschwarz-

Bembidion varicolor. Foto: M. Bräunicke.

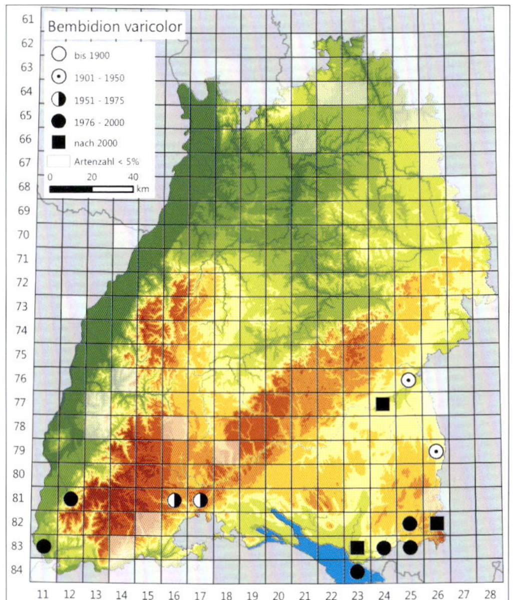

wald zuführenden größeren Fließgewässern vordringend; in diesen Bereichen überwiegend wohl nur lokale, eng begrenzte Vorkommen. Die Meldung v. d. Trappens (1929) für Ulm ist durch historische Belege der Sammler Forner und Grassel im Museum Dresden bestätigt (s. Meyer 1938. Horion 1959a), und auch seine Angabe für Urlau (nach Pfarrer Müller) ist unter anderem vor dem Hintergrund der sonstigen neueren Funde in jenem Raum plausibel.

Lebensweise und Habitat: Flugfähige (makroptere) Art. Aktive Imagines wurden in Bad.-Württ. nach den ausgewerteten Daten zwischen Mai und Oktober registriert, für die Angabe eines Aktivitätsmaximums liegen aus Bad.-Württ. keine ausreichenden Daten vor. Marggi (1992) gibt ein gehäuftes Auftreten für die Zeitspanne von April bis Juli an, vermutlich abhängig von der Höhenlage.

B. varicolor ist eine Art vollständig bis überwiegend besonnter, vegetationsarmer bis -freier Ufer, Bänke und Aufschwemmungen aus Schotter oder Kiessubstrat. An schotterreichen Flussufern der Nordalpen zählt *B. varicolor* zu den häufigsten und stet vertretenen Arten, wobei sie hier auch im Gegensatz zu einigen anderen Arten noch Abschnitte mit Geschiebedefiziten und erheblichem Längsverbau individuenreich zu besiedeln vermag (Manderbach 2002). Baehr (1983) schreibt über die Art nach Funden im Argensystem, dass sie „den groben Schotter von Bächen und Flüssen [bewohnt]“ und sich „meist unmittelbar an der Was-

Kiesinsel in einem der wenigen noch naturnahen Abschnitte der Riß mit Nachweis von *Bembidion varicolor*. Das dortige Vorkommen stellt das nördlichste aktuell bekannte der Art in Baden-Württemberg dar.

serlinie“ findet. Sie ist als charakteristische Art des Lebensraumtyps 3240 (Alpine Flüsse mit Lavendelweiden-Ufergehölzen) sowie bestimmter Ausprägungen des Lebensraumtyps 3260 (Fließgewässer mit flutender Wasservegetation) aus Anhang I der FFH-Richtlinie einzustufen.

Gefährdung und Schutz: *B. varicolor* ist bundesweit (Stand 2015) eine Art der Vorwarnliste (was auf die trotz Rückgängen noch großen Vorkommen in Bayern zurückgeht) und in Bad.-Württ. (Stand 2005) als gefährdet eingestuft sowie Landesart B des Informationssystems Zielartenkonzept Bad.-Württ. (Stand 2009). Aufgrund der aktuell dokumentierten Nachweissituation außerhalb gut besiedelter Abschnitte des Argensystems ist im Rahmen einer Fortschreibung der landesweiten Roten Liste eine Höherstufung der Art in die Kategorie stark gefährdet zu prüfen. Wie alle Uferarten sehr dynamischer Fließgewässer ist auch sie durch deren starke Beeinträchtigung aufgrund von Verbau und Veränderungen der hydrologischen Rahmenbedingungen einschließlich des Geschiebetransports gefährdet. Daneben stellt zumindest in bestimmten Fließgewässerabschnitten die starke Freizeitnutzung eine erhebliche Belastung dar. Wichtige Ziele sind daher die Erhaltung und (Wieder-)Entwicklung geeigneter Habitate mit einer für die Art erforderlichen Dynamik der Substratverlagerung, insbesondere auch für gröberes Material, sowie die Ausweitung entsprechender Ufer und Bänke und deren Schutz vor zu starker Freizeitnutzung. Ausgehend von den bisher bekannten Vorkommen sollten außerhalb des Argensystems potenziell geeignete Gewässer einer Prüfung unterzogen und bei Nachweis entsprechende Abschnitte in Schutzkonzepte aufgenommen werden.

Bembidion varium. Foto: M. Bräunicke.

Bembidion varium

(Olivier, 1795)

Veränderlicher Ahlenläufer

Allgemeine Verbreitung: Paläarktisch verbreitete Art. Sie ist in Deutschland fast flächendeckend vertreten und kommt in geeigneten Lebensräumen stetig vor.

Vorkommen in Baden-Württemberg: Schwerpunkte im Oberrhein-Tiefland und im Voralpinen Hügel- und Moorland, daneben vor allem in Teilen der Neckar- und Tauber-Gäuplatten sowie des Schwäbischen Keuper-Lias-Landes vertreten. Fehlt vollständig bis weitestgehend im Schwarzwald und auf der Schwäbischen Alb, zudem nur punktuelle und überwiegend historische Nachweise aus dem Donauraum.

Lebensweise und Habitat: Flugfähige (makroptere) und räuberische Art. Paarung und Eiablage (schwerpunktmäßig) im Frühjahr und Larvalentwicklung ab Frühjahr/Sommer. Aktive Imagines wurden in Bad.-Württ. nach den ausgewerteten Daten zwischen April und Oktober registriert, ein deutlich erkennbares Aktivitätsmaximum lässt sich aus den vorliegenden Daten nicht ableiten. Für die Niederlande gibt Turin (2000) die höchsten Nachweiszahlen im Mai an und schreibt, dass Jungtiere der neuen Generation in den Monaten August und September erscheinen.

B. varium tritt vor allem auf besonnten bis überwiegend besonnten Feinsedimentufern auf, die oft einen hohen Anteil an organischem Substrat aufweisen („schlammig“). Meist ist an den Fundstellen eine lückige, stark vertikal strukturierte Vegetation ausgebildet, oder sie grenzen an eine typische Ried- oder Röhrichtvegetation an. Entsprechende Lebensräume finden sich besonders an Bach- und Flussufern, an Ufern dauerhafter Stillgewässer mit stärker schwankendem Wasserstand (auch im Bereich gesömmerter Teiche) sowie an ephemeren oder periodisch überfluteten Kleingewässern.

Irmler & Gürlich (2004) beschreiben aus dem Elbetal in Schleswig-Holstein auffallend hohe Dichten „an schlammigen Ufern, wie sie insbesondere für Flutmulden typisch sind“. Im Feucht- und Nassgrünland kann die Art auch dann auftreten, wenn in der dortigen Bodenvegetation nur relativ kleinflächig Störstellen mit offenem Boden etwa durch Tritt von Weidetieren oder Befahren mit landwirtschaftlichen Maschinen vorhanden sind.

Bembidion velox.

Gefährdung und Schutz: *B. varium* ist weder bundesweit (Stand 2015) noch in Bad.-Württ. (Stand 2005) gefährdet. Aufgrund der relativ weiten Verbreitung mit Auftreten in unterschiedlichen Feucht- und Uferlebensräumen ist auch keine zukünftige Gefährdung absehbar. Kein Handlungsbedarf.

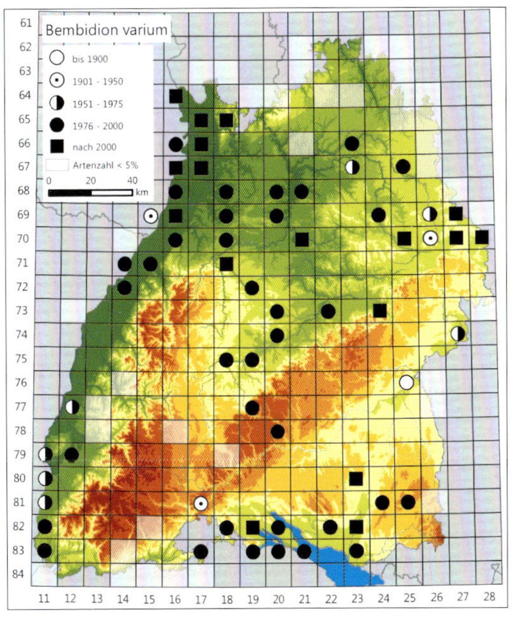

Bembidion velox

(Linnaeus, 1760)

Grünfleck-Ahlenläufer

Allgemeine Verbreitung: Das Gesamtareal der Art erstreckt sich von Mittelfrankreich bis Sibirien, wobei in Europa die Zonen nördlich des 47. Breitengrads mit Ausnahme der Britischen Inseln und Dänemarks zum Verbreitungsgebiet gehören. Eine Verbreitungskarte für den westlichen Arealteil (Europa) ist bei Bräunicke & Trautner (1999) abgebildet. Die in Deutschland an ihre südliche Arealgrenze stoßende Art besiedelte bis zur Jahrhundertwende noch alle größeren Flusssysteme vor allem in der nördlichen Hälfte, kam allerdings in Süddeutschland auch historisch dokumentiert nur (noch) lokal, unter anderem im Einzugsgebiet der Donau vor, ehe sie überregional massive Bestandseinbrüche erlitt und aktuell Verbreitungsschwerpunkte nur noch an Mittel- und Niederrhein (v. a. Rheinland-Pfalz und Nordrhein-Westfalen) sowie an Mittel- und Unterelbe aufweist.

Vorkommen in Baden-Württemberg: V. d. Trappen (1929) meldet die Art für Reutlingen nach dem Verzeichnis von Keller (1864) sowie für Urlau nach Pfarrer Müller. Diese beiden Funde waren bei Bräunicke & Trautner (1999) nicht aufgenommen worden, weil sie zweifelhaft erschienen. Dem wird weiterhin gefolgt, obwohl ein ehemaliges Vorkommen im Raum Leutkirch vor dem Hintergrund älterer Angaben aus der Nordschweiz (s. Marggi 1992) und der ehemaligen

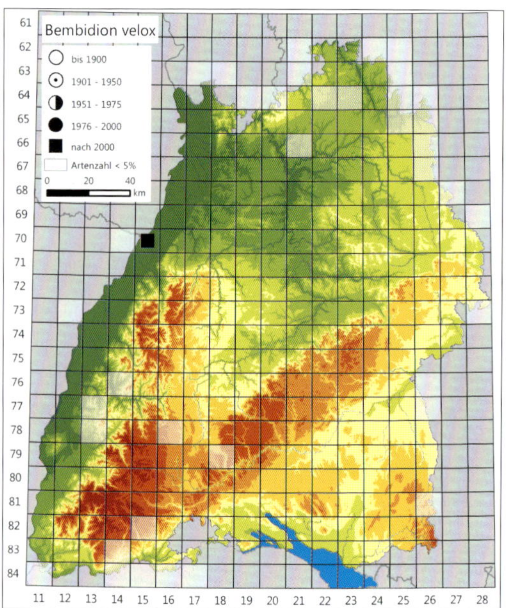

Vorkommen im bayerischen Einzugsgebiet der Donau nicht auszuschließen ist. Aus dem Oberrhein-Tiefland liegen historische Meldungen nur für die französische Rheinseite (nicht jedoch für Bad.-Württ.) vor, die aber offensichtlich nicht mehr als glaubwürdig gelten, da die Art im neuen Verzeichnis der Käfer des Elsass (Callot 2015) fehlt. Nach einem Fund auf rheinland-pfälzischer Rheinseite konnte die Art bei gezielter Suche dann 2011 auch in Bad.-Württ. aktuell nachgewiesen werden (Forcke 2012).

Lebensweise und Habitat: Flugfähige (makroptere) Art. Paarung und Eiablage (schwerpunktmäßig) im Frühjahr und Larvalentwicklung ab Frühjahr/Sommer. Aktive Imagines wurden in Bad.-Württ. nach den ausgewerteten Daten im Juli und August registriert (s. Forcke 2012). Zur Angabe eines Aktivitätsmaximums liegen aus Bad.-Württ. keine ausreichenden Daten vor; die höchste monatliche Anzahl der von Bräunicke & Trautner (1999) ausgewerteten Funddaten stammte aus dem Juni.

B. velox weist nach Bräunicke & Trautner (1999) von den Arten der näheren Verwandtschaft das am stärksten eingeschränkte Habitatspektrum auf. So hat die Art nach bundesweiten Funden einen deutlichen Vorkommensschwerpunkt an Flüssen, während Sekundärbiotope nur in geringerem Maße genutzt werden. „Als Substrat werden Sande bevorzugt, auf denen sich die Imagines fast immer in unmittelbarer Nähe zum Gewässer aufhalten (Palmen & Platonov 1943, Grube mdl. und eigene Beobachtungen)" (Bräunicke & Trautner 1999). Kleinwächter & Rickfelder (2007) untersuchten das Vorkommen der Art an der mittleren Elbe anhand von Imaginal- und Larvalnachweisen und entwickelten für sie ein Habitatmodell. Sie konnten unter anderem nachweisen, dass die Auftretenswahrscheinlichkeit von *B. velox* mit steigendem Sandgehalt (und – damit verbunden – abnehmendem Schluffanteil) des Substrats, abnehmender Vegetationsdeckung und zunehmender Entfernung zu Gehölzen anstieg. Mortalitätsraten des ersten Larvenstadiums stehen in engem Zusammenhang mit der Zusammensetzung des Substrats (Kleinwächter 2007), und die Bindung an Sandufer wurde auch über eine Analyse der Larvenfänge und die Habitatmodellierung hierzu bestätigt (s. Kleinwächter & Rickfelder 2007). Die aktuellen Nachweise aus Bad.-Württ. stammen vom Goldkanal bei Rastatt im Oberrhein-Tiefland, bei dem es sich um einen mit dem Rhein verbundenen, „zum Baggersee erweiterten Altrheinarm nördlich der Murg-Mündung" handelt (Forcke 2012). Dort konnte *B. velox* in größerer Anzahl auf einer bei Niedrigwasser freigelegten, großen Sanduferfläche und zusätzlich in wenigen Individuen zusammen mit *B. striatum* an einem weiteren sandigen Uferstreifen festgestellt werden. Beide Fundstellen sind in Forcke (2012) mit Fotos abgebildet. *B. velox* ist als charakteristische Art der Fließgewässer-Lebensraumtypen 3260 und 3270 (Fließgewässer mit flutender Wasservegetation, Schlammige Flussufer mit Pioniervegetation) aus Anhang I der FFH-Richtlinie einzustufen, in Bad.-Württ. aber nur mit stark eingeschränktem potenziellen Verbreitungsgebiet.

Gefährdung und Schutz: *B. velox* ist bundesweit (Stand 2015) stark gefährdet und war in Bad.-Württ. (Stand 2005) als ausgestorben oder verschollen eingestuft. Dies ist nach den aktuellen Funden zu revidieren und die Art bei Fortschreibung der landesweiten Roten Liste in die Kategorie der vom Aussterben bedrohten Arten zu überführen. Wie bei *B. litorale*, *B. striatum* und weiteren Arten der Verwandtschaftsgruppe sind auch die ursprünglichen (potenziellen) Lebensräume von *B. velox* weitgehend durch den Ausbau der großen Fließgewässer zerstört worden, wenngleich anzumerken ist, dass nach dem aktuellen Kenntnisstand keine sicheren älteren Funde der Art aus Bad.-Württ. existieren. Nur im Rahmen umfangreicher, dringend erforderlicher Revitalisierungsprojekte an größeren Fließgewässern könnte eine ausreichende Flächenverfügbarkeit notwendiger Habitate in mehr oder weniger naturnahen Lebensraumkomplexen mittel- bis langfristig erreicht werden. Im Oberrhein-Tiefland sollte – ausgehend von den dokumentierten Funden – eine Prüfung auf weitere Vorkommen dieser und weiterer Arten der engeren Verwandtschaftsgruppe vorgenommen und ein spezifisches Schutzkonzept erarbeitet werden.

Elaphropus diabrachys

(Kolenati, 1845)

Kurzstreifen-Zwergahlenläufer

Allgemeine Verbreitung: Von Mittelasien über Südosteuropa bis Südwesteuropa verbreitete und nach Norden hin auch Mitteleuropa erreichende Art. In Deutschland ist sie, nach dem Erstfund Ende der 1980er Jahre in Thüringen, seit einigen Jahren von Osten her in Ausbreitung begriffen (s. auch Kielhorn et al. 2007).

Vorkommen in Baden-Württemberg: Sichere Belege stammen aus dem nordöstlichen Teil der Neckar- und Tauber-Gäuplatten (Kochertal, 9.6. 2015. leg. Trautner). Bereits Rheinheimer (2000) hatte die Art gemeldet, die zudem nach einer Meldung von Maus (Buggingen, Kalihalde, Maus, III.85, 1. Ex., det. und coll. Sowig) in das Verzeichnis der Käfer Deutschlands für den badischen Landesteil aufgenommen worden war (Köhler 2000). Da sich aber sonstige zunächst auf diese Art beziehende Meldungen aus Bad.-Württ. als Verwechslung mit *E. quadrisignatus* herausgestellt haben und die Ausbreitung von *E. diabrachys*

Elaphropus diabrachys. Foto: O. Bleich.

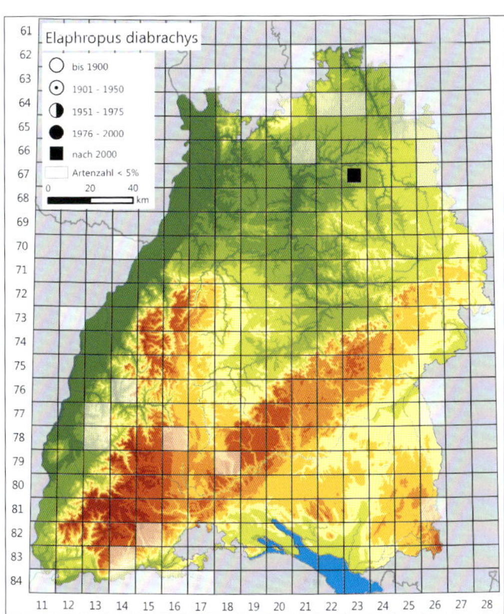

erst in neuerer Zeit dokumentiert ist (Kielhorn et al. 2007: „seit 2003 nahm die Fundhäufigkeit deutlich zu"), müssten die genannten älteren Meldungen zunächst – soweit noch nicht erfolgt – geprüft werden (s. auch Köhler 2011); sie wurden daher nicht in die Datenbank übernommen. Das damals von Maus gefangene Tier ist nicht mehr auffindbar (Maus, in lit.); die Meldung Gladitschs (1983) von *E. inaequalis* ist nicht auf *E. diabrachys* zu beziehen (s. Kapitel zu zweifelhaften und unzutreffenden Artmeldungen).

Lebensweise und Habitat: Flugfähige (makroptere) Art. Für Angaben zu Phänologie und Aktivitätsmaximum liegen aus Bad.-Württ. keine ausreichenden Daten vor (zu einzelnen Daten s.o.).

E. diabrachys tritt vorwiegend an Ufern auf, ein Großteil der Kielhorn et al. (2007) bekannten Funde aus Deutschland stammt von Ufern, wobei „sowohl Flussufer als auch Ufer in Kies- und Tongruben" beispielhaft angegeben werden. Jene Autoren konstatieren allerdings auch, dass für die Art „trotz des regelmäßigen Vorkommens an Ufern die Feuchtigkeit des Substrats [...] offenbar keine Rolle spielt" und weisen unter anderem auf Funde von sehr trockenen, höher gelegenen Flächen am Uferbereich von Fließgewässern sowie von Schotterflächen an Bahnbrachen und Kiesgruben hin. Sie ziehen insoweit Parallelen zu *Lionychus quadrillum* (s. dort). Der Fund aus dem Kochertal im

Fundort von *Elaphropus diabrachys* im Kochertal im nordöstlichen Baden-Württemberg (2015).

Nordosten Baden-Württembergs stammt vom Ufer einer kürzlich erfolgten Flussrenaturierung.

Gefährdung und Schutz: *E. diabrachys* ist bundesweit (Stand 2015) ungefährdet und war in Bad.-Württ. bisher nicht in die Checkliste und Rote Liste aufgenommen worden (Stand 2005). Aufgrund der Ausbreitungstendenz wird derzeit – trotz zumindest teilweise rückläufiger (potenzieller) Lebensräume – kein Handlungsbedarf gesehen.

ansonsten als Erfassungslücken, i. d. R. aber nicht als ein tatsächliches Fehlen zu interpretieren.

Lebensweise und Habitat: Flugfähige (makroptere) Art. Paarung und Eiablage (schwerpunktmäßig) im Frühjahr und Larvalentwicklung ab Frühjahr/Sommer. Aktive Imagines wurden in Bad.-Württ. nach den ausgewerteten Daten zwischen März und September registriert, mit einem Aktivitätsmaximum im Mai.

Elaphropus parvulus

(Dejean, 1831)

Schlanker Zwergahlenläufer

Allgemeine Verbreitung: In großen Teilen Europas und im Mittelmeerraum verbreitete Art, die nur im Norden und im Großteil Nordwesteuropas fehlt. In Nordamerika eingeschleppt (Bousquet 2012). Diese in Deutschland an ihre nördliche Arealgrenze gelangende Art ist trotz kleinerer Verbreitungslücken im Norden weit verbreitet.

Vorkommen in Baden-Württemberg: Landesweit verbreitet, möglicherweise mit Ausnahme der Hochlagen und walddominierter Gebiete; fehlende Nachweise in der Verbreitungskarte sind

Elaphropus parvulus. Foto: O. Bleich.

Bild rechts: Die sehr kleine Laufkäferart *Elaphropus parvulus* vermag auch Kies- und Rasengitterflächen im Siedlungsbereich als Lebensraum zu nutzen. An der hier gezeigten Stelle konnte sie stet über eine Reihe von Jahren nachgewiesen werden.

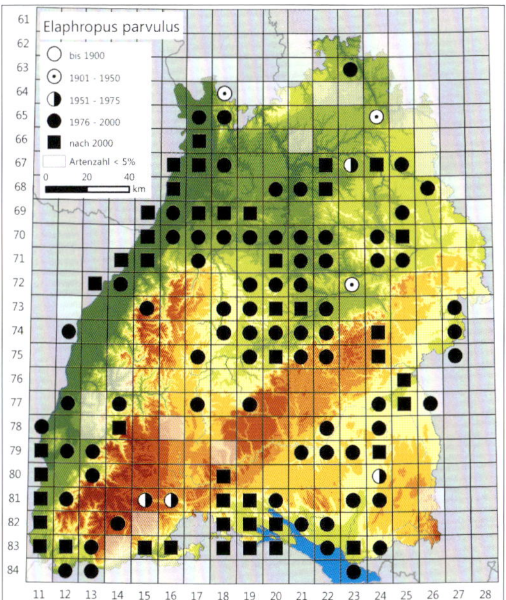

E. parvulus ist eine Art der Roh- und Skelettböden mit engen Lücken- oder Spaltensystemen (z. B. Sand, Feinkies, wechselfeuchte Lehme), die oft an Ufern, in starkem Maße aber auch auf Flächen mit Ruderal- und Pioniervegetation etwa von Bahnbrachen, auf Begleitstrukturen der Acker- und Weinbaulandschaften sowie im Siedlungsbereich auftritt. Dabei reichen schon sehr kleine Strukturen für die Entwicklung lokaler Bestände aus, was insbesondere mit der sehr kleinen Körpergröße und den geringen Raumansprüchen der Tiere zusammenhängt. Zu den natürlichen Lebensräumen von *E. parvulus* gehören Sand- und Kiesbänke in Flussauen, insbesondere höher gelegene, meist trockene Zonen mit voller Besonnung. Beispiele anthropogener, strukturell und standörtlich „im Kleinen" aber ähnlicher Habitate stellen Feinschotter an Rändern von Parkplätzen, Pflaster mit ihren Ritzensystemen sowie Flächen aus Rasengittersteinen dar, in denen die Art im Siedlungsbereich nachgewiesen werden kann (s. Geigenmüller & Trautner 1997).

Gefährdung und Schutz: *E. parvulus* ist weder bundesweit (Stand 2015) noch in Bad.-Württ. (Stand 2005) gefährdet. Aufgrund der weiten Verbreitung mit Auftreten in unterschiedlichen, auch sehr kleinflächigen Lebensraumtypen bis hin zum urbanen Raum ist auch keine zukünftige Gefährdung absehbar. Kein Handlungsbedarf.

Elaphropus quadrisignatus

(Duftschmid, 1812)

Vierfleckiger Zwergahlenläufer

Allgemeine Verbreitung: Das Verbreitungsgebiet dieser Art umfasst schwerpunktmäßig Teile Süd-, Mittel- und Südosteuropas, im Osten erreicht sie den Kaukasus. Sie stößt in Deutschland an ihre nördliche Arealgrenze und ist von einer weitestgehend flächendeckenden Verbreitung in Süddeutschland bis in den Norden zunehmend lückiger vertreten, wobei sie in der Nord- und Ostdeutschen Tiefebene mit Ausnahme isolierter Einzelvorkommen großflächig fehlt.

Vorkommen in Baden-Württemberg: Relativ weit verbreitet mit Schwerpunkten am Hochrhein, im Oberrhein-Tiefland, im Bereich der Donau-Iller-Lech-Platte und des Voralpinen Hügel- und Moorlands sowie in Teilen der Neckar- und Tauber-Gäuplatten. Fehlt weitestgehend bis vollständig

Elaphropus quadrisignatus. Foto: M. Bräunicke.

auf der Schwäbischen Alb und im Schwarzwald. Das weitgehende Fehlen von Nachweisen im Norden Baden-Württembergs dürfte auf Erfassungsdefizite zurückgehen

Lebensweise und Habitat: Flugfähige (makroptere) Art. Aktive Imagines wurden in Bad.-Württ. nach den ausgewerteten Daten zwischen April und September registriert, mit einem Aktivitätsmaximum im Mai.

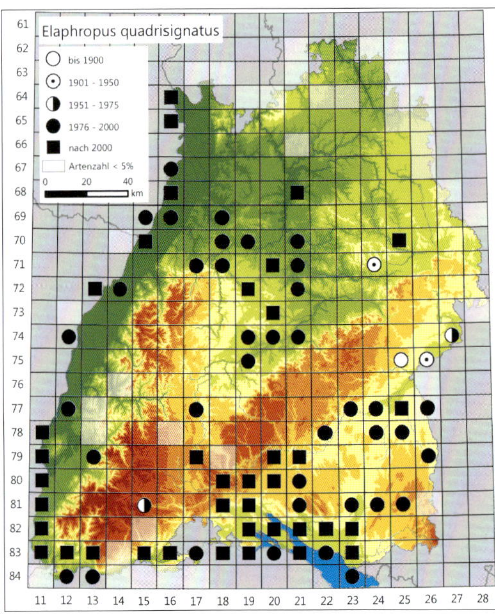

E. quadrisignatus ist eine Bewohnerin voll besonnter, trockener und vegetationsfreier bis -armer Roh- und Skelettböden mit engen Lücken- oder Spaltensystemen, wobei Sand mit Feinkiesbeimengung deutlich bevorzugt zu werden scheint; Funde liegen aber auch von sandig-schluffigen Stellen und von Abbruchkanten an Kiesgruben vor, in denen sich auch lehmiges Material zwischen Kiesanteilen unterschiedlicher Körnung befindet. Sekundäre Lebensräume der Art stellen etwa Bahnbegleitflächen dar. Zu ihren typischen natürlichen Lebensräumen zählen höhere Bereiche der Ufer und Bänke an größeren Fließgewässern, wo sie in hoher Individuendichte, öfter auch zusammen mit *E. parvulus* und *Lionychus quadrillum*, auftreten kann.

Gefährdung und Schutz: *E. quadrisignatus* ist bundesweit (Stand 2015) ungefährdet und steht in Bad.-Württ. (Stand 2005) auf der Vorwarnliste. Die Gefährdungsursachen im ursprünglich vorherrschenden Lebensraum sind insbesondere Regulierung, Verbau und Änderungen des Wasserhaushalts mittlerer und großer Fließgewässer mit weitestgehendem Verlust und der Fragmentierung der von der Art benötigten Habitatstrukturen. Allerdings konnte sie im Gegensatz zu zahlreichen anderen Arten dynamischer Fließgewässerufer und Flusslandschaften – und noch über das bei *Lionychus quadrillum* vorgefundene Maß hinaus – in erheblichem Umfang Sekundärlebensräume ähnlicher Struktur besiedeln, auch wenn diese von Gewässern losgelöst und teils nur relativ kleinflächig ausgeprägt waren. Jedoch nehmen auch solche sekundären Lebensräume inzwischen wieder ab, unter anderem durch die Konversion großer Bahnhofsareale sowie die übliche Rekultivierungspraxis in Abbaugebieten. Vorrangig besteht Handlungsbedarf, Lebensräume der Art an Fließgewässern wiederzuentwickeln, wofür ausreichend breite und große, räumlich auch entlang der Fließgewässer ausgedehnte, dynamische Uferzonen und Bänke erforderlich sind. Darüber hinaus sollten die Ansprüche der Art auch bei Konversionsmaßnahmen im Siedlungsbereich sowie bei der Abbau- und Rekultivierungsplanung insbesondere von Kiesgruben berücksichtigt werden.

Elaphropus sexstriatus

(Duftschmid, 1812)

Ufersand-Zwergahlenläufer

Allgemeine Verbreitung: Das Verbreitungsgebiet dieser Art umfasst Südeuropa und das südliche Mitteleuropa. Sie gelangt in Deutschland an ihre nördliche Arealgrenze und kommt nur sehr lokal im Süden und Südwesten (v. a. Bad.-Württ., Bayern) vor, wobei sie nach Norden hin Hessen erreicht.

Vorkommen in Baden-Württemberg: Vor allem im Oberrhein-Tiefland nachgewiesen, daneben lokal im Bodenseeraum (Teil des Voralpinen Hügel- und Moorlandes), am Hochrhein und in Ausläufern des Hochschwarzwaldes sowie im Einzugsgebiet des Neckars anzutreffen. Die alte Angabe von v. d. Trappen (1929) für Stuttgart ist – obwohl unbelegt – vor dem Hintergrund neuer Nachweise aus diesem Raum plausibel, diejenige für Laubach (Gemeinde Ochsenhausen) nach Pfarrer Müller bleibt zweifelhaft und wurde daher nicht in die Datenbank übernommen.

Elaphropus sexstriatus. Foto: C. Benisch.

Lebensweise und Habitat: Art mit vollständig entwickelten Hinterflügeln (makropter), von der nach Auswertungsstand keine Flugbeobachtung vorliegt. Paarung und Eiablage (schwerpunktmäßig) im Frühjahr und Larvalentwicklung ab Frühjahr/Sommer. Aktive Imagines wurden in Bad.-Württ. nach den ausgewerteten Daten zwischen Juni und August registriert, für die Ableitung eines Aktivitätsmaximums liegen aus Bad.-Württ. keine ausreichenden Daten vor.

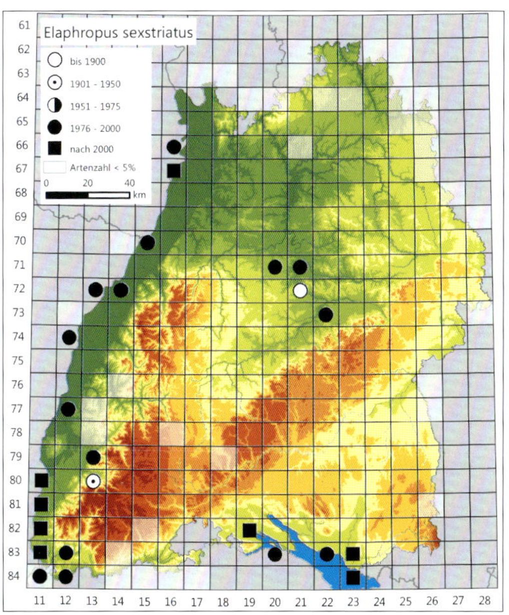

E. sexstriatus ist wie *E. quadrisignatus* und *Lionychus quadrillum*, mit denen sie vergesellschaftet vorkommen kann, eine Bewohnerin voll besonnter, trockener und vegetationsfreier bis -armer Roh- und Skelettböden mit engen Lücken- oder Spaltensystemen. Dabei bevorzugt sie möglicherweise Schotter- oder Kiesflächen, die mit Sand durchsetzt sind. Ihre primären Lebensräume stellen höhere Bereiche der Ufer und Bänke größerer Fließgewässer dar, sie vermag jedoch auch trockene Sekundärlebensräume mit ähnlicher Struktur zu besiedeln, so etwa Schotter von Gleisanlagen (s. den mitgeteilten Fund bei Wolf-Schwenninger & Schwenninger 1992). Insgesamt ist sie in Bad.-Württ. deutlich seltener als die beiden anderen genannten Arten und zeigt eine naturräumlich stärker eingeschränkte Verbreitung. Bei den beschriebenen Fundorten handelt es sich um jeweils größere Lebensraumkomplexe mit einem hohen Angebot entsprechender Roh- und Skelettböden meist in größeren Flusstälern und im Nahbereich des Bodensees. Die meisten neueren Funde stammen aus Sekundärlebensräumen.

Gefährdung und Schutz: *E. sexstriatus* ist bundesweit (Stand 2015) und in Bad.-Württ. (Stand 2005) stark gefährdet. Zudem ist die Art als Lan-

Anthropogener Lebensraum von *Elaphropus sexstriatus*. Primär ist diese Art der Fauna höher gelegener, trockener Sand- und Kiesrücken in naturnahen Flusslandschaften zuzurechnen. Wie einige andere sehr kleine Arten mit ähnlichen Ansprüchen hat es aber auch *E. sexstriatus* vermocht, extreme Ersatzlebensräume zu nutzen, etwa die hier gezeigte teilversiegelte Industriebrache im südlichen Oberrhein-Tiefland.

desart B des Informationssystems Zielartenkonzept Bad.-Württ. (Stand 2009) eingestuft. Die Gefährdungsursachen im ursprünglich vorherrschenden Lebensraum sind insbesondere Regulierung, Verbau und Änderungen des Wasser- und Geschiebehaushalts größerer Fließgewässer mit weitestgehendem Verlust sowie Fragmentierung der von der Art benötigten Habitatstrukturen. Aufgrund ihrer an den Fundstellen in Bad.-Württ. geringen Bestandsgrößen und deren räumlich starker Einschränkung unterliegt sie trotz einer vermutlich eher hohen Fähigkeit zur Ausbreitung und Neu- und Wiederbesiedlung von Habitaten besonderen Risiken. Wichtige Ziele sind die Erhaltung und (Wieder-)Entwicklung geeigneter Habitate mit einer für die Art erforderlichen Dynamik der Substratverlagerung, insbesondere auch für gröberes Material, sowie die Ausweitung entsprechender Ufer und Bänke und deren Schutz vor zu starker Freizeitnutzung. Des weiteren sollen die Ansprüche der Art bei Abbau- und Rekultivierungsvorhaben sowie bei der Konversion von zum Beispiel größeren Bahnhofsarealen verstärkt berücksichtigt werden.

Elaphropus walkerianus

(Sharp, 1913)

Torf-Zwergahlenläufer

Allgemeine Verbreitung: Art mit westeuropäischer Verbreitung. Sie kommt in Deutschland nur lokal in Bayern und im Süden Baden-Württembergs vor.

Vorkommen in Baden-Württemberg: Lediglich punktuell im Südosten des Landes (Donau-Iller-Lech-Platte und Voralpines Hügel- und Moorland) nachgewiesen. Die Art war zunächst irrtümlich als neue Art für Bad.-Württ. beschrieben worden (*E.*

Elaphropus walkerianus. Foto: O. Bleich.

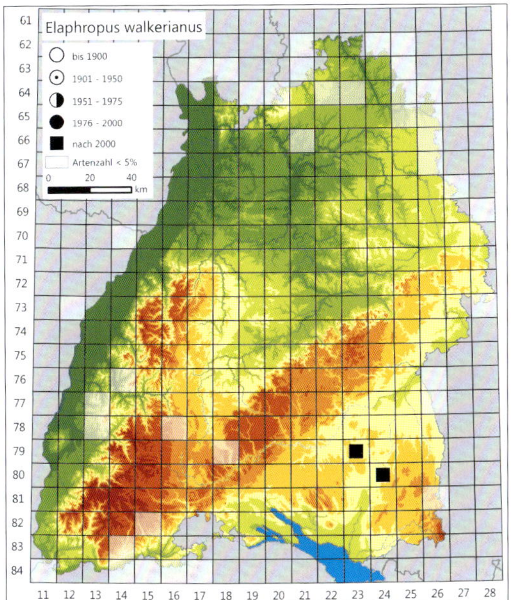

paulinae, s. SZALLIES & AUSMEIER 2001a). Eine Überprüfung erbrachte dann, dass es sich um die bis dahin aus Deutschland noch nicht belegte Art *E. walkerianus* handelte, die ansonsten in umliegenden Ländern nur lokal aus Frankreich, Großbritannien und der Tschechischen Republik bekannt ist. Wie eine Überprüfung älteren Materials ergeben hatte, war *E. walkerianus* bereits in den 1980er Jahren von ULBRICH im Federseegebiet gefangen worden und blieb unter *E.-parvulus*-Material zunächst unerkannt; zudem steht zu vermuten, dass sich auch die frühere Meldung von WASNER (1974) auf *E. walkerianus* bezog (SZALLIES & AUSMEIER 2001a).

Lebensweise und Habitat: Art mit vollständig entwickelten Hinterflügeln (makropter), von der nach Auswertungsstand keine Flugbeobachtung vorliegt. Aktive Imagines wurden in Bad.-Württ. nach den ausgewerteten Daten zwischen April und November registriert, für die Ableitung eines Aktivitätsmaximums liegen aus Bad.-Württ. keine ausreichenden Daten vor.

E. walkerianus wurde von SZALLIES & AUSMEIER (2001a) für Moorgebiete bei Bad Waldsee und Bad Schussenried gemeldet. Für das erstgenannte Gebiet schrieben sie, dass die Art dort „auf nicht allzu nassem, nackten Torfboden gefunden [wurde]. Die Tiere hielten sich immer um kleine Grasbulten auf, dort wo oberflächliche Austrocknung eine krümelige Lückenstruktur im Torf geschaffen hatte.“ Für Großbritannien erwähnt LINDROTH (1974) lokal individuenreiche Vorkommen „in *Sphagnum*“. Es ist davon auszugehen, dass die Schwerpunktlebensräume der Art in Hochmooren liegen, wenngleich auch einzelne Funde im Gesamtareal außerhalb von Moorstandorten bekannt sind. Aufgrund ihrer Fundumstände vermuten SZALLIES & AUSMEIER (2001a), dass die Art „Pionierstandorte der Moor-/Torf-Schlammflächen bevorzugt“; dies erscheint plausibel. Möglicherweise handelt es sich um einen ähnlichen Anspruchstyp wie im Fall der Art *Bembidion humerale* (s. dort), die auf den Flächen ebenfalls festgestellt wurde. In diesem Sinne wäre auch eine Zuordnung als charakteristische Art von Hochmoor-Lebensraumtypen des Anhangs I der FFH-Richtlinie in Erwägung zu ziehen (s. bei *Bembidion humerale*).

Gefährdung und Schutz: *E. walkerianus* ist bundesweit (Stand 2015) als extrem seltene Art der Kategorie R eingestuft. In Bad.-Württ. (Stand 2005) wurde eine Gefährdung angenommen (Katgorie G), zudem wurde sie als Landesart B des Informationssystems Zielartenkonzept Bad.-Württ. (Stand 2009) eingeordnet, auch im Hinblick auf die wenigen deutschen Nachweise. Hinsichtlich möglicher Gefährdungen und des Schutzes wird hier auf die Ausführungen bei *Bembidion humerale* verwiesen. Ausgehend von den bisher bekannten Nachweisen sollten weitere Moorgebiete in Bad.-Württ., insbesondere in den betreffenden Naturräumen, auf Vorkommen der Art geprüft werden.

Ocys harpaloides

(Audinet-Serville, 1821)

Weichholzrinden-Ahlenläufer

Allgemeine Verbreitung: Art mit atlantisch-westmediterraner Verbreitung. Sie stößt in Deutschland an ihre östliche Arealgrenze und ist in der westlichen Hälfte fast flächendeckend vertreten, dünnt aber schon in Mitteldeutschland aus, während sie in Mecklenburg-Vorpommern, Brandenburg und Sachsen fehlt (s. auch Nachtrag Kap. 11.1).

Vorkommen in Baden-Württemberg: Regional verbreitet mit Schwerpunkten im Oberrhein-Tiefland, in Teilen der Neckar- und Tauber-Gäuplatten, des Schwäbischen Keuper-Lias-Landes und entlang der Donau im Bereich der Donau-Iller-Lech-Platte.

Lebensweise und Habitat: Flugfähige (dimorphe bzw. polymorphe) Art. Paarung und Eiablage

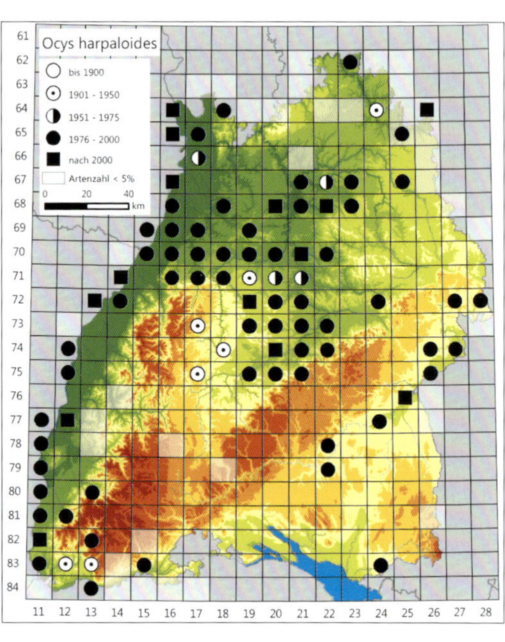

Ocys harpaloides / O. tachysoides (Nachtrag: s. Kap. 11.1).

Ocys harpaloides ist am besten im Winter und im zeitigen Frühjahr zu erfassen, wenn Imagines im Winterquartier unter loser Rinde an stehenden oder liegenden Stämmen oberhalb der Hochwasserkante sitzen. Hier ein Fundort aus dem Schaichtal im zentralen Baden-Württemberg.

(schwerpunktmäßig) im Frühjahr und Larvalentwicklung ab Frühjahr/Sommer. Aktive Imagines wurden in Bad.-Württ. nach den ausgewerteten Daten vor allem im April und Mai sowie im September registriert. Funde liegen aber mit Ausnahme des Hochsommers annähernd ganzährig vor, wobei viele Fundmeldungen aus den Wintermonaten stammen, in denen die Imagines der Art gut im Winterlager (v. a. unter Rinde) nachzuweisen sind.

O. harpaloides hat ihren Schwerpunktlebensraum in Auwäldern und sonstigen fließgewässerbegleitenden Gehölzbeständen, die unter Umständen nur fragmentarisch als Auwälder angesprochen werden können. Nachweise liegen aber auch aus anderen, meist mit Auwäldern oder Feuchtgebüschen in engem räumlichen Zusammenhang stehenden Lebensraumtypen wie Röhrichten oder feuchten Hochstaudenfluren sowie direkt von Gewässerufern vor. An Ufern wird die Art zumeist auf von Gehölzen überschirmten Feinsedimentufern registriert, wenn sich dort angeschwemmtes Material (Genist, v. a. Holz) vorfindet. *O. harpaloides* ist als charakteristische Art des Lebensraumtyps *91E0 (Auenwälder) aus Anhang I der FFH-Richtlinie einzuordnen.

Gefährdung und Schutz: *O. harpaloides* ist bundesweit (Stand 2015) sowie in Bad.-Württ. (Stand 2005) gefährdet und als Naturraumart des Informationssystems Zielartenkonzept Bad.-Württ. (Stand 2009) eingestuft. Uferverbau, zu intensive Pflege von Ufergehölzen (insbesondere mit Reduktion stärker dimensionierter Stämme bzw. entsprechender Altholzstrukturen) und Einengung/Fragmentierung von Auen sind als Gefährdungsfaktoren zu sehen. Dem soll durch angepasste Pflege- und Entwicklungsmaßnahmen entlang der Fließgewässer entgegengewirkt werden.

Ocys quinquestriatus

(Gyllenhal, 1810)

Mauer-Ahlenläufer

Allgemeine Verbreitung: Europäische Art, die jedoch im Großteil Nordeuropas sowie in Teilen Südeuropas fehlt. In Deutschland ist sie bei eher kleinflächigen Verbreitungsschwerpunkten in Mecklenburg-Vorpommern, Sachsen und in Westdeutschland (Nordrhein-Westfalen, Rheinland-Pfalz) zerstreut verbreitet, wobei sie offenbar gegenüber der Situation von vor 1950 massive Bestandseinbußen erlitten hat.

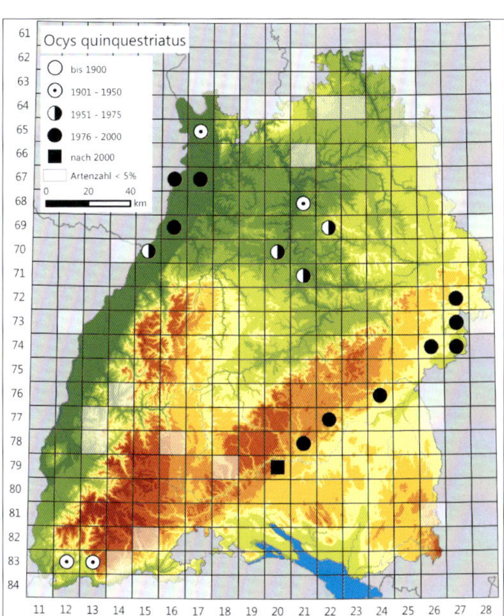

Vorkommen in Baden-Württemberg: Überwiegend sehr lückig und sehr lokal in Teilen der Schwäbischen Alb (Süd- und Südostrand) sowie im Norden des Oberrhein-Tieflands mit aktuelleren Funden vertreten, historische Nachweise zudem aus dem äußersten Südwesten Baden-Württembergs sowie aus den Neckar- und Tauber-Gäuplatten und dem Schwäbischen Keuper-Lias-Land. Die Angabe v. d. Trappens (1929), wonach die Art an „Neckar,

Ocys quinquestriatus.

Unverfugte Mauern können Lebensraum für *Ocys quinquestriatus* bieten. Das Bild zeigt einen Teil der Außenmauer des Areals von Schloss Oberstotzigen, in der die Art über Jahrzehnte nachgewiesen werden konnte.

Rems und Tauber" manchmal zahlreich oder häufig vorgekommen sein soll, ist zweifelhalft. Diese Angabe dürfte auf Verwechslung zurückgehen.

Lebensweise und Habitat: Flugfähige (makroptere) Art. Paarung und Eiablage (schwerpunktmäßig) im Frühjahr und Larvalentwicklung ab Frühjahr/Sommer. Für Angaben zu Phänologie und Aktivitätsmaximum liegen aus Bad.-Württ. keine ausreichenden Daten vor; die überwiegende Zahl der Nachweise stammt aus dem Winter sowie aus dem Zeitraum April bis Juli. Möglicherweise handelt es sich um eine in stärkerem Maße winteraktive Art, worauf Angaben von Tolasch (in lit.) hinweisen. Dieser wies *O. quinquestriatus* am 11. 11. 2014 im baden-württembergischen Donautal nachts beim Leuchten an einer Felswand in einem Exemplar nach und berichtet Entsprechendes von der Suche an alten Mauern in Norddeutschland, wo aktive Imagines an vielen Stellen „jeweils um die Jahreswende herum ab ca. 5 °C" beim Leuchten vorgefunden werden konnten, teils bis zu 10 Individuen pro Fundstelle".

O. quinquestriatus besiedelt Felsen (als primären Lebensraum) und Mauern, wobei die meisten bisherigen Funde aus anthropogenen Lebensräumen stammen und dort zum Teil bei späterer Nachsuche nicht mehr bestätigt werden konnten. Anders stellte sich dies im Fall des Oberstotzinger Schlosses dar. Dort war die Art bereits in den 1930er Jahren von P. Dolderer nachgewiesen worden und konnte später bei gezielter Nachsuche nach über 60 Jahren bestätigt werden. Kubach et al. (1999) schreiben dazu: „Das Vorkommen der Art beschränkt sich heute offenbar auf die noch nicht ‚renovierten', fugenreichen Abschnitte der Außenmauer des Schlossareals in Süd- oder Westexposition; hier konnten bei Stichproben innerhalb dreier Jahre (1996–1998) immer Individuen festgestellt werden." Felswandnachweise liegen sowohl von Felsen natürlichen Ursprungs (s. Fund von Tolasch, oben) als auch von Felswänden in alten Steinbrüchen (eigene Daten) vor.

Gefährdung und Schutz: *O. quinquestriatus* ist bundesweit (Stand 2015) gefährdet und in Bad.-Württ. (Stand 2005) stark gefährdet sowie Landesart A des Informationssystems Zielartenkonzept Bad.-Württ. (Stand 2009). Hintergrund für die Einstufung waren die insgesamt wenigen Nachweise bei teils nur noch historischen Belegen, während Nachsuchen in den 1990er Jahren an mehreren ehemaligen Fundorten erfolgslos geblieben waren. An Gebäuden wird als Grund hierfür die Renovierung der entsprechenden Mauern mit vollständigem oder überwiegendem Verlust besiedelbarer Strukturen eingestuft. Allerdings ist der Umfang der natürlicherweise außerhalb von Siedlungsstrukturen vorhandenen Lebensräume und Populationen noch nicht ausreichend untersucht. Als Grundlage für eine Fortschreibung der Roten Liste sollten diesbezüglich Erhebungen durchgeführt werden. Im Rahmen der Renovierung von älteren Gebäudekomplexen mit größeren, unverfugten Außenmauern sollte eine vorherige Prüfung auf Vorkommen der Art erfolgen und diese bei Nachweis angemessen im Rahmen der weiteren Planung berücksichtigt werden.

Porotachys bisulcatus

(Nicolai, 1822)

Rötlicher Zwergahlenläufer

Allgemeine Verbreitung: Westpaläarktisch, möglicherweise diskontinuierlich, in Europa vorwiegend im Süden und Westen verbreitet. In Nordamerika eingeschleppt (Bousquet 2012). Diese Art ist mit einem Schwerpunkt in der nördlichen Hälfte in allen Teilen Deutschlands diskontinuierlich und lückig vertreten, wobei sie aufgrund ihrer Lebensweise sowie methodisch bedingt (Autokäscher-, Lichtfangart) häufig unterrepräsentiert ist.

Vorkommen in Baden-Württemberg: Schwerpunkte liegen nach bisheriger Datenlage im Oberrhein-Tiefland und in Teilen des Neckar-Einzugsgebiets, aus anderen Naturräumen des Landes stammen sporadische weitere Nachweise. Aufgrund methodischer Einschränkungen bei der Arterfassung ist mit einer weiteren Verbreitung zu rechnen, insbesondere entlang der größeren Fließgewässer und ihrer Auen, aber auch in siedlungsgeprägten Lebensräumen oder auf bestimmten Infrastrukturflächen.

Lebensweise und Habitat: Flugfähige (makroptere) Art mit hohem Ausbreitungsvermögen. Für Angaben zu Phänologie und Aktivitätsmaximum liegen aus Bad.-Württ. keine ausreichenden Daten vor; die meisten Fundmeldungen stammen aus den Monaten April bis Juni.

Porotachys bisulcatus.

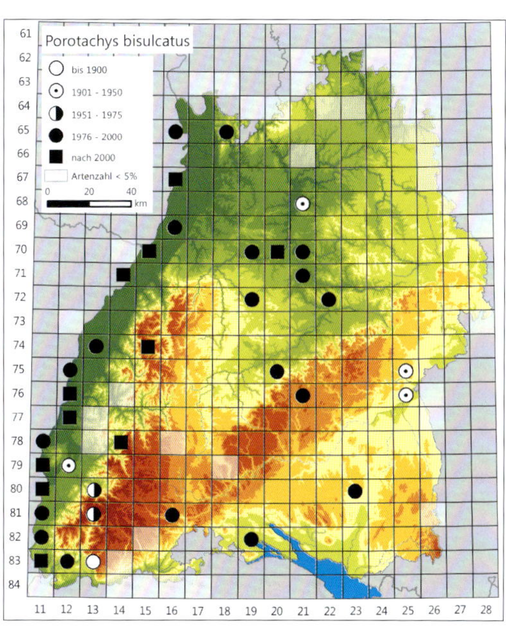

P. bisulcatus nutzt zumindest im mittel- und nordeuropäischen Raum vorwiegend „faule bzw. sich zersetzende Pflanzenteile in dunkler und feuchter Lage als Lebensraum“, weshalb die Art „immer wieder auch im Siedlungsbereich festgestellt [wird], wo sich z. B. in Bauernhöfen, Gärtnereien mit Komposthäufen oder in Deponien geeignete Habitate finden“ (Trautner & Paill 2008). Die Autoren schreiben weiter: „Zu den typischen Lebensstätten gehören aber auch größere Baumhöhlen und verrottendes Totholz, vor allem, wenn jenes großdimensioniert, in den Boden eingebettet oder in größeren Mengen mit eigenem ‚Innenklima‘ aufgehäuft ist. Solche Strukturen treten im mitteleuropäischen Raum in stärkerem Maß in Flussauen auf“ (Auwälder und Schwemmholz). Im Bodenseeraum wurde *P. bisulcatus* unter anderem in sogenannten „Stubbenwällen“ im Rekultivierungsbereich einer Kiesgrube in hoher Individuenzahl nachgewiesen, wo sie zusammen mit *Sinechostictus inustus* und *Perigona nigriceps* auftrat (eigene Daten).

Gefährdung und Schutz: *P. bisulcatus* ist weder bundesweit (Stand 2015) noch in Bad.-Württ. (Stand 2005) gefährdet. Aufgrund der relativ weiten Verbreitung mit Auftreten in unterschiedlichen, auch ungefährdeten Lebensraumtypen ist auch keine zukünftige Gefährdung absehbar. Kein Handlungsbedarf.

Sogenannte Stubbenwälle (Wurzelstockwälle aus Rodungsarbeiten) können Populationen von *Porotachys bisulcatus* beherbergen. Im hier gezeigten Fall ist die Art mit *Sinechostictus inustus* und *Perigona nigriceps* vergesellschaftet.

Sinechostictus decoratus

(Duftschmid, 1812)

Schwemmsand-Ahlenläufer

Allgemeine Verbreitung: Europäische Art mit vorwiegend montaner Verbreitung von den Pyrenäen über den Alpenraum, den Appennin und einige Mittelgebirge bis zu den Karpaten. Sie erreicht in Deutschland ihre nördliche Arealgrenze und kommt vorrangig im Süden Baden-Württembergs und Bayerns vor, während sie wenige lokale und isolierte Vorkommen nach Norden hin bis Hessen und Sachsen aufweist.

Vorkommen in Baden-Württemberg: Einerseits vom Bodenseeraum und diesem zuführenden Fließgewässern (u. a. Schussen; zum Voralpinen Hügel-und Moorland gehörend) über das Alb-Wutach-Gebiet und den Hochrhein bis ins südliche Oberrhein-Tiefland sowie an einzelnen aus dem Hochschwarzwald kommenden Fließgewässern vertreten. Andererseits im östlichen Teil des Donau-Einzugsgebietes unter anderem an Iller und Rot (Donau-Iller-Lech-Platte) sowie in Teilen des Schwäbischen Keuper-Lias-Landes und der Neckar- und Tauber-Gäuplatten. Von Rheinheimer (2000) erfolgte zudem eine Meldung für das nördliche Oberhein-Tiefland, die auf Meid zurückgeht. Vor dem Hintergrund der in Deutschland noch etwas weiter nach Norden reichenden Gesamtverbreitung der Art (s. Trautner et al. 2014) wurde auch diese Meldung berücksichtigt.

Lebensweise und Habitat: Art mit vollständig entwickelten Hinterflügeln (makropter), von der nach Auswertungsstand keine Flugbeobachtung vorliegt. Paarung und Eiablage (schwerpunktmäßig) im Frühjahr und Larvalentwicklung ab Frühjahr/

Sinechostictus decoratus. Foto: M. Bräunicke.

Sandufer an der Argen im Voralpinen Hügel- und Moorland: *Sinechostictus decoratus* gehört hier zu den häufigeren Uferbewohnern und ist auch in stärker vegetationsbestandenen Uferböschungen vertreten.

Sommer. Aktive Imagines wurden in Bad.-Württ. nach den ausgewerteten Daten beinahe ganzjährig registriert, mit einem Aktivitätsmaximum im April und Mai. Sowig (1986b) beschreibt die Phänologie auf einer Pestwurzflur (Petasitetum hybridi) im Mündungsbereich eines kleineren Baches in den Fluss Wiese bei Lörrach wie folgt: Sie hat dort „ihr Aktivitätsmaximum im April [...], wenn von den Pestwurzpflanzen nur die Blütenstände und kleinen Blätter zu sehen sind", geht dann im Sommer zurück und erscheint „erst im Oktober in geringer Zahl wieder [...], wenn die Pestwurz zum größten Teil abgestorben ist."

S. decoratus ist – wie nahezu alle einheimischen Arten der Gattung (Ausnahme: *S. inustus*) – eine Uferart an Fließgewässern. Sie besiedelt dort vorzugsweise sandige Ufer, die Beimengungen sowohl von Feinmaterial (Schluff, organisches oder bindiges Material) als auch von Kies oder Schotter aufweisen können, bei denen die Sandfraktion aber überwiegt. Seltener wird die Art im Freiland auf rein schluffigem Substrat angetroffen, obwohl im Substratpräferenzversuch von Sowig (1986a) schlammige Erde Grobsand vorgezogen wurde und die Tiere noch seltener Feinsand wählten. Baehr (1980) meldet die Art aus dem Schönbuch im zentralen Bad.-Württ. in „ziemlich feinem Schotter bzw. Kies des Großen Goldersbaches, z. T. unter dichterer Vegetation". Wolf-Schwennin-

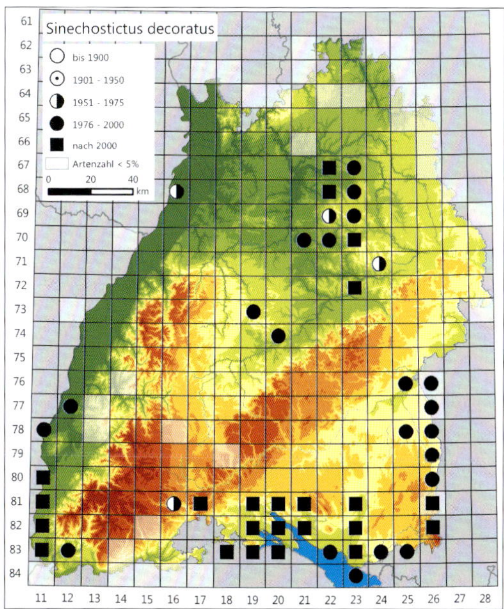

GER & SCHWENNINGER (1992) führen Funde von sandigen oder kiesig-sandigen Uferbänken, einem schlammigen Grabenufer und einer im Auwald liegenden Quellflur an. Nach eigenen Daten können die Ufer stark durch überschirmende Gehölze beschattet und jedenfalls in Teilen dicht bewachsen sein. Imagines der Art kann man häufig im direkten Übergangsbereich von dichter Vegetation zu offenen Uferstreifen zwischen Pflanzenwurzeln aus dem Substrat graben oder zum Beispiel durch Schwemmen oder Klopfen heraustreiben. *S. decoratus* erwies sich bei Versuchen in der Feuchtigkeitsorgel im Gegensatz zu *S. elongatus* als ausgesprochen hygrophil (SOWIG 1986a).

Gefährdung und Schutz: *S. decoratus* steht bundesweit (Stand 2015) und in Bad.-Württ. (Stand 2005) auf der Vorwarnliste, zudem wurde die Art im Informationssystem Zielartenkonzept Bad.-Württ. als sogenannte „Zielorientierte Indikatorart" aufgenommen (Stand 2009, s. Kap. 17), da sie im Set der Uferarten auch Zeigerfunktion für naturnahe Entwicklungen an kleineren bis mittleren Fließgewässern mit höherem Beschattungsgrad besitzt. Als Gefährdungsursachen kommen insbesondere Begradigung und Verbau von Fließgewässern mit Verlust naturnaher Uferstrukturen in Betracht. Allerdings gehört *S. decoratus* zu denjenigen Arten, die auch an stärker beeinträchtigten Fließgewässerabschnitten, insbesondere solchen mit verringerter Hochwasser- und Geschiebedynamik, bei zum Teil kleinräumig geeigneten Uferstrukturen noch Bestände ausbilden und erhalten können. Sie reagiert also etwas weniger sensibel als andere Arten auf Störungen, was ihre niedrigere Gefährdungsdisposition begründet. Vor allem aufgrund ihres breiteren Lebensraumspektrums entlang von Fließgewässern drängt sich auch eine Einstufung als charakteristische Art einer oder mehrerer Fließgewässer-Lebensraumtypen aus Anhang I der FFH-Richtlinie nicht auf.

Sinechostictus doderoi

(Ganglbauer, 1891)

Doderos Ahlenläufer

Allgemeine Verbreitung: Europäische Art mit vorwiegend montaner Verbreitung im Alpenraum, dem Appennin und einigen Mittelgebirgen bis hin zu den Karpaten. Sie erreicht in Deutschland ihre nördliche Arealgrenze und kommt nur im Süden Baden-Württembergs und Bayerns vor.

Vorkommen in Baden-Württemberg: Wenige lokale Vorkommen im Alb-Wutach-Gebiet (SOKOLOWSKI 1958 u. a.; Bestätigung bei gezielter eigener Kontrolle Ende der 1990er Jahre), im Schwarzwald und im Schwäbischen Keuper-Lias-Land im Randbereich zur Schwäbischen Alb (zu letzterem Vorkommen s. WEBER 1996).

Lebensweise und Habitat: Art mit vollständig entwickelten Hinterflügeln (makropter), von der nach Auswertungsstand keine Flugbeobachtung vorliegt. Paarung und Eiablage (schwerpunktmäßig) im Frühjahr und Larvalentwicklung ab Frühjahr/Sommer. Aktive Imagines wurden in Bad.-Württ. nach den ausgewerteten Daten im Mai, Juni, August, September und Oktober registriert, wobei aus dem August und September unausgefärbte Tiere der neuen Generation nachgewiesen sind (eigene Daten; s. auch Hinweis bei SOKOLOWSKI 1958). Für die Angabe eines Aktivitätsmaximums liegen keine ausreichenden Daten vor.

S. doderoi tritt lokal eng begrenzt an kühlen, sehr luft- und bodenfeuchten Standorten auf, wobei alle bekannten Fundorte in Bad.-Württ. aus schluchtartig eingeschnittenen Lagen stammen, zum Teil aus dem direkten Nahbereich von Wasserfällen. SOKOLOWSKI (1958) schreibt unter an-

Sinechostictus doderoi.

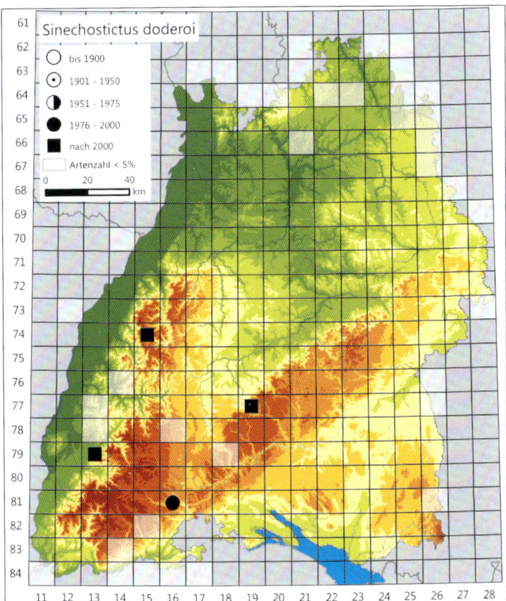

derem zum Vorkommen in der Wutachschlucht: „Die Art lebt in dieser Schlucht am Fuße der Sinterfelsen, bei denen man für gewöhnlich nicht von einer Sprühzone sprechen kann, im pflanzenlosen Kalkschotter resp[ektive] unter dem Laub, das von den die Schlucht abschließenden Laubbäumen stammt. Gegenüber den anderen dort lebenden Käferarten ist *[S.] doderoi* in seinen Bewegungen verhältnismäßig langsam, was wohl in erster Linie auf die in der Schlucht herrschende niedere Temperatur zurückzuführen ist.“ Kless (1961) kennzeichnet in seinen Fundortbeschreibungen eine Nachweisstelle in der Sprühzone eines Wasserfalls als von „schmierigem, tonigen“ Material durchsetzte Felsschutt- und -grusbereiche, die „von moderndem Laub bedeckt“ sind.

Gefährdung und Schutz: *S. doderoi* ist bundesweit (Stand 2015) gefährdet und in Bad.-Württ. (Stand 2005) stark gefährdet sowie Landesart B des Informationssystems Zielartenkonzept Bad.-Württ. (Stand 2009). Die lokal sehr eng begrenzten Vorkommen können insbesondere durch Änderungen des Wasserhaushalts (auch infolge Veränderungen im Einzugsgebiet) oder durch touristische Erschließung gefährdet sein. Auch forstliche Maßnahmen im Umfeld der Habitate kommen als Beeinträchtigungsmöglichkeit in Betracht. Als kühlpräferente Art mit isolierten Vorkommen weist *S. doderoi* zudem eine besondere Empfindlichkeit gegenüber Erwärmung im Zuge klimatischer Veränderungen auf. Schutzmaßnahmen müssen auf den Erhalt der jeweiligen Standorte und der entscheidenden Umfeldbedingungen einschließlich der Wasserführung der jeweiligen Fließgewässersysteme abzielen. Ausgehend von den bisher bekannten Standorten sollte eine gezielte Nachsuche an weiteren potenziell geeigneten Gewässerstrecken (Konzentration auf Schluchtstrecken und Wasserfälle) erfolgen. Zudem sollte die Art in ein Monitoring jedenfalls über Stichproben aufgenommen werden.

Lebensraum von *Sinechostictus doderoi* im Wutachgebiet. Imagines fanden sich insbesondere an den kleinklimatisch kühlsten und feuchtesten Stellen.

Sinechostictus elongatus

(Dejean, 1831)
Länglicher Ahlenläufer

Allgemeine Verbreitung: Westeuropäisch-mediterran verbreitete Art. In Deutschland stößt sie an ihre nördliche und nordöstliche Arealgrenze und kommt vor allem im äußersten Westen von Bad.-Württ. über das Saarland, Rheinland-Pfalz und Hessen nach Norden hin bis Niedersachsen vor.

Vorkommen in Baden-Württemberg: Gebietsweise im Schwarzwald und im Oberrhein-Tiefland sowie vor allem über die Enz bis in die Neckar- und Tauber-Gäuplatten vordringend. Für die Angabe v. d. Trappens (1929) von einem Fund während eines Rems-Hochwassers bei Waiblingen fehlen Belege im Staatlichen Museum für Naturkunde Stuttgart (t. Wolf-Schwenninger), sie wurde daher nicht in die Datenbank übernommen. Möglicherweise handelte es sich um eine Verwechslung mit der aus dem Schwäbischen Keuper-Lias-Land dokumentierten Art *S. decoratus*. Sichere Vorkommen von *S. elongatus* sind im Einzugsgebiet des Neckars vor allem entlang der Enz und ihren Zuflüssen sowie punktuell von der Enz-Einmündung in den Neckar ein Stück neckarabwärts bekannt. Allerdings ist die Art auch aus Stuttgart durch Funde in den 1990er Jahren belegt (leg. Reck). Zweifelhaft und für die Datenbank unberücksichtig geblieben ist dagegen ein ehemaliges Vorkommen im Einzugsgebiet der Donau, obwohl bereits von Meyer (1938) 2 Exemplare aus Rohrgesiebe im Oberstotzinger Ried nach brieflicher Mitteilung P. Dolderers angegeben werden. Die Art fehlt aber vollständig auch im bayerischen Einzugsgebiet der Donau (s. Verbreitungskarte bei Trautner et al. 2014), so dass für die oben genannte Meldung eher von einer Fundortverwechslung ausgegangen werden muss. Die aus der Adelegg publizierte Meldung (Kostenbader 1976) geht mit Sicherheit auf Verwechslung mit *S. decoratus* zurück.

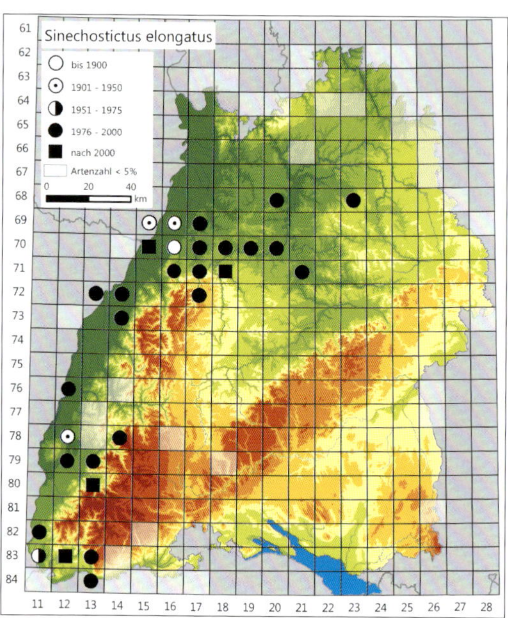

Sinechostictus elongatus. Foto: M. Bräunicke.

Lebensweise und Habitat: Art mit vollständig entwickelten Hinterflügeln (makropter), von der nach Auswertungsstand keine Flugbeobachtung vorliegt. Paarung und Eiablage (schwerpunktmäßig) im Frühjahr und Larvalentwicklung ab Frühjahr/Sommer. Aktive Imagines wurden in Bad.-Württ. nach den ausgewerteten Daten beinahe ganzjährig registriert. Bei der Untersuchung von Sowig (1986b) lag das Aktivitätsmaximum im April und die Phänologie ähnelte der von *S. decoratus* (s. dort), aus anderen Daten deutet sich ein Aktivitätsmaximum eher im Juni an. Es gibt allerdings auch verhältnismäßig viele Funde aus dem August, wobei es sich hier wohl überwiegend um die Tiere der neuen Generation handeln dürfte.

S. elongatus ist eine Bewohnerin sandiger Ufer, Bänke und Aufschwemmungen, wobei sie etwas stärkeren Vegetationsbewuchs und auch eine zumindest in Teilen stärkere Beschattung toleriert. *S. elongatus* stellte bei Versuchen in der Feuchtigkeitsorgel im Gegensatz zu *S. decoratus* „keine besonderen Ansprüche an hohe Luftfeuchtigkeit" (Sowig

1986a). Eine Einstufung als charakteristische Art einer oder mehrerer Fließgewässer-Lebensraumtypen aus Anhang I der FFH-Richtlinie ist zu erwägen, drängt sich aber wie bei *S. decoratus* jedenfalls nach jetzigem Kenntnisstand nicht auf.

Gefährdung und Schutz: *S. elongatus* steht bundesweit (Stand 2015) und in Bad.-Württ. (Stand 2005) in der Vorwarnliste, zudem wurde sie im Informationssystem Zielartenkonzept Bad.-Württ. wie *S. decoratus* als sogenannte „Zielorientierte Indikatorart" aufgenommen (Stand 2009, s. Kap. 17), da sie im Set der Uferarten auch Zeigerfunktion für naturnahe Entwicklungen an eher mittelgroßen Fließgewässern besitzt. Als Gefährdungsursachen kommen insbesondere Begradigung und Verbau von Fließgewässern mit Verlust naturnaher Uferstrukturen in Betracht. Zwar gehört *S. elongatus* wie *S. decoratus* zu denjenigen Arten, die auch an stärker beeinträchtigten Fließgewässerabschnitten, insbesondere solchen mit verringerter Hochwasser- und Geschiebedynamik, bei teilweise noch geeigneten Uferstrukturen Bestände ausbilden und erhalten können. Im Rahmen einer Fortschreibung der landesweiten Roten Liste ist allerdings nach aktuellem Datenstand und vor dem Hintergrund der eingeschränkten Verbreitung sowie der Hinweise auf verstärkte Rückgänge eine Höherstufung in die Kategorie „gefährdet" zu prüfen.

Sinechostictus inustus

(Jacquelin du Val, 1857)

Erd-Ahlenläufer

Allgemeine Verbreitung: Von Süd- nach West- und Mitteleuropa verbreitete Art. In Süddeutschland (Baden-Württemberg und punktuelle Vorkommen in Bayern) und Westdeutschland (Nordrhein-Westfalen, Hessen, Rheinland-Pfalz, Saarland) erreicht sie ihre nördliche Verbreitungsgrenze.

Vorkommen in Baden-Württemberg: Relativ weit verbreitet, obwohl oft nur punktuell nachgewiesen. Unter anderem SCHILLER (1984) und SOWIG (1986c) verwiesen bereits darauf, dass die früher als selten eingestufte Art durchaus häufiger und regelmäßiger zu finden ist. Die Art fehlt allerdings vollständig bis weitgehend im Bereich der Donau-Iller-Lech-Platte und im Voralpinen Hügel- und Moorland (mit Ausnahme des Bodenseeraums).

Lebensweise und Habitat: Flugfähige (makroptere) Art. Aktive Imagines wurden in Bad.-Württ. nach den ausgewerteten Daten zwischen März und August registriert, wobei die Mehrzahl der Nachweise aus den Monaten Mai und Juni stammt.

S. inustus tritt an Ufern, an Rohbodenstandorten mit umfangreichem Lückensystem (meist lehmig) und in Situationen auf, die dem Schwerpunktlebensraum von *Porotachys bisulcatus* (s. dort) vergleichbar sind (mit der sie auch gemeinsam vorkommen kann), das heißt auf faulen oder sich zersetzenden Pflanzenteilen in dunkler und feuchter Lage. Dementsprechend stammen viele Funde von Fließgewässerufern mit Feinsubstraten und

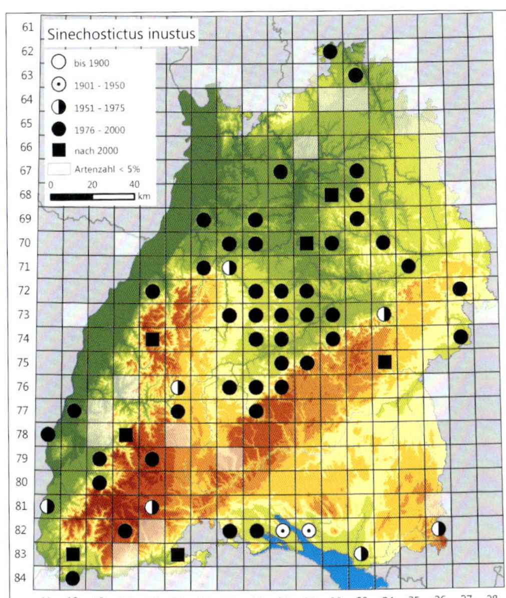

Sinechostictus inustus. Foto: M. Bräunicke.

In dieser Lehmgrube im zentralen Baden-Württemberg war *Sinechostictus inustus* in Anzahl aufzufinden, etwa unter Steinen und in tief ins Substrat reichenden Spalten.

Schwemmholz, von Erddeponien und aus Abbaugebieten (besonders Lehmgruben). Im Bodenseeraum wurde *S. inustus* zusammen mit *Porotachys bisulcatus* und *Perigona nigriceps* in sogenannten „Stubbenwällen“ im Rekultivierungsbereich einer Kiesgrube nachgewiesen.

Gefährdung und Schutz: *S. inustus* ist weder bundesweit (Stand 2015) noch in Bad.-Württ. (Stand 2005) gefährdet. Aufgrund der relativ weiten Verbreitung mit Auftreten in unterschiedlichen, auch ungefährdeten Lebensraumtypen ist auch keine zukünftige Gefährdung absehbar. Kein Handlungsbedarf.

Sinechostictus millerianus

(Heyden, 1883)

Gebirgsbach-Ahlenläufer

Allgemeine Verbreitung: Südost- und mitteleuropäisch in montanen bis subalpinen Lagen verbreitet. Die in Deutschland an ihre nördliche Verbreitungsgrenze stoßende Art weist zwei voneinander getrennte Teilareale im äußersten Süden (Bad.-Württ., Bayern) und von Westdeutschland (Rheinland-Pfalz, Nordrhein-Westfalen) bis Mitteldeutschland auf, wobei sie nach Osten hin Thüringen und Sachsen-Anhalt erreicht.

Sinechostictus millerianus.

Lebensraum von *Sinechostictus millerianus* im Wutachgebiet. Die stenotope Art besiedelt offene Kiesufer.

Vorkommen in Baden-Württemberg: Sehr kleines Vorkommensareal im Alb-Wutach-Gebiet (s. u. a. Kless 1961) und im Hochschwarzwald, zudem aktuell von der Eschach in der Adelegg an der Grenze zu Bayern nachgewiesen (Einzugsgebiet der Iller; eigene Daten). Bislang keine Nachweise vom Hochrhein oder von Bodenseezuflüssen. Für einen vermeintlichen Fund im Nordosten Baden-Württembergs (Goldshöfe, Ostalbkreis, Köstlin leg. V.1959, 1 Ex. det. Kuntze), der von Horion (1960) gemeldet worden war, ist zwar das Belegtier im Staatlichen Museum für Naturkunde Stuttgart vorhanden. Es erwies sich bei einer Überprüfung jedoch als fehlbestimmt (*Bembidion milleri*, rev. Fritze, vid. Trautner).

Lebensweise und Habitat: Art mit vollständig entwickelten Hinterflügeln (makropter), von der nach Auswertungsstand keine Flugbeobachtung vorliegt. Paarung und Eiablage (schwerpunktmäßig) im Frühjahr und Larvalentwicklung ab Frühjahr/Sommer. Aktive Imagines wurden in Bad.-Württ. nach den ausgewerteten Daten zwischen Mai und Oktober registriert. Für Angaben zu Phänologie und Aktivitätsmaximum liegen keine ausreichenden Daten vor. Sokolowski (1958) erwähnt ein besonders zahlreiches Auftreten an einem Fundort Ende September.

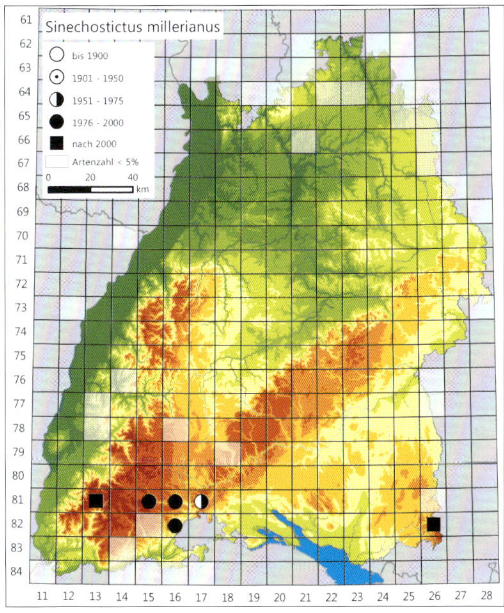

S. millerianus besiedelt vegetationsarme bis -freie Ufer, Bänke und Aufschwemmungen an Fließgewässern mit deutlichem Anteil an gröberem Substrat (Schotter, Kies), das aber unter anderem von Sand durchsetzt sein kann. Auch Horion (1937) führte schon aus dem Rheinland Funde an Ufern „unter Kies und Schotter auf sandigem Boden" an. Nach Sokolowski (1958) finden sich die Individuen vorwiegend an der Wasserkante. Fundierte Aussagen zur Beschattungstoleranz sind anhand der vorliegenden Funde nicht möglich. *S. millerianus* ist als charakteristische Art des Lebensraumtyps 3240 (Alpine Flüsse mit Lavendelweiden-Ufergehölzen) sowie bestimmter Ausprägungen des Lebensraumtyps 3260 (Fließgewässer mit flutender Wasservegetation) aus Anhang I der FFH-Richtlinie einzustufen.

Gefährdung und Schutz: *S. millerianus* ist bundesweit (Stand 2015) und in Bad.-Württ. (Stand 2005) stark gefährdet. Zudem ist die Art als Landesart B des Informationssystems Zielartenkonzept Bad.-Württ. (Stand 2009) eingestuft. Als Gefährdungsursachen sind Uferverbau, Einengung von Auestandorten und Veränderungen der hydrologischen Rahmenbedingungen sowie der Substratdynamik zu sehen, potenziell auch stoffliche Belastungen (s. Hinweis bei Kless 1961 zu Verschmutzungen durch Fabrikabwässer und dadurch hervorgerufene Schlammablagerungen). Für den Erhalt der Art müssen Ausdehnung und Qualität dynamischer Uferstrukturen verbessert werden. Schutzmaßnahmen müssen abzielen auf den Erhalt und die Wiederentwicklung möglichst naturnaher Fließgewässerstrecken (einschließlich des Geschiebe- und Wasserhaushalts) mit eigendynamischer Entwicklung, die langfristig große Populationen der Art sichern können. Dies ist für *S. millerianus* in Bad.-Württ. nur möglich in räumlicher Nähe zu dokumentierten Vorkommen an kies- oder schotterreichen Fließgewässern im Alb-Wutach-Gebiet/Hochschwarzwald. Die Bestandsentwicklung der Art sollte im Rahmen eines Monitorings verfolgt werden.

Sinechostictus ruficornis

(Sturm, 1825)

Sturms Ahlenläufer

Allgemeine Verbreitung: Von den Pyrenäen über den Alpen- und Voralpenraum bis zu den Karpaten in montanen bis subalpinen Lagen vertretene Art. In Deutschland ist sie nur im Süden (Alpenraum und Alpenvorland) anzutreffen.

Vorkommen in Baden-Württemberg: Von v. d. Trappen (1929) mit Bezug auf Lampert (1897) für Ulm angegeben, in der Sammlung des Museums in Dresden sind alte Belegtiere aus Ulm leg. Forner vorhanden (Meyer 1938). Vor dem Hintergrund der früher im Ulmer Raum an der Donau und an der Iller vorhandenen Uferstrukturen ist – wie bei anderen Arten – auch ein früheres autochthones Vorkommen (und nicht nur eine Hochwasser-Verdriftung) dort und entlang der Iller möglich. Es liegen allerdings auch von der Iller keine neueren Funde vor. Der Hinweis Sokolowskis (1958) zu Fundumständen von *S. ruficornis* im Zusammenhang mit Angaben zu *S. millerianus* in der Wutachschlucht geht offenkundig nicht auf baden-württembergische Funde zurück. Der Fundpunkt in der bundesdeutschen Verbreitungskarte von Trautner et al. (2014) für das Rasterfeld 8314 (Südschwarzwald/Alb-Wutach-Gebiet) ist leider unzutreffend und beruhte auf einem Fehler bei der Datenzuordnung.

Lebensweise und Habitat: Art mit vollständig entwickelten Hinterflügeln (makropter), von der nach Auswertungsstand keine Flugbeobachtung vorliegt. Räuberische Art. Für Angaben zu Phänologie

Sinechostictus ruficornis. Foto: M. Bräunicke.

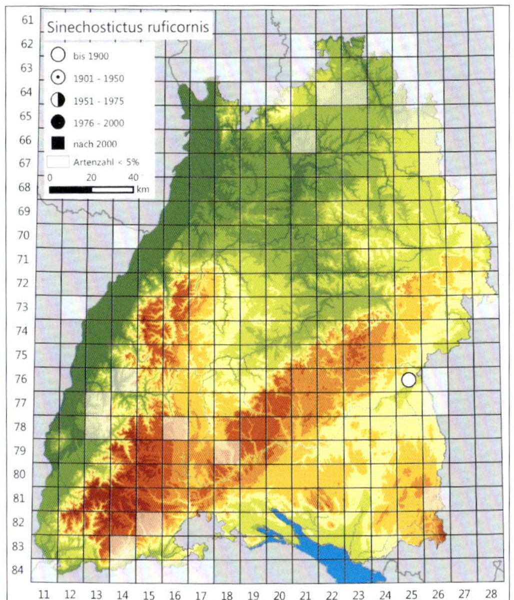

und Aktivitätsmaximum liegen keine ausreichenden Daten aus Bad.-Württ. vor. In der Schweiz wurden aktive Imagines zwischen März und Oktober registriert (Marggi 1992).

S. ruficornis ist ebenso wie *S. millerianus* eine Bewohnerin vegetationsarmer bis -freier Ufer, Bänke und Aufschwemmungen an Fließgewässern. Die Strukturen weisen meist einen deutlichen Anteil gröberen Substrats (Schotter, Kies) auf, das aber zum Beispiel von Sand durchsetzt sein kann. Sokolowski (1958) gibt nach seinen Funden „feuchte Feinsandbänke in schattiger Lage" an [Anm.: nicht aus Bad.-Württ., s. o.]. Eigene Funde aus dem Alpenraum stammen sowohl aus besonnten als auch aus teilweise beschatteten Lebensräumen mit Grobsubstrat-Anteil.

Gefährdung und Schutz: *S. ruficornis* ist bundesweit (Stand 2015) gefährdet, war aber in Bad.-Württ. (Stand 2005) bisher nicht in der Checkliste und Roten Liste geführt. Im Rahmen einer Neufassung der landesweiten Roten Liste ist die Einstufung in die Kategorie der ausgestorbenen oder verschollenen Arten naheliegend, da ehemalige Vorkommen im Raum Ulm (und möglicherweise entlang der Iller) schon erloschen sind. Eine gezielte Prüfung entlang der Iller und zudem in der Adelegg ist zu erwägen.

Sinechostictus stomoides

(Dejean, 1831)
Waldbach-Ahlenläufer

Allgemeine Verbreitung: Südost- und mitteleuropäisch in überwiegend montanen bis subalpinen Lagen verbreitet. Die in Deutschland an ihre nördliche Verbreitungsgrenze stoßende Art weist zwei möglicherweise voneinander getrennte Teilareale im Süden (Baden-Württemberg, Bayern) und von Westdeutschland (Saarland, Rheinland-Pfalz, Nordrhein-Westfalen) über Mitteldeutschland (Niedersachsen, Thüringen, Sachsen-Anhalt) lokal bis Ostdeutschland (Sachsen) auf.

Vorkommen in Baden-Württemberg: Regional verbreitet, mit Schwerpunkten im südlichen Schwarzwald, entlang der Iller im Bereich der Donau-Iller-Lech-Platte, der Adelegg sowie im Schwäbischen Keuper-Lias-Land. Einzelne publizierte und unpublizierte Meldungen aus weiteren Räumen gingen auf Verwechslung mit anderen Arten zurück, so diejenige bei Licht (1993) sowie Fundangaben aus dem Odenwald und Spessart.

Lebensweise und Habitat: Art mit vollständig entwickelten Hinterflügeln (makropter), von der nach Auswertungsstand keine Flugbeobachtung vorliegt. Im Gegensatz zu der bei Luka et al. (2009) für die Schweiz dargestellten Häufung an Handfangereignissen im Mai stammen die meisten baden-württembergischen Nachweise aus den Monaten Juni bis September (insgesamt Funde von April bis Okober).

S. stomoides tritt auf vegetationsarmen Ufern, Bänken und Aufschwemmungen meist der kleineren Fließgewässer in überwiegend bis vollständig beschatteter Lage auf. Wolf-Schwenninger (2001) untersuchte die Brugga im Südschwarz-

Sinechostictus stomoides. Foto: M. Bräunicke.

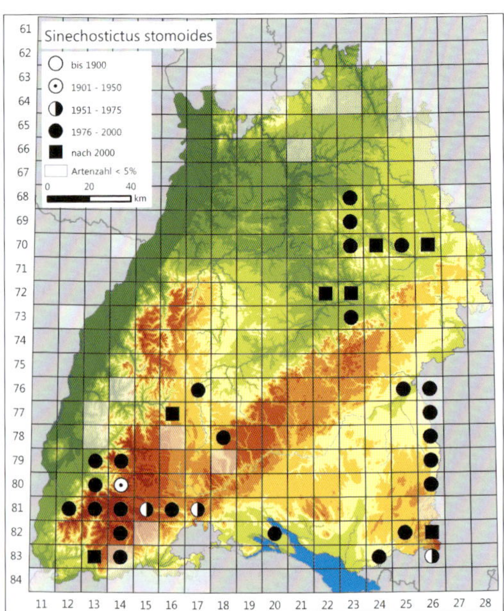

wald von ihren Quellbächen und ihrem Oberlauf über den Mittel- bis zum Unterlauf und konnte die Art dabei in höherer Zahl nur am Oberlauf sowie im Quellbereich auf kleinen Schotter- und Kiesbänken feststellen. In sehr geringer Zahl trat sie noch im mittleren Abschnitt auf (wird auch auf anthropogene Einflüsse zurückgeführt), während sie an den Probestellen des Unterlaufs entsprechend dem dort vorherrschenden Substrattyp und seiner Verfügbarkeit fehlte; sie ordnet die Art der typischen Bergbachfauna zu. Dies korrespondiert mit anderen Literaturangaben sowie eigenen Daten, letztere z. B. aus dem Schwäbischen Keuper-Lias-Land. Neben einem meist an den Fundorten vorhandenem Grobsubstrat (Schotter, Kies) wiesen alle eigenen Fundstellen in Bad.-Württ. einen merklichen Sandanteil im beigemengten oder unterliegenden Feinsubstrat auf. Als einziges größeres Gewässer mit im Längsverlauf an geeigneten Strukturen recht stetem Auftreten von *S. stomoides*

Lebensraum von *Sinechostictus stomoides* an einem Waldbach mit sandig-lehmigem Substrat im Schurwald (Teil des Schwäbischen Keuper-Lias-Landes).

zeigt sich die Iller an der baden-württembergischen Landesgrenze. Da sich die Hauptvorkommen von *S. stomoides* schwerpunktmäßig gerade auch auf solche Gewässerabschnitte erstrecken, bei denen der Lebensraumtyp 3260 (Fließgewässer mit flutender Wasservegetation) aus Anhang I der FFH-Richtlinie wahrscheinlich nicht oder nur teilweise ausgeprägt ist, wird keine Zuordnung als charakteristische Art eines Lebensraumtpys jener Richtlinie gesehen.

Gefährdung und Schutz: *S. stomoides* steht bundesweit (Stand 2015) in der Vorwarnliste und ist in Bad.-Württ. (Stand 2005) gefährdet sowie Landesart B des Informationssystems Zielartenkonzept Bad.-Württ. (Stand 2009). Große Populationen vermag die Art in naturnahen Fließgewässerabschnitten mit umfangreicherem Angebot an geeigneten Uferstrukturen und mit ausreichender Gewässerdynamik auszubilden. Diese sind bereits deutlich rückläufig und stellen einen weiterhin gefährdeten Lebensraum dar, zudem ist die Art naturräumlich nur eingeschränkt verbreitet. Wichtige Ziele sind der Erhalt verbliebener naturnaher Fließgewässerstrecken sowie deren Förderung oder Wiederherstellung bei ausreichender Gewässerdynamik, und zwar vor allem im Bereich der Ober- und zum Teil der Mittelläufe.

Tachys bistriatus

(Duftschmid, 1812)

Zweistreifiger Zwergahlenläufer

Allgemeine Verbreitung: Westpaläarktisch verbreitete Art, die in Nord- und Nordwesteuropa weitgehend fehlt. Die in Deutschland an ihre nördliche Arealgrenze stoßende Art weist ihren Verbreitungsschwerpunkt in der südlichen Hälfte (besonders Baden-Württemberg, Bayern) auf, während sie nach Norden zunehmend lückiger bis nach Mecklenburg-Vorpommern vorkommt und ansonsten in großen Teilen Norddeutschlands fehlt.

Vorkommen in Baden-Württemberg: Landesweit verbreitet, lediglich aus dem Schwarzwald und von der Schwäbischen Alb keine oder kaum Nachweise. Fehlende Nachweise in der Verbreitungskarte sind ansonsten als Erfassungslücken, i. d. R. aber nicht als ein tatsächliches Fehlen zu interpretieren.

Lebensweise und Habitat: Flugfähige (makroptere) Art. Paarung und Eiablage (schwerpunktmäßig) im Frühjahr und Larvalentwicklung ab

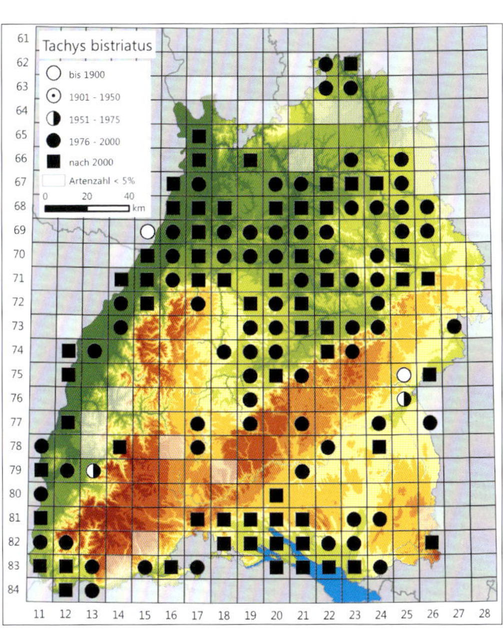

Frühjahr/Sommer. Aktive Imagines wurden in Bad.-Württ. nach den ausgewerteten Daten zwischen April und November registriert, mit einem Aktivitätsmaximum im Mai.

T. bistriatus tritt zwar mit relativ hoher Stetigkeit an Ufern auf, ist aber keine spezifische Uferbewohnerin, worauf unter anderem bereits Baehr (1980) für den Schönbuch im zentralen Bad.-Württ. hinweist, der die Art mitunter auch „auf abgeernteten Äckern unter Vegetation" fand. Die Art wird häufiger im feuchten Grünland und in Äckern auf eher bindigem Substrat nachgewiesen

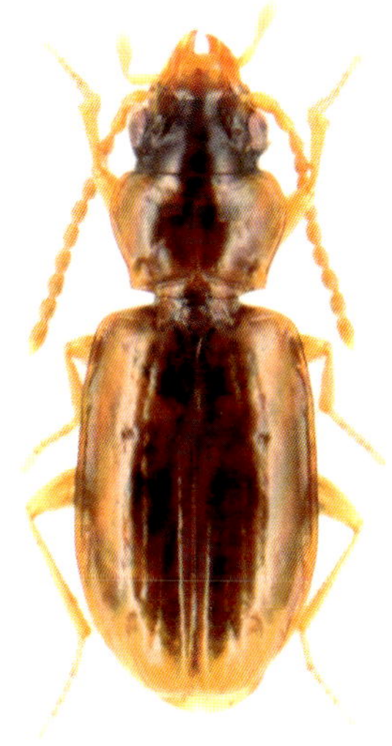

Tachys bistriatus. Foto: O. Bleich.

sowie auf Flächen mit Pionier- oder Ruderalvegetation, etwa in Abbaugebieten.

Gefährdung und Schutz: *T. bistriatus* ist weder bundesweit (Stand 2015) noch in Bad.-Württ. (Stand 2005) gefährdet. Aufgrund der weiten Verbreitung mit Auftreten in unterschiedlichen Lebensraumtypen ist auch keine zukünftige Gefährdung absehbar. Kein Handlungsbedarf.

Tachys fulvicollis

(Dejean, 1831)

Brauner Zwergahlenläufer

Allgemeine Verbreitung: In der südlichen Westpaläarktis verbreitete Art, die in Europa vor allem im Südosten auftritt und dabei Mitteleuropa erreicht. Von dieser Arealerweiterin sind lokale und isolierte Nachweise aus verschiedenen Bundesländern im südlichen und mittleren Deutschland bekannt.

Vorkommen in Baden-Württemberg: Erstnachweis in den Neckar-Tauber-Gäuplatten duch Wolf-Schwenninger (1996). Seitdem einzelne weitere Funde (u. a. bei Espasingen 2010, Götz & Kiechle, in lit.), zuletzt bei Nürtingen im zentralen Bad.-Württ. am Licht (2015, leg. Rieger, coll. Trautner).

Lebensweise und Habitat: Flugfähige (makroptere) Art. Für Angaben zu Phänologie und Aktivitätsmaximum liegen aus Bad.-Württ. keine ausreichenden Daten vor. Fundmeldungen stammen hier aus den Monaten März, Juni und Juli.

Tachys fulvicollis. Foto: O. Bleich.

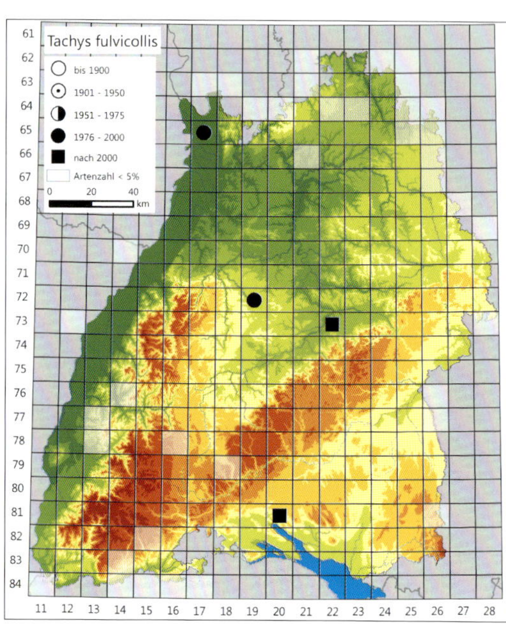

T. fulvicollis ist als Uferart einzustufen. Der Fund von Wolf-Schwenninger (1996) gelang unter einem Stein auf feinkörnigem, durchfeuchtetem Substrat am nahezu vegetationsfreien Rand eines sonnenexponierten, in einem Muschelkalksteinbruch gelegenen Tümpels. Dieses Gebiet ist durch jahrweise extrem unterschiedliche Wasserführung gekennzeichnet. Im Süden Europas ist die Art ebenfalls aus Feuchtgebieten bekannt, dort unter anderem von schilfbestandenen Ufern an Stillgewässern (eigene Daten). Marggi (1992) beschreibt sie als „extrem hygrophil, an Ufern von stehenden Gewässern [...]“, was mit den obigen Angaben korrespondiert.

Gefährdung und Schutz: *T. fulvicollis* ist bundesweit (Stand 2015) stark gefährdet, in Bad.-Württ. (Stand 2005) ist sie bislang als extrem seltene Art der Kategorie R und als Landesart A des Informationssystems Zielartenkonzept Bad.-Württ. (Stand 2009) eingestuft. Nach den zwischenzeitlichen Funden ist die landesweite Einstufung nicht mehr zutreffend, obwohl weiterhin nur sehr wenige Funde, allerdings aus unterschiedlichen Naturräumen vorliegen. Sie geben zudem Hinweise auf eine mögliche Ausbreitung der Art. Vor diesem Hintergrund ist bei einer Fortschreibung der Roten Liste eine andere Einstufung vorzunehmen, möglicherweise in die Kategorie D (Daten defizitär). Nachgewiesene Lebensräume sollten erhalten werden, weiterer Handlungsbedarf wird derzeit nicht gesehen.

Tachys micros

(Fischer v.W., 1828)
Heller Zwergahlenläufer

Allgemeine Verbreitung: Westpaläarktisch verbreitete Art, die im Norden Europas fehlt. Sie stößt in Deutschland an ihre nördliche Arealgrenze und ist mit Verbreitungsschwerpunkten im Süden und Westen sehr diskontinuierlich in fast allen Teilen Deutschlands vertreten. Nach Norden hin erreicht sie den Hamburger Raum.

Vorkommen in Baden-Württemberg: Zwar relativ weit verbreitet, aber mit meist nur sehr geringer Funddichte und jedenfalls in Teilen räumlich eng begrenzten Vorkommen vertreten. Schwerpunkte hat sie im Oberrhein-Tiefland sowie in der Donau-Iller-Lech-Platte und dem Voralpinen Hügel- und Moorland, während sie auf der Schwäbischen Alb und im Schwarzwald fehlt. Bestätigte Funde konzentrieren sich auf Bereiche von meist etwas größeren Bach- und Flussauen.

Lebensweise und Habitat: Art mit unterschiedlicher Flügelausbildung (dimorph bzw. polymorph), von der nach Auswertungsstand keine Flugbeobachtung vorliegt. Paarung und Eiablage (schwerpunktmäßig) im Frühjahr und Larvalentwicklung ab Frühjahr/Sommer. Aktive Imagines wurden in Bad.-Württ. nach den ausgewerteten Daten zwischen April und Oktober registriert. Zur Angabe eines Aktivitätsmaximums liegen keine ausreichenden Daten vor, die meisten Fundmeldungen stammen aus den Monaten Mai und Juni.

Tachys micros. Foto: O. Bleich.

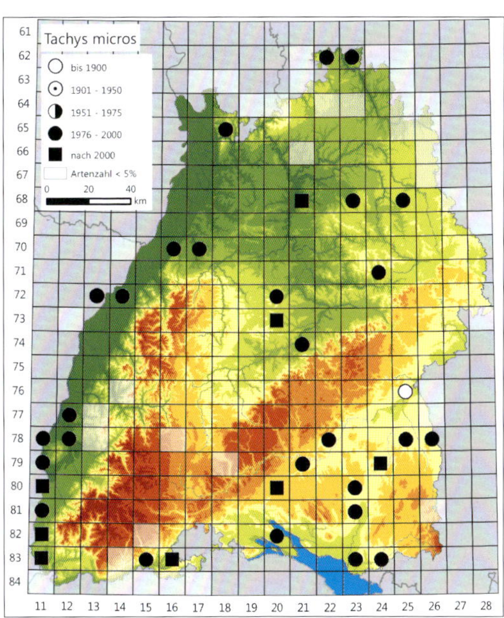

T. micros ist eine Art mit Schwerpunkt auf Ufern, Bänken und Aufschwemmungen mit Feinsubstrat (sandig bis schluffig, teils lehmig), wobei sowohl vegetationsarme als auch stärker mit Vegetation bewachsene Bereiche besiedelt werden. In letzteren sind nach eigenen Daten auch zumindest kleinflächig offene Bodenstellen vorhanden, wie sie etwa in Flutmulden bei wiederkehrender, längerer Überstauung entstehen. Die Art bevorzugt besonnte Lebensräume. Typische Fundorte beschreiben Wolf-Schwenninger & Schwenninger (1992) mit einer Sandbank an einem Altrheinarm und mit einem vegetationsreichen Teichufer. Die Art tritt auch an Kies- oder Schotterufern auf, wenn diese mit feinerem Substrat durchsetzt sind.

Gefährdung und Schutz: *T. micros* steht bundesweit (Stand 2015) auf der Vorwarnliste und ist in Bad.-Württ. (Stand 2005) stark gefährdet und Landesart B des Informationssystems Zielartenkonzept Bad.-Württ. (Stand 2009). Als Gefährdungsursachen sind vor allem der Verlust habitatprägender Dynamik an Fließgewässern, Entwässerung sowie strukturelle Veränderungen in Auen und längerfristige Sukzessionsprozesse mit flächigem Gehölzaufkommen bei Nutzungsaufgabe bisher geeigneter Grünlandstandorte zu sehen. Schutzmaßnahmen müssen zunächst darauf abzielen, an den nachgewiesenen Standorten der Art langfristig die notwendigen Habitateigenschaften auf möglichst großer Fläche sicherzustellen, ggf.

Fundstelle von *Tachys micros* in einer abgetrockneten Überschwemmungsmulde im Donautal.

durch Pflegemaßnahmen mit wiederkehrenden „Störungen" der Bodenoberfläche. Ausgehend von diesen Flächen sollen weitere Habitate im Umfeld entwickelt werden, soweit dort noch Potenzial für die Art besteht. Für den Erhalt der Art sollen Ausdehnung und Qualität dynamischer Uferstrukturen sowie von offenen Flutmulden in der Aue vor allem entlang der größeren Fließgewässer optimiert werden, entsprechende Uferstrukturen auch an Stillgewässern.

Tachyta nana

(Gyllenhal, 1810)

Rinden-Zwergahlenläufer

Allgemeine Verbreitung: Holarktisch verbreitete Art, die auch in weiten Teilen Europas vertreten ist. In Deutschland ist *Tachyta nana* weit verbreitet.

Vorkommen in Baden-Württemberg: Landesweit verbreitet, fehlende Nachweise in der Verbreitungskarte sind als Erfassungslücken, i. d. R. aber nicht als ein tatsächliches Fehlen zu interpretieren (auch in denjenigen Bereichen, aus denen bisher großräumig keine Nachweise vorliegen). Die Art wird meist nur über gezielte Handfänge an geeigneten Strukturen (s. u.) erfasst.

Lebensweise und Habitat: Art mit vollständig entwickelten Hinterflügeln (makropter), von der nach Auswertungsstand keine Flugbeobachtung vorliegt. Räuberische Art. Paarung und Eiablage (schwerpunktmäßig) im Frühjahr und Larvalentwicklung ab Frühjahr/Sommer. Imagines wurden in Bad.-Württ. ganzjährig registriert. Die Angabe eines Aktivitätsmaximums ist anhand der Daten

Tachyta nana.

Wenn Baumstämme aus frischen Fällungen (wie im Bild) mehrere Monate gelagert werden und sich dabei Rindenstrukturen etwas ablösen, sind sie regelmäßig Lebensraum für *Tachyta nana*.

nicht möglich, ebenso ist im Einzelfall bei Handfängen auch im Winterhalbjahr nicht oder kaum zwischen aktiven und möglicherweise inaktiv überwinternden Imagines zu unterscheiden.

T. nana ist eine spezifische Bewohnerin abgestorbener oder absterbender Rindenstrukturen von

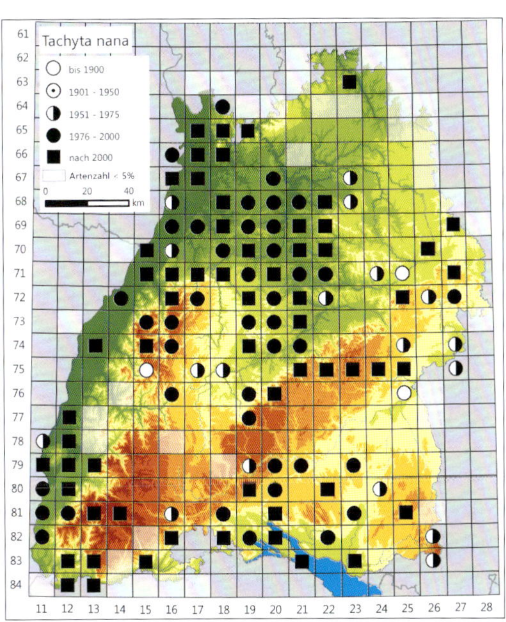

Bäumen, wobei alle eigenen Funde von voll oder teilweise besonnten Stamm- und Starkaststrukturen stammen. In den meisten Fällen tritt die Art individuenreich an gefällten, liegenden Stämmen unter der dort bereits losen oder relativ leicht abzulösenden Rinde auf. Lindroth (1992) schreibt, die Käfer würden nur an Stellen mit Borkenkäfergängen auftreten. Solche sind zwar in vielen Fällen vorhanden, aber nach den Funden in Bad.-Württ. keine Voraussetzung für ein Vorkommen der Art. Häufig ist an den Fundstellen eine Verpilzung zwischen Rinde und Splint zu beobachten. *T. nana* wurde in Bad.-Württ. auch an noch lebenden Bäumen, so etwa am Rand von besonnten Kiefernbeständen mit Stammschäden und dort stellenweise loser Rinde, nachgewiesen. Die Art nutzt ein sehr breites Baumarten-Spektrum, das sowohl Nadel- (z.B. Fichte, Kiefer) als auch Laubbäume (etwa Rotbuche, Hainbuche, Birke) umfasst. Entscheidend für die Besiedlung dürften Struktur und mikroklimatische Verhältnisse sowie das Nahrungsangebot sein. Lindroth (1992) führt in diesem Zusammenhang an, dass die Fundstellen zwar eher besonnt, zugleich aber nicht zu trocken sind.

Gefährdung und Schutz: *T. nana* ist weder bundesweit (Stand 2015) noch in Bad.-Württ. (Stand 2005) gefährdet. Aufgrund der weiten Verbreitung mit Auftreten in unterschiedlichen, überwiegend ungefährdeten Lebensraumtypen des Waldes und von Wald-Offenland-Übergangsbereichen ist auch keine zukünftige Gefährdung absehbar. Kein Handlungsbedarf.

Tribus Pogonini

J. Trautner

Weltweit sind für diese Tribus nach Lorenz (2015) bislang 84 Arten aus 12 Gattungen beschrieben, die überwiegend im Küstenbereich und an Binnenlandsalzstellen leben. In Bad.-Württ. ist sie mit einer Art vertreten, deren Imagines eine Größe von rund 5,3–7,7 mm erreichen.

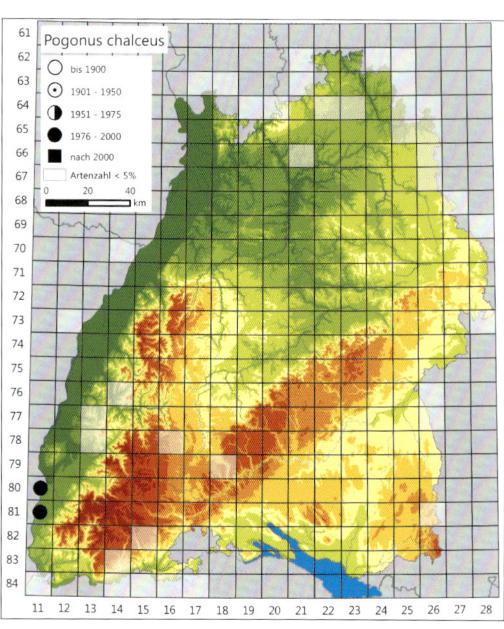

Pogonus chalceus
(Marsham, 1802)
Erzfarbener Salzstellenläufer

Allgemeine Verbreitung: Art der europäischen und nordafrikanischen Küsten, teils auch an Binnenlandsalzstellen. In Deutschland kommt sie hauptsächlich an der Nordseeküste sowie an den Binnenland-Salzstellen Mitteldeutschlands (Sachsen-Anhalt, Thüringen) vor, während aus Südwestdeutschland (Baden-Württemberg) noch ein isoliertes Vorkommen bekannt ist.

Pogonus chalceus.

Vorkommen in Baden-Württemberg: Nur an einer anthropogenen Salzstelle im Süden des Oberrhein-Tieflands (Kaliwerk Buggingen) und einem weiteren Standort im Umfeld einer solchen nachgewiesen. Das dortige Auftreten ist im Zusammenhang mit weiteren Vorkommen auf französischer Seite des Rheins zu sehen, dort ebenfalls auf Salzstandorten der Kaliindustrie, über einen Zeitraum von mehreren Jahrzehnten (Richwiller, Wittelsheim, Bollwiller; nach Callot & Schott 1993). Die Art wurde in Buggingen wiederholt gefunden, eigene Funde stammen zuletzt vom Ende der 1990er Jahre. Über die aktuelle Situation liegen keine Informationen vor.

Lebensweise und Habitat: Vorwiegend tagaktive Art mit unterschiedlicher Flügelausbildung, für die nach Auswertungsstand zwar keine Flugbeobachtung vorzuliegen scheint, von der Individuen aber jedenfalls teil- und zeitweise neben gut ausgebildeten Flügeln auch eine funktionsfähige Flugmuskulatur entwickelt haben und daher z.B. eine Neubesiedlung geeigneter Standorte durch Flug unterstellt wird (s. Desender 1985). Nach Untersuchungen von Desender (1985) an der belgi-

(Ehemaliger) Lebensraum von *Pogonus chalceus* im Kaliwerk Buggingen im südlichen Oberrhein-Tiefland.

schen Atlantikküste pflanzt sich die Art im gemäßigten Klimaraum im Frühjahr und Frühsommer fort: Eier wurden von April an produziert und ab Mai bis in den August hinein gelegt, die neue Generation an Imagines schlüpfte zwischen Juni und September. Tiere zweier und teils dreier Jahrgänge waren in seiner Untersuchung im Feld vorzufinden. In wärmeren Klimata ist die Art als potenziell mehrbrütig (polyvoltin) einzustufen (Paarmann 1976). Aktive Imagines wurden in Bad.-Württ. nach den wenigen ausgewerteten Daten im Mai und Juni registriert, für die Darstellung eines Aktivitätsmaximums liegen keine ausreichenden Daten vor.

P. chalceus ist eine halobiote Art, die in Salzmarschen der Küste mit einer Salinität > 0,1 % auftritt und dort lückige Vegetationsbestände der tieferen Zone bevorzugt (Desender & Maelfait 1999). Die eigenen Funde aus Buggingen gelangen an vegetationsarmen und -freien, sehr feuchten Stellen ephemerer und voll besonnter Kleingewässer am Fuß der Kalihalde.

Gefährdung und Schutz: *P. chalceus* steht bundesweit auf der Vorwarnliste (Stand 2015) und ist in Bad.-Württ. (Stand 2005) als vom Aussterben bedroht eingestuft sowie Landesart A des Informationssystems Zielartenkonzept Bad.-Württ. (Stand 2009). Die aktuelle Situation in Buggingen ist unbekannt und bedarf der Klärung, bevor ein möglicher Handlungsbedarf abgeleitet werden kann. Die naturschutzfachliche Bedeutung des Vorkommens ist unter Berücksichtigung des Gesamtareals mit Schwerpunktvorkommen der Art an Küsten aber eher als nachrangig zu sehen, zumal (entgegen der Situation in Frankreich) keine weiteren halobionten Laufkäferarten aus Buggingen dokumentiert sind.

Tribus Patrobini

J. Trautner

Weltweit sind nach Lorenz (2015) bislang 221 Arten aus 28 Gattungen beschrieben, die dieser Tribus zugerechnet werden. In Bad.-Württ. ist sie mit 2 Arten einer Gattung vertreten, deren Imagines im Größenspektrum von rund 7–10 mm liegen. Die Imagines weisen hinter den Augen eine starke Einschnürung des Kopfes auf.

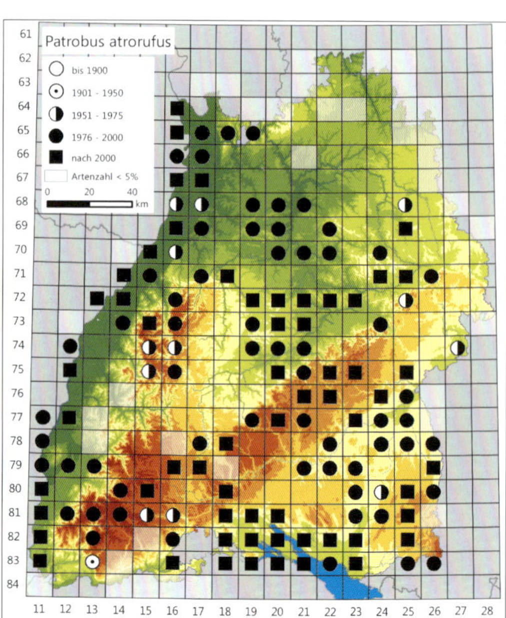

Patrobus atrorufus

(Stroem, 1768)

Gewöhnlicher Grubenhalsläufer

Allgemeine Verbreitung: Europäisch-westsibirisch verbreitete Art, die in Südeuropa fehlt. Sie kommt in Deutschland flächendeckend in geeigneten Lebensräumen vor.

Vorkommen in Baden-Württemberg: Landesweit verbreitet, lediglich in Räumen mit geringer Ausstattung an feuchten Standorten fehlt die Art, oder es gibt nur lokale Vorkommen; ansonsten sind fehlende Nachweise in der Verbreitungskarte als Erfassungslücken, i. d. R. aber nicht als ein tatsächliches Fehlen zu interpretieren. Alle Fundmeldungen der Arten *P. australis* und *P. septentrionis* aus dem Südschwarzwald sind als unzutreffend einzuordnen und auf *P. atrorufus* zu beziehen. Ein Teil des entsprechenden Materials wurde geprüft, darunter auch Tiere aus der Untersuchung von Molenda (1989), die sich, ebenso wie selbst gesammeltes und von Kollegen zur Verfügung gestelltes Material aus dem Hochschwarzwald und speziell vom Feldberg, alle als *P. atrorufus* herausstellten (s. auch das Kapitel zu zweifelhaften oder unrichtigen Artmeldungen).

Patrobus atrorufus.

Lebensweise und Habitat: Flugfähige (dimorphe bzw. polymorphe) und räuberische Art. Paarung und Eiablage (schwerpunktmäßig) im Sommer und Larvalentwicklung ab Sommer/Herbst. Aktive Imagines wurden in Bad.-Württ. nach den ausgewerteten Daten zwischen April und November registriert, mit einem Aktivitätsmaximum im August und September.

P. atrorufus ist eine Art mit Schwerpunktvorkommen in beschatteten Feucht- und Nassstandorten. Baehr (1980) beschreibt die Lebensräume im Schönbuch im zentralen Bad.-Württ. wie folgt: „Vor allem an feuchten, lehmigen Stellen und an Bachrieseln und Quellen im Buchenwald und in Schonungen, daneben einzeln in Auwäldern. Zahlreich in Erlen-bestandenem Schilf- und Seggensumpf." In Auwäldern ist die Art auch im Oberrhein-Tiefland verbreitet und individuenreich vertreten (z. B. Gerken 1981). Bei vergleichenden Untersuchungen zu Bann- und Wirtschaftswäldern in verschiedenen Naturräumen Baden-Württembergs (Trautner et al. 1998) wurde die

Art in zweien der Gebiete nachgewiesen, davon aber nur in demjenigen an mehreren Probestellen, das in größerem Umfang mit Bachläufen und quelligen Standorten ausgestattet ist. Im zweiten Gebiet kam die Art nur in einem bachnahen Klingenstandort vor. Fundorte außerhalb des Waldes zeichnen sich durch hohe und dichte Vegetation (Schilf, nasse Hochstaudenfluren) aus. In Hochlagen des Schwarzwaldes kann die Art stärker ins Offenland gehen und besiedelt z. B. im Feldberggebiet auch offene Blockhalden oder Schuttfluren. Ähnliches beschreibt Marggi (1992) für die Schweiz: „an subalpinen und alpinen Standorten unter Steinen am Rande des schmelzenden Schnees, oft in Gesellschaft von alpinen *Nebria*-Arten."

Gefährdung und Schutz: *P. atrorufus* ist bundesweit (Stand 2015) und in Bad.-Württ. (Stand 2005) ungefährdet. Aufgrund der weiten Verbreitung mit Auftreten in unterschiedlichen, jedenfalls zum Teil ungefährdeten Lebensraumtypen überwiegend feuchter Waldstandorte ist auch keine zukünftige Gefährdung absehbar. Kein Handlungsbedarf.

Patrobus australis

J. Sahlberg, 1875

Schmaler Grubenhalsläufer

Allgemeine Verbreitung: Art mit kleinem zentraleuropäischem Areal, das in Nordosteuropa etwas in die boreale Zone hineinreicht. In Deutschland liegen die Verbreitungsschwerpunkte fast ausschließlich im Nordosten und Osten (u. a. Mecklenburg-Vorpommern, Brandenburg, Sachsen, Sachsen-Anhalt) sowie punktuell im Süden Baden-Württembergs, während sie in Westdeutschland fehlt.

Vorkommen in Baden-Württemberg: Auf den Bodenseeraum beschränkt. Alle Fundmeldungen der Art aus dem Südschwarzwald sind als unzutreffend einzuordnen und auf *P. atrorufus* zu beziehen (s. dort und das Kapitel zu zweifelhaften oder unrichtigen Artmeldungen).

Lebensweise und Habitat: Art mit vollständig entwickelten Hinterflügeln (makropter), von der nach Auswertungsstand keine Flugbeobachtung vorliegt. Paarung und Eiablage nach Lindroth (1985) möglicherweise im Sommer und Larvalentwicklung ab Sommer/Herbst. Aktive Imagines wurden in Bad.-Württ. nach den ausgewerteten

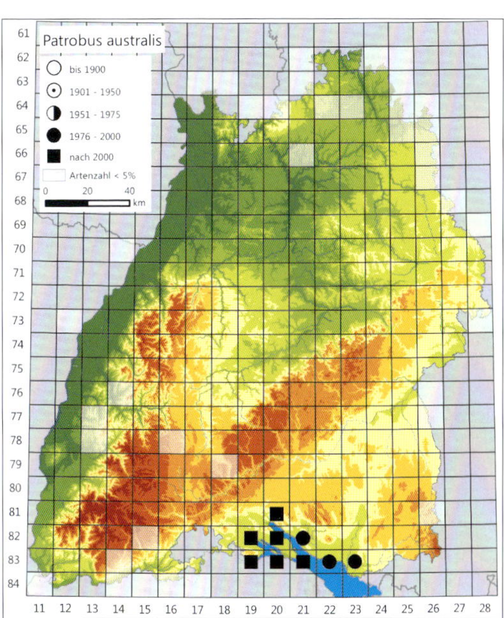

Daten zwischen Mai und September registriert, für die Ableitung eines Aktivitätsmaximums liegen keine ausreichenden Daten vor.

P. australis besiedelt am Bodensee, wie von Bräunicke & Trautner (2002) beschrieben, ein breites Spektrum von Ufertypen: Sowohl an reinen Kies- als auch an Feinsedimentufern kann die Art nachgewiesen werden. Die höchste Stetigkeit erreicht sie allerdings an Ufern, die sowohl einen

Patrobus australis. Foto: M. Bräunicke.

Patrobus australis besiedelt unterschiedliche Uferzonen am Bodensee. Das Bild zeigt einen Bereich, in dem Imagines der Art vor allem in den etwas stärker von Vegetation bestandenen, gleichwohl besonnten Zonen und deren Übergängen zu offenen Kiesen vertreten waren.

hohen Kiesanteil als auch einen hohen Anteil an sandigem oder bindigem Substrat aufweisen. Dabei ist *P. australis* im Gegensatz zu vielen anderen Uferbewohnern offenbar nicht auf vollständig oder teilweise besonnte Standorte angewiesen, sondern auch an beschatteten Ufern unter Gehölzen zu finden (hier teilweise gemeinsam mit *P. atrorufus*). Vielfach weisen die Fundstellen auch im Gelände klar erkennbare Anteile von organischem Material auf (Schlamm, Geschwemmsel aus feinen Holzteilen, Falllaub oder Schilffragmente). Möglicherweise ist die Wasserstandsdynamik des Sees mit den tiefsten Wasserständen im Winterhalbjahr, in dem meist weite Teile der landseitigen Flachwasserzonen trocken fallen, für die Art, die überwiegend eine Larvalüberwinterung aufweisen dürfte, besonders günstig. *P. australis* ist in Bad.-Württ. aufgrund der Beschränkung auf den Bodensee und seinen Uferzonen als charakteristische Art der Lebensraumtypen 3130 und 3140 (Nährstoffarme bis mäßig nährstoffreiche Stillgewässer; Kalkreiche, nährstoffarme Stillgewässer mit Armleuchteralgen) sowie bestimmter Ausprägungen des Lebensraumtyps 3150 (Natürliche nährstoffreiche Seen) aus Anhang I der FFH-Richtlinie einzustufen.

Gefährdung und Schutz: Deutschland liegt im Arealzentrum der Art, beherbergt mehr als 1/10 ihrer weltweiten Populationen und trägt somit eine hohe Verantwortlichkeit für ihren Erhalt (Einstufung !; vgl. Schmidt et al. 2016). *P. australis* ist bundesweit (Stand 2015) und in Bad.-Württ. (Stand 2005) als gefährdet eingestuft. Obwohl am Bodensee noch zu den häufigeren und steten Uferarten gehörend, bestehen auch für diese Art Beeinträchtigungen, insbesondere durch die intensive Freizeit- und Erholungsnutzung mit struktureller Vereinheitlichung der Ufer und teils extremer mechanischer Belastung. Der Ausdehnung entsprechender Nutzungen in für die Art geeigneten Uferbereichen ist entgegenzuwirken, zudem sollte auf eine stärkere Differenzierung der Nutzungsintensität und Erhöhung der strukturellen Vielfalt in derzeit verarmten oder stark belasteten Uferabschnitten hingearbeitet werden. Aufgrund der hohen Verantwortlichkeit Deutschlands für den Erhalt der Art sollte sie am Bodensee einem Monitoring unterzogen werden.

Tribus Pterostichini

J. Trautner & J. Rietze

Weltweit sind nach Lorenz (2015) bislang 3764 Arten aus 190 Gattungen beschrieben, die dieser Tribus zugerechnet werden. In Bad.-Württ. ist sie mit 39 Arten vertreten, deren Imagines eine Größe von rd. 4,5–21 mm erreichen. Es handelt sich um mehr oder minder robuste Imagines, wobei die einheimischen Arten meist schwarz, im Einzelfall braun oder oberseits metallisch gefärbt sind. Bei mehreren Arten der Tribus ist Brutfürsorge oder Brutpflege nachgewiesen.

Abax carinatus

(Duftschmid, 1812)
Runzelhals-Brettläufer

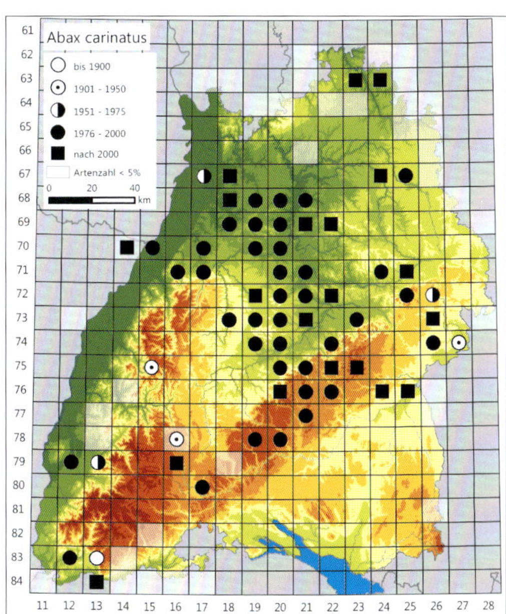

Allgemeine Verbreitung: In Südost- und Mitteleuropa vor allem in montanen Lagen verbreitete Art, die im Westen Ostfrankreich und Norditalien erreicht. Sie ist in Süddeutschland in geeigneten Lebensräumen weit verbreitet und gelangt in Mitteldeutschland vor allem im Osten (Thüringen, Sachsen-Anhalt, Sachsen) an ihre nördliche Arealgrenze.

Vorkommen in Baden-Württemberg: Vor allem auf der Schwäbischen Alb sowie in Teilen des Schwäbischen Keuper-Lias-Landes und der Neckar- und Tauber-Gäuplatten verbreitet, aus anderen Naturräumen nur wenige Funde. Einzelne Meldungen gehen auf Fehlbestimmung zurück, so diejenige bei Zier (1998) aus dem Pfrunger Ried.

Lebensweise und Habitat: Flugunfähige (brachyptere) und räuberische, fakultativ nekrophage Art. Paarung und Eiablage (schwerpunktmäßig) im Frühjahr und Larvalentwicklung ab Frühjahr/Sommer. Aktive Imagines wurden in Bad.-Württ. nach den ausgewerteten Daten zwischen März und November registriert, mit einem Aktivitätsmaximum im späten Frühjahr bzw. im Frühsommer (Juni bis Anfang August).

A. carinatus tritt in frischen bis feuchten Wäldern auf und besiedelt teilweise auch größere Hecken und Feldgehölze. Es ist eine deutliche Bevorzugung von Laub- und Laubmischwäldern gegenüber Nadelbaum-dominierten Beständen erkennbar. Baehr (1980) fand die Art im Schönbuch im zentralen Baden-Württemberg besonders häufig an lehmigen Feuchtstellen eines recht feuchten Buchenwalds, wo sie als dominante Art auftrat. Er schreibt weiter: „Mit abnehmender Bodenfeuchtigkeit geht *A. carinatus* deutlich zugunsten von *ater [= A. parallelepipedus]* und *[A.] parallelus* zurück (Vergleichsfeld)." Insgesamt lässt sich in Bad.-Württ. zwar – insbesondere quantitativ – eine Bevorzugung feuchter und wechselfeuchter Waldstandorte erkennen, doch ist die Art darauf nicht beschränkt, insbesondere nicht in mon-

Abax carinatus.

Dieser Laubwald auf ausgeprägt wechselfeuchtem Standort im Nordosten der Neckar- und Tauber-Gäuplatten stellt einen typischen Lebensraum von *Abax carinatus* dar.

Weiträumig isoliertes Feldgehölz in der Agrarlandschaft. Hier siedelt noch eine Population von *Abax carinatus*, die als Relikt der Fauna eines ehemaligen Waldes in diesem Bereich interpretiert wird.

tanen Lagen (wie der Schwäbischen Alb). Zudem scheint sie, auch bei starker Veränderung und Fragmentierung von Lebensräumen, lange an ihren Standorten persistieren zu können. Hierauf deuten jedenfalls Nachweise in isolierten Feldgehölzen und im innerstädtischen Raum hin: Im Fall eines rund 0,2 ha großen Feldgehölzes inmitten einer ackerbaulich genutzten Landschaft des Naturraums Filder wird das Vorkommen der Art als Relikt der Fauna eines früheren größeren Waldes interpretiert, der nachweislich schon Mitte des 19. Jahrhunderts gerodet wurde (Trautner & Geigenmüller 2009). In innerstädtischen Parkanlagen Stuttgarts im Bereich eines ehemaligen Bachtals mit Gehölzbestand tritt *A. carinatus* als einzige *Abax*-Art auf (Trautner 1991).

Gefährdung und Schutz: *A. carinatus* ist bundesweit (Stand 2015) und in Bad.-Württ. (Stand 2005) als Art der Vorwarnliste eingestuft und Naturraumart des Informationssystems Zielartenkonzept Bad.-Württ. (Stand 2009). Insbesondere die Entwässerung wechselfeuchter und feuchter Waldstandorte und der Nadelholzanbau, die in der Vergangenheit in relativ großem Umfang stattgefunden haben, sind als Rückgangsursachen der Art anzusehen. Möglicherweise ist sie aufgrund ihres montanen Verbreitungsschwerpunkts zukünftig auch von klimatischen Veränderungen negativ betroffen. Aufgrund der aktuell weiten Verbreitung in Teilen des Landes und des Lebensraumspektrums wird dies aber jedenfalls vorläufig nicht als besonderer Risikofaktor gewertet. Mittel- bis langfristig sollte die Bestandsentwicklung überwacht werden, ansonsten besteht derzeit kein über den Schutz feuchter bis wechselfeuchter Laubwaldstandorte hinausgehender Handlungsbedarf.

Abax ovalis. Foto: E. Wachmann.

Abax ovalis

(Duftschmid, 1812)

Rundlicher Brettläufer

Allgemeine Verbreitung: Zentraleuropäisch verbreitete Art. Sie kommt in der Südhälfte Deutschlands flächendeckend in geeigneten Habitaten vor und erreicht in Norddeutschland (Schleswig-Holstein, Höhe Hamburg) ihre nördliche Verbreitungsgrenze, wobei sie Brandenburg nur noch im Süden und Mecklenburg-Vorpommern im äußersten Westen besiedelt.

Vorkommen in Baden-Württemberg: Landesweit mit Ausnahme von größeren Teilen des Oberrhein-

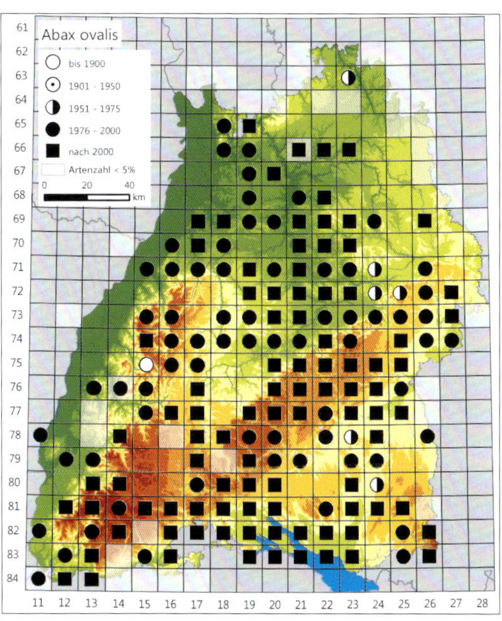

Tieflands verbreitet, in weitgehend trockenen und wärmeren Landschaften (z. B. nordöstliche Teile der Neckar- und Tauber-Gäuplatten) aber teils lückenhaft und eher auf Nordhang- und Klingenlagen oder feuchtere Bereiche beschränkt.

Lebensweise und Habitat: Flugunfähige (brachyptere) und räuberische Art. Fast ausschließlich nachtaktiv, bei THIELE (1977) der Gruppe mit lediglich 0–15 % Tagaktivität zugeordnet. Paarung und Eiablage (schwerpunktmäßig) im Frühjahr und Larvalentwicklung ab Frühjahr/Sommer. Wie bei *A. parallelus* (s. dort) und weiteren Arten der Pterostichini wurde auch bei *A. ovalis* beobachtet, dass die Weibchen bis zum Schlüpfen der Larven beim Eigelege verbleiben, das in eine im Substrat gefertigte Höhlung platziert wird (LAMPE 1975). Aktive Imagines wurden in Bad.-Württ. nach den ausgewerteten Daten zwischen April und November registriert, mit zwei deutlichen Aktivitätsmaxima, und zwar im Juni und September/Oktober, wobei das zweite Maximum allgemein etwas niedriger ausfällt als das erste, wie dies bereits BAEHR (1980) für den Schönbuch im zentralen Bad.-Württ. beschreibt.

A. ovalis ist eine eher lichtmeidende und kühlere Standorte bevorzugende Waldart, die kaum ins Offenland vordringt. Sie tritt in sehr unterschiedlichen Waldtypen sowohl in Laub- als auch in Nadelwäldern auf, soweit sie nicht zu feucht oder zu licht sind. Im Schönbuch nach BAEHR (1980) mit den höchsten Abundanzwerten einerseits in moos- und farnreichem, älterem Fichtenwald, andererseits in lichtem und trockenem Buchen-Eichenwald.

Gefährdung und Schutz: Deutschland liegt im Arealzentrum der Art und beherbergt mehr als 1/10 ihrer weltweiten Populationen, es trägt somit eine hohe Verantwortlichkeit für ihren Erhalt (Einstufung !; vgl. SCHMIDT et al. 2016). *A. ovalis* ist allerdings weder bundesweit (Stand 2015) noch in Bad.-Württ. (Stand 2005) gefährdet. Zwar ist nicht völlig auszuschließen, dass die Art von klimatischen Veränderungen negativ beeinflusst wird, doch wird hieraus aufgrund der weiten Verbreitung mit Auftreten in unterschiedlichen Lebensraumtypen des Waldes noch keine zukünftige Gefährdung abgeleitet. Kein Handlungsbedarf.

Abax parallelepipedus

(Piller & Mitterpacher, 1783)

Großer Brettläufer

Allgemeine Verbreitung: Europäische Art, die aber in großen Teilen Nordeuropas und der Iberischen Halbinsel fehlt. In Nordamerika eingeschleppt (BOUSQUET 2012). Sie kommt in Deutschland flächendeckend in geeigneten Lebensräumen vor.

Vorkommen in Baden-Württemberg: Landesweit verbreitet, fehlende Nachweise in der Verbreitungskarte sind als Erfassungslücken, i. d. R. aber nicht als ein tatsächliches Fehlen zu interpretieren.

Lebensweise und Habitat: Flugunfähige (brachyptere), überwiegend räuberische, fakultativ nekrophage Art. Ganz überwiegend nachtaktiv, bei THIELE (1977) der Gruppe mit lediglich 0–15 % Tagaktivität zugeordnet. Paarung und Eiablage zu unterschiedlichen Jahreszeiten. Eiertragende Weibchen wurden in Bad.-Württ. u. a. Ende April registriert. Die Weibchen umgeben die einzelnen Eier bei der Eiablage mit einem schützenden Lehmkokon (LÖSER 1970, 1972). Aktive Imagines wurden in Bad.-Württ. nach den ausgewerteten Daten zwischen April und Dezember registriert, mit einem deutlichen Aktivitätsmaximum im Sommer (Juli bis Mitte August). In niedrigen Lagen kann ein zweiter, schwächerer Frühjahrspeak im Mai/Juni hinzutreten (s. RIETZE 2001). *A. parallelepipedus* ist sehr laufaktiv. In Standorten mit

Abax parallelepipedus. Foto C. Benisch.

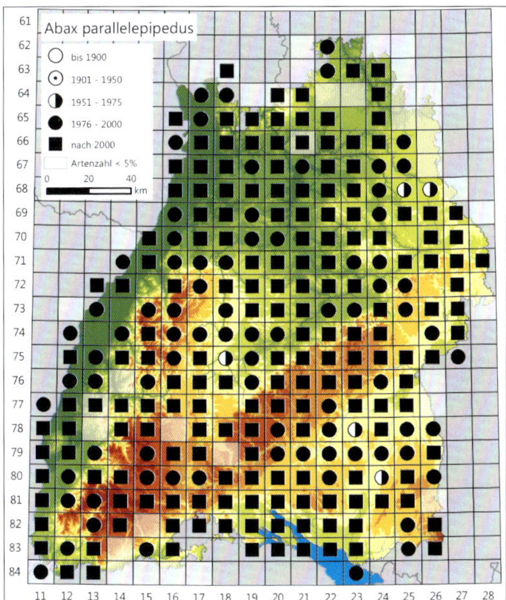

fehlendem Raumwiderstand wurde eine Maximalgeschwindigkeit von rd. 6 m/min gemessen, die mittlere Laufgeschwindigkeit beträgt rd. 4 m/min (Butterweck & Jeschke 2001).

A. parallelepipedus ist eine eurytope Art der Wälder und Gehölze, die in größerem Umfang auch ins Offenland vordringt, etwa in Wald-Offenland-Ökotone sowie in brachgefallene Flächen. So fand Handke (1988) die Art individuenreich in den meisten der von ihm untersuchten Sukzessionsflächen von (ehemaligem) Grünland.

Gefährdung und Schutz: *A. parallelepipedus* ist weder bundesweit (Stand 2015) noch in Bad.-Württ. (Stand 2005) gefährdet. Aufgrund der weiten Verbreitung mit Auftreten in unterschiedlichen Lebensraumtypen ist auch keine zukünftige Gefährdung absehbar. Kein Handlungsbedarf.

Abax parallelepipedus besiedelt in hoher Dominanz und Stetigkeit auch strukturarme Fichtenforste.

Abax parallelus

(Duftschmid, 1812)

Schmaler Brettläufer

Allgemeine Verbreitung: Zentraleuropäisch verbreitete Art. Sie kommt in der Südhälfte Deutschlands flächendeckend in geeigneten Habitaten vor und erreicht in Norddeutschland (Niedersachsen, Schleswig-Holstein) ihre nördliche Verbreitungsgrenze, wobei sie Brandenburg nur noch in der südlichen Hälfte besiedelt und Mecklenburg-Vorpommern ausspart.

Abax parallelus.

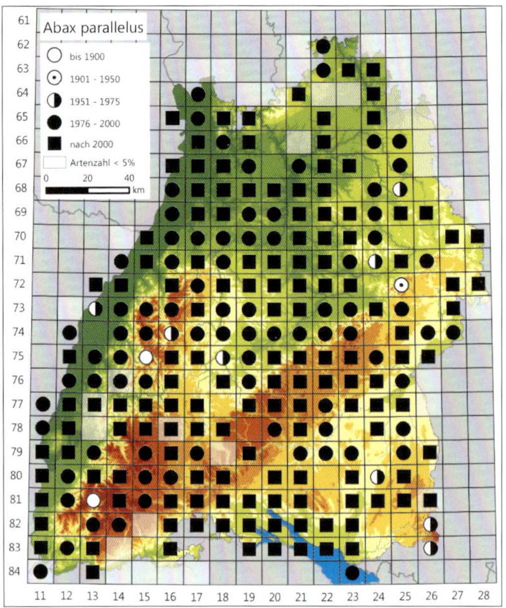

Vorkommen in Baden-Württemberg: Landesweit verbreitet, fehlende Nachweise in der Verbreitungskarte sind als Erfassungslücken, i. d. R. aber nicht als ein tatsächliches Fehlen zu interpretieren.
Lebensweise und Habitat: Flugunfähige (brachyptere) und räuberische Art. Überwiegend nachtaktiv, bei Thiele (1977) der Gruppe mit 15–30 % Tagaktivität zugeordnet. Paarung und Eiablage (schwerpunktmäßig) im Frühjahr und Larvalentwicklung ab Frühjahr/Sommer. Das Weibchen fertigt im Substrat (morsches Holz oder Boden) eine Höhlung, in die es die Eier ablegt. Dann verbleibt es bis zum Schlüpfen der Larven beim Eigelege (Löser 1970), offenbar um Pilzbefall zu verhindern. Aktive Imagines wurden in Bad.-Württ. nach den ausgewerteten Daten zwischen Februar und Dezember registriert. Die Aktivitätskurven sind deutlich mehrgipflig, wobei der erste Peak in niedrigen Lagen bereits im April liegen kann, ein weiterer dann jeweils im Juli und September/Oktober (s. Rietze 2001). Am ausgeprägtesten sind der Frühjahrs- oder der Sommerpeak.

A. parallelus ist eine relativ eurytope Art der Wälder und Gehölze, die auch ins Offenland vordringen kann. Handke (1988) fand sie allerdings weniger stet als *A. parallelepipedus* und in geringerer Individuenzahl in den von ihm untersuchten Sukzessionsflächen von (ehemaligem) Grünland. In Wäldern besiedelt *A. parallelus* ein breites Standortspektrum, scheint aber stark saure Standorte zu meiden, etwa Waldmoore (Missen) im Buntsandsteingebiet des Nordschwarzwalds (s. Rausch 1993). Außerdem gilt sie als etwas feuchteliebender als *A. parallelepipedus*. In Habitaten von *A. parallelus* tritt nahezu immer auch der insgesamt häufigere *A. parallelepipedus* auf. Vor allem in Eichen-Hainbuchenwäldern frischer Standorte sowie in lichteren, bachbegleitenden Gehölzen kann *A. parallelus* aber ähnliche oder höhere Aktivitätsdichten erreichen als *A. parallelepipedus* (s. z. B. Zawadzki & Schmidt 1994: Standorte der Hartholzaue).
Gefährdung und Schutz: Deutschland liegt im Arealzentrum der Art und beherbergt mehr als 1/10 ihrer weltweiten Populationen; es trägt somit eine hohe Verantwortlichkeit für ihren Erhalt (Einstufung !; vgl. Schmidt et al. 2016). *A. parallelus* ist allerdings weder bundesweit (Stand 2015) noch in Bad.-Württ. (Stand 2005) gefährdet. Aufgrund der weiten Verbreitung mit Auftreten in unterschiedlichen Lebensraumtypen des Waldes ist auch keine zukünftige Gefährdung absehbar. Kein Handlungsbedarf.

Molops elatus

(Fabricius, 1801)
Großer Striemenläufer
Allgemeine Verbreitung: Zentraleuropäisch-montan verbreitete Art. In Deutschland fehlt sie nur in der Nord- und Ostdeutschen Tiefebene (nördliche Arealgrenze), während sie in allen anderen Teilen mit Ausnahme kleiner Verbreitungslücken in Bayern vorkommt.
Vorkommen in Baden-Württemberg: Landesweit mit Ausnahme des Oberrhein-Tieflands (sowie

Molops elatus.

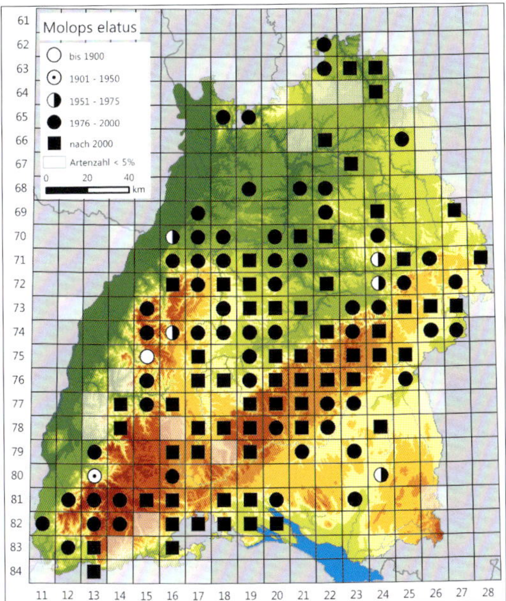

wahrscheinlich weitgehend des angrenzenden Kraichgaus) und größeren Teilen der Donau-Iller-Lech-Platte und des Voralpinen Hügel- und Moorlandes (aus dem mit Ausnahme des westlichen Bodenseegebiets nur sehr wenige Nachweise der Art vorliegen) verbreitet, insbesondere im montanen und submontanen Bereich. Fehlende Nachweise in der Verbreitungskarte sind ansonsten als Erfassungslücken, i. d. R. aber nicht als ein tatsächliches Fehlen zu interpretieren.

Lebensweise und Habitat: Flugunfähige (brachyptere) und räuberische Art. Überwiegend nachtaktiv, bei Thiele (1977) der Gruppe mit 15–30 % Tagaktivität zugeordnet. Paarung und Eiablage (schwerpunktmäßig) im Frühjahr und Larvalentwicklung ab Frühjahr/Sommer. Aktive Imagines wurden in Bad.-Württ. nach den ausgewerteten Daten zwischen März und August registriert, mit einem Aktivitätsmaximum im Mai und Juni.

M. elatus tritt sowohl in Wäldern als auch im Offenland auf, wobei in jedem Fall trockene (bis frische) Standorte bevorzugt werden. Obwohl die Art auch aus geschlossenen Wäldern belegt ist, deutet sich im Waldkontext dennoch eine Bevorzugung von eher lichten Waldstandorten und von Wald-Offenland-Übergangsbereichen an. Baehr (1980) schreibt für den Schönbuch im zentralen Bad.-Württ. unter anderem: „Im Schönbuch nicht an dunklen und feuchten Stellen, meidet Fichtenwälder.“ Viele Nachweise stammen aus Waldrandsituationen, teils auch aus Sukzessionsflächen im ehemaligen Offenland mit Vorwaldcharakter. Im Offenland ist *M. elatus* schwerpunktmäßig auf mageren Standorten vertreten, wobei er einen hohen Steinanteil (gröberes Material) im Untergrund bevorzugt. Typische Standorte sind hier Halbtrockenrasen mit aufliegendem Steinmaterial, Geröllhalden am Fuß von Felsen, Steinriegel zwischen Äckern sowie Gesteinshalden in ehemaligen Abbauflächen. Münch (1997), der zahlreiche Flächen auf Wacholderheiden der Schwäbischen Alb beprobte und Auswertungen auch zu Strukturparametern vornahm, charakterisiert die strukturellen Präferenzen von *M. elatus* dort wie folgt: offene Standorte ohne Gehölze, sehr hohe Steindichte oder Steinriegel, mittlere Vegetationsdichte.

Gefährdung und Schutz: Deutschland liegt im Arealzentrum der Art und beherbergt mehr als 1/10 ihrer weltweiten Populationen; es trägt somit eine hohe Verantwortlichkeit für ihren Erhalt (Einstufung !; vgl. Schmidt et al. 2016). *M. elatus* ist allerdings weder bundesweit (Stand 2015) noch in Bad.-Württ. (Stand 2005) gefährdet. Aufgrund der weiten Verbreitung mit Auftreten in unterschiedlichen Lebensraumtypen ist auch keine zukünftige Gefährdung absehbar. Vor dem Hintergrund der vergleichsweise geringen Abundanz an ihren Standorten und der genannten Verantwortlichkeit wird jedoch empfohlen, die Bestandsentwicklung in Bad.-Württ. zu beobachten. Ansonsten kein Handlungsbedarf.

Molops piceus

(Panzer, 1793)

Kleiner Striemenläufer

Allgemeine Verbreitung: Von Teilen Westeuropas über Mitteleuropa und Teile Südosteuropas bis nach Kleinasien verbreitete Art. In Deutschland fehlt sie nur in der Nord- und Ostdeutschen Tiefebene (nördliche Arealgrenze), während sie in allen anderen Teilen flächig vorkommt.

Vorkommen in Baden-Württemberg: Landesweit verbreitet, fehlende Nachweise in der Verbreitungskarte sind als Erfassungslücken, i. d. R. aber nicht als ein tatsächliches Fehlen zu interpretieren.

Lebensweise und Habitat: Flugunfähige (brachyptere) und räuberische Art. Überwiegend nachtaktiv, bei Thiele (1977) der Gruppe mit 15–30 % Tagaktivität zugeordnet. Paarung und Eiablage (schwerpunktmäßig) im Frühjahr und Larvalent-

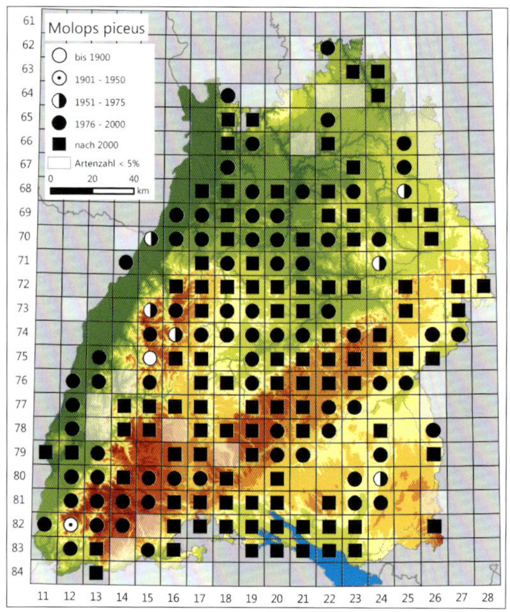

wicklung ab Frühjahr/Sommer. Wie bei *Abax parallelus* (s. dort) und weiteren Arten der Pterostichini wurde bei *M. piceus* festgestellt, dass die Weibchen bis zum Schlüpfen der Larven beim Eigelege verbleiben, das in eine im Substrat gefertigte Höhlung platziert wird (Komárek 1954). Aktive Imagines wurden in Bad.-Württ. nach den ausgewerteten Daten zwischen März und November registriert, mit einem Aktivitätsmaximum im Mai und Juni, das in Höhenlagen bis in den Juli verschoben sein kann (s. Rietze 2001).

M. piceus ist eine eurytope Waldart, die „anscheinend keine Bevorzugung eines Waldtyps erkennen lässt, sondern lediglich ein gewisses Maß an Feuchtigkeit und Beschattung verlangt", wie Baehr (1980) für den Schönbuch im zentralen Bad.-Württ. konstatiert. Dies ist für Bad.-Württ. verallgemeinerbar. Die Art kann auch in größeren Heckenstrukturen und Feldgehölzen auftreten, wofür möglicherweise aber eine Waldanbindung zumindest in historischer Zeit oder Waldnähe gegeben sein muss. Auf frischen bis feuchten Standorten dringt sie zudem – allerdings in meist geringem Umfang – auch ins Offenland vor.

Gefährdung und Schutz: *M. piceus* ist weder bundesweit (Stand 2015) noch in Bad.-Württ. (Stand 2005) gefährdet. Aufgrund der weiten Verbreitung mit Auftreten in unterschiedlichen Lebensraumtypen besonders des Waldes ist auch keine zukünftige Gefährdung absehbar. Kein Handlungsbedarf.

Poecilus cupreus

(Linnaeus, 1758)

Gewöhnlicher Buntgrabläufer

Allgemeine Verbreitung: Paläarktisch verbreitete Art, in weiten Teilen Europas vertreten. Sie kommt in Deutschland flächendeckend in geeigneten Lebensräumen vor.

Vorkommen in Baden-Württemberg: Landesweit verbreitet, lediglich in walddominierten, vor allem höheren Lagen des Schwarzwalds keine oder kaum Vorkommen zu erwarten. Fehlende Nach-

Molops piceus.

Poecilus cupreus. Foto: W. Paill.

weise in der Verbreitungskarte sind ansonsten als Erfassungslücken, i. d. R. aber nicht als ein tatsächliches Fehlen zu interpretieren.

Lebensweise und Habitat: Flugfähige (makroptere) und überwiegend räuberische Art. In hohem Maße tagaktiv bei zahlreichen entsprechenden Beobachtungen aus Bad.-Württ., bei THIELE (1977) der Gruppe mit > 45 % Tagaktivität zugeordnet. Paarung und Eiablage (schwerpunktmäßig) im Frühjahr und Larvalentwicklung ab Frühjahr/Sommer. Aktive Imagines wurden in Bad.-Württ. nach den ausgewerteten Daten zwischen März und November registriert, mit einem Aktivitätsmaximum im Mai und Juni.

P. cupreus ist eine häufige Offenlandart mit deutlichem Vorkommensschwerpunkt in Ackergebieten und ihren typischen Begleitstrukturen; daneben tritt sie relativ stet auch im vorwiegend mittleren Grünland auf, dort aber gegenüber der verwandten Art *P. versicolor* (s. dort) in aller Regel in deutlich geringerer Abundanz. *P. cupreus* besiedelt auch Wald-Offenland-Ökotone und dringt in Wälder vor, meist aber in geringem Umfang.

Gefährdung und Schutz: *P. cupreus* ist weder bundesweit (Stand 2015) noch in Bad.-Württ. (Stand 2005) gefährdet. Aufgrund der weiten Verbreitung mit Auftreten in unterschiedlichen Lebensraumtypen besonders des Offenlands ist auch keine zukünftige Gefährdung absehbar. Kein Handlungsbedarf.

Poecilus kugelanni

(Panzer, 1797)

Zweifarbiger Buntgrabläufer

Allgemeine Verbreitung: In Zentral- und Südwesteuropa diskontinuierlich verbreitet. Diese früher vor allem im zentralen Deutschland wesentlich raumgreifender vorkommende Art ist aufgrund massiver Bestandsrückgänge aktuell nur noch lokal und vereinzelt in Ost- (z. B. Sachsen-Anhalt) und Südwestdeutschland (Rheinland-Pfalz, Baden-Württemberg) vertreten, während sie in den meisten Bundesländern schon ausgestorben ist oder natürlicherweise fehlt.

Vorkommen in Baden-Württemberg: Vor allem aus den Wärmegebieten im Südlichen Oberrhein-Tiefland und historisch aus dem Raum Heidelberg belegt. Für die Umgebung von Freiburg i. Br. bereits von FISCHER (1843; dort als *dimidiatus* F.) verzeichnet, spätere Funde stammen aus dem Südlichen Oberrhein-Tiefland dann zunächst von Neuenburg a. R. (1. Ex., 21.04.1924 nach HARTMANN 1926) und aus dem Kaiserstuhl (1. Ex. 1937, Riechen, Oberrotweil a. K., Beleg im Museum Essen nach HORION 1941). Erst 1998 wurde die Art dann bei Untersuchungen verschiedener Trockenrasenstandorte wieder an zwei Stellen in der Region nachgewiesen (SCHWENNINGER & SCHANOWSKI 1999), eine davon in der Gemeinde Neuenburg a. R., von wo bereits der HARTMANN'sche Fund stammte. Für den Raum Heidelberg wird die Art

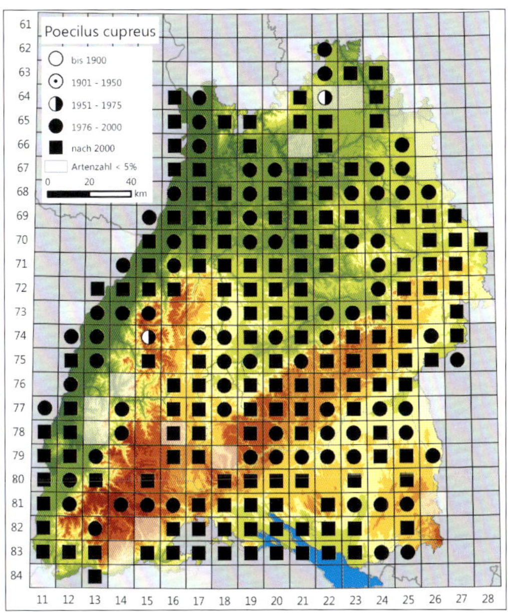

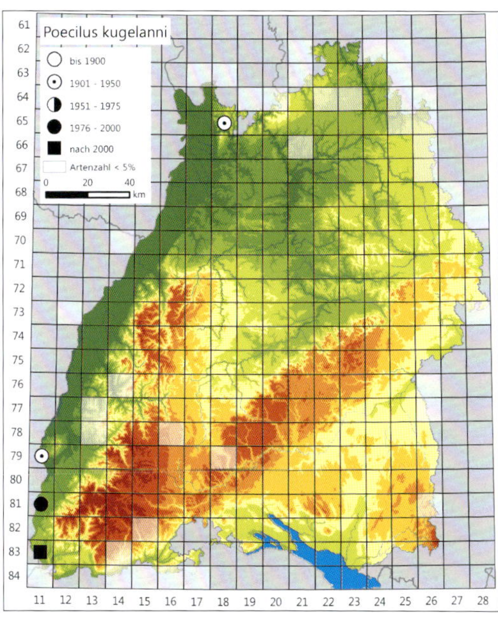

Poecilus kugelanni. Foto: O. Bleich.

von Horion (1941) nach Fund durch Hüther (1 Ex.) gemeldet. Die ansonsten für den württembergischen Landesteil bei Keller (1864; dort als *dimidiata* Ol.) und ergänzend bei v. d. Trappen (1930) enthaltenen Angaben zu Funden bei Reutlingen, Hohenneuffen und Bad Urach sind als fraglich einzustufen und wurden daher nicht in die Datenbank aufgenommen; der in der letztgenannten Quelle ebenfalls erwähnte Fundort Laubach (nach Pfarrer Müller) wird als unrichtig bewertet.

Lebensweise und Habitat: Art mit vollständig entwickelten Hinterflügeln (makropter), von der nach Auswertungsstand keine Flugbeobachtung vorliegt. Eine der bei Horion (1941) geführten Fundangaben enthält zwar den Zusatz „gekätschert!" (Kottenforst b. Bonn, Klapperich 1932), doch ist dabei mit hoher Wahrscheinlichkeit das Abkäschern von Vegetation gemeint. Räuberische Art; Horion (1941) schreibt, sie stelle „vielfach den Aphodien und deren Larven im Dung nach" [Anm.: Gemeint sind im Dung von Weidetieren, s. u., lebende Blatthornkäfer der Gattung *Aphodius*]. Paarung und Eiablage (schwerpunktmäßig) im Frühjahr und Larvalentwicklung ab Frühjahr/Sommer. Aktive Imagines wurden in Bad.-Württ. nach den ausgewerteten Daten im April und Mai registriert (s. Schwenninger & Schanowski 1999), für die Angabe eines Aktivitätsmaximums liegen keine ausreichenden Daten vor.

P. kugelanni ist jedenfalls in Mitteleuropa eine Art trockenwarmer, offener Standorte mit kurzrasiger Vegetation. Bereits Horion (1941) schreibt: „Die Art lebt besonders auf sonnigen, trockenen Halden u. Hängen mit spärlichem Grasbewuchs, die als Schafweiden benutzt werden." Beide von Schwenninger & Schanowski (1999) dokumentierte Lebensräume sind Trockenrasen auf teilweise offenen Schotterflächen. Benachbart gehen diese in Sanddorn-Trockengebüsche über, die als Sukzessionsfolger bei ausbleibender Störungsdynamik oder Beweidung dieser Trockenrasen einzuordnen sind. Die Autoren weisen darauf hin, dass sich in der Nähe der jeweiligen Fallenstandorte Kaninchenkot befand, möglicherweise relevant im Zusammenhang mit der von Horion (1941, s. o.) genannten Nahrungsbasis dungverwertender Blatthornkäfer(larven). In Spanien wurde *P. kugelanni* z. B. in Dehesa-Landschaften nachgewiesen, einem traditionellen Waldweide-System mit extensiver Beweidung durch unterschiedliche Nutztierrassen (Taboada et al. 2006). *P. kugelanni* ist für Bad.-Württ. als charakteristische Art der Trocken- und Kalk-Pionierrasen-Lebensraumtypen (potenziell umfassend die Lebensraumtypen 5130, *6110, 6210 sowie *6240) des Anhangs I der FFH-Richtlinie einzuordnen; nach den vorliegenden Informationen dürfte dies bundesweit gelten.

Gefährdung und Schutz: *P. kugelanni* ist bundesweit (Stand 2015) und in Bad.-Württ. (Stand 2005) vom Aussterben bedroht und Landesart A des Informationssystems Zielartenkonzept Bad.-Württ. (Stand 2009). Schwenninger & Schanowski (1999) führen bereits aus, dass an ihren Fundorten „in absehbarer Zeit ein Rückgang der Trockenrasenstandorte besonders infolge von Gehölzsukzession zu befürchten [ist]". Ohne Pflegemaßnahmen sei daher „mit einem Lebensraumverlust für die äußerst wärmeliebende Art zu rechnen", so die Autoren weiter. In dem insgesamt auch für weitere Arten und Artengruppen hochgradig bedeutsamen Raum (s. LfU 2000), in dem die genannten Fundorte liegen, wurden durch die zuständige Naturschutzbehörde bereits Maßnahmen zur Förderung von Arten offener Standorte sowie von sehr lichten Waldstandorten durchgeführt. Es ist von essenzieller Bedeutung, dass weiterhin und langfristig Pflege- und Entwicklungsmaßnahmen für diesen Raum gesichert werden, die darauf abzielen, in einem großräumigen Verbund karge Trockenrasen mit sehr lückiger Bodenvegetation und nach Möglichkeit einer Beweidung bereitzustellen. Dabei sollte auch die bereits erfolgte Gehölzsukzession mittels Initialmaßnahmen großflächig zurückgedrängt werden. Die sogenannte „Grißheimer Trockenaue" stellt eines der wenigen Gebiete in Deutschland dar, die noch nach 1980 Habitate von *P. kugelanni* aufwiesen. Die bei Trautner et al. (2014) enthaltene bundesweite Verbreitungskarte dokumentiert den bisherigen Rückgang der Art, für die die unmittelbare Zerstörung und Eutrophierung der Habitate sowie eine Nutzungsaufgabe oder -veränderung mit nachfolgender Gehölzsukzession die entscheidenden Gefährdungsfaktoren darstellen: Von 41 insgesamt belegten Rasterfeldern sind bundesweit nur noch 9 mit Funden aus der Zeit nach 1980 dokumentiert. Neben den konkreten Schutz- und Entwicklungsmaßnahmen sollte die Verbreitung und Bestandsentwicklung der Art im Rahmen eines Monitorings überwacht werden.

Poecilus lepidus.

Poecilus lepidus

(Leske, 1785)

Schmaler Buntgrabläufer

Allgemeine Verbreitung: Paläarktisch verbreitete Art, in weiten Teilen Europas vertreten. Trotz weniger kleinerer Verbreitungslücken im Süden (Baden-Württemberg, Bayern) ist sie in Deutschland annähernd flächendeckend in geeigneten Lebensräumen vertreten.

Vorkommen in Baden-Württemberg: Eng mit der Verbreitung trockener und magerer sand- oder skelettreicher Standorte (Kies, Kalkscherben, auch silikatische Schotter) verknüpft. Vorkommensschwerpunkte liegen in den Sandgebieten des nördlichen Oberrhein-Tieflands, im südlichen Oberrhein-Tiefland sowie in Teilen der Schwäbischen Alb und am westlichen Bodensee (Hegau). Die Angabe v. d. Trappens (1930) für Bad Schussenried wird als fraglich eingeordnet und wurde daher nicht in die Datenbank aufgenommen.

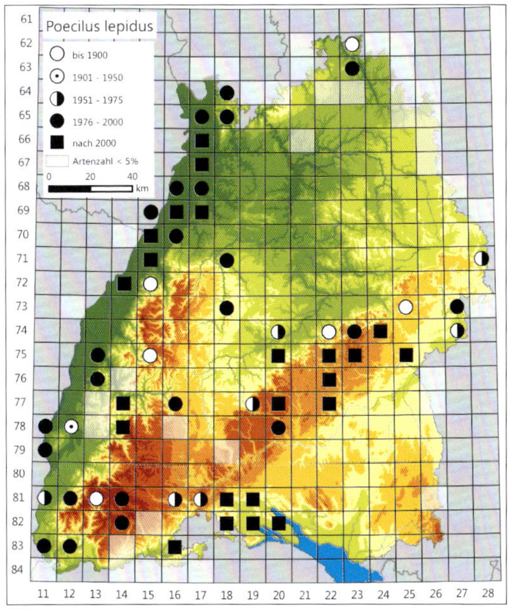

Lebensweise und Habitat: Zumindest im einheimischen Verbreitungsgebiet flugunfähige (brachyptere) und überwiegend räuberische Art. Paarung und Eiablage (schwerpunktmäßig) im Sommer und Larvalentwicklung ab Sommer/Herbst. Aktive Imagines wurden in Bad.-Württ. nach den ausgewerteten Daten zwischen April und Oktober registriert, mit einem Aktivitätsmaximum im Frühsommer.

P. lepidus tritt wie erwähnt auf trockenen und mageren, sand- oder skelettreichen Standorten (Kies, Kalkscherben, silikatische Schotter u. a.) auf, wobei diese zumeist voll besonnt sind. Das Lebensraumspektrum umfasst Ackergebiete mit typischen offenen Begleitstrukturen auf entsprechenden Standorten (vorzugsweise auf Sandböden im nördlichen Oberrhein-Tiefland), weiterhin Sandrasen und andere Magerrasen vorwiegend mit zum Teil lückiger Vegetation, sowie schließlich Geröllfluren und entsprechende Sekundärlebensräume, z. B. im Bereich von Bahnanlagen und Abbaugebieten.

P. lepidus ist aufgrund seiner Lebensraumansprüche und der Flugunfähigkeit (s. o.) gegenüber Lebensraumzerschneidung empfindlich. Dies hat Auswirkungen auf das Potenzial neu entstehender Lebensräume. In eigenen Untersuchungen Ende der 1980er Jahre in Steinbrüchen und Vergleichsflächen um Heidenheim auf der Ostalb trat die Art nur in Flächen auf, bei denen die benötigten Strukturen eine lange Standorttradition aufwiesen oder die von unmittelbar angrenzenden „Spenderflächen" aus besiedelt werden konnten. Drees et al. (2009) wiesen bei Untersuchungen eine schwache, aber signifikante genetische Differenzierung der Populationen unterschiedlich großer Heidegebiete in Norddeutschland nach. Sie führten diese auf die erhebliche Fragmentierung der dortigen Lebensräume sowie die starken Populationsschwankungen der Art zurück. Dabei kommen sie zu dem Schluss, dass für den Erhalt der genetischen Vielfalt von *P. lepidus* mindestens 50 ha große „patches" an Heideflächen gesichert werden müssen (bezogen auf einen Zeitraum von 100 Jahren; Drees et al. 2009).

Der größte noch zusammenhängend besiedelte, nicht durch öffentlich befahrbare Straßen durchschnittene Lebensraumkomplex in Bad.-Württ. ist nach aktueller Datenlage der ehemalige Truppenübungsplatz Münsingen auf der Schwäbischen Alb. Er umfasst eine Fläche von etwas mehr als 65 km² und besitzt einen hohen Offenlandanteil. Dort ist die Art in noch nicht zu stark durch Unterbeweidung verfilztem Offenland großflächig verbreitet sowie stet und in hoher Individuenzahl anzutreffen (Rietze et al. 2016). In anderen Gebieten auf der Schwäbischen Alb ist *P. lepidus* zwar teils noch präsent, allerdings kommt die Art hier oftmals nur in geringer Individuendichte und an wenigen Standorten der skelettreichen Halbtrockenrasen und ehemaligen Abbaugebiete vor und ist auch in Ackerbaulandschaften mit noch offenen Lesesteinriegeln selten. So konnte sie in einem Untersuchungsgebiet der Ostalb, in dem sie in den 1930er bis 1950er Jahren noch zu finden war, in neuer Zeit nicht mehr nachgewiesen werden (Kubach et al. 1999).

Gefährdung und Schutz: *P. lepidus* ist bundesweit (Stand 2015) ungefährdet, wird in Bad.-Württ. (Stand 2005) aber als gefährdet eingestuft und ist Naturraumart des Informationssystems Zielartenkonzept Bad.-Württ. (Stand 2009). Zu den wesentlichsten Gefährdungsursachen zählen der Verlust offener, nutzungsbegleitender und strukturell geeigneter Flächen (z. B. Steinriegel und junge Brachen) in Ackerbaugebieten sowie Sukzessionsprozesse mit Verfilzung von Vegetation und Gehölzaufkommen, außerdem die Rekultivierung von Abbaugebieten mit gegenüber den Lebensraumansprüchen der Art abweichender Zielsetzung (z. B. Einbau nährstoffreicherer Böden und Aufforstung) und die Fragmentierung von Lebensräumen und als solche geeigneten Flächen (s. o.). Zudem scheint der Biozideinsatz in Agrarflächen ein möglicher Einflussfaktor zu sein: Larven reagierten im Laborversuch zum Teil empfindlich auf einzelne getestete Herbizide (Kegel 1989), wenngleich die Mortalitätsrate in diesen Versuchen deutlich unter 50 % lag; Insektizidanwendungen töteten wie bei den beiden anderen mituntersuchten Arten *P. versicolor* und *P. cupreus* alle Larven des 1. Stadiums. Es besteht Handlungsbedarf zur Stützung und Wiederausdehnung der Bestände. Geeignet sind vor allem strukturverbessernde Maßnahmen in der Agralandschaft (Neuentwicklung und Pflege, s. Kap. 16.6, die zudem einem Monitoring unterliegen sollten), die verstärkte Berücksichtigung der Ansprüche dieser Art bei Abbau- und Rekultivierungsplanungen sowie das Unterbinden einer weiteren Lebensraumfragmentierung in den Verbreitungsgebieten.

Poecilus punctulatus

(Schaller, 1783)

Mattschwarzer Buntgrabläufer

Allgemeine Verbreitung: Westpaläarktisch verbreitete Art, die in Europa vorwiegend im zentralen und osteuropäischen Raum auftritt. Sie erreicht in Deutschland ihre nordwestliche Verbreitungsgrenze und kommt derzeit schwerpunktmäßig nur noch in Ostdeutschland (v. a. Sachsen-Anhalt, Brandenburg, Sachsen) vor, während aufgrund großflächiger Arealverluste in Mittel- und Westdeutschland bundesweit ansonsten nur noch lokale und größtenteils isolierte Populationen (u. a. in Rheinland-Pfalz, Baden-Württemberg, Bayern) bekannt sind.

Vorkommen in Baden-Württemberg: Sporadisch im Oberrhein-Tiefland sowie in Teilen der Neckar- und Tauber-Gäuplatten. Die früheste glaubhafte Fundmeldung stammt von Fischer (1843) für Müllheim, der die Art als sehr selten („bis jetzt nur auf Kalkboden") angibt. Aus Karlsruhe ist nach Horion (1941) ein Exemplar in der Sammlung Hänel belegt, zu dem er vermerkt: „wohl von E. Scriba ca. 1900"). Ebenfalls auf Scriba geht die Meldung von Hofmann (1879) für Offenau bei Heilbronn zurück. Rheinheimer (2000) veröffentlicht eine Fundangabe von S. Gladitsch für Scheibenhardt (20.8.1936, 1 Ex.). Belegte Funde nach 1980 stammen dann aus dem Raum Mannheim (Sandhofen, Wiesmath leg., Trautner vid.), von Kraichtal (Oberacker, Spies 1998) und aus Bruchsal (Kramer leg.). Die Angabe v. d. Trappens (1930) für den Schönbuch (leg. Pinhard) wird als unglaubwürdig eingestuft.

Lebensweise und Habitat: Art mit vollständig entwickelten Hinterflügeln (makropter), von der nach Auswertungsstand keine Flugbeobachtung vorliegt. Räuberische Art. Paarung und Eiablage (schwerpunktmäßig) im Frühjahr und Larvalentwicklung ab Frühjahr/Sommer. Anhand der wenigen baden-württembergischen Funde, zu denen überwiegend keine Datumsangaben vorliegen, ist keine Aussage zur Phänologie möglich. Kegel (1994) registrierte in einem Untersuchungsgebiet bei Berlin in drei Untersuchungsjahren Frühjahrspeaks der Aktivität, die überwiegend im Mai und Juni lagen. Immature Individuen konnte er im Spätsommer feststellen.

P. punctulatus ist eine Art der Ackerbaulandschaften mit ihren typischen Begleitstrukturen auf vorwiegend Sand- und Lößboden. Kegel (1994) stellte in dem von ihm untersuchten großen Ackerschlag bei Berlin zwar eine deutliche räumliche Differenzierung in den Aktivitätsschwerpunkten zu drei anderen Arten der Gattung fest, konnte an Standortparametern hiermit aber nur den Anteil

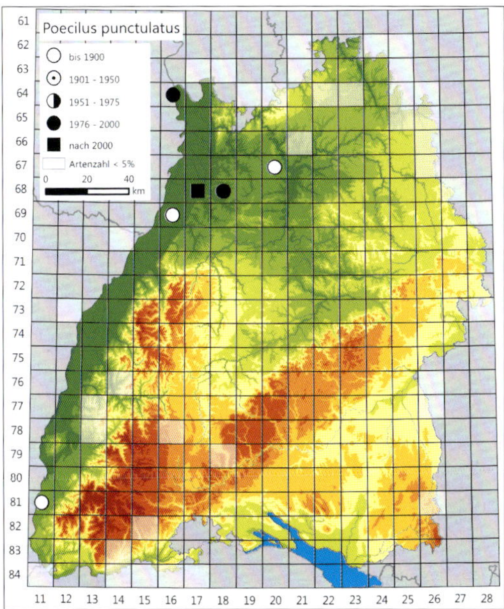

Poecilus punctulatus.

der mittleren und feinen Sandfraktion in Verbindung bringen: *P. punctulatus* wies in den Bereichen die höheren Aktivitätsdichten auf, in denen der Feinsandanteil zugunsten der mittleren Sandfraktion geringer ausfiel. Der Autor stellt allerdings selbst infrage, ob dieser Unterschied allein ausreiche, um die unterschiedliche Verteilung der bearbeiteten Arten (*P. cupreus, P. versicolor, P. lepidus, P. punctulatus*) zu erklären. Spies (1998) fing in zwei seiner drei Untersuchungsjahre jeweils wenige Individuen von *P. punctulatus* (2 bzw. 3) in der gleichen Fläche im baden-württembergischen Kraichgau. Es handelte sich dabei um eine neu angelegte Saumstruktur zwischen Äckern in Hanglage (7–12%) und Südostexposition. In der Untersuchung wies dieser Standort nahezu durchweg die wärmsten Bedingungen und größten Temperaturextreme auf, bei zugleich mäßig trockenen bis frischen Bedingungen. In einem der Jahre wurden auch im benachbarten Acker zwei Individuen der Art registriert.

Gefährdung und Schutz: *P. punctulatus* ist bundesweit (Stand 2015) gefährdet und in Bad.-Württ. (Stand 2005) vom Aussterben bedroht sowie Landesart A des Informationssystems Zielartenkonzept Bad.-Württ. (Stand 2009). Warum die Art in weiten Teilen West- und Norddeutschlands nach 1980 ausfiel (s. Verbreitungskarte bei Trautner et al. 2014), ist nicht geklärt. Allerdings erreicht die Art hier ihre Arealgrenze, weshalb *P. punctulatus* in dem Gebiet zum Teil auch früher schon nicht häufig war. Als Hauptgründe für den Ausfall kommen sowohl klimatische Einflüsse infrage als auch der Rückgang an offenen Begleitstrukturen in Ackerbaugebieten, insbesondere von mageren, lückig bewachsenen Säumen und jungen Ackerbrachen, die für diese Art möglicherweise wichtige Habitatstrukturen darstellen. Um die Art zu unterstützen, sollte eine Förderung solcher Strukturen insbesondere im Naturraum Kraichgau (aus dem die Mehrzahl der Funde stammt) und im nördlichen Oberrhein-Tiefland erfolgen.

Poecilus versicolor

(Sturm, 1824)

Glatthalsiger Buntgrabläufer

Allgemeine Verbreitung: Paläarktisch verbreitete Art, in weiten Teilen Europas vertreten. Sie kommt in Deutschland flächendeckend in geeigneten Lebensräumen vor.

Vorkommen in Baden-Württemberg: Landesweit verbreitet, fehlende Nachweise in der Verbreitungskarte sind als Erfassungslücken, i. d. R. aber nicht als ein tatsächliches Fehlen zu interpretieren.

Lebensweise und Habitat: Flugfähige (makroptere), überwiegend räuberische Art. In hohem Maße tagaktiv mit zahlreichen entsprechenden Beobachtungen aus Bad.-Württ., bei Thiele (1977) der Gruppe mit > 45 % Tagaktivität zugeordnet. Paarung und Eiablage (schwerpunktmäßig) im Frühjahr und Larvalentwicklung ab Frühjahr/Sommer. Aktive Imagines wurden in Bad.-Württ. nach den ausgewerteten Daten zwischen März und November registriert, mit einem Aktivitätsmaximum im Mai und Juni.

P. versicolor ist wie *P. cupreus* eine häufige Offenlandart, weist im Unterschied zu dieser aber einen deutlichen Vorkommensschwerpunkt in Grünlandgebieten und ihren typischen Begleitstrukturen auf, während sie auf Äckern meist deutlich zurücktritt. Eine Ausnahme stellen Äcker einerseits auf feuchteren Standorten und andererseits auf Sand- oder Moorböden dar, in denen *P. versicolor* die häufigere der beiden Arten sein kann. Im intensiv genutzten Vielschnitt-Grünland gehört *P. versicolor* zu den wenigen Laufkäferarten, die dort noch hohe Aktivitätsdichten erreichen können.

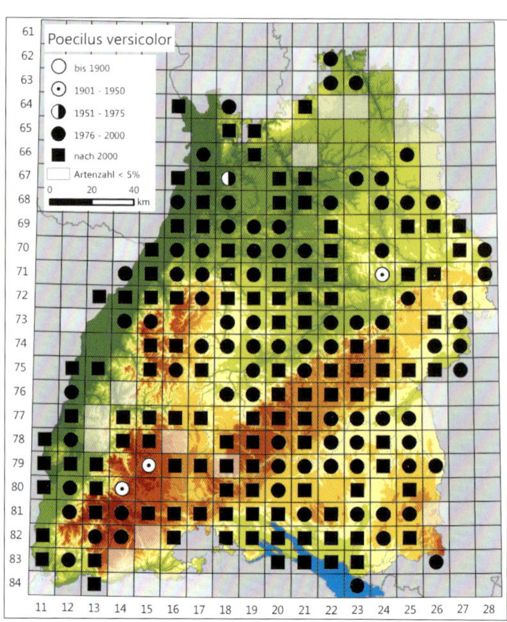

Poecilus versicolor. Foto: O. Bleich.

Gefährdung und Schutz: *P. versicolor* ist weder bundesweit (Stand 2015) noch in Bad.-Württ. (Stand 2005) gefährdet. Aufgrund der weiten Verbreitung mit Auftreten in unterschiedlichen Lebensraumtypen besonders des Offenlands ist auch keine zukünftige Gefährdung absehbar. Kein Handlungsbedarf.

Pterostichus aethiops

(Panzer, 1796)

Rundhalsiger Wald-Grabläufer

Allgemeine Verbreitung: In Ost- und Mitteleuropa verbreitete Art, überwiegend in montanen Lagen. Diese in Deutschland an ihre nördliche Arealgrenze gelangende Art gehört zu den von Süden bis zum Nordrand der Mittelgebirge recht verbreiteten Laufkäferarten, fehlt aber weitestgehend im Nord- und Ostdeutschen Tiefland.

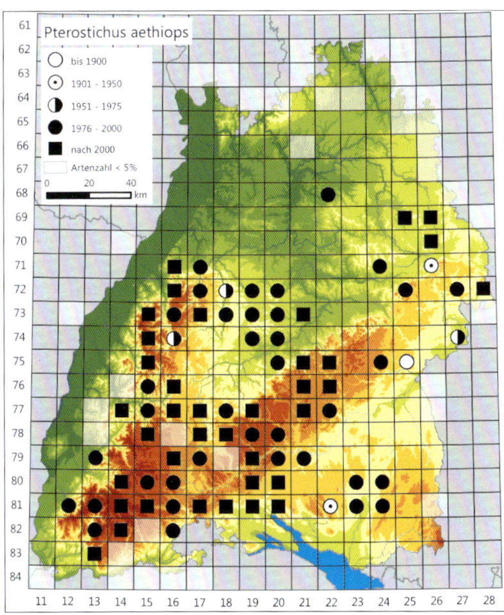

Pterostichus aethiops.

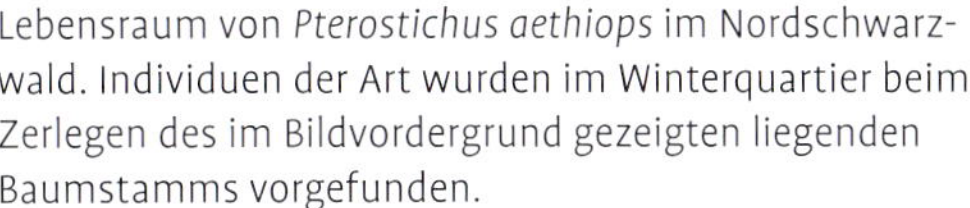

Lebensraum von *Pterostichus aethiops* im Nordschwarzwald. Individuen der Art wurden im Winterquartier beim Zerlegen des im Bildvordergrund gezeigten liegenden Baumstamms vorgefunden.

Vorkommen in Baden-Württemberg: Vor allem in den montanen Lagen von Schwarzwald und Schwäbischer Alb, daneben in Teilen des Voralpinen Hügel- und Moorlandes und des Schwäbischen Keuper-Lias-Landes verbreitet, sonst weiträumig fehlend.

Lebensweise und Habitat: Flugunfähige (brachyptere) und wahrscheinlich überwiegend oder ausschließlich nachtaktive Art. Paarung und Eiablage (schwerpunktmäßig) im Frühjahr und Larvalentwicklung ab Frühjahr/Sommer. Aktive Imagines wurden in Bad.-Württ. nach den ausgewerteten Daten zwischen März und November registriert, mit einem Aktivitätsmaximum je nach Höhenlage im Juni oder Juli.

P. aethiops ist eine Waldart, die kühlere und (luft-)feuchte Standorte bevorzugt und außerhalb des engeren montanen Bereichs – soweit überhaupt auftretend – vor allem auf Nord- und Osthänge (s. auch Baehr 1980) bzw. Klingensituationen konzentriert ist. Die meisten Funde stammen aus jeweils geschlossenen Nadelwäldern und von Nadelbäumen dominierten Mischwäldern, aus Buchen-Tannenwäldern sowie aus Waldbeständen mit schluchtwaldartigem Charakter. Insgesamt überwiegen Funde aus Nadelbaumbeständen deutlich. Es liegen keine Offenland-Nachweise und nur wenige Funde aus Lichtungs- und Waldrandsituationen vor.

Gefährdung und Schutz: *P. aethiops* ist weder bundesweit (Stand 2015) noch in Bad.-Württ. (Stand 2005) gefährdet. Als kühlpräferente, montane Waldart könnte *P. aethiops* zukünftig von klimatischen Veränderungen betroffen sein. Aufgrund der aktuell weiten Verbreitung im Schwarzwald und des Lebensraumspektrums wird dies aber jedenfalls vorläufig nicht als besonderer Risikofaktor gewertet. Mittel- bis langfristig sollte die Bestandsentwicklung überwacht werden, ansonsten besteht aber kein Handlungsbedarf.

Pterostichus anthracinus

(Illiger, 1798)

Kohlschwarzer Grabläufer

Allgemeine Verbreitung: Westpaläarktisch verbreitete Art, die in Teilen Süd- und Nordeuropas aber fehlt. Sie kommt in Deutschland flächendeckend in geeigneten Lebensräumen vor.

Vorkommen in Baden-Württemberg: Landesweit verbreitet, lediglich im Schwarzwald (dort vor allem im Buntsandsteingebiet) scheint die Art wenig vertreten und in den an Feuchtstandorten eher armen Landschaftsräumen der Schwäbischen Alb sowie des Nordostteils der Neckar- und Tauber-Gäuplatten nur lückig. Fehlende Nachweise in der Verbreitungskarte sind ansonsten als Erfassungslücken, i. d. R. aber nicht als ein tatsächliches Fehlen zu interpretieren.

Lebensweise und Habitat: Flugfähige (dimorphe bzw. polymorphe), räuberische Art. Paarung und Eiablage (schwerpunktmäßig) im Frühjahr und Larvalentwicklung ab Frühjahr/Sommer. Wie bei *Abax parallelus* (s. dort) und weiteren Arten der Pterostichini wurde bei *P. anthracinus* festgestellt, dass die Weibchen bis zum Schlüpfen der Larven beim Eigelege verbleiben (Lindroth 1992, Kolesnikov 2008). Aktive Imagines wurden in Bad.-Württ. nach den ausgewerteten Daten zwischen April und Oktober registriert, mit einem Aktivitätsmaximum im Mai und Juni. Immature Tiere wurden in Bad.-Württ. u. a. im September nachgewiesen; nach Kolesnikov (2008) stellen die Jungkäfer der neuen Generation zu diesem Zeitpunkt rd. 85 % der Population.

Pterostichus anthracinus. Foto: C. Benisch.

P. anthracinus tritt in unterschiedlichen feuchten bis nassen Lebensräumen auf, wobei dichtere Vegetation bzw. stärkere Beschattung bevorzugt werden. Typisch sind Funde in Bruchwäldern und gewässerbegleitenden Gehölzen, wo *P. anthraci-*

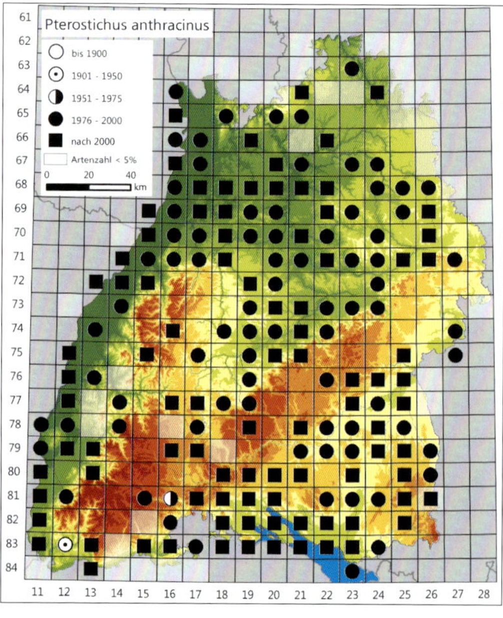

nus in hoher Abundanz auftreten kann; die Art ist jedoch nicht auf diese Lebensraumtypen beschränkt. Auch an feuchten bis nassen Ackerstandorten wurde sie registriert, ebenso in Feuchtwiesen, Rieden und in feuchten Hochstaudenfluren, z. B. entlang von Bach- und Grabenrändern. In Grünland auf entwässerten Niedermoorstandorten tritt die Art teils dominant auf. Nach LINDROTH (1985) und LARSSON (1939) soll *P. anthracinus* saure Böden meiden.

Gefährdung und Schutz: *P. anthracinus* ist weder bundesweit (Stand 2015) noch in Bad.-Württ. (Stand 2005) gefährdet. Aufgrund der weiten Verbreitung mit Auftreten in unterschiedlichen Lebensraumtypen des feuchten bis nassen Standortbereichs ist auch keine zukünftige Gefährdung absehbar. Kein Handlungsbedarf.

Pterostichus aterrimus

(Herbst, 1784)

Glänzender Grabläufer

Allgemeine Verbreitung: Westpaläarktisch verbreitete Art, mit in Europa teils diskontinuierlichem Vorkommen. In Deutschland kommt sie vorrangig noch im Nordosten und Osten (Mecklenburg-Vorpommern, Brandenburg, Sachsen) vor, während sie bundesweit aufgrund massiver Bestandsrückgänge nur noch sehr lokal und sporadisch vertreten ist und in einigen Bundesländern bereits als ausgestorben oder verschollen gelten muss (Rheinland-Pfalz, Hessen, Thüringen).

Vorkommen in Baden-Württemberg: Nach 1980 nur noch am westlichen Bodensee (Hegau) festgestellt, wo ein Fund im Murbacher Ried gelang (1984, SCHÜLE in lit.) und J. KIECHLE (in lit.) sie wiederholt u. a. in den 1980er und 1990er Jahren am Mindelsee und im Wollmatinger Ried feststellte. KNAPP (2003), dem diese Funde und auch die Erwähnung aktueller Nachweise bei BRÄUNICKE & TRAUTNER (2002) nicht bekannt waren, publizierte einen weiteren Fund aus dem Wollmatinger Ried. Ältere Nachweise liegen nur von wenigen weiteren Stellen des Landes vor. V. D. TRAPPEN (1930) nannte Ulm – nach der Oberamtsbeschreibung von LAMPERT (1897) – und Cannstatt als Fundorte. In der Sammlung HUEBER fanden sich drei Belege für Ulm (s. HORION 1959a), die wohl vor 1900 datieren, während die Meldung für Cannstatt zunächst eher zweifelhaft schien. Tatsächlich ist sie aber in der Sammlung

Pterostichus aterrimus.

des Staatlichen Museums für Naturkunde in Stuttgart zutreffend belegt, mit einem von DÖTTLING am 31. 7. 1915 gesammelten Tier. Des Weiteren findet sich die Angabe von GRESSER (1903) für Attenweiler und ein mit „Allgäu" ohne weitere

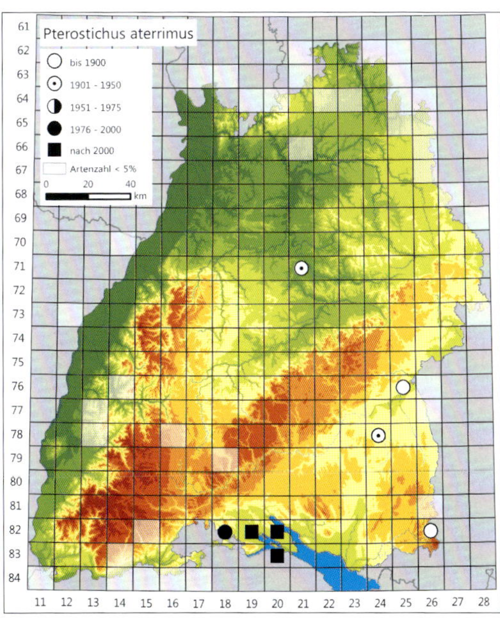

Fundort von *Pterostichus aterrimus* im Wollmatinger Ried. Im Vordergrund erkennt man einen Bereich mit niedrigerer Vegetation und offenen Bodenstellen, der gut besonnt ist. Solche Strukturen sind für Lebensräume dieser Art typisch.

Informationen bezetteltes Tier, letzteres ebenfalls in der o. g. Museumssammlung. Beide Angaben wurden vor dem Hintergrund der Belege aus Ulm und der neueren vom westlichen Bodensee sowie des Habitatangebots im betreffenden Raum als glaubhaft berücksichtigt. Für das Allgäuer Tier wurde dabei als wahrscheinlich angenommen, dass es wie andere in Stuttgart vorhandene Belege aus dem württembergischen Allgäu stammt, und die Eintragung in der Datenbank mit einem Hinweis auf die sehr grobe räumliche Zuordnung vorgenommen.

Lebensweise und Habitat: Flugfähige (makroptere) Art. Paarung und Eiablage (schwerpunktmäßig) im Frühjahr und Larvalentwicklung ab Frühjahr/Sommer. Aktive Imagines wurden in Bad.-Württ. nach den ausgewerteten Daten zwischen April und Juli registriert. Für die Angabe eines Aktivitätsmaximums liegen keine ausreichenden Daten vor, die meisten Nachweise stammen aber aus dem Monat Mai.

P. aterrimus tritt vor allem in der Verlandungszone von Stillgewässern sowie in sehr nassen Rieden auf, die schütter bewachsene, stark besonnte

Bodenstellen im nährstoffärmeren (mesotrophen) und/oder eher sauren Bereich aufweisen. Im Wollmatinger Ried am Bodensee und im Westried am Mindelsee wurde die Art vor allem in Steif- und Fadenseggenrieden nachgeweisen, die einer traditionellen Streuwiesenmahd unterliegen (Kiechle, in lit). Ein weiterer Fund gelang im Wollmatinger Ried u. a. an einer nassen, vegetationsfreien Störstelle in einem Bereich, in dem nach Entbuschungsmaßnahmen mit anschließendem Fräsen wieder die Entwicklung gehölzfreier Feuchtvegetation initiiert werden sollte (Kiechle, in lit.). Teilweise können die besiedelten Flächen Lebensraumtypen des Anhangs I der FFH-Richtlinie zuzurechnen sein (Lebensraumtypen 7140, 7150), nach derzeitigem Kenntnisstand ist jedoch keine Zuordnung als charakteristische Art eines solchen Lebensraumtyps in Bad.-Württ. naheliegend.

Gefährdung und Schutz: *P. aterrimus* ist sowohl bundesweit (Stand 2015) als auch in Bad.-Württ. (Stand 2005) vom Aussterben bedroht und Landesart A des Informationssystems Zielartenkonzept Bad.-Württ. (Stand 2009). Geeignete sehr nasse, nährstoffärmere und zugleich besonnte Standorte mit Offenbodenstellen oder schütterer Vegetation sind u. a. aufgrund von Entwässerungsmaßnahmen, Eutrophierung und Sukzession nach Nutzungs- oder Pflegeaufgabe an vielen Stellen deutlich zurückgegangen. Möglicherweise ist *P. aterrimus* auf ein großflächiges oder räumlich eng vernetztes Lebensraumangebot und eine entsprechende Standorttradition angewiesen. Nach den vorliegenden Daten ist die Art von einer extensiven Nutzung (v. a. Streuwiesennutzung) abhängig. Sie könnte zudem vom früher praktizierten „Riedbrennen" am Bodensee mit Auflichtung des Schilfgürtels profitiert haben. Schutzmaßnahmen müssen auf eine Erhaltung und Wiederausdehnung aller geeigneten Standorte im räumlichen Kontext mit bestehenden Vorkommen abzielen. Hierfür ist eine extensive Nutzung bzw. Pflege entscheidend. Am westlichen Bodensee sollte die aktuelle Verbreitung der Art durch ergänzende Untersuchungen geklärt werden; zudem wäre eine Prüfung auf ggf. noch vorhandene Vorkommen in anderen potenziell geeigneten Bereichen des Voralpinen Hügel- und Moorlands vorzunehmen. Zumindest am Bodensee sollte die Bestandssituation der Art in einem langfristig angelegten Monitoring regelmäßig kontrolliert werden.

Pterostichus burmeisteri

Heer, 1838

Kupfriger Grabläufer

Allgemeine Verbreitung: Von Mitteleuropa bis zum Balkan vorwiegend in montanen bis subalpinen Lagen verbreitet. In Deutschland fehlt die Art nur in der Nord- und Ostdeutschen Tiefebene (nördliche Arealgrenze), während sie in allen anderen Teilen mit Ausnahme kleiner Verbreitungslücken im Westen vorkommt.

Vorkommen in Baden-Württemberg: In montanen und submontanen Lagen verbreitet und in Wäldern häufig, fehlende Nachweise in der Verbreitungskarte sind dort meist als Erfassungslücken, i. d. R. aber nicht als ein tatsächliches Fehlen zu interpretieren. In planaren bis collinen Lagen fehlt die Art vollständig oder weitgehend.

Lebensweise und Habitat: Flugunfähige (brachyptere) und räuberische, ganz überwiegend nachtaktive Art; bei Thiele (1977) der Gruppe mit lediglich 0–15 % Tagaktivität zugeordnet. Paarung und Eiablage (schwerpunktmäßig) im Frühjahr und Larvalentwicklung ab Frühjahr/Sommer. Die gesamte Individualentwicklung dauert nach Weidemann (1971) zwei Jahre, wobei eine Überwinterung im dritten Larvenstadium oder als Jungkäfer stattfindet. Wie bei *Abax parallelus* (s. dort) und weiteren Arten der Pterostichini wurde bei *P. burmeisteri* festgestellt, dass die Weibchen bis zum Schlüpfen der Larven beim Eigelege ver-

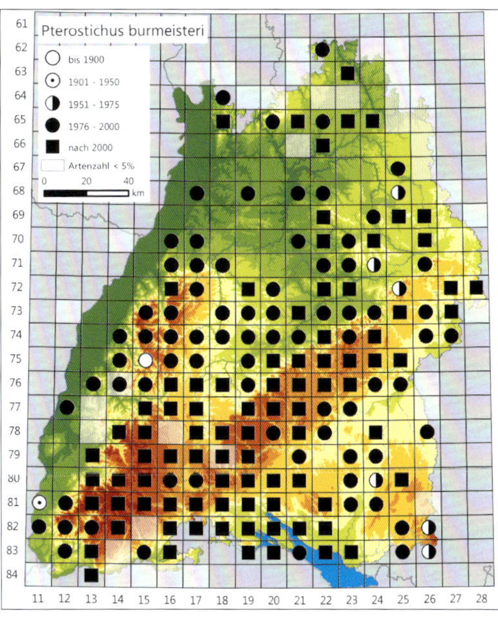

Pterostichus burmeisteri.

bleiben (Weidemann 1971); der Autor schreibt (S. 32): „Die Weibchen graben sich unter Moospolstern, aufliegenden Steinen oder totem Holz eine flache, kreisrunde Höhle von ca. 2 cm Durchmesser. In diese legen sie bis zu 30 Eier ab und bewachen sie bis zum Schlüpfen der L1 [= 1. Larvenstadium]. Während dieser Zeit verlassen sie die Höhle nicht und nehmen keine Nahrung auf." Aktive Imagines wurden in Bad.-Württ. nach den ausgewerteten Daten zwischen April und November registriert, mit zwei sehr starken Aktivitätspeaks Mai/Juni und Oktober sowie einem weiteren Peak im Juli.

P. burmeisteri ist eine Waldart mit Schwerpunkt im frischen Standortbereich und in montanen Lagen. An feuchten bis nassen Waldstandorten tritt er deutlich zurück oder fehlt ganz, ist ansonsten innerhalb seiner naturräumlichen Verbreitung aber stet in unterschiedlichsten Waldtypen anzutreffen, sowohl in Nadel- als auch in Laubbaum-dominierten Beständen. Dies wird gut an Untersuchungen in Bannwäldern Baden-Württembergs erkennbar. In allen vier von Trautner et al. (1998) untersuchten montan bis hochmontan gelegenen Bannwaldgebieten wurde die Art an allen beprobten Standorten nachgewiesen, fehlte aber in den beiden collin bis planar gelegenen Flächen vollständig. Die niedrigste Aktivitätsdichte im Bannwald Conventwald zeigte sich an bachnah in einer Klinge gelegenen Standorten (vgl. dort auch Abb. IV.3, S. 135) und im Bannwald Napf an Feuchtstandorten in einem Fichtenwald.

Gefährdung und Schutz: *P. burmeisteri* ist weder bundesweit (Stand 2015) noch in Bad.-Württ. (Stand 2005) gefährdet. Aufgrund der weiten Verbreitung mit Auftreten in unterschiedlichen Lebensraumtypen des Waldes ist auch keine zukünftige Gefährdung absehbar. Kein Handlungsbedarf.

Pterostichus cristatus

(Dufour, 1820)

Westlicher Wald-Grabläufer

Allgemeine Verbreitung: Westeuropäisch montan in einem kleinen Areal verbreitete Art, das auch das westliche Mitteleuropa betrifft. Sie erreicht in Deutschland ihre östliche Verbreitungsgrenze und weist ein kleines, mehr oder minder geschlossenes Areal in West- und Südwestdeutschland (v. a. Nordrhein-Westfalen, Hessen, Rheinland-Pfalz, Saarland, Teile Baden-Württembergs) auf, das östlich bis Thüringen reicht.

Vorkommen in Baden-Württemberg: Auf den äußersten Westen und Südwesten Baden-Württembergs beschränkt. Dort im Schwarzwald und seinen Vorbergen sowie im Osten bis in die Baar und das Hegau in den südlichsten Bereichen der Neckar- und Tauber-Gäuplatten und den westlichsten Bereichen des Voralpinen Hügel- und Moorlandes vertreten. Die alten Angaben v. d. Trappens (1930) für Heimsheim, Bad Urach und Rottweil nach Pinhard gehen sämtlich auf Fehlbestimmung zurück, wie eine Überprüfung der Belegtiere

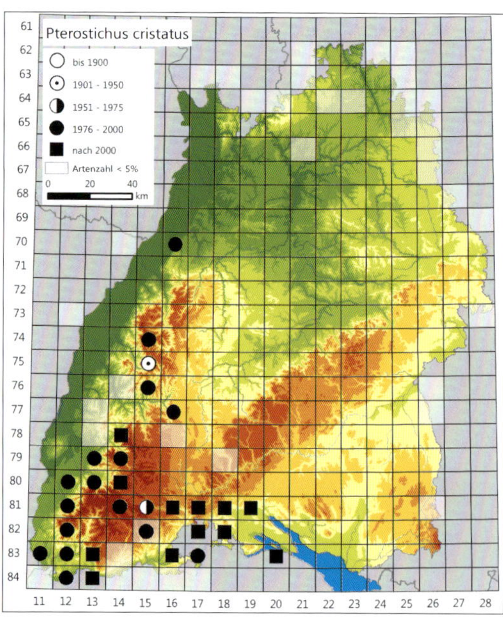

in der Sammlung des Staatlichen Museums für Naturkunde in Stuttgart ergab. Auch bezüglich der Angabe KELLERS (1864) für Reutlingen ist von einer Fehlbestimmung auszugehen.

Lebensweise und Habitat: Flugunfähige (brachyptere) und räuberische Art. Überwiegend nachtaktiv, bei THIELE (1977) der Gruppe mit lediglich 0–15 % Tagaktivität zugeordnet. Die Angaben zur (Haupt-)Phase der Paarung und Eiablage sind in der Literatur unterschiedlich. Nach THIELE (1977) sollen diese im Sommer und die Larvalentwicklung dann ab Sommer/Herbst erfolgen. Aktive Imagines wurden in Bad.-Württ. nach den ausgewerteten Daten zwischen Februar und Oktober registriert, mit einem Aktivitätsmaximum im Juli (höhere Lagen s. RIETZE 2001), das möglicherweise in niedrigeren Lagen etwas früher auftritt, ansonsten aber mit einer Paarungsphase im Sommer gut in Übereinstimmung gebracht werden kann. Aus der Schweiz berichtet MARGGI (1992), dass überwinternde Imagines unter der Rinde von Bäumen festgestellt wurden.

P. cristatus tritt im Gegensatz zu Daten aus weiter westlich und nordwestlich gelegenen Gebieten, wo die Art in starkem Maße sowohl in Wäldern mittlerer Standorte als auch in Feldhecken vor-

Pterostichus cristatus.

Lebensraum von *Pterostichus cristatus* im südlichen Schwarzwald.

kommt (z. B. THIELE 1977), in Bad.-Württ. schwerpunktmäßig an (luft-)feuchten Waldstandorten, insbesondere in bachbegleitenden Gehölzbeständen und in Klingenlage auf. Typisch hierfür ist die Situation im Bannwald Conventwald und in Vergleichsflächen im Naturraum Mittlerer Schwarzwald: Hier wurde *P. cristatus* nahezu ausschließlich und in hoher Abundanz [Summe > 200 Ind.) an den beiden Probestellen registriert, die bachnah in einer Klinge gelegen waren, während an den 8 übrigen Standorten nur in einem Fall zwei Individuen registriert werden konnten (TRAUTNER et al. 1998; s. dort insbesondere Abb. IV.3, S. 135). Auch MARGGI (1992) beschreibt die Art für die Schweiz unter Bezug auf DALANG (1981) als hygrophile Waldart, „gerne in der Nähe von Bächen und Flüssen unter Steinen und in der Streuschicht".

Gefährdung und Schutz: *P. cristatus* steht bundesweit (Stand 2015) auf der Vorwarnliste, ist in Bad.-Württ. (Stand 2005) aber ungefährdet. Zwar ist die Art hier nur regional verbreitet, aufgrund ihrer Lebensraumansprüche ist in Bad.-Württ. aber auch zukünftig keine Gefährdung absehbar. Kein Handlungsbedarf.

Pterostichus diligens. Foto: C. Benisch.

Pterostichus diligens

(Sturm, 1824)

Ried-Grabläufer

Allgemeine Verbreitung: Nordwestpaläarktisch verbreitete Art, fehlt weitestgehend in Südeuropa. Sie kommt in Deutschland flächendeckend in geeigneten Lebensräumen vor.

Vorkommen in Baden-Württemberg: Landesweit verbreitet, mit deutlichen Schwerpunkten, auch hinsichtlich der Nachweisdichte pro Rasterfeld, in den mit Feuchtlebensräumen umfangreicher ausgestatteten Naturräumen des Landes. Insbesondere in den an Feuchtstandorten eher armen Landschaftsräumen der Schwäbischen Alb sowie des Nordostteils der Neckar- und Tauber-Gäuplatten nur lückig vertreten. Fehlende Nachweise in der Verbreitungskarte sind ansonsten als Erfassungslücken, i. d. R. aber nicht als ein tatsächliches Fehlen zu interpretieren.

Lebensweise und Habitat: Flugfähige (dimorphe bzw. polymorphe), überwiegend nachtaktive und räuberische Art. Paarung und Eiablage (schwerpunktmäßig) im Frühjahr und Larvalentwicklung ab Frühjahr/Sommer. Aktive Imagines wurden in Bad.-Württ. nach den ausgewerteten Daten zwischen April und Oktober registriert, mit einem Aktivitätsmaximum im Mai und Juni.

P. diligens weist bei insgesamt breitem Lebensraumspektrum im feuchten bis nassen Standort-

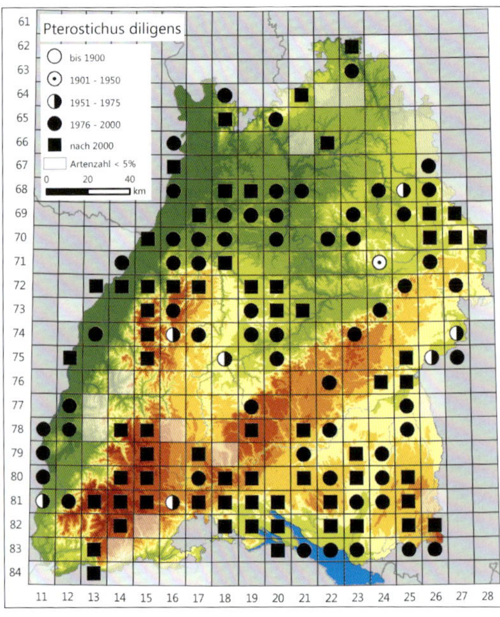

flügel einen deutlichen Vorkommensschwerpunkt in nassen, eher nährstoffarmen und zugleich vegetationsreichen, offenen Lebensräumen auf. Stet und in hoher Aktivitätsdichte ist die Art insbesondere in Kleinseggensümpfen, Rieden und Röhrichten sowie an Nassstandorten mit einer ausgeprägten Moosschicht vertreten. Wasner (1974) fand sie am Federsee in nahezu allen Biotopen, mit einem Maximum im moosreichen Flachmoor. *P. diligens* tritt aber auch in eutrophen Lebensräumen auf und ist zudem nicht auf Offenland-Lebensräume beschränkt, sondern auch an nassen Waldstandorten anzutreffen (z.B. Bruchwald), wenngleich diese weniger stet und in meist geringerer Individuendichte besiedelt werden.

Gefährdung und Schutz: *P. diligens* ist bundesweit ungefährdet (Stand 2015) und in Bad.-Württ. (Stand 2005) eine Art der Vorwarnliste. Für Bad.-Württ. war ein Rückgang geeigneter Standorte aufgrund von Entwässerung, aber auch eine Qualitätsminderung von Lebensräumen infolge Eutrophierung oder Nutzungsaufgabe mit Gehölzsukzession ausschlaggebend. Aufgrund der trotzdem immer noch sehr weiten Verbreitung und der – jedenfalls in gut geeigneten Habitaten – Häufigkeit der Art ist bei einer Neubearbeitung der Roten Liste und Vorwarnliste möglicherweise eine Rückstufung in die Kategorie „ungefährdet“ angebracht. Aufgrund der weiten Verbreitung mit Auftreten in unterschiedlichen Lebensraumtypen feuchter Standorte ist auch zukünftig keine tatsächliche Gefährdungslage absehbar. Kein Handlungsbedarf.

Pterostichus fasciatopunctatus

(Creutzer, 1799)

Enghalsiger Gebirgs-Grabläufer

Allgemeine Verbreitung: In Gebirgen Südosteuropas und im Alpenraum verbreitet. Sie kommt in Deutschland nur in der Südhälfte Bayerns und Baden-Württembergs vor.

Vorkommen in Baden-Württemberg: Nur aus dem Wutachgebiet (Kless 1961, 1971) sowie aus dem östlichen Teil des Westallgäuer Hügellands (Baehr 1983) und der Adelegg belegt.

Lebensweise und Habitat: Flugunfähige (brachyptere) Art. Paarung und Eiablage (schwerpunktmäßig) im Frühjahr und Larvalentwicklung ab Frühjahr/Sommer. Aktive Imagines wurden in Bad.-Württ. nach den ausgewerteten Daten zwischen Mai und Oktober registriert, für die Angabe eines Aktivitätsmaximums liegen aber keine ausreichenden Daten vor.

Pterostichus fasciatopunctatus.

P. fasciatopunctatus ist eine Art der Quellriesel und Bachoberläufe und dort im direkt durchrieselten Grobschotter oder Grus oder in Auflagen groben Schottermaterials auf lehmigen, sehr nassen Standorten zu finden. Typisch sind auch Sprühzonen von Wasserfällen, wie sie Kless (1961) als Fundorte aus dem Wutachgebiet beschreibt: feiner Schutt am Fuß des Falls in der Lotenbachklamm sowie Tuffgrus mit schwarztonigem Boden am Fuß des Falls im Mühletobel bei Stallegg, jeweils „in kühler und tiefschattiger

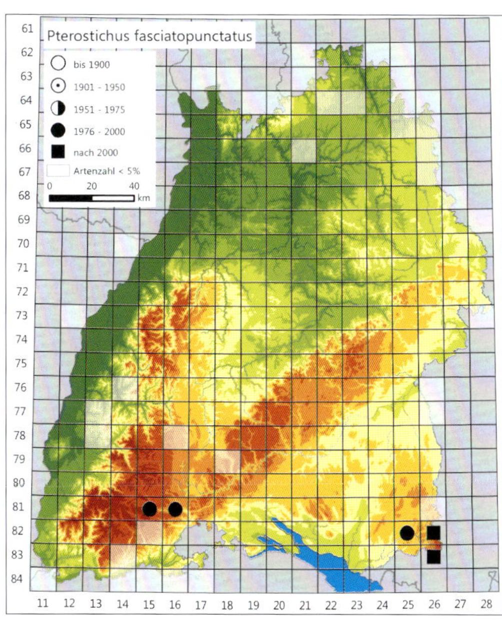

Bachufer in der Adelegg mit Vorkommen von *Pterostichus fasciatopunctatus*. Imagines sind hier insbesondere im Bereich erodierender Böschungen unter aufliegenden Steinen an Stellen vorzufinden, in denen (ggf. auch nur zeitweise) Hangwasser austritt.

Lage". Entlang der Bäche ist die Art besonders an Stellen zu finden, an denen seitlich Hangwasser zutritt oder Quellrinnsale den Bach zusätzlich speisen.

Gefährdung und Schutz: *P. fasciatopunctatus* ist bundesweit (Stand 2015) u. a. vor dem Hintergrund der zahlreichen Vorkommen in Bayern ungefährdet, in Bad.-Württ. (Stand 2005) ist sie aber als gefährdet eingestuft und Naturraumart des Informationssystems Zielartenkonzept Bad.-Württ. (Stand 2009). Günstige Habitate der Art sind räumlich eng begrenzt und wurden bereits in der Vergangenheit durch lokale Eingriffe wie Bau oder Unterhaltung von Forstwegen, Quellfassung und flächige Entwässerung teilweise zerstört oder beeinträchtigt. Schutzmaßnahmen sollten den vollständigen Schutz entsprechender Bachoberläufe und zutretender Rinnen oder Quellen umfassen, ggf. auch den lokalen Rückbau beeinträchtigender Wege oder anderer Bauwerke.

Pterostichus gracilis

(Dejean, 1828)

Zierlicher Grabläufer

Allgemeine Verbreitung: Paläarktisch verbreitete Art, die aber in größeren Teilen Nordeuropas und gebietsweise in Südeuropa fehlt. In Deutschland kommt sie mit einem Verbreitungsschwerpunkt im Norden und Osten (v. a. Niedersachsen, Schleswig-Holstein, Mecklenburg-Vorpommern, Brandenburg, Sachsen-Anhalt, Sachsen) in fast allen Teilen vor und weist größere Verbreitungslücken in West- und vor allem Süddeutschland auf.

Vorkommen in Baden-Württemberg: Schwerpunkte entlang der Donau, im Nordteil des Oberrhein-Tieflandes sowie im Voralpinen Hügel- und Moorland, dort vor allem am westlichen Bodensee. Punktuell Nachweise aus anderen Naturräumen.

Lebensweise und Habitat: Flugfähige (makroptere) und räuberische Art. Paarung und Eiablage (schwerpunktmäßig) im Frühjahr und Larvalent-

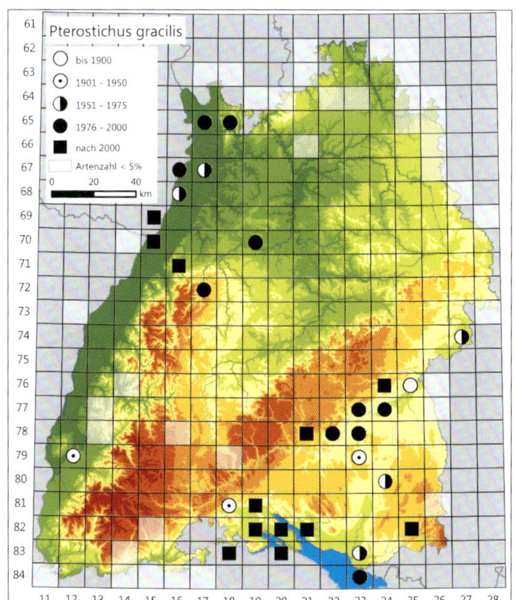

Pterostichus gracilis.

Pterostichus gracilis bevorzugt vegetationsreiche, sehr nasse und zugleich besonnte Lebensräume; hier ein Vorkommen in der Donau-Iller-Lech-Platte.

wicklung ab Frühjahr/Sommer. Aktive Imagines wurden in Bad.-Württ. nach den ausgewerteten Daten zwischen März und September registriert, die meisten Fänge erfolgten im Mai und Juni, für die Angabe eines Aktivitätsmaximums liegen aber keine ausreichenden Daten vor. Die Überwinterung kann laut Marggi (1992) weit von den Fortpflanzungshabitaten (also Nassstandorten, s. u.) entfernt erfolgen.

P. gracilis ist eine Art besonnter Nassbiotope mit stark vertikal strukturierter Vegetation; typisch sind Wasserschwaden-Röhrichte in und am Ufer von Altwässern, Nasswiesen sowie Flutmulden mit lange oberflächig stehendem Wasser in Auen. Auch aus Schilfröhrichten liegen Nachweise vor, meist im Übergangsbereich zu offenem Wasser. In den Seerieden am westlichen Bodensee (z. B. Wollmatinger Ried) ist die Art gut vertreten.

Gefährdung und Schutz: *P. gracilis* steht bundesweit auf der Vorwarnliste (Stand 2015) und ist in Bad.-Württ. stark gefährdet (Stand 2005) sowie Landesart B des Informationssystems Zielartenkonzept Bad.-Württ. (Stand 2009). Gefährdungsursachen sind einerseits direkte Flächeninanspruchnahme, Entwässerungen und Oberflächenveränderungen in Auen und anderen Nassstandorten, andererseits Sukzession nach Nutzungsaufgabe im Nassgrünland. An Altwässern (z. B. im Donautal) fanden zudem in der Vergangenheit erhebliche negative Veränderungen insbesondere durch eine Nutzung für die Angelfischerei statt. Die Inanspruchnahme von Flutmulden und vegetationsreichen Altwässern für einen neuen, „renaturierten" Flusslauf im Zuge von Fließgewässerrenaturierungen stellt zudem eine potenzielle Gefährdung dar. Handlungsbedarf besteht in der Sicherung noch verbliebenen Nassgrünlands und offener Flutmulden (Letzteres vor allem in Auen) sowie in deren Wiederherstellung (einschließlich einer möglichst naturnahen Überschwemmungsdynamik) in den potenziellen Verbreitungsräumen der Art, wo immer dies möglich ist. In Bereichen mit fortgeschrittener Gehölzsukzession, die sich zur Wiederentwicklung für die Art eignen, sowie in noch vorhandenen und durch Beschattung in ihrer Qualität bedrohten Lebensräumen sollen Gehölze großräumig entfernt werden. Langfristig muss neben nassen Standortbedingungen an allen Vorkommensorten eine Pflege zur Erhaltung des offenen Charakters gewährleistet werden. Die aktuelle Verbreitung der Art insbesondere im Oberrhein-Tiefland und entlang des Donautals sollte vertieft untersucht und im Weiteren die Bestandsentwicklung beobachtet werden.

Pterostichus hagenbachii

(Sturm, 1824)

Hagenbachs Grabläufer

Allgemeine Verbreitung: Endemische Art der Westalpen und des Jura, die den äußersten Südwesten Deutschlands erreicht (Baden-Württemberg), wo sie nur kleinräumig und an wenigen Stellen vertreten sind.

Vorkommen in Baden-Württemberg: Nur punktuell im Alb-Wutach-Gebiet sowie im Übergangsbereich vom Hochschwarzwald zu diesem und zum Dinkelberg nachgewiesen. Die ersten Nachweise für Deutschland und Bad.-Württ. wurden aus dem Wutachgebiet erbracht (s. Sokolowski 1958, Kless 1959). Die Meldung durch Kaiser (1997) aus einer Untersuchung von Grünlandbrachen im Südschwarzwald beruht auf Verwechslung.

Lebensweise und Habitat: Flugunfähige (brachyptere) Art, über deren Biologie wenig bekannt ist. Nach Marggi (1992) sind die Imagines von März bis September aktiv. Eigene Nachweise in Bad.-Württ. gelangen im Mai, aus früheren Jahrzehnten sind Funde zwischen Mai und Juli dokumentiert. Für die Angabe eines Aktivitätsmaximums liegen keine ausreichenden Daten vor.

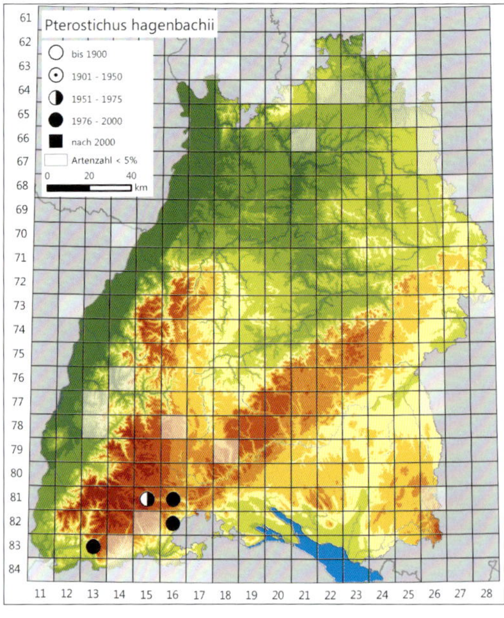

Pterostichus hagenbachii.

Lebensraum von *Pterostichus hagenbachii* im Wutachgebiet.

P. hagenbachii ist nach Kless (1971) „unter Steinen auf dem tonig-schmierigen Boden der unteren Hanglagen im mittleren Abschnitt der Wutachschlucht“ zu finden und wird von diesem Autor (Kless 1961) als typisch für Schluchtwälder eingestuft. Das Fundgebiet in der Wutachschlucht ist durch Kalkgestein im Untergrund und kalkhaltige Böden charakterisiert, zudem besteht hier jedenfalls lokal ein Spalten- und Lückensystem im Untergrund. Eigene Funde aus den 1990er Jahren bestätigen das Vorkommen im Wutach-Gebiet an Schluchtwald-Standorten, die in jenem Zeitraum aber teilweise forstlich überprägt waren (in einigen Bereichen Nadelholz-Forste). Möglicherweise kann *P. hagenbachii* im sehr engen deutschen Verbreitungsgebiet als charakteristische Art des Lebensraumtyps *9180 (Schlucht- und Hangmischwälder) des Anhangs I der FFH-Richtlinie eingeordnet werden. In der Schweiz scheint das Lebensraumspektrum deutlich abzuweichen und breiter zu sein (s. Marggi 1992).

Gefährdung und Schutz: Die Vorkommen der Art in Deutschland haben den Status hochgradig separierter Vorposten, für deren Erhalt Deutschland verantwortlich ist [Einstufung (!); vgl. Schmidt et al. 2016]. *P. hagenbachii* ist bundesweit (Stand 2015) und in Bad.-Württ. (Stand 2005) als extrem seltene Art der Kategorie R eingestuft und Landesart B des Informationssystems Zielartenkonzept Bad.-Württ. (Stand 2009). Als zumindest im deutschen Vorkommensareal kühlpräferente, montane Waldart könnte *P. hagenbachii* zukünftig von klimatischen Veränderungen betroffen sein. Prognosen hierzu sind aber schwierig. Mittel- bis langfristig sollte einerseits die Bestandsentwicklung – auch vor dem Hintergrund der o. g. Verantwortlichkeit – überwacht werden, andererseits sind die Lebensräume, in denen die Art vorkommt, zu sichern und vor direkten Eingriffen zu schützen. Es ist davon auszugehen, dass die Art mit dem allgemeinen Ziel einer Erhaltung und Optimierung naturnaher Schluchtwälder (einschließlich des Schutzes vor Fragmentierung) ausreichend abgedeckt ist. Ansonsten besteht kein Handlungsbedarf.

Pterostichus leonisi

Apfelbeck, 1904

Östlicher Grabläufer

Allgemeine Verbreitung: Art mit Verbreitungsschwerpunkt in Südosteuropa bis zum Kaukasus, erreicht aber auch Mitteleuropa. Bislang liegt für Deutschland nur ein Einzelfund aus Bad.-Württ. vor. Auch aus anderen Gebieten Mittel- und Südosteuropas sind solche Einzelfunde bekannt, ohne dass in Folge weitere Funde an der jeweiligen Stelle gelangen.

Pterostichus leonisi. Foto: O. Bleich.

Vorkommen in Baden-Württemberg: Im Rahmen einer Untersuchung zu xerothermen Biotopen des mittleren Remstals (Bretzendorfer et al. 1993) gelang J. Messutat der Fund eines Männchens der Art bei Kleinheppach am Kleinheppacher Kopf (16. 06. 1979; Marggi & Messutat 2002). Wei-

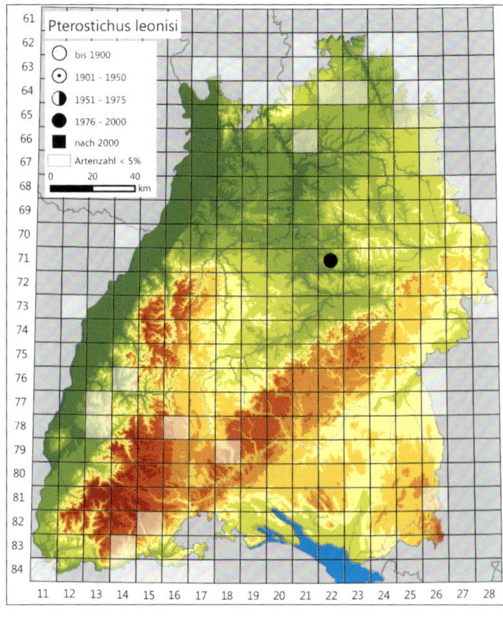

tere Funde sind aus Deutschland und Bad.-Württ. bisher nicht bekannt.

Lebensweise und Habitat: Art mit vollständig entwickelten Hinterflügeln (makropter), von der nach Auswertungsstand keine Flugbeobachtung vorliegt. Über Biologie und Habitatansprüche ist bislang nur wenig bekannt. Der baden-württembergische Fund stammt von Mitte Juni (s. o.).

Paill (2001) beschreibt den Erstfund der Art für das österreichische Bundesland Steiermark als Einzelexemplar aus einer „mehr oder weniger intensiv genutzten Heimgartenanlage“ und führt u. a. unter Bezug auf Bezděčka & Resl (1991) weiter aus, dass „die [dort] ursprünglich nur von Anspülichten an Flußufern [...] und Salzböden [...] bekannte Art in neuerer Zeit vermehrt in stark überprägten, häufig beweideten Lebensräumen (im Dung!) gefunden wird“. Sivčev et al. (2014) melden die Art aus einem Rapsfeld in Serbien. Der baden-württembergische Fundort ist ein nach Süden vortretender Sporn im Schwäbischen Keuper-Lias-Land mit einem Mosaik aus Weinbergen, Halbtrockenrasen, wärmeliebenden Gebüschen u. a. Die konkreten Fundumstände des bereits Ende der 1970er Jahre gefangenen Tiers konnten nicht mehr ermittelt werden.

Gefährdung und Schutz: *P. leonisi* ist bundesweit (Stand 2015) und in Bad.-Württ. (Stand 2005) der Kategorie D (Daten defizitär) zugeordnet. Ein Handlungsbedarf ist derzeit aufgrund des Einzelnachweises und des geringen Kenntnisstands zu dieser Art nicht zu erkennen.

Pterostichus longicollis

(Duftschmid, 1812)

Langhalsiger Grabläufer

Allgemeine Verbreitung: Europäische Art, die vor allem von West- über Mittel- bis Südosteuropa vertreten ist, dagegen in weiten Teilen Nord-, Nordwesteuropas und des Mittelmeerraums fehlt. Mit einem Verbreitungsschwerpunkt im Südwesten (Saarland, Rheinland-Pfalz, nördl. Baden-Württemberg) sowie im zentralen Deutschland (u. a. Hessen, Thüringen) ist sie zerstreut nördlich bis zur Insel Fehmarn (Schleswig-Holstein) verbreitet und weist vor allem in den meisten eher randlich im Gesamtareal gelegenen Bundesländern (u. a. Nordrhein-Westfalen, Niedersachsen, Schleswig-Holstein, Mecklenburg-Vorpommern, Brandenburg usw.) größere Verbreitungslücken auf.

Pterostichus longicollis. Foto: C. Benisch.

Vorkommen in Baden-Württemberg: Verbreitungsschwerpunkt im Schwäbischen Keuper-Lias-Land sowie den Neckar- und Tauber-Gäuplatten im zentralen Bad.-Württ., außerhalb dieser Räume nur einzelne Nachweise; im Nordosten des Landes möglicherweise nur aufgrund von Erfassungslücken schwächer repräsentiert.

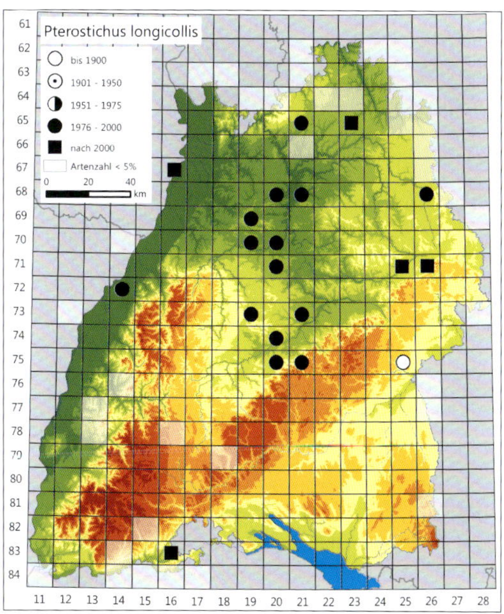

Lebensraum von *Pterostichus longicollis* in einer ehemaligen, heute verfüllten Tongrube in den Neckar- und Tauber-Gäuplatten. Foto: M. Bräunicke.

Lebensweise und Habitat: Flugfähige (dimorphe bzw. polymorphe) Art. Aktive Imagines wurden in Bad.-Württ. nach den ausgewerteten Daten zwischen April und Juli registriert. Für die Angabe eines Aktivitätsmaximums liegen keine ausreichenden Daten vor, die meisten bei einem einzelnen Sammelereignis registrierten Individuen (> 50) stammen aber aus dem Juni (Tongrube Mühlacker, 1994, leg. Bräunicke & Trautner).

P. longicollis tritt bevorzugt in wechseltrockenem oder wechselfeuchtem, magerem Grünland mit „Störstellen" auf, also in Bereichen mit aufgrund von Erosion, Vertritt oder stärkeren Wasserstandsschwankungen offenen Rohböden sowie in standörtlich und strukturell ähnlichen kurzlebigen Pioniergesellschaften und Ruderalfluren. Bei allen Fundstellen, die näher dokumentiert sind, handelt es sich um solche mit bindigem Substrat (Lehm, Ton) und zumeist voller Besonnung. Eine Reihe von Fundstellen liegt in Deponien, Abbaugebieten sowie ehemaligen militärischen Übungsflächen. In Ausnahmefällen wurde die Art auch an offenen Lehmufern von Stillgewässern registriert.

Gefährdung und Schutz: *P. longicollis* ist bundesweit (Stand 2015) gefährdet und in Bad.-Württ. (Stand 2005) stark gefährdet sowie Landesart B des Informationssystems Zielartenkonzept Bad.-Württ. (Stand 2009). Die Art ist offenkundig an Standorte mit extensiver, jedoch Störungen der Vegetationsdecke hervorrufenden Nutzungen gebunden, die heute aufgrund weiträumiger Melioration und intensiver Landnutzung selten geworden sind. Ihre Lebensräume sind oft nur kleinflächig ausgeprägt, außerdem weisen sie, insbesondere im Fall von Deponien und Abbaugebieten, die notwendigen Habitatqualitäten nur vorübergehend auf, da diese nach Nutzungsaufgabe meist in Folge von Rekultivierung oder Sukzession verloren gehen. Zudem scheint die Art in ihrer Verbreitung in Bad.-Württ. regional relativ stark eingeschränkt. Schutzmaßnahmen müssen auf die Erhaltung geeigneter Standort- und Strukturbedingungen an nachgewiesenen Lebensstätten ausgerichtet sein und darauf abzielen, dass die Artansprüche v. a. bei Abbauvorhaben berücksichtigt werden. Langfristig dürfte insbesondere Beweidung in wechselfeuchten bis wechseltrockenen Standorten der o. g. schwerpunktmäßig besiedelten Naturräume der entscheidende Ansatz sein, um Lebensräume der Art zu sichern und zu entwickeln. Einer Gehölzentwicklung muss dabei ebenso vorgebeugt werden wie dem Aufwuchs einer dicht- und/oder hochwüchsigen krautigen Vegetation.

Pterostichus macer

(Marsham, 1802)
Herzhals-Grabläufer

Allgemeine Verbreitung: Westpaläarktisch verbreitete Art, die in Europa aber offenbar nur diskontinuierlich vertreten ist und im Norden weitestgehend fehlt. Mit einem Verbreitungsschwerpunkt im südwestlichen (Saarland, Rheinland-Pfalz, Baden-Württemberg), südlichen (Bayern) und zentralen Deutschland (u. a. Thüringen, Sachsen-Anhalt) ist sie nördlich bis zu den Nordfriesischen Inseln (Schleswig-Holstein) vertreten. Vor allem in Westdeutschland (Nordrhein-Westfalen) und Ostdeutschland (Mecklenburg-Vorpommern, Brandenburg, Sachsen) sowie in Südbayern weist sie größere Verbreitungslücken auf.

Vorkommen in Baden-Württemberg: Verbreitungsschwerpunkt im Schwäbischen Keuper-Lias-Land sowie in den Neckar- und Tauber-Gäuplatten im zentralen Bad.-Württ., außerhalb dieser Räume nur einzelne Nachweise; im Nordosten des Landes möglicherweise nur aufgrund von Erfassungslücken schwächer repräsentiert.

Lebensweise und Habitat: Flugfähige (makroptere) und überwiegend räuberische, wohl weitestgehend oder vollständig nachtaktive Art. Paarung und Eiablage (schwerpunktmäßig) im Frühjahr und Larvalentwicklung ab Frühjahr/Sommer. Aktive Imagines wurden in Bad.-Württ. nach den ausgewerteten Daten zwischen März und Oktober

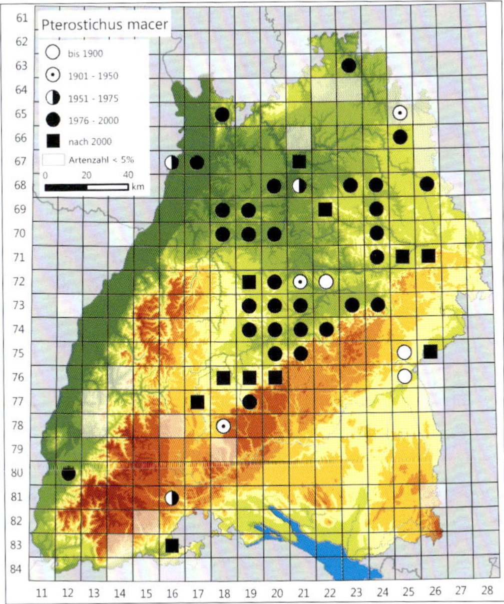

Pterostichus macer. Foto: O. Bleich.

registriert. Während Baehr (1980) im Schönbuch kein deutliches Aktivitätsmaximum feststellen konnte, zeigt sich aus Fängen anderer Gebiete ein Aktivitätsmaximum im Mai.

P. macer tritt ähnlich wie *P. longicollis* (zu dem auch das Verbreitungsbild in Bad.-Württ. Ähnlichkeiten zeigt) bevorzugt in magerem Grünland mit „Störstellen" auf, also in Bereichen mit offenen Rohböden, sowie in standörtlich und strukturell ähnlichen kurzlebigen Pioniergesellschaften und Ruderalfluren, teils auch in Ackerbrachen. Wechseltrockene oder wechselfeuchte Standorte scheinen bevorzugt zu werden, allerdings sind Funde auch aus Halbtrockenrasen dokumentiert (z. B. Südwestrand des Schönbuchs und im Albvorland im Raum Hechingen). Alle diesbezüglich näher beschriebenen Fundstellen weisen bindiges Substrat (Lehm, Ton) und volle Besonnung auf. Die Art geht, vermutlich überwiegend im Bereich von Erdspalten, tief in den Boden und kann z. B. unter tief eingebetteten Steinen gefunden werden (so auch in der Literatur mehrfach beschrieben, u. a. bei Baehr 1980 aus dem Schönbuch im zentralen Bad.-Württ.). Die relativ flache Körperform korrespondiert mit einer solchen Lebensweise.

Gefährdung und Schutz: *P. macer* ist bundesweit (Stand 2015) eine Art der Vorwarnliste und in Bad.-Württ. (Stand 2005) gefährdet. Zudem ist sie Naturraumart des Informationssystems Zielartenkonzept Bad.-Württ. (Stand 2009). Die Art ist wie *P. longicollis* an Standorte mit extensiver, aber Störungen der Vegetationsdecke hervorrufender Nutzung gebunden, die heute aufgrund weiträu-

Pterostichus macer tritt zahlreich an diesem Hang im Schwäbischen Keuper-Lias-Land bei Hechingen auf. Das Gelände weist ausgeprägt wechselfeuchte und wechseltrockene Bereiche auf.

miger Melioration und intensiver Landnutzung seltener geworden sind; *P. macer* ist dabei jedoch noch deutlich weiter verbreitet und häufiger als *P. longicollis*. Schutzmaßnahmen müssen auf die Erhaltung geeigneter Standort- und Strukturbedingungen an nachgewiesenen Lebensstätten ausgerichtet sein. Um Lebensräume der Art langfristig zu sichern und zu entwickeln, dürfte auch bei dieser Art insbesondere die Beweidung in wechselfeuchten bis wechseltrockenen Standorten der o. g. schwerpunktmäßig besiedelten Naturräume der entscheidende Ansatz sein. Einer Gehölzentwicklung muss unbedingt vorgebeugt und Störungen der Vegetationsdecke müssen zugelassen werden.

Pterostichus madidus

(Fabricius, 1775)

Gebüsch-Grabläufer

Allgemeine Verbreitung: Westeuropäisch und im westlichen Mitteleuropa in einem vergleichsweise kleinen Areal verbreitete Art. Sie erreicht in Deutschland ihre östliche Verbreitungsgrenze und weist ein weitestgehend geschlossenes Areal in West- und Südwestdeutschland (v. a. Nordrhein-Westfalen, Hessen, Rheinland-Pfalz, Saarland, Baden-Württemberg) auf, das östlich zerstreut bis Sachsen reicht.

Vorkommen in Baden-Württemberg: Landesweit mit Ausnahme größerer Teile der Donau-Iller-Lech-Platte sowie des Voralpinen Hügel- und Moorlandes und der nadelholzdominierten östlichen Bereiche des Schwäbischen Keuper-Lias-Landes verbreitet. Auch aus dem Oberrhein-Tiefland kaum Funde. Fehlende Nachweise in der Verbreitungskarte sind ansonsten als Erfassungslücken, i. d. R. aber nicht als ein tatsächliches Fehlen zu interpretieren.

Lebensweise und Habitat: Flugunfähige (brachyptere) Art. Nahrungsgeneralistin. Überwiegend nachtaktiv, bei Thiele (1977) der Gruppe mit 15–30 % Tagaktivität zugeordnet. Paarung und Eiablage (schwerpunktmäßig) im Sommer und

Pterostichus madidus. Foto: C. Benisch.

Larvalentwicklung ab Sommer/Herbst. Aktive Imagines wurden in Bad.-Württ. nach den ausgewerteten Daten zwischen März und Oktober registriert, mit einem Aktivitätsmaximum in niedrigeren Lagen im Juli und August, das sich in höheren Lagen in den Herbst hinein verschieben kann (s. Rietze 2001).

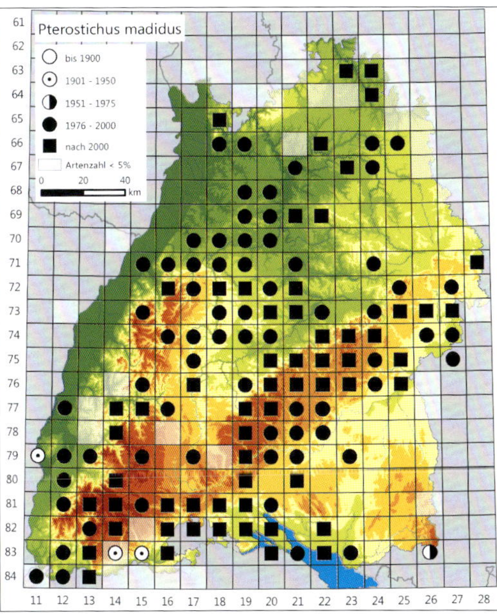

P. madidus ist eine Art der Wälder mit vorwiegendem Laubbaumanteil sowie der größeren Feldgehölze und Gebüsche, die z. B. auch in Feldhecken der Ackergebiete (darunter auch gehölzbestandene Steinriegel) sowie in Sukzessionsflächen des Offenlandes (s. z. B. Handke 1988) auftritt. Baehr (1980) beschreibt das Vorkommen der Art im Schönbuch im zentralen Bad.-Württ. so, dass sie dort „eine deutliche Vorliebe für lichte, warme, buschreiche Waldränder" zeigt, wobei sie nur die wärmsten Stellen besiedelt, „offensichtlich das Innere von Wäldern aller Typen" meidet und im Inneren trockener Laubwälder ganz fehlt. Diese Situation ist nur eingeschränkt auf andere Räume Baden-Württembergs übertragbar, wo *P. madidus* sehr wohl auch im Inneren von Laubwäldern hohe Aktivitätsdichten erreichen kann, so etwa im Bannwald Sommerberg mit Eichen-Hainbuchen- sowie Hainsimsen-Buchenwald in Höhenlagen von 340–400 m ü. NHN (vgl. Trautner et al. 1998). Allerdings handelt es sich dann um eher lichte Laubwälder. Ansonsten ist die Art aber z. B. auch in den Hangbuchenwäldern der Schwäbischen Alb vertreten (vgl. Scheurig et al. 1996), wenngleich dort mit Ausnahme von südexponierten Lagen oder sehr lichtem Bestand meist nur in eher geringer Aktivitätsdichte. Bei eigenen Untersuchungen im Bannwald Rabensteig (Mittlere Flächenalb) wurden die höchsten Aktivitätsdichten in einem lichten, grasigen Ahorn-Linden-Bestand mit exponierter, trockener Kuppe registriert. In den Hochlagen des Schwarzwaldes kann die Art verstärkt in abgängigen, offenen Fichtenbeständen mit hohem Totholzanteil auftreten, so im Bannwald Napf auf über 1000 m ü. NHN (vgl. Trautner et al. 1998). Insgesamt kann für *P. madidus* daher eine Präferenz für lichtere, eher wärmere Standorte innerhalb oder am Rand von gehölzdominierten Flächen festgestellt werden.

Gefährdung und Schutz: *P. madidus* ist weder bundesweit (Stand 2015) noch in Bad.-Württ. (Stand 2005) gefährdet. Aufgrund der weiten Verbreitung mit Auftreten in unterschiedlichen Lebensraumtypen zumeist des Waldes ist auch keine zukünftige Gefährdung absehbar. Kein Handlungsbedarf.

Pterostichus melanarius

(Illiger, 1798)

Gewöhnlicher Grabläufer

Allgemeine Verbreitung: Paläarktisch verbreitete Art, in Europa ohne Teile Nord- und Südeuropas, in Nordamerika eingeschleppt (Bousquet 2012). Sie kommt in Deutschland flächendeckend in geeigneten Lebensräumen vor.

Vorkommen in Baden-Württemberg: Landesweit verbreitet, fehlende Nachweise in der Verbreitungskarte sind als Erfassungslücken, i. d. R. aber nicht als ein tatsächliches Fehlen zu interpretieren.

Lebensweise und Habitat: Flugfähige (dimorphe bzw. polymorphe) und überwiegend räuberische Art. Fast ausschließlich nachtaktiv, bei Thiele (1977) der Gruppe mit lediglich 0–15 % Tagaktivität zugeordnet. Paarung und Eiablage (schwerpunktmäßig) im Sommer und Larvalentwicklung ab Sommer/Herbst. Aktive Imagines wurden in Bad.-Württ. nach den ausgewerteten Daten zwischen April und November registriert, mit einem Aktivitätsmaximum im Juli und August.

P. melanarius ist eine eurytope Art mit Schwerpunkt in der offenen Kulturlandschaft und insbesondere in Äckern, wo sie vielfach als dominante Art auftritt. Daneben besiedelt sie aber in teils hoher Aktivitätsdichte auch weitere Lebensräume wie Grünland und Wälder, wobei sie vor allem in Laubwäldern niedriger bis mittlerer Höhenlage individuenreicher festzustellen ist.

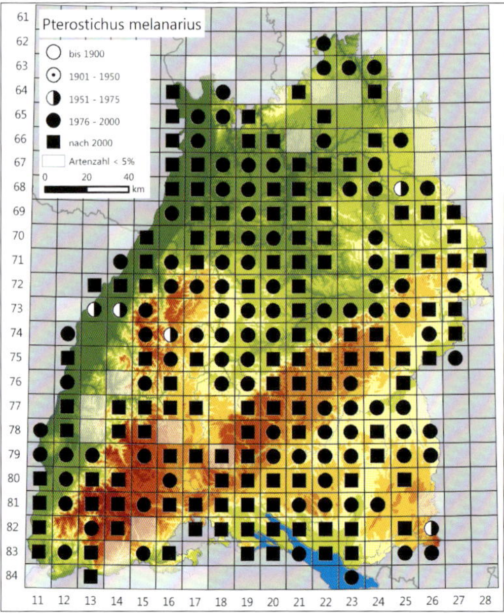

Pterostichus melanarius.

Gefährdung und Schutz: *P. melanarius* ist weder bundesweit (Stand 2015) noch in Bad.-Württ. (Stand 2005) gefährdet. Aufgrund der weiten Verbreitung mit Auftreten in unterschiedlichen, auch intensiv landwirtschaftlich genutzten Lebensraumtypen ist auch keine zukünftige Gefährdung absehbar. Kein Handlungsbedarf.

Pterostichus melas

(Creutzer, 1799)

Gewölbter Grabläufer

Allgemeine Verbreitung: Art mit südost- und mitteleuropäischem Verbreitungsschwerpunkt. In Deutschland stößt sie an ihre nördliche Arealgrenze und ist vor allem in Süddeutschland (Baden-Württemberg, Bayern) weiträumig vertreten, wobei sie im Norden Niedersachsen gerade noch erreicht und in der nördlichen Hälfte Deutschlands großflächig fehlt (Schleswig-Holstein, Mecklenburg-Vorpommern, Brandenburg, Sachsen, Sachsen-Anhalt) oder bereits ausgestorben ist (Nordrhein-Westfalen).

Vorkommen in Baden-Württemberg: Vor allem auf der Schwäbischen Alb, im Westteil des Schwäbischen Keuper-Lias-Landes, in Teilen der Neckar- und Tauber-Gäuplatten sowie am westlichen Bodensee (Hegau) verbreitet, daneben mit teils sehr wenigen Nachweisen aus anderen Naturräumen.

Pterostichus melas. Foto: O. Bleich.

Fehlt weitestgehend im Schwarzwald und am Hochrhein. Auch aus dem Oberrhein-Tiefland kaum Nachweise.

Lebensweise und Habitat: Flugunfähige (brachyptere) und räuberische Art, bei der von weitestgehender Nachtaktivität auszugehen ist. Aktive Imagines wurden in Bad.-Württ. nach den ausgewerteten Daten zwischen April und September registriert, mit einem Aktivitätsmaximum im Juli.

P. melas tritt vor allem in Ackerbaulandschaften und Grünlandgebieten auf bindigen Böden mit ihren typischen Begleitstrukturen auf, daneben auch z. B. auf Halbtrockenrasen und in lichten Wald-Offenland-Übergangsbereichen. Tendenziell liegen die Schwerpunkte gegenüber *P. melanarius* in schwächer nährstoffversorgten Standorten. Die Art soll teilweise unterirdisch leben und dabei selbst Gänge in den Untergrund graben (Horion 1949, auch Marggi 1992); Imagines sind tagsüber z. B. unter tief eingegrabenen Steinen und in Höhlungen des Bodens auffindbar. Aus Bad.-Württ. liegt eine Reihe eigener Beobachtungen vor, die eine Verschleppung von Imagines bei der Rüben- oder Kartoffelernte mit an den Feldfrüchten haftenden Bodenteilen zeigt. So lassen sich auch Nachweise der Art in landwirtschaftlich genutzten Gebäuden und in Kellern im Siedlungsbereich erklären.

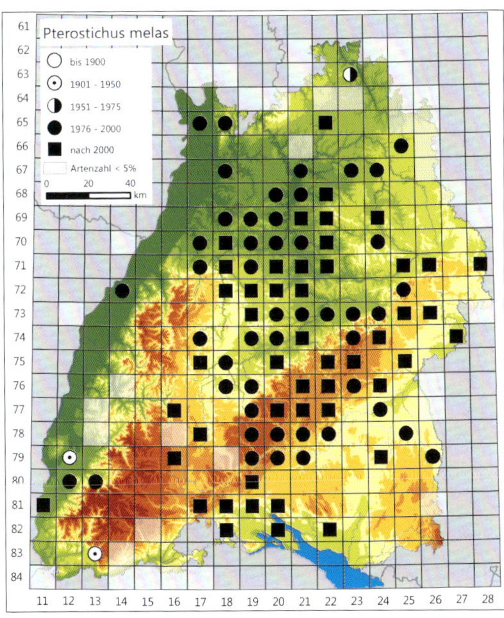

Gefährdung und Schutz: *P. melas* ist weder bundesweit (Stand 2015) noch in Bad.-Württ. (Stand 2005) gefährdet. Allerdings legen die bei Untersuchungen registrierten teils nur geringen Individuenzahlen nahe, die Bestandsentwicklung weiter zu beobachten. Möglicherweise ist die Art vom Rückgang offener Begleitstrukturen in der Agrarlandschaft und intensiver Wirtschaftsweisen stärker betroffen, als es bisher den Anschein hatte. Aufgrund der recht weiten Verbreitung mit Auftreten in unterschiedlichen Lebensraumtypen meist des Offenlandes ist aber noch keine Gefährdung zu erkennen. Abgesehen von der Beobachtung der Bestandsentwicklung besteht kein Handlungsbedarf.

Pterostichus minor

(Gyllenhal, 1827)

Sumpf-Grabläufer

Allgemeine Verbreitung: Westpaläarktisch verbreitete Art, in Europa ohne den Süden. Sie kommt in Deutschland flächendeckend in geeigneten Lebensräumen vor.

Vorkommen in Baden-Württemberg: Landesweit verbreitet, mit Schwerpunkt in Naturräumen, die reich sind an Gewässern und Feuchtgebieten; dort sind fehlende Nachweise in der Verbreitungskarte als Erfassungslücken, i. d. R. aber nicht als ein tatsächliches Fehlen zu interpretieren. In manchen Naturräumen nur wenige Nachweise, insbesondere im nordöstlichen Teil der Neckar- und Tauber-Gäuplatten sowie in Teilen der Schwäbischen Alb und des Schwarzwalds.

Lebensweise und Habitat: Flugfähige (dimorphe bzw. polymorphe) und räuberische Art. Paarung und Eiablage (schwerpunktmäßig) im Frühjahr und Larvalentwicklung ab Frühjahr/Sommer. Ak-

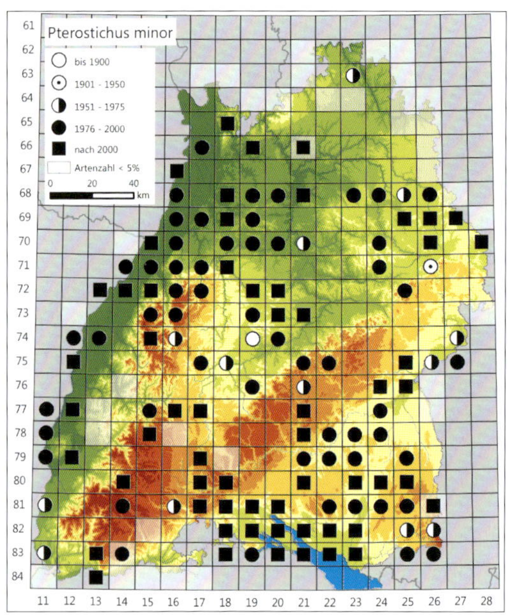

Pterostichus minor. Foto: C. Benisch.

Pterostichus minor zeigt hohe Aktivitätsdichten in Sumpf- und Bruchwäldern.

tive Imagines wurden in Bad.-Württ. nach den ausgewerteten Daten zwischen März und Oktober registriert, mit einem Aktivitätsmaximum im Mai und Juni.

P. minor ist eine Feuchtgebietsart mit deutlichem Schwerpunkt in stärker beschatteten Lebensräumen, insbesondere in Sumpf-, Au- und Bruchwäldern sowie in Röhrichten. Daneben tritt sie u. a. in Rieden und feuchten bis nassen Hochstaudenfluren sowie an vegetationsreichen Ufern unterschiedlicher Struktur auf.

Gefährdung und Schutz: *P. minor* ist bundesweit (Stand 2015) ungefährdet und in Bad.-Württ. (Stand 2005) als Art der Vorwarnliste eingestuft, wofür primär ein Rückgang geeigneter Standorte durch Entwässerung und direkten Lebensraumverlust (u. a. in Auen) ausschlaggebend war. Aufgrund der aber immer noch relativ weiten Verbreitung und Häufigkeit der Art in zumindest gut geeigneten Habitaten und wegen der sukzessionsbedingten Zunahme an Gehölzen feuchter und nasser Standorte durch Pflegedefizite ist bei einer Neubearbeitung der Roten Liste und Vorwarnliste womöglich eine Rückstufung in die Kategorie „ungefährdet" angebracht. Es ist auch zukünftig keine höhere Gefährdung absehbar. Kein Handlungsbedarf.

Pterostichus niger. Foto: E. Wachmann.

Pterostichus niger

(Schaller, 1783)

Großer Grabläufer

Allgemeine Verbreitung: Paläarktisch verbreitete Art, in Europa nur im Südwesten und in Teilen des Nordens fehlend. Sie kommt in Deutschland flächendeckend in geeigneten Lebensräumen vor.

Vorkommen in Baden-Württemberg: Landesweit verbreitet, fehlende Nachweise in der Verbreitungskarte sind als Erfassungslücken, i. d. R. aber nicht als ein tatsächliches Fehlen zu interpretieren.

Lebensweise und Habitat: Flugfähige (dimorphe bzw. polymorphe) und überwiegend räuberische Art. Fast ausschließlich nachtaktiv, bei Thiele (1977) der Gruppe mit lediglich 0–15 % Tagaktivität zugeordnet. Paarung und Eiablage (schwerpunktmäßig) im Sommer und Larvalentwicklung ab Sommer/Herbst. Nach Witzke (1976) erfolgt die Eiablage hauptsächlich von August bis Mitte September, hiermit korrespondieren auch verstärkte Funde eiertragender Weibchen in Bad.-Württ. im Juli und August. Aktive Imagines wurden in Bad.-Württ. nach den ausgewerteten Daten zwischen April und November registriert, mit einem Aktivitätsmaximum im August.

P. niger tritt sowohl in Wäldern und Wald-Offenland-Ökotonen als auch vielfach im Offenland auf (hier sowohl im Grünland als auch in Ackerbaulandschaften) und ist als eine eurytope Art

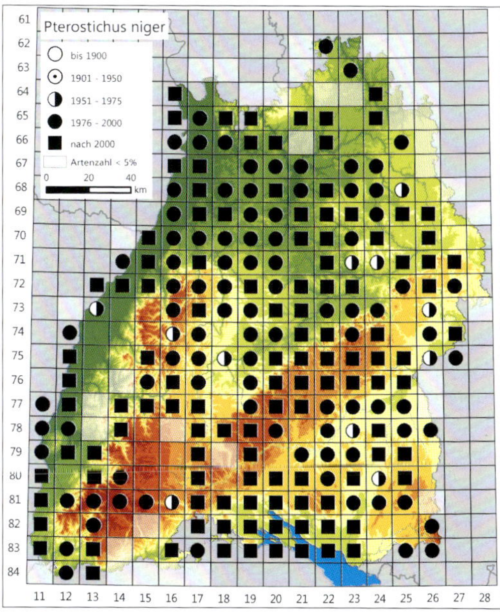

einzustufen, mit Schwerpunkt im frischen bis feuchteren Standortbereich.

Gefährdung und Schutz: *P. niger* ist weder bundesweit (Stand 2015) noch in Bad.-Württ. (Stand 2005) gefährdet. Aufgrund der weiten Verbreitung mit Auftreten in unterschiedlichen Lebensraumtypen ist auch keine zukünftige Gefährdung absehbar. Kein Handlungsbedarf.

Pterostichus nigrita

(Paykull, 1790)

Schwärzlicher Grabläufer

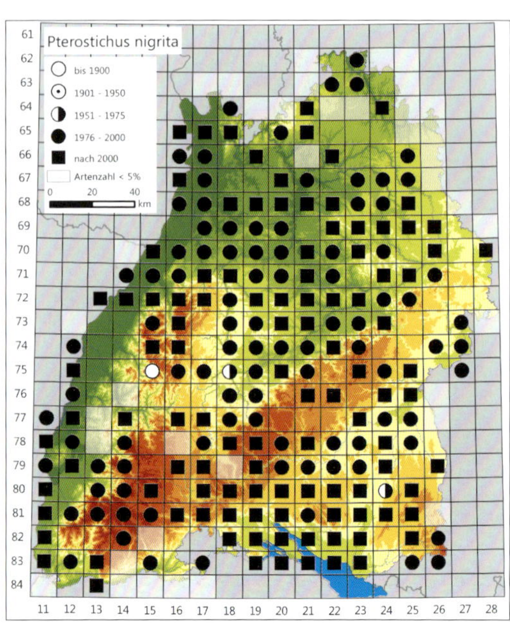

Allgemeine Verbreitung: Paläarktisch verbreitete Art, in fast ganz Europa vertreten. Sie kommt in Deutschland flächendeckend in geeigneten Lebensräumen vor.

Vorkommen in Baden-Württemberg: Landesweit verbreitet, fehlende Nachweise in der Verbreitungskarte sind als Erfassungslücken, i. d. R. aber nicht als ein tatsächliches Fehlen zu interpretieren.

Lebensweise und Habitat: Flugfähige (dimorphe bzw. polymorphe) und überwiegend räuberische Art. Fast ausschließlich nachtaktiv, bei Thiele (1977) der Gruppe mit lediglich 0–15 % Tagaktivität zugeordnet. Paarung und Eiablage (schwerpunktmäßig) im Frühjahr und Larvalentwicklung ab Frühjahr/Sommer. Aktive Imagines wurden in Bad.-Württ. nach den ausgewerteten Daten zwischen März und Oktober registriert, mit einem Aktivitätsmaximum im Mai.

Pterostichus nigrita. Foto: C. Benisch.

P. nigrita ist eine mehr oder minder eurytope Art feuchter bis nasser Standorte und tritt sowohl im Wald als auch im Offenland des entsprechenden Standortspektrums in zum Teil hoher Aktivitätsdichte auf. Dabei können auch beispielsweise Vernässungsbereiche in Äckern besiedelt werden. Im Schönbuch im zentralen Bad.-Württ. erreichte die Art ihre größte Aktivitätsdichte in Auwäldern sowie in Schilf- und Seggensümpfen der Bachauen (Baehr 1980). Im Feucht- und Nassgrünland, in Rieden und Röhrichten sowie an feuchten bis nassen Waldstandorten ist *P. nigrita* insgesamt hochstet anzutreffen. Insbesondere an nährstoffarmen und sauren Standorten kann die Art gegenüber der verwandten Art *P. rhaeticus* zurücktreten, so etwa in Kleinseggenrieden oder im Hoch- und Übergangsmoor.

Gefährdung und Schutz: *P. nigrita* ist weder bundesweit (Stand 2015) noch in Bad.-Württ. (Stand 2005) gefährdet. Aufgrund der weiten Verbreitung mit Auftreten in unterschiedlichen Lebensraumtypen des feuchten bis nassen Standortspektrums ist auch keine zukünftige Gefährdung absehbar. Kein Handlungsbedarf.

Pterostichus oblongopunctatus

(Fabricius, 1787)

Gewöhnlicher Wald-Grabläufer

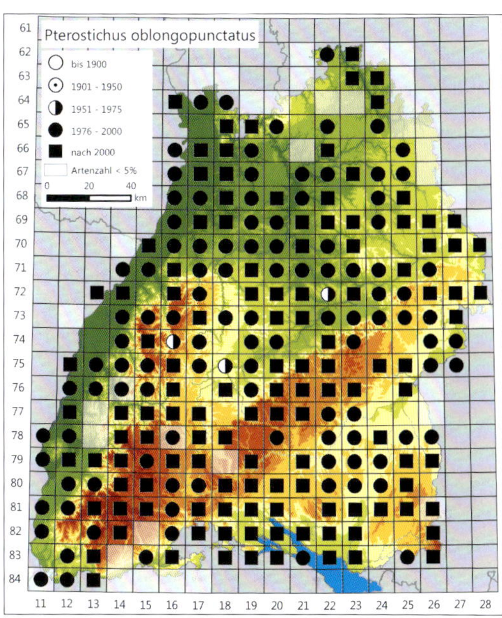

Allgemeine Verbreitung: Paläarktisch verbreitete Art, in Europa nur in größeren Teilen Südeuropas fehlend. Sie kommt in Deutschland flächendeckend in geeigneten Lebensräumen vor.

Vorkommen in Baden-Württemberg: Landesweit verbreitet, die wenigen fehlenden Nachweise in der Verbreitungskarte sind als Erfassungslücken, aber nicht als ein tatsächliches Fehlen zu interpretieren.

Lebensweise und Habitat: Flugfähige (makroptere) und überwiegend räuberische Art. In höherem Ausmaß sind die Imagines auch tagaktiv, bei Thiele (1977) der Gruppe mit 30–45 % Tagaktivität zugeordnet. Tagaktivität wurde auch in Bad.-Württ. des Öfteren beobachtet. Paarung und Eiablage (schwerpunktmäßig) im Frühjahr und Larvalentwicklung ab Frühjahr/Sommer. Funde eiertragender Weibchen gelangen in Bad.-Württ. u. a. im April und Mai. Aktive Imagines wurden in Bad.-Württ. nach den ausgewerteten Daten zwischen März und Oktober registriert, mit einem Aktivitätsmaximum im Mai, das in niederen Lagen bis in den April vorgezogen, in den höheren Lagen stärker in den Juni und/oder Juli verschoben sein kann (s. Rietze 2001).

P. oblongopunctatus ist eine eurytope Waldart, die nur zu nasse Standorte meidet, ansonsten aber in den unterschiedlichsten Waldtypen auftritt und teilweise auch Hecken und Feldgehölze besiedelt. Im Schönbuch im zentralen Bad.-Württ. konnte Baehr (1980) die höchsten Aktivitätsdichten „in älteren Fichtenwäldern mit ausgeprägter Moosschicht und im schattigen, nicht zu feuchten Buchen-Eichenwald mit gleichfalls dichter Moosschicht" registrieren. Er vermerkt dazu, die Situation im Schönbuch weise auf eine Vorliebe für Schatten und Bodensäure hin. Paarmann (1966) stellte fest, dass sich die Lichtintensität im jeweiligen Lebensraum auf die Verteilung der tageszeitlichen Aktivität der Imagines auswirkt: „Geringe Lichtstärken fördern die Tagaktivität, große Lichtintensitäten die Nachtaktivität. So bietet die Aktivität für *P. oblongopunctatus* einen Regelungsmechanismus, der es der Art ermöglicht, in kühldunklen Wäldern stärker tagaktiv zu sein und die günstigeren Klimaverhältnisse am Tag zu nutzen. Umgekehrt kann er in warm-hellen Wäldern durch stärkere Nachtaktivität den höheren Tagestemperaturen ausweichen. Auf diese Weise wird die Euryökie von *P. oblongopunctatus* noch verstärkt."

Gefährdung und Schutz: *P. oblongopunctatus* ist weder bundesweit (Stand 2015) noch in Bad.-Württ. (Stand 2005) gefährdet. Aufgrund der weiten Verbreitung mit Auftreten in unterschiedlichen Lebensraumtypen der Wälder und Gehölze ist auch keine zukünftige Gefährdung absehbar. Kein Handlungsbedarf.

Pterostichus oblongopunctatus. Foto: C. Benisch.

Pterostichus ovoideus

(Sturm, 1824)

Flachäugiger Grabläufer

Allgemeine Verbreitung: Westpaläarktisch verbreitete Art, in Europa allerdings im Westen auf ein Band zwischen den Pyrenäen und etwa dem Nordrand der deutschen Mittelgebirge beschränkt, das sich dann weit nach Südosteuropa erstreckt. Sie erreicht in Deutschland ihre nördliche Arealgrenze und kommt vor allem in der südlichen Hälfte annähernd flächendeckend vor, während sie bis zum Nordrand der Mittelgebirge im südlichen Niedersachsen lückiger verbreitet ist und im Nord- und Ostdeutschen Tiefland weitestgehend fehlt.

Vorkommen in Baden-Württemberg: Landesweit mit Ausnahme weiter Bereiche des walddominierten Schwarzwaldes sowie von Teilen des Voralpinen Hügel- und Moorlandes verbreitet. Die geringe Nachweisdichte aus den nördlichen Teilen der Neckar- und Tauber-Gäuplatten dürfte auf Erfassungslücken zurückgehen.

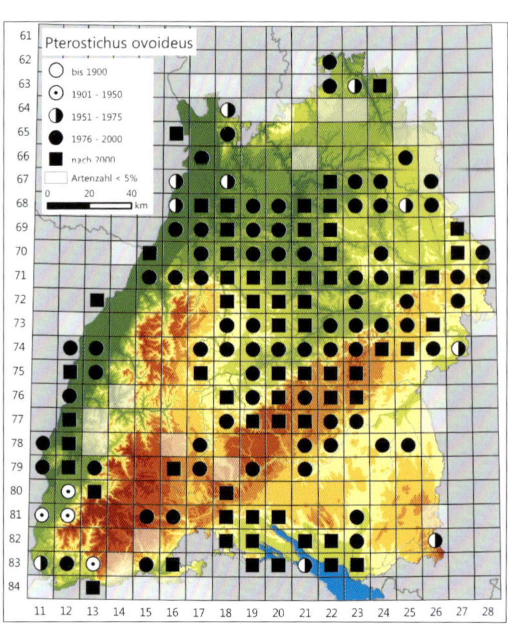

Lebensweise und Habitat: Art mit unterschiedlicher Flügelausbildung (dimorph bzw. polymorph), von der nach Auswertungsstand keine Flugbeobachtung vorliegt. Paarung und Eiablage (schwerpunktmäßig) im Frühjahr und Larvalentwicklung ab Frühjahr/Sommer. Aktive Imagines wurden in Bad.-Württ. nach den ausgewerteten Daten zwischen Februar und September registriert, mit einem Aktivitätsmaximum im Mai.

P. ovoideus hat einen deutlichen Vorkommensschwerpunkt im Grünland sowie in ackerbaulich genutzten Landschaften mit ihren typischen Begleitstrukturen, tritt aber auch in eher lichten Wäldern und in Wald-Offenland-Ökotonen auf. Nach den Funden im Schönbuch im zentralen Bad.-Württ. charakterisiert Baehr (1980) die Art als ein „Feldtier, das nicht zu trockene, mäßig dicht bewachsene und warme Biotope bevorzugt"; dort war *P. ovoideus* am häufigsten auf dichter bewachsenen Brachflächen und Weiden mit bindigem Untergrund anzutreffen. Vor allem in niedrigeren und warmen Lagen ist die Art verstärkt auch in Wäldern anzutreffen (z. B. Bannwald Bechtaler Wald im Oberrhein-Tiefland, s. Trautner et al. 1998).

Gefährdung und Schutz: *P. ovoideus* ist weder bundesweit (Stand 2015) noch in Bad.-Württ. (Stand 2005) gefährdet. Aufgrund der weiten Verbreitung mit Auftreten in unterschiedlichen Lebensraumtypen ist auch keine zukünftige Gefährdung absehbar. Kein Handlungsbedarf.

Pterostichus ovoideus. Foto: C. Benisch.

Pterostichus panzeri

(Panzer, 1803)

Panzers Grabläufer

Allgemeine Verbreitung: Teils disjunkt über Teile der West- und Zentralalpen sowie des Schweizer Jura und Bereiche der südwestdeutschen Mittelgebirge verbreitete Art (s. Paill & Kahlen 2009, Schmidt & Trautner 2016), vorwiegend subalpin und alpin. In Deutschland kommt sie nur in Mittelgebirgslagen Baden-Württembergs (z. B. im Schwarzwald) und in Südbayern (vom Allgäu bis ins Berchtesgadener Land) vor.

Vorkommen in Baden-Württemberg: Im Schwarzwald, in südlichen Teilen der Neckar- und Tauber-Gäuplatten sowie auf der Schwäbischen Alb punktuell verbreitet. *P. panzeri* war Horion (1951a) außerhalb der Alpen nur vom Feldberg im Schwarzwald bekannt. Er schreibt u. a.: „Hartmann und Foerster sammelten sie im Oktober (!) 1892 an einem Wildbach unter Laub; Lauterborn 1926 am Zastlerloch, wo auch Kardasch und Rodary im Juli 1950 je ein Ex. gefunden haben." Danach wird die Art aus dem Südschwarzwald noch vom Nordhang des Belchen gemeldet (Baum 1989). Erst spät wurde *P. panzeri* bei gezielter Suche auch in Schutt- und Blockhalden am Nordrand der Schwäbischen Alb bei Reutlingen und Albstadt entdeckt (Szallies & Ausmeier 2001b). Im Rahmen der Arbeiten am vorliegenden Grundlagenwerk konnten dann weitere eigene Funde im Mittleren Schwarzwald, am Oberen Neckar (südwestlicher Teil der Neckar- und Tauber-Gäuplatten) und aktuell durch I. Harry im Nordschwarzwald erbracht werden.

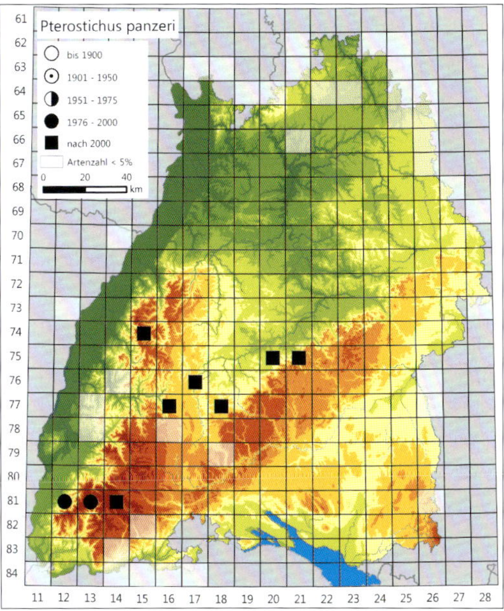

Pterostichus panzeri.

Lebensweise und Habitat: Flugunfähige (brachyptere) und wahrscheinlich ausschließlich oder weitestgehend nachtaktive Art. Nächtliche Fänge oder Beobachtungen umherlaufender Imagines liegen aus Bad.-Württ. vor. Aktive Imagines wurden in Bad.-Württ. nach den ausgewerteten Daten zwischen Mai und Oktober registriert, für die Angabe eines Aktivitätsmaximums liegen keine ausreichenden Daten vor.

P. panzeri tritt schwerpunktmäßig in Schutt- und Blockhalden auf und hier sowohl in bewaldeten als auch in vollständig gehölzfreien Bereichen, wobei die Funde aus letzteren überwiegen. Entscheidend dürfte ein Spalten- und Lückensystem mit kühl-feuchtem Kleinklima sein. Vom Belchen stammen die Funde vor allem aus dem „oberen, sehr steilen, kühl-feuchten Bereich in Lawinenrinnen und Steinrutschen" in Höhenlagen von 1200–1250 m ü. NHN (Baum 1989), doch liegen einzelne Funde u. a. auch von steinigen Bachufern und den Rändern von Forststraßen vor; hierbei dürften Standorte mit Blockschutt eng benachbart gelegen oder angeschnitten worden sein. Es ist davon auszugehen, dass die einzelnen Vorkommensgebiete der Art zwischen Schwarzwald und Schwäbischer Alb weitgehend voneinander isoliert sind und nur im Hochschwarzwald möglicherweise Bereiche mit mehr oder weniger zusammenhängenden, ausgedehnteren Vorkommen beste-

Diese Steinschutthalde im oberen Neckartal beherbergt eine Population von *Pterostichus panzeri*.

hen. Die Vorkommen von *P. panzeri* überlagern sich zumindest teilweise mit Lebensraumtypen des Anhangs I der FFH-Richtlinie, darunter der Lebensraumtyp *8160 (Kalkschutthalden) sowie *9180 (Schlucht- und Hangmischwälder). Es steht allerdings noch eine genauere Analyse aus, inwieweit insgesamt eine Einstufung als charakteristische Art eines oder mehrerer solcher Lebensraumtypen angezeigt ist.

Gefährdung und Schutz: Die Vorkommen der Art in Deutschland haben den Status hochgradig separierter Vorposten, für deren Erhalt Deutschland verantwortlich ist [Einstufung (!); vgl. Schmidt et al. 2016]. *P. panzeri* ist bundesweit (Stand 2015) aufgrund der weiteren Verbreitung im Alpenraum Bayerns ungefährdet, ebenso in Bad.-Württ. (Stand 2005), dort aber Naturraumart des Informationssystems Zielartenkonzept Bad.-Württ. (Stand 2009). Aufgrund der o. g. Habitatsituation ist zwar kurz- bis mittelfristig keine Gefährdung absehbar. Langfristig könnte die Art aber sowohl von klimatischen Veränderungen negativ betroffen sein als auch durch Gehölzsukzession mit struktureller und mikroklimatischer Veränderung der von ihr vorrangig besiedelten offenen Block- und Schutthalden. Die Habitatsituation der Art und ihre Bestände sollten, auch vor dem Hintergrund der Verantwortlichkeit Deutschlands, einem Monitoring unterzogen werden.

Pterostichus pumilio

(Dejean, 1828)

Waldstreu-Grabläufer

Allgemeine Verbreitung: Europäische Art, die von Nordspanien über Teile Mitteleuropas bis in die Karpaten verbreitet ist. Sie erreicht in Deutschland ihre nördliche Arealgrenze und kommt vor allem in der südwestlichen Hälfte (v. a. Baden-Württemberg, südliches Rheinland-Pfalz, Saarland) großräumig vor, während sie nach Norden bis Hessen und Nordrhein-Westfalen vertreten ist und in der nördlichen Hälfte Deutschlands weitestgehend fehlt.

Vorkommen in Baden-Württemberg: Landesweit in montanen und hochmontanen Lagen weit ver-

Pterostichus pumilio. Foto: C. Benisch.

breitet, dünnt in submontaner Lage bereits aus und fehlt vollständig oder zum größeren Teil im planaren bis collinen Bereich.

Lebensweise und Habitat: Flugunfähige (brachyptere) Art. Aktive Imagines wurden in Bad.-Württ. nach den ausgewerteten Daten zwischen März und November registriert, mit einem Aktivitätsmaximum, das je nach Höhenlage zwischen Mai und Juli liegt und teilweise sogar bis in den August reicht.

P. pumilio ist eine Art der Bodenstreu besonders von Wäldern, die vor allem in höheren Lagen auch in starkem Maße in Wald-Offenland-Ökotone (z. B. Besenginsterheiden) sowie in offene Lebensräume wie Grünland mit ausgeprägterer Streuschicht vordringt. Hohe Aktivitätsdichten erreicht sie insbesondere in dunkleren, moosreichen Nadelwäldern (auch Dickungsphase), ist aber nicht auf diese beschränkt, sondern auch in Buchenwäldern hauptsächlich montaner Lage stet vertreten (z. B. Scheurig et al. 1996).

Gefährdung und Schutz: *P. pumilio* ist weder bundesweit (Stand 2015) noch in Bad.-Württ. (Stand 2005) gefährdet. Aufgrund der weiten Verbreitung mit Auftreten in unterschiedlichen Waldlebensraumtypen ist auch keine zukünftige Gefährdung absehbar. Kein Handlungsbedarf.

Pterostichus quadrifoveolatus

Letzner, 1852

Viergrubiger Grabläufer

Allgemeine Verbreitung: Westpaläarktisch verbreitete Art, die aber in größeren Teilen Süd- und Nordeuropas fehlt. Sie ist in Deutschland trotz kleinerer Verbreitungslücken weit verbreitet.

Vorkommen in Baden-Württemberg: Funde konzentrieren sich stark auf den Nordwesten des Landes mit Naturräumen, in denen zu größeren Anteilen Nadelbaumbestände auf Flugsand der nörd-

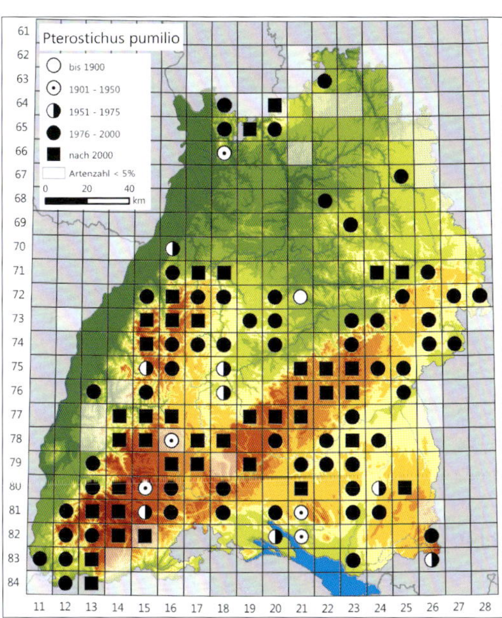

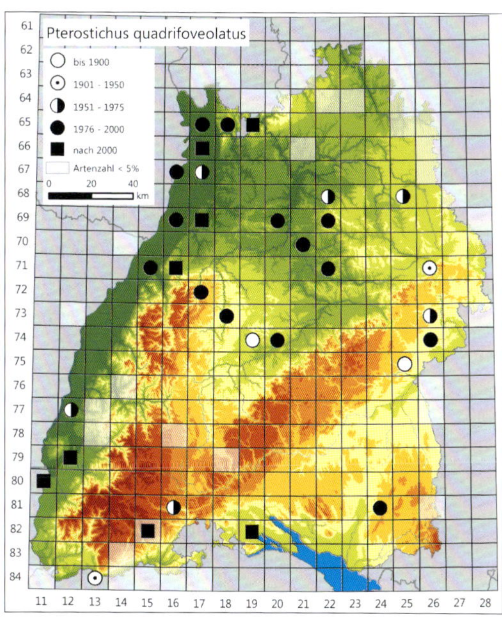

Pterostichus quadrifoveolatus.

lichen Oberrhein-Tiefebene oder auf Sandsteinen des Odenwalds, des Nordschwarzwalds und Teilen des Schwäbischen Keuper-Lias-Landes vertreten sind. Daneben wurde die Art vereinzelt auch in anderen Naturräumen nachgewiesen.

Lebensweise und Habitat: Flugfähige (makroptere) und räuberische Art. Fast ausschließlich nachtaktiv, bei Thiele (1977) der Gruppe mit lediglich 0–15 % Tagaktivität zugeordnet. Paarung und Eiablage (schwerpunktmäßig) im Frühjahr und Larvalentwicklung ab Frühjahr/Sommer. Nach Paarmann (1966) wird die Ausbreitung der Art durch eine Schwarmzeit der Jungkäfer im Herbst ermöglicht; die gegenüber der verwandten Art *P. oblongopunctatus* deutlich höhere Eizahl der Weibchen gestattet dem Autor zufolge den schnellen Aufbau einer Population, was mit den vorzugsweise besiedelten Habitaten korreliert (s. u.). Aktive Imagines wurden in Bad.-Württ. nach den ausgewerteten Daten zwischen März und November registriert, mit einem Aktivitätsmaximum im Mai.

P. quadrifoveolatus wird von Paarmann (1966) wie folgt charakterisiert: „In West-, Mittel- und Nordeuropa ist [dies] ein Bewohner trockener und warmer Biotope im Waldrandbereich und in lichten Wäldern. Bevorzugte Lebensräume sind

Sukzessionsstadium einer Waldbrandfläche im Odenwald, in der *Pterostichus quadrifoveolatus* nach dem Brandereignis über einige Jahre hohe Individuendichten erreichte.

Brandstellen, Kahlschläge und Lichtungen in Wäldern, Heidegebiete und sehr lichte Kiefernwälder.“ Dies gilt auch für Bad.-Württ. Aus dem badenwürttembergischen Odenwald liegt eine mehrjährige vergleichende Untersuchung auf einer rd. 5 ha großen Waldbrandfläche vor, die überwiegend mit Fichten bestockt war und in den 1990er Jahren, von einem Brandereignis erfasst wurde (TRAUTNER & RIETZE 2001). In den ersten Jahren nach dem Brandereignis gehörte *P. quadrifoveolatus* zu den dominanten Laufkäferarten dieser Waldbrandfläche und erreichte Individuenanteile am jährlichen Gesamtfang von über 10 %. Erst im fünften Jahr nach dem Brandereignis sank dieser Wert auf rd. 5 %, und im siebten Jahr war die Art überhaupt nicht mehr nachweisbar. An Probestellen in Vergleichswäldern der unmittelbaren Umgebung fehlte *P. quadrifoveolatus* weitestgehend. Lediglich im Jahr der höchsten Dominanz der Art auf der Brandfläche wurden auch einige – vermutlich aus der Brandfläche ausstrahlende – Individuen an einer Vergleichsprobestelle registriert.

Gefährdung und Schutz: *P. quadrifoveolatus* ist bundesweit (Stand 2015) eine Art der Vorwarnliste und in Bad.-Württ. (Stand 2005) als gefährdet eingestuft. Sie ist zudem Naturraumart des Informationssystems Zielartenkonzept Bad.-Württ. (Stand 2009). Gefährdungsursache ist in erster Linie die Vorbeugung vor größeren natürlichen oder anthropogenen Störereignissen in Wäldern und ihre Reduzierung, insbesondere der weitgehende Verzicht auf größere Kahlschläge. Hinzu treten die rasche Aufforstung dennoch entstehender Waldlücken und beschleunigte Sukzessionsprozesse, die die räumliche und zeitliche Verfügbarkeit von besonders geeigneten Habitaten der Art verknappen. Schutzmaßnahmen sollten darauf ausgerichtet sein, wieder verstärkt Störungen in Wäldern – insbesondere solchen auf Kies- oder Sandböden – zuzulassen (einschließlich größerer forstlicher Hiebsmaßnahmen), um junge Waldsukzessionsstadien und deutlich lichtere Waldstrukturen zu erzeugen. Diese sollten ggf. außerdem großräumig wechselnd, aber in hoher zeitlicher Konstanz in Wäldern verfügbar sein. Brandereignisse sollten dort, wo Sicherheitsaspekte zurückstehen können, in großerem Umfang zugelassen, also nicht sofort bekämpft oder eingedämmt werden.

Pterostichus rhaeticus

Heer, 1837

Rhaetischer Grabläufer

Allgemeine Verbreitung: Westpaläarktisch verbreitete Art, die aber in größeren Teilen Südeuropas fehlt. Sie ist in Deutschland trotz kleinerer Verbreitungslücken weit verbreitet.

Vorkommen in Baden-Württemberg: Landesweit relativ weit verbreitet, in den gewässer- und feuchtgebietsarmen Naturräumen der Schwäbischen Alb und der nordöstlichen Teile der Neckar- und Tauber-Gäuplatten aber weiträumig fehlend. Auch im Oberrhein-Tiefland offenbar nur in geringem Maß vertreten. Schwerpunkte der dokumentierten Verbreitung liegen im Schwarzwald, im Schwäbischen Keuper-Lias-Land sowie im Voralpinen Hügel- und Moorland. Ältere Daten zu dieser Art sind nur eingeschränkt verfügbar, weil sie erst relativ spät als eigenständig gegenüber der verwandten Art *P. nigrita* erkannt und behandelt wurde (KOCH 1984; s. a. TRAUTNER 1988). Ein Großteil des älteren Materials wurde nicht von *P. nigrita* differenziert.

Lebensweise und Habitat: Art mit unterschiedlicher Flügelausbildung (dimorph bzw. polymorph), von der nach Auswertungsstand keine Flugbeobachtung vorliegt. Räuberische Art. Wie *P. nigrita* dürfte auch *P. rhaeticus* ausschließlich nachtaktiv sein. Aktive Imagines wurden in Bad.-Württ. nach den ausgewerteten Daten zwischen März und Ok-

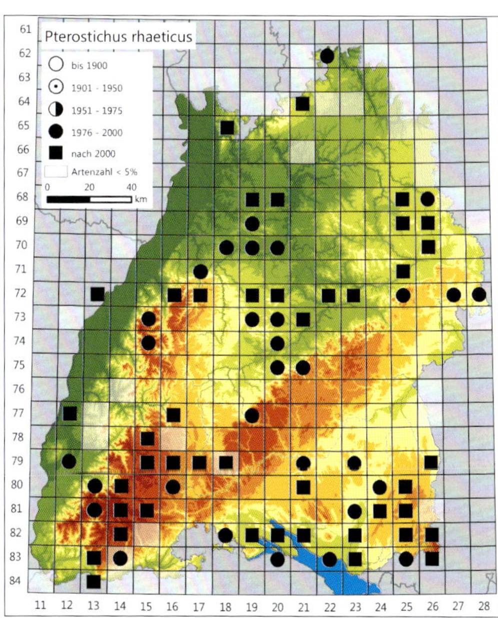

Pterostichus rhaeticus. Foto: C. Benisch.

tober registriert, mit einem Aktivitätsmaximum im Juni.

P. rhaeticus ist eine Feuchtgebietsart mit weniger eurytopem Verhalten als *P. nigrita* und tritt vorzugsweise in vegetationsreichen (auch moosreichen) Nassstandorten wie Rieden, Röhrichten, Moor- und Bruchwäldern auf. Im direkten Vergleich sind für *P. rhaeticus* saurere, nährstoffärmere, nassere und möglicherweise großflächigere Nasslebensräume relevanter und fördern ihr stärkeres bzw. stetigeres Auftreten.

Gefährdung und Schutz: *P. rhaeticus* ist bundesweit nicht gefährdet (Stand 2015). In Bad.-Württ. (Stand 2005) steht die Art auf der Vorwarnliste, wofür ein Rückgang an geeigneten Standorten aufgrund von Entwässerung ausschlaggebend war, aber auch eine Qualitätsminderung von Lebensräumen vor allem durch Eutrophierung. Aufgrund der aber immer noch weiten Verbreitung und der Häufigkeit der Art zumindest in gut geeigneten Habitaten ist bei einer Neubearbeitung der Roten Liste und Vorwarnliste womöglich eine Rückstufung in die Kategorie „ungefährdet" angebracht. Wegen der weiten Verbreitung mit Auftreten in unterschiedlichen Lebensraumtypen feuchter Standorte ist auch zukünftig keine höhere Gefährdung absehbar. Kein Handlungsbedarf.

Pterostichus strenuus

(Panzer, 1796)

Kleiner Grabläufer

Allgemeine Verbreitung: Paläarktisch verbreitete Art, in Europa nur in Teilen Nord- und Südeuropas fehlend, in Nordamerika eingeschleppt (Bousquet 2012). Sie kommt in Deutschland flächendeckend in geeigneten Lebensräumen vor.

Vorkommen in Baden-Württemberg: Landesweit verbreitet, fehlende Nachweise in der Verbreitungskarte sind als Erfassungslücken, i. d. R. aber nicht als ein tatsächliches Fehlen zu interpretieren.

Lebensweise und Habitat: Flugfähige (dimorphe bzw. polymorphe) und überwiegend nachtaktive Art. Nahrungsgeneralistin. Paarung und Eiablage (schwerpunktmäßig) im Frühjahr und Larvalentwicklung ab Frühjahr/Sommer. Aktive Imagines wurden in Bad.-Württ. nach den ausgewerteten Daten zwischen März und November registriert, mit einem Aktivitätsmaximum im Mai und Juni.

P. strenuus ist eine eurytope Art mit Schwerpunkt im feuchten (bis frischen) Standortbereich, die sowohl im Offenland (z. B. in Grünland mit typischen Begleitstrukturen) als auch in Wäldern vorkommt, wobei streu- bzw. vegetationsreiche Standorte bevorzugt werden. Hohe Aktivitätsdichten erreicht die Art insbesondere in etwas trockeneren Bereichen von Rieden und Röhrichten (so z. B. auch von Baehr 1980 für Standorte im Schönbuch im zentralen Bad.-Württ. beschrieben) sowie

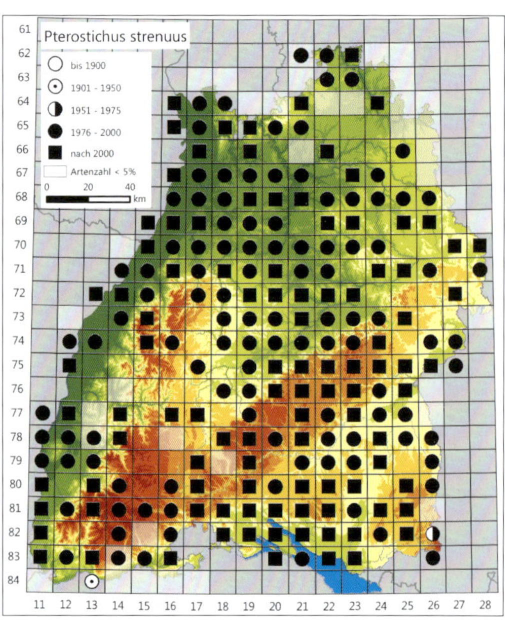

Pterostichus unctulatus. Foto: W. Paill.

◁ *Pterostichus strenuus*. Foto: C. Benisch.

in feuchten Hochstaudenfluren, sie geht aber auch in nasse Bereiche bis unmittelbar an die Wasserkante von stehenden Gewässern.

Gefährdung und Schutz: *P. strenuus* ist weder bundesweit (Stand 2015) noch in Bad.-Württ. (Stand 2005) gefährdet. Aufgrund der weiten Verbreitung mit Auftreten in unterschiedlichen Lebensraumtypen ist auch keine zukünftige Gefährdung absehbar. Kein Handlungsbedarf.

Pterostichus unctulatus

(Duftschmid, 1812)

Bergstreu-Grabläufer

Allgemeine Verbreitung: Europäische Art mit vorwiegend subalpiner bis montaner Verbreitung vom Alpenraum bis zu den Karpaten. Sie erreicht in Deutschland ihre nördliche Arealgrenze und kommt nur im Süden Baden-Württembergs und Bayerns sowie in Sachsen (Oberlausitz: Zittauer Gebirge) vor.

Vorkommen in Baden-Württemberg: Nur in den östlichen Teilen der Donau-Iller-Lech-Platte sowie des Voralpinen-Hügel- und Moorlandes vertreten. Hier ist die Art, zumindest östlich der Linie Schussen-Riß und eher zum Alpenrand hin orientiert, sicherlich noch an weiteren Orten nachzuweisen. Bei einem alten Beleg mit der Fundortangabe „Ulm" (coll. Hänel, s. Horion 1959a) dürfte es sich um ein angeschwemmtes Tier oder um eine ungenaue Bezettelung handeln; ein autochthones Vorkommen der Art in oder direkt bei Ulm ist unwahrscheinlich (Trautner 1992b), daher wurde diese Angabe nicht in die Datenbank aufgenommen. Der nordwestlichste ansonsten in Bad.-Württ. dokumentierte Fund vom Bussen bei Riedlingen, der auch klimatisch eine Sonderstellung einnimmt, kennzeichnet möglicherweise ein vorgeschobenes, isoliertes Vorkommen. Angaben zu

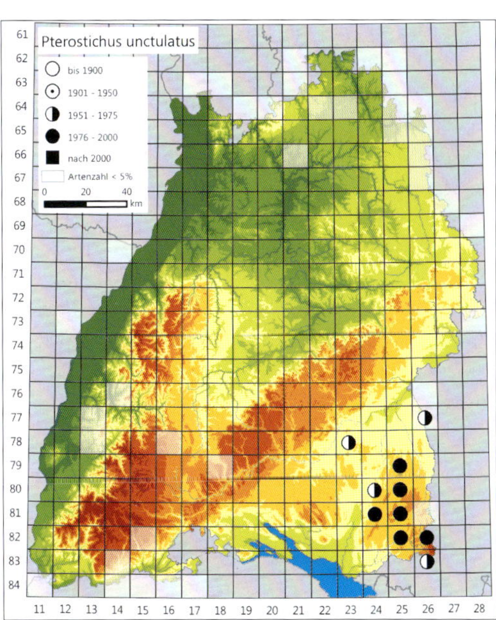

Vorkommen der Art in anderen Naturräumen Baden-Württembergs sind unzutreffend. In der Sammlung von v. d. Trappen im Staatlichen Museum für Naturkunde Stuttgart fanden sich zahlreiche von diesem Autor *P. unctulatus* zugerechnete Tiere aus dem Raum Stuttgart, die Grundlage seiner Angaben in v. d. Trappen (1930) gewesen sein dürften, aber sämtlich falsch bestimmt waren. Nur für Kißlegg waren – passend zu den ansonsten belegten Verbreitungsdaten – korrekt bestimmte Belege vorhanden. Als unzutreffend erwies sich bei einer Überprüfung der Belege auch die von Licht (1993) publizierte Meldung für den Schwarzwald.

Lebensweise und Habitat: Flugunfähige (brachyptere) Art. Aktive Imagines wurden in Bad.-Württ. nach den ausgewerteten Daten zwischen Mai und September registriert, für die Angabe eines Aktivitätsmaximums liegen keine ausreichenden Daten vor.

P. unctulatus ist eine Art der Bodenstreu von Wäldern, die in Bad.-Württ. bislang in älteren Nadel- und Laubmischwäldern mit ausgeprägter Streu- oder Moosschicht gefunden wurde, nicht aber in angrenzenden offenen Bereichen einschließlich Schlagfluren und Vorwaldstadien, zumindest soweit dies untersucht wurde. Im Alpenraum besiedelt die Art oberhalb der Waldgrenze vor allem Grünerlen- und Latschengebüsche sowie Zwergstrauchheiden und wird ansonsten vereinzelt auch im Offenland nachgewiesen (s. Franz 1970). Die baden-württembergischen Fundorte liegen in Bereichen mit mäßig kühlem bis sehr kaltem Wuchsklima und höheren Niederschlägen.

Gefährdung und Schutz: *P. unctulatus* ist bundesweit (Stand 2015) und in Bad.-Württ. (Stand 2005) ungefährdet, aufgrund der eingeschränkten Verbreitung aber Naturraumart des Informationssystems Zielartenkonzept Bad.-Württ. (Stand 2009). Aufgrund ihrer Lebensraumbindung ist eine Gefährdung zwar zunächst nicht naheliegend, allerdings könnte die Art von zukünftigen klimatischen Veränderungen beeinträchtigt sein. Daher sollte ihre Bestandsentwicklung beobachtet werden. Ansonsten besteht kein Handlungsbedarf.

Pterostichus vernalis

(Panzer, 1796)

Frühlings-Grabläufer

Allgemeine Verbreitung: Paläarktisch verbreitete Art, in Europa nur in Teilen Nord- und Südeuropas fehlend, in Nordamerika eingeschleppt (Bousquet 2012). Sie kommt in Deutschland flächendeckend in geeigneten Lebensräumen vor.

Vorkommen in Baden-Württemberg: Landesweit verbreitet, allenfalls in einigen walddominierten Hochlagen des Schwarzwaldes teilweise nicht vertreten; fehlende Nachweise in der Verbreitungskarte sind ansonsten als Erfassungslücken, i. d. R. aber nicht als ein tatsächliches Fehlen zu interpretieren.

Lebensweise und Habitat: Flugfähige (dimorphe bzw. polymorphe) Art. Nahrungsgeneralistin. Paarung und Eiablage (schwerpunktmäßig) im Frühjahr und Larvalentwicklung ab Frühjahr/Sommer. Aktive Imagines wurden in Bad.-Württ. nach den ausgewerteten Daten zwischen März und November registriert, mit einem Aktivitätsmaximum im Mai und Juni.

P. vernalis tritt vor allem an (wechsel-)feuchten bis frischen Standorten im Grünland sowie in Pionier- und Ruderalvegetation auf. Typische Fundorte, an denen höhere Aktivitätsdichten erreicht werden, sind feuchte bis wechselfeuchte Weiden mit inhomogener Struktur, die einerseits offene Bodenstellen und andererseits dichtwüchsige

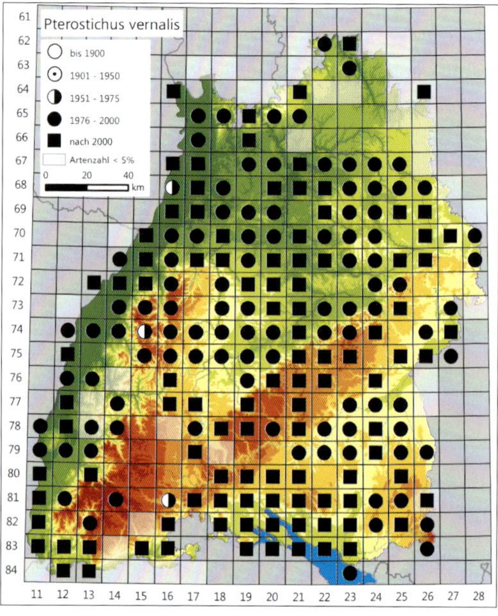

Pterostichus vernalis. Foto: C. Benisch.

Stomis pumicatus.

Vegetationsinseln (z. B. Seggen- oder Binsenhorste) aufweisen. Relativ stet kann die Art aber auch im passenden Standortspektrum innerhalb von Ackergebieten mit ihren typischen Begleitstrukturen nachgewiesen werden, zudem an Ufern und in eher lichten, gewässerbegleitenden Gehölzbeständen.
Gefährdung und Schutz: *P. vernalis* ist weder bundesweit (Stand 2015) noch in Bad.-Württ. (Stand 2005) gefährdet. Aufgrund der weiten Verbreitung mit Auftreten in unterschiedlichen Lebensraumtypen vor allem des Offenlands ist keine zukünftige Gefährdung absehbar. Kein Handlungsbedarf.

Stomis pumicatus

(Panzer, 1796)
Spitzzangenläufer

Allgemeine Verbreitung: Westpaläarktisch verbreitete Art, in Nordeuropa sowie in einigen Gebieten Südeuropas zum Teil fehlend. In Nordamerika eingeschleppt (Bousquet 2012). Sie kommt in Deutschland flächendeckend in geeigneten Lebensräumen vor.
Vorkommen in Baden-Württemberg: Landesweit verbreitet, allenfalls in walddominierten Lagen des Schwarzwaldes teilweise nicht vertreten; fehlende Nachweise in der Verbreitungskarte sind ansonsten als Erfassungslücken, i. d. R. aber nicht als ein tatsächliches Fehlen zu interpretieren.

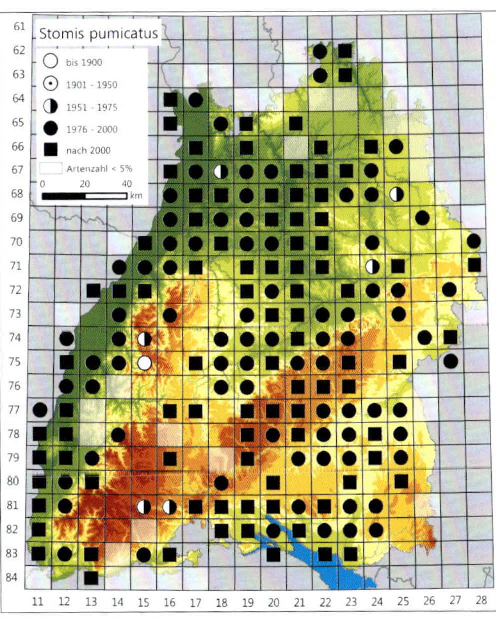

Lebensweise und Habitat: Flugunfähige Art mit unterschiedlicher Flügelausbildung (dimorph bzw. polymorph). Räuberische Art, zu deren Biologie kaum Angaben vorliegen. Fast ausschließlich nachtaktiv, bei THIELE (1977) der Gruppe mit lediglich 0–15 % Tagaktivität zugeordnet. Paarung und Eiablage (schwerpunktmäßig) im Frühjahr und Larvalentwicklung ab Frühjahr/Sommer. Aktive Imagines wurden in Bad.-Württ. nach den ausgewerteten Daten zwischen März und Oktober registriert, mit einem Aktivitätsmaximum im Mai.

S. pumicatus ist eine eurytope Art, die ein sehr breites Lebensraumspektrum von Ackerbegleitstrukturen über Grünland und Hecken bis hin zu Waldstandorten besiedelt. Dabei scheint sie auch eine hohe Toleranz gegenüber Feuchteverhältnissen aufzuweisen. Aktivitätsschwerpunkte wurden u. a. in grasigen Böschungen frischer Standorte und an Waldrändern registriert. Auch in Bachbegleitgehölzen tritt die Art auf. *S. pumicatus* wird allerdings oftmals nur in geringer Individuenzahl gefangen (auch mittels Bodenfallen).

Gefährdung und Schutz: *S. pumicatus* ist weder bundesweit (Stand 2015) noch in Bad.-Württ. (Stand 2005) gefährdet. Aufgrund der weiten Verbreitung mit Auftreten in unterschiedlichen Lebensraumtypen ist auch keine zukünftige Gefährdung absehbar. Kein Handlungsbedarf.

Amara aenea. Foto: C. Benisch.

Tribus Zabrini

J. TRAUTNER & M.-A. FRITZE

Weltweit sind nach LORENZ (2015) bislang 730 Arten aus 2 Gattungen beschrieben, die dieser Tribus zugerechnet werden. In Bad.-Württ. ist oder war sie mit 44 Arten vertreten, deren Imagines eine Größe von rd. 4–16 mm erreichen. Die meisten Arten haben eine geschlossene, länglich ovale Körperform und sind dunkel, häufig metallisch gefärbt; nur wenige Arten weichen hiervon ab.

Amara aenea

(De Geer, 1774)

Erzfarbener Kamelläufer

Allgemeine Verbreitung: Paläarktisch verbreitete Art, in nahezu ganz Europa vertreten, in Nordamerika eingeschleppt (BOUSQUET 2012). Sie kommt in Deutschland flächendeckend in geeigneten Lebensräumen vor.

Vorkommen in Baden-Württemberg: Landesweit verbreitet, nur im Schwarzwald größere Bereiche ohne Nachweise. Diese und andere fehlende Nachweise in der Verbreitungskarte sind jedoch mit Ausnahme ggf. großflächig walddominierter Be-

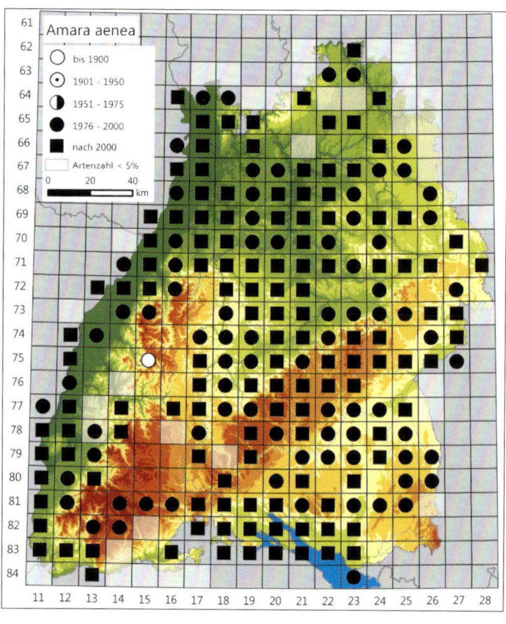

reiche als Erfassungslücken, i. d. R. aber nicht als ein tatsächliches Fehlen zu interpretieren.

Lebensweise und Habitat: Flugfähige (makroptere) Art. Nahrungsgeneralistin. Im Laborversuch fördern sowohl eine gemischte als auch eine rein pflanzliche Ernährung die Eiproduktivität und Eiablage; eine reine Insektenkost vermindert dagegen den Fortpflanzungserfolg (Saska 2008). Die Larven entwickeln sich bei gemischter Kost deutlich schneller, die Mortalität ist geringer und die geschlüpften Imagines sind größer als bei rein pflanzlicher oder tierischer Ernährung der Präimaginalstadien (Hůrka & Jarošík 2003). Paarung und Eiablage (schwerpunktmäßig) im Frühjahr und Larvalentwicklung ab Frühjahr/Sommer. Aktive Imagines wurden in Bad.-Württ. nach den ausgewerteten Daten zwischen März und Oktober registriert, mit einem Aktivitätsmaximum im Mai und Juni.

A. aenea ist eine häufige Art offener Lebensräume schwerpunktmäßig des trockenen (bis frischen) Standortbereichs. Sie tritt sowohl in Äckern und Weinbergen als auch im Grünland mit den jeweils typischen Begleitstrukturen auf; ebenso in Magerrasen, Ruderalflächen u. a. Besonders hohe Aktivitätsdichten erreicht sie auf Flächen mit teilweise lückiger Vegetation.

Gefährdung und Schutz: *A. aenea* ist bundesweit (Stand 2015) und in Bad.-Württ. (Stand 2005) ungefährdet. Aufgrund der weiten Verbreitung mit Auftreten in unterschiedlichen Lebensraumtypen des Offenlands ist auch keine zukünftige Gefährdung absehbar. Kein Handlungsbedarf.

Amara anthobia

A. & J.B. Villa, 1833

Schlanker Kamelläufer

Allgemeine Verbreitung: Südwestpaläarktisch verbreitete Art, in Nord- und Nordosteuropa fehlend, in Nordamerika eingeschleppt (Bousquet 2012). Sie erreicht in Deutschland ihre nördliche Arealgrenze und ist trotz kleinerer Verbreitungslücken vor allem in der nördlichen Hälfte sowie im Südwesten weit verbreitet, während sie in Mittel- und Südostdeutschland weiträumig fehlt.

Vorkommen in Baden-Württemberg: Schwerpunkt im planaren bis collinen Bereich des nordwestlichen Baden-Württembergs, die Mehrzahl der Funde stammt aus den Neckar- und Tauber-Gäuplatten. Daneben existieren Funde unter anderem

Amara anthobia. Foto: C. Benisch.

im Oberrhein-Tiefland sowie einzeln in wenigen anderen Naturräumen.

Lebensweise und Habitat: Flugfähige (makroptere) Art. Aktive Imagines wurden in Bad.-Württ. nach den ausgewerteten Daten zwischen April und August registriert. Für die Angabe eines Aktivitätsmaximums liegen keine ausreichenden Daten vor,

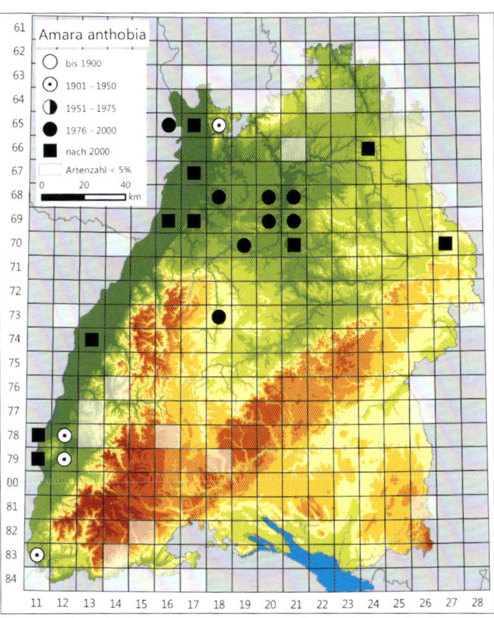

die meisten Fänge stammen allerdings aus dem Mai und Juni.

A. anthobia tritt vor allem in Weinbergen und ihren typischen Begleitstrukturen auf (z. B. Neckartalhänge im Bereich der Besigheimer Felsengärten, Köstlin 1955; in den Rebbergen des Kaiserstuhls „allenthalben gemein", Wolf 1938), daneben in wärmebegünstigten Ackergebieten, wo sie u. a. in Feldrainen oder Säumen nachgewiesen wurde (s. Wolf-Schwenninger & Schwenninger 1992, Kubach 1995). Einzelne Funde liegen zudem aus Halbtrockenrasen vor. In Weinbergen wurde die Art sowohl in Begleitstrukturen (Brachen, Krautsäume an Mauern) als auch in den Rebflächen selbst registriert (eigene Daten).

Gefährdung und Schutz: *A. anthobia* ist bundesweit (Stand 2015) und in Bad.-Württ. (Stand 2005) ungefährdet. Aufgrund des Aufretens auch in intensiv genutzten Flächen und kleinräumig ausgeprägten Begleitstrukturen vor allem der Weinberge und Äcker wird derzeit keine Gefährdung gesehen, wenngleich die Art wie andere Vertreter der Gattung von grasreichen Begleitstrukturen profitieren dürfte. Kein Handlungsbedarf.

Amara apricaria

(Paykull, 1790)

Enghals-Kamelläufer

Allgemeine Verbreitung: Paläarktisch verbreitete Art, in fast ganz Europa vorkommend, in Nord-

Amara apricaria.

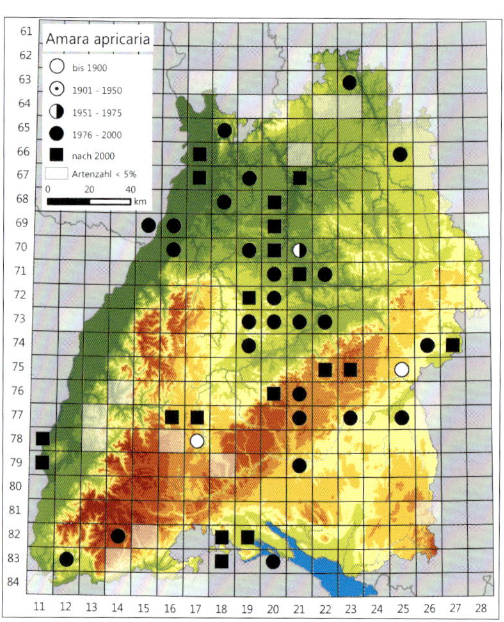

amerika eingeschleppt (Bousquet 2012). Sie ist in Deutschland fast flächendeckend in geeigneten Lebensräumen vertreten und weist nur im Süden kleinere Verbreitungslücken auf.

Vorkommen in Baden-Württemberg: Schwerpunkt in den Neckar- und Tauber-Gäuplatten (im Nordosten Baden-Württembergs möglicherweise aufgrund von Erfassungsdefiziten unterrepräsentiert) und auf der Schwäbischen Alb, daneben mit geringer Fundzahl in weiteren Naturräumen. Fehlt fast vollständig im Schwarzwald sowie – mit Ausnahme des Hegaus – im Voralpinen Hügel- und Moorland.

Lebensweise und Habitat: Flugfähige (makroptere) Art. Nahrungsgeneralistin mit Tendenz zur Bevorzugung tierischer Nahrung (Johnson & Cameron 1969, Larochelle 1990). Paarung und Eiablage (schwerpunktmäßig) im Sommer und Larvalentwicklung ab Sommer/Herbst. Aktive Imagines wurden in Bad.-Württ. nach den ausgewerteten Daten zwischen April und Oktober registriert, mit einem Aktivitätsmaximum im Juli und August.

A. apricaria tritt schwerpunktmäßig in Äckern und ihren typischen Begleitstrukturen auf, wo sie insbesondere auf jüngeren Brachen und in Saumstrukturen teils hohe Aktivitätsdichten erreichen kann, zudem im Grünland trockener Standorte und in Ruderalflächen (auch in Abbaugebieten). Nach den vorliegenden Daten könnte die Art Kalkverwitterungs- und Lößböden bevorzugen, es liegen jedoch auch Funde von Standorten mit sandigem oder sandig-kiesigem Substrat vor.

Gefährdung und Schutz: *A. apricaria* ist weder bundesweit (Stand 2015) noch in Bad.-Württ. (Stand 2005) gefährdet. Aufgrund der relativ weiten Verbreitung mit Auftreten in unterschiedlichen Lebensraumtypen des Ofenlandes ist auch keine zukünftige Gefährdung absehbar. Kein Handlungsbedarf.

Amara aulica

(Panzer, 1797)

Kohldistel-Kamelläufer

Allgemeine Verbreitung: Westpaläarktisch verbreitete Art, in fast ganz Europa verbreitet, in Nordamerika eingeschleppt (Bousquet 2012). Sie kommt in Deutschland flächendeckend in geeigneten Lebensräumen vor.

Vorkommen in Baden-Württemberg: Landesweit verbreitet, dabei allerdings im Schwarzwald kaum Nachweise und im nordöstlichen Bad.-Württ. möglicherweise aufgrund von Erfassungsdefiziten unterrepräsentiert. Grundsätzlich dürften fehlende Nachweise in der Verbreitungskarte aber als Erfassungslücken und i. d. R. nicht als ein tatsächliches Fehlen zu interpretieren sein.

Lebensweise und Habitat: Flugfähige (makroptere) und pflanzenfressende Art, bei der sich nach Saska (2005) die ersten beiden Larvenstadien ohne Pflanzensamen nicht erfolgreich entwickeln können. Paarung und Eiablage (schwerpunktmäßig) im Sommer und Larvalentwicklung ab Sommer/Herbst. Aktive Imagines wurden in Bad.-Württ. nach den ausgewerteten Daten zwischen April und November registriert, mit einer deutlichen Häufung von Nachweisen im September (auch Beobachtung sich paarender Imagines).

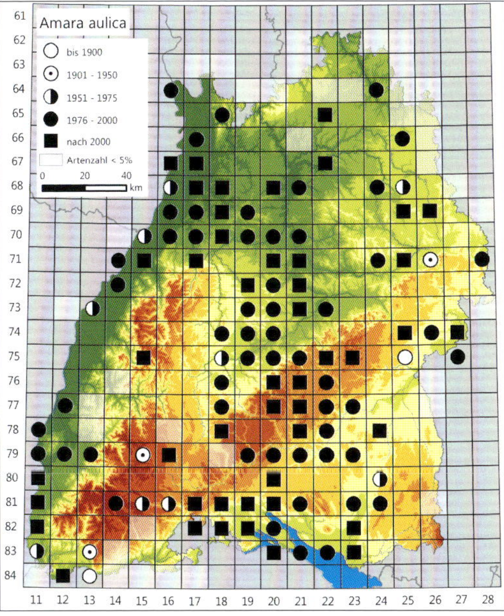

Amara aulica, hier als Pärchen in Kopula an einer Kohldistel (*Cirsium oleraceum*).

A. aulica wird – soweit Daten hierzu vorliegen – vor allem an Standorten mit Disteln (*Cirsium arvense*, *Cirsium oleraceum*, *Carduus* spec., *Carlina acaulis*) gefunden, wobei die Imagines dort vielfach im Bereich der Blütenköpfe versteckt sitzen oder beim Fraß beobachtet werden können. Dabei wird ein breites Standortspektrum von feucht bis trocken genutzt. Zu typischen Lebensräumen zählen – auch sehr trockene – Ruderalflächen, frische bis feuchte Waldlichtungen und -säume, frisches Grünland (z. B. Kohldistel-Glatthaferwiese) und Wacholderheiden. Lebensräume können zeitweise beschattet sein und in luftfeuchter Lage liegen.

Gefährdung und Schutz: *A. aulica* ist weder bundesweit (Stand 2015) noch in Bad.-Württ. (Stand 2005) gefährdet. Aufgrund der weiten Verbreitung mit Auftreten in unterschiedlichen Lebensraumtypen des Offenlands und von Wald-Offenland-Übergangsbereichen ist auch keine zukünftige Gefährdung absehbar. Kein Handlungsbedarf.

Brache mit einzelnen Kohldistel-Beständen auf ehemaligem Grünland in Waldrandlage. An Kohldisteln im Bildvordergrund fanden sich Individuen von *Amara aulica*.

Amara bifrons

(Gyllenhal, 1810)

Brauner Punkthals-Kamelläufer

Allgemeine Verbreitung: Westpaläarktisch verbreitete Art, in Europa in Teilen Süd- und Nordeuropas fehlend, in Nordamerika eingeschleppt (Bousquet 2012). Sie ist in Deutschland fast flächendeckend in geeigneten Lebensräumen vertreten und weist nur im Süden kleinere Verbreitungslücken auf.

Vorkommen in Baden-Württemberg: Landesweit relativ weit verbreitet, im Schwarzwald allerdings offenbar weiträumig nicht vertreten, ebenso in weiten Bereichen des Voralpinen Hügel- und Moorlandes mit Ausnahme des Bodenseeraums sowie im östlichen Teil des Schwäbischen Keuper-Lias-Landes. Auch auf der Schwäbischen Alb und im Nordosten Baden-Württembergs nur mit relativ wenigen Nachweisen, wobei dies im zuletzt

Amara bifrons. Foto: C. Benisch.

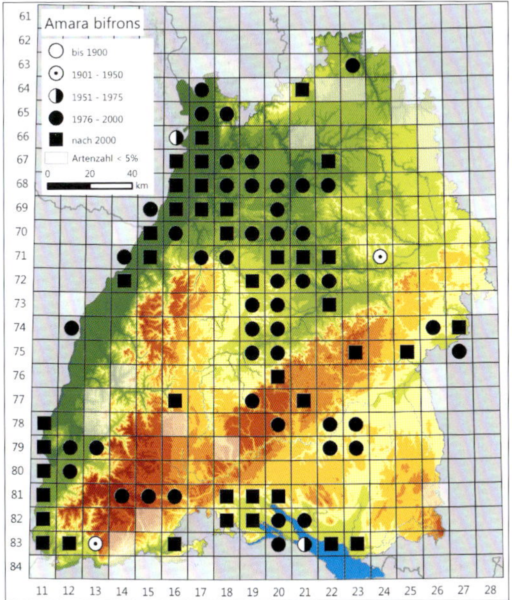

genannten Raum stark auf Erfassungdefizite zurückgehen könnte.

Lebensweise und Habitat: Flugfähige (makroptere) und pflanzenfressende Art. Paarung und Eiablage (schwerpunktmäßig) im Sommer und Larvalentwicklung ab Sommer/Herbst. Aktive Imagines wurden in Bad.-Württ. nach den ausgewerteten Daten zwischen Mai und Oktober registriert, vor allem im Zeitraum Juni bis August, aber ohne ein aus den Daten klar erkennbares, enges Aktivitätsmaximum.

A. bifrons ist eine Offenlandart mit Schwerpunkt im trockenen Standortbereich und besiedelt Grünland, Äcker sowie Weinberge mit ihren typischen Begleitstrukturen, Ruderalflächen und andere Lebensraumtypen, soweit diese nicht zu feucht oder stärker beschattet sind. Die Art tritt auch in Sandrasen und Kalkhalbtrockenrasen auf.

Gefährdung und Schutz: *A. bifrons* ist weder bundesweit (Stand 2015) noch in Bad.-Württ. (Stand 2005) gefährdet. Aufgrund der weiten Verbreitung mit Auftreten in unterschiedlichen Lebensraumtypen des Offenlandes ist auch keine zukünftige Gefährdung absehbar. Kein Handlungsbedarf.

Amara communis

(Panzer, 1797)

Schmaler Wiesen-Kamelläufer

Allgemeine Verbreitung: Paläarktisch verbreitete Art, in Südwesteuropa teilweise fehlend, in Nordamerika eingeschleppt (Bousquet 2012). Sie kommt in Deutschland flächendeckend in geeigneten Lebensräumen vor.

Vorkommen in Baden-Württemberg: Landesweit verbreitet, fehlende Nachweise in der Verbreitungskarte sind als Erfassungslücken, i. d. R. aber nicht als ein tatsächliches Fehlen zu interpretieren.

Lebensweise und Habitat: Flugfähige (makroptere) Art. Bei Thiele (1977) den Arten mit > 45 % Tagaktivität zugeordnet. Nahrungsgeneralistin, deren Larven aber zu der Gruppe der insektenfressenden *Amara*-Präimaginalstadien gezählt werden (Hůrka & Jarošík 2001). Paarung und Eiablage (schwerpunktmäßig) im Frühjahr und Larvalentwicklung ab Frühjahr/Sommer. Aktive Imagines wurden in Bad.-Württ. nach den ausgewerteten Daten zwischen März und November registriert, mit einem Aktivitätsmaximum im April und Mai.

A. communis ist eine Offenlandart mit Schwerpunkt im Grünland und in sonstigen eher grasreichen Lebensräumen (z. B. Feldraine) des frischen bis feuchten Standortbereichs. Im trockeneren Flügel wird sie zunehmend durch *A. convexior* abgelöst. Mit besonders hoher Aktivi-

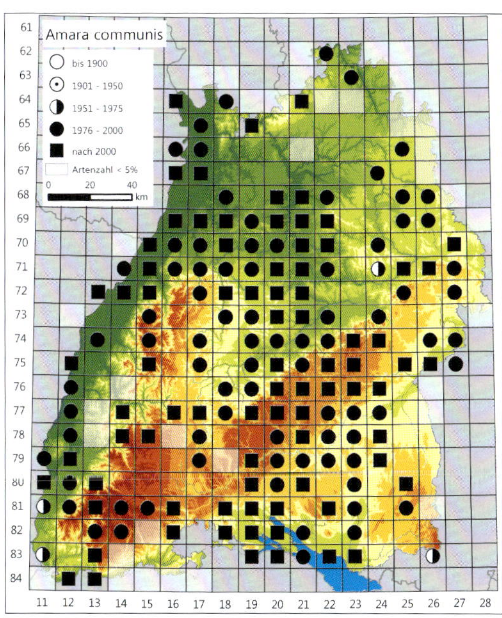

Amara communis. Foto: C. Benisch.

Amara concinna. Foto: O. Bleich.

tätsdichte und Stetigkeit tritt die Art z. B. in Kohldistel-Glatthaferwiesen und deren jungen Brachestadien auf, aber auch in Streuobstwiesen und auf frischen, mehrjährigen Ackerbrachen. *A. communis* kann auch in Wald-Offenland-Übergangsbereichen vorkommen, etwa in Vorwaldstadien, die noch kleinflächig offene, grasdominierte Stellen aufweisen.

Gefährdung und Schutz: *A. communis* ist weder bundesweit (Stand 2015) noch in Bad.-Württ. (Stand 2005) gefährdet. Aufgrund der weiten Verbreitung mit Auftreten in unterschiedlichen Lebensraumtypen des Offenlandes ist auch keine zukünftige Gefährdung absehbar. Kein Handlungsbedarf.

Amara concinna

Zimmermann, 1832

Zierlicher Kamelläufer

Allgemeine Verbreitung: Europäische Art mit diskontinuierlicher Verbreitung, fehlt im Norden. Es liegen insgesamt nur wenige Meldungen aus Deutschland vor, wobei sie nur aus Bad.-Württ. rezent belegt ist.

Vorkommen in Baden-Württemberg: Von v. d. Trappen (1930) war die Art zunächst fälschlich aus dem Schönbuch und dem Schurwald gemeldet worden; bei den Belegtieren in der Sammlung des Staatlichen Museums für Naturkunde in Stuttgart handelte es sich um *A. plebeja* (Horion 1959a). Tatsächlich gelang in den 1980er Jahren dann ein Nachweis bei Böblingen (Trautner 1986a, t. Hieke), wo die Art kurz darauf erneut gefunden werden konnte. Zwischenzeitlich ist sie auch an einem Standort im Oberrhein-Tiefland nachgewiesen (leg. M. Kramer, t. Trautner).

Lebensweise und Habitat: Art mit vollständig entwickelten Hinterflügeln (makropter), von der nach Auswertungsstand keine Flugbeobachtung vor-

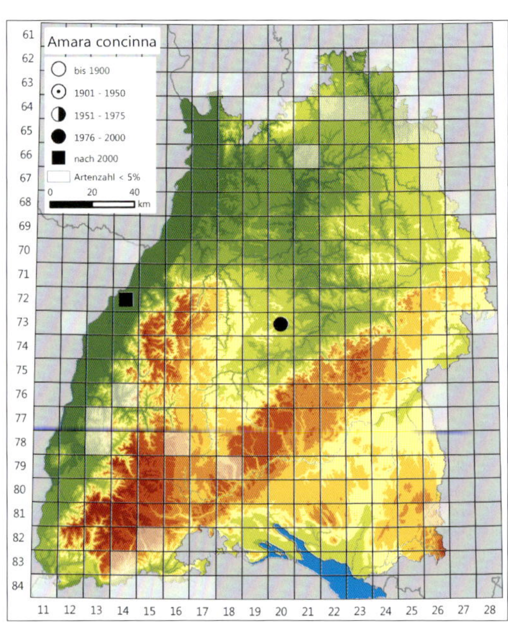

liegt. Für Angaben zu Phänologie und Aktivitätsmaximum liegen keine ausreichenden Daten vor; die beiden Funde bei Böblingen stammen aus dem Winterquartier (s. u.).

A. concinna wurde in Bad.-Württ. erstmals 1985 bei Böblingen in einem Exemplar gefunden (leg. TRAUTNER), an einem trockenen, südexponierten Kiefernwaldrand auf Sandstein-Verwitterungsboden unter Kiefernrinde. TRAUTNER (1986a, 1994c) ging dabei davon aus, dass die trockenen Bereiche des direkten Umfelds („sonnenexponierter Sandboden", Heidefragmente) den dortigen Lebensraum der Art darstellen. Ein weiterer Fund in diesem Bereich gelang im Winter 1987 unter gleichen Fundumständen. Nach HIEKE (in lit.) scheint die Art allerdings in lückig bewachsenen und besonnten Feucht- und Nassbiotopen zu leben; so wurden ihm bekannte Funde in Weißrussland „teilweise in Sumpfgelände gemacht". FASSATI (1958) schreibt: „Nach PUTZEYS (1870) lebt die Art auf feuchten Wiesen mit sandiger Unterlage. Ähnlich charakterisieren mir brieflich die Ökologie vor einigen Jahren die Herren G. Pécoud und Ing. M. Dewally aus Paris." Zu diesen Angaben passt auch der neueste Fund der Art in Bad.-Württ. aus dem Oberrhein-Tiefland. wo M. KRAMER *A. concinna* in einer Feuchtwiese fing. Daher dürften auch bei den Funden bei Böblingen die während der früheren intensiveren militärischen Nutzung des dortigen Standortübungsplatzes großflächig vorhandenen besonnten Feuchtflächen und Kleingewässerufer (s. GASTEL 1994) den eigentlichen Lebensraum der Art dargestellt haben. Neuere Funde von *A. concinna* aus diesem Gebiet wurden nicht bekannt.

Gefährdung und Schutz: *A. concinna* ist bundesweit (Stand 2015) und in Bad.-Württ. (Stand 2005) vom Aussterben bedroht und Landesart A des Informationssystems Zielartenkonzept Bad.-Württ. (Stand 2009). An den bisher bekannten Fundorten und in deren Umfeld sollten potenziell geeignete Lebensräume auf aktuelle Vorkommen der Art überprüft werden. Dort müssen zudem offene Feuchtflächen und Ufer gesichert werden, insbesondere gegen direkte Flächenverluste sowie gegen Entwässerung und Sukzession. Auf Basis einer verbesserten Datenlage sollten dann gezielte Schutz- und Pflegekonzepte für geeignete Flächen in diesen Räumen erstellt werden.

Amara consularis

(Duftschmid, 1812)

Breithals-Kamelläufer

Allgemeine Verbreitung: Westpaläarktisch verbreitete Art, in Europa nur in Teilen Nord-, Nordwest- und Südeuropas fehlend. Sie ist in Deutschland fast flächendeckend in geeigneten Lebensräumen vertreten und weist vorwiegend im Süden kleinere Verbreitungslücken auf.

Vorkommen in Baden-Württemberg: Relativ weit verbreitet, teils aber mit geringer Funddichte. Schwerpunkt in den Neckar- und Tauber-Gäuplatten, auf der Schwäbischen Alb und im Hegau am westlichen Bodensee (Teil des Voralpinen Hügel- und Moorlandes). Fehlt weitestgehend im sonstigen Voralpinen Hügel- und Moorland sowie im Schwarzwald. Die geringe Fundzahl im Nordosten Baden-Württembergs ist vermutlich auf Erfassungsdefizite zurückzuführen.

Lebensweise und Habitat: Flugfähige (makroptere) und überwiegend räuberische Art. Paarung und Eiablage (schwerpunktmäßig) im Sommer und Larvalentwicklung ab Sommer/Herbst. Aktive Imagines wurden in Bad.-Württ. nach den ausgewerteten Daten zwischen April und Oktober registriert, mit einem Aktivitätsmaximum im Sommer (Juni bis August).

A. consularis hat ihr Schwerpunktvorkommen in ackerbaulich genutzten Landschaften, wo sie vor allem offene Ackerbegleitstrukturen wie

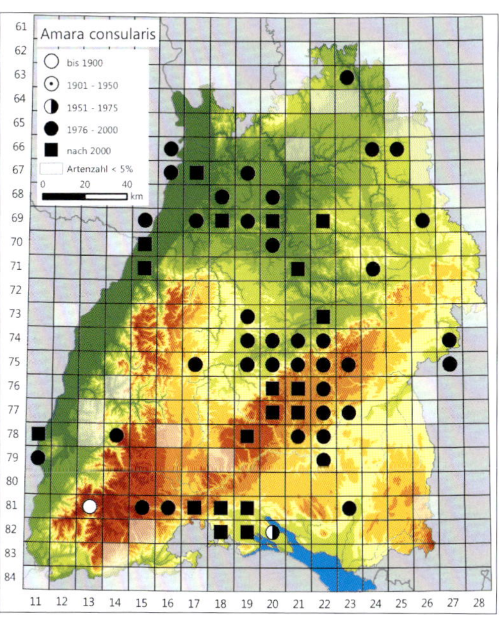

Amara consularis. Foto: E. Wachmann.

Säume und Brachen besiedelt, aber auch in den Äckern selbst auftritt. So wurde die Art bei Untersuchungen auf der Schwäbischen Alb stet in Ackersäumen und Steinriegeln nachgewiesen (Reck 1997) und trat in neu angelegten Saumstrukturen in einem Ackergebiet des Kraichgaus stet und teils in höherer Aktivitätsdichte auf (Spies 1998). Auch die von Wolf-Schwenninger & Schwenninger (1992) mitgeteilten Funde stammen aus Äckern, Ackerrandstreifen und einer vergrasten Ackerbrache. Ansonsten gelangen Funde der Art mehrfach in Halbtrockenrasen und Abbaugebieten. Während *A. consularis* bei Lindroth (1992) für Nordeuropa als Sandart beschrieben wird, die nur selten auf anderem Substrat auftritt, liegen die Schwerpunkte in Bad.-Württ. in den Lößgebieten und auf Verwitterungslehmen, teils mit Kalkscherben. Sie fehlt aber auch hier keinesfalls auf sandigen Böden und wurde z.B. auf sandigen und ansandigen Ackerstandorten sowie in ehemaligen Sandgruben im Schwäbischen Keuper-Lias-Land nachgewiesen.
Gefährdung und Schutz: *A. consularis* ist bundesweit (Stand 2015) ungefährdet und in Bad.-Württ. (Stand 2005) als Art der Vorwarnliste eingestuft. Insbesondere ein Rückgang an offenen Ackerbegleitstrukturen wirkt sich negativ auf die Bestände der Art aus. Dem sollte durch die Förderung entsprechender Strukturen (insbesondere Brachen, Steinriegel, Ackerrandstreifen), wie sie bereits für andere gefährdete Arten als wichtiges Schutzziel formuliert wurde, entgegengewirkt werden.

Amara convexior

Stephens, 1828
Gedrungener Wiesen-Kamelläufer

Allgemeine Verbreitung: Westpaläarktisch verbreitete Art, in Teilen Nord- und Nordwesteuropas fehlend. Sie kommt in Deutschland flächendeckend in geeigneten Lebensräumen vor.
Vorkommen in Baden-Württemberg: Landesweit verbreitet, fehlende Nachweise in der Verbreitungskarte sind als Erfassungslücken, i.d.R. aber nicht als ein tatsächliches Fehlen zu interpretieren.
Lebensweise und Habitat: Flugfähige (makroptere) Art. Nahrungsgeneralistin, deren Larven aber zur Gruppe der insektenfressenden *Amara*-Präimaginalstadien gezählt werden (Hůrka & Jarošík 2001). Paarung und Eiablage (schwerpunktmäßig) im Frühjahr und Larvalentwicklung ab Frühjahr/Sommer. Aktive Imagines wurden in Bad.-Württ. nach den ausgewerteten Daten zwischen März und November registriert, mit einem Aktivitätsmaximum im Mai und Juni.

A. convexior ist schwerpunktmäßig eine Offenlandart frischer bis trockener Standorte, die in planaren bis collinen (und teils auch submontanen

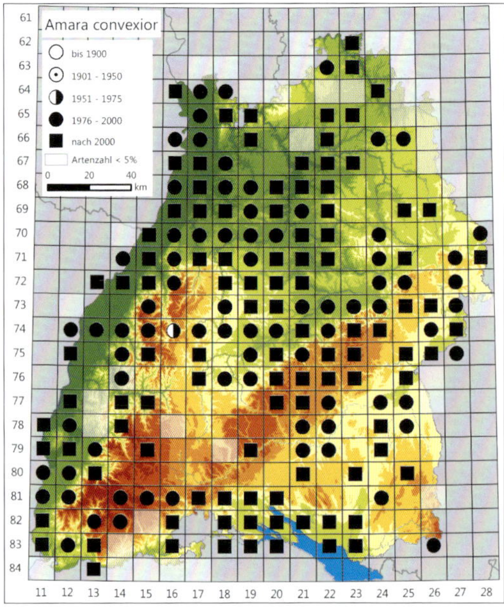

Amara convexior. Foto: O. Bleich.

Lagen) allerdings auch in Wäldern auftritt. Im feuchteren Flügel des Offenlands wird sie zunehmend durch *A. communis* abgelöst, kann aber auch dort noch vorkommen. Mit besonders hoher Aktivitätsdichte und Stetigkeit tritt die Art z.B. in typischen Glatthaferwiesen und deren jungen Brachestadien auf sowie auf Halbtrockenrasen und in Feldrainen mit überwiegend grasiger Struktur. Bei Untersuchungen von neu angelegten Saumstrukturen in einer Ackerbaulandschaft des Kraichgaus war *A. convexior* auf allen Neuanlagen präsent (Kubach 1995, Spies 1998). Im westlichen Kraichgau konnte sie nach Spies (1998) „vereinzelt an Stufenrainen und in größerem Umfang auf Säumen mit hochwüchsigen, stickstoffliebenden Gramineen" nachgewiesen werden. Dieser Autor stuft die Art für sein Untersuchungsgebiet als mäßig mesophil ein. Bei der Untersuchung von Bannwäldern durch Trautner et al. (1998) wurde *A. convexior* an jeweils mehreren Probestellen in den beiden tiefstgelegenen Bannwäldern festgestellt; es handelte sich dabei um Stieleichen-Hainbuchenwald und um Hainsimsen-Buchenwald. Funde der Art liegen auch aus Feldhecken und anderen kleinflächigen oder linearen Gehölzstrukturen im Offenland vor, wobei hier begleitende Gras- oder Krautsäume möglicherweise die wesentlichen Lebensraumbestandteile sind.

Gefährdung und Schutz: *A. convexior* ist weder bundesweit (Stand 2015) noch in Bad.-Württ. (Stand 2005) gefährdet. Aufgrund der weiten Verbreitung mit Auftreten in unterschiedlichen Lebensraumtypen des Offenlands und teils in gehölzbestandenen Bereichen ist auch keine zukünftige Gefährdung absehbar. Kein Handlungsbedarf.

Amara convexiuscula

(Marsham, 1802)

Gewölbter Kamelläufer

Allgemeine Verbreitung: Westpaläarktisch verbreitete Art, in Europa in Teilen Süd- und Nordeuropas fehlend. Sie ist trotz kleinerer Verbreitungslücken vor allem in der nördlichen Hälfte Deutschlands weit verbreitet, während sie in großen Teilen Süd- und Südwestdeutschlands (Baden-Württemberg, Bayern, Rheinland-Pfalz) fehlt oder kaum vertreten ist.

Vorkommen in Baden-Württemberg: Es liegen nur Einzelfunde aus wenigen Naturräumen des nördlichen Landesteils vor.

Lebensweise und Habitat: Flugfähige (makroptere) Art. Nahrungsgeneralistin, bei der sich nach Saska (2005), anders als bei der nahe verwandten Art *A. aulica*, die ersten beiden Larvenstadien sowohl bei tierischer als auch bei pflanzlicher Kost entwickeln können. Paarung und Eiablage (schwerpunktmäßig) im Sommer und Larvalentwicklung ab Sommer/Herbst. Aktive Imagines wurden in Bad.-Württ. nach den ausgewerteten Daten zwischen Juni und August registriert, für die Angabe eines Aktivitätsmaximums liegen keine ausreichenden Daten vor.

A. convexiuscula ist in anderen Gebieten Süddeutschlands überwiegend in kurzlebigen Ruderalfluren und Pioniergesellschaften etwa in Abbaugebieten gefunden worden. Auf ein entspre-

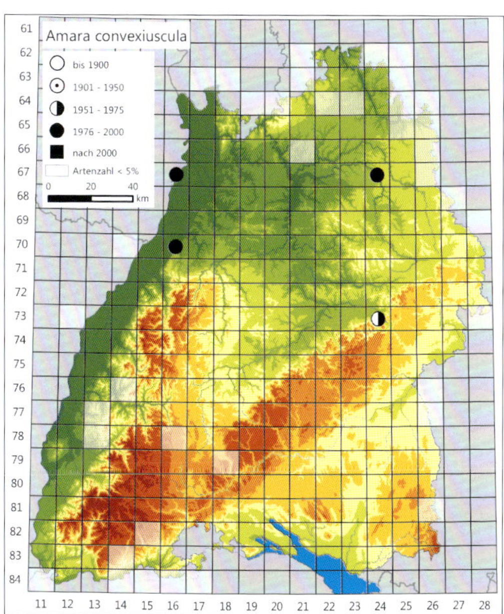

Amara convexiuscula.

chendes Lebensraumspektrum im Binnenland Deutschlands weist bereits Horion (1959b) mit „Ruderalstellen, Schuttablade- und Trümmerplätzen, […] aber auch vereinzelt in Sand- und Lehmgruben“ hin. Zu den Funden aus Bad.-Württ. sind keine näheren Angaben verfügbar, der früheste dokumentierte Fund stammt von Geislingen/Steige, 8.VI.1957, leg. Mohr (Harde & Köstlin 1961).

Gefährdung und Schutz: *A. convexiuscula* ist bundesweit (Stand 2015) ungefährdet, in Bad.-Württ. (Stand 2005) wurde die Art aufgrund der wenigen Nachweise und der unklaren Bestandssituation in die Kategorie D (Daten defizitär) gestellt. Demgegenüber hat sich keine grundsätzliche Änderung ergeben. Die Bestandssituation ist anhand der vorliegenden Daten nicht ausreichend abzuschätzen. Dass trotz der umfangreichen zwischenzeitlich durchgeführten weiteren Untersuchungen im Land keine neueren Nachweise vorliegen, deutet aber darauf hin, dass die Art allenfalls lokal vertreten ist und eine Gefährdung vorliegen könnte. Daher wäre bei einer Fortschreibung der Roten Liste zu diskutieren, ob der Art die Kategorie G (Gefährdung anzunehmen) zugewiesen werden sollte.

Amara crenata

Dejean, 1828

Gekerbter Kamelläufer

Allgemeine Verbreitung: Überwiegend südeuropäisch verbreitete Art, von Spanien bis in den mittleren Osten, nordwärts bis Mitteleuropa vorkommend. In Deutschland war sie nur sehr lokal und zerstreut im Südwesten (Baden-Württemberg) und nördlich bis nach Mitteldeutschland (südliches Niedersachsen, Thüringen, Sachsen-Anhalt) in Wärmegebieten vertreten, Nachweise nach 1980 liegen aber nur noch aus Thüringen vor (s. Verbreitungskarte in Trautner et al. 2014).

Vorkommen in Baden-Württemberg: Nur einzelne über 50 Jahre alte Nachweise aus den Neckar- und Tauber-Gäuplatten und dem Schwäbischen Keuper-Lias-Land: 20.VI.1954 bei Häfnerhaslach im Stromberg zwischen Weinberg und Waldrand (Köstlin 1956); Juni 1953 bei Kornwestheim, leg. Köstlin, det. Kuntze (Horion 1960); Juni 1957 und August 1958 bei Tübingen (Schmid 1965a, Meyer 1966).

Lebensweise und Habitat: Flugfähige (makroptere) Art. Angaben zu Phänologie und Aktivitätsmaximum sind nach gegenwärtigem Kenntnistand nicht möglich. Die wenigen Fundmeldungen aus Bad.-Württ. stammen aus den Monaten Juni und August (s. o.).

A. crenata ist für die naturräumliche Großlandschaft der östlichen Mittelgebirge (mit den ein-

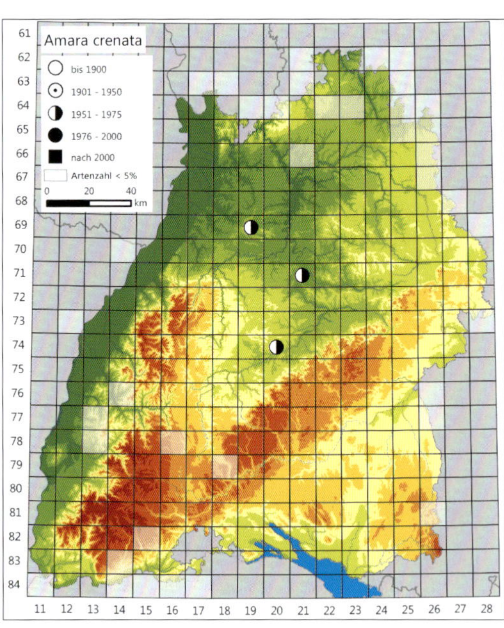

Amara crenata.
Foto: O. Bleich.

zigen noch nach 1980 datierenden deutschen Nachweisen) als Art der kalkreichen Trocken- und Halbtrockenrasen eingestuft (GAC 2009). Der Fund durch Köstlin bei Häfnerhaslach dürfte nach der Beschreibung und den vorliegenden Daten zur Lebensraumausstattung dieses Naturraums aus einem solchen Lebensraumtyp oder jedenfalls einer wärmeliebenden, trockenen Saumgesellschaft stammen. Schmid (1965a) beschreibt einen seiner Funde mit „unter einem Stein in einem Weinberg am Abhang des Steinenbergs.“ Ob *A. crenata* möglicherweise als charakteristische Art bestimmter trockener Lebensraumtypen des Anhangs I der FFH-Richtlinie infrage kommen könnte, braucht vor dem Hintergrund der wenigen ehemaligen Funde und des Fehlens aktueller Vorkommen in Bad.-Württ. nicht diskutiert zu werden.

Gefährdung und Schutz: *A. crenata* ist bundesweit (Stand 2015) stark gefährdet und in Bad.-Württ. (Stand 2005) ausgestorben oder verschollen. Im Naturraum Stromberg, aus dem der erste publizierte Fund der Art stammt, erfolgten Anfang der 1990er Jahre umfangreiche Untersuchungen zu Laufkäfern, mit spezieller Berücksichtigung auch trockenwarmer Lebensräume (Breunig & Trautner 1996). Trotz Einbeziehung des früheren Fundgebiets ist ein Artnachweis dabei nicht gelungen. Es ist zwar nicht ganz auszuschließen, dass die Art in Bad.-Württ. noch vorkommt, evtl. in einem bisher nicht untersuchten Gebiet. Vor dem Hintergrund der Gesamtdatenlage und des bundesweiten Rückgangs (s. o.) wird dies aber als unwahrscheinlich angesehen. Handlungsbedarf wird derzeit daher nicht gesehen.

Amara cursitans

Zimmermann, 1832
Pechbrauner Kamelläufer

Allgemeine Verbreitung: Europäische Art mit teils offenbar diskontinuierlicher Verbreitung, die in großen Teilen Nord- und Nordwesteuropas sowie in Teilen Südeuropas fehlt. Sie ist in Deutschland trotz größerer Verbreitungslücken im Norden und Süden weit verbreitet.

Vorkommen in Baden-Württemberg: Mit Ausnahme des Schwarzwalds zwar relativ weit in Bad.-Württ. verbreitet, aber mit teils sehr geringer Funddichte und nur lokalen Vorkommen. Schwerpunkte im Oberrhein-Tiefland sowie in Teilen der Neckar- und Tauber-Gäuplatten und des Schwäbischen Keuper-Lias-Landes.

Lebensweise und Habitat: Flugfähige (makroptere) und räuberische Art. Paarung und Eiablage (schwerpunktmäßig) im Sommer und Larvalentwicklung ab Sommer/Herbst. *A. cursitans* gehört zu denjenigen Laufkäfern, deren Entwicklungszyklus nach Bílý (1975) keine drei Larvenstadien umfasst und die sich bereits nach dem zweiten Larvenstadium verpuppen. Aktive Imagines wurden in Bad.-Württ. nach den ausgewerteten Daten zwischen März und Oktober registriert. Ein klares Aktivitätsmaximum deutet sich aus den vorliegenden Daten nicht an.

A. cursitans tritt überwiegend in ruderal beeinflussten Standorten und in Pioniervegetation

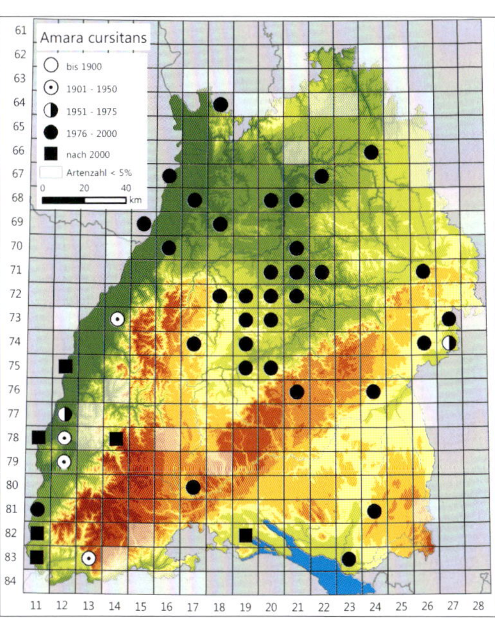

Amara cursitans. Foto: O. Bleich.

etwa in Abbaugebieten, Industriebrachen und Infrastrukturflächen auf, daneben in deutlich geringerer Stetigkeit auch in jungen Brachen z. B. von Weinbergen. So wurde sie in einem Gipsbruch (Baehr 1985) und in Kiesgruben (Trautner 1986b) bei Tübingen und individuenreich in einer ehemaligen Ziegelei im Landkreis Böblingen (Trautner 1986a) nachgewiesen. Auch von Bahnanlagen ist sie dokumentiert (z. B. Bräunicke et al. 1997). Ihre Lebensräume weisen nach eigenen Daten meist ein zumindest teilweise bindiges Substrat auf und sind spärlich bis lückig mit krautiger Vegetation bestanden.

Gefährdung und Schutz: *A. cursitans* steht bundesweit (Stand 2015) in der Vorwarnliste und ist in Bad.-Württ. (Stand 2005) gefährdet sowie Naturraumart des Informationssystems Zielartenkonzept Bad.-Württ. (Stand 2009). Ihre Lebensräume sind meist nur temporär in einem günstigen Zustand ausgebildet und zudem rückläufig. Gefährdungsursachen sind einerseits der direkte Verlust entsprechender offener Bereiche mit lückiger Vegetation durch Umwandlung von Infrastrukturflächen und Industriebrachen, andererseits für die Art ungünstige Standort- und Sukzessionsentwicklungen in Abbaugebieten im Zuge von deren Rekultivierung oder Nutzungsaufgabe. Dem sollte insbesondere durch eine verstärkte Berücksichtigung der Ansprüche der Art bei der Abbau- und Rekultivierungsplanung entgegengewirkt werden. Möglicherweise könnte auch die Förderung junger Brachen in Nutzungssystemen des Wein- und Ackerbaus die Art begünstigen, soweit geeignete Substrate vorhanden sind.

Amara curta

Dejean, 1828

Kurzer Kamelläufer

Allgemeine Verbreitung: Westpaläarktisch verbreitete Art, in Europa fehlt sie in Teilen Süd-, Nordwest- und Nordeuropas. In Deutschland ist sie weitestgehend flächendeckend in geeigneten Lebensräumen vertreten und weist nur im Norden kleinere Verbreitungslücken auf.

Vorkommen in Baden-Württemberg: Landesweit vorkommend, aber mit regional sehr unterschiedlicher Häufigkeit und Funddichte. Schwerpunkt in den Naturräumen mit Sand-, Kies- oder Kalkscherben- und felsreichem Substrat (u. a. Sandgebiete des nördlichen Oberrhein-Tieflands, Schwäbische Alb).

Lebensweise und Habitat: Flugfähige (makroptere) und räuberische Art, deren Larven nach Burmeister (1939) Larven der Dungkäfergattung *Aphodius* sowie unterschiedlicher Rüsselkäfer fressen. Paarung und Eiablage (schwerpunktmäßig) im Frühjahr und Larvalentwicklung ab Frühjahr/Sommer. Aktive Imagines wurden in Bad.-Württ. nach den ausgewerteten Daten zwischen April und September registriert, mit einem Aktivitätsmaximum im Mai.

A. curta tritt in unterschiedlichen Lebensraumkomplexen auf, zeigt aber einen sehr deutlichen Bezug zu trockenem, sand- oder skelettreichem Untergrund mit lückiger bis spärlicher Ve-

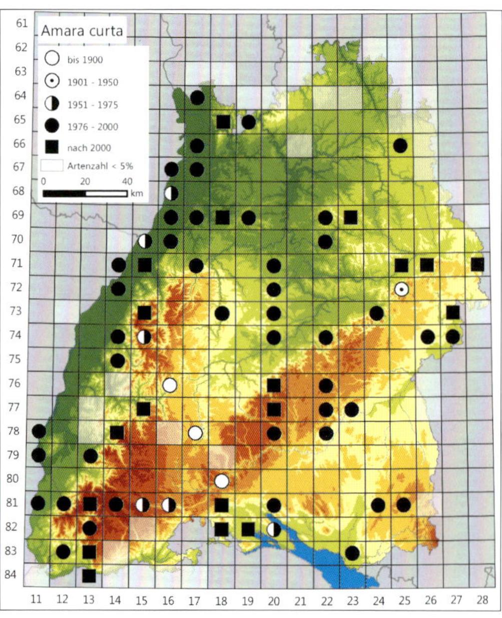

Amara curta.

getation in sonnenexponierter Lage. Besonders stet ist die Art auf Kalkschuttfluren und offenen Kiesen (z. B. in Abbaugebieten, Bahnanlagen), in Sandrasen und Kalkhalbtrockenrasen sowie in Zwergstrauchheiden mit offenen Stellen (auch in Hochlagen des Schwarzwalds) anzutreffen. Eine ganze Reihe entsprechender Funde wird z. B. von Wolf-Schwenninger & Schwenninger (1992) dokumentiert. Funde liegen auch von Waldlichtungen und aus Waldrandsituationen mit „Störstellen" des Bodens, etwa freigelegtem Kalkschotter, vor.

Gefährdung und Schutz: *A. curta* ist bundesweit (Stand 2015) ungefährdet, wurde in Bad.-Württ. (Stand 2005) aber in die Vorwarnliste aufgenommen, da ihre bevorzugten Standorte teils durch Eutrophierung, Pflegeaufgabe, rasche Begrünung von „Störstellen", Flächenkonversion von Industriebrachen und Infrastrukturanlagen sowie Rekultivierung, Sukzession und Aufforstung von Abbaugebieten rückläufig sind. Die Art kann insbesondere von der verstärkten Berücksichtigung der Ansprüche von Laufkäfern junger Pionierstadien bei der Abbau- und Rekultivierungsplanung sowie bei der Offenhaltung trockener Magerstandorte profitieren, wie für andere gefährdete Arten bereits beschrieben.

Amara curta besiedelt bevorzugt Bereiche mit offenen Felsen oder skelettreichen, mageren Böden, wie hier in einem Steinbruch der Schwäbischen Alb.

Amara equestris

(Duftschmid, 1812)
Plumper Kamelläufer

Allgemeine Verbreitung: Westpaläarktisch verbreitete Art, in Europa fehlt sie in Teilen Süd-, Nordwest- und Nordeuropas. Sie ist in Deutschland weitestgehend flächendeckend in geeigneten Lebensräumen vertreten und weist nur im Norden und äußersten Süden kleinere Verbreitungslücken auf.

Vorkommen in Baden-Württemberg: Landesweit relativ weit verbreitet, fehlt aber vollständig oder größtenteils in den Sandgebieten des nördlichen Oberrhein-Tieflands, in den großflächig walddominierten Bereichen von Schwarzwald und Schwäbischem Keuper-Lias-Land sowie im Voralpinen Hügel- und Moorland (dort mit Ausnahme des westlichen Bodenseegebiets).

Lebensweise und Habitat: Art mit vollständig entwickelten Hinterflügeln (makropter), von der nach Auswertungsstand keine Flugbeobachtung vorliegt. Nahrungsgeneralistin. Paarung und Eiablage (schwerpunktmäßig) im Sommer und Larvalentwicklung ab Sommer/Herbst. Aktive Imagines wurden in Bad.-Württ. nach den ausgewerteten Daten zwischen April und November registriert, mit einem Aktivitätsmaximum im August und September. In Nordeuropa wurden frisch geschlüpfte Imagines der als Larvalüberwinterin angegebenen Art im Juni gefunden, Larven vor allem von März bis Juni, einzeln aber auch im September (LINDROTH 1992).

Amara equestris. Foto: O. Bleich.

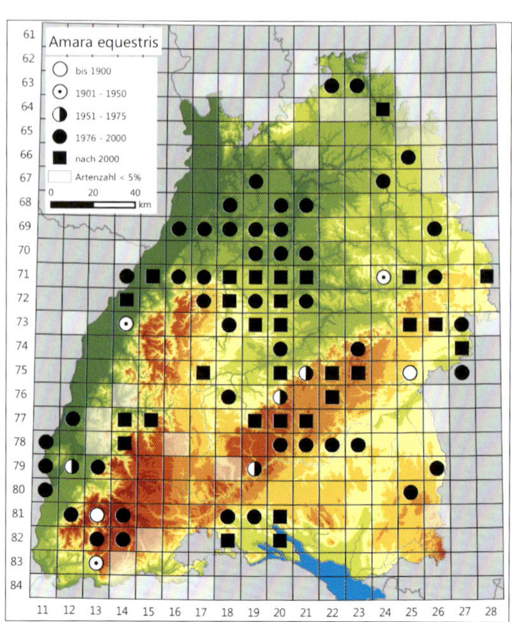

A. equestris tritt vor allem im Grünland frischer bis trockener, meist etwas magerer Standorte bis hin zu Halbtrockenrasen auf (Letzteres z. B. bei SCHMID 1965a: „am Südhang des Kornbühl bei Salmendingen“). Zudem liegen Funde aus Ackerbegleitstrukturen (Stufenraine, Ackerbrachen), von Ruderalflächen und von sonnenexponierten Waldrändern mit grasigen Saumstrukturen vor. *A. equestris* ist keine Art vegetationsarmer Standorte. Sie besiedelt vielmehr bevorzugt wiesen- oder rasenartige Vegetationsbestände, die allerdings stellenweise lückig ausgebildet sein können. Als typische Fundstellen können magere Stufenraine mit nicht zu dichter, grasiger Vegetation zwischen Äckern, Wiesen in südost- bis südwestexponierter Hanglage sowie z. B. magere Straßenböschungen mit Vegetation der Salbei-Glatthaferwiesen oder deren jüngeren Brachestadien genannt werden.

Gefährdung und Schutz: *A. equestris* ist bundesweit (Stand 2015) ungefährdet und steht in Bad.-Württ. (Stand 2005) auf der Vorwarnliste. Als Gefährdungsursachen kommen insbesondere eine einerseits zu intensive Grünlandnutzung, andererseits die Nutzungsaufgabe geeigneter Standorte mit Verbrachung und anschließender Gehölzentwicklung infrage. Erhaltung und Förderung magerer Grünlandstandorte bei extensiver Nutzung im frischen bis trockenen Standortbereich stellt den wichtigsten Schutzansatz dar.

Amara erratica

(Duftschmid, 1812)

Gebirgs-Kamelläufer

Amara erratica.

Allgemeine Verbreitung: Zirkumpolar und arktoalpin verbreitete Art, die in Mitteleuropa nur in Gebirgs- und höheren Mittelgebirgslagen vertreten ist. In Deutschland ist sie auf Alpen und Alpenrand, den Schwarzwald, die östlichen Mittelgebirge und kleine Teile der westlichen Mittelgebirge beschränkt, wobei sie im Norden den Harz erreicht.

Vorkommen in Baden-Württemberg: Landesweit ausschließlich in den hochmontanen bis subalpinen Lagen des Schwarzwalds vorkommend, insgesamt nur wenige Nachweise. Die Art ist sowohl aus dem Südschwarzwald (Feldberg- und Belchengebiet, s. Horion 1951a, Baum 1989) als auch aus dem Nordschwarzwald (Hornisgrinde, Hochflächen um den Wilden See; s. Gladitsch 1978, Trautner et al. 1998) belegt. Die alten Angaben v. d. Trappens (1930) für einige Gebiete in Württemberg (u.a. Stuttgart) waren bereits von Horion (1959a) als falsch beurteilt worden und gingen, soweit prüfbar, auf Fehlbestimmungen zurück.

Lebensweise und Habitat: Flugfähige (makroptere) Art. Nahrungsgeneralistin. Paarung und Eiablage zu unterschiedlichen Jahreszeiten. Der vollständige Entwicklungszyklus wird aber nach Bílý (1975) nur von derjenigen Generation innerhalb eines Jahres durchlaufen, deren Eier im Mai und Juni gelegt wurden. Larven aus später abgelegten Eiern überwintern und beenden erst im folgenden Jahr die Entwicklung. Für Angaben zu Phänologie und Aktivitätsmaximum liegen keine ausreichenden Daten aus Bad.-Württ. vor. Die hiesigen Funde stammen, soweit dokumentiert, aus den Monaten Mai bis Juli. Dies korrespondiert gut mit phänologischen Angaben von Harry et al. (2011) aus den Allgäuer Alpen, wonach *A. erratica* einen deutlichen Aktivitätspeak im Juni zeigt, ihre Aktivität bereits im Juli stark abfällt und sie danach kaum noch imaginal auftritt.

A. erratica kommt in montanen bis subalpinen Heiden und Matten vor, die dokumentierten Funde liegen – möglicherweise mit Ausnahme desjenigen von Hartmann (1924: Fahler Halde bei Todtnau) – in Höhen über 1000 m ü. NHN. Harry & Höfer (2010) fanden *A. erratica* in ihrem Untersuchungsgebiet der Allgäuer Hochalpen besonders häufig in Lägerrispen-Beständen (*Poa supina*), kaum dagegen in dichten, von Rasen-Schmielen (*Deschampsia cespitosa*) dominierten Grasfluren und in geringerer Aktivitätsdichte in weiteren Gesellschaften wie Borstgrasrasen. Beweidung in den Hochlagen, die neben einer allgemeinen Offenhaltung auch Tritt- und Lägergesellschaften begünstigt, scheint daher für den Bestandserhalt der Art als essenziell anzusehen. Ob *A. erratica* in Bad.-Württ. gleiche Lebensraumschwerpunkte wie in den Allgäuer Hochalpen hat oder ggf. auch Lebensraumtypen des Anhangs I der FFH-Richtlinie eine größere Rolle spielen (u.a. Lebensraumtyp *6230: Artenreiche Borstgrasrasen), sollte durch weitere Untersuchungen geklärt werden.

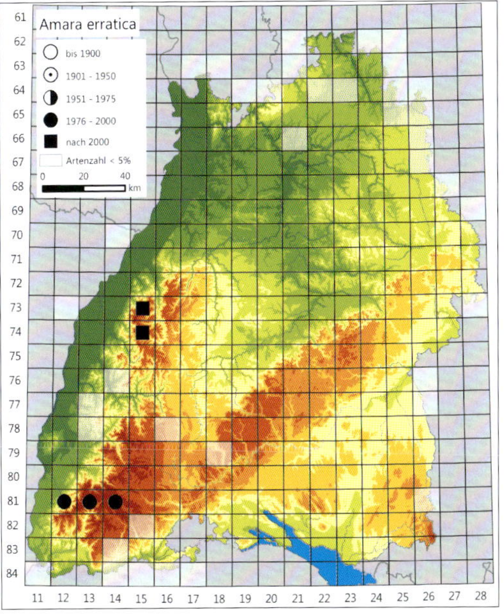

Beweidete Bereiche in den Hochlagen des Schwarzwalds sind für die Bestandserhaltung von *Amara erratica* essenziell.

Gefährdung und Schutz: *A. erratica* ist bundesweit (Stand 2015) und in Bad.-Württ. (Stand 2005) gefährdet und als Naturraumart des Informationssystems Zielartenkonzept Bad.-Württ. (Stand 2009) eingestuft. Möglicherweise ist auf Basis der geringen Fundzahl, des Rückgangs geeigneter Lebensräume durch Nutzungsaufgabe von Weidfeldern und Sukzession sowie aufgrund zukünftiger klimatischer Veränderungen im Rahmen einer Fortschreibung der landesweiten Roten Liste eine höhere Gefährdungseinstufung angebracht. Erhaltung und Förderung einer extensiven Beweidung in den Hochlagen des Schwarzwalds, einschließlich der Zurückdrängung von bereits erfolgten Gehölzsukzessionen in ehemaligen Weidfeldern, sind wichtige Maßnahmen zum Bestandserhalt der Art in Bad.-Württ.

Amara eurynota

(Panzer, 1797)

Großer Kamelläufer

Allgemeine Verbreitung: Westpaläarktisch verbreitete Art, in Nordeuropa teilweise fehlend, in Nordamerika eingeschleppt (Bousquet 2012). Sie ist in Deutschland weitestgehend flächendeckend in geeigneten Lebensräumen vertreten und weist nur im Norden und im äußersten Süden kleinere Verbreitungslücken auf.

Vorkommen in Baden-Württemberg: Landesweit relativ verbreitet, allerdings mit teils deutlich unterschiedlicher Häufigkeit und Funddichte. Fehlt weitestgehend im Voralpinen Hügel- und Moorland sowie in den großflächig walddominierten Gebieten des Schwarzwalds und in Teilen des Schwäbischen Keuper-Lias-Landes. Die geringe Funddichte im Nordosten des Landes geht vermutlich auf Erfassungsdefizite zurück.

Lebensweise und Habitat: Flugfähige (makroptere) und überwiegend pflanzenfressende Art, die in der Vegetation beim Verzehr von milchreifen Samen, etwa des Gewöhnlichen Hirtentäschels (*Capsella bursa-pastoris*) beobachtet werden kann (Burmeister 1939). Paarung und Eiablage in Nordeuropa nach Lindroth (1992) im Sommer und Larvalentwicklung ab Sommer/Herbst. Aktive Imagines wurden in Bad.-Württ. nach den ausgewerteten

Amara eurynota.

Daten zwischen April und Oktober registriert, mit einem Aktivitätsmaximum im Mai und Juni, oft aber auch im September. Unausgefärbte Jungtiere wurden von August bis Oktober registriert. Dies deutet auf eine in unserem Gebiet (vorwiegende) Frühjahrs- oder Frühsommerfortpflanzung mit Larvalentwicklung im Frühjahr und Sommer hin.

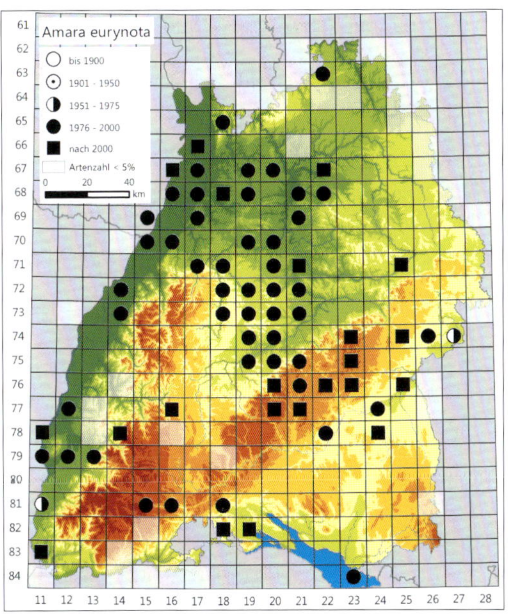

Amara eurynota besiedelt unter anderem nutzungsbegleitende Brachen in ackerbaulich geprägten Landschaften. Flächen wie die hier gezeigte, auf denen zeitweise landwirtschaftliche Geräte und Materialien gelagert werden und dabei gelegentliche „Störungen“ der Bodenvegetation erfolgen, kann eine hohe Bedeutung für *A. eurynota* und weitere Offenlandarten zukommen.

A. eurynota tritt schwerpunktmäßig in offenen Begleitstrukturen der Acker- und Weinbaulandschaften (vor allem in jüngeren Brachen) sowie in Ruderalfluren und Pioniergesellschaften z. B. der Abbaugebiete auf. Typische Fundorte sind bei Baehr (1980) beschrieben: „auf sehr spärlich bewachsener, lehmiger Abraumhalde des [...] Steinbruchs und an unbewachsenen, tonigen Stellen am [...] Baggersee". Hinzu kommen neu angelegte Saumstrukturen in einer Agrarlandschaft des Kraichgaus (Kubach 1995, Spies 1998). Darüber hinaus liegen Funde z. B. von Halbtrockenrasen und Sandrasen vor.

Gefährdung und Schutz: *A. eurynota* ist bundesweit (Stand 2015) ungefährdet und wird in Bad.-Württ. (Stand 2005) in der Vorwarnliste geführt. Ihre Habitate sind durch intensive acker- und weinbauliche Nutzung bei häufig geringem Bracheanteil, durch rasche Begrünung von „Störstellen" sowie durch direkten Flächenverlust bei der Umwandlung von Industriebrachen und Infrastrukturanlagen und durch Rekultivierung, Sukzession oder Aufforstung von Abbaugebieten rückläufig. Dem soll insbesondere durch die Förderung von jungen Brachen in Anbausystemen des Acker- und Weinbaus sowie die verstärkte Berücksichtigung ihrer Ansprüche bei der Abbau- und Rekultivierungsplanung entgegengewirkt werden.

Amara famelica. Foto: O. Bleich.

Amara famelica

Zimmermann, 1832

Nordöstlicher Kamelläufer

Allgemeine Verbreitung: Westpaläarktisch und dabei jedenfalls im westlichen Europa diskontinuierlich verbreitete Art, in Nordeuropa teilweise fehlend. Sie war in Deutschland früher weit verbreitet, ist aber heute aufgrund der westlichen Arealrandlage und starker Bestandsrückgänge nur (noch) lokal und diskontinuierlich vertreten, wobei sie ihren Verbreitungsschwerpunkt in Ostdeutschland (Brandenburg, Sachsen-Anhalt, Sachsen) hat.

Vorkommen in Baden-Württemberg: In neuerer Zeit (nach 1950) nur punktuell in Nordbaden (zwei einzelne, bereits über 25 Jahre alte Funde, Schmitt in lit.) sowie in der Donau-Iller-Lech-Platte im Wurzacher Ried nachgewiesen. Der von Mossakowski (1973) publizierte Fund zahlreicher Individuen aus dem Gebiet des Wurzacher Rieds war zunächst als fraglich eingestuft worden, da es keinerlei weitere Hinweise auf ein ehemaliges oder aktuelles Vorkommen der Art in diesem Raum gab. Allerdings konnte das Belegmaterial dankenswerter Weise überprüft und bestätigt werden (t. Trautner). Neuere Funde liegen nicht vor. Die alte Angabe von Keller (1864) für Reutlingen ist unglaubwürdig und wurde daher nicht in die Datenbank aufgenommen, ebenso hatten sich einzelne weitere zwischenzeitliche Meldungen als fraglich oder unzutreffend herausgestellt. Die Angaben Hartmanns (1924) für das südliche Oberrhein-Tiefland wurden vor dem Hintergrund der späteren nordbadischen Meldungen aber für die Datenbank berücksichtigt.

Lebensweise und Habitat: Flugfähige (makro-

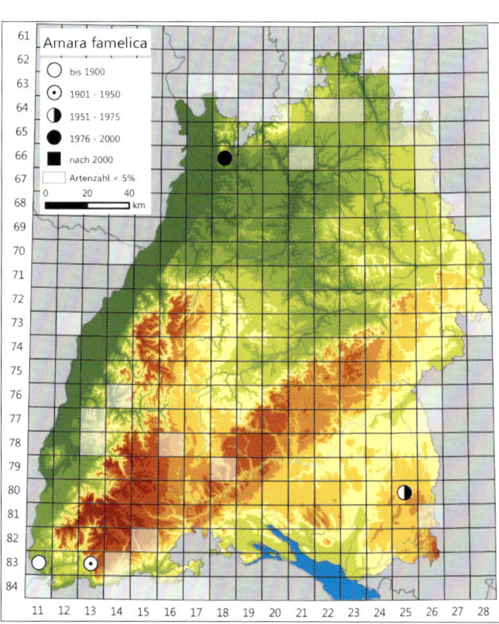

ptere) Art. Nahrungsgeneralistin. Paarung und Eiablage (schwerpunktmäßig) im Frühjahr und Larvalentwicklung ab Frühjahr/Sommer. Für Angaben zu Phänologie und Aktivitätsmaximum liegen keine ausreichenden Daten vor.

A. famelica wurde von MOSSAKOWSKI (1973) bei Fallenfängen im Jahr 1968 individuenreich (> 40 Ind.) auf abgestorbenen Torfen in einem abgetorften Areal südwestlich des Riedsees bei Bad Wurzach festgestellt. Dieser wird als „oligotropher bis mesotropher Sekundärstandort" mit einem „Wechsel von vegetationsfreien und bewachsenen Flächen mit *Calluna*- oder *Molinia*-Dominanz" beschrieben (MOSSAKOWSKI 1973). In anderen vom selben Autor untersuchten Bereichen des Wurzacher Rieds gelangen keine Nachweise, ebenso wenig in späteren Untersuchungen ab den 1990er Jahren. Das Habitat in der beschriebenen Form existiert heute nicht mehr; zu anderen (ehemaligen) Fundstellen in Bad.-Württ. liegen keine vergleichbar genauen Charakterisierungen vor. Bundesweit ist *A. famelica* schwerpunktmäßig der Fauna der Trockenlebensräume, der Primär- und Weißdünen im Küstenbereich, der (verheideten) Hochmoore sowie der Feucht- und Sumpfheiden zuzurechen, wo sie aber überall nur in geringer Funddichte vertreten ist (s. GAC 2009). Ob *A. famelica* in Bad.-Württ. möglicherweise als charakteristische Art bestimmter Lebensraumtypen des Anhangs I der FFH-Richtlinie infrage kommen könnte, ist vor dem Hintergrund der bisherigen Daten nicht zu klären; zudem ist kein aktuelles Vorkommen bekannt.

Gefährdung und Schutz: *A. famelica* ist bundesweit (Stand 2015) stark gefährdet, in Bad.-Württ. (Stand 2005) wurde eine Gefährdungseinstufung aufgrund der damals ungeklärten Verbreitungssituation nicht vorgenommen. Nachdem frühere Nachweise bestätigt sind und keine Wiederfunde gelangen, sollte die Art im Rahmen einer Fortschreibung der landesweiten Roten Liste als ausgestorben oder verschollen eingestuft werden. Handlungsbedarf wird vor diesem Hintergrund derzeit nicht gesehen.

Amara familiaris.

Amara familiaris

(Duftschmid, 1812)

Gelbbeiniger Kamelläufer

Allgemeine Verbreitung: Paläarktisch verbreitete Art, in nahezu ganz Europa vertreten, in Nordamerika eingeschleppt (BOUSQUET 2012). Sie kommt in Deutschland flächendeckend in geeigneten Lebensräumen vor.

Vorkommen in Baden-Württemberg: Landesweit verbreitet, lediglich in den walddominierten Hochlagen des Schwarzwalds teils nicht vertreten; fehlende Nachweise in der Verbreitungskarte sind ansonsten als Erfassungslücken, i. d. R. aber nicht als ein tatsächliches Fehlen zu interpretieren.

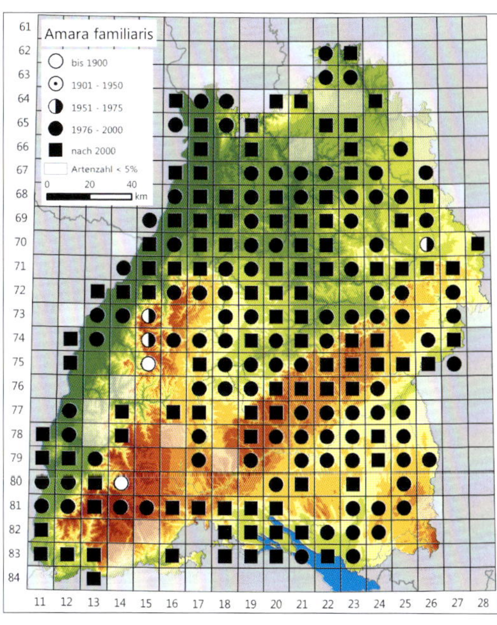

Lebensweise und Habitat: Flugfähige (makroptere) und pflanzenfressende Art. Von *A. familiaris* sind zwar Fraßbeobachtungen sowohl an Insekten als auch an unterschiedlichen Pflanzenteilen und Samen bekannt (vgl. LAROCHELLE 1990). Nach SASKA (2008) pflanzte sich die Art im Laborversuch aber nur dann erfolgreich fort, wenn sich unter dem getesteten Nahrungsangebot auch Samen der Gewöhnlichen Vogelmiere (*Stellaria media*) befanden. Paarung und Eiablage (schwerpunktmäßig) im Frühjahr und Larvalentwicklung ab Frühjahr/Sommer. Aktive Imagines wurden in Bad.-Württ. nach den ausgewerteten Daten zwischen März und November registriert, mit einem Aktivitätsmaximum im Mai und Juni.

A. familiaris ist eine häufige, eurytope Offenlandart, die in hoher Aktivitätsdichte sowohl in acker- und weinbaulich genutzten Landschaften als auch im Grünland mit den jeweils typischen Begleitstrukturen auftritt, zudem unter anderem in Ruderalflächen. Sie dringt auch in Wald-Offenland-Übergangsbereiche und lichte Wälder vor, erreicht dort aber i. d. R. keine hohen Aktivitätsdichten.

Gefährdung und Schutz: *A. familiaris* ist weder bundesweit (Stand 2015) noch in Bad.-Württ. (Stand 2005) gefährdet. Aufgrund der weiten Verbreitung mit Auftreten in unterschiedlichen Lebensraumtypen des Offenlands ist auch keine zukünftige Gefährdung absehbar. Kein Handlungsbedarf.

Amara fulva

(O.F. Müller, 1776)

Gelber Kamelläufer

Allgemeine Verbreitung: Westpaläarktisch verbreitete Art, in fast ganz Europa vorkommend, in Nordamerika eingeschleppt (BOUSQUET 2012). In Deutschland ist sie großteils in geeigneten Lebensräumen stet vertreten und weist nur im Süden kleinere Verbreitungslücken auf.

Vorkommen in Baden-Württemberg: Schwerpunktmäßig in sandigen Lebensräumen des Oberrhein-Tieflands verbreitet. Vereinzelte Nachweise aus anderen Naturräumen.

Lebensweise und Habitat: Flugfähige (makroptere), als Larve pflanzenfressende Art. Die Larven sammeln nach KOLESNIKOV & MALUEVA (2015) Samen des Floh-Knöterichs (*Persicaria maculosa*). Paarung und Eiablage (schwerpunktmäßig) im

Amara fulva.

Sommer und Larvalentwicklung ab Sommer/Herbst. Aktive Imagines wurden in Bad.-Württ. nach den ausgewerteten Daten zwischen April und September registriert. Für die Angabe eines Aktivitätsmaximums in Bad.-Württ. liegen keine ausreichenden Daten vor, die meisten Fundmeldungen stammen hier aber aus den Monaten Juni bis August. Bei Untersuchungen in einem Gebiet in Russland fanden KOLESNIKOV & MALUEVA (2015) aktive Imagines zwischen Juni und Oktober, mit einem Aktivitätsgipfel im August. Die Eiablage erfolgte dort zwischen Mitte Juli und Ende September, und Larvenaktivität wurde von der zwei-

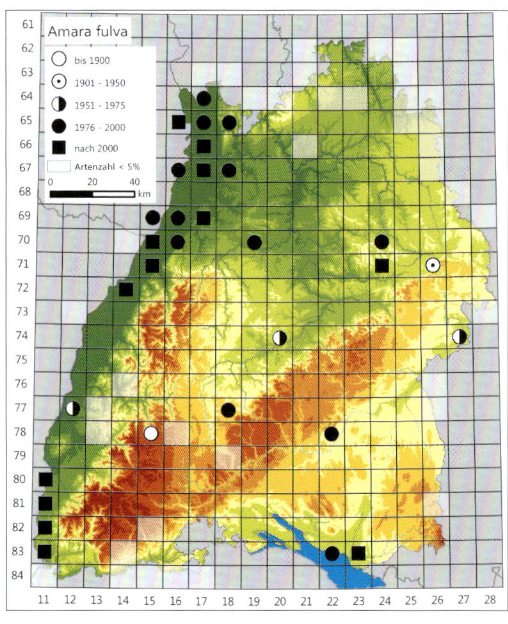

Offene, vegetationsarme Sande stellen den Lebensraum von *Amara fulva* dar. Entsprechende Bedingungen kommen etwa an Flussufern (in Baden-Württemberg kaum noch solche Habitate), in Abbaugebieten oder, wie im Bild gezeigt, an Binnendünen vor.

ten Augusthälfte bis in den Oktober nachgewiesen. Sowohl Imagines als auch Larven überwintern (Kolesnikov & Malueva 2015).

A. fulva tritt in Bad.-Württ. heute schwerpunktmäßig in Binnendünen (z. B. Büche 1994: offene Sande und Sandrasen) sowie in vergleichbaren Standorten in Abbaugebieten und Brachen in Industrie- oder Infrastrukturflächen auf. Dabei werden nicht ausschließlich (reine) Sandstandorte besiedelt. Vielmehr liegen auch Funde von sandigkiesigen Böden und aus Lehm- oder Tongruben mit höherem Anteil an lehmigem Substrat vor (z. B. Breunig & Trautner 1996: ehemalige Tongrube Mühlacker). Die Lebensräume sind besonnt und meist durch einen hohen Anteil offenen, vegetationsfreien Bodens gekennzeichnet, weisen aber auch mosaikartig dichtere Vegetationsinseln auf. Die Imagines sind tagsüber oft im Sand vergraben, häufig zwischen Gras- oder anderen Pflanzenwurzeln. Aus anderen Regionen Deutschlands ist *A. fulva* verstärkt auch von Uferzonen naturnaher Fließgewässer mit entsprechenden Auflandungen oder ausgedehnteren, vegetationsarmen Bänken und Uferzonen dokumentiert. Für Bad.-Württ. liegen solche Nachweise aufgrund der überwiegend schlechten Ufersituation an Fließgewässern nur vereinzelt vor (z. B. Hartmann 1924); im Bereich der Isteiner Schwellen am südlichen Oberrhein konnte sie allerdings individuenreich auf höher gelegenen, voll besonnten Uferbänken mit sandigem Substrat festgestellt werden (eigene Daten). Kolesnikov & Malueva (2015) stellten in ihrem Untersuchungsgebiet, der Uferbank eines Flusses, fest, dass die Larven dort überwiegend im Boden unter ihren offenbar bevorzugten Futterpflanzen (s. o.) in direkter Ufernähe überwintern, während die Imagines Überwinterungsorte im Bereich der Uferbank-Zone aufsuchen, die etwas weiter vom Wasser entfernt sind.

Gefährdung und Schutz: *A. fulva* ist bundesweit (Stand 2015) ungefährdet, wurde in Bad.-Württ. (Stand 2005) aber als Art der Vorwarnliste eingestuft und ist Naturraumart des Informationssystems Zielartenkonzept Bad.-Württ. (Stand 2009). Als Gefährdungsursachen kommen insbesondere der Ausfall bestandserhaltender Nutzungen oder Pflegemaßnahmen mit nachfolgender Sukzession (bei Verlust von offenen Bodenstellen), direkte Flächeninanspruchnahme bei der Konversion von Industrie- und Infrastrukturflächen sowie Rekultivierung, Aufforstung oder Sukzession in Abbaugebieten in Betracht. In mehreren Fällen ist das

Erlöschen lokaler Populationen nach Rekultivierung von Abbaugebieten belegt. Dem sollte insbesondere durch eine verstärkte Berücksichtigung der Ansprüche der Art bei der Abbau- und Rekultivierungsplanung sowie durch einen verstärkten Schutz der Binnendünen (mit besonderer Berücksichtigung offener Sandstandorte) entgegengewirkt werden; bei entsprechendem Substrat und einer ausreichenden Dynamik und Größe relevanter Flächen kann die Art auch von Renaturierungsmaßnahmen an Fließgewässern profitieren.

Amara fulvipes

(Audinet-Serville, 1821)
Braunfüßiger Kamelläufer

Allgemeine Verbreitung: Europäische Art, die im Südosten Kleinasien erreicht und in Nord- und Nordwesteuropa fehlt. Aus Deutschland liegen aktuell nur meist Einzelmeldungen aus dem Südwesten (Rheinland-Pfalz, Saarland, Baden-Württemberg) vor, während vereinzelte zusätzliche historische Meldungen auch aus Hessen und Sachsen stammen.

Vorkommen in Baden-Württemberg: Lokal vor allem im Oberrhein-Tiefland (Ausmeier 1998, Bense et al. 2000) nachgewiesen. Zudem punktuelle Nachweise im äußersten Süden der Neckar- und Tauber-Gäuplatten (Alb-Wutach-Gebiet), im Taubergebiet sowie im Raum Heidelberg. Ein alter Fund liegt vom Bodensee vor (Horion 1941: 1 Ex. bei Überlingen, leg. Jünger).

Lebensweise und Habitat: Art mit vollständig entwickelten Hinterflügeln (makropter), von der nach

Amara fulvipes.

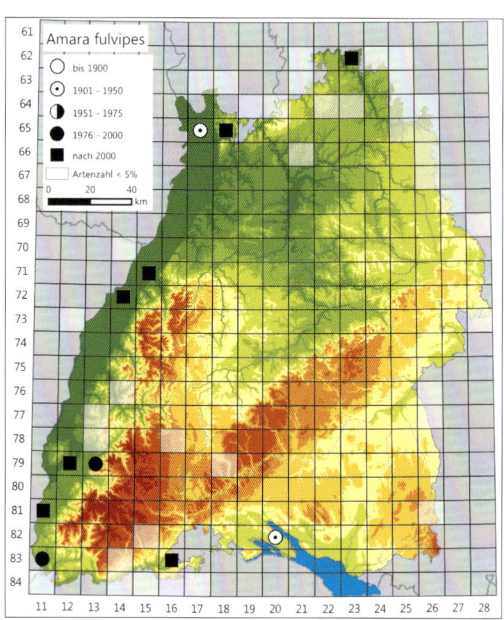

Auswertungsstand keine Flugbeobachtung vorliegt. Pflanzenfressende Art. Aktive Imagines wurden in Bad.-Württ. nach den ausgewerteten Daten zwischen Mai und August registriert, für die Angabe eines Aktivitätsmaximums liegen keine ausreichenden Daten vor. Der Fund von Ausmeier (1998) im April weist auf ein Tier im Winterquartier hin: „auf einem Trockenrasen mit Moospolstern. Unter diesen saß die Art auf der Unterseite, eine sog. ‚Überwinterungsnische'."

A. fulvipes wurde – soweit dokumentiert – nahezu ausschließlich in Trocken- und Halbtrockenrasen festgestellt; daneben liegen Einzelfunde aus trockenen bis frischen, grasdominierten Brachen an Böschungen vor, die allenfalls fragmentarisch Halbtrockenrasenvegetation aufwiesen. Die Mehrzahl der Funde stammt aus den Trockenstandorten im südlichen Oberrhein-Tiefland (Bense et al. 2000), die aufgrund der stetigen und teils individuenreichen Nachweise als vermutlich bundesweit bedeutsamstes Vorkommen eingeschätzt wurden. *A. fulvipes* kommt daher für Bad.-Württ. als charakteristische Art von Trockenrasen-Lebensraumtypen (*6110, 6210 sowie *6240) des Anhangs I der FFH-Richtlinie infrage.

Gefährdung und Schutz: *A. fulvipes* ist bundesweit (Stand 2015) stark gefährdet, in Bad.-Württ. (Stand 2005) ist die Art vom Aussterben bedroht und Landesart A des Informationssystems Zielartenkonzept Bad.-Württ. (Stand 2009). Als Gefähr-

Lebensraum von *Amara fulvipes* in der sogenannten „Trockenaue“ im südlichen Oberrhein-Tiefland. Hier tritt eine Reihe weiterer extrem seltener und gefährdeter Arten auf.

dungsursachen kommen insbesondere der Ausfall bestandserhaltender Nutzungen oder Pflegemaßnahmen mit nachfolgender Sukzession in Betracht. Wie bereits bei *Poecilus kugelanni* (S. 323) ausgeführt, ist von essenzieller Bedeutung, dass für den Schwerpunktraum der Trockenstandorte am südlichen Oberrhein weiterhin und langfristig geeignete Pflege- und Entwicklungsmaßnahmen gesichert werden. Diese sollen darauf abzielen, in einem großräumigen Verbund karge Trockenrasen mit sehr lückiger Bodenvegetation und nach Möglichkeit mit Beweidung bereitzustellen und dabei auch die bereits erfolgte Gehölzsukzession mittels Initialmaßnahmen großflächig zurückzudrängen.

Amara fusca

Dejean, 1828

Brauner Sand-Kamelläufer

Allgemeine Verbreitung: Westpaläarktisch verbreitete Art, die in Nord- und Nordwesteuropa weitestgehend fehlt. Die Art kommt in Deutschland lokal von Baden-Württemberg im Südwesten nach Nordosten bis zur Küste Mecklenburg-Vorpommerns vor, wobei sie ihren Verbreitungsschwerpunkt in den nordöstlichen Bundesländern hat und in weiten Teilen West- und Nordwestdeutschlands sowie Bayerns fehlt. Horion (1941) ging von einer Ausbreitung der Art gegenüber dem

Amara fusca. Foto: E. Wachmann.

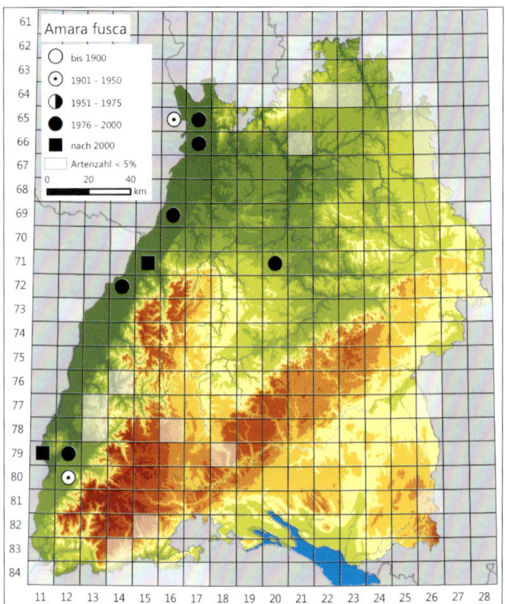

19. Jahrhundert aus und schreibt, sie sei „seit ca. 1900 auch in West- u[nd] Süddeutschl[and] viel häufiger aufgetreten als im vorigen Jahrhundert".
Vorkommen in Baden-Württemberg: Landesweit nahezu ausschließlich im Oberrhein-Tiefland verbreitet. Die alte Angabe v. d. Trappens (1930) für Cannstatt nach Döttling ist unbelegt (s. Horion 1959a) und zweifelhaft und wurde nicht in die Datenbank übernommen, allerdings wurde die Art später im mittleren Neckarraum in einem Bahnareal nachgewiesen (eigene Daten).
Lebensweise und Habitat: Art mit vollständig entwickelten Hinterflügeln (makropter), von der nach Auswertungsstand keine Flugbeobachtung vorliegt. Paarung und Eiablage (schwerpunktmäßig) im Frühjahr und Larvalentwicklung ab Frühjahr/Sommer. Aktive Imagines wurden in Bad.-Württ. nach den ausgewerteten Daten zwischen Mai und Oktober registriert, für die Angabe eines Aktivitätsmaximums liegen keine ausreichenden Daten vor.

A. fusca wurde in Sandrasen (Büche 1994, Trautner & Reck 1989), auf Ruderalflächen und Industriebrachen (z. B. im Karlsruher Hafengebiet, eigene Daten), in rebflächenbegleitenden Strukturen des Kaiserstuhls (u. a. Kobel-Lamparski & Schanowski, in lit.) sowie in Halbtrockenrasen nachgewiesen. Die Standorte weisen – soweit dokumentiert – einen sandigen, sandig-kiesigen Untergrund oder Lößboden auf, sind sonnenexponiert und zeigen eine zumindest stellenweise lückige Vegetation. Im Kaiserstuhl wurde die Art im Blütenstand von Feld-Beifuß (*Artemisia campestris*) fressend angetroffen (Kobel-Lamparski, in lit.),
Gefährdung und Schutz: *A. fusca* ist bundesweit (Stand 2015) ungefährdet, in Bad.-Württ. (Stand 2005) war eine Gefährdungseinstufung wegen der zum damaligen Zeitpunkt ungeklärten Verbreitungssituation nicht vorgenommen worden. Aufgrund der relativ wenigen Funde und der Lebensräume sollte bei Fortschreibung der landesweiten Roten Liste eine Einstufung als gefährdete Art diskutiert werden. Mögliche Gefährdungsursachen sind insbesondere Sukzession in trockenwarmen Offenland-Lebensräumen bei Aufgabe bestandserhaltender Nutzungen oder Pflegemaßnahmen sowie direkte Flächeninanspruchnahme bei der Konversion von Industrie- und Infrastrukturflächen.

Amara gebleri
Dejean, 1831
Geblers Kamelläufer

Allgemeine Verbreitung: Von Nord- und Mitteleuropa bis Westsibirien verbreitet. In Deutschland stark diskontinuierlich vertretene Art, die punktuell aus fast allen Bundesländern gemeldet wird.
Vorkommen in Baden-Württemberg: Bislang nur im Oberrhein-Tiefland nachgewiesen (u. a. Wolf-Schwenninger & Schwenninger 1992, Schanowski & Schiel 2004).

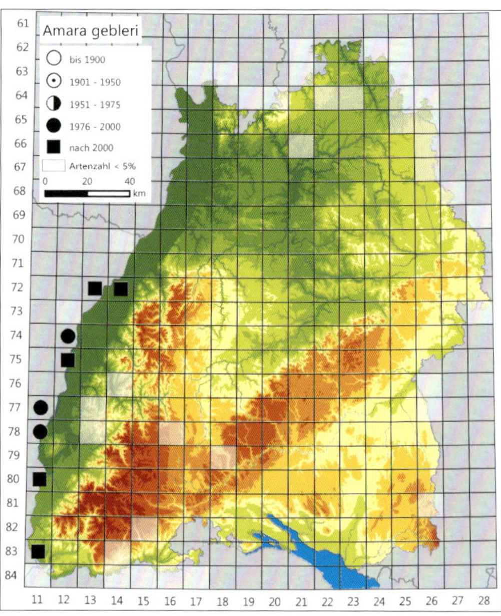

Amara gebleri. Foto: O. Bleich.

Lebensweise und Habitat: Art mit unterschiedlicher Flügelausbildung (dimorph bzw. polymorph), von der nach Auswertungsstand der Nachweis eines Exemplars beim Lichtfang (SKALE & WEIGEL 1997) auf die Flugfähigkeit makropterer Individuen hinweist. Pflanzenfressende Art. Paarung und Eiablage (schwerpunktmäßig) im Sommer/Herbst, aus dem Norden Deutschlands liegt aus dem Monat September die Beobachtung eines Pärchens in Kopula vor (KIELHORN 2013). Die baden-württembergischen Funde stammen u. a. aus dem September. Für nähere Angaben zu Phänologie und Aktivitätsmaximum liegen keine ausreichenden Daten vor.

A. gebleri wurde in Bad.-Württ. zunächst in je einem Exemplar in Bodenfallen an einem beschatteten Flachufer des Restrheins gefangen, und zwar auf sandigem bzw. sandig-kiesigem Substrat in einem Silberweidenwald (WOLF-SCHWENNINGER & SCHWENNINGER 1992). Einen weiteren Nachweis teilen SCHANOWSKI & SCHIEL (2004) aus einem Bereich der ausgedeichten ehemaligen Rheinaue mit, der bei hohen Rheinwasserständen überstaut wird. Später gelangen im Oberrhein-Tiefland weitere Funde (SCHANOWSKI in lit.). Nach neueren Daten aus anderen Regionen Deutschlands scheint die Art typisch für eutrophe Standorte in Ufernähe, wenngleich nicht darauf beschränkt. KIELHORN (2013) stellte im Erpetal bei Berlin einen Vorkommensschwerpunkt in den fruchtenden Brennesselbeständen (*Urtica dioica*) am Ufer dieses Gewässers fest. Er verweist auch darauf, dass die Tiere in Bodenfallen offenbar kaum erfasst werden, wichtig sei „das Abklopfen der Vegetation, das sich abgesehen von der direkten Nachsuche als erfolgreichste Nachweismethode erwiesen hat“ (KIELHORN 2013).

Gefährdung und Schutz: *A. gebleri* ist bundesweit (Stand 2015) ungefährdet. In Bad.-Württ. (Stand 2005) reichen die vorliegenden Informationen nicht aus, um zu beurteilen, ob eine Gefährdung vorliegen könnte (Kategorie D, Daten defizitär). Aufgrund der jedenfalls bisher anzunehmenden regionalen Beschränkung des Vorkommens wurde sie als Naturraumart des Informationssystems Zielartenkonzept Bad.-Württ. (Stand 2009) eingestuft. Auch nach aktueller Datenlage hat sich hierzu keine Veränderung ergeben. Ausgehend von den Funden im südlichen Oberrhein-Tiefland sollte eine gezielte Nachsuche erfolgen, um die Verbreitungssituation der Art in Bad.-Württ. zu klären. Dies erscheint allerdings aus naturschutzfachlichen Gesichtspunkten gegenüber anderen Arten mit sicher höherer Gefährdungsdisposition nachrangig.

Amara infima

(Duftschmid, 1812)

Heide-Kamelläufer

Allgemeine Verbreitung: Westpaläarktisch verbreitete Art, in größeren Teilen Nord- und Nordwesteuropas sowie im größten Teil Südeuropas aber fehlend. Sie ist trotz kleinerer Verbreitungslücken vor allem in der nördlichen Hälfte Deutschlands weit verbreitet, während sie in großen Teilen Mittel- (Hessen, Thüringen) sowie Süd- und Südwestdeutschlands (Baden-Württemberg, Bayern, Rheinland-Pfalz) nur sporadisch vorkommt oder fehlt.

Amara infima.

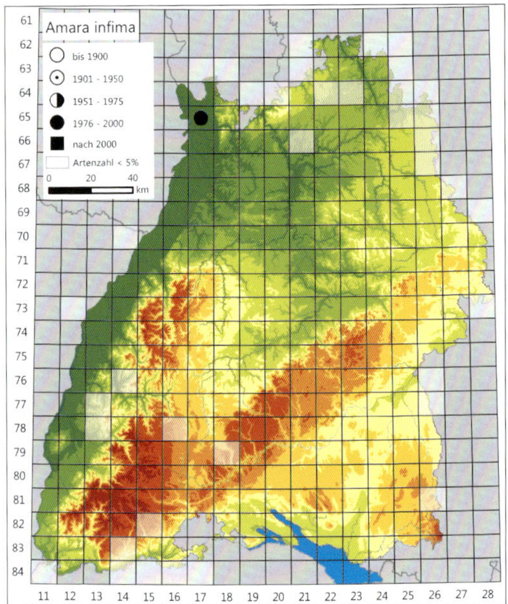

Vorkommen in Baden-Württemberg: Nur wenige gesicherte Nachweise aus einem eng begrenzten Gebiet bei Schwetzingen im nördlichen Oberrhein-Tiefland. Ein Vorkommen im Alb-Wutach-Gebiet, aus dem Schmid (1965b) die Art meldet, ist ausgesprochen unwahrscheinlich, weshalb diese Meldung nicht in die Datenbank aufgenommen wurde, ebenso wenig wie die alte Angabe Kellers (1864) für Reutlingen.

Lebensweise und Habitat: Art mit unterschiedlicher Flügelausbildung (dimorph bzw. polymorph), von der nach Auswertungsstand keine Flugbeobachtung vorliegt. Pflanzenfressende Art. Paarung und Eiablage (schwerpunktmäßig) im Frühjahr und Larvalentwicklung ab Frühjahr/Sommer. In Nordeuropa wurde die Art in einem Gebiet bei Göteborg nur im Winterhalbjahr in sehr großer Anzahl gefangen (Lindroth 1992); unausgefärbte Imagines werden von dort für Juli und September angegeben. Pütz (1999) schreibt auf Basis ganzjähriger Fallenfänge aus einem nordostdeutschen Untersuchungsgebiet, dass die dort mit insgesamt über 80 Individuen gefangene *A. infima* „ihre größte Abundanz in den Wintermonaten zu haben [scheint], in den Monaten Mai bis September wurde diese Art nur in geringen Stückzahlen nachgewiesen“. In Bad.-Württ. wurden aktive Imagines nach den ausgewerteten Daten von April bis Juni sowie im Oktober registriert (bei insgesamt geringer Fangzahl und fehlenden Fallenfängen im Winter), für die Angabe eines Aktivitätsmaximums liegen keine ausreichenden eigenen Daten vor.

A. infima tritt sehr lokal im Gebiet der nordbadischen Binnendünen auf. Ihr dortiger Lebensraum wurde von Wolf-Schwenninger (1990)

Lebensraum von *Amara infima* im nördlichen Oberrhein-Tiefland. Solche Strukturen sind durch Aufgabe habitatprägender Nutzungen oder Pflegemaßnahmen hochgradig bedroht.

erstmals kurz, als unbewaldetes Areal mit Heidekraut-Beständen (*Calluna vulgaris*) charakterisiert. Wolf-Schwenninger & Schwenninger (1992) präzisieren dann die Fundumstände „an offenen Stellen zwischen *Calluna vulgaris*". Die Art ist bundesweit als stenotope Bewohnerin von Sandheiden, Sandmagerrasen sowie Zwergstrauchheiden auf sonstigem kalkarmen Substrat benannt (GAC 2009) und erreichte z. B. in den von Heitjohann (1974) untersuchten Sandgebieten der Senne ihre höchsten Aktivitätsdichten in *Calluna*-Heiden. Sie ist als charakteristische Art des Lebensraumtyps 2310 (Binnendünen mit Heiden) des Anhangs I der FFH-Richtlinie einzustufen.

Gefährdung und Schutz: *A. infima* ist bundesweit (Stand 2015) gefährdet, in Bad.-Württ. (Stand 2005) aber vom Aussterben bedroht und Landesart A des Informationssystems Zielartenkonzept Bad.-Württ. (Stand 2009). Ihr Lebensraum im nördlichen Oberrhein-Tiefland ist offenbar eng begrenzt. Trotz umfangreicher Untersuchungen in diversen Binnendünen-Gebieten dieses Raums (s. u. a. Büche 1994) wurde sie bislang nur in einem lokal sehr eng umgrenzten Areal nachgewiesen und ist dort auf die Beibehaltung und Ausdehnung bestandserhaltender Nutzungen oder Pflegemaßnahmen mit regelmäßigen, bodenverwundenden Störungen angewiesen, die die ausschlaggebenden Lebensraumbedingungen erhalten. Aufgrund der nur geringen Größe der dort noch als Habitat geeigneten Flächen erscheint eine deutliche Ausdehnung der offenen Heidebestände einschließlich der Rücknahme von Gehölzsukzession oder früheren Aufforstungen dringend erforderlich.

Amara kulti

Fassati, 1947

Kults Kamelläufer

Allgemeine Verbreitung: Europäische Art, die im Südwesten Nordafrika erreicht sowie in Nord- und Nordwesteuropa weitestgehend fehlt. In Deutschland bei größeren Verbreitungslücken vorwiegend in der Westhälfte, in weiten Teilen Mittel-, Ost- und Südostdeutschlands fehlend.

Vorkommen in Baden-Württemberg: Schwerpunkt im planaren bis collinen Bereich des westlichen und nordwestlichen Baden-Württembergs mit Oberrhein-Tiefland, Odenwald und Teilen der Neckar- und Tauber-Gäuplatten. Daneben vor allem in neuerer Zeit mehrere Funde im Bodensee-

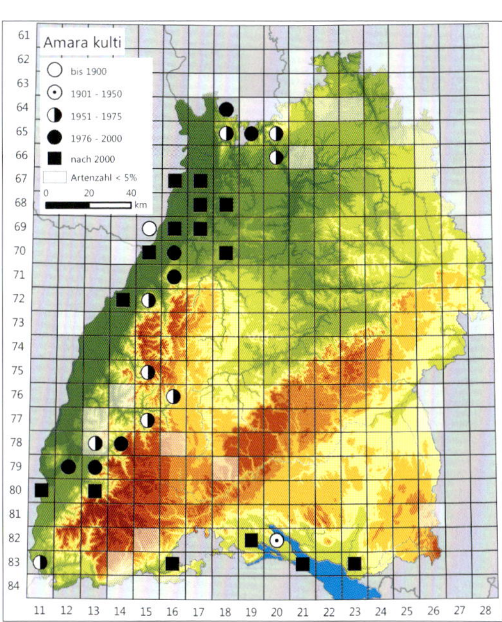

gebiet (Teil des Voralpinen Hügel- und Moorlands) sowie meist einzeln – mit zum Teil nur älteren Funden – in wenigen anderen Naturräumen.

Lebensweise und Habitat: Flugfähige (makroptere) Art. Pflanzenfressende Art, die vor allem im Juni individuenreich auf den Blütenständen von Gräsern beim Fressen der unreifen Samen angetroffen werden kann. In Nordwestdeutschland wurden die Art dabei bislang ausschließlich auf dem Wolligen Honiggras (*Holcus lanatus*) beobachtet (Schäfer 2004). Der genannte Autor ermittelte dort das Geschlechterverhältnis und zeigte, „dass es sich bei den auf Gräsern sitzenden Individuen zu einem Großteil um Weibchen handelte, während in den Bodenfallen ein ausgewogenes Geschlechterverhältnis bestand [...]." Die Beeinflussung des Fortpflanzungserfolgs durch pflanzliche Ernährung, wie sie in unterschiedlichen Arbeiten beispielsweise bei *A. similata* oder *Harpalus rufipes* beobachtet wurde, deutet sich auch hier an (Bracht Jørgensen & Toft 1997a, b; Schäfer 2004). Funde aus Bad.-Württ. stammen aus den Monaten April bis September, wobei sich eine Häufung im Juni andeutet. Auch für das Saarland (eigene Daten) und Nordwestdeutschland (Schäfer 2004) weisen die Angaben auf einen Aktivitätsschwerpunkt im Juni hin.

A. kulti tritt überwiegend im Grünland mittlerer Standorte mit seinen typischen, offenen Begleitstrukturen sowie an sonnenexponierten Waldsäu-

Amara kulti. Foto: C. Benisch.

men auf; daneben liegen Funde u. a. von grasigen Waldlichtungen und von grasreichen Brachen u. a. in Abbau-, Acker- und Weinberggebieten vor.

Gefährdung und Schutz: *A. kulti* ist sowohl bundesweit (Stand 2015) als auch in Bad.-Württ. (Stand 2005) ungefährdet. Aufgrund des Auftretens in unterschiedlichen und teils ungefährdeten Lebensraumtypen des Offenlands ist trotz der eingeschränkten naturräumlichen Verbreitung – bei zudem wahrscheinlicher Ausbreitungstendenz – auch keine zukünftige Gefährdung absehbar. Kein Handlungsbedarf.

Amara littorea

Mannerheim, 1843

Strand-Kamelläufer

Allgemeine Verbreitung: Paläarktisch verbreitete Art, in Nord-, Nordwest- und Südwesteuropa aber fehlend. Sie erreicht ihre westliche Arealgrenze in der Oberrheinebene (Baden-Württemberg) und dem Sauerland (Nordrhein-Westfalen), weist ihren Verbreitungsschwerpunkt in Mittel- und Ostdeutschland (südliches Niedersachsen, Thüringen, Sachsen-Anhalt, Sachsen) auf und fehlt in großen Teilen West-, Nord- und Südostdeutschlands.

Vorkommen in Baden-Württemberg: Funde konzentrieren sich auf das südliche Bad.-Württ. vom

Amara littorea. Foto: O. Bleich.

westlichen Bodenseegebiet (Teil des Voralpinen Hügel- und Moorlands) über Teile der südlichen Neckar- und Tauber-Gäuplatten und der Schwäbischen Alb bis hin zu südlichen Ausläufern des Schwäbischen Keuper-Lias-Landes; darüber hinaus nur vereinzelte Nachweise.

Lebensweise und Habitat: Art mit vollständig entwickelten Hinterflügeln (makropter), von der nach Auswertungsstand keine Flugbeobachtung vorliegt. Nahrungsgeneralistin. Aktive Imagines wurden in Bad.-Württ. nach den ausgewerteten Daten zwischen April und Juli registriert, bei einem Fund aus dem Februar dürfte es sich um ein Tier im

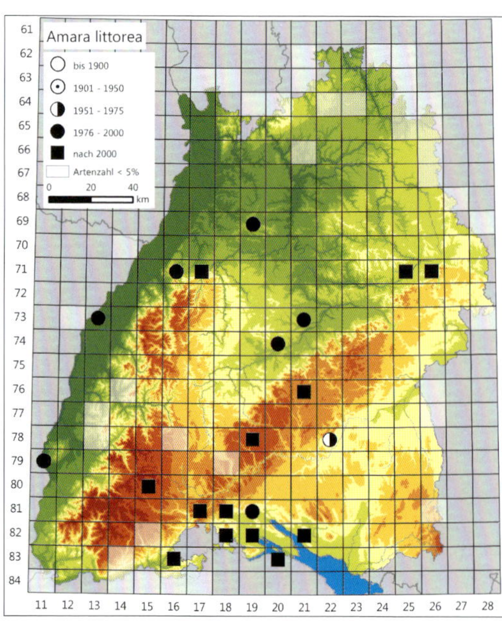

Winterquartier gehandelt haben. Für die Angabe eines Aktivitätsmaximums liegen keine ausreichenden Daten vor.

A. littorea tritt in weitgehend offenen, grasreichen Lebensräumen auf. Funde stammen, soweit dokumentiert, vor allem aus dem mittleren Grünland, von Magerrasen sowie aus kurzlebigen Ruderalfluren und Ackerbrachen. Wolf-Schwenninger & Schwenninger (1992) fingen sie z.B. in einer brachgefallenen Streuobstwiese, und Szallies (2001) berichtet von einem Fang in Anzahl an einem Fundort, der als „feuchte Ackerbrache mit stellenweise fetter Humuserde" beschrieben wird.

Gefährdung und Schutz: *A. littorea* ist bundesweit (Stand 2015) ungefährdet, in Bad.-Württ. (Stand 2005) wurde unter Berücksichtigung der bis dahin sehr geringen Fundzahl und der Fundumstände (meist extensiv genutzte Flächen oder Begleitstrukturen von Nutzflächen) eine Gefährdung angenommen (Kategorie G). Auch nach aktuellem Stand ist eine Gefährdung nicht auszuschließen, allerdings liegen keine ausreichenden Daten für eine weitergehende Bewertung vor. Die Art dürfte von einer Förderung offener Begleitstrukturen in Acker- und Grünlandgebieten profitieren, wie sie bereits für andere gefährdete Arten als wichtiges Ziel formuliert wurde. Ein zusätzlicher Handlungsbedarf wird nicht gesehen.

Amara lucida

(Duftschmid, 1812)

Leuchtender Kamelläufer

Allgemeine Verbreitung: Westpaläarktisch verbreitete Art, im größten Teil Nord- und Nordwesteuropas fehlend. Sie ist bundesweit trotz größerer Verbreitungslücken in Mittel- und Süddeutschland weit verbreitet.

Vorkommen in Baden-Württemberg: Schwerpunkt im planaren bis collinen Bereich von Teilen der Neckar- und Tauber-Gäuplatten sowie im Oberrhein-Tiefland, zudem am westlichen Bodensee (Hegau, Teil des Voralpinen Hügel-und Moorlandes) an mehreren Stellen nachgewiesen. Ein einzelner Nachweis im Schwarzwald.

Lebensweise und Habitat: Flugfähige (makroptere) Art. Nahrungsgeneralistin. Paarung und Eiablage (schwerpunktmäßig) im Frühjahr und Larvalentwicklung ab Frühjahr/Sommer. Aktive Imagines wurden in Bad.-Württ. nach den ausgewerteten Daten zwischen April und September

Amara lucida. Foto: C. Benisch.

registriert. Für die Angabe eines Aktivitätsmaximums liegen keine ausreichenden Daten vor.

A. lucida tritt schwerpunktmäßig in Magerrasen, in Weinberggebieten (dort in jungen Brachen und Begleitstrukturen der Rebflächen), in Abbaugebieten sowie im Grünland mittlerer bis trockener Standorte auf, wobei eine zumindest stellenweise lückige und kurzrasige Vegetation bevorzugt wird. Typisch sind die von Wolf-Schwenninger & Schwenninger (1992) beschriebenen Fundumstände von mehreren Exemplaren auf einer offenen, innerstädtischen Flugsanddüne sowie in einem „Sandrasen in Waldlichtung auf sandig-kiesigem Rohboden".

Gefährdung und Schutz: *A. lucida* ist bundesweit (Stand 2015) eine Art der Vorwarnliste und in

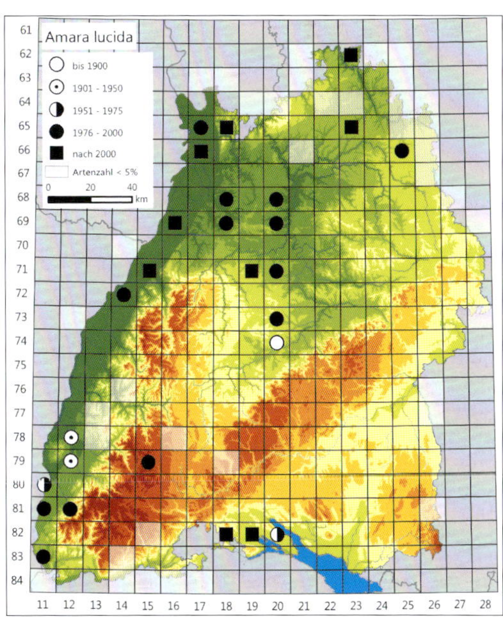

Bad.-Württ. (Stand 2005) als stark gefährdet eingestuft. Sie ist zudem Landesart B des Informationssystems Zielartenkonzept Bad.-Württ. (Stand 2009). *A. lucida* benötigt magere Lebensräume mit nicht zu dichter, grasiger Vegetation und offenen Bodenstellen in voll bis überwiegend besonnter Lage und ist daher insbesondere durch direkte Inanspruchnahme entsprechender Standorte (etwa im Rahmen von Rebflurbereinigungen), durch Eutrophierung sowie die Aufgabe oder Reduktion bestandserhaltender Nutzungen und Pflegemaßnahmen gefährdet. Die Sicherung und Wiederausdehnung entsprechender Lebensräume muss ggf. eine Rücknahme bereits erfolgter Gehölzsukzession einschließen. Es ist davon auszugehen, dass die Art insbesondere durch mehrjährige Brachen in Acker- und Weinbaugebieten innerhalb ihrer Verbreitungsschwerpunkte auf geeigneten Standorten gefördert werden kann. Entsprechende Maßnahmen sollten vorgesehen werden.

Amara lunicollis.

Amara lunicollis

Schiödte, 1837

Dunkelhörniger Kamelläufer

Allgemeine Verbreitung: Paläarktisch verbreitete Art, in Südeuropa teilweise fehlend. Sie kommt in Deutschland flächendeckend in geeigneten Lebensräumen vor.

Vorkommen in Baden-Württemberg: Landesweit verbreitet, fehlende Nachweise in der Verbreitungskarte sind als Erfassungslücken, i. d. R. aber nicht als ein tatsächliches Fehlen zu interpretieren.

Lebensweise und Habitat: Flugfähige (makroptere) und pflanzenfressende Art. Als Nahrungsbasis ihrer Imagines wurden in einem Heidegebiet im gesamten Jahresverlauf mit einem Anteil von über 40 % *Calluna*-Samen festgestellt (Melber 1983); die verbreitete Art ist aber nicht auf diese Pflanze beschränkt. Bei Thiele (1977) den Arten mit > 45 % Tagaktivität zugeordnet. Paarung und Eiablage (schwerpunktmäßig) im Frühjahr und Larvalentwicklung ab Frühjahr/Sommer. Aktive Imagines wurden in Bad.-Württ. nach den ausgewerteten Daten zwischen März und November registriert, mit einem Aktivitätsmaximum im Mai.

A. lunicollis weist einen deutlichen Vorkommensschwerpunkt im Grünland des vorwiegend mittleren Standortbereichs und seiner typischen Begleitstrukturen auf, tritt darüber hinaus aber in einer Vielzahl weiterer Biotoptypen überwiegend des Offenlands auf und dringt auch in meist geringer Individuenzahl in Wald-Offenland-Ökotone und in Wälder vor.

Gefährdung und Schutz: *A. lunicollis* ist weder bundesweit (Stand 2015) noch in Bad.-Württ. (Stand 2005) gefährdet. Aufgrund der weiten Verbreitung mit Auftreten in unterschiedlichen, zum

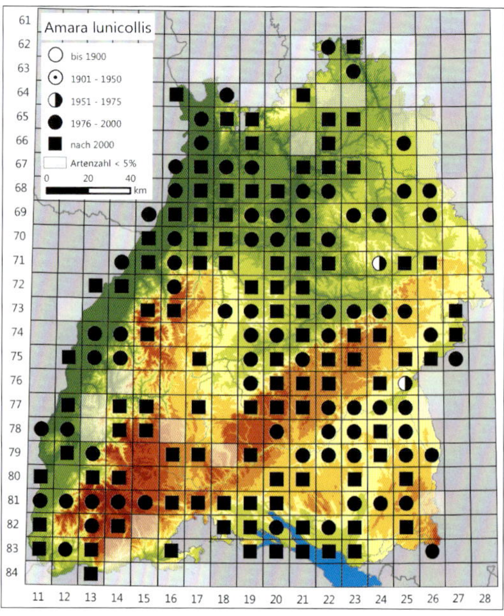

größeren Teil auch ungefährdeten Lebensraumtypen überwiegend des Offenlands ist auch keine zukünftige Gefährdung absehbar. Kein Handlungsbedarf.

Amara majuscula

(Chaudoir, 1850)
Östlicher Kamelläufer

Allgemeine Verbreitung: Paläarktisch verbreitete Art mit östlichem Schwerpunkt, die im Süden und Westen Europas sowie in Teilen Nordeuropas weitgehend fehlt. Die Art ist in Deutschland weit, jedoch von Osten nach Süden und Westen zunehmend lückiger verbreitet und gelangt in Südwestdeutschland an ihre westliche Arealgrenze.

Vorkommen in Baden-Württemberg: Wenige Nachweise vor allem aus dem nördlichen Landesteil. Ein Teil der Nachweise stammt aus Lichtfängen. Möglicherweise ist die Art mit den ansonsten vorrangig angewendeten Fangmethoden (Bodenfallen- und Handfang) unterrepräsentiert.

Lebensweise und Habitat: Flugfähige (makroptere) Art. Aktive Imagines wurden in Bad.-Württ. nach den ausgewerteten Daten überwiegend im Juli und August registriert (teils aus Lichtfängen, s. o.), für weitergehende Angaben zu Phänologie und Aktivitätsmaximum liegen keine ausreichenden Daten vor.

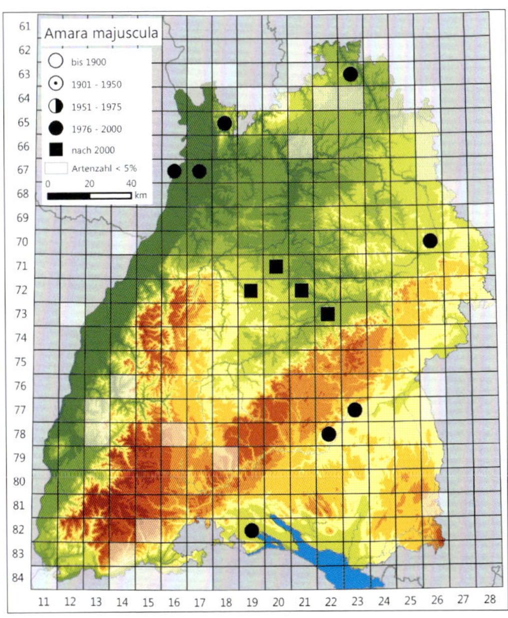

Amara majuscula. Foto: O. Bleich.

A. majuscula wurde in Biotopen der weitgehend offenen Kulturlandschaft mittlerer bis trockener Standorte nachgewiesen, sowohl in Äckern mit ihren typischen Begleitstrukturen als auch in Sonderkulturen, in Grünlandbereichen sowie in Abbaugebieten. Ob es sich tatsächlich um eine eher eurytope Offenlandart handelt, ist mit den vorliegenden Daten nicht zu klären.

Gefährdung und Schutz: *A. majuscula* ist weder bundesweit (Stand 2015) noch in Bad.-Württ. (Stand 2005) gefährdet. Hinweise auf eine aktuelle Gefährdung liegen nicht vor, auch ist keine zukünftige Gefährdung absehbar. Kein Handlungsbedarf.

Amara makolskii

Roubal, 1923
Makolskis Kamelläufer

Allgemeine Verbreitung: Wohl eurosibirisch verbreitete Art. In Deutschland ist ihre Verbreitung aufgrund des erst in jüngerer Zeit allgemein akzeptierten Status als valide Art noch unzureichend dokumentiert. Die meisten bisherigen Nachweise stammen hier aus dem Ostteil Deutschlands sowie aus Nordrhein-Westfalen.

Vorkommen in Baden-Württemberg: Zuletzt im mittleren Schwarzwald im Rahmen einer Untersuchung zu Pflegemaßnahmen in der Weidbergwirtschaft nachgewiesen (1 Ex. 2010, Bodenfallenfang, leg. Rietze, t. Schäfer; s. Persohn et al. 2012). Einzelne ältere Nachweise stammen aus dem Schwäbischen Keuper-Lias-Land sowie aus dem südöstlichen Bad.-Württ. Von einer weiteren Verbreitung ist auszugehen.

Amara makolskii. Foto: W. Paill.

Lebensweise und Habitat: Art mit vollständig entwickelten Hinterflügeln (makropter), von der nach Auswertungsstand keine Flugbeobachtung vorliegt. Als Imago überwiegend pflanzenfressende Art, deren Larven aber zur Gruppe der insektenfressenden *Amara*-Präimaginalstadien gezählt werden (Hůrka & Jarošík 2001). Für Angaben zu Phänologie und Aktivitätsmaximum liegen keine ausreichenden Daten vor.

A. makolskii ist nach derzeitiger Datenlage als waldbewohnende Art einzustufen. Der neueste Fund aus dem Rohrhardsberggebiet im mittleren Schwarzwald stammt aus einem dichten Sukzessionswald mit Eichen, Birken und Hasel in südexponierter Hanglage. Dies korrespondiert mit Angaben anderer Autoren (z. B. Burakowski 1967, Müller-Kroehling 2013b) sowie eigenen Daten aus Brandenburg, wo die Art jeweils in Waldbeständen mit Birken (*Betula* spec.) festgestellt wurde. Schäfer (2007) nennt Gehölzbestände mit Birken oder niederwaldartiger Nutzung als Fundstellen. Müller-Kroehling (2013b) schreibt: „*A. makolskii* kann sowohl auf mineralischen als auch organischen Böden unterschiedlich starker Beschattung siedeln, denen eine Beteiligung von Birken gemeinsam ist." Die von ihm genannten bayerischen Lebensräume sind einerseits Labkraut-Eichen-Hainbuchenwälder (Galio sylvatici-Carpinetum) im weiteren Sinne, andererseits Moorgehölze, die überwiegend auf verheideten Hochmoorstandorten wachsen und bei denen Birken Anteile von 5 % bis teils über 40 % an der Baumschicht ausmachen. Der Sukzessionswald, in dem *A. makolskii* zuletzt in Bad.-Württ. nachgewiesen wurde, ist im Fundumfeld von Hasel dominiert und liegt innerhalb einer Rinderweide. Die anderen, etwas älteren Funde der Art in Baden-Württemberg (leg. Bräunicke, Rietze und Reck), die sich bei der Überprüfung eigenen Sammlungsmaterials unter *A. communis* fanden (u. a. aus dem Wurzacher Ried), lassen sich entweder nicht mehr sicher einer bestimmten Habitatausstattung zuordnen oder stammen aus nährstoffärmeren Bereichen mit Sukzessionsgehölzen im Umfeld. Trotz einer möglichen Koinzidenz von *A.-makolskii*-Funden und dem Vorkommen von Birken, wie eingangs genannt, ist ein direkter Zusammenhang wenig wahrscheinlich. Größere und dauerhafte Birkenbestände finden sich allerdings in erster Linie an eher sauren und nährstoffarmen Standorten, ansonsten treten Birken oft als Pionierbäume in der Sukzession z. B. auf Rohböden auf. Die zentralen Lebensraumansprüche von *A. makolskii* dürften die Präferenz oder Toleranz von Nährstoffarmut und eher sauren Bodenverhältnissen sowie einer zumindest zeitweise und oberflächennah starken Austrocknung beinhalten, bei zugleich zumindest teilweiser Überschirmung durch Bäume.

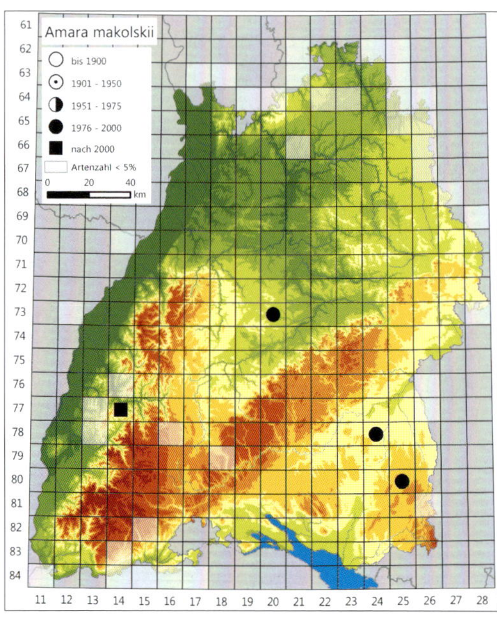

Gefährdung und Schutz: *A. makolskii* ist bundesweit (Stand 2015) ungefährdet. In Bad.-Württ. (Stand 2005) liegt keine Beurteilung der Gefährdungssituation vor, da die Art erst 2010 erstmals (sicher) nachgewiesen wurde. Eine Überprüfung von weiterem Sammlungsmaterial auf eventuell bereits zusätzlich erfolgte Funde wäre wünschenswert, konnte aber aus Aufwandsgründen nicht

Zu den Schwerpunktlebensräumen von *Amara montivaga* in Baden-Württemberg zählt mittleres Grünland mit oder ohne Bäume, z. B. in Streuobstwiesen.

vorgenommen werden. Nach bisherigem Kenntnisstand auch aus anderen Bundesländern (s. o.) ist eine Gefährdung wenig wahrscheinlich, wenngleich in der forstlichen Praxis die von der Art vermutlich bevorzugten Standortverhältnisse und Bestände eher ungewünscht sind und langfristig nach Möglichkeit meist zu anderen Waldbeständen hin entwickelt werden. Der Kenntnisstand zu dieser Art und ihren Habitaten sollte durch gezielte Kontrollen an potenziell geeigneten Standorten verbessert werden.

Amara montivaga

Sturm, 1825

Kahnförmiger Kamelläufer

Allgemeine Verbreitung: Westpaläarktisch verbreitete Art, in Europa schwerpunktmäßig zentraleuropäisch vertreten, in weiten Bereichen Süd-, Nordwest- und Nordeuropas fehlend. In Deutschland gehört sie zu den vom Süden bis zum Nordrand der Mittelgebirge recht verbreiteten Laufkäferarten, fehlt aber weitestgehend im Nord- und Ostdeutschen Tiefland.

Vorkommen in Baden-Württemberg: Landesweit verbreitet; im Voralpinen Hügel- und Moorland, der Donau-Iller-Lech-Platte sowie in den großflächig walddominierten Bereichen des Schwarzwalds aber überwiegend nicht oder nur mit punktuellen Nachweisen vertreten. Fehlende Nachweise in der Verbreitungskarte sind ansonsten als Erfassungslücken, i. d. R. aber nicht als ein tatsächliches Fehlen zu interpretieren.

Lebensweise und Habitat: Flugfähige (makroptere), pflanzenfressende Art. Paarung und Eiablage (schwerpunktmäßig) im Frühjahr und Larvalentwicklung ab Frühjahr/Sommer. Aktive Imagines wurden in Bad.-Württ. nach den ausgewerteten Daten zwischen März und November

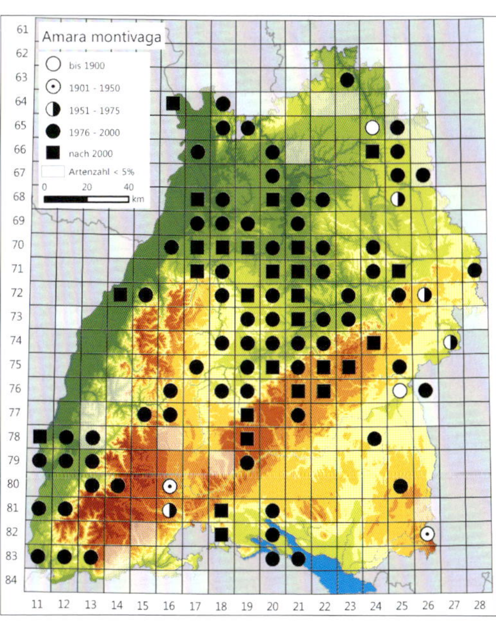

Amara montivaga.

registriert, mit einem Aktivitätsmaximum im Mai.

A. montivaga hat ihr Schwerpunktvorkommen im nicht zu intensiv genutzten Grünland mittlerer Standorte einschließlich offener Begleitstrukturen, wo sie z. B. in typischen Glatthaferwiesen (auch in Obstwiesen) individuenreicher auftreten kann. Zudem besiedelt sie grasreiche Säume und andere Begleitstrukturen in der ackerbaulich geprägten Landschaft und ist in kurzlebigen Ruderalfluren und Pioniergesellschaften (z. B. in Abbaugebieten) anzutreffen. Tendenziell scheint sie Lebensräume zu bevorzugen, die eine gewisse Heterogenität der Krautschicht mit geringen Anteilen an lückigerer Vegetation, insgesamt aber eine Wiesenstruktur/Gräserdominanz aufweisen. Die Lebensräume sind in der Regel voll, zumindest aber überwiegend besonnt. Für eine Einstufung als charakteristische Art artenreicherer Mähwiesen (Lebensraumtypen 6510 und 6520 des Anhangs I der FFH-Richtlinie) erscheint das insgesamt genutzte Habitatspektrum zu breit.

Gefährdung und Schutz: *A. montivaga* ist bundesweit (Stand 2015) wie auch in Bad.-Württ. (Stand 2005) eine Art der Vorwarnliste und zudem Naturraumart des Informationssystems Zielartenkonzept Bad.-Württ. (Stand 2009). Als vorrangige Gefährdungsursachen sind die Verluste an artenreicheren Grünlandgesellschaften sowie offener Begleitstrukturen in Ackerbaugebieten zu sehen. Dem soll maßnahmenseitig entgegengewirkt werden, insbesondere durch die Erhaltung und Förderung einer eher extensiven Grünlandnutzung im mittleren Standortbereich. Im ackerbaulich genutzten Bereich und in weiteren Flächen kann die Art von einer Umsetzung bereits für andere Arten mit dortigen Vorkommensschwerpunkten formulierter Maßnahmen profitieren.

Amara municipalis

(Duftschmid, 1812)

Rehbrauner Kamelläufer

Allgemeine Verbreitung: Paläarktisch verbreitete Art mit nordöstlichem Schwerpunkt, die im Süden und Westen Europas weitgehend fehlt. In Deutschland erreicht sie die westliche Verbreitungsgrenze und fehlt daher mit Ausnahme der Oberrheinebene und einzelner weiterer Bereiche in weiten Teilen Westdeutschlands (u. a. westl. Niedersachsen, Nordrhein-Westfalen, Saarland), während sie in der ostdeutschen Hälfte nordwestlich bis Schleswig-Holstein weit verbreitet ist.

Vorkommen in Baden-Württemberg: Schwerpunkt im Oberrhein-Tiefland, in Teilen des Voralpinen Hügel- und Moorlands (v. a. Hinterland des Bodensees) sowie entlang der Donau. Daneben lokal im Neckar-Einzugsgebiet nachgewiesen.

Lebensweise und Habitat: Flugfähige (makroptere) und räuberische Art. Paarung und Eiablage (schwerpunktmäßig) im Sommer und Larvalentwicklung ab Sommer/Herbst; Lindroth (1992) geht davon aus, dass die Art in Nordeuropa sowohl im Larval- als auch im Imaginalstadium überwintert. *A. municipalis* gehört zu denjenigen Laufkäferarten, deren Entwicklungszyklus nach Bílý (1975) keine drei Larvenstadien umfasst, sondern die sich bereits nach dem zweiten Larvenstadium verpuppen. Aktive Imagines wurden in Bad.-Württ. nach den ausgewerteten Daten zwischen

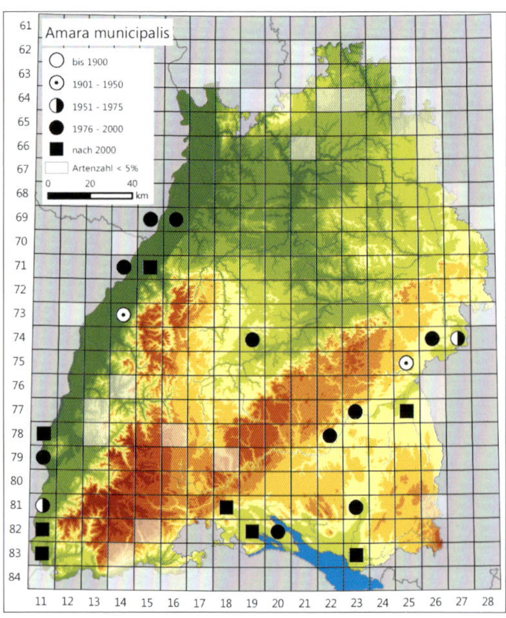

Amara municipalis. Foto: O. Bleich.

April und Juni sowie im September registriert. Für die Angabe eines Aktivitätsmaximums liegen keine ausreichenden Daten vor.

A. municipalis wird vor allem in kurzlebigen Ruderalfluren und Pioniergesellschaften an Standorten in Abbaugebieten nachgewiesen, schwerpunktmäßig in Kiesgruben, aus denen eine Reihe von Funden vorliegt (z. B. Wolf-Schwenninger & Schwenninger 1992: „zeitweise überflutete Senke mit schütter bewachsenem Grob- und Feinkies; Rietze & Trautner 2016, sonstige eigene Daten). Wolf (1937) beschreibt einen Fund in einer Limburgit-Schutthalde im Kaiserstuhl, Baehr (1985) wies sie in einem ehemaligen Gipsbruch im Raum Tübingen nach. Daneben liegen Funde in geringer Zahl – soweit dokumentiert – von anderen Stellen mit zumindest kleinflächig offenem Rohboden (z. B. in Waldrandsituation) und von Binnendünen vor.

Gefährdung und Schutz: *A. municipalis* ist bundesweit (Stand 2015) ungefährdet, in Bad.-Württ. (Stand 2005) aber als gefährdet eingestuft und Naturraumart des Informationssystems Zielartenkonzept Bad.-Württ. (Stand 2009). Ihre Lebensräume sind meist nur temporär in einem günstigen Zustand ausgebildet und zudem rückläufig. Ehemals primäre Habitate sind vor allem in den höher gelegenen, trockenen Bereichen von Wildflusslandschaften mit offenen Kiesen zu sehen, die heute weiträumig verschwunden sind. Gefährdungsursachen sind vor allem für die Art ungünstige Standort- und Sukzessionsentwicklungen in Abbaugebieten im Zuge von deren Rekultivierung oder Nutzungsaufgabe. Dem muss insbesondere

Amara municipalis tritt schwerpunktmäßig auf vegetationsarmen, kiesigen Standorten auf und hat wichtige Sekundärlebensräume in Kiesgruben, wie der hier gezeigten im Bodenseeraum.

durch eine verstärkte Berücksichtigung der Ansprüche der Art bei der Abbau- und Rekultivierungsplanung entgegengewirkt werden.

Amara nitida

Sturm, 1825

Glänzender Kamelläufer

Allgemeine Verbreitung: Paläarktisch verbreitete Art, in größeren Bereichen Süd-, Nordwest- und Nordeuropas fehlend. In Deutschland gehört sie zu den vom Süden bis zum Nordrand der Mittelgebirge recht verbreiteten Laufkäferarten, fehlt aber weitestgehend im Nord- und Ostdeutschen Tiefland.

Vorkommen in Baden-Württemberg: Relativ weit verbreitet, in einzelnen Naturräumen aber nur wenige Nachweise, unter anderem im mittleren und nördlichen Schwarzwald kaum vertreten. Die geringe Funddichte und das weiträumige Fehlen von Nachweisen im Norden und Nordosten Baden-Württembergs ist möglicherweise auf Erfassungsdefizite zurückzuführen.

Lebensweise und Habitat: Art mit vollständig entwickelten Hinterflügeln (makropter), von der nach Auswertungsstand keine Flugbeobachtung vorliegt. Pflanzenfressende Art. Paarung und Eiablage (schwerpunktmäßig) im Frühjahr und Larvalentwicklung ab Frühjahr/Sommer. Aktive Imagines wurden in Bad.-Württ. nach den ausgewerteten Daten zwischen April und September registriert, mit einem Aktivitätsmaximum im Mai.

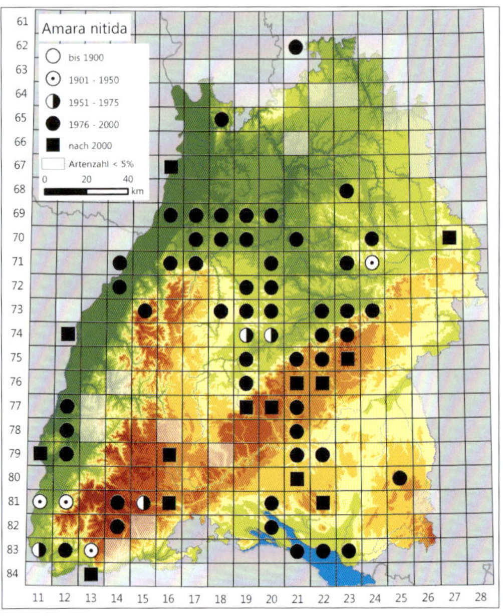

Amara nitida. Foto: S. Hiller.

A. nitida tritt mit deutlichem Schwerpunkt in Wiesen des mittleren bis trockenen Standortbereichs auf (z. B. typische Glatthaferwiese, Salbei-Glatthaferwiese), daneben in Halbtrockenrasen. Funde liegen außerdem zahlreicher aus offenen Begleitstrukturen in Ackerbaugebieten vor (z. B. magere, artenreiche Säume) und vereinzelt aus weiteren Biotoptypen. *A. nitida* wird aufgrund ihres Schwerpunktvorkommens als charakteristische Art der Lebensraumtypen 6510 und 6520 (Flachland- und Berg-Mähwiesen) des Anhangs I der FFH-Richtlinie eingestuft.

Gefährdung und Schutz: *A. nitida* ist bundesweit (Stand 2015) eine Art der Vorwarnliste, in Bad.-Württ. (Stand 2005) ist sie als gefährdet eingestuft und Naturraumart des Informationssystems Zielartenkonzept Bad.-Württ. (Stand 2009). Als wesentliche Gefährdungsursachen sind insbesondere eine zu intensive Grünlandnutzung, zu starke Beschattung (u. a. in Streuobstwiesen mit dichter Baumbepflanzung) oder eine Nutzungsaufgabe geeigneter Standorte mit Verbrachung und anschließender Gehölzentwicklung einzustufen. Zu dichte Baumbestände in geeigneten Streuobstwiesen sollten ggf. wieder aufgelockert und auf eine Nachverdichtung sollte verzichtet werden. Eine Sicherung und Förderung extensiver Grünlandnutzungen im frischen bis trockenen Standortbereich stellt den wichtigsten Ansatz zum Bestandserhalt der Art dar. Zudem könnte diese von einer Förderung besonnter, krautiger Begleitstrukturen in Ackergebieten profitieren, wie sie bereits für andere gefährdete Arten als wichtiges Ziel formuliert wurde.

Amara nitida hat ihr Schwerpunktvorkommen im artenreicheren Grünland, wobei sie gegenüber *A. montivaga* stärker zum trockenen Standortflügel tendiert.

Amara ovata

(Fabricius, 1792)

Ovaler Kamelläufer

Allgemeine Verbreitung: Paläarktisch verbreitete Art, in nahezu ganz Europa vetreten, in Nordamerika eingeschleppt (Bousquet 2012). Sie kommt in Deutschland flächendeckend in geeigneten Lebensräumen vor.

Vorkommen in Baden-Württemberg: Landesweit verbreitet, fehlende Nachweise in der Verbreitungskarte sind als Erfassungslücken, i.d.R. aber nicht als ein tatsächliches Fehlen zu interpretieren.

Lebensweise und Habitat: Flugfähige (makroptere) Art. Nahrungsgeneralistin, die Imagines wahrscheinlich vorzugsweise phytophag. Paarung und Eiablage (schwerpunktmäßig) im Frühjahr und Larvalentwicklung ab Frühjahr/Sommer. Aktive Imagines wurden in Bad.-Württ. nach den ausgewerteten Daten zwischen März und November registriert, mit einem Aktivitätsmaximum im Mai.

A. ovata ist eine eurytope Art mit Schwerpunkt in offenen Lebensräumen des mittleren Standortbereichs, die aber einerseits auch in Wäldern anzutreffen ist und andererseits in meist geringerer Individuendichte in den feuchten Standortflügel etwa im Grünland vordringt. Eine sehr hohe Aktivitätsdichte der Art wurde unter anderem in Rapsfeldern registriert, mit bis zu über 10 Ind./m^2 bei Handaufsammlungen (eigene Daten). Luka et al. (1998) konnten bei mit Trichterfallen durchgeführten Untersuchungen in der Nähe von Basel zeigen, dass *A. ovata* (und *A. similata*) in Rapskulturen im Vergleich zu Winterweizen- und be-

Amara ovata.

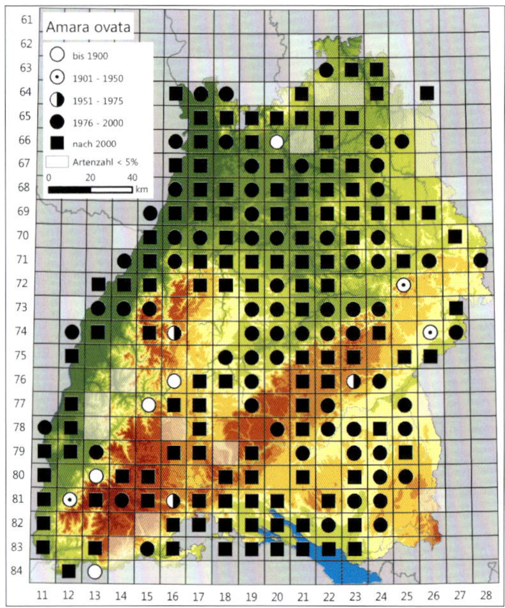

Amara plebeja. Foto: C. Benisch.

stimmten anderen Flächen (auch Buntbrache) eine hohe Aktivitätsdichte aufwiesen. Sie fanden zudem, dass beide Arten Schoten, Samen und Blüten des Rapses fressen.

Gefährdung und Schutz: *A. ovata* ist sowohl bundesweit (Stand 2015) als auch in Bad.-Württ. (Stand 2005) ungefährdet. Aufgrund der weiten Verbreitung mit Auftreten in unterschiedlichen, zum großen Teil ungefährdeten Lebensraumtypen überwiegend des Offenlands ist auch keine zukünftige Gefährdung absehbar. Kein Handlungsbedarf.

Amara plebeja

(Gyllenhal, 1810)

Dreifingriger Kamelläufer

Allgemeine Verbreitung: Paläarktisch verbreitete Art, die nur in Teilen Südeuropas fehlt. Sie kommt in Deutschland flächendeckend in geeigneten Lebensräumen vor.

Vorkommen in Baden-Württemberg: Landesweit mit Ausnahme der großflächig walddominierten Lagen des Schwarzwalds verbreitet. Fehlende Nachweise in der Verbreitungskarte (auch im Nordosten Baden-Württembergs) sind ansonsten als Erfassungslücken, i. d. R. aber nicht als ein tatsächliches Fehlen zu interpretieren.

Lebensweise und Habitat: Flugfähige (makroptere) und pflanzenfressende Art. Paarung und Eiablage (schwerpunktmäßig) im Frühjahr und Larvalentwicklung ab Frühjahr/Sommer. Aktive Imagines wurden in Bad.-Württ. nach den ausgewerteten Daten zwischen März und September registriert, mit einem Aktivitätsmaximum im Mai und Juni.

A. plebeja ist verbreitet, wenngleich regional in unterschiedlicher Häufigkeit und Stetigkeit in Lebensräumen der weitgehend offenen Kulturland-

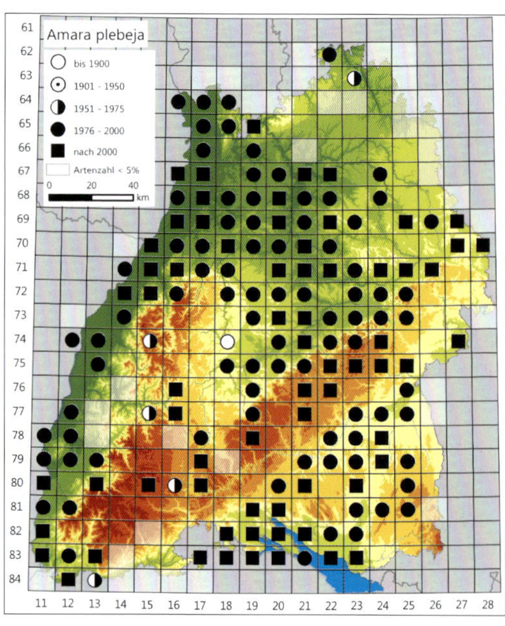

schaft mittlerer Standorte anzutreffen, wobei sie vor allem in Ackergebieten mit ihren typischen Begleitstrukturen auftritt. So wies Spies (1998) sie stet in neu angelegten Saumstrukturen einer Ackerbaulandschaft im Kraichgau nach. Funde liegen aber auch z. B. aus Sandrasen, von Waldlichtungen und Waldrändern, Ruderalflächen sowie aus feuchteren Grünlandstandorten vor. Auch in Wäldern, vor allem Laubwäldern tieferer Lagen, kann sie in i. d. R. niedriger Aktivitätsdichte vertreten sein.

Gefährdung und Schutz: *A. plebeja* ist sowohl bundesweit (Stand 2015) als auch in Bad.-Württ. (Stand 2005) ungefährdet. Aufgrund der weiten Verbreitung mit Auftreten in unterschiedlichen, zum größeren Teil ungefährdeten Lebensraumtypen vorwiegend des Offenlands ist auch keine zukünftige Gefährdung absehbar. Kein Handlungsbedarf.

Amara praetermissa.

Amara praetermissa

(C.R. Sahlberg, 1827)

Verkannter Kamelläufer

Allgemeine Verbreitung: Paläarktisch verbreitete Art, die in Teilen Nord- sowie in weiten Teilen Südeuropas aber fehlt. Sie ist aus allen Regionen Deutschlands lokal und vereinzelt gemeldet, wobei sie einen Verbreitungsschwerpunkt im Osten aufweist (südliches Sachsen-Anhalt, Sachsen, Brandenburg).

Vorkommen in Baden-Württemberg: Nur im südlichen Schwarzwald (Lauterborn 1933, Baum 1989, Hondong et al. 1993) sowie im Donauried im unmittelbaren Grenzbereich zu Bayern (eigene Daten) mit wenigen Fundorten belegt.

Lebensweise und Habitat: Flugfähige (makroptere) Art. Nahrungsgeneralistin. Paarung und Eiablage (schwerpunktmäßig) im Sommer und Larvalentwicklung ab Sommer/Herbst. Aktive Imagines wurden in Bad.-Württ. nach den ausgewerteten Daten im Mai und Juni registriert, für weitergehende Angaben zu Phänologie und Aktivitätsmaximum liegen keine ausreichenden Daten vor.

A. praetermissa tritt auf nährstoffarmen, trockenen und überwiegend bis vollständig besonnten Standorten auf. Hierbei handelt es sich vielfach um Halbtrockenrasen, Heiden oder Borstgrasrasen. Zudem ist die Art aus ruderal beeinflussten Flächen und aus Vorwäldern belegt, dies allerdings nicht oder kaum aus Süddeutschland. In Bad.-Württ. sind Heiden, Borstgrasrasen und möglicherweise weitere magere Grünlandtypen der überwiegend montanen bis subalpinen Lagen als zentrale Habitate einzustufen. Dies korrespondiert mit den Angaben von Harry & Höfer (2010), die *A. praetermissa* in den Allgäuer Hochalpen überwiegend in Borstgrasen fanden. Hondong et al. (1993) wiesen sie in einem Lebensraumkomplex

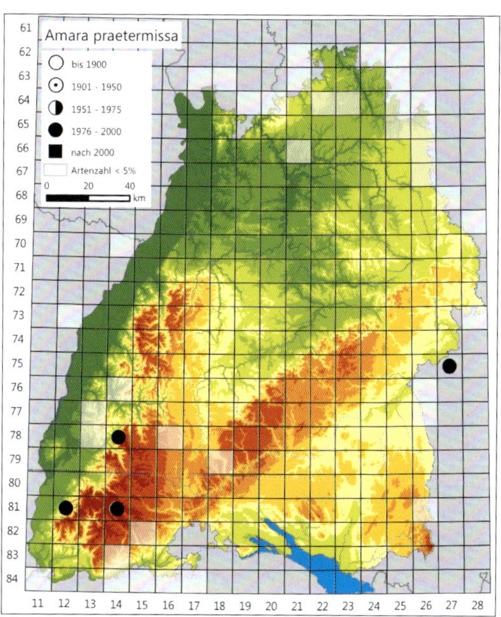

aus einer Magerweide (ehemaliges Reutfeld) mit beweideten Säumen, Besenginster-Brombeergestrüppen und Übergängen zum Niederwald in montaner Lage nach, der jedenfalls in Teilen bereits keinen optimalen Zustand mehr dargestellt haben dürfte (s. u.). Sie wurde im Schwarzwald außerdem u. a. in der Gipfelregion des Belchen (BAUM 1989) nachgewiesen. Bei den von der Art im baden-württembergischen Teil des Donaurieds besiedelten Standorten handelt es sich um Magerrasen auf Wiesenkalken (eigene Daten). *A. praetermissa* kommt in Bad.-Württ. vor allem als charakteristische Art des Lebensraumtyps *6230 (Artenreiche Borstgrasrasen) aus Anhang I der FFH-Richtlinie infrage, möglicherweise auch für bestimmte Ausprägungen des Lebensraumtyps 6210 (Kalk-Magerrasen).

Gefährdung und Schutz: *A. praetermissa* ist bundesweit (Stand 2015) und in Bad.-Württ. (Stand 2005) stark gefährdet und zudem Landesart B des Informationssystems Zielartenkonzept Bad.-Württ. (Stand 2009). Als Gefährdungsursache ist neben einer direkten Flächeninanspruchnahme von Lebensräumen (z. B. durch touristische Anlagen im Feldberggebiet) in erster Linie die Aufgabe bestandserhaltender Nutzungen oder Pflegemaßnahmen wie etwa der Beweidung zu sehen (Rückgang extensiv genutzter Weidfelder). Die Art ist hier insbesondere durch Gehölzsukzession bedroht, wobei bereits vorangehende Brachestadien mit Verfilzung der bodennahen Vegetation zu Rückgängen führen dürften. In Westfalen stellten HANNIG & SCHWERK (1999) bei einer mehrjährigen Untersuchung rückläufige Fangzahlen parallel zur rasch ablaufenden Sukzession und der damit verbundenen Verbuschung einer Bergehalde fest. Darüber hinaus könnten klimatische Veränderungen die Art gefährden. Innerhalb Deutschlands ist von Norden nach Süden eine Tendenz zur montanen bis subalpinen Verbreitung erkennbar, die klimatisch bedingt sein dürfte. Im Schwarzwald ist durch die maximale Höhe des Mittelgebirges bei Erwärmung eine Verschiebung der Lebensraumschwerpunkte in höhere Lagen nicht oder kaum möglich.

Amara proxima

Kult, 1949

Dunkler Kamelläufer

Allgemeine Verbreitung: Pontische Art, die vom Nahen Osten über Südosteuropa und das südliche Mitteleuropa bis Südfrankreich und das östliche Spanien vertreten ist und sich offenbar in Ausbreitung befindet. In Deutschland nur im Süden sehr lokal nachgewiesen.

Vorkommen in Baden-Württemberg: Östliche Schwäbische Alb. Im Rahmen gezielter Erfassungen zu Zönosen von Halbtrockenrasen 2010 am Ipf bei Bopfingen (Naturraum Albuch und Härtsfeld) nachgewiesen (eigene Daten). DYNORT (1995) hatte die Art bereits nach einem Ende der 1970er Jahre gefangenen Tier aus dem Taubertal bei Werbach gemeldet, was allerdings als Verwechslung eingestuft worden war und daher nicht in die Datenbank übernommen wurde.

Lebensweise und Habitat: Art mit vollständig entwickelten Hinterflügeln (makropter), von der nach Auswertungsstand keine Flugbeobachtung vorliegt. Pflanzenfressende Art. Paarung und Eiablage (schwerpunktmäßig) im Frühjahr und Larvalentwicklung ab Frühjahr/Sommer. Aktive Imagines wurden in Bad.-Württ. nach den ausgewerteten Daten bislang im Mai registriert, für weitergehende Angaben zu Phänologie und Aktivitätsmaximum liegen keine ausreichenden eigenen Daten vor. Nach FRITZE (in lit.) ist *A. proxima* an einem

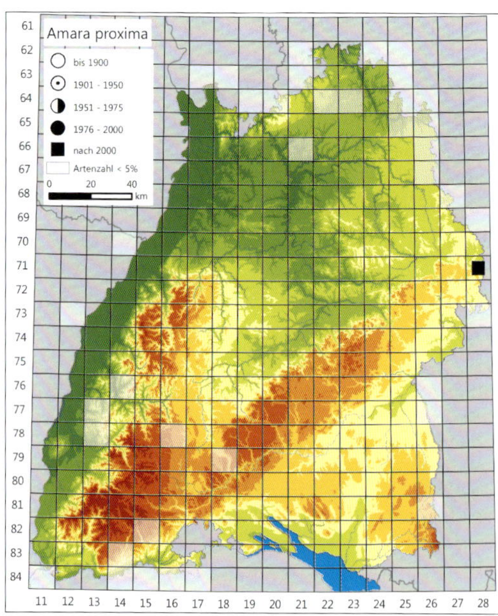

Amara proxima. Foto: O. Bleich.

knapp über 100 km entfernten Fundort in Franken bereits im April in hoher Individuenzahl aktiv, danach aber bis August nur noch mit wenigen Tieren anzutreffen.

A. proxima wird von Marggi (1992) als trockenheits- und wärmeliebende Art eingestuft, die „bisher nur auf leichten Böden [...] mit spärlicher Vegetation ohne Beschattung angetroffen" wurde. Hiermit korrespondieren die meisten Angaben aus anderen Literaturquellen. In Ungarn wurde *A. proxima* z. B. in xerothermem Grasland auf Dolomit als seltene Art nachgewiesen (Kutasi & Szél 2006), in Südtirol in einer südexponierten Rebfläche (Haas 1988). Der bereits angesprochene Fundort in Franken weist Halbtrockenrasen und Felsbandgesellschaften auf. Auch bei dem baden-württembergischen Fundort am Ipf handelt es sich um großflächig ausgebildete Halbtrockenrasen mit teilweise offenen Felsen, Kalkschotter und Kalkgrus. Nach den vorliegenden Daten kommt *A. proxima* in Bad.-Württ. als charakteristische Art der Lebensraumtypen 6210 und *6110 (Kalktrocken- und Pionierrasen) des Anhangs I der FFH-Richtlinie infrage, zudem möglicherweise auch für Wacholderheiden (Lebensraumtyp 5130).

Gefährdung und Schutz: *A. proxima* ist bundesweit (Stand 2015) als extrem seltene Art der Kategorie R eingestuft. In Bad.-Württ. (Stand 2005) wurde eine Gefährdungseinstufung bislang nicht vorgenommen, da die Art erst 2010 sicher nachgewiesen werden konnte. Beim Nachweisort handelt es sich um einen gefährdeten Lebensraumtyp, der allerdings im konkreten Fall einem bisher günstigen Management innerhalb eines Naturschutzgebiets unterliegt. Nach derzeitigem Kenntnisstand wäre im Rahmen einer Fortschreibung der Roten Liste auch landesweit die Einstufung als extrem seltene Art der Kategorie R naheliegend. Es sollte eine Prüfung weiterer potenziell geeigneter Standorte auf Vorkommen der Art im Umfeld vorgenommen werden.

Lebensraum von *Amara proxima* am Ipf. Foto: J. Rietze.

Amara pulpani

Putzeys, 1866

Pulpans Kamelläufer

Allgemeine Verbreitung: Wohl zentraleuropäisch verbreitete Art. Ihre Vorkommen in Deutschland sind aufgrund des erst in jüngerer Zeit allgemein akzeptierten Status als valide Art noch unzureichend dokumentiert. Die meisten bisherigen Nachweise stammen aus der östlichen Hälfte Deutschlands.

Vorkommen in Baden-Württemberg: Östliche Schwäbische Alb. Im Rahmen gezielter Erfassungen zu Zönosen von Halbtrockenrasen 2010 erstmals bei Herbrechtingen (Naturraum Lonetal-Flächenalb) und 2013 am Ipf bei Bopfingen (Naturraum Albuch und Härtsfeld) nachgewiesen (eigene Daten).

Lebensweise und Habitat: Art mit vollständig entwickelten Hinterflügeln (makropter), von der nach Auswertungsstand keine Flugbeobachtung vorliegt. Überwiegend räuberische Art. Hůrka & Jarošík (2001) ermittelten bei Aufzucht von Larven mit rein tierischer Kost eine Mortalitätsrate von lediglich rd. 10 %. Aktive Imagines wurden in Bad.-Württ. nach den ausgewerteten Daten bislang im Mai registriert, für weitergehende Angaben zu Phänologie und Aktivitätsmaximum liegen keine ausreichenden eigenen Daten vor. Allerdings dürften die von Paill (2003) aus der Trögener Klamm bei 850 m ü. NHN (Österreich, Kärnten) ermittelten phänologischen Angaben übertragbar sein. In beiden seiner Untersuchungsjahre „trat *A. pulpani* bereits sehr früh im Jahr auf, erreichte im Mai bzw. Anfang Juni die maximale Laufaktivität und wurde danach kaum noch im imaginalen Stadium nachgewiesen. Der sommerlarvale Entwicklungsmodus konnte durch den Fund zweier Larven im Juli des zweiten Untersuchungsjahres sowie zweier immaturer, frisch geschlüpfter Käfer im darauffolgenden August bestätigt werden“ (Paill 2003).

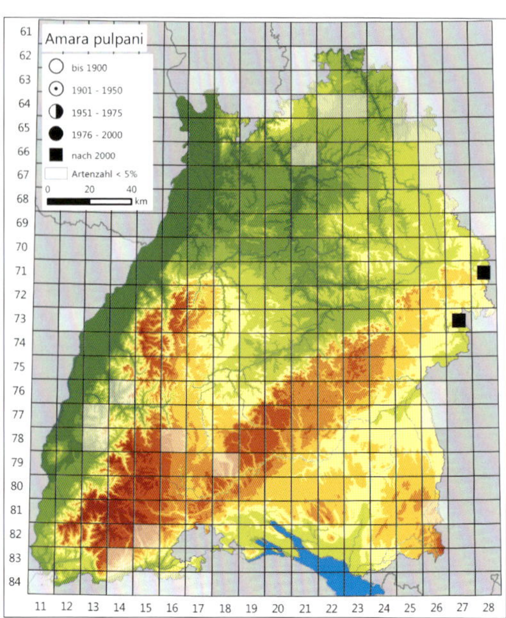

A. pulpani ist eine Art, die „extrem trockene und auch thermisch günstige“ Standorte (Paill 2003) besiedelt. Jener Autor untersuchte zwei Populationen näher, wobei es sich bei dem einen ihrer Lebensräume um „mehr oder weniger lückige Schneeheide-Kiefernbestände (Erico-Pinetum sylvestris)“ handelt, die „mosaikartig eingestreute vegetationslose Offenstellen mit Dolomitgrus-Auflage (kleinflächige Schuttfluren)“ beinhalten. Den anderen stellen „vegetationsarme Schuttfluren [...] im Bereich besonders steiler oder anthropogen beeinflusster [...] Stellen“ innerhalb „ausgedehnter, traditionell bewirtschafteter skelettbodenreicher Kalkmagerrasen (Seslerio-Caricetum sempervirentis)“ dar (Paill 2003). Müller-Kroehling (2013b) wies die Art in Bayern ebenfalls an mehreren Stellen in Schneeheide-Kiefernwäldern und in einem Fall auf Kalkmagerrasen auf Schotterterrassen der Unteren Isar nach. Demnach wird auf ansonsten geeigneten Standorten eine Überschirmung im lichten Waldbestand (in diesen Fällen vor allem Kiefern) toleriert. Die beiden in Bad.-Württ. belegten Fundorte sind Kalkmagerrasen mit eingestreuten Felsen, Kalk-

Amara pulpani. Foto: O. Bleich.

Lebensraum von *Amara pulpani* auf der Ostalb. Foto: J. Rietze.

schotter und Kalkgrus, wobei einer der Fundorte in der Fläche zerstreut niedrige Wacholderbüsche aufweist, der andere auch im Umgriff gehölzfrei ist. Nach den vorliegenden Daten kommt *A. pulpani* in Bad.-Württ. als charakteristische Art der Lebensraumtypen 6210, 5130 und *6110 (Kalktrocken- und Pionierrasen, Wacholderheiden) des Anhangs I der FFH-Richtlinie infrage.

Gefährdung und Schutz: *A. pulpani* ist bundesweit (Stand 2015) als extrem seltene Art der Kategorie R eingestuft. In Bad.-Württ. (Stand 2005) wurde eine Gefährdungseinstufung bislang nicht vorgenommen, da die Art erst 2010 sicher nachgewiesen wurde. Bei den Nachweisorten handelt es sich um gefährdete Lebensraumtypen, die allerdings im konkreten Fall einem bisher günstigen Management innerhalb von Naturschutzgebieten unterliegen. Nach derzeitigem Kenntnisstand wäre im Rahmen einer Fortschreibung der Roten Liste auch landesweit die Einstufung als extrem seltene Art der Kategorie R naheliegend. Es sollte eine Prüfung weiterer potenziell geeigneter Standorte auf Vorkommen der Art im Umfeld erfolgen.

Amara sabulosa

(Audinet-Serville, 1821)

Rundschild-Kamelläufer

Allgemeine Verbreitung: Art mit südosteuropäischem Verbreitungsschwerpunkt, östlich bis Südrußland und den Nahen Osten. In Deutschland erreicht sie ihre nördliche Arealgrenze, wobei sie

Amara sabulosa. Foto: C. Benisch.

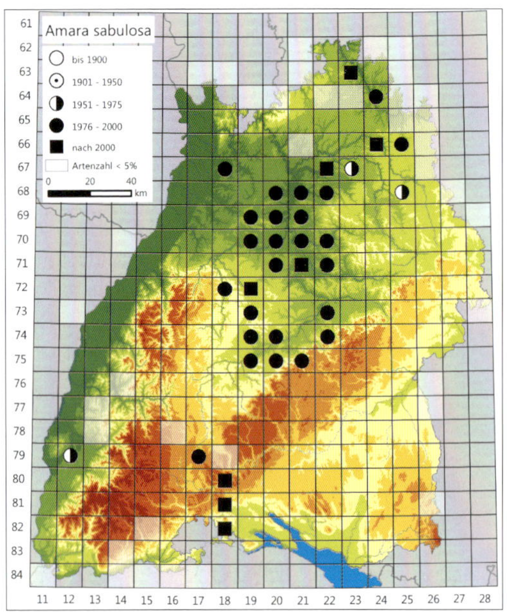

von Südwesten (Baden-Württemberg) über Mitteldeutschland nach Norden bis zum Harz vorkommt, während sie in Nordwestdeutschland, der Nord- und Ostdeutschen Tiefebene sowie großen Teilen Bayerns fehlt.

Vorkommen in Baden-Württemberg: Schwerpunkt in den Neckar- und Tauber-Gäuplatten sowie in Teilen des Schwäbischen Keuper-Lias-Landes, daneben aktuell vor allem noch im Hegau (Teil des Voralpinen Hügel- und Moorlandes) sowie im äußersten Südwesten der Schwäbischen Alb nachgewiesen.

Lebensweise und Habitat: Flugfähige (makroptere) Art. Paarung und Eiablage (schwerpunktmäßig) im Sommer und Larvalentwicklung ab Sommer/Herbst. Aktive Imagines wurden in Bad.-Württ. nach den ausgewerteten Daten zwischen April und November registriert, das Aktivitätsmaximum scheint im September und Oktober zu liegen (vgl. Baehr 1985).

A. sabulosa tritt in Acker- und Weinbaugebieten überwiegend wärmebegünstigter Lagen und bindiger Böden auf, zudem in kurzlebiger Pionier- und Ruderalvegetation z. B. in Abbaugebieten (Lehmgruben, Ziegeleien) und auf Deponien. Wesentlich ist eine lückige Vegetation an den geeigneten Standorten. Mit zunehmend dichter und höher werdender Vegetation fällt die Art aus. Bei Untersuchungen in einem Projekt in Franken wurden im zweiten Jahr nach Stilllegung einer Ackerfläche besonders hohe Aktivitätsdichten von *A. sabulosa* registriert, danach nahmen Fangzahl und Habitateignung bereits rapide ab: Im vierten Jahr

Weinbergsbrache im Heilbronner Raum. Hier trat *Amara sabulosa* im lückigen Stadium noch in höherer Individuenzahl auf.

nach Stilllegung wurde die Art nur noch als Einzelindividuum registriert (FRITZE, unveröff.).

Gefährdung und Schutz: *A. sabulosa* ist bundesweit (Stand 2015) als gefährdet eingestuft, wurde in Bad.-Württ. (Stand 2005) aber als ungefährdet bewertet. Dies ist auf Basis der inzwischen vorliegenden Daten im Zuge einer Fortschreibung der Roten Liste möglicherweise zu revidieren und die Art auch in Bad.-Württ. einer Gefährdungsstufe oder der Vorwarnliste zuzuordnen. Zwar tritt sie auch in intensiv genutzten Acker- und Weinberggebieten auf, dort jedoch i. d. R. in geringer Individuenzahl oder nur in nutzungsbegleitenden Strukturen (s. o.), die insgesamt als rückläufig einzuschätzen sind. Mögliche Gefährdungsursachen sind einerseits der direkte Verlust entsprechender offener Begleitstrukturen mit lückiger Vegetation in diesen Gebieten, andererseits für die Art ungünstige Standort- und Sukzessionsentwicklungen in Abbaugebieten im Zuge von deren Rekultivierung oder Nutzungsaufgabe. Dem sollte insbesondere durch eine verstärkte Berücksichtigung der Ansprüche der Art bei der Abbau- und Rekultivierungsplanung entgegengewirkt werden sowie durch die Förderung offener Begleitstrukturen in Acker- und Grünlandgebieten in ihrem Vorkommensgebiet, so wie es bereits für andere gefährdete Arten als wichtiges Ziel formuliert wurde.

Amara similata

(Gyllenhal, 1810)

Gewöhnlicher Kamelläufer

Allgemeine Verbreitung: Paläarktisch verbreitete Art, die nur in Teilen Nordeuropas fehlt. Sie kommt in Deutschland flächendeckend in geeigneten Lebensräumen vor.

Vorkommen in Baden-Württemberg: Landesweit mit Ausnahme großflächig walddominierter Lagen des Schwarzwalds verbreitet, fehlende Nachweise in der Verbreitungskarte sind als Erfassungslücken, i. d. R. aber nicht als ein tatsächliches Fehlen zu interpretieren.

Lebensweise und Habitat: Flugfähige (makroptere) und pflanzenfressende Art. Bei der Fortpflanzung können Samen des Gewöhnlichen Hirtentäschels (*Capsella bursa-pastoris*) anscheinend eine bedeutendere Rolle spielen, da sie im Laborversuch alleine verabreicht oder anderer Nahrung beigemischt die Fortpflanzung förderten (SASKA 2008). LUKA et al. (1998) beobachteten, dass

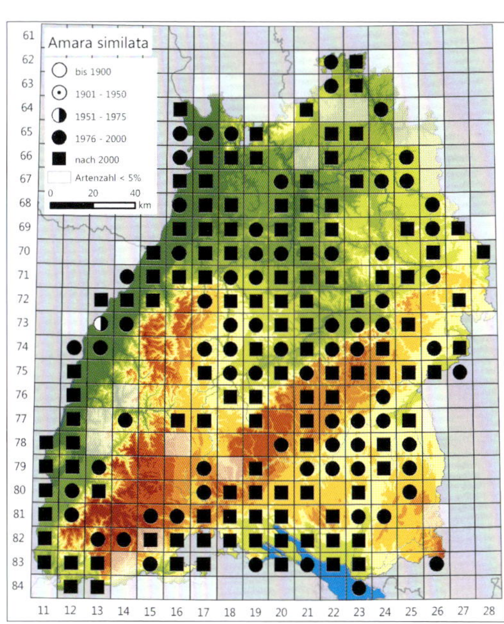

A. similata (wie *A. ovata*) Schoten, Samen und Blüten des Rapses frisst. Paarung und Eiablage (schwerpunktmäßig) im Frühjahr und Larvalentwicklung ab Frühjahr/Sommer. Aktive Imagines wurden in Bad.-Württ. nach den ausgewerteten Daten nahezu ganzjährig registriert, mit einem Aktivitätsmaximum im Mai.

A. similata ist eine sehr häufige und stet in Lebensräumen der weitgehend offenen Kulturlandschaft mittlerer Standorte vertretene Art, die z. B. in Äckern frischer Standorte besonders hohe Individuenzahlen erreicht. Neben zahlreichen Biotoptypen des Offenlands tritt sie auch – insbesondere in niedrigeren Lagen – vor allem in Laub- und Laubmischwäldern auf, dort aber meist

Amara similata. Foto: C. Benisch.

nur mit geringen Aktivitätsdichten (etwa in Eichen-Hainbuchenwäldern, Hainsimsen-Buchenwäldern; s. Trautner et al. 1998).

Gefährdung und Schutz: *A. similata* ist sowohl bundesweit (Stand 2015) als auch in Bad.-Württ. (Stand 2005) ungefährdet. Aufgrund der weiten Verbreitung mit Auftreten in unterschiedlichen, zum großen Teil ungefährdeten Lebensraumtypen überwiegend des Offenlands ist auch keine zukünftige Gefährdung absehbar. Kein Handlungsbedarf.

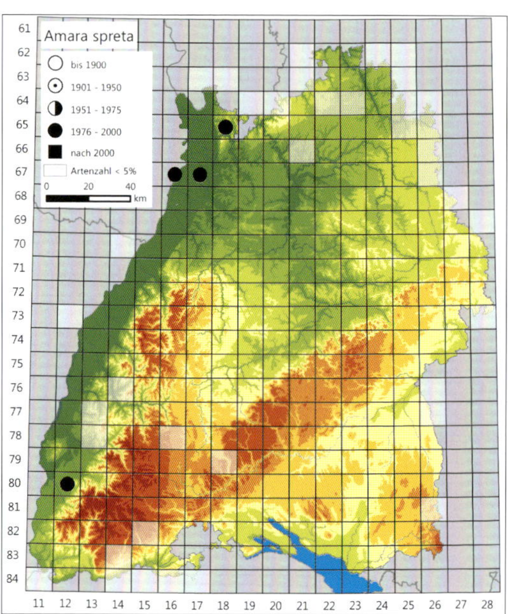

Amara spreta

Dejean, 1831

Flachhalsiger Kamelläufer

Allgemeine Verbreitung: Westpaläarktisch verbreitete Art, aber in großen Teilen Süd-, Nord- und Nordwesteuropas fehlend. Sie ist trotz kleinerer Verbreitungslücken vor allem in der nördlichen Hälfte Deutschlands in geeigneten Lebensräumen weit verbreitet, während sie in großen Teilen Süd- und Südwestdeutschlands (Baden-Württemberg, Bayern, Rheinland-Pfalz) fehlt.

Vorkommen in Baden-Württemberg: Nur einzelne Nachweise im Oberrhein-Tiefland und zu diesem randlich gelegenen Bereichen des Odenwalds und des Schwarzwalds (u. a. Maus 1987). Der von Kaiser (1997) publizierte Fund aus dem Taubergebiet geht mit hoher Wahrscheinlichkeit auf Verwechslung zurück, da kein Beleg vorhanden ist (Kaiser, in lit.). Auch die Angabe von Straub (1998) von einem Bachlauf auf der Schwäbischen Alb wird als zweifelhaft eingestuft. Diese beiden Funde wurden daher nicht in die Datenbank aufgenommen. Die alten Angaben v. d. Trappens (1930) für Besigheim und Bad Mergentheim waren Fehlbestimmungen (Horion 1959a).

Amara spreta.

Lebensweise und Habitat: Flugfähige (makroptere) Art. Nahrungsgeneralistin. Paarung und Eiablage (schwerpunktmäßig) im Frühjahr und Larvalentwicklung ab Frühjahr/Sommer. Für Angaben zu Phänologie und Aktivitätsmaximum liegen keine ausreichenden Daten vor. Die baden-württembergischen Einzelfunde datieren zwischen März und Oktober.

A. spreta hat nach bundesweit vorliegenden Daten (s. GAC 2009) ihre Schwerpunkt- oder Hauptvorkommen in offenen Lebensräumen von unter anderem sandigen Ackerbaulandschaften, Ruderalfluren, Sandmagerrasen und Grünlandgebieten. Für Bad.-Württ. kann auf keine oder keine ausreichenden Charakterisierungen der Fundorte der wenigen Einzelfunde zurückgegriffen werden.

Gefährdung und Schutz: *A. spreta* ist sowohl bundesweit (Stand 2015) als auch in Bad.-Württ. (Stand 2005) als ungefährdet eingestuft. Bei einer Fortschreibung der landesweiten Roten Liste ist bei unveränderter Datenlage eine Einstufung in die Kategorie D (Daten defizitär) angebracht. Ansonsten wird derzeit kein Handlungsbedarf gesehen.

Amara strenua

Zimmermann, 1832

Auen-Kamelläufer

Allgemeine Verbreitung: Diskontinuierlich von Südwesteuropa bis Polen verbreitete Art. In Deutschland ebenfalls weit zerstreute Vorkommen, die sich zum großen Teil entlang der großen Flüsse (u. a. Rhein, Weser, Elbe, Saale, Oder) befinden, während sie im Südosten größere Verbreitungslücken aufweist.

Vorkommen in Baden-Württemberg: Insgesamt wenige Nachweise aus dem Oberrhein-Tiefland, den Neckar- und Tauber-Gäuplatten, dem Schwäbischen Keuper-Lias-Land und dem Rand des nördlichen Talschwarzwalds. Der zuletzt genannte Fund geht auf LICHT (1993) zurück und wurde anhand des Belegtiers überpüft (t. TRAUTNER). Für die Angabe V. D. TRAPPENS (1930) über ein Vorkommen der Art bei Stuttgart (nach PINHARD: „im ausgetrockneten Bärensee") fehlen Belege (s. WOLF-SCHWENNINGER & SCHWENNINGER 1992), sie wurde daher nicht in die Datenbank aufgenommen.

Lebensweise und Habitat: Art mit vollständig entwickelten Hinterflügeln (makropter), von der nach Auswertungsstand keine Flugbeobachtung vorliegt. Pflanzenfressende Art. Die Imagines sind tagaktiv und „häufig beim Käscherfang in Grasblüten nachzuweisen" (HANDKE 2006). Paarung und Eiablage (schwerpunktmäßig) im Frühjahr

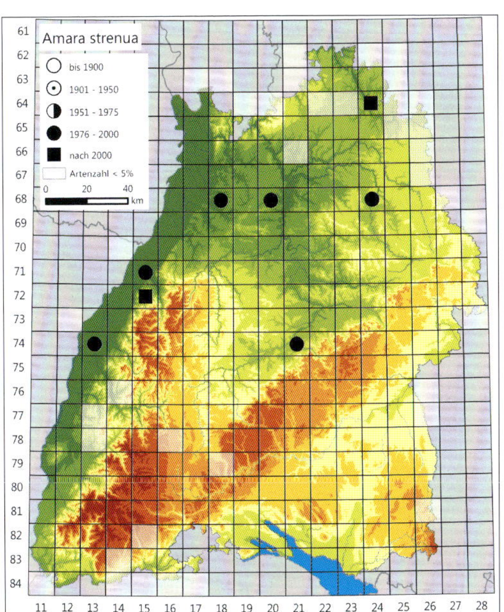

Amara strenua. Foto: O. Bleich.

und Larvalentwicklung ab Frühjahr/Sommer. Aktive Imagines wurden in Bad.-Württ. nach den ausgewerteten Daten zwischen Mai und September registriert, für die Angabe eines Aktivitätsmaximums liegen aus Bad.-Württ. keine ausreichenden Daten vor. HANDKE (2006) konnte Imagines am hessischen Oberrhein von April bis August mit einem Maximum im Juni registrieren.

A. strenua hat nach bundesweit vorliegenden Daten (s. GAC 2009) ihre Schwerpunkt- oder Hauptvorkommen im Grünland mittlerer Standorte (wo sie jedenfalls regional insbesondere in Auen zu finden ist) sowie an vegetationsreichen Ufern. HANDKE (2006) bezeichnet sie als „sehr hygrophil" und gibt an, dass sie „vor allem überschwemmte oder überstaute Wiesen im Einzugsbereich großer Flüsse" besiedelt. In Bad.-Württ. stammen die vorliegenden Funde von Ufern und Wiesen im Auebereich (z. B. WOLF-SCHWENNINGER & SCHWENNINGER 1992; eigene Daten) sowie von Ackerrändern und neu angelegten Ackersäumen (SPIES 1998, SZALLIES 2001). Wiesenartige Vegetationsbestände auf frischen bis wechselfeuchten oder -nassen Standorten dürften aber auch in Bad.-Württ. den Schwerpunktlebensraum darstellen.

Gefährdung und Schutz: Deutschland liegt im Arealzentrum der Art, beherbergt mehr als 1/10 ihrer weltweiten Populationen und trägt somit eine hohe Verantwortlichkeit für ihren Erhalt (Einstufung !; vgl. SCHMIDT et al. 2016). *A. strenua* ist bundesweit (Stand 2015) ungefährdet, in Bad.-Württ. (Stand 2005) wird aber eine Gefährdung angenommen und ist sie als Naturraumart des Informationssystems Zielartenkonzept Bad.-

Württ. (Stand 2009) eingestuft. Gefährdungsursachen könnten insbesondere eine zu intensive Grünlandnutzung, Hochwasserschutz, die Entwässerung von feuchtem Grünland oder eine Nutzungsaufgabe geeigneter Standorte im Auebereich sein. Sicherung und Förderung extensiver Grünlandnutzungen vor allem entlang der Fluss- und Bachauen unter Einschluss feuchter oder periodisch überfluteter Standorte stellen wichtige Maßnahmen zum Bestandserhalt der Art dar. Im Untersuchungsraum HANDKES (2006) am südhessischen Oberrhein war *A. strenua* weit verbreitet und am häufigsten „auf den früh gemähten Wiesen, während aus den unregelmäßig geschnittenen Altwiesen nur Einzelbeobachtungen vorlagen". Dies spricht dafür, dass Verbrachungstendenzen oder eine aus nur später oder unregelmäßiger Mahd resultierende, sehr dichte Vegetation für die Art ungünstig sind und daher in ihren Lebensräumen vermieden werden müssen. Auch aufgrund der bundesweit hohen Verantwortlichkeit sollten ihre Verbreitung in Bad.-Württ. und ihre Habitatschwerpunkte näher untersucht werden. Die Bestände der Art sollten zudem in ein langfristiges Monitoring aufgenommen werden.

Amara tibialis

(Paykull, 1798)

Zwerg-Kamelläufer

Allgemeine Verbreitung: Paläarktisch verbreitete Art, aber in großen Teilen Süd- und Nordeuropas

Amara tibialis. Foto: C. Benisch.

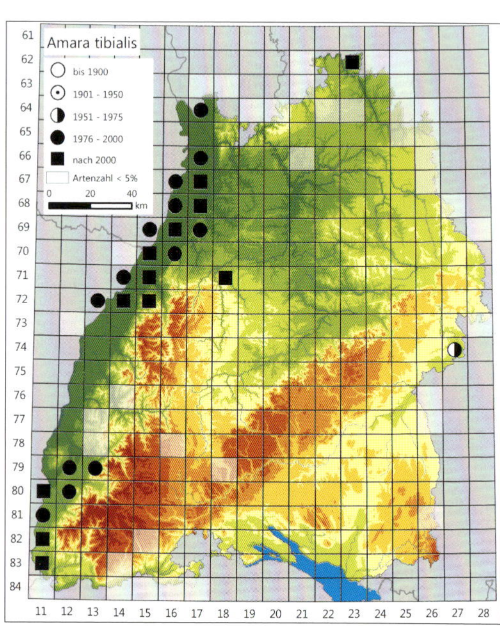

fehlend. In Deutschland ist sie weit verbreitet, wobei sie im Norden und Osten Deutschlands flächendeckender vorkommt und im Westen (Nordrhein-Westfalen, Hessen) sowie im Süden (Baden-Württemberg, Bayern) größere Verbreitungslücken aufweist.

Vorkommen in Baden-Württemberg: Schwerpunktmäßig in den Sandgebieten sowie auf sandig-kiesigen oder Lößböden des Oberrhein-Tieflands und im daran anschließenden Kraichgau verbreitet. Sehr wenige Einzelfunde aus einzelnen weiteren Naturräumen. Die alte Angabe V. D. TRAPPENS (1930) für Tübingen nach Pfarrer MÜLLER ist zweifelhaft und wurde nicht in der Datenbank berücksichtigt.

Lebensweise und Habitat: Flugfähige (makroptere) und pflanzenfressende Art. Paarung und Eiablage (schwerpunktmäßig) im Frühjahr und Larvalentwicklung ab Frühjahr/Sommer. Aktive Imagines wurden in Bad.-Württ. nach den ausgewerteten Daten zwischen April und September registriert, die meisten Fänge stammen aus dem April und Mai.

A. tibialis tritt schwerpunktmäßig an trockenen, nährstoffarmen Standorten mit sandigem oder sandig-kiesigem Untergrund (teils auch auf Löß) sowie einer jedenfalls teilweise lückigen und kurzrasigen Vegetation in sonnenexponierter Lage auf. Neben Sandrasen, auf denen sie einen deutlichen Vorkommensschwerpunkt hat, zählen hierzu Ruderal- und Brachflächen auf Industrie-, Abbau- und

Amara tibialis besiedelt magere, trockene Lebensräume wie dieses Grünland auf dem Flugplatzgelände in Freiburg im Breisgau.

Infrastrukturgelände (s. Funde bei Wolf-Schwenninger & Schwenninger 1992; eigene Daten); die Art wurde auch auf trockenen Wiesen und auf mehrjährigen Ackerbrachen mit noch offenen Bodenstellen nachgewiesen.

Gefährdung und Schutz: *A. tibialis* ist bundesweit (Stand 2015) ungefährdet, in Bad.-Württ. (Stand 2005) aber als gefährdet eingestuft und Naturraumart des Informationssystems Zielartenkonzept Bad.-Württ. (Stand 2009). Als Gefährdungsursachen sind insbesondere direkte Flächeninanspruchnahme, Eutrophierung, Aufforstung oder Sukzession nach Nutzungs- oder Pflegeaufgabe auf mageren Standorten geeigneten Untergrunds einzustufen. Dem muss durch geeignete Maßnahmen der Offenhaltung entgegengewirkt werden, wobei insbesondere Maßnahmen geeignet erscheinen, die auch zu vegetationsarmen „Störstellen" führen, z. B. Beweidung. Zudem könnte die Art von einer Förderung offener Begleitstrukturen in Acker- und Grünlandgebieten ihres Verbreitungsschwerpunkts profitieren, wie sie bereits für andere gefährdete Arten als wichtiges Ziel formuliert wurde. Auch bei der Abbau- und Rekultivierungsplanung sollten die Ansprüche der Art verstärkt berücksichtigt werden.

Amara tricuspidata

Dejean, 1831

Dreispitziger Kamelläufer

Allgemeine Verbreitung: Westpaläarktisch verbreitete Art, die in Nord- und Nordwesteuropa weitestgehend fehlt. Die in Deutschland an ihre nördliche Arealgrenze stoßende Art zeigt zwei durch eine Verbreitungslücke getrennte Teilareale im Südwesten und Osten, während sie in anderen Teilen Deutschlands weitestgehend fehlt.

Vorkommen in Baden-Württemberg: Schwerpunkt im Nordteil des Oberrhein-Tieflands und dem nordwestlichen Teil der Neckar- und Tauber-Gäuplatten. Die alte Angabe v. d. Trappens (1930) für Rohrdorf bei Isny nach Pfarrer Müller ist unglaubwürdig und wurde nicht in der Datenbank berücksichtigt. Im Großraum Stuttgart wurde die Art nur einmal vor 1950 nachgewiesen (Leudelsbachtal bei Markgrönigen, Nowotny leg., 2. Ex., VI. 1948; s. Horion 1960).

Lebensweise und Habitat: Flugfähige (makroptere) und pflanzenfressende Art. Aktive Imagines wurden in Bad.-Württ. nach den ausgewerteten Daten zwischen April und Oktober registriert, mit einem Aktivitätsmaximum im Juni. Beim Fund von LAUTERBORN (1933) Ende März im Kaiserstuhl könnte es sich um ein Tier im Winterquartier gehandelt haben.

A. tricuspidata tritt vor allem in besonnten, frischen bis trockenen Säumen und Brachen ackerbaulich genutzter Landschaften sowie im Grünland entsprechender Standorte auf; am nördlichen Oberrhein wurde sie auch im Bereich der Binnendünen und in sonnenexponierten Säumen an Waldrändern nachgewiesen. LAUTERBORN (1933) fand sie auf Lößrainen des Kaiserstuhls. In neu angelegten Saumstrukturen einer Ackerlandschaft des Kraichgaus konnte sie in teils sehr hoher Individuenzahl festgestellt werden (SPIES 1998).

Gefährdung und Schutz: *A. tricuspidata* ist bundesweit (Stand 2015) eine Art der Vorwarnliste, in Bad.-Württ. (Stand 2005) war eine Gefährdungseinstufung wegen der nach damaligem Auswertungsstand ungeklärten Verbreitungssituation nicht vorgenommen worden. Nach aktuellem Stand dürfte zumindest die bundesweite Einstufung auch für Bad.-Württ. zutreffen, wenn hier nicht im Rahmen einer Fortschreibung der landesweiten Roten Liste sogar von einer bereits bestehenden Gefährdung ausgegangen werden muss. Als Gefährdungsursachen kommen insbesondere der Verlust geeigneter nutzungsbegleitender, offener Strukturen in der Agrarlandschaft (u. a. direkte Beseitigung, Bepflanzung mit Gehölzen, Eutrophierung) sowie Nutzungs- oder Pflegeaufgabe in Grenzertragsflächen mit nachfolgender, für die Art ungünstiger Sukzession infrage. Eine Förderung offener Begleitstrukturen in Acker- und Grünlandgebieten, wie sie bereits für andere gefährdete Arten als wichtiges Ziel formuliert wurde, dürfte auch für diese Art in ihren Vorkommensgebieten der wichtigste Schutzansatz sein.

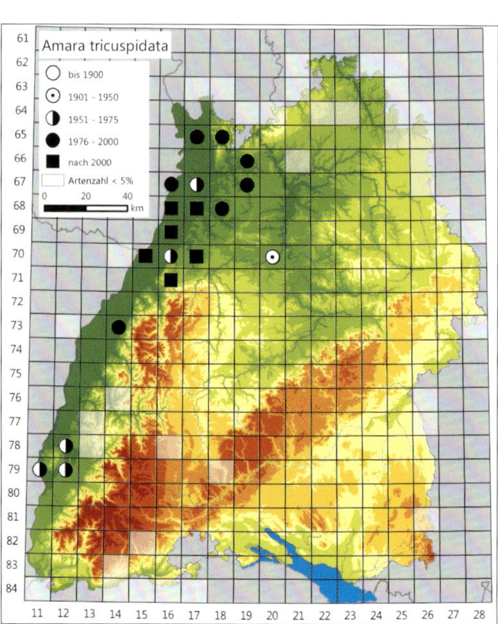

Amara tricuspidata. Foto: C. Benisch.

Zabrus tenebrioides

(Goeze, 1777)

Getreidelaufkäfer

Allgemeine Verbreitung: Westpaläarktisch verbreitete Art, im Norden und Nordwesten Europas weitestgehend fehlend. Bei lückiger Verbreitung vor allem in Süd- und Nordwestdeutschland kommt sie in allen anderen Teilen annähernd flächendeckend vor.

Vorkommen in Baden-Württemberg: Schwerpunkt in der planaren bis collinen Höhenstufe der Neckar- und Tauber-Gäuplatten, des nördlichen Oberrhein-Tieflands und Teilen des Schwäbischen Keuper-Lias-Landes. Fehlt vollständig im Schwarzwald sowie weitestgehend auf der Schwäbischen Alb, in der Donau-Iller-Lech-Platte sowie im Voralpinen Hügel- und Moorland (dort nur punktuell im Hegau am westlichen Bodensee sowie im Übergangsbereich der Lonetal-Flächenalb zum Donauried nachgewiesen). Die alte Angabe v. d. Trappens (1930) nach Pfarrer Müller für Hohentengen im Donautal ist zweifelhaft und wurde nicht in die Datenbank aufgenommen. Vom südöstlichen Rand der Schwäbischen Alb (um Niederstotzingen) ist eine ganze Reihe von Exemplaren in der Sammlung P. Dolderers belegt, die Ende der 1920er bis Ende der 1930er Jahre gesammelt wurden.

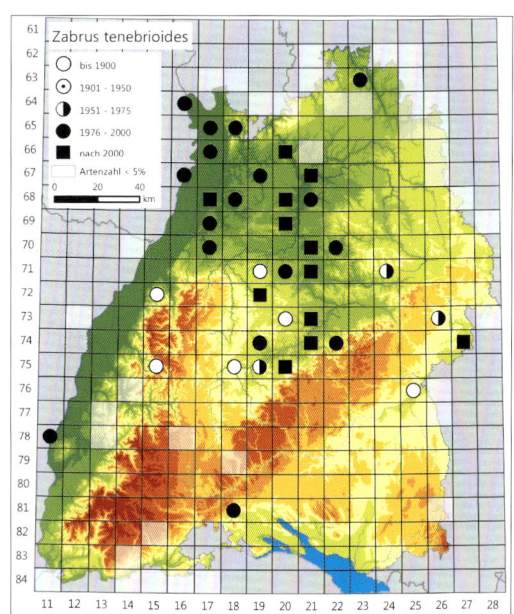

Lebensweise und Habitat: Flugfähige (makroptere) und pflanzenfressende Art, die als Schädling im Getreideanbau bekannt ist und vor allem in der Vergangenheit zu bedeutenden Ernteausfällen geführt hat (Basset 1978, Burmeister 1939), wenngleich bereits Horion (1941) darauf hinweist, dass die Art vom „Sammler-Standpunkt aus [...] als nicht häufig, nur stellen- u[nd] zeitw[eise] häufiger" bezeichnet werden müsse. Insbesondere aus dem Südwesten Deutschlands ist kaum Schadauftreten dokumentiert. Horion listet allerdings eine Reihe von Fällen mit ehemals sehr häufigem oder schädlichem Auftreten aus anderen Regionen auf, darunter bei Eisleben im Jahr 1812 („ca. 90 Hektar Kornfelder vernichtet"). Aktuell wird in der Agrarwirtschaft und -wissenschaft darauf hingewiesen, dass *Z. tenebrioides* „z. B. nach mehrjährigem Weizen-Daueranbau [...] beträchtliche Schäden verursachen" könne und die „bisher eher vereinzelten Schäden [...] auf Grund der klimatischen Veränderungen zunehmen", da die Art trockene Sommer und höhere Temperaturen präferiert (Vidal 2010). Zum Verhalten des Käfers an den Fraßpflanzen schreibt Burmeister (1939): „Nachts (seltener auch an

Zabrus tenebrioides.

schwülen, trüben Tagen) geht er auf Nahrungssuche, indem er auf Getr[eide]ähren (Roggen, Weizen, Gerste, Mais, nur selten Hafer) klettert u[nd] die milchreifen Körner vollständig, härtere mit Ausnahme der Rindenschicht verzehrt. Dabei umklammert er mit den Mittel- u[nd] Hinterbeinen so fest den Halm, daß ihn Windstöße nicht stören können; dagegen läßt er sich bei geringen Bodenerschütterungen fallen. Mit den Vordertarsen biegt er die Spelzen auseinander u[nd] zieht das Korn mit den Mandibeln heraus.“ Während die Imagines eher als Körnerfresser auffallen, ernähren sich die Larven anscheinend vorwiegend von den jungen Getreidepflanzen. Burmeister (1939) beschreibt die Öffnung der Larvenröhre, „aus der die Larve nachts hervorkommt, um die zarten Blätter [und jungen] Halme anzugreifen, die sie vielfach beim Zerfransen, Zerkauen u[nd] Aussaugen in ihre Wohnung hineinzieht [...]. Als charakteristisches Fraßbild bleiben die unverdauten Blattrippen zusammengeballt u[nd] durch den ausgespieenen Verdauungssaft graugrün verfärbt zurück.“ Besonders bei hohen Dichten kann das dritte Larvenstadium großflächig Ernteausfall verursachen (Basset 1978). Paarung und Eiablage erfolgen (schwerpunktmäßig) im Sommer und die Larvalentwicklung ab Sommer/Herbst. Aktive Imagines wurden in Bad.-Württ. nach den ausgewerteten Daten zwischen April und September registriert, mit einem Aktivitätsmaximum im August und September.

Z. tenebrioides tritt schwerpunktmäßig auf Äckern mit ihren typischen, offenen Begleitstrukturen (Säume, Brachen) auf, daneben liegen Funde aus grasreichen Brachen in Weinberggebieten und aus Wiesen vor (z. B. Wolf-Schwenninger & Schwenninger 1992: „magere, mäßig trockene Wiese“).

Gefährdung und Schutz: *Z. tenebrioides* ist weder bundesweit (Stand 2015) noch in Bad.-Württ. (Stand 2005) gefährdet. Aufgrund des Auftretens in überwiegend ungefährdeten Lebensraumtypen der Ackerbaulandschaften ist auch zukünftig keine andere Einstufung absehbar. Die Art könnte möglicherweise im Zuge klimatischer Veränderungen durch weitergehende Besiedlung bisher wenig oder nicht besetzter Naturräume mit hohem Ackeranteil (v. a. im Bereich der Schwäbischen Alb) profitieren. Es besteht kein Handlungsbedarf.